Alphonse Daudet

Alphonse DAUDET

Romans, récits et contes

Le Petit Chose
Tartarin de Tarascon
Tartarin sur les Alpes
Port-Tarascon
Numa Roumestan
Sapho
Lettres de mon moulin
Le Trésor d'Arlatan
La Doulou

Présentation d'Anne-Simone Dufief

FRANCE LOISIRS
123, boulevard de Grenelle, Paris

Édition du Club France Loisirs, Paris,
réalisée avec l'autorisation des Éditions Omnibus.

ISBN : 2-7441-1240-2

Sommaire

Présentation

Un écrivain méconnu

Pour le grand public, Alphonse Daudet n'est certes pas un inconnu : une enquête récente le place parmi les dix auteurs français spontanément cités. Mais aujourd'hui, sa notoriété repose sur Les *Lettres de mon moulin, Tartarin de Tarascon* et *Le Petit Chose*. Or, on aurait bien étonné les contemporains de Daudet en leur prédisant la survie littéraire de ces trois œuvres de jeunesse, écrites avant la trentaine. Si un critique leur avait demandé de choisir dans l'œuvre de Daudet un titre susceptible d'atteindre l'immortalité littéraire, ils auraient, sans aucun doute, nommé *Sapho, Le Nabab* ou *Numa Roumestan.*

La renommée de Daudet masque donc une situation paradoxale : son œuvre riche et diverse est aujourd'hui en grande partie ignorée — naguère encore il était bien difficile de se procurer ses romans ailleurs que chez les bouquinistes. En laissant dans l'ombre l'essentiel de la production littéraire de Daudet, nous faisons une lecture partielle et réductrice et nous avons de l'auteur une image simpliste et déformée.

Pour ses contemporains, Daudet est un grand romancier, qui en pleine crise du roman, dans les années 1890, affirme la prééminence du genre : « Le roman ! mais mon Dieu, c'est une forme d'art comme une autre. Quel besoin est-il d'en dire tant de mal ? C'est le mode d'expression le plus en rapport avec nos idées comme la tragédie l'était pour le XVIIe siècle[1]. » Les critiques et les lecteurs le situent dans la mouvance réaliste — la lignée de Flaubert et des Goncourt —, ils voient en lui un maître, un rival de Zola, son exact contemporain ; ils lui reconnaissent habituellement comme marque distinctive le charme, la sensibilité, l'émotion, l'art de prêter vie à ses personnages et surtout le don

1. *Le Gaulois*, 4 février 1892.

de raconter des histoires. Certes, en privé comme en public, des réserves s'expriment sur son talent : certains l'ont accusé de plagiat, d'autres ont vu en lui un romancier à clefs trop pressé d'exploiter l'actualité ; on a pu également lui reprocher une certaine mièvrerie perçue comme une concession à un lectorat petit-bourgeois.

Alphonse Daudet est l'une des plus brillantes figures du monde des lettres à la fin du XIXe siècle : ses « jeudis » de Paris ou de Champrosay sont très recherchés ; il est l'un des auteurs les plus lus — ses tirages sont comparables sinon supérieurs à ceux de Zola : *Sapho*, en 1884, est un triomphe. En 1885, Edmond de Goncourt décide d'aménager le grenier de sa maison d'Auteuil pour y recevoir, le dimanche, comme le faisait Flaubert rue Murillo, des écrivains et des artistes. Le « Grenier d'Auteuil » devient vite un centre littéraire très actif dont l'âme est incontestablement Alphonse Daudet, présenté comme un éblouissant causeur, un « enchanteur », dans les souvenirs et témoignages de l'époque. Il est l'ami intime de Goncourt et remplace presque dans son affection le frère Jules trop tôt disparu ; Edmond le nomme son exécuteur testamentaire et à ce titre le charge de fonder l'Académie Goncourt.

Certes la personnalité de Daudet ne fait pas l'unanimité : certains vantent la bonté de celui qui se veut « marchand de bonheur » ; d'autres le traitent de « carthaginois » et voient en lui un faux-ami : quel fut exactement son rôle lors de l'affaire du « Manifeste des Cinq » dirigé contre Zola ? Mais sa douloureuse maladie et le courage dont il fait preuve lui valent de nombreuses sympathies, entre autres celle, admirative, du jeune Proust.

Après sa mort, l'image se brouille, insensiblement d'abord, puis pendant la période de l'entre-deux-guerres où sa femme Julia Daudet joue un rôle littéraire actif. Aujourd'hui, on voit en Daudet un auteur pour la jeunesse — peut-être parce qu'on commence tôt à le lire — et le peintre folklorisant d'une Provence de convention. Par ailleurs, on lui a parfois attribué — à tort — des positions politiques qui furent celles de son fils, le vigoureux polémiste Léon Daudet.

Daudet fut un auteur vedette de l'école républicaine à laquelle son œuvre a fourni un fort contingent de dictées et de « lectures ». A la différence de Jules Vallès, l'écrivain avait confiance dans les valeurs de l'école et dans sa capacité à assurer une certaine promotion sociale, c'est pour cela que ces morceaux choisis ont pu servir la politique culturelle de la Troisième République. On retenait les mises en scènes pathétiques de la vie scolaire — comme le portrait du boursier dans *Le Petit Chose* — ou encore les contes qui associent à la peinture de l'école l'exaltation du patriotisme des humbles — à cet égard l'emploi fait de « La Dernière Classe » est exemplaire. Cette nouvelle célèbre appartient aux *Contes du lundi*, recueil de chroniques qui paraissaient le lundi pendant la guerre de 1870 et l'occupation prussienne. Elle se situe dans une école alsacienne, la veille de l'arrivée du nouvel instituteur allemand. Tout le village a voulu assister à cette dernière leçon et le maître les exhorte à n'oublier ni la patrie, ni la langue française car « quand un peuple tombe esclave, tant qu'il tient bien sa langue, c'est comme s'il tenait la clef de la prison... » Souvent lu en classe pendant la Troisième République, ce récit contribuait à maintenir vivant le souvenir des provinces perdues.

Par ailleurs, le visage riant, le ton primesautier de certaines des *Lettres de mon moulin* convenaient à l'esprit de la classe de lecture dans les écoles primaires. Les premières impressions sont si fortes que pour nombre de lecteurs adultes, rien n'efface ce premier contact, cependant si évidemment limité.

En outre, n'oublions pas que ni *Le Petit Chose*, ni les *Lettres de mon moulin*, ni même *Tartarin de Tarascon* n'étaient originairement destinées à un public enfantin. La responsabilité de ce détournement incombe à l'écrivain lui-même : il autorisa l'éditeur Hetzel à réécrire pour la jeunesse *Le Petit Chose* — et cette édition tronquée est malheureusement souvent la seule quc le grand public connaît — puis à fabriquer un volume de contes en taillant dans ses romans et nouvelles. La réputation d'auteur pour la jeunesse est en France un handicap ; il n'en va pas de même en Angleterre, pensons à la faveur dont jouit Dickens, à qui on a si souvent comparé Daudet.

Le purgatoire relatif que traverse Daudet s'explique donc par l'existence de cette image déformée à l'impact doublement négatif : soit parce que le lecteur refuse ce qui ne correspond pas à des stéréotypes, soit parce qu'il se détourne d'une œuvre envers laquelle il éprouve des préjugés. *L'Arlésienne*, et l'absence proverbiale du personnage éponyme, semble avoir jeté un sort à son créateur : on parle de lui mais on ne le lit pas.

A vrai dire, il n'est pas le seul écrivain à avoir souffert de ce discrédit, les romans de la fin du dix-neuvième siècle ont traversé cette crise de confiance. Dans les années 1960, alors que triomphait l'école du Nouveau Roman, les écrivains au style transparent ont été rejetés, et si Daudet n'en a pas été la seule victime, il a peut-être été plus touché que les autres, malgré l'opinion de Mallarmé qui admirait la prose d'Alphonse Daudet, « la plus proche qui fût du frisson ». On feignait de ne pas voir les ambiguïtés de l'œuvre, on en ignorait les zones d'ombre.

On doit également tenir compte de la désaffection du public lettré — et partant des universitaires — vis-à-vis d'auteurs trop aimés du grand public. Les mêmes partis pris avaient atteint Zola et surtout Maupassant. Daudet expierait-il aujourd'hui ses trop larges succès ? De son vivant Flaubert écrivait à George Sand, à propos des réserves que lui inspirait le roman *Jack* : « C'est tout ce que je lui reproche qui fait son succès. S'il se corrigeait de ses défauts, la vente baisserait. »

Une trilogie burlesque

Tartarin s'est échappé du cadre du roman, est devenu un personnage autonome, une référence culturelle familière. *Tartarin de Tarascon* et né d'un voyage que fait Daudet en Algérie pendant l'hiver 1861 (décembre 1861-janvier 1862), en compagnie de son cousin Henry Reynaud, grand chasseur de Montfrin. Atteint de troubles tuberculeux, l'écrivain sollicite un congé du duc de Morny, auprès de qui il remplissait les fonctions de secrétaire, pour se soigner au soleil ; Reynaud finance l'expédition, heureux de satisfaire sa passion pour la chasse. Ce périple inspire au jeune homme une longue nouvelle fantaisiste, *Chapatin le tueur de lions*, qui paraît au *Figaro* en 1863. Sa publication passe alors inaperçue, sauf du cousin, légitimement blessé d'avoir posé à son insu et qui se brouille avec Alphonse.

La mort du duc de Morny contraint Daudet à vivre à nouveau de sa plume. Il redevient chroniqueur dans ce qu'on appelait les petits journaux, où s'élaborait une littérature nouvelle qui cultivait les paradoxes, brassait les idées et bousculait les clichés : volontiers parodique, cette littérature boulevardière aimait la « blague » et trouvait dans le pastiche et la caricature un mode d'expression adapté à l'esprit du temps. Daudet élargit donc sa nouvelle et lui donne les dimensions d'un court roman qui paraît au *Petit Moniteur* avec un titre aux intentions fortement parodiques *Barbarin de Tarascon, raconté par un témoin de sa vie. Le Figaro* maintient ce parrainage parodique lorsqu'il reprend la publication et annonce : « Le Don Quichotte provençal ou les aventures prodigieuses de l'illustre Barbarin de Tarascon en France et en Algérie ». Le feuilleton ne plaît guère : les lecteurs, racontera Daudet, allant même jusqu'à menacer de se désabonner. Pour la publication en librairie, Daudet transforme le B en T, un sieur Barbarin s'étant plaint que son patronyme fût ridiculisé ; cette allitération ronflante « Tartarin de Tarascon » ne porte guère bonheur au roman qui se vend mal ; du moins obtient-il les suffrages d'un amateur de qualité, Flaubert.

Presque quinze ans plus tard, en 1883, Daudet annote ses livres de jeunesse dans l'*Histoire de mes livres* : il ne semble pas qu'il ait alors l'intention de donner suite aux aventures de son héros. Non qu'il le renie, mais l'écrivain est devenu un romancier réaliste, et si son œuvre fait place à l'humour et à l'ironie, elle s'accommoderait mal de cette verve débridée. L'année suivante, pourtant, il confie à Goncourt, horrifié, qu'il travaille à une suite de *Tartarin de Tarascon* : « En marchant à petits pas, Daudet me confesse qu'il ne travaille pas au roman qu'il devait faire après *Sapho*. Il fait sans l'avouer à personne, il fait, pour une société internationale, une sorte de *Tartarin en Suisse*, une machine qu'on lui paye deux cent soixante quinze mille francs ! Entendez-vous mânes de Gautier, Flaubert, Murger, etc. payés par Lévy quatre cents francs pour un volume en toute propriété ? Vis-à-vis de moi, Daudet est un peu honteux de son aveu et sollicite quelques paroles réconfortantes. “Ma foi, lui dis-je, la somme est telle qu'elle excuse vraiment un peu de commerce dans toute une existence littéraire. Et puis vous n'êtes pas seul sur la terre comme moi... Que diable ! Vous avez des enfants ! [1]” » *Tartarin sur les Alpes* paraît en décembre 1885 et *Port-Tarascon* en novembre 1890.

Aujourd'hui que le succès de *Tartarin de Tarascon* a éclipsé celui des œuvres réalistes du romancier, nous sommes étonnés que Daudet ait pu déclarer à un journaliste venu l'interviewer au moment de la sortie de *Tartarin sur les Alpes* : « [...] le rire est anti-artistique et de qualité secondaire en littérature [2] ». Même s'il ne faut accorder trop de crédit ni à la prétendue honte de l'auteur coupable de déserter les genres sérieux, ni aux accusations de

---

1. *Journal des Goncourt, Mémoires de la vie littéraire*, éditions Robert Ricatte, Fasquelle, Flammarion, 20 octobre 1884, t. III. p. 390.

2. Interview accordée à M. Sutter, *La Justice*, 12 décembre 1885, *in* appareil critique de *Tartarin sur les Alpes*, t. X, Œuvres complètes parues à la Librairie de France, Paris 1930. (O.C.N.V.)

vouloir réaliser une rentable opération commerciale, il est vrai que le cycle tarasconnais occupe une place un peu marginale. *Tartarin sur les Alpes* et *Port-Tarascon* attestent de la vigueur d'une veine burlesque qui prend sa source sur le boulevard et dont l'esthétique naturaliste rendait l'émergence malaisée.

Rejetant tout ancrage réaliste, tout souci de vraisemblance, la trilogie est un espace de liberté où Daudet démonte les mécanismes de deux genres qui le fascinent : le roman d'aventures, le roman exotique. La mise à nu des conventions du roman d'aventures constitue l'armature de ce cycle : le tempo de la narration, la peinture de l'exploit et la personnalité du héros sont autant d'objets de la réécriture parodique.

Le scénario de *Tartarin de Tarascon* calque la structure même du roman d'aventures : une narration au tempo rapide, une accumulation de péripéties, une succession de scènes et des transitions brusquées ; cette prééminence de l'action n'exclut ni le goût du mystère ni le suspens qui est un des principaux ressorts du genre. Daudet épouse ce schéma tout en vidant l'histoire de toute crédibilité : les épisodes s'emboîtent avec la logique impitoyable des gags dans un film comique, le récit se soumet aux exigences du portrait caricatural. Le frisson de l'aventure, désamorcé par le fou-rire, ne passe jamais sur le lecteur, les aventures sont là, mais le rythme s'emballe à vide et s'accélère jusqu'au grotesque.

Tartarin sur les Alpes a pour point de départ un défi : le héros devenu président du club alpin tarasconnais pourra-t-il escalader une haute montagne ? Ira-t-il au terme de son ascension ? Le récit fait une large place aux effets de suspens même s'il prend soin de les désamorcer par la dérision. Le roman pastiche la structure du récit d'aventures plus qu'il ne la subvertit de l'intérieur : en cela il est en recul sur la créativité débordante de *Tartarin de Tarascon*. *Port-Tarascon*, le troisième volume de la trilogie, transpose une ahurissante — mais réelle — escroquerie : les Tarasconnais achètent des terrains situés sur une île aux antipodes et s'embarquent pour la coloniser. Préparatifs, embarquement, croisière au long cours, décevante installation, lutte contre les cannibales, retour sans gloire : Daudet décalque les épisodes obligés du roman exotique, colonial, qui évoque lui aussi les dangers encourus dans les terres lointaines.

Au cœur du roman d'aventures se trouve la célébration de l'exploit, forme dégradée de l'épreuve dans les romans de chevalerie. La trilogie propose le travestissement de trois types de prouesses : l'exploit cynégétique, celui de l'alpiniste et la conquête coloniale. La chasse peut passer pour un avatar du combat contre les monstres, épreuve initiatique par excellence. Daudet use de toutes les ressources de son imagination pour renouveler le thème éculé des vantardises des chasseurs par des jeux de contraste entre la pléthore et la vacuité de la chasse : abondance des lectures cynégétiques et suréquipement du chasseur mais absence radicale de gibier. *Tartarin sur les Alpes* illustre la rêverie d'ascension, si constante dans l'imaginaire héroïque, mais le décalage permanent entre la réalité des risques encourus et l'ignorance du héros, la confusion de l'authentique et du factice dévalorisent l'apothéose qui attend l'alpiniste au sommet. La conquête d'espaces inconnus est une autre donnée du roman d'aventures, héritier du roman de voyages. Dans la trilogie, Daudet prend le contre-pied des stéréotypes qui caractérisent l'espace exotique : la représentation mythique et romantique de l'Orient est rongée par la dérision ; Tartarin découvre en Algérie une « Arabie en carton peint ». Dans *Tartarin sur les Alpes*, la haute montagne devient un gigantesque trompe-l'œil et *Port-Tarascon* inverse l'image convenue de l'île paradisiaque des robinsonnades.

Tartarin, lui-même, n'est pas tant la caricature du Méridional — même s'il est une incarnation du Midi comique, un descendant du Gascon ridicule — qu'un archétype d'antihéros, le négatif de la figure de l'aventurier. Son portrait n'obéit pas aux conventions réalistes ; transposant la manière des caricaturistes, Daudet le construit en inversant les stéréotypes romanesques. Il est caractérisé par l'exagération, variante abâtardie du grossissement épique ; c'est ainsi que la force peu commune du héros n'est plus un signe d'élection mais un élément de dérision : Tartarin est doté de « *doubles muscles* » : « Il n'y a qu'à Tarascon qu'on entend ces choses-là. » Le romancier charge le trait : le suréquipement, le goût du déguisement contribuent à ridiculiser le personnage qui apparaît, silhouette ubuesque et inoubliable, dans sa célèbre tenue de chasse qui a inspiré tant d'illustrateurs. Affublé d'une insupportable vantardise, d'une crédulité et d'une naïveté peu commune, Tartarin personnifie le jobard menteur. Si dans *Tartarin sur les Alpes* le héros se succède à lui-même, dans *Port-Tarascon* il acquiert une certaine épaisseur psychologique. Deux images se superposent : celle d'un fantoche risible et celle d'un Tartarin victime, bouc émissaire. Le héros perd sa facilité à s'illusionner ; privé de sa chimère, comme dégrisé, Tartarin devient, l'espace du dernier chapitre, un héros pathétique, plus proche de Don

Quichotte que de Sancho Pança. Le Midi tragique — celui de *L'Arlésienne* — a rattrapé le Midi comique.

Dans l'*Histoire de mes livres*, Daudet se présente non comme un blagueur — car la blague est agressive — mais comme un « galéjaïré », un malicieux plaisantin. La trilogie se nourrit de l'esprit du jeu : les inventions cocasses, les situations inattendues, les images incongrues y abondent. Daudet a recours aux jeux de mots, aux métaphores filées jusqu'à l'absurde : « La chasse à la casquette ne battait plus que d'une aile. » L'exagération et le grossissement — des armes, des bagages — sont une constante de l'esprit burlesque que réactualise la tarasconnade « cette vérité d'outre-Loire qui enfle, exagère, ne ment jamais et tarasconne tout le temps ». Daudet mime les formes orales — onomatopées, provençalismes, accents —, il fait place aux éléments farcesques ; il désoriente le lecteur en inversant les valeurs convenues, en lançant des défis au bon goût comme au bon sens.

Si marginale qu'elle soit, la trilogie est pourtant étroitement liée à un aspect fondamental de la sensibilité de Daudet : sa diplopie. La parodie, le pastiche lui permettent d'exprimer sa vision duelle du monde : c'est ainsi qu'on note dans le cycle tarasconnais de nombreux effets d'intertextualité, d'écriture à deux voix. Daudet y pastiche des œuvres qui l'attirent — romans romanesques, romans d'aventures et romans de voyages — même s'il cherche à résister à cette fascination pour ces genres décriés. A côté de pastiches ponctuels et destinés à faire rire, on retrouve certaines œuvres qui jouent dans l'imaginaire et l'inconscient de Daudet le rôle de véritables textes fondateurs — *Robinson Crusoë*, *Don Quichotte* ou *Le Mémorial de Sainte-Hélène* ; la superposition des voix fait alors entendre de subtils effets de dissonance et la parodie propose un espace libéré des contraintes du vraisemblable.

Le seul plaisir du jeu ne suffit pas à expliquer que Daudet ait opté pour la forme parodique : la modernité du genre répondait à son goût de la polyphonie ; cette forme baroque, où l'équilibre est toujours instable, épouse la vision du monde de cet écrivain sceptique, si épris de Montaigne. Le cycle tarasconnais n'est donc dans son œuvre ni une opération commerciale, ni un simple divertissement, mais une riche symphonie où peuvent s'exprimer, sans crainte de la cacophonie, dans l'ivresse d'un mensonge vertigineux, tous les « moi » d'Alphonse Daudet.

L'inspiration autobiographique

L'inspiration autobiographique, très importante dans toute l'œuvre de Daudet, est particulièrement sensible dans certaines des œuvres présentées ici. Préfaçant *Le Petit Chose* en 1882, Daudet propose de le lire comme « une sorte d'autobiographie ». L'assimilation entre l'écrivain et Daniel Eyssette était évidente pour ses proches, elle fut confirmée pour le grand public par la publication du livre d'Ernest Daudet : *Mon frère et moi*. Le sujet de *Numa Roumestan*, la vie conjugale d'un homme du Sud marié à une femme du Nord, incite à voir en Numa une manière d'autoportrait. La lettre d'Edmond de Goncourt, intime du ménage, félicitant l'auteur, est sans ambiguïté : « Cher petit Roumestan [...] j'aime votre Rosalie, parée de tous les charmes sérieux de la femme du Nord, de la vraie femme, entendez-vous, affreux petit Méridional. Hein, pour celle-ci, vous avez un peu regardé à vos côtés et vous avez bien fait. » On peut ajouter les discrètes allusions de Lucien Daudet aux infidélités de son père dans sa biographie ou les confidences gaillardes faites à Goncourt et notées dans le *Journal*. *Sapho* retranspose la liaison de jeunesse de Daudet avec Marie Rieu : rien de bien mystérieux pour le cercle des amis, la dédicace du livre « Pour mes fils, quand ils auront vingt ans » était explicite et Daudet lui-même confiera à son fils Léon le caractère autobiographique du récit.

Daudet serait-il successivement Daniel, puis Jean, puis Numa ? Peut-on se fonder sur ces trois romans pour écrire une biographie ? Non bien évidemment, encore que maints biographes se soient naïvement fiés aux confidences de l'écrivain. Notons immédiatement que dans l'*Histoire de mes livres*, dans les *Souvenirs d'un homme de lettres*, dans *Trente ans de Paris*, qui se donnent pour des témoignages, la frontière entre fiction et réalité est bien indécise : paradoxalement, à plusieurs reprises Daudet s'inspire de ses romans pour écrire ses souvenirs.

Dans *Le Petit Chose*, il exploite des épisodes de son enfance et son adolescence : la ruine de la fabrique de Vincent Daudet, l'exil lyonnais, le séjour à Alès, l'arrivée à Paris. Même en ne considérant que cette première partie où l'écrivain prétend avoir raconté son enfance, la comparaison entre les données biographiques et le roman permet de repérer des inexactitudes, des mensonges, des oublis. Certains sont véniels : Daniel Eyssette ne peut avoir pris le train pour se rendre à Paris, car la liaison n'existait pas à l'époque où Daudet situe son récit, mais le voyage fut si marquant que l'écrivain ne veut pas y renoncer ; d'autres sont plus troublants : Daniel est le dernier enfant de la famille Eyssette alors que Daudet avait une petite sœur, Anna ; d'autres modifient tout à fait le contexte sentimental et affectif : le pauvre pion passe ses vacances à bûcher les philosophes grecs et tombe malade tandis qu'Alphonse Daudet passa le congé d'été chez de riches cousins ; le jeune répétiteur fut bien renvoyé du collège mais pour des motifs assez mal élucidés.

De telles distorsions par rapport à la réalité montrent avec quelle suspicion il convient d'interpréter certaines données de *Numa Roumestan* ou de *Sapho*. Il serait pourtant injuste d'en faire le procès à Daudet ; en effet l'écrivain n'a pas promis de dire toute la vérité, il n'a même pas proposé de véritable *pacte autobiographique* ; certes, il infléchit des épisodes de sa jeunesse pour les intégrer à son récit, mais le mensonge romanesque n'exclut pas une forme de sincérité. La notion d'autobiographie peut être élargie et ces romans peuvent se lire alors comme les biographies imaginaires où l'authenticité n'est pas synonyme de l'exactitude des faits, où se confondent *Vérité et Poésie*.

Daudet réclame donc le droit au mensonge pour le romancier et cultive toutes les ambiguïtés du genre, parce qu'il constate l'impossibilité pour un écrivain sincère de ne pas se mettre tout entier dans son livre, de ne pas « habiter » ses personnages par la pratique de ce qu'il appelle « l'hypocrisie créatrice ». L'inspiration autobiographique lui paraît inévitable et légitime car tout auteur puise la matière de ses livres aux sources mêmes du souvenir. Il souligne avec force l'importance des « sensations premières », celles de la petite enfance dont il fait les matrices de l'imaginaire. Par leurs caractères fortement autobiographiques, les romans de Daudet annoncent cette littérature hybride où le vécu et l'imaginé se mêlent, qui connaîtra une grande faveur au tournant du siècle.

L'homme de lettres, un personnage central dans l'œuvre — Daniel a une vocation de poète, le narrateur des *Lettres de mon moulin* est un journaliste —, est une figure possible de l'écrivain. La douloureuse expérience de Daudet, sa rude initiation lui inspirent des peintures amères et désenchantées des milieux littéraires, de cette bohème dont il fait partie : les cafés poétiques et les coulisses des théâtres dans la deuxième partie du *Petit Chose*, le Quartier latin où Numa fait son Droit, les milieux artistiques où Sapho est une égérie. En dehors d'une lumineuse évocation de Mistral[1], l'écrivain est toujours dépeint soit comme

1. *Lettres de mon moulin*, « Le Poète Mistral ».

un martyr, soit comme un raté. On peut voir en Daniel Eyssette un sosie de Daudet grâce à qui le romancier conjure le risque de devenir un raté, sur qui il projette l'angoisse créatrice, celle-là même qu'exprime sous forme d'un mythe *La Légende de l'homme à la cervelle d'or.*

L'inspiration autobiographique, c'est aussi une sensibilité au monde que le lecteur découvre dans des motifs récurrents comme celui du couple formé par un jeune homme sans expérience et une femme plus mûre et avertie : Irma Borel et Daniel, Jean et Sapho. De cet amour ne peut naître que la souffrance. Couple réel ou fantasmatique, il est omniprésent et semble autant de variations sur cette exclamation de l'Arlésienne : « C'est un peu fort pourtant que le mépris ne puisse pas tuer l'amour... » Ce thème de l'amour aliénant, cette insistance sur la force destructrice de la sexualité, donnée essentielle de *Sapho* ou du *Trésor d'Arlatan*, sont très caractéristiques.

Léon Daudet s'étonnait que les articles nécrologiques qualifient son père d'« enchanteur », de « troubadour » ou de « poète léger » et affirmait : « Rien de plus faux que cette conception. » La présence des maladies qui entraînent la dégénérescence des corps, des nerfs, plus subtilement encore de la volonté témoignent d'un pessimisme fondamental, mais également d'une expérience quotidienne de la souffrance.

De son arrivée à Paris en 1857 à son mariage en 1867, Daudet a mené ce qu'on appelait alors la vie de bohème : ces années de vagabondage sentimental et de misère laissèrent des séquelles. C'est vers 1884 que Daudet ressentit les premières atteintes de la paralysie qui devait l'emporter ; le tabès, ou ataxie locomotrice, était alors une maladie mal connue et inguérissable. Le célèbre spécialiste des maladies nerveuses, J.B. Charcot, soigna Daudet : il le soumit à de douloureux traitements, comme la barbare pendaison par la mâchoire pour étirer la moelle épinière, il l'envoya plusieurs années consécutives faire des cures à Lamalou les-Bains, une station qu'il avait fondée. Bien qu'à l'époque le lien n'ait pas été fait entre le tabès et les lésions syphilitiques, Daudet avait le pressentiment qu'il expiait une trop tumultueuse jeunesse : « Je suis justement puni pour avoir trop aimé la vie. » confiait-il à Goncourt.

La Doulou occupe une place à part dans l'œuvre de Daudet ; se sachant condamné, l'écrivain décide de tenir un journal intime où il note ses souffrances, les progrès de sa maladie, ses inquiétudes, ses découragements. Daudet se plaisait à placer cette autobiographie éclatée dans la filiation de Montaigne, son auteur favori, dont il emportait les *Essais* jusque dans les baignoires de Lamalou lors des cures annuelles que lui avait prescrites Charcot.

« Tout ce que je demande, c'est de ne pas changer de cachot, de ne pas descendre dans un des in pace que je connais là-bas où il fait noir, où la pensée n'est plus. » L'écriture rassure Daudet sur son état psychique, l'assure de sa lucidité. Ce douloureux autoportrait suppose une ascèse, il est une tentative stoïque pour dominer ses souffrances. Mais *La Doulou* est surtout une confession : le journal joue alors le rôle de confident. A qui dire son mal et les pensées tragiques ou inavouables qu'il engendre ? Daudet note souvent l'impossibilité de se confier à ses proches : les intimes se lassent des confidences des malades. « La pitié s'émousse », note-t-il avec une lucidité amère. Ecrire son journal, c'est donc une façon de se prendre en main ; comme dans une autobiographie, on peut y saisir l'unité de son moi grâce à la présence implicite d'un lecteur, confident d'une expérience unique et douloureuse. *La Doulou* est une exploration sans préjugé de l'espace intérieur ; Daudet y découvre les limites de l'introspection classique et renouvelle la leçon de Montaigne : « Je ne peins pas l'être mais le passage. »

L'écrivain avait envisagé de publier son livre sur la douleur, mais sur les instances de sa famille il renonça à son projet, dont les traces sont très visibles dans la deuxième partie de *La Doulou*. Ces carnets commencés vers 1884 et abandonnés vers 1893, furent publiés en 1930.

Les Midis d'Alphonse Daudet

Daudet est provençal par « nature et par art ». Cette évidence — que l'on consulte sa biographie ou que l'on feuillette son œuvre — n'épuise en rien la complexité des relations entre l'écrivain et le Midi. Il faut d'abord dissiper l'erreur qui ferait de Daudet un auteur régionaliste. S'il fut l'ami de Mistral, fondateur en 1854 du félibrige dont l'objet était de défendre et promouvoir la langue, la littérature et les traditions des pays d'Oc, il ne fut jamais félibre. Par ailleurs, il ne correspond pas du tout à la définition de l'écrivain enraciné dans un terroir, gardien des traditions. Dans sa petite enfance, Daudet avait été mis en nourrice dans le petit village de Bezouce, « Mon Maillane à moi », dira-t-il plus tard. Mais il a quitté le Midi à l'âge de neuf ans, lorsque la ruine de la famille obligea les Daudet à s'installer à Lyon. En outre, il appartenait à une famille urbaine de petits industriels embourgeoisés, soucieux de se démarquer des paysans. Daudet reviendra souvent sur cette opposition entre la Provence ridicule et la Provence authentique : chez les Daudet — comme chez la tante Portal de *Numa Roumestan* —, on ne parle pas « patois » et on ne porte pas le fichu arlésien. Il *monte* à Paris en novembre 1857, à l'âge de dix-sept ans, et n'envisagera pas de retourner s'installer dans le Midi, où il ne fut jamais propriétaire, même du moulin !

Il faut aussi dissiper la légende qui ferait de Daudet un transfuge de Provence vilipendé et conspué par les Méridionaux, même si l'auteur, avec une certaine malice, s'est plu à la populariser : « *Numa Roumestan* me valut des lettres anonymes furibondes, presque toutes au timbre des pays chauds. Les félibres eux-mêmes s'enflammèrent. Des vers lus en séance m'appelaient renégat, malfaiteur. » Et il faut enfin laver Daudet du reproche injuste d'avoir donné du Midi une représentation mièvre, où la Provence semble le décor en carton-pâte d'un folklore inauthentique. Ici encore, son œuvre a été souvent dénaturée par d'indiscrets adaptateurs.

Sa représentation du Midi correspond aux deux tendances fondamentales de son œuvre que lui-même définissait comme « un singulier mélange de réalité et de poésie ». C'est par la poésie que Daudet redécouvre le Midi : le succès de *Mireille* inspire au jeune Daudet le vif désir de rencontrer Mistral. Le poète de Maillane — qu'il invite dans sa mansarde du Quartier latin dès 1859 — fut l'intercesseur de son retour à la Provence. Entre 1860 et 1866 se placent plusieurs longs séjours dans le Midi — à Saint-Laurent ou à Fontvieille chez les Ambroy — décisifs pour la sensibilité de Daudet ; ceux-ci furent aussi l'occasion de nouer de bonnes amitiés avec les félibres et surtout avec Mistral. C'est à cette époque que Daudet apprend — ou réapprend — le provençal qu'il parlait et lisait couramment ; néanmoins il n'écrivit jamais en provençal — à l'exception d'un court poème, *La Cabano*, composé vers 1865 probablement, et mis en exergue au *Trésor d'Arlatan* presque trente ans plus tard.

Les *Lettres de mon moulin* se donnent pour des lettres écrites par un Parisien pour d'autres Parisiens : le Midi n'existe donc que dans le miroir de Paris. Ainsi que le remarquait Zola, ces lettres ne sont pas des chroniques ordinaires mais « des légendes provençales, des fantaisies, des tableaux du Paris moderne, de véritables petits poèmes traités avec un art exquis ». Daudet est le créateur d'un espace poétique où se mêlent des peintures d'un Midi pastoral, mistralien, celui de *Calendal*, les évocations d'une Provence légendaire, celle d'Avignon au temps des papes et de fines observations sur la vie paysanne traditionnelle menacée par le progrès. Le charme des *Lettres de mon moulin* tient à ce mélange d'éléments contradictoires : la ville et la campagne, Paris et la Provence, le réel et l'imaginaire, la tradition et la nouveauté. Si subtile est l'alchimie que Mistral félicitait Daudet de résoudre « avec un merveilleux talent ce problème difficile : écrire le français en provençal ».

A la même époque, cependant, Daudet pose un regard moqueur sur ses compatriotes ; il engrange les éléments qui nourriront *Tartarin de Tarascon* et le cycle tarasconnais. Dans *Numa Roumestan*, le romancier propose une peinture satirique de ce Midi à outrance, dont il raille les mœurs, les habitants et l'accent. Au miroir de Paris se reflète un Midi non plus poétique mais caricatural et grimaçant. L'écrivain assume du reste cette contradiction quand il caresse le projet de réunir *L'Arlésienne* et *Tartarin* dans un même volume : « Mettre en préface à *Tartarin de Tarascon* si je le mets dans le même volume que *L'Arlésienne* : il y a deux Midis. Le Midi bourgeois, le Midi paysan. L'un est comique, l'autre est splendide. J'ai réuni exprès ces deux études, *L'Arlésienne* et *Tartarin*, comme échantillons de ces deux Midis si différents. »

Si essentielle que soit l'antithèse dans l'esthétique de Daudet, elle ne rend pas compte de l'évolution du regard de l'écrivain sur le Midi. A la fantaisie des jeunes années, au regard amusé du boulevardier sceptique succède — ou veut succéder — un regard d'ethnologue ; Daudet — acquis aux théories qui font du romancier un observateur — est gagné par le désir de « folkloriser » au sens scientifique du terme. Dans la préface de *Numa Roumestan*, il évoque un carnet vert où « sous ce titre générique "le Midi", j'ai résumé mon pays de naissance, climat, mœurs, tempérament, l'accent, les gestes, frénésies et ébullitions de notre soleil, et cet ingénu besoin de mentir qui vient d'un excès d'imagination, d'un délire expansif, bavard et bienveillant... » A la fin de sa vie, préfaçant *Vie d'Enfant* — récit de la vie d'un paysan provençal —, l'écrivain semble séduit par les théories qui chantent les vertus de l'enracinement.

Le Midi pour Daudet est surtout une source d'inspiration au sens fort du terme : la peinture du Midi réactive le mythe de l'île bienheureuse. Dans les *Lettres de mon moulin*, le moulin — et son substitut, le phare — sont des lieux strictement délimités, coupés du monde extérieur ; dans *Le Petit Chose*, le jardin de la fabrique est une image du paradis perdu ; dans *Sapho*, dans *Le Trésor d'Arlatan*, le héros vient demander à la Provence de le guérir de Paris. Le Midi est toujours rattaché au passé : passé historique et légendaire des *Lettres de mon moulin*, enfance pour les héros des autres romans ; il symbolise le retour à l'âge d'or, la recherche des émotions perdues. Il témoigne surtout de la permanence de l'être : rien de plus significatif que *Le Trésor d'Arlatan*, cette nouvelle qui, en 1897, vient animer un paysage décrit presque quarante années plus tôt dans « En Camargue ». C'est cette charge émotionnelle qui donne tant d'intensité à l'évocation des Midis d'Alphonse Daudet.

Un art impressionniste

Pour Zola, l'originalité de Daudet reposait sur le « don de l'expression personnelle » : « Dans cette union intime la réalité de la scène et la personnalité du romancier ne sont plus distinctes. [...] Un homme est là, un homme dont on entend battre le cerveau et le cœur à chaque mot. On s'abandonne à lui parce qu'il devient le maître des émotions du lecteur, parce qu'il a la force de la réalité et la toute-puissance de l'expression personnelle. » Le lecteur de Daudet ne peut que constater cette omniprésence séduisante ou irritante de l'écrivain dans son œuvre.

Présence qui explique l'absence de rupture entre Daudet conteur et Daudet romancier. Le romancier hérite de l'art du conteur, de sa capacité à établir avec ses auditeurs des rapports personnels qui facilitent le partage des émotions. Ce choix explique l'oralité du style et le recours à des procédés de théâtre. Les interventions du narrateur visent à établir une communication étroite avec le lecteur.

Très tôt, à la mort de son frère aîné, Daudet fit l'expérience de sa dualité : « [...] toute la nuit, en pleurant, en me désespérant, je me surprenais à répéter : “Il est mort...” avec l'intonation paternelle. Par là me fut révélée l'existence de mon double, de l'implacable témoin qui au milieu de notre deuil, avait retenu, comme au théâtre, la justesse d'un cri de mort et l'essayait sur mes lèvres désolées. » Cette expérience du dédoublement plus déroutante qu'angoissante le marque durablement : « Oh ! ce terrible second MOI, toujours assis pendant que l'autre est debout, agit, vit, souffre, se démène ! Ce second MOI que je n'ai jamais pu ni griser, ni faire pleurer, ni endormir ! Et comme il y voit ! et comme il est moqueur ! »

Il ne s'agit ni d'une hallucination, ni d'une expérience qui aurait sa place dans la littérature fantastique, les doubles de Daudet incarnent chacun une prise de conscience du monde. Le regard de l'écrivain est un prisme où se décompose la réalité. Ainsi Daudet épouse-t-il le point de vue du personnage souffrant, agissant tout en étant simultanément un témoin lucide, désabusé, moqueur, prompt à tracer la caricature de celui-là même sur lequel il s'apitoie.

Rien de plus contrasté que cette vision plurielle de l'écrivain : son pessimisme s'exprime naturellement par le pathétique, mais celui-ci n'exclut ni l'humour, ni le sens du comique. « Quel antiseptique que l'ironie ! » aimait-il à rappeler. Aussi le mélange des tons est-il une constante de l'œuvre.

Ce que Daudet appelle avec humour sa « diplopie » est une donnée essentielle pour comprendre l'écrivain dont la pensée se caractérise par un scepticisme fondamental. Il se défie des idées générales et des théories, il n'accorde que peu de crédit à la science et refuse l'idée d'une transcendance, adoptant pour sa part l'agnosticisme tranquille qu'il prête à Rosalie, l'héroïne de *Numa Roumestan*.

Ce scepticisme trouve son expression naturelle dans une esthétique de la fragmentation qui offre bien des analogies avec l'art impressionniste. D'une part, Daudet accorde la priorité à la sensation, refusant, au nom du vrai, d'opérer la synthèse, la recomposition intellectuelle des données immédiates des sens, remplaçant l'abstraction par la « quintessence du concret ».

D'autre part, Daudet a du monde une perception discontinue qui le conduit à adopter toutes les formes de rupture et ce à tous les niveaux de la création romanesque. Il morcelle la description pour mieux restituer un espace sans cesse déformé par le mouvement ou les jeux de lumière. A la continuité de la durée il substitue la multiplication des instants, il assouplit la linéarité du récit, multiplie et entrelace les intrigues. Pour faire entendre les diverses voix narratives, il fait une large place à la conversation, au dialogue, au soliloque et au monologue intérieur. Il démultiplie les points de vue ; il se défie de la cohérence factice de l'analyse psychologique et s'efface derrière ses personnages, les laissant parler, agir, ménageant même des zones d'ombre.

D'instinct, Daudet élimine ce qui, bien que réel, pourrait paraître affecté ou bizarre. Les situations, les caractères, les réactions sont présentés sous l'angle à la fois le plus humain et le plus universel : « D'ailleurs, je tiens avant tout à l'émotion et l'émotion se perd quand les proportions humaines sont dépassées. »

Cette quintessence du concret l'amène à retrouver l'esprit du classicisme. Et cependant, aucune vision unitaire ne se dégage de cette œuvre dont la plasticité épouse la complexité du monde et des êtres.

Un siècle a passé depuis la mort de l'écrivain en 1897 : le temps de l'objectivité semble venu pour redécouvrir une œuvre aux multiples facettes.

Anne-Simone DUFIEF

Repères chronologiques

1840 *13 mai :* Naissance à Nîmes d'A. Daudet.

1848 Révolution.

1849 Les Daudet, après la faillite de la fabrique familiale, partent s'installer à Lyon.

1851 Coup d'Etat de Louis Napoléon Bonaparte.

1854 Guerre de Crimée.
Morny, président du Corps législatif.
Fondation du félibrige.

1856 Flaubert : *Madame Bovary.*
Apogée du prestige de Napoléon III.

1857 *Mai.* Alphonse devient maître d'études au collège d'Alès.
Le 1er novembre, il quitte le collège pour des raisons mal élucidées — mais sans doute différentes de celles évoquées dans *Le Petit Chose*. Il retrouve à Paris son frère Ernest qui travaille dans le journalisme ; il souhaite devenir poète et faire une carrière littéraire.

1858 Daudet mène la « vie de bohème » et se fait introduire dans les milieux littéraires (salon de Mme Ancelot ou Brasserie des Martyrs). Il commence une

1858 F. Mistral : *Mireille.*

liaison avec Marie Rieu ; elle durera longtemps, mais Daudet ne sera pas d'une fidélité exclusive. Publication d'un recueil de vers, *Les Amoureuses*.

1859 A. Daudet rencontre Mistral, qu'il invite à dîner dans sa chambre de l'hôtel du Sénat.

1860 A. Daudet, grâce à une relation d'Ernest, est pris comme secrétaire chez le duc de Morny. Il écrit des pièces de théâtre et collabore aux journaux.

1861 Des problèmes de santé exigent du repos au soleil. Il obtient un congé et se rend dans le Midi, où son cousin Reynaud lui propose de l'accompagner en Algérie. C'est en allant s'embarquer à Marseille qu'il rencontre les félibres.

1862 Voyage en Corse.

1863 L'opposition républicaine majoritaire dans les grandes villes.

1864 Séjours à Fontvieille, en Provence.

1865 A. Daudet s'installe à Clamart où il vit en compagnie de quelques écrivains dont Paul Arène. Malgré des collaborations aux journaux, c'est une époque misérable, de vie difficile.

1865 Mort du duc de Morny.

1866 Début de la publication des *Lettres de mon moulin* dans l'*Evénement*.

1867 *Janvier.* Mariage avec Julia

	Allard, fille d'industriels du Marais, amis des arts. *Novembre*. Naissance de Léon, premier fils de l'écrivain.		
1868	*Le Petit Chose*. Pendant l'été, les Daudet s'installent à Champrosay, dans l'atelier qu'occupait Delacroix.		
1870	*Lettres de mon moulin.* *Septembre*. A. Daudet s'engage comme garde-national pendant le siège de Paris.	**1870**	*Juillet-septembre*. Guerre contre la Prusse. *4 septembre*. Déchéance de l'Empire. *19 septembre*. Début du siège de Paris.
1871	A. Daudet retourne à Champrosay alors que la Commune fait rage à Paris. *Novembre*. *Lettres à un absent*.	**1871**	*18 mars - 27 mai*. La Commune.
1872	*Tartarin de Tarascon* ne connaît qu'un succès d'estime. *L'Arlésienne* (avec musique de Bizet) est un échec absolu. A. Daudet fréquente Zola et Flaubert.		
1873	*Les Contes du lundi* : recueil de chroniques paraissant le lundi. « La Dernière Classe ». A. Daudet rencontre Edmond de Goncourt avec qui il liera une longue amitié.	**1873**	Mac-Mahon président. Début de « l'Ordre Moral ».
1874	*Femmes d'artistes.* *Robert Helmont.* *Fromont Jeune et Risler aîné*. Premier grand succès. Début d'une collaboration régulière à *L'Officiel*, où Daudet tiendra la rubrique		

	de critique dramatique jusqu'en 1880.		
1876	*Jack*, dont la lecture fera pleurer George Sand.		
1877	*Le Nabab*, chronique vivante des mœurs du Second Empire.	**1877**	Crise du 16 mai qui amènera une majorité de républicains à L'Assemblée. E. Zola : *L'Assommoir.* E. de Goncourt : *La Fille Elisa*.
1878	Naissance de Lucien, deuxième fils de l'écrivain.		
1879	La santé d'A. Daudet laisse à désirer, il a une hémoptysie et doit suivre une cure à Allevard. *Les Rois en exil*, sujet original et moderne. La facture de ce roman sera qualifiée d'impressionniste par le critique Brunetière.	**1879**	Démission de Mac-Mahon. Arrivée au pouvoir d'une moyenne et petite-bourgeoisie anticléricale, antimilitariste, attachée à la propriété privée mais hostile à la concentration du capital (les « 200 familles »). *La Marseillaise*, chant national.
1880	Cure à Royat. Séjour chez les Parrocel près d'Avignon.	**1880**	*Les soirées de Médan*. Campagnes de Zola : poussée du naturalisme.
1881	*Numa Roumestan*. Les Daudet font un voyage en Suisse avec le peintre Giuseppe de Nittis, rencontré chez Goncourt. Ce voyage inspirera *Tartarin sur les Alpes*.	**1881**	Attentats nihilistes en Russie, assassinat d'Alexandre II. *Juin-juillet*. Lois fondamentales sur la liberté de la presse, le droit de réunion.
1882	Mort de la mère de Daudet. Cure à Néris.	**1881-1882**	Lois scolaires de Ferry (gratuité, laïcité, obligation).
1883	*L'Evangéliste*. Daudet songe à se présenter à l'Académie française mais y renonce (duel avec Delpit).	**1883**	Protectorat sur l'Annam, le Tonkin, Madagascar.
1884	*Sapho* Séjour à Chamonix et à	**1884**	Loi sur le divorce. Grève d'Anzin.

	Montreux. Deuxième voyage en Suisse.		E. Zola : *Germinal.* Maupassant : *Bel Ami.* Charcot : *Leçons du mardi à la Salpêtrière.*
1885	La santé de Daudet très dégradée, paralysie nerveuse. Début d'un véritable calvaire. Charcot recommande une cure à Lamalou, Daudet s'y rendra jusqu'en 1890. *Tartarin sur les Alpes.*		
1886	Naissance d'Edmée Daudet, filleule d'Edmond de Goncourt. Les Daudet achètent une propriété à Champrosay.	**1886**	Début du Boulangisme.
1888	Souvenirs d'A. Daudet : *Trente Ans de Paris* et *Souvenirs d'un homme de lettres. L'Immortel.*		
1889	*La Lutte pour la vie* (théâtre).	**1889**	Exposition universelle. Inauguration de la Tour Eiffel.
1890	*Port-Tarascon*, dernier volume de la trilogie de Tartarin. *L'Obstacle* (théâtre).		
1891	Léon Daudet se marie avec Jeanne Hugo, la petite-fille du poète.	**1891**	Enquête de J. Huret sur l'Evolution littéraire : « Doit-on conclure à la mort du naturalisme ? »
1892	*Rose et Ninette.*	**1892**	Début du scandale du Panama. Attentat de Vaillant à la Chambre.
		1893	Election de Jaurès à Carmaux. E. Zola : fin des *Rougon-Macquart.*
1894	*Entre les frises et la rampe*, choix de chroniques théâtrales.	**1894**	Condamnation de Dreyfus.

	Les graves mésententes de Léon et Jeanne les conduisent à une séparation ; ils divorceront l'année suivante.		
1895	*La Petite Paroisse.* Voyage à Londres où Daudet rencontre entre autres l'explorateur Stanley.	**1895**	Constitution de la C.G.T. Election de Félix Faure.
1896	Voyage à Venise. *16 juillet.* Mort d'Edmond de Goncourt à Champrosay, où il était venu passer un mois d'été comme tous les ans depuis 1886.	**1896**	M. Proust : *Les Plaisirs et les Jours.*
1897	*Le Trésor d'Arlatan.* *16 décembre* : Mort d'A. Daudet, qui s'écroule en plein repas, victime d'un arrêt cardiaque. *Soutien de Famille* était en train de paraître en feuilleton ; la publication en librairie sera posthume.		

LE PETIT CHOSE

Histoire d'un enfant

Le Petit Chose fut d'abord publié en feuilleton au *Moniteur universel du soir*, entre novembre 1866 et octobre 1867, puis parut en librairie chez Hetzel en 1868.

A Paul Dalloz.

A.D.

C'est un de mes maux que les souvenirs que me donnent les lieux ; j'en suis frappée au-delà de la raison.

Mme DE SÉVIGNÉ

PREMIÈRE PARTIE

1

La fabrique

Je suis né le 13 mai 18..., dans une ville du Languedoc, où l'on trouve, comme dans toutes les villes du Midi, beaucoup de soleil, pas mal de poussière, un couvent de carmélites et deux ou trois monuments romains.

Mon père, M. Eyssette, qui faisait à cette époque le commerce des foulards, avait, aux portes de la ville, une grande fabrique dans un pan de laquelle il s'était taillé une habitation commode, tout ombragée de platanes et séparée des ateliers par un vaste jardin. C'est là que je suis venu au monde et que j'ai passé les premières, les seules bonnes années de ma vie. Aussi ma mémoire reconnaissante a-t-elle gardé du jardin, de la fabrique et des platanes un impérissable souvenir, et lorsque à la ruine de mes parents il m'a fallu me séparer de ces choses, je les ai positivement regrettées comme des êtres.

Je dois dire, pour commencer, que ma naissance ne porta pas bonheur à la maison Eyssette. La vieille Annou, notre cuisinière, m'a souvent conté depuis comme quoi mon père, en voyage à ce moment, reçut en même temps la nouvelle de mon apparition dans le monde et celle de la disparition d'un de ses clients de Marseille, qui lui emportait plus de quarante mille francs ; si bien que M. Eyssette, heureux et désolé du même coup, se demandait, comme l'autre, s'il devait pleurer pour la disparition du client de Marseille, ou rire pour l'heureuse arrivée du petit Daniel... Il fallait pleurer, mon bon monsieur Eyssette, il fallait pleurer doublement.

C'est une vérité, je fus la mauvaise étoile de mes parents. Du jour de ma naissance, d'incroyables malheurs les assaillirent par vingt endroits. D'abord nous eûmes donc le client de Marseille, puis deux fois le feu dans la même année, puis la grève des ourdisseuses, puis notre brouille avec l'oncle Baptiste, puis un procès très coûteux avec nos marchands de couleurs, puis, enfin, la Révolution de 18..., qui nous donna le coup de grâce.

A partir de ce moment, la fabrique ne battit plus que d'une aile ; petit à petit, les ateliers se vidèrent : chaque semaine un métier à bas, chaque mois une table d'impression de moins. C'était pitié de voir la vie s'en aller de notre maison comme d'un corps malade, lentement, tous les jours un peu. Une fois, on n'entra plus dans les salles du second. Une autre fois, la cour du fond fut condamnée. Cela dura ainsi pendant deux ans ; pendant deux ans, la fabrique agonisa. Enfin un jour les ouvriers ne vinrent plus, la cloche des ateliers ne sonna pas, le puits à roue cessa de grincer, l'eau des grands bassins, dans lesquels on lavait les tissus, demeura immobile, et bientôt, dans toute la fabrique, il ne resta plus que M. et Mme Eyssette, la vieille Annou, mon frère Jacques et moi ; puis, là-bas, dans le fond, pour garder les ateliers, le concierge Colombe et son fils le petit Rouget.

C'était fini, nous étions ruinés.

J'avais alors six ou sept ans. Comme j'étais très frêle et maladif, mes parents n'avaient pas voulu m'envoyer à l'école. Ma mère m'avait seulement appris à lire et à écrire, plus quelques mots d'espagnol et deux ou trois airs de guitare à l'aide desquels on m'avait fait, dans la famille, une réputation de petit prodige. Grâce à ce système d'éducation, je ne bougeais jamais de chez nous, et je pus assister dans tous ses détails à l'agonie de la maison Eyssette. Ce spectacle me laissa froid, je l'avoue ; même je trouvai à notre ruine ce côté très agréable, que je pouvais gambader à ma guise par toute la fabrique, ce qui, du temps des ouvriers, ne m'était permis que le dimanche. Je disais gravement au petit Rouget : « Maintenant, la fabrique est à moi ; on me l'a donnée pour jouer. » Et le petit Rouget me croyait. Il croyait tout ce que je lui disais, cet imbécile.

A la maison, par exemple, tout le monde ne prit pas notre débâcle aussi gaiement. Tout à coup M. Eyssette devint terrible ; c'était dans l'habitude une nature enflammée, violente, exagérée, aimant les cris, la casse et les tonnerres ; au fond, un très excellent homme, ayant seulement la main leste, le verbe haut et l'impérieux besoin de donner le tremblement à tout ce qui l'entourait. La mauvaise fortune, au lieu de l'abattre, l'exaspéra. Du soir au matin, ce fut une colère formidable qui, ne sachant à qui s'en prendre, s'attaquait à tout, au soleil, au mistral, à Jacques, à la vieille Annou, à la Révolution, oh ! surtout à la Révolution !... A entendre mon père, vous auriez juré que cette Révolution de 18..., qui nous avait mis à mal, était spécialement dirigée contre nous. Aussi, je vous prie de croire que les révolutionnaires n'étaient pas en odeur de sainteté dans la maison Eyssette. Dieu sait ce que nous avons dit de ces messieurs dans ce temps-là... Encore aujourd'hui, quand le vieux papa Eyssette (que Dieu me le conserve !) sent venir son accès de goutte, il s'étend péniblement sur sa chaise longue, et nous l'entendons dire : « Oh ! ces révolutionnaires !... »

A l'époque dont je vous parle, M. Eyssette n'avait pas la goutte, et la douleur de se voir ruiné en avait fait un homme terrible que personne ne pouvait approcher. Il fallut le saigner deux fois en quinze jours. Autour de lui, chacun se taisait ; on avait peur. A table, nous demandions du pain à voix basse. On n'osait pas même pleurer devant lui. Aussi, dès qu'il avait tourné les talons, ce n'était qu'un sanglot, d'un bout de la maison à l'autre ; ma mère, la vieille Annou, mon frère Jacques et aussi mon grand frère l'abbé, lorsqu'il venait nous voir, tout le monde s'y mettait. Ma mère, cela se conçoit, pleurait de voir M. Eyssette malheureux ; l'abbé et la vieille Annou pleuraient de voir pleurer Mme Eyssette ; quant à Jacques, trop jeune encore pour comprendre nos malheurs — il avait à peine deux ans de plus que moi —, il pleurait par besoin, pour le plaisir.

Un singulier enfant que mon frère Jacques ; en voilà un qui avait le don des larmes ! D'aussi loin qu'il me souvienne, je le vois, les yeux rouges et la joue ruisselante. Le soir, le matin, de jour, de nuit, en classe, à la maison, en promenade, il pleurait sans cesse, il pleurait partout. Quand on lui disait : « Qu'as-tu ? » il répondait en sanglotant : « Je n'ai rien. » Et, le plus curieux, c'est qu'il n'avait rien. Il pleurait comme on se mouche, plus souvent, voilà tout. Quelquefois M. Eyssette, exaspéré, disait à ma mère : « Cet enfant est ridicule, regardez-le !... c'est un fleuve. » A quoi Mme Eyssette répondait de sa voix douce : « Que veux-tu, mon ami ? cela passera en grandissant ; à son âge, j'étais comme lui. » En attendant, Jacques grandissait ; il grandissait beaucoup même, et *cela* ne lui passait pas. Tout au contraire, la singulière aptitude qu'avait cet étrange garçon à répandre sans raison des averses de larmes allait chaque jour en augmentant. Aussi la désolation de nos parents lui fut une grande fortune... C'est pour le coup qu'il s'en donna de sangloter à son aise des journées entières, sans que personne vînt lui dire : « Qu'as-tu ? »

En somme, pour Jacques comme pour moi, notre ruine avait son joli côté.

Pour ma part, j'étais très heureux. On ne s'occupait plus de moi. J'en profitais pour jouer tout le jour avec Rouget parmi les ateliers déserts, où nos pas sonnaient comme dans une église, et les grandes cours abandonnées, que l'herbe envahissait déjà. Ce jeune Rouget, fils du concierge Colombe, était un gros garçon d'une douzaine d'années, fort comme un bœuf, dévoué comme un chien, bête comme une oie et remarquable surtout par une chevelure rouge, à laquelle il devait son surnom de Rouget. Seulement, je vais vous dire : Rouget, pour moi, n'était pas Rouget. Il était tour à tour mon fidèle Vendredi, une tribu de sauvages, un équipage révolté, tout ce qu'on voulait. Moi-même, en ce temps-là, je ne m'appelais pas Daniel Eyssette : j'étais cet homme singulier, vêtu de peaux de bêtes, dont on venait de me donner les aventures, master Crusoé lui-même. Douce folie ! Le soir, après souper, je relisais mon *Robinson*, je l'apprenais par cœur ; le jour, je le jouais, je le jouais avec rage, et tout ce qui m'entourait, je l'enrôlais dans ma comédie. La fabrique n'était plus la fabrique ; c'était mon île déserte, oh ! bien déserte. Les bassins jouaient le rôle d'océan. Le jardin faisait une forêt vierge. Il y avait dans les platanes un tas de cigales qui étaient de la pièce et qui ne le savaient pas.

Rouget, lui non plus, ne se doutait guère de l'importance de son rôle. Si on lui avait demandé ce que c'était que Robinson, on l'aurait bien embarrassé ; pourtant je dois dire qu'il tenait son emploi avec la plus grande conviction, et que, pour imiter le rugissement des sauvages, il n'y en avait pas comme lui. Où avait-il appris ? Je l'ignore. Toujours est-il que ces grands rugissements de sauvage qu'il allait chercher dans le fond de sa gorge, en agitant sa forte crinière rouge, auraient fait frémir les plus braves. Moi-même, Robinson, j'en avais quelquefois le cœur bouleversé, et j'étais obligé de lui dire à voix basse : « Pas si fort, Rouget, tu me fais peur. »

Malheureusement, si Rouget imitait le cri des sauvages très bien, il savait encore mieux dire les gros mots d'enfants de la rue et jurer le nom de Notre-Seigneur. Tout en jouant, j'appris à faire comme lui, et un jour, en pleine table, un formidable juron m'échappa je ne sais comment. Consternation générale ! « Qui t'a appris cela ? Où l'as-tu entendu ? » Ce fut un événement. M. Eyssette parla tout de suite de me mettre dans une maison de correction ; mon grand frère l'abbé dit qu'avant toute chose on devait m'envoyer à confesse, puisque j'avais l'âge de raison. On me mena à confesse. Grande affaire ! Il fallait ramasser dans tous les coins de ma conscience un tas de vieux péchés qui traînaient là depuis sept ans. Je ne dormis pas de deux nuits ; c'est qu'il y en avait toute une panerée de ces diables de péchés ; j'avais mis les plus petits dessus, mais c'est égal, les autres se voyaient, et lorsque, agenouillé dans la petite armoire de chêne, il fallut montrer tout cela au curé des Récollets, je crus que je mourrais de peur et de confusion...

Ce fut fini. Je ne voulus plus jouer avec Rouget ; je savais maintenant, c'est saint Paul qui l'a dit et le curé des Récollets me le répéta, que le Démon rôde éternellement autour de nous comme un lion, *quaerens quem devoret*. Oh ! ce *quaerens quem devoret*, quelle impression il me fit ! Je savais aussi que cet intrigant de Lucifer prend tous les visages qu'il veut pour vous tenter ; et vous ne m'auriez pas ôté de l'idée qu'il s'était caché dans la peau de Rouget pour m'apprendre à jurer le nom de Dieu. Aussi mon premier soin, en rentrant à la fabrique, fut d'avertir Vendredi qu'il eût à rester chez lui dorénavant. Infortuné Vendredi ! Cet ukase lui creva le cœur, mais il s'y conforma sans une plainte. Quelquefois je l'apercevais debout, sur la porte de la loge, du côté des ateliers ; il se tenait là tristement ; et lorsqu'il voyait que je le regardais, le malheureux poussait pour m'attendrir les plus effroyables rugissements, en agitant sa crinière flamboyante ; mais plus il rugissait, plus je me tenais loin. Je trouvais qu'il ressemblait au fameux lion *quaerens*. Je lui criais : « Va-t'en ! tu me fais horreur. »

Rouget s'obstina à rugir ainsi pendant quelques jours ; puis, un matin, son père, fatigué de ces rugissements à domicile, l'envoya rugir en apprentissage, et je ne le revis plus.

Mon enthousiasme pour Robinson n'en fut pas un instant refroidi. Tout juste vers ce temps-là, l'oncle Baptiste se dégoûta subitement de son perroquet et me le donna. Ce perroquet remplaça Vendredi. Je l'installai dans une belle cage au fond de ma résidence d'hiver ; et me voilà, plus Crusoé que jamais, passant mes journées en tête à tête avec cet intéressant volatile et cherchant à lui faire dire : « Robinson, mon pauvre Robinson ! » Comprenez-vous cela ? Ce perroquet, que l'oncle Baptiste m'avait donné pour se débarrasser de son éternel bavardage, s'obstina à ne pas parler dès qu'il fut à moi... Pas plus « mon pauvre Robinson » qu'autre chose ; jamais je n'en pus rien tirer. Malgré cela, je l'aimais beaucoup et j'en avais le plus grand soin.

Nous vivions ainsi, mon perroquet et moi, dans la plus austère solitude, lorsqu'un matin il m'arriva une chose vraiment extraordinaire. Ce jour-là j'avais quitté ma cabane de bonne heure et je faisais, armé jusqu'aux dents, un voyage d'exploration à travers mon île... Tout à coup je vis venir de mon côté un groupe de trois ou quatre personnes, qui parlaient à voix très haute et gesticulaient vivement. Juste Dieu ! des hommes dans mon île ! Je n'eus que le temps de me jeter derrière un bouquet de lauriers-roses, et à plat ventre, s'il vous plaît... Les hommes passèrent près de moi sans me voir... Je crus distinguer la voix du concierge Colombe, ce qui me rassura un peu ; mais, c'est égal, dès qu'ils furent loin je sortis de ma cachette et je les suivis à distance pour voir ce que tout cela deviendrait...

Ces étrangers restèrent longtemps dans mon île... Ils la visitèrent d'un bout à l'autre dans tous ses détails. Je les vis entrer dans mes grottes et sonder avec leurs cannes la profondeur de mes océans. De temps en temps ils s'arrêtaient et remuaient la tête. Toute ma crainte était qu'ils ne vinssent à découvrir mes résidences... Que serais-je devenu, grand Dieu ! Heureusement, il n'en fut rien, et au bout d'une demi-heure, les hommes se retirèrent sans se douter seulement que l'île était habitée. Dès qu'ils furent partis, je courus m'enfermer dans une de mes cabanes, et passai là le reste du jour à me demander quels étaient ces hommes et ce qu'ils étaient venus faire.

J'allais le savoir bientôt.

Le soir, à souper, M. Eyssette nous annonça solennellement que la fabrique était vendue, et que dans un mois nous partirions tous pour Lyon, où nous allions demeurer désormais.

Ce fut un coup terrible. Il me sembla que le ciel croulait. La fabrique vendue !... Eh bien ! et mon île, mes grottes, mes cabanes ?

Hélas ! l'île, les grottes, les cabanes, M. Eyssette avait tout vendu ; il fallut tout quitter. Dieu, que je pleurai !...

Pendant un mois, tandis qu'à la maison on emballait les glaces, la vaisselle, je me promenais triste et seul dans ma chère fabrique. Je n'avais plus le cœur à jouer, vous pensez... oh ! non... J'allais m'asseoir dans tous les coins, et regardant les objets autour de moi, je leur parlais comme à des personnes ; je disais aux platanes : « Adieu, mes chers amis ! » et aux bassins : « C'est fini, nous ne nous verrons plus ! » Il y avait dans le fond du jardin un grand grenadier dont les belles fleurs rouges s'épanouissaient au soleil. Je lui dis en sanglotant : « Donne-moi une de tes fleurs. » Il me la donna. Je la mis dans ma poitrine, en souvenir de lui. J'étais très malheureux.

Pourtant, au milieu de cette grande douleur, deux choses me faisaient sourire : d'abord la pensée de monter sur un navire, puis la permission qu'on m'avait donnée d'emporter mon perroquet avec moi. Je me disais que Robinson avait quitté son île dans des conditions à peu près semblables, et cela me donnait du courage.

Enfin, le jour du départ arriva. M. Eyssette était déjà à Lyon depuis une semaine. Il avait pris les devants avec les gros meubles. Je partis donc en compagnie de Jacques, de ma mère et de la vieille Annou. Mon grand frère l'abbé ne partait pas, mais il nous accompagna jusqu'à la diligence de Beaucaire, et aussi le concierge Colombe nous accompagna. C'est lui qui marchait devant en poussant une énorme brouette chargée de malles. Derrière venait mon frère l'abbé, donnant le bras à Mme Eyssette.

Mon pauvre abbé, que je ne devais plus revoir !

La vieille Annou marchait ensuite, flanquée d'un énorme parapluie bleu et de Jacques, qui était bien content d'aller à Lyon, mais qui sanglotait tout de même... Enfin, à la queue de la colonne venait Daniel Eyssette, portant gravement la cage du perroquet et se retournant à chaque pas du côté de sa chère fabrique.

A mesure que la caravane s'éloignait, l'arbre aux grenades se haussait tant qu'il pouvait par-dessus les murs du jardin pour la voir encore une fois... Les platanes agitaient leurs branches en signe d'adieu... Daniel Eyssette, très ému, leur envoyait des baisers à tous, furtivement et du bout des doigts.

Je quittai mon île le 30 septembre 18...

2

Les babarottes [1]

O choses de mon enfance, quelle impression vous m'avez laissée ! Il me semble que c'est hier, ce voyage sur le Rhône. Je vois encore le bateau, ses passagers, son équipage ; j'entends le

1. Nom donné dans le Midi à ces gros insectes noirs que l'Académie appelle des « blattes » et les gens du Nord des « cafards ».

bruit des roues et le sifflet de la machine. Le capitaine s'appelait Géniès, le maître coq Montélimart. On n'oublie pas ces choses-là.

La traversée dura trois jours. Je passai ces trois jours sur le pont, descendant au salon juste pour manger et dormir. Le reste du temps, j'allais me mettre à la pointe extrême du navire, près de l'ancre. Il y avait là une grosse cloche qu'on sonnait en entrant dans les villes : je m'asseyais à côté de cette cloche, parmi des tas de corde ; je posais la cage du perroquet entre mes jambes et je regardais. Le Rhône était si large qu'on voyait à peine ses rives. Moi, je l'aurais voulu encore plus large, et qu'il se fût appelé : la mer ! Le ciel riait, l'onde était verte. De grandes barques descendaient au fil de l'eau. Des mariniers, guéant le fleuve à dos de mules, passaient près de nous en chantant. Parfois, le bateau longeait quelque île bien touffue, couverte de joncs et de saules. « Oh ! une île déserte ! » me disais-je dans moi-même ; et je la dévorais des yeux...

Vers la fin du troisième jour, je crus que nous allions avoir un grain. Le ciel s'était assombri subitement ; un brouillard épais dansait sur le fleuve ; à l'avant du navire on avait allumé une grosse lanterne, et, ma foi ! en présence de tous ces symptômes, je commençais à être ému... A ce moment, quelqu'un dit près de moi : « Voilà Lyon ! » En même temps la grosse cloche se mit à sonner. C'était Lyon.

Confusément, dans le brouillard, je vis des lumières briller sur l'une et l'autre rive ; nous passâmes sous un pont, puis sous un autre. A chaque fois l'énorme tuyau de la machine se courbait en deux et crachait des torrents d'une fumée noire qui faisait tousser... Sur le bateau, c'était un remue-ménage effroyable. Les passagers cherchaient leurs malles ; les matelots juraient en roulant des tonneaux dans l'ombre. Il pleuvait...

Je me hâtai de rejoindre ma mère, Jacques et la vieille Annou qui étaient à l'autre bout du bateau, et nous voilà tous les quatre, serrés les uns contre les autres sous le grand parapluie d'Annou, tandis que le bateau se rangeait au long des quais et que le débarquement commençait.

En vérité, si M. Eyssette n'était pas venu nous tirer de là, je crois que nous n'en serions jamais sortis. Il arriva vers nous, à tâtons, en criant : « Qui vive ! qui vive ! » A ce « Qui vive ! » bien connu, nous répondîmes : « Amis ! » tous les quatre à la fois avec un bonheur, un soulagement inexprimable... M. Eyssette nous embrassa lestement, prit mon frère d'une main, moi de l'autre, dit aux femmes : « Suivez-moi ! » et en route... Ah ! c'était un homme.

Nous avancions avec peine ; il faisait nuit, le pont glissait. A chaque pas, on se heurtait contre des caisses... Tout à coup, du bout du navire, une voix stridente, éplorée, arrive jusqu'à nous : « Robinson ! Robinson ! » disait la voix.

« Ah ! mon Dieu ! » m'écriai-je ; et j'essayai de dégager ma main de celle de mon père ; lui, croyant que j'avais glissé, me serra plus fort.

La voix reprit, plus stridente encore, et plus éplorée : « Robinson ! mon pauvre Robinson ! » Je fis un nouvel effort pour dégager ma main. « Mon perroquet, criai-je, mon perroquet !

— Il parle donc maintenant ? » dit Jacques.

S'il parlait, je crois bien ; on l'entendait d'une lieue... Dans mon trouble, je l'avais oublié, là-bas, tout au bout du navire, près de l'ancre, et c'est de là qu'il m'appelait, en criant de toutes ses forces : « Robinson ! Robinson ! mon pauvre Robinson ! »

Malheureusement nous étions loin ; le capitaine criait : « Dépêchons-nous. »

« Nous viendrons le chercher demain, dit M. Eyssette ; sur les bateaux, rien ne s'égare. » Et là-dessus, malgré mes larmes, il m'entraîna. Pécaïre ! le lendemain on l'envoya chercher et on ne le trouva pas... Jugez de mon désespoir : plus de Vendredi ! plus de perroquet ! Robinson n'était plus possible. Le moyen, d'ailleurs, avec la meilleure volonté du monde, de se forger une île déserte, à un quatrième étage, dans une maison sale et humide, rue Lanterne ?

Oh ! l'horrible maison ! Je la verrai toute ma vie : l'escalier était gluant ; la cour ressemblait à un puits ; le concierge, un cordonnier, avait son échoppe contre la pompe... C'était hideux.

Le soir de notre arrivée, la vieille Annou, en s'installant dans sa cuisine, poussa un cri de détresse :

« Les babarottes ! Les babarottes ! »

Nous accourûmes. Quel spectacle !... La cuisine était pleine de ces vilaines bêtes ; il y en avait sur la crédence, au long des murs, dans les tiroirs, sur la cheminée, dans le buffet, partout. Sans le vouloir, on en écrasait. Pouah ! Annou en avait déjà tué beaucoup ; mais plus elle en tuait, plus il en venait. Elles arrivaient par le trou de l'évier, on boucha le trou de l'évier ; mais le lendemain soir elles revinrent par un autre endroit, on ne sait d'où. Il fallut avoir un chat exprès pour les tuer, et toutes les nuits c'était dans la cuisine une effroyable boucherie.

Les babarottes me firent haïr Lyon dès le premier soir. Le lendemain, ce fut bien pis. Il fallait prendre des habitudes nouvelles ; les heures des repas étaient changées... Les pains n'avaient pas la même forme que chez nous. On les appelait des « couronnes ». En voilà un nom !

Chez les bouchers, quand la vieille Annou demandait une *carbonade*, l'étalier lui riait au nez ; il ne savait pas ce que c'était une « carbonade », ce sauvage !... Ah ! je me suis bien ennuyé.

Le dimanche, pour nous égayer un peu, nous allions nous promener en famille sur les quais du Rhône, avec des parapluies. Instinctivement nous nous dirigions toujours vers le midi, du côté de Perrache. « Il me semble que cela nous rapproche du pays », disait ma mère, qui languissait encore plus que moi... Ces promenades de famille étaient lugubres. M. Eyssette grondait, Jacques pleurait tout le temps, moi je me tenais toujours derrière ; je ne sais pas pourquoi, j'avais honte d'être dans la rue, sans doute parce que nous étions pauvres.

Au bout d'un mois, la vieille Annou tomba malade. Les brouillards la tuaient ; on dut la renvoyer dans le Midi. Cette pauvre fille, qui aimait ma mère à la passion, ne pouvait pas se décider à nous quitter. Elle suppliait qu'on la gardât, promettant de ne pas mourir. Il fallut l'embarquer de force. Arrivée dans le Midi, elle s'y maria de désespoir.

Annou partie, on ne prit pas de nouvelle bonne, ce qui me parut le comble de la misère... La femme du concierge montait faire le gros ouvrage ; ma mère, au feu des fourneaux, calcinait ses belles mains blanches que j'aimais tant à embrasser ; quant aux provisions, c'est Jacques qui les faisait. On lui mettait un grand panier sous le bras, en lui disant : « Tu achèteras ça et ça » ; et il achetait ça et ça très bien, toujours en pleurant, par exemple.

Pauvre Jacques ! il n'était pas heureux, lui non plus. M. Eyssette, de le voir éternellement la larme à l'œil, avait fini par le prendre en grippe et l'abreuvait de taloches... On entendait tout le jour : « Jacques tu es un butor ! Jacques tu es un âne ! » Le fait est que, lorsque son père était là, le malheureux Jacques perdait tous ses moyens. Les efforts qu'il faisait pour retenir ses larmes le rendaient laid. M. Eyssette lui portait malheur. Ecoutez la scène de la cruche :

Un soir, au moment de se mettre à table, on s'aperçoit qu'il n'y a plus une goutte d'eau dans la maison.

« Si vous voulez, j'irai en chercher », dit ce bon enfant de Jacques.

Et le voilà qui prend la cruche, une grosse cruche de grès.

M. Eyssette hausse les épaules :

« Si c'est Jacques qui y va, dit-il, la cruche est cassée, c'est sûr.

— Tu entends, Jacques — c'est Mme Eyssette qui parle avec sa voix tranquille —, tu entends, ne la casse pas, fais bien attention. »

M. Eyssette reprend :

« Oh ! tu as beau lui dire de ne pas la casser, il la cassera tout de même. »

Ici, la voix éplorée de Jacques :

« Mais enfin, pourquoi voulez-vous que je la casse ?

— Je ne veux pas que tu la casses, je te dis que tu la casseras », répond M. Eyssette, et d'un ton qui n'admet pas de réplique.

Jacques ne réplique pas ; il prend la cruche d'une main fiévreuse et sort brusquement avec l'air de dire :

« Ah ! je la casserai ? Eh bien, nous allons voir. »

Cinq minutes, dix minutes se passent ; Jacques ne revient pas. Mme Eyssette commence à se tourmenter :

« Pourvu qu'il ne lui soit rien arrivé !

— Parbleu ! que veux-tu qu'il lui soit arrivé ? dit M. Eyssette d'un ton bourru. Il a cassé la cruche et n'ose plus rentrer. »

Mais tout en disant cela — avec son air bourru, c'était le meilleur homme du monde —, il se lève et va ouvrir la porte pour voir un peu ce que Jacques était devenu. Il n'a pas loin à aller ; Jacques est debout sur le palier, devant la porte, les mains vides, silencieux, pétrifié. En voyant M. Eyssette, il pâlit, et d'une voix navrante et faible, oh ! si faible : « Je l'ai cassée », dit-il... Il l'avait cassée !...

Dans les archives de la maison Eyssette, nous appelons cela « la scène de la cruche ».

Il y avait environ deux mois que nous étions à Lyon, lorsque nos parents songèrent à nos études. Mon père aurait bien voulu nous mettre au collège, mais c'était trop cher. « Si nous les envoyions dans une manécanterie ? dit Mme Eyssette ; il paraît que les enfants y sont bien. » Cette idée sourit à mon père, et comme Saint-Nizier était l'église la plus proche, on nous envoya à la manécanterie de Saint-Nizier.

C'était très amusant, la manécanterie ! Au lieu de nous bourrer la tête de grec et de latin comme dans les autres institutions, on nous apprenait à servir la messe du grand et du petit côté, à chanter les antiennes, à faire des génuflexions, à encenser élégamment, ce qui est très difficile. Il y avait bien par-ci, par-là, quelques heures dans le jour consacrées aux déclinaisons et à l'*Epitome*, mais ceci n'était qu'accessoire. Avant tout, nous étions là pour le service de l'église. Au moins une fois par semaine, l'abbé Micou nous disait entre deux prises et d'un air solennel : « Demain, messieurs, pas de classe du matin ! Nous sommes d'enterrement. »

Nous étions d'enterrement. Quel bonheur ! Puis c'étaient des baptêmes, des mariages, une visite de Monseigneur, le viatique qu'on portait à un malade. Oh ! le viatique ! comme on était fier quand on pouvait l'accompagner !... Sous un petit dais de velours rouge marchait le prêtre, portant l'hostie et les saintes huiles. Deux enfants de chœur soutenaient le dais, deux autres l'escortaient avec de gros falots dorés. Un cinquième marchait devant, en agitant une crécelle. D'ordinaire, c'étaient mes fonctions... Sur le passage du viatique, les hommes se découvraient, les femmes se signaient. Quand on passait devant un poste, la sentinelle criait : « Aux armes ! », les soldats accouraient et se mettaient en rang. « Présentez armes ! Genou terre ! » disait l'officier... Les fusils sonnaient, le tambour battait aux champs. J'agitais ma crécelle par trois fois, comme au *Sanctus*, et nous passions.

Chacun de nous avait dans une petite armoire un fourniment complet d'ecclésiastique : une soutane noire avec une longue queue, une aube, un surplis, à grandes manches roides d'empois, des bas de soie noire, deux calottes, l'une en drap, l'autre en velours, des rabats bordés de petites perles blanches, tout ce qu'il fallait.

Il paraît que ce costume m'allait très bien : « Il est à croquer là-dessous », disait Mme Eyssette. Malheureusement j'étais très petit, et cela me désespérait. Figurez-vous que, même en me haussant, je ne montais guère plus haut que les bas blancs de M. Caduffe, notre suisse, et puis si frêle !... Une fois, à la messe, en changeant les Evangiles de place, le gros livre était si lourd qu'il m'entraîna. Je tombai de tout mon long sur les marches de l'autel. Le pupitre fut brisé, le service interrompu. C'était un jour de Pentecôte. Quel scandale !... A part ces légers inconvénients de ma petite taille, j'étais très content de mon sort, et souvent le soir, en nous couchant, Jacques et moi, nous nous disions : « En somme, c'est très amusant la manécanterie. » Par malheur, nous n'y restâmes pas longtemps. Un ami de la famille, recteur d'université dans le Midi, écrivit un jour à mon père que s'il voulait une bourse d'externe au collège de Lyon pour un de ses fils, on pourrait lui en avoir une.

« Ce sera pour Daniel, dit M. Eyssette.

— Et Jacques ? dit ma mère.

— Oh ! Jacques ! je le garde avec moi ; il me sera très utile. D'ailleurs, je m'aperçois qu'il a du goût pour le commerce. Nous en ferons un négociant. »

De bonne foi, je ne sais comment M. Eyssette avait pu s'apercevoir que Jacques avait du goût pour le commerce. En ce temps-là, le pauvre garçon n'avait du goût que pour les larmes, et si on l'avait consulté... Mais on ne le consulta pas, ni moi non plus.

Ce qui me frappa d'abord, à mon arrivée au collège, c'est que j'étais le seul avec une blouse. A Lyon, les fils de riches ne portent pas de blouses ; il n'y a que les enfants de la rue, les *gones* comme on dit. Moi, j'en avait une, une petite blouse à carreaux qui datait de la fabrique ; j'avais une blouse, j'avais l'air d'un gone... Quand j'entrai dans la classe, les élèves ricanèrent. On disait : « Tiens ! il a une blouse ! » Le professeur fit la grimace et tout de suite me prit en aversion. Depuis lors, quand il me parla, ce fut toujours du bout des lèvres, d'un air méprisant. Jamais il ne m'appela par mon nom ; il disait toujours : « Eh ! vous là-bas, le petit Chose ! » Je lui avais dit pourtant plus de vingt fois que je m'appelais Daniel Ey-ssette... A la fin, mes camarades me surnommèrent « le petit Chose », et le surnom me resta...

Ce n'était pas seulement ma blouse qui me distinguait des autres enfants. Les autres avaient de beaux cartables en cuir jaune, des encriers de buis qui sentaient bon, des cahiers cartonnés, des livres neufs avec beaucoup de notes dans le bas ; moi, mes livres étaient de vieux bouquins achetés sur les quais, moisis, fanés, sentant le rance ; les couvertures étaient toujours en lambeaux, quelquefois il manquait des pages. Jacques faisait bien de son mieux pour me les relier avec du gros carton et de la colle forte ; mais il mettait toujours trop de colle, et cela puait. Il m'avait fait aussi un cartable avec une infinité de poches, très commode, mais toujours trop de colle. Le besoin de coller et de cartonner était devenu chez Jacques une manie comme le besoin de pleurer. Il avait constamment devant le feu un tas de petits pots de colle, et, dès qu'il pouvait s'échapper du magasin un moment, il collait, reliait, cartonnait. Le reste du temps, il portait des paquets en ville, écrivait sous la dictée, allait aux provisions — le commerce enfin.

Quant à moi, j'avais compris que lorsqu'on est boursier, qu'on porte une blouse, qu'on s'appelle « le petit Chose », il faut travailler deux fois plus que les autres pour être leur égal, et ma foi ! le petit Chose se mit à travailler de tout son courage.

Brave petit Chose ! Je le vois, en hiver, dans sa chambre sans feu, assis à sa table de travail, les jambes enveloppées d'une couverture. Au-dehors, le givre fouettait les vitres. Dans le magasin, on entendait M. Eyssette qui dictait :

« J'ai reçu votre honorée du 8 courant. »

Et la voix pleurarde de Jacques qui reprenait :

« J'ai reçu votre honorée du 8 courant. »

De temps en temps, la porte de la chambre s'ouvrait doucement : c'était Mme Eyssette qui entrait. Elle s'approchait du petit Chose sur la pointe des pieds. Chut !...

« Tu travailles ? lui disait-elle tout bas.

— Oui, mère.

— Tu n'as pas froid ?

— Oh ! non ! »

Le petit Chose mentait, il avait bien froid, au contraire.

Alors Mme Eyssette s'asseyait auprès de lui, avec son tricot, et restait là de longues heures, comptant ses mailles à voix basse, avec un gros soupir de temps en temps.

Pauvre Mme Eyssette ! Elle y pensait toujours à ce cher pays qu'elle n'espérait plus revoir... Hélas ! pour son malheur, pour notre malheur à tous, elle allait le revoir bientôt...

3

Il est mort ! Priez pour lui !

C'était un lundi du mois de juillet.

Ce jour-là, en sortant du collège, je m'étais laissé entraîner à faire une partie de barres, et lorsque je me décidai à rentrer à la maison, il était beaucoup plus tard que je n'aurais voulu. De la place des Terreaux à la rue Lanterne, je courus sans m'arrêter, mes livres à la ceinture, ma casquette entre les dents. Toutefois, comme j'avais une peur effroyable de mon père, je repris haleine une minute dans l'escalier, juste le temps d'inventer une histoire pour expliquer mon retard. Sur quoi, je sonnai bravement.

Ce fut M. Eyssette lui-même qui vint m'ouvrir. « Comme tu

viens tard ! » me dit-il. Je commençais à débiter mon mensonge en tremblant ; mais le cher homme ne me laissa pas achever, et, m'attirant sur sa poitrine, il m'embrassa longuement et silencieusement.

Moi qui m'attendais pour le moins à une verte semonce, cet accueil me surprit. Ma première idée fut que nous avions le curé de Saint-Nizier à dîner ; je savais par expérience qu'on ne nous grondait jamais ces jours-là. Mais en entrant dans la salle à manger, je vis tout de suite que je m'étais trompé. Il n'y avait que deux couverts sur la table, celui de mon père et le mien.

« Et ma mère ? et Jacques ? » demandai-je, étonné.

M. Eyssette me répondit d'une voix douce qui ne lui était pas habituelle :

« Ta mère et Jacques sont partis, Daniel ; ton frère l'abbé est bien malade. »

Puis, voyant que j'étais devenu tout pâle, il ajouta presque gaiement pour me rassurer :

« Quand je dis bien malade, c'est une façon de parler : on nous a écrit que l'abbé était au lit ; tu connais ta mère, elle a voulu partir, et je lui ai donné Jacques pour l'accompagner... En somme, ce ne sera rien !... Et maintenant, mets-toi là et mangeons ; je meurs de faim. »

Je m'attablai sans rien dire, mais j'avais le cœur serré et toutes les peines du monde à retenir mes larmes, en pensant que mon grand frère l'abbé était bien malade. Nous dînâmes tristement en face l'un de l'autre, sans parler. M. Eyssette mangeait vite, buvait à grands coups, puis s'arrêtait subitement et songeait... Pour moi, immobile au bout de la table et comme frappé de stupeur, je me rappelais les belles histoires que l'abbé me contait lorsqu'il venait à la fabrique. Je le voyais retroussant bravement sa soutane pour franchir les bassins. Je me souvenais aussi du jour de sa première messe, où toute la famille assistait ; comme il était beau lorsqu'il se tournait vers nous, les bras ouverts, disant *Dominus vobiscum* d'une voix si douce que Mme Eyssette en pleurait de joie !... Maintenant je me le figurais là-bas, couché, malade (oh ! bien malade ; quelque chose me le disait), et ce qui redoublait mon chagrin de le savoir ainsi, c'est une voix que j'entendais me crier au fond du cœur : « Dieu te punit, c'est ta faute ! Il fallait rentrer tout droit ! Il fallait ne pas mentir ! » Et plein de cette effroyable pensée que Dieu, pour le punir, allait faire mourir son frère, le petit Chose se désespérait en lui-même, disant : « Jamais, non ! jamais je ne jouerai plus aux barres en sortant du collège. »

Le repas terminé, on alluma la lampe, et la veillée commença. Sur la nappe, au milieu des débris du dessert, M. Eyssette avait posé ses gros livres de commerce et faisait ses comptes à haute voix. Finet, le chat des babarottes, miaulait tristement en rôdant autour de la table... ; moi, j'avais ouvert la fenêtre et je m'y étais accoudé... Il faisait nuit, l'air était lourd... On entendait les gens d'en bas rire et causer devant leurs portes, et les tambours du fort Loyasse battre dans le lointain... J'étais là depuis quelques instants, pensant à des choses tristes et regardant vaguement dans la nuit, quand un violent coup de sonnette m'arracha de ma croisée brusquement. Je regardai mon père avec effroi, et je crus voir passer sur son visage le frisson d'angoisse et de terreur qui venait de m'envahir. Ce coup de sonnette lui avait fait peur, à lui aussi.

« On sonne ! me dit-il presque à voix basse.

— Restez, père, j'y vais. » Et je m'élançai vers la porte.

Un homme était debout sur le seuil. Je l'entrevis dans l'ombre, me tendant quelque chose que j'hésitais à prendre.

« C'est une dépêche, dit-il.

— Une dépêche, grand Dieu ! pour quoi faire ? »

Je la pris en frissonnant, et déjà je repoussais la porte ; mais l'homme la retint avec son pied et me dit froidement :

« Il faut signer. »

Il fallait signer ! Je ne savais pas : c'était la première dépêche que je recevais.

« Qui est là, Daniel ? » me cria M. Eyssette ; sa voix tremblait.

Je répondis :

« Rien ! c'est un pauvre... » Et faisant signe à l'homme de m'attendre, je courus à ma chambre, je trempai ma plume dans l'encre à tâtons, puis je revins.

L'homme dit :

« Signez là. »

Le petit Chose signa d'une main tremblante, à la lueur des lampes de l'escalier ; ensuite il ferma la porte et rentra, tenant la dépêche cachée sous sa blouse.

Oh ! oui, je te tenais cachée sous ma blouse, dépêche de malheur ! Je ne voulais pas que M. Eyssette te vît ; car d'avance je savais que tu venais nous annoncer quelque chose de terrible, et lorsque je t'ouvris, tu ne m'appris rien de nouveau, entends-tu, dépêche ! Tu ne m'appris rien que mon cœur n'eût déjà deviné.

« C'était un pauvre ? » me dit mon père en me regardant.

Je répondis, sans rougir : « C'était un pauvre » ; et pour détourner ses soupçons, je repris ma place à la croisée.

J'y restai encore quelque temps, ne bougeant pas, ne parlant pas, serrant contre ma poitrine ce papier qui me brûlait.

Par moments, j'essayais de me raisonner, de me donner du courage, je me disais : « Qu'en sais-tu ? c'est peut-être une bonne nouvelle. Peut-être on écrit qu'il est guéri... » Mais, au fond, je sentais bien que ce n'était pas vrai, que je me mentais à moi-même, que la dépêche ne dirait pas qu'il était guéri.

Enfin, je me décidai à passer dans ma chambre pour savoir une bonne fois à quoi m'en tenir. Je sortis de la salle à manger, lentement, sans avoir l'air ; mais quand je fus dans ma chambre, avec quelle rapidité fiévreuse j'allumai ma lampe ! Et comme mes mains tremblaient en ouvrant cette dépêche de mort ! Et de quelles larmes brûlantes je l'arrosai, lorsque je l'eus ouverte !... Je la relus vingt fois, espérant toujours m'être trompé ; mais, pauvre de moi ! j'eus beau la lire et la relire, et la tourner dans tous les sens, je ne pus lui faire dire autre chose que ce qu'elle avait dit d'abord, ce que je savais bien qu'elle dirait :

Il est mort ! Priez pour lui !

Combien de temps je restai là, debout, pleurant devant cette dépêche ouverte, je l'ignore. Je me souviens seulement que les yeux me cuisaient beaucoup, et qu'avant de sortir de ma chambre je baignai mon visage longuement. Puis, je rentrai dans la salle à manger, tenant dans ma petite main crispée la dépêche trois fois maudite.

Et maintenant, qu'allais-je faire ? Comment m'y prendre pour annoncer l'horrible nouvelle à mon père, et quel ridicule enfantillage m'avait poussé à la garder pour moi seul ? Un peu plus tôt, un peu plus tard, est-ce qu'il ne l'aurait pas su ? Quelle folie ! Au moins, si j'étais allé droit à lui lorsque la dépêche était arrivée, nous l'aurions ouverte ensemble ; à présent, tout serait dit.

Or, tandis que je me parlais à moi-même, je m'approchai de la table et je vins m'asseoir à côté de M. Eyssette, juste à côté de lui. Le pauvre homme avait fermé ses livres, et, de la barbe de sa plume, s'amusait à chatouiller le museau blanc de Finet. Cela me serrait le cœur qu'il s'amusât ainsi. Je voyais sa bonne figure, que la lampe éclairait à demi, s'animer et rire par moments, et j'avais envie de lui dire : « Oh ! non, ne riez pas ; ne riez pas, je vous en prie. »

Alors, comme je le regardais ainsi tristement, avec ma dépêche à la main, M. Eyssette leva la tête. Nos regards se rencontrèrent, et je ne sais pas ce qu'il vit dans le mien, mais je sais que sa figure se décomposa tout à coup, qu'un grand cri jaillit de sa poitrine, qu'il me dit d'une voix à fendre l'âme : « Il est mort, n'est-ce pas ? », que la dépêche glissa de mes doigts, que je tombai dans ses bras en sanglotant, et que nous pleurâmes longuement, éperdus, dans les bras l'un de l'autre, tandis qu'à nos pieds Finet jouait avec la dépêche, l'horrible dépêche de mort, cause de toutes nos larmes.

Ecoutez, je ne mens pas : voilà longtemps que ces choses se sont passées, voilà longtemps qu'il dort dans la terre, mon cher abbé que j'aimais tant ; eh bien, encore aujourd'hui, quand je reçois une dépêche, je ne peux pas l'ouvrir sans un frisson de terreur. Il me semble toujours que je vais lire qu'*il est mort*, et qu'il faut *prier pour lui !*

4

Le cahier rouge

On trouve dans les vieux missels de naïves enluminures, où la Dame des sept douleurs est représentée ayant sur chacune de ses joues une grande ride profonde, cicatrice divine que l'artiste a mise là pour nous dire : « Regardez comme elle a pleuré !... » Cette ride — la ride des larmes —, je jure que je l'ai vue sur le visage amaigri de Mme Eyssette, lorsqu'elle revint à Lyon, après avoir enterré son fils.

Pauvre mère, depuis ce jour elle ne voulut plus sourire. Ses robes furent toujours noires, son visage toujours désolé. Dans ses vêtements comme dans son cœur, elle prit le grand deuil, et ne le quitta jamais... Du reste, rien de changé dans la maison Eyssette ; ce fut un peu plus lugubre, voilà tout. Le curé de Saint-Nizier dit quelques messes pour le repos de l'âme de l'abbé. On tailla deux vêtements noirs pour les enfants dans une vieille roulière de leur père, et la vie, la triste vie recommença.

Il y avait déjà quelque temps que notre cher abbé était mort, lorsqu'un soir, à l'heure de nous coucher, je fus très étonné de voir Jacques fermer notre chambre à double tour, boucher soigneusement les rainures de la porte, et, cela fait, venir vers moi, d'un grand air de solennité et de mystère.

Il faut vous dire que, depuis son retour du Midi, un singulier changement s'était opéré dans les habitudes de l'ami Jacques. D'abord, ce que peu de personnes voudront croire, Jacques ne pleurait plus, ou presque plus ; puis son fol amour du cartonnage lui avait à peu près passé. Les petits pots de colle allaient encore au feu de temps en temps, mais ce n'était plus avec le même entrain ; maintenant, si vous aviez besoin d'un cartable, il fallait vous mettre à genoux pour l'obtenir... Des choses incroyables ! un carton à chapeaux que Mme Eyssette avait commandé était sur le chantier depuis huit jours... A la maison, on ne s'apercevait de rien ; mais moi, je voyais bien que Jacques avait quelque chose. Plusieurs fois, je l'avais surpris dans le magasin, parlant seul et faisant des gestes. La nuit, il ne dormait pas ; je l'entendais marmotter entre ses dents, puis subitement sauter à bas du lit et marcher à grands pas dans la chambre... Tout cela n'était pas naturel et me faisait peur quand j'y songeais. Il me semblait que Jacques allait devenir fou.

Ce soir-là, quand je le vis fermer à double tour la porte de notre chambre, cette idée de folie me revint dans la tête et j'eus un mouvement d'effroi ; mon pauvre Jacques ! lui ne s'en aperçut pas, et prenant gravement une de mes mains dans les siennes :

« Daniel, me dit-il, je vais te confier quelque chose, mais il faut me jurer que tu n'en parleras jamais. »

Je compris tout de suite que Jacques n'était pas fou. Je répondis sans hésiter :

« Je te le jure, Jacques.

— Eh bien ! tu ne sais pas ?... chut !... Je fais un poème, un grand poème.

— Un poème, Jacques ! tu fais un poème, toi ! »

Pour toute réponse, Jacques tira de dessous sa veste un énorme cahier rouge qu'il avait cartonné lui-même, et en tête duquel il avait écrit de sa plus belle main :

RELIGION ! RELIGION !
Poème en douze chants
Par EYSSETTE (Jacques)

C'était si grand que j'en eus comme un vertige.

Comprenez-vous cela ?... Jacques, mon frère Jacques, un enfant de treize ans, le Jacques des sanglots et des petits pots de colle, faisait : *Religion ! Religion !* poème en douze chants.

Et personne ne s'en doutait ! et on continuait à l'envoyer chez les marchandes d'herbes avec un panier sous le bras ! et son père lui criait plus que jamais : « Jacques, tu es un âne !... »

Ah ! pauvre cher Eyssette (Jacques) ! comme je vous aurais sauté au cou de bon cœur, si j'avais osé. Mais je n'osai pas... Songez donc ! *Religion ! Religion !* poème en douze chants !... Pourtant la vérité m'oblige à dire que ce poème en douze chants était loin d'être terminé. Je crois même qu'il n'y avait encore de fait que les quatre premiers vers du premier chant ; mais vous savez, en ces sortes d'ouvrages la mise en train est toujours ce qu'il y a de plus difficile, et comme disait Eyssette (Jacques) avec beaucoup de raison : « Maintenant que j'ai mes quatre premiers vers, le reste n'est rien ; ce n'est plus qu'une affaire de temps [1]. »

Ce reste qui n'était rien qu'une affaire de temps, jamais Eyssette (Jacques) n'en put venir à bout... Que voulez-vous ? Les poèmes ont leurs destinées ; il paraît que la destinée de *Religion ! Religion !* poème en douze chants, était de ne pas être en douze chants du tout. Le poète eut beau faire, il n'alla jamais plus loin que les quatre premiers vers. C'était fatal. A la fin, le malheureux garçon, impatienté, envoya son poème au diable et congédia la Muse (on disait encore la Muse dans ce temps-là). Le jour même ses sanglots le reprirent et les petits pots de colle reparurent devant le feu... Et le cahier rouge ?... Oh ! le cahier rouge, il avait sa destinée aussi, celui-là.

Jacques me dit : « Je te le donne, mets-y ce que tu voudras. » Savez-vous ce que j'y mis, moi ?... Mes poésies, parbleu ! les poésies du petit Chose. Jacques m'avait donné son mal.

Et maintenant, si le lecteur le veut bien, pendant que le petit Chose est en train de cueillir des rimes, nous allons d'une enjambée franchir quatre ou cinq années de sa vie. J'ai hâte d'arriver à un certain printemps de 18..., dont la maison Eyssette n'a pas encore aujourd'hui perdu le souvenir ; on a comme cela des dates dans les familles.

Du reste, ce fragment de ma vie que je passe sous silence, le

---

1. Les voici, ces quatre vers. Les voici tels que je les ai vus ce soir-là, moulés en belle ronde, à la première page du cahier rouge :

Religion ! Religion !
Mot sublime ! mystère !
Voix touchante et solitaire !
Compassion ! compassion !

Ne riez pas, cela lui avait coûté beaucoup de mal.

lecteur ne perdra rien à ne pas le connaître. C'est toujours la même chanson, des larmes et de la misère ! les affaires qui ne vont pas, des loyers en retard, des créanciers qui font des scènes, les diamants de la mère vendus, l'argenterie au mont-de-piété, les draps de lit qui ont des trous, les pantalons qui ont des pièces, des privations de toutes sortes, des humiliations de tous les jours, l'éternel « comment ferons-nous demain ? », le coup de sonnette insolent des huissiers, le concierge qui sourit quand on passe, et puis les emprunts, et puis les protêts, et puis... et puis...

Nous voilà donc en 18...

Cette année-là, le petit Chose achevait sa philosophie.

C'était, si j'ai bonne mémoire, un jeune garçon très prétentieux, se prenant tout à fait au sérieux comme philosophe et aussi comme poète ; du reste, pas plus haut qu'une botte et sans un poil de barbe au menton.

Or, un matin que ce grand philosophe de petit Chose se disposait à aller en classe, M. Eyssette père l'appela dans le magasin, et sitôt qu'il le vit entrer, lui fit de sa voix brutale :

« Daniel, jette tes livres, tu ne vas plus au collège. »

Ayant dit cela, M. Eyssette père se mit à marcher à grands pas dans le magasin sans parler. Il paraissait très ému, et le petit Chose aussi, je vous assure... Après un long moment de silence, M. Eyssette père reprit la parole :

« Mon garçon, dit-il, j'ai une mauvaise nouvelle à t'apprendre, oh ! bien mauvaise... nous allons être obligés de nous séparer tous, voici pourquoi. »

Ici un grand sanglot, un sanglot déchirant retentit derrière la porte du magasin entrebâillée.

« Jacques, tu es un âne ! » cria M. Eyssette sans se retourner, puis il continua :

« Quand nous sommes venus à Lyon, il y a huit ans, ruinés par les révolutionnaires, j'espérais, à force de travail, arriver à reconstruire notre fortune ; mais le démon s'en mêle ! Je n'ai réussi qu'à nous enfoncer jusqu'au cou dans les dettes et dans la misère... A présent, c'est fini, nous sommes embourbés... Pour sortir de là, nous n'avons qu'un parti à prendre, maintenant que vous voilà grandis : vendre le peu qui nous reste et chercher notre vie chacun de notre côté. »

Un nouveau sanglot de l'invisible Jacques vint interrompre M. Eyssette ; mais il était tellement ému lui-même qu'il ne se fâcha pas. Il fit seulement signe à Daniel de fermer la porte, et, la porte fermée, il reprit :

« Voici donc ce que j'ai décidé : jusqu'à nouvel ordre, ta mère va s'en aller vivre dans le Midi, chez son frère, l'oncle Baptiste. Jacques restera à Lyon ; il a trouvé un petit emploi au mont-de-piété. Moi, j'entre comme commis-voyageur à la Société vinicole... Quant à toi, mon pauvre enfant, il va falloir aussi que tu gagnes ta vie... Justement je reçois une lettre du recteur qui te propose une place de maître d'études ; tiens, lis ! »

Le petit Chose prit la lettre.

« D'après ce que je vois, dit-il tout en lisant, je n'ai pas de temps à perdre.

— Il faudrait partir demain.

— C'est bien, je partirai... »

Là-dessus le petit Chose replia la lettre et la rendit à son père d'une main qui ne tremblait pas. C'était un grand philosophe, comme vous voyez.

A ce moment, Mme Eyssette entra dans le magasin, puis Jacques timidement derrière elle... Tous deux s'approchèrent du petit Chose et l'embrassèrent en silence ; depuis la veille, ils étaient au courant de ce qui se passait.

« Qu'on s'occupe de sa malle ! fit brusquement M. Eyssette, il part demain matin par le bateau. »

Mme Eyssette poussa un gros soupir, Jacques esquissa un sanglot, et tout fut dit.

On commençait à être fait au malheur dans cette maison-là.

Le lendemain de ce jour mémorable, toute la famille accompagna le petit Chose au bateau. Par une coïncidence singulière, c'était le même bateau qui avait amené les Eyssette à Lyon huit ans auparavant. Capitaine Géniès, maître coq Montélimart ! Naturellement on se rappela le parapluie d'Annou, le perroquet de Robinson et quelques autres épisodes du débarquement... Ces souvenirs égayèrent un peu ce triste départ, et amenèrent l'ombre d'un sourire sur les lèvres de Mme Eyssette.

Tout à coup la cloche sonna. Il fallait partir.

Le petit Chose, s'arrachant aux étreintes de ses amis, franchit bravement la passerelle...

« Sois sérieux, lui cria son père.

— Ne sois pas malade », dit Mme Eyssette.

Jacques voulait parler, mais il ne put pas ; il pleurait trop.

Le petit Chose ne pleurait pas, lui. Comme j'ai eu l'honneur de vous le dire, c'était un grand philosophe, et positivement les philosophes ne doivent pas s'attendrir...

Et pourtant, Dieu sait s'il les aimait, ces chères créatures qu'il laissait derrière lui, dans le brouillard. Dieu sait s'il aurait donné volontiers pour elles tout son sang et toute sa chair... Mais que voulez-vous ? La joie de quitter Lyon, le mouvement du bateau, l'ivresse du voyage, l'orgueil de se sentir homme — homme libre, homme fait, voyageant seul et gagnant sa vie —, tout cela grisait le petit Chose et l'empêchait de songer, comme il aurait dû, aux trois êtres chéris qui sanglotaient là-bas, debout sur les quais du Rhône...

Ah ! ce n'étaient pas des philosophes, ces trois-là. D'un œil anxieux et plein de tendresse, ils suivaient la marche asthmatique du navire, et son panache de fumée n'était pas plus gros qu'une hirondelle à l'horizon, qu'ils criaient encore : « Adieu ! adieu ! » en faisant des signes.

Pendant ce temps, monsieur le philosophe se promenait de long en large sur le pont, les mains dans les poches, la tête au vent. Il sifflotait, crachait très loin, regardait les dames sous le nez, inspectait la manœuvre, marchait des épaules comme un gros homme, se trouvait charmant. Avant qu'on fût seulement à Vienne, il avait appris au maître coq Montélimart et à ses deux marmitons qu'il était dans l'Université et qu'il y gagnait fort bien sa vie... Ces messieurs lui en firent compliment. Cela le rendit très fier.

Une fois, en se promenant d'un bout à l'autre du navire, notre philosophe heurta du pied, à l'avant, près de la grosse cloche, un paquet de cordes sur lequel, à huit ans de là, Robinson Crusoé était venu s'asseoir pendant de longues heures, son perroquet entre les jambes. Ce paquet de cordes le fit beaucoup rire et un peu rougir.

« Que je devais être ridicule, pensait-il, de traîner partout avec moi cette grande cage peinte en bleu et ce perroquet fantastique... »

Pauvre philosophe ! Il ne se doutait pas que pendant toute sa vie il était condamné à traîner ainsi ridiculement cette cage peinte en bleu, couleur d'illusion, et ce perroquet vert, couleur d'espérance.

Hélas ! A l'heure où j'écris ces lignes, le malheureux garçon la porte encore, sa grande cage peinte en bleu. Seulement de jour en jour l'azur des barreaux s'écaille et le perroquet vert est aux trois quarts déplumé, pécaïre !

Le premier soin du petit Chose, en arrivant dans sa ville natale, fut de se rendre à l'Académie, où logeait M. le recteur.

Ce recteur, ami d'Eyssette père, était un grand beau vieux,

alerte et sec, n'ayant rien qui sentît le pédant, ni quoi que ce fût de semblable. Il accueillit Eyssette fils avec une grande bienveillance. Toutefois, quand on l'introduisit dans son cabinet, le brave homme ne put retenir un geste de surprise.

« Ah ! mon Dieu ! dit-il, comme il est petit ! »

Le fait est que le petit Chose était ridiculement petit ; et puis l'air si jeune, si mauviette.

L'exclamation du recteur lui porta un coup terrible : « Ils ne vont pas vouloir de moi », pensa-t-il. Et tout son corps se mit à trembler.

Heureusement, comme s'il eût deviné ce qui se passait dans cette pauvre petite cervelle, le recteur reprit : « Approche ici, mon garçon... Nous allons donc faire de toi un maître d'études... A ton âge, avec cette taille et cette figure-là, le métier te sera plus dur qu'à un autre... Mais enfin, puisqu'il le faut, puisqu'il faut que tu gagnes ta vie, mon cher enfant, nous arrangerons cela pour le mieux... En commençant, on ne te mettra pas dans une grande baraque... Je vais t'envoyer dans un collège communal, à quelques lieues d'ici, à Sarlande, en pleine montagne... Là tu feras ton apprentissage d'homme, tu t'aguerriras au métier, tu grandiras, tu prendras de la barbe ; puis, le poil venu, nous verrons ! »

Tout en parlant, M. le recteur écrivait au principal du collège de Sarlande pour lui présenter son protégé. La lettre terminée, il la remit au petit Chose et l'engagea à partir le jour même ; là-dessus, il lui donna encore quelques sages conseils et le congédia d'une tape amicale sur la joue en lui promettant de ne pas le perdre de vue.

Voilà mon petit Chose bien content. Quatre à quatre, il dégringole l'escalier séculaire de l'Académie et s'en va d'une haleine retenir sa place pour Sarlande.

La diligence ne part que dans l'après-midi ; encore quatre heures à attendre !... Le petit Chose en profite pour aller parader au soleil sur l'esplanade et se montrer à ses compatriotes. Ce premier devoir accompli, il songe à prendre quelque nourriture et se met en quête d'un cabaret à portée de son escarcelle... Juste en face les casernes, il en avise un propret, reluisant, avec une belle enseigne toute neuve : *Au Compagnon du Tour de France.*

« Voici mon affaire », se dit-il. Et après quelques minutes d'hésitation — c'est la première fois que le petit Chose entre dans un restaurant —, il pousse résolument la porte.

Le cabaret est désert pour le moment. Des murs peints à la chaux... quelques tables de chêne... Dans un coin de longues cannes de compagnons, à bouts de cuivre, ornées de rubans multicolores... Au comptoir, un gros homme qui ronfle, le nez dans un journal.

« Holà ! quelqu'un ! » dit le petit Chose, en frappant de son poing fermé sur les tables, comme un vieux coureur de tavernes.

Le gros homme du comptoir ne se réveille pas pour si peu ; mais, du fond de l'arrière-boutique, la cabaretière accourt... En voyant le nouveau client que l'ange Hasard lui amène, elle pousse un grand cri :

« Miséricorde ! monsieur Daniel !

— Annou ! ma vieille Annou ! » répond le petit Chose. Et les voilà dans les bras l'un de l'autre...

Eh ! mon Dieu, oui, c'est Annou, la vieille Annou, anciennement bonne des Eyssette, maintenant cabaretière, mère des compagnons, mariée à Jean Peyrol, ce gros qui ronfle là-bas dans le comptoir... Et comme elle est heureuse, si vous saviez, cette brave Annou, comme elle est heureuse de revoir M. Daniel ! comme elle l'embrasse ! comme elle l'étreint ! comme elle l'étouffe !...

Au milieu de ces effusions, l'homme du comptoir se réveille.

Il s'étonne d'abord un peu du chaleureux accueil que sa femme est en train de faire à ce jeune inconnu ; mais quand on lui apprend que ce jeune inconnu est M. Daniel Eyssette en personne, Jean Peyrol devient rouge de plaisir et s'empresse autour de son illustre visiteur.

« Avez-vous déjeuné, monsieur Daniel ?

— Ma foi ! non, mon bon Peyrol... ; c'est précisément ce qui m'a fait entrer ici. »

Justice divine !... M. Daniel n'a pas déjeuné !... La vieille Annou court à sa cuisine ; Jean Peyrol se précipite à la cave — une fière cave, au dire des compagnons.

En un tour de main, le couvert est mis, la table est parée. Le petit Chose n'a qu'à s'asseoir et à fonctionner... A sa gauche, Annou lui taille des mouillettes pour ses œufs, des œufs du matin, blancs, crémeux, duvetés... A sa droite, Jean Peyrol lui verse un vieux Château-Neuf-des-Papes, qui semble une poignée de rubis jetée au fond de son verre... Le petit Chose est très heureux. Il boit comme un templier, mange comme un hospitalier, et trouve encore moyen de raconter, entre deux coups de dent, qu'il vient d'entrer dans l'Université, ce qui le met à même de gagner honorablement sa vie. Il faut voir de quel air il dit cela : *gagner honorablement sa vie !* — La vieille Annou s'en pâme d'admiration.

L'enthousiasme de Jean Peyrol est moins vif. Il trouve tout simple que M. Daniel gagne sa vie, puisqu'il est en état de la gagner. A l'âge de M. Daniel, lui, Jean Peyrol, courait le monde depuis déjà quatre ou cinq ans et ne coûtait plus un liard à la maison, au contraire...

Bien entendu, le digne cabaretier garde ces réflexions pour lui seul. Oser comparer Jean Peyrol à Daniel Eyssette ?... Annou ne le souffrirait pas.

En attendant, le petit Chose va son train. Il parle, il boit, il mange, il s'anime ; ses yeux brillent, sa joue s'allume... Holà ! maître Peyrol, qu'on aille chercher des verres ! le petit Chose va trinquer... Jean Peyrol apporte les verres, et on trinque... d'abord à Mme Eyssette, ensuite à M. Eyssette, puis à Jacques, à Daniel, à la vieille Annou, au mari d'Annou, à l'Université... A quoi encore ?...

Deux heures se passent ainsi en libations et en bavardages. On cause du passé couleur de deuil, de l'avenir couleur de rose. On se rappelle la fabrique, Lyon, la rue Lanterne, ce pauvre abbé qu'on aimait tant...

Tout à coup le petit Chose se lève pour partir...

« Déjà ! » dit tristement la vieille Annou.

Le petit Chose s'excuse ; il a quelqu'un de la ville à voir avant de s'en aller, une visite très importante... Quel dommage ! on était si bien !... On avait tant de choses à se raconter encore !... Enfin, puisqu'il le faut, puisque M. Daniel a quelqu'un de la ville à voir, ses amis du *Tour de France* ne veulent pas le retenir plus longtemps... « Bon voyage, monsieur Daniel ! Dieu vous conduise, notre cher maître ! » Et jusqu'au milieu de la rue, Jean Peyrol et sa femme l'accompagnent de leurs bénédictions.

Or, savez-vous quel est ce quelqu'un de la ville que le petit Chose veut voir avant de partir ?...

C'est la fabrique, cette fabrique qu'il aimait tant et qu'il a tant pleurée !... C'est le jardin, les ateliers, les grands platanes, tous les amis de son enfance, toutes ses joies du premier jour... Que voulez-vous ? Le cœur de l'homme a de ces faiblesses ; il aime ce qu'il peut, même du bois, même des pierres, même une fabrique... D'ailleurs l'histoire est là pour vous dire que le vieux Robinson, de retour en Angleterre, reprit la mer, et fit je ne sais combien de mille lieues pour revoir son île déserte.

Il n'est donc pas étonnant que, pour revoir la sienne, le petit Chose fasse quelques pas.

Déjà les grands platanes, dont la tête empanachée regarde par-dessus les maisons, ont reconnu leur ancien ami qui vient vers eux à toutes jambes. De loin ils lui font signe et se penchent les uns vers les autres, comme pour se dire : Voilà Daniel Eyssette ! Daniel Eyssette est de retour !

Et lui se dépêche, se dépêche ; mais, arrivé devant la fabrique, il s'arrête stupéfait...

De grandes murailles grises sans un bout de laurier-rose ou de grenadier qui dépasse... Plus de fenêtres, des lucarnes ; plus d'ateliers, une chapelle. Au-dessus de la porte, une grosse croix de grès rouge avec un peu de latin autour !...

O douleur ! la fabrique n'est plus la fabrique ; c'est un couvent de carmélites, où les hommes n'entrent jamais.

5

Gagne ta vie

Sarlande est une petite ville des Cévennes, bâtie au fond d'une étroite vallée que la montagne enserre de partout comme un grand mur. Quand le soleil y donne, c'est une fournaise ; quand la tramontane souffle, une glacière...

Le soir de mon arrivée, la tramontane faisait rage depuis le matin ; et quoiqu'on fût au printemps, le petit Chose, perché sur le haut de la diligence, sentit, en entrant dans la ville, le froid le saisir jusqu'au cœur.

Les rues étaient noires et désertes... Sur la place d'Armes, quelques personnes attendaient la voiture, en se promenant de long en large dans le bureau mal éclairé.

A peine descendu de mon impériale, je me fis conduire au collège, sans perdre une minute. J'avais hâte d'entrer en fonctions.

Le collège n'était pas loin de la place ; après m'avoir fait traverser deux ou trois larges rues silencieuses, l'homme qui portait ma malle s'arrêta devant une grande maison, où tout semblait mort depuis des années.

« C'est ici », dit-il, en soulevant l'énorme marteau de la porte...

Le marteau retomba lourdement, lourdement... La porte s'ouvrit d'elle-même... Nous entrâmes.

J'attendis un moment sous le porche, dans l'ombre. L'homme posa ma malle par terre, je le payai, et il s'en alla bien vite... Derrière lui, l'énorme porte se referma lourdement, lourdement... Bientôt après, un portier somnolent, tenant à la main une grosse lanterne, s'approcha de moi.

« Vous êtes sans doute un nouveau ? » me dit-il d'un air endormi.

Il me prenait pour un élève... Je répondis en me redressant :

« Je ne suis pas un élève du tout, je viens ici comme maître d'études ; conduisez-moi chez le principal... »

Le portier parut surpris ; il souleva un peu sa casquette et m'engagea à entrer une minute dans sa loge. Pour le quart d'heure, M. le principal était à l'église avec les enfants. On me mènerait chez lui dès que la prière du soir serait terminée.

Dans la loge, on achevait de souper. Un grand beau gaillard à moustaches blondes dégustait un verre d'eau-de-vie aux côtés d'une petite femme maigre, souffreteuse, jaune comme un coing et emmitouflée jusqu'aux oreilles dans un châle fané.

« Qu'est-ce donc, monsieur Cassagne ? demanda l'homme aux moustaches.

— C'est le nouveau maître d'études, répondit le concierge en me désignant... Monsieur est si petit que je l'avais d'abord pris pour un élève.

— Le fait est, dit l'homme aux moustaches en me regardant par-dessus son verre, que nous avons ici des élèves beaucoup plus grands et même plus âgés que monsieur... Veillon l'aîné, par exemple.

— Et Crouzat, ajouta le concierge.

— Et Soubeyrol... » fit la femme.

Là-dessus, ils se mirent à parler entre eux à voix basse, le nez dans leur vilaine eau-de-vie et me dévisageant du coin de l'œil... Au-dehors on entendait la tramontane qui ronflait et les voix criardes des élèves récitant les litanies à la chapelle.

Tout à coup une cloche sonna ; un grand bruit de pas se fit dans les vestibules.

« La prière est finie, me dit M. Cassagne en se levant ; montons chez le principal. »

Il prit sa lanterne, et je le suivis.

Le collège me sembla immense... D'interminables corridors, de grands porches, de larges escaliers avec des rampes de fer ouvragé... tout cela vieux, noir, enfumé... Le portier m'apprit qu'avant 89 la maison était une école de marine, et qu'elle avait compté jusqu'à huit cents élèves, tous de la plus grande noblesse.

Comme il achevait de me donner ces précieux renseignements, nous arrivions devant le cabinet du principal... M. Cassagne poussa doucement une double porte matelassée et frappa deux fois contre la boiserie.

Une voix répondit : « Entrez ! » Nous entrâmes.

C'était un cabinet de travail très vaste, à tapisserie verte. Tout au fond, devant une longue table, le principal écrivait à la lueur pâle d'une lampe dont l'abat-jour était complètement baissé.

« Monsieur le principal, dit le portier en me poussant devant lui, voici le nouveau maître qui vient pour remplacer M. Serrières.

— C'est bien », fit le principal sans se déranger.

Le portier s'inclina et sortit. Je restai debout au milieu de la pièce, en tortillant mon chapeau entre mes doigts.

Quand il eut fini d'écrire, le principal se tourna vers moi, et je pus examiner à mon aise sa petite face pâlotte et sèche, éclairée par deux yeux froids, sans couleur. Lui, de son côté, releva, pour mieux me voir, l'abat-jour de la lampe et accrocha un lorgnon à son nez.

« Mais c'est un enfant ! s'écria-t-il en bondissant sur son fauteuil. Que veut-on que je fasse d'un enfant ? »

Pour le coup, le petit Chose eut une peur terrible ; il se voyait déjà dans la rue, sans ressources... Il eut à peine la force de balbutier deux ou trois mots et de remettre au principal la lettre d'introduction qu'il avait pour lui.

Le principal prit la lettre, la lut, la relut, la plia, la déplia, la relut encore, puis il finit par me dire que, grâce à la recommandation toute particulière du recteur et à l'honorabilité de ma famille, il consentait à me prendre chez lui, bien que ma grande jeunesse lui fît peur. Il entama ensuite de longues déclamations sur la gravité de mes nouveaux devoirs ; mais je ne l'écoutais plus. Pour moi, l'essentiel était qu'on ne me renvoyât pas... On ne me renvoyait pas ; j'étais heureux, follement heureux. J'aurais voulu que M. le principal eût mille mains et les lui embrasser toutes.

Un formidable bruit de ferraille m'arrêta dans mes effusions. Je me retournai vivement et me trouvai en face d'un long personnage, à favoris rouges, qui venait d'entrer dans le cabinet sans qu'on l'eût entendu : c'était le surveillant général.

Sa tête penchée sur l'épaule, à l'*Ecce homo*, il me regardait avec le plus doux des sourires, en secouant un trousseau de clefs de toutes dimensions, suspendu à son index. Le sourire m'aurait prévenu en sa faveur, mais les clefs grinçaient avec un bruit terrible — frinc ! frinc ! frinc ! — qui me fit peur.

« Monsieur Viot, dit le principal, voici le remplaçant de M. Serrières qui nous arrive. »

M. Viot s'inclina et me sourit le plus doucement du monde. Ses clefs, au contraire, s'agitèrent d'un air ironique et méchant, comme pour dire : « Ce petit homme-là remplacer M. Serrières ? allons donc ! allons donc ! »

Le principal comprit aussi bien que moi ce que les clefs venaient de dire, et il ajouta avec un soupir : « Je sais qu'en perdant M. Serrières, nous faisons une perte presque irréparable (ici les clefs poussèrent un véritable sanglot...) ; mais je suis sûr que si M. Viot veut bien prendre le nouveau maître sous sa tutelle spéciale, et lui inculquer ses précieuses idées sur l'enseignement, l'ordre et la discipline de la maison n'auront pas trop à souffrir du départ de M. Serrières. »

Toujours souriant et doux, M. Viot répondit que sa bienveillance m'était acquise et qu'il m'aiderait volontiers de ses conseils ; mais les clefs n'étaient pas bienveillantes, elles. Il fallait les entendre s'agiter et grincer avec frénésie : « Si tu bouges, petit drôle, gare à toi. »

« Monsieur Eyssette, conclut le principal, vous pouvez vous retirer. Pour ce soir encore, il faudra que vous couchiez à l'hôtel... Soyez ici demain à huit heures... Allez... »

Et il me congédia d'un geste digne.

M. Viot, plus souriant et plus doux que jamais, m'accompagna jusqu'à la porte ; mais, avant de me quitter, il me glissa dans la main un petit cahier.

« C'est le règlement de la maison, me dit-il. Lisez et méditez... »

Puis il ouvrit la porte et la referma sur moi, en agitant ses clefs d'une façon... frinc ! frinc ! frinc !

Ces messieurs avaient oublié de m'éclairer... J'errai un moment parmi les grands corridors tout noirs, tâtant les murs pour essayer de retrouver mon chemin. De loin en loin, un peu de lune entrait par le grillage d'une fenêtre haute et m'aidait à m'orienter. Tout à coup, dans la nuit des galeries, un point lumineux brilla, venant à ma rencontre... Je fis encore quelques pas ; la lumière grandit, s'approcha de moi, passa à mes côtés, s'éloigna, disparut. Ce fut comme une vision ; mais, si rapide qu'elle eût été, je pus en saisir les moindres détails.

Figurez-vous deux femmes, non, deux ombres... L'une vieille, ridée, ratatinée, pliée en deux, avec d'énormes lunettes qui lui cachaient la moitié du visage ; l'autre, jeune, svelte, un peu grêle comme tous les fantômes, mais ayant — ce que les fantômes n'ont pas en général — une paire d'yeux noirs, très grands, et si noirs, si noirs... La vieille tenait à la main une petite lampe de cuivre ; les yeux noirs, eux, ne portaient rien... Les deux ombres passèrent près de moi, rapides, silencieuses, sans me voir, et depuis longtemps elles avaient disparu que j'étais encore debout, à la même place, sous une double impression de charme et de terreur.

Je repris ma route à tâtons, mais le cœur me battait bien fort, et j'avais toujours devant moi, dans l'ombre, l'horrible fée aux lunettes marchant à côté des yeux noirs...

Il s'agissait cependant de découvrir un gîte pour la nuit ; ce n'était pas une mince affaire. Heureusement, l'homme aux moustaches, que je trouvai fumant sa pipe devant la loge du portier, se mit tout de suite à ma disposition et me proposa de me conduire dans un bon petit hôtel point trop cher, où je serais servi comme un prince. Vous pensez si j'acceptai de bon cœur.

Cet homme à moustaches avait l'air très bon enfant ; chemin faisant, j'appris qu'il s'appelait Roger, qu'il était professeur de danse, d'équitation, d'escrime et de gymnase au collège de Sarlande, et qu'il avait servi longtemps dans les chasseurs d'Afrique. Ceci acheva de me le rendre sympathique. Les enfants sont toujours portés à aimer les soldats. Nous nous séparâmes à la porte de l'hôtel avec force poignées de main, et la promesse formelle de devenir une paire d'amis.

Et maintenant, lecteur, un aveu me reste à te faire.

Quand le petit Chose se trouva seul dans cette chambre froide, devant ce lit d'auberge inconnu et banal, loin de ceux qu'il aimait, son cœur éclata, et ce grand philosophe pleura comme un enfant. La vie l'épouvantait à présent ; il se sentait faible et désarmé devant elle, et il pleurait, il pleurait... Tout à coup, au milieu de ses larmes, l'image des siens passa devant ses yeux ; il vit la maison déserte, la famille dispersée, la mère ici, le père là-bas... Plus de toit ! plus de foyer ! et alors, oubliant sa propre détresse pour ne songer qu'à la misère commune, le petit Chose prit une grande et belle résolution : celle de reconstituer la maison Eyssette et de reconstruire le foyer à lui tout seul. Puis, fier d'avoir trouvé ce noble but à sa vie, il essuya ces larmes indignes d'un homme, d'un reconstructeur de foyer, et sans perdre une minute, entama la lecture du règlement de M. Viot, pour se mettre au courant de ses nouveaux devoirs.

Ce règlement, recopié avec amour de la propre main de M. Viot, son auteur, était un véritable traité, divisé méthodiquement en trois parties :

1° Devoirs du maître d'études envers ses supérieurs ;

2° Devoirs du maître d'études envers ses collègues ;

3° Devoirs du maître d'études envers les élèves.

Tous les cas y étaient prévus, depuis le carreau brisé jusqu'aux deux mains qui se lèvent en même temps à l'étude ; tous les détails de la vie des maîtres y étaient consignés, depuis le chiffre de leurs appointements jusqu'à la demi-bouteille de vin à laquelle ils avaient droit à chaque repas.

Le règlement se terminait par une belle pièce d'éloquence, un discours sur l'utilité du règlement lui-même ; mais, malgré son respect pour l'œuvre de M. Viot, le petit Chose n'eut pas la force d'aller jusqu'au bout, et — juste au plus beau passage du discours — il s'endormit...

Cette nuit-là, je dormis mal. Mille rêves fantastiques troublèrent mon sommeil... Tantôt, c'étaient les terribles clefs de M. Viot que je croyais entendre, frinc ! frinc ! frinc ! ou bien la fée aux lunettes qui venait s'asseoir à mon chevet et qui me réveillait en sursaut ; d'autres fois aussi les yeux noirs — oh ! comme ils étaient noirs ! — s'installaient au pied de mon lit, me regardant avec une étrange obstination...

Le lendemain, à huit heures, j'arrivai au collège. M. Viot, debout sur la porte, son trousseau de clefs à la main, surveillait l'entrée des externes. Il m'accueillit avec son plus doux sourire.

« Attendez sous le porche, me dit-il, quand les élèves seront rentrés, je vous présenterai à vos collègues. »

J'attendis sous le porche, me promenant de long en large, saluant jusqu'à terre MM. les professeurs qui accouraient essoufflés. Un seul de ces messieurs me rendit mon salut ; c'était un prêtre, le professeur de philosophie, « un original », me dit M. Viot... Je l'aimai tout de suite, cet original-là.

La cloche sonna. Les classes se remplirent... Quatre ou cinq grands garçons de vingt cinq à trente ans, mal vêtus, figures communes, arrivèrent en gambadant et s'arrêtèrent interdits à l'aspect de M. Viot.

« Messieurs, leur dit le surveillant général en me désignant, voici M. Daniel Eyssette, votre nouveau collègue. »

Ayant dit, il fit une longue révérence et se retira, toujours souriant, toujours la tête sur l'épaule, et toujours agitant les horribles clefs.

Mes collègues et moi nous nous regardâmes un moment en silence.

Le plus grand et le plus gros d'entre eux prit le premier la parole ; c'était M. Serrières, le fameux Serrières, que j'allais remplacer.

« Parbleu ! s'écria-t-il d'un ton joyeux, c'est bien le cas de dire que les maîtres se suivent, mais ne se ressemblent pas. »

Ceci était une allusion à la prodigieuse différence de taille qui existait entre nous. On en rit beaucoup, beaucoup, moi le premier ; mais je vous assure qu'à ce moment-là le petit Chose aurait volontiers vendu son âme au diable pour avoir seulement quelques pouces de plus.

« Ça ne fait rien, ajouta le gros Serrières en me tendant la main ; quoiqu'on ne soit pas bâti pour passer sous la même toise, on peut tout de même vider quelques flacons ensemble... Venez avec nous, collègue, je paye un punch d'adieu au café Barbette ; je veux que vous en soyez... On fera connaissance en trinquant. »

Sans me laisser le temps de répondre, il prit mon bras sous le sien et m'entraîna dehors.

Le café Barbette, où mes nouveaux collègues me menèrent, était situé sur la place d'Armes. Les sous-officiers de la garnison le fréquentaient, et ce qui frappait en y entrant, c'était la quantité de shakos et de ceinturons pendus aux patères...

Ce jour-là, le départ de Serrières et son punch d'adieu avaient attiré le ban et l'arrière-ban des habitués... Les sous-officiers, auxquels Serrières me présenta en arrivant, m'accueillirent avec beaucoup de cordialité. A dire vrai pourtant, l'arrivée du petit Chose ne fit pas grande sensation, et je fus bien vite oublié, dans le coin de la salle où je m'étais réfugié timidement... Pendant que les verres se remplissaient, le gros Serrières vint s'asseoir à côté de moi ; il avait quitté sa redingote et tenait aux dents une longue pipe de terre sur laquelle son nom était en lettres de porcelaine. Tous les maîtres d'études avaient au café Barbette une pipe comme cela.

« Eh bien ! collègue, me dit le gros Serrières, vous voyez qu'il y a encore de bons moments dans le métier... En somme, vous êtes bien tombé en venant à Sarlande pour votre début. D'abord l'absinthe du café Barbette est excellente et puis, là-bas, à la boîte, vous ne serez pas trop mal. »

La boîte, c'était le collège.

« Vous allez avoir l'étude des petits, des gamins qu'on mène à la baguette. Il faut voir comme je les ai dressés ! Le principal n'est pas méchant ; les collègues sont de bons garçons : il n'y a que la vieille et le père Viot...

— Quelle vieille ? demandai-je en tressaillant.

— Oh ! vous la connaîtrez bientôt. A toute heure du jour et de la nuit, on la rencontre rôdant par le collège, avec une énorme paire de lunettes... C'est une tante du principal, et elle remplit ici les fonctions d'économe. Ah ! la coquine ! si nous ne mourons pas de faim, ce n'est pas de sa faute. »

Au signalement que me donnait Serrières, j'avais reconnu la fée aux lunettes, et malgré moi je me sentais rougir. Dix fois je fus sur le point d'interrompre mon collègue et de lui demander : « Et les yeux noirs ? » Mais je n'osai pas. Parler des yeux noirs au café Barbette !...

En attendant, le punch circulait, les verres vides s'emplissaient, les verres remplis se vidaient ; c'étaient des toasts, des oh ! oh ! des ah ! ah ! des queues de billard en l'air, des bousculades, de gros rires, des calembours, des confidences...

Peu à peu, le petit Chose se sentit moins timide. Il avait quitté son encoignure et se promenait par le café, parlant haut, le verre à la main.

A cette heure, les sous-officiers étaient ses amis ; il raconta effrontément à l'un d'eux qu'il appartenait à une famille très riche et qu'à la suite de quelques folies de jeune homme, on l'avait chassé de la maison paternelle ; il s'était fait maître d'études pour vivre, mais il ne pensait pas rester au collège longtemps... Vous comprenez, avec une famille tellement riche !...

Ah ! si ceux de Lyon avaient pu l'entendre à ce moment-là.

Ce que c'est que de nous, pourtant ! Quand on sut au café Barbette que j'étais un fils de famille en rupture de ban, un polisson, un mauvais drôle, et non point, comme on aurait pu le croire, un pauvre garçon condamné par la misère à la pédagogie, tout le monde me regarda d'un meilleur œil. Les plus anciens sous-officiers ne dédaignèrent pas de m'adresser la parole ; on alla même plus loin : au moment de partir, Roger, le maître d'armes, mon ami de la veille, se leva et porta un toast à Daniel Eyssette. Vous pensez si le petit Chose fut fier.

Le toast à Daniel Eyssette donna le signal du départ. Il était dix heures moins le quart ; c'est-à-dire l'heure de retourner au collège.

L'homme aux clefs nous attendait sur la porte.

« Monsieur Serrières, dit-il à mon gros collègue que le punch d'adieu faisait trébucher, vous allez, pour la dernière fois, conduire vos élèves à l'étude ; dès qu'ils seront entrés, M. le principal et moi nous viendrons installer le nouveau maître. »

En effet, quelques minutes après, le principal, M. Viot et le nouveau maître faisaient leur entrée solennelle à l'étude.

Tout le monde se leva.

Le principal me présenta aux élèves en un discours un peu long, mais plein de dignité ; puis il se retira suivi du gros Serrières que le punch d'adieu tourmentait de plus en plus. M. Viot resta le dernier. Il ne prononça pas de discours, mais ses clefs, frinc ! frinc ! frinc ! parlèrent pour lui, d'une façon si terrible, frinc ! frinc ! frinc ! si menaçante, que toutes les têtes se cachèrent sous les couvercles des pupitres et que le nouveau maître lui-même n'était pas rassuré.

Aussitôt que les terribles clefs furent dehors, un tas de figures malicieuses sortirent de derrière les pupitres ; toutes les barbes de plumes se portèrent aux lèvres, tous ces petits yeux, brillants, moqueurs, effarés, se fixèrent sur moi, tandis qu'un long chuchotement courait de table en table.

Un peu troublé, je gravis lentement les degrés de ma chaire ; j'essayai de promener un regard féroce autour de moi, puis, enflant ma voix, je criai entre deux grands coups secs frappés sur la table :

« Travaillons, messieurs, travaillons ! »

C'est ainsi que le petit Chose commença sa première étude.

6

Les petits

Ceux-là n'étaient pas méchants ; c'étaient les autres. Ceux-là ne me firent jamais de mal, et moi je les aimais bien, parce qu'ils ne sentaient pas encore le collège et qu'on lisait toute leur âme dans leurs yeux.

Je ne les punissais jamais. A quoi bon ? Est-ce qu'on punit les oiseaux ?... Quand ils pépiaient trop haut, je n'avais qu'à crier : « Silence ! » Aussitôt ma volière se taisait — au moins pour cinq minutes.

Le plus âgé de l'étude avait onze ans. Onze ans, je vous demande ! Et le gros Serrières qui se vantait de les mener à la baguette !...

Moi, je ne les menai pas à la baguette. J'essayai d'être toujours bon, voilà tout.

Quelquefois, quand ils avaient été bien sages, je leur racontais une histoire... Une histoire !... Quel bonheur ! Vite, vite, on pliait les cahiers, on fermait les livres ; encriers, règles, porte-plumes, on jetait tout pêle-mêle au fond des pupitres ; puis, les bras croisés sur la table, on ouvrait de grands yeux et on écoutait. J'avais composé à leur intention cinq ou six petits contes fantastiques : *Les Débuts d'une cigale, Les Infortunes de Jean Lapin*, etc. Alors, comme aujourd'hui, le bonhomme La Fontaine était mon saint de prédilection dans le calendrier littéraire, et mes romans ne faisaient que commenter ses fables ; seulement j'y mêlais de ma propre histoire. Il y avait toujours un pauvre grillon obligé de gagner sa vie comme le petit Chose, des bêtes à bon Dieu qui cartonnaient en sanglotant, comme Eyssette (Jacques). Cela amusait beaucoup mes petits, et moi aussi cela m'amusait beaucoup. Malheureusement M. Viot n'entendait pas qu'on s'amusât de la sorte.

Trois ou quatre fois par semaine, le terrible homme aux clefs faisait une tournée d'inspection dans le collège, pour voir si tout s'y passait selon le règlement... Or, un de ces jours-là, il arriva dans notre étude juste au moment le plus pathétique de l'histoire de Jean Lapin. En voyant entrer M. Viot toute l'étude tressauta. Les petits, effarés, se regardèrent. Le narrateur s'arrêta court. Jean Lapin, interdit, resta une patte en l'air, en dressant de frayeur ses grandes oreilles.

Debout devant ma chaire, le souriant M. Viot promenait un long regard d'étonnement sur les pupitres dégarnis. Il ne parlait pas, mais ses clefs s'agitaient d'un air féroce : « Frinc ! frinc ! frinc ! tas de drôles, on ne travaille donc plus ici ! »

J'essayai, tout tremblant, d'apaiser les terribles clefs.

« Ces messieurs ont beaucoup travaillé ces jours-ci, balbutiai-je... J'ai voulu les récompenser en leur racontant une petite histoire. »

M. Viot ne me répondit pas. Il s'inclina en souriant, fit gronder ses clefs une dernière fois et sortit.

Le soir, à la récréation de quatre heures, il vint vers moi, et me remit, toujours souriant, toujours muet, le cahier du règlement ouvert à la page 12 : *Devoirs du maître envers les élèves*.

Je compris qu'il ne fallait plus raconter d'histoires et je n'en racontai plus jamais.

Pendant quelques jours, mes petits furent inconsolables. Jean Lapin leur manquait, et cela me crevait le cœur de ne pouvoir le leur rendre. Je les aimais tant, si vous saviez, ces gamins-là ! Jamais nous ne nous quittions... Le collège était divisé en trois quartiers très distincts : les grands, les moyens, les petits ; chaque quartier avait sa cour, son dortoir, son étude. Mes petits étaient donc à moi, bien à moi. Il me semblait que j'avais trente-cinq enfants.

A part ceux-là, pas un ami. M. Viot avait beau me sourire, me prendre par le bras aux récréations, me donner des conseils au sujet du règlement, je ne l'aimais pas, je ne pouvais pas l'aimer ; ses clefs me faisaient trop peur. Le principal, je ne le voyais jamais. Les professeurs méprisaient le petit Chose et le regardaient du haut de leur toque. Quant à mes collègues, la sympathie que l'homme aux clefs paraissait me témoigner me les avait aliénés ; d'ailleurs, depuis ma présentation aux sous-officiers, je n'étais plus retourné au café Barbette, et ces braves gens ne me le pardonnaient pas.

Il n'y avait pas jusqu'au portier Cassagne et au maître d'armes Roger qui ne fussent contre moi. Le maître d'armes surtout semblait m'en vouloir terriblement. Quand je passais à côté de lui, il frisait sa moustache d'un air féroce et roulait de gros yeux, comme s'il eût voulu sabrer un cent d'Arabes. Une fois il dit très haut à Cassagne, en me regardant, qu'il n'aimait pas les espions. Cassagne ne répondit pas ; mais je vis bien à son air qu'il ne les aimait pas non plus... De quels espions s'agissait-il ?... Cela me fit beaucoup penser.

Devant cette antipathie universelle, j'avais pris bravement mon parti. Le maître des moyens partageait avec moi une petite chambre, au troisième étage, sous les combles ; c'est là que je me réfugiais pendant les heures de classe. Comme mon collègue passait tout son temps au café Barbette, la chambre m'appartenait ; c'était ma chambre, mon chez moi.

A peine rentré, je m'enfermais à double tour, je traînais ma malle — il n'y avait pas de chaises dans ma chambre — devant un vieux bureau criblé de taches d'encre et d'inscriptions au canif, j'étalais dessus tous mes livres, et à l'ouvrage !...

Alors on était au printemps... Quand je levais la tête, je voyais le ciel tout bleu et les grands arbres de la cour déjà couverts de feuilles. Au-dehors, pas de bruit. De temps en temps la voix monotone d'un élève récitant sa leçon, une exclamation de professeur en colère, une querelle sous le feuillage entre moineaux... puis tout rentrait dans le silence, le collège avait l'air de dormir.

Le petit Chose, lui, ne dormait pas. Il ne rêvait pas même, ce qui est une adorable façon de dormir. Il travaillait, travaillait sans relâche, se bourrant de grec et de latin à faire sauter sa cervelle.

Quelquefois, au plein cœur de son aride besogne, un doigt mystérieux frappait à la porte.

« Qui est là ?

— C'est moi, la Muse, ton ancienne amie, la femme du cahier rouge, ouvre-moi vite, petit Chose. »

Mais le petit Chose se gardait d'ouvrir. Il s'agissait bien de la Muse, ma foi !

Au diable le cahier rouge ! L'important pour le quart d'heure était de faire beaucoup de thèmes grecs, de passer licencié, d'être nommé professeur, et de reconstruire au plus vite un beau foyer tout neuf pour la famille Eyssette.

Cette pensée que je travaillais pour la famille me donnait un grand courage et me rendait la vie plus douce. Ma chambre elle-même en était embellie... Oh ! mansarde, chère mansarde, quelles belles heures j'ai passées entre tes quatre murs ! Comme j'y travaillais bien ! Comme je m'y sentais brave !...

Si j'avais quelques bonnes heures, j'en avais de mauvaises aussi. Deux fois par semaine, le dimanche et le jeudi, il fallait mener les enfants en promenade. Cette promenade était un supplice pour moi.

D'habitude nous allions à la Prairie, une grande pelouse qui s'étend comme un tapis au pied de la montagne, à une demi-lieue de la ville. Quelques gros châtaigniers, trois ou quatre guinguettes peintes en jaune, une source vive courant dans le vert, faisaient l'endroit charmant et gai pour l'œil... Les trois études s'y rendaient séparément ; une fois là, on les réunissait sous la surveillance d'un seul maître qui était toujours moi. Mes deux collègues allaient se faire régaler par des grands dans les guinguettes voisines, et comme on ne m'invitait jamais, je restais pour garder les élèves... Un dur métier dans ce bel endroit !

Il aurait fait si bon s'étendre sur cette herbe verte, dans l'ombre des châtaigniers, et se griser de serpolet, en écoutant chanter la petite source !... Au lieu de cela, il fallait surveiller, crier, punir... J'avais tout le collège sur les bras. C'était terrible...

Mais le plus terrible encore, ce n'était pas de surveiller les élèves à la Prairie, c'était de traverser la ville avec ma division, la division des petits. Les autres divisions emboîtaient le pas à merveille et sonnaient des talons comme de vieux grognards ; cela sentait la discipline et le tambour. Mes petits, eux, n'entendaient rien à toutes ces belles choses. Ils n'allaient pas en rang, se tenaient par la main et jacassaient le long de la route. J'avais beau leur crier : « Gardez vos distances ! » ils ne me comprenaient pas et marchaient tout de travers.

J'étais assez content de ma tête de colonne. J'y mettais les plus grands, les plus sérieux, ceux qui portaient la tunique ; mais à la queue, quel gâchis ! quel désordre ! Une marmaille folle, des cheveux ébouriffés, des mains sales, des culottes en lambeaux ! Je n'osais pas les regarder.

Desinit in piscem, me disait à ce sujet le souriant M. Viot, homme d'esprit à ses heures. Le fait est que ma queue de colonne avait une triste mine.

Comprenez-vous mon désespoir de me montrer dans les rues de Sarlande en pareil équipage, et le dimanche surtout !... Les cloches carillonnaient, les rues étaient pleines de monde. On rencontrait des pensionnats de demoiselles qui allaient à vêpres, des modistes en bonnets roses, des élégants en pantalon gris perle. Il fallait traverser tout cela avec un habit râpé et une division ridicule. Quelle honte !...

Parmi tous ces diablotins ébouriffés que je promenais deux fois par semaine dans la ville, il y en avait un surtout, un demi-pensionnaire, qui me désespérait par sa laideur et sa mauvaise tenue.

Imaginez un horrible petit avorton, si petit, si petit que c'en était ridicule ; avec cela disgracieux, sale, mal peigné, mal vêtu, sentant le ruisseau, et, pour que rien ne lui manquât, affreusement bancal.

Jamais pareil élève, s'il est permis toutefois de donner à ça le nom d'élève, ne figura sur les feuilles d'inscription de l'Université. C'était à déshonorer un collège.

Pour ma part, je l'avais pris en aversion ; et quand je le voyais, les jours de promenade, se dandiner à la queue de la colonne avec la grâce d'un jeune canard, il me venait des envies furieuses de le chasser à grands coups de botte pour l'honneur de ma division.

Bamban — nous l'avions surnommé Bamban à cause de sa démarche plus qu'irrégulière — Bamban était loin d'appartenir à une famille aristocratique. Cela se voyait sans peine à ses manières, à ses façons de dire et surtout aux belles relations qu'il avait dans le pays.

Tous les gamins de Sarlande étaient ses amis.

Grâce à lui, quand nous sortions, nous avions toujours à nos trousses une nuée de polissons qui faisaient la roue sur nos derrières, appelaient Bamban par son nom, le montraient au doigt, lui jetaient des peaux de châtaignes, et mille autres bonnes singeries. Mes petits s'en amusaient beaucoup, mais moi je ne riais pas et j'adressais chaque semaine au principal un rapport circonstancié sur l'élève Bamban et les nombreux désordres que sa présence entraînait.

Malheureusement mes rapports restaient sans réponse et j'étais toujours obligé de me montrer dans les rues, en compagnie de M. Bamban, plus sale et plus bancal que jamais.

Un dimanche entre autres, un beau dimanche de fête et de grand soleil, il m'arriva pour la promenade dans un état de toilette tel que nous en fûmes tous épouvantés. Vous n'avez jamais rien rêvé de semblable. Des mains noires, des souliers sans cordons, de la boue jusque dans les cheveux, presque plus de culottes... un monstre.

Le plus risible, c'est qu'évidemment on l'avait fait très beau, ce jour-là, avant de me l'envoyer. Sa tête, mieux peignée qu'à l'ordinaire, était encore roide de pommade, et le nœud de cravate avait je ne sais quoi qui sentait les doigts maternels. Mais il y a tant de ruisseaux avant d'arriver au collège !...

Bamban s'était roulé dans tous.

Quand je le vis prendre son rang parmi les autres, paisible et souriant comme si de rien n'était, j'eus un mouvement d'horreur et d'indignation.

Je lui criai : « Va-t'en ! »

Bamban pensa que je plaisantais et continua de sourire. Il se croyait très beau, ce jour-là !

Je lui criai de nouveau : « Va-t'en ! va-t'en ! »

Il me regarda d'un air triste et soumis, son œil suppliait ; mais je fus inexorable et la division s'ébranla, le laissant seul, immobile au milieu de la rue.

Je me croyais délivré de lui pour toute la journée, lorsque au sortir de la ville des rires et des chuchotements à mon arrière-garde me firent retourner la tête.

A quatre ou cinq pas derrière nous, Bamban suivait la promenade gravement.

« Doublez le pas », dis-je aux deux premiers.

Les élèves comprirent qu'il s'agissait de faire une niche au bancal, et la division se mit à filer d'un train d'enfer.

De temps en temps on se retournait pour voir si Bamban pouvait suivre, et on riait de l'apercevoir là-bas, bien loin, gros comme le poing, trottant dans la poussière de la route, au milieu des marchands de gâteaux et de limonade.

Cet enragé-là arriva à la Prairie presque en même temps que nous. Seulement il était pâle de fatigue et tirait la jambe à faire pitié.

J'en eus le cœur touché, et, un peu honteux de ma cruauté, je l'appelai près de moi doucement.

Il avait une petite blouse fanée, à carreaux rouges, la blouse du petit Chose, au collège de Lyon. Je la reconnus tout de suite, cette blouse, et dans moi-même je me disais : « Misérable, tu n'as pas honte ? Mais c'est toi, c'est le petit Chose que tu t'amuses à martyriser ainsi. » Et, plein de larmes intérieures, je me mis à aimer de tout mon cœur ce pauvre déshérité.

Bamban s'était assis par terre à cause de ses jambes qui lui faisaient mal. Je m'assis près de lui. Je lui parlai... Je lui achetai une orange... J'aurais voulu lui laver les pieds...

A partir de ce jour, Bamban devint mon ami. J'appris sur son compte des choses attendrissantes...

C'était le fils d'un maréchal-ferrant qui, entendant vanter partout les bienfaits de l'éducation, se saignait aux quatre membres, le pauvre homme ! pour envoyer son enfant demi-pensionnaire au collège. Mais, hélas ! Bamban n'était pas fait pour le collège, et il n'y profitait guère.

Le jour de son arrivée, on lui avait donné un modèle de bâtons en lui disant : « Fais des bâtons ! » Et depuis un an, Bamban faisait des bâtons. Et quels bâtons, grand Dieu !... tortus, sales, boiteux, clopinants, des bâtons de Bamban !...

Personne ne s'occupait de lui. Il ne faisait spécialement partie d'aucune classe ; en général, il entrait dans celle qu'il voyait ouverte. Un jour, on le trouva en train de faire ses bâtons dans la classe de philosophie... Un drôle d'élève, ce Bamban !

Je le regardais quelquefois à l'étude, courbé en deux sur son papier, suant, soufflant, tirant la langue, tenant sa plume à pleines mains et appuyant de toutes ses forces, comme s'il eût voulu traverser la table... A chaque bâton il reprenait de l'encre, et à la fin de chaque ligne, il rentrait sa langue et se reposait en se frottant les mains.

Bamban travaillait de meilleur cœur maintenant que nous étions amis...

Quand il avait terminé une page, il s'empressait de gravir ma chaire à quatre pattes et posait son chef-d'œuvre devant moi, sans parler.

Je lui donnais une petite tape affectueuse en lui disant : « C'est très bien ! » C'était hideux, mais je ne voulais pas le décourager.

De fait, peu à peu les bâtons commençaient à marcher plus droit, la plume crachait moins, et il y avait moins d'encre sur les cahiers... Je crois que je serais venu à bout de lui apprendre quelque chose ; malheureusement, la destinée nous sépara. Le maître des moyens quittait le collège. Comme la fin de l'année était proche, le principal ne voulut pas prendre un nouveau maître. On installa un rhétoricien à barbe dans la chaire des petits, et c'est moi qui fus chargé de l'étude des moyens.

Je considérai cela comme une catastrophe.

D'abord les moyens m'épouvantaient. Je les avais vus à l'œuvre les jours de Prairie, et la pensée que j'allais vivre sans cesse avec eux me serrait le cœur.

Puis il fallait quitter mes petits, mes chers petits que j'aimais tant... Comment serait pour eux le rhétoricien à barbe ?... Qu'allait devenir Bamban ? J'étais réellement malheureux.

Et mes petits aussi se désolaient de me voir partir. Le jour où je leur fis ma dernière étude, il y eut un moment d'émotion quand la cloche sonna... Ils voulurent tous m'embrasser... Quelques-uns même, je vous assure, trouvèrent des choses charmantes à me dire.

Et Bamban ?...

Bamban ne parla pas. Seulement, au moment où je sortais, il s'approcha de moi, tout rouge, et me mit dans la main, avec solennité, un superbe cahier de bâtons qu'il avait dessinés à mon intention.

Pauvre Bamban !

7

Le pion

Je pris donc possession de l'étude des moyens.

Je trouvai là une cinquantaine de méchants drôles, montagnards joufflus de douze à quatorze ans, fils de métayers enrichis, que leurs parents envoyaient au collège pour en faire de petits bourgeois, à raison de cent vingt francs par trimestre.

Grossiers, insolents, orgueilleux, parlant entre eux un rude patois cévenol auquel je n'entendais rien, ils avaient presque tous cette laideur spéciale à l'enfance qui mue, de grosses mains rouges avec des engelures, des voix de jeunes coqs enrhumés, le regard abruti, et par là-dessus l'odeur du collège... Ils me haïrent tout de suite, sans me connaître. J'étais pour eux l'ennemi, le Pion ; et du jour où je m'assis dans ma chaire, ce fut la guerre entre nous, une guerre acharnée, sans trêve, de tous les instants.

Ah ! les cruels enfants, comme ils me firent souffrir !...

Je voudrais en parler sans rancune, ces tristesses sont si loin de nous !... Eh bien ! non, je ne puis pas ; et tenez ! à l'heure même où j'écris ces lignes, je sens ma main qui tremble de fièvre et d'émotion. Il me semble que j'y suis encore.

Eux ne pensent plus à moi, j'imagine. Ils ne se souviennent plus du petit Chose, ni de ce beau lorgnon qu'il avait acheté pour se donner l'air plus grave...

Mes anciens élèves sont des hommes maintenant, des hommes sérieux. Soubeyrol doit être notaire quelque part, là-haut, dans les Cévennes ; Veillon (cadet), greffier au tribunal ; Loupi, pharmacien, et Bouzanquet, vétérinaire. Ils ont des positions, du ventre, tout ce qu'il faut.

Quelquefois pourtant, quand ils se rencontrent au cercle ou sur la place de l'Eglise, ils se rappellent le bon temps du collège, et alors peut-être il leur arrive de parler de moi.

« Dis donc, greffier, te souviens-tu du petit Eyssette, notre pion de Sarlande, avec ses longs cheveux et sa figure de papier mâché ? Quelles bonnes farces nous lui avons faites ! »

C'est vrai, messieurs. Vous lui avez fait de bonnes farces, et votre ancien pion ne les a pas encore oubliées...

Ah ! le malheureux pion ! Vous a-t-il assez fait rire !... L'avez-vous fait assez pleurer !... Oui, pleurer !... Vous l'avez fait pleurer, et c'est ce qui rendait vos farces bien meilleures...

Que de fois, à la fin d'une journée de martyre, le pauvre diable, blotti dans sa couchette, a mordu sa couverture pour que vous n'entendiez pas ses sanglots !...

C'est si terrible de vivre entouré de malveillance, d'avoir toujours peur, d'être toujours sur le qui-vive, toujours méchant, toujours armé ; c'est si terrible de punir — on fait des injustices malgré soi —, si terrible de douter, de voir partout des pièges, de ne pas manger tranquille, de ne pas dormir en repos, de se dire toujours, même aux minutes de trêve : « Ah ! mon Dieu !... Qu'est-ce qu'ils vont me faire maintenant ? »

Non, vivrait-il cent ans, le pion Daniel Eyssette n'oubliera jamais tout ce qu'il souffrit au collège de Sarlande, depuis le triste jour où il entra dans l'étude des moyens.

Et pourtant — je ne veux pas mentir —, j'avais gagné quelque chose à changer d'étude : maintenant je voyais les yeux noirs.

Deux fois par jour, aux heures de récréations, je les apercevais de loin travaillant derrière une fenêtre du premier étage qui donnait sur la cour des moyens... Ils étaient là, plus noirs, plus grands que jamais, penchés du matin jusqu'au soir sur une couture interminable ; car les yeux noirs cousaient, ils ne se lassaient pas de coudre. C'était pour coudre, rien que pour coudre, que la vieille fée aux lunettes les avait pris aux Enfants-Trouvés — les yeux noirs ne connaissaient ni leur père ni leur mère —, et, d'un bout à l'autre de l'année, ils cousaient, cousaient sans relâche, sous le regard implacable de l'horrible fée aux lunettes, filant sa quenouille à côté d'eux.

Moi, je les regardais. Les récréations me semblaient trop courtes. J'aurais passé ma vie sous cette fenêtre bénie derrière laquelle travaillaient les yeux noirs. Eux aussi savaient que j'étais là. De temps en temps ils se levaient de dessus leur couture, et, le regard aidant, nous nous parlions — sans nous parler.

« Vous êtes bien malheureux, monsieur Eyssette ?

— Et vous aussi, pauvres yeux noirs ?

— Nous, nous n'avons ni père ni mère.

— Moi, mon père et ma mère sont loin.

— La fée aux lunettes est terrible, si vous saviez.

— Les enfants me font bien souffrir, allez.

— Courage, monsieur Eyssette.

— Courage, beaux yeux noirs. »

On ne s'en disait jamais plus long. Je craignais toujours de voir apparaître M. Viot avec ses clefs — frinc ! frinc ! frinc ! — et là-haut, derrière la fenêtre, les yeux noirs avaient leur M. Viot aussi. Après un dialogue d'une minute, ils se baissaient bien vite et reprenaient leur couture sous le regard féroce des grandes lunettes à monture d'acier.

Chers yeux noirs ! nous ne nous parlions jamais qu'à de longues distances et par des regards furtifs, et cependant je les aimais de toute mon âme.

Il y avait encore l'abbé Germane que j'aimais bien...

Cet abbé Germane était le professeur de philosophie. Il passait pour un original, et dans le collège tout le monde le craignait, même le principal, même M. Viot. Il parlait peu, d'une voix brève et cassante, nous tutoyait tous, marchait à grands pas, la tête en arrière, la soutane relevée, faisant sonner — comme un dragon — les talons de ses souliers à boucles. Il était grand et fort. Longtemps, je l'avais cru très beau ; mais un jour, en le regardant de plus près, je m'aperçus que cette noble face de lion avait été horriblement défigurée par la petite vérole. Pas un coin du visage qui ne fût haché, sabré, couturé ; un Mirabeau en soutane.

L'abbé vivait sombre et seul, dans une petite chambre qu'il occupait à l'extrémité de la maison, ce qu'on appelait le Vieux-Collège. Personne n'entrait jamais chez lui, excepté ses deux frères, deux méchants vauriens qui étaient dans mon étude et dont il payait l'éducation... Le soir, quand on traversait les cours pour monter au dortoir, on apercevait là-haut, dans les bâtiments noirs et ruinés du vieux collège, une petite lueur pâle qui veillait : c'était la lampe de l'abbé Germane. Bien des fois aussi, le matin, en descendant pour l'étude de six heures, je voyais, à travers la brume, la petite lampe brûler encore ; l'abbé Germane ne s'était pas couché... On disait qu'il travaillait à un grand ouvrage de philosophie.

Pour ma part, même avant de le connaître, je me sentais une grande sympathie pour cet étrange abbé. Son horrible et beau visage, tout resplendissant d'intelligence, m'attirait. Seulement on m'avait tant effrayé par le récit de ses bizarreries et de ses brutalités, que je n'osais pas aller vers lui. J'y allai cependant, et pour mon bonheur.

Voici dans quelles circonstances...

Il faut vous dire qu'en ce temps-là j'étais plongé jusqu'au cou dans l'histoire de la philosophie... Un rude travail pour le petit Chose !

Or, certain jour, l'envie me vint de lire Condillac. Entre nous, le bonhomme ne vaut même pas la peine qu'on le lise ; c'est un philosophe pour rire, et tout son bagage philosophique tiendrait dans le chaton d'une bague à vingt-cinq sous ; mais, vous savez ! quand on est jeune, on a sur les choses et sur les hommes des idées toutes de travers.

Je voulais donc lire Condillac. Il me fallait un Condillac coûte que coûte. Malheureusement, la bibliothèque du collège en était absolument dépourvue, et les libraires de Sarlande ne tenaient pas cet article-là. Je résolus de m'adresser à l'abbé Germane. Ses frères m'avaient dit que sa chambre contenait plus de deux mille volumes, et je ne doutais pas de trouver chez lui le livre de mes rêves. Seulement ce diable d'homme m'épouvantait, et pour me décider à monter à son réduit ce n'était pas trop de tout mon amour pour M. de Condillac.

En arrivant devant la porte, mes jambes tremblaient de peur... Je frappai deux fois très doucement.

« Entrez ! » répondit une voix de Titan.

Le terrible abbé Germane était assis à califourchon sur une chaise basse, les jambes étendues, la soutane retroussée et laissant voir de gros muscles qui saillaient vigoureusement dans des bas de soie noire. Accoudé sur le dossier de sa chaise, il lisait un in-folio à tranches rouges, et fumait à grand bruit une petite pipe courte et brune, de celles qu'on appelle « brûle-gueule ».

« C'est toi ! me dit-il en levant à peine les yeux de dessus son in-folio... Bonjour ! Comment vas-tu ?... Qu'est-ce que tu veux ? »

Le tranchant de sa voix, l'aspect sévère de cette chambre tapissée de livres, la façon cavalière dont il était assis, cette petite pipe qu'il tenait aux dents, tout cela m'intimidait beaucoup.

Je parvins cependant à expliquer tant bien que mal l'objet de ma visite et à demander le fameux Condillac.

« Condillac ! tu veux lire Condillac ! me répondit l'abbé Germane en souriant. Quelle drôle d'idée !... Est-ce que tu n'aimerais pas mieux fumer une pipe avec moi ?... Tiens ! décroche-moi ce joli calumet qui est pendu là-bas, contre la muraille, et allume-le... ; tu verras, c'est bien meilleur que tous les Condillac de la terre. »

Je m'excusai du geste, en rougissant.

« Tu ne veux pas ?... A ton aise, mon garçon... Ton Condillac est là-haut, sur le troisième rayon à gauche... tu peux l'emporter ; je te le prête. Surtout ne le gâte pas, ou je te coupe les oreilles. »

J'atteignis le Condillac sur le troisième rayon à gauche, et je me disposais à me retirer ; mais l'abbé me retint.

« Tu t'occupes donc de philosophie ? me dit-il en me regardant dans les yeux... Est-ce que tu y croirais, par hasard ?... Des histoires, mon cher, de pures histoires !... Et dire qu'ils ont voulu faire de moi un professeur de philosophie ! Je vous demande un peu !... Enseigner quoi ? zéro, néant... Ils auraient pu tout aussi bien, pendant qu'ils y étaient, me nommer inspecteur général des étoiles ou contrôleur de fumées de pipe... Ah ! misère de moi ! Il faut faire parfois de singuliers métiers pour gagner sa vie... Tu en connais quelque chose, toi aussi, n'est-ce pas ?... Oh ! tu n'as pas besoin de rougir. Je sais que tu n'es pas heureux, mon pauvre petit pion, et que les enfants te font une rude existence. »

Ici l'abbé Germane s'interrompit un moment. Il paraissait très en colère et secouait sa pipe sur son ongle avec fureur. Moi, d'entendre ce digne homme s'apitoyer ainsi sur mon sort, je me sentais tout ému, et j'avais mis le Condillac devant mes yeux, pour dissimuler les grosses larmes dont ils étaient remplis.

Presque aussitôt l'abbé reprit :

« A propos ! j'oubliais de te demander... Aimes-tu le bon Dieu ?... Il faut l'aimer, vois-tu ! mon cher, et avoir confiance en lui, et le prier ferme ; sans quoi tu ne t'en tireras jamais... Aux grandes souffrances de la vie, je ne connais que trois remèdes : le travail, la prière et la pipe, la pipe de terre, très courte, souviens-toi de cela... Quant aux philosophes, n'y compte pas ; ils ne te consoleront jamais de rien. J'ai passé par là, tu peux m'en croire.

— Je vous crois, monsieur l'abbé.

— Maintenant, va-t'en, tu me fatigues... Quand tu voudras des livres, tu n'auras qu'à venir en prendre. La clef de ma chambre est toujours sur la porte, et les philosophes toujours sur le troisième rayon à gauche... Ne me parle plus... Adieu ! »

Là-dessus, il se remit à sa lecture et me laissa sortir, sans même me regarder.

A partir de ce jour, j'eus tous les philosophes de l'univers à ma disposition, j'entrais chez l'abbé Germane sans frapper, comme chez moi. Le plus souvent, aux heures où je venais, l'abbé faisait sa classe, et la chambre était vide. La petite pipe dormait sur le bord de la table, au milieu des in-folio à tranches rouges et d'innombrables papiers couverts de pattes de mouche... Quelquefois aussi l'abbé Germane était là. Je le trouvais lisant, écrivant, marchant de long en large à grandes enjambées. En entrant, je disais d'une voix timide :

« Bonjour, monsieur l'abbé ! »

La plupart du temps, il ne me répondait pas... Je prenais mon philosophe sur le troisième rayon à gauche, et je m'en allais, sans qu'on eût seulement l'air de soupçonner ma présence... Jusqu'à la fin de l'année, nous n'échangeâmes pas vingt paroles ; mais n'importe ! quelque chose en moi-même m'avertissait que nous étions de grands amis...

Cependant les vacances approchaient. On entendait tout le jour les élèves de la musique répétant, dans la classe de dessin, des polkas et des airs de marche pour la distribution des prix. Ces polkas réjouissaient tout le monde. Le soir, à la dernière étude, on voyait sortir des pupitres une foule de petits calendriers, et chaque enfant rayait sur le sien le jour qui venait de finir : « Encore un de moins ! » Les cours étaient pleines de planches pour l'estrade ; on battait des fauteuils, on secouait les tapis... Plus de travail, plus de discipline. Seulement, toujours, jusqu'au bout, la haine du pion et les farces, les terribles farces.

Enfin, le grand jour arriva. Il était temps ; je n'y pouvais plus tenir.

On distribua les prix dans ma cour, la cour des moyens... Je la vois encore avec sa tente bariolée, ses murs couverts de draperies blanches, ses grands arbres verts pleins de drapeaux, et là-dessous tout un fouillis de toques, de képis, de shakos, de casques, de bonnets à fleurs, de claques brodés, de plumes, de rubans, de pompons, de panaches... Au fond, une longue estrade où étaient installées les autorités du collège dans des fauteuils en velours grenat... Oh ! cette estrade, comme on se sentait petit devant elle ! Quel grand air de dédain et de supériorité elle donnait à ceux qui étaient dessus ! Aucun de ces messieurs n'avait plus sa physionomie habituelle.

L'abbé Germane était sur l'estrade, lui aussi, mais il ne paraissait pas s'en douter. Allongé dans son fauteuil, la tête renversée, il écoutait ses voisins d'une oreille distraite et semblait suivre de l'œil, à travers le feuillage, la fumée d'une pipe imaginaire...

Au pied de l'estrade, la musique, trombones et ophicléides, reluisant au soleil ; les trois divisions entassées sur des bancs, avec les maîtres en serre-file ; puis, derrière, la cohue des parents, le professeur de seconde offrant le bras aux dames et criant : « Place ! place ! » et enfin, perdues au milieu de la foule, les clefs de M. Viot qui couraient d'un bout de la cour à l'autre, et qu'on entendait — frinc ! frinc ! frinc ! — à droite, à gauche, ici, partout en même temps.

La cérémonie commença. Il faisait chaud. Pas d'air sous la tente... Il y avait de grosses dames cramoisies qui sommeillaient à l'ombre de leurs marabouts, et des messieurs chauves qui s'épongeaient la tête avec des foulards ponceau. Tout était rouge : les visages, les tapis, les drapeaux, les fauteuils... Nous eûmes trois discours, qu'on applaudit beaucoup ; mais moi, je ne les entendis pas. Là-haut, derrière la fenêtre du premier étage, les yeux noirs cousaient à leur place habituelle, et mon âme, toute mon âme allait vers eux... Pauvres yeux noirs ! même ce jour-là, la fée aux lunettes ne les laissait pas chômer.

Quand le dernier nom du dernier accessit de la dernière classe eut été proclamé, la musique entama une marche triomphale et tout se débanda. Tohu-bohu général. Les professeurs descendaient de l'estrade ; les élèves sautaient par-dessus les bancs pour rejoindre leurs familles. On s'embrassait, on s'appelait : « Par ici ! par ici ! » Les sœurs des lauréats s'en allaient fièrement avec les couronnes de leurs frères. Les robes de soie faisaient froufrou à travers les chaises... Immobile derrière un arbre, le petit Chose regardait passer les belles dames, tout malingre et tout honteux dans son habit râpé.

Peu à peu la cour se désemplit. A la grande porte, le principal et M. Viot se tenaient debout, caressant les enfants au passage, saluant les parents jusqu'à terre.

« A l'année prochaine, à l'année prochaine ! » disait le principal avec un sourire câlin... Les clefs de M. Viot tintaient, pleines de caresses : « Frinc ! frinc ! frinc ! Revenez-nous, petits amis, revenez-nous l'année prochaine. »

Les enfants se laissaient embrasser négligemment et franchissaient l'escalier d'un bond.

Ceux-là montaient dans de belles voitures armoriées, où les mères et les sœurs rangeaient leurs grandes jupes pour faire place. Clic ! clac !... En route vers le château !... Nous allons revoir nos parcs, nos pelouses, l'escarpolette sous les acacias, les volières pleines d'oiseaux rares, la pièce d'eau avec ses deux cygnes, et la grande terrasse à balustres où l'on prend des sorbets le soir.

D'autres grimpaient dans des chars à bancs de famille, à côté de jolies filles riant à belles dents sous leurs coiffes blanches. La fermière conduisait, avec sa chaîne d'or autour du cou... Fouette, Mathurine ! On retourne à la métairie ; on va manger des beurrées, boire du vin muscat, chasser à la pipée tout le jour et se rouler dans le foin qui sent bon !

Heureux enfants ! ils s'en allaient ; ils partaient tous... Ah ! si j'avais pu partir moi aussi...

8

Les yeux noirs

Maintenant le collège est désert. Tout le monde est parti... D'un bout des dortoirs à l'autre, des escadrons de gros rats font des charges de cavalerie en plein jour. Les écritoires se dessèchent au fond des pupitres. Sur les arbres des cours, la division des moineaux est en fête ; ces messieurs ont invité tous leurs camarades de la ville, ceux de l'évêché, ceux de la sous-préfecture, et, du matin jusqu'au soir, c'est un pépiage assourdissant.

De sa chambre, sous les combles, le petit Chose les écoute en travaillant. On l'a gardé par charité dans la maison, pendant les vacances. Il en profite pour étudier à mort les philosophes grecs. Seulement la chambre est trop chaude et les plafonds trop bas. On étouffe là-dessous... Pas de volets aux fenêtres. Le soleil entre comme une torche et met le feu partout. Le plâtre des solives craque, se détache... De grosses mouches, alourdies par la chaleur, dorment collées aux vitres... Le petit Chose, lui, fait de grands efforts pour ne pas dormir. Sa tête est lourde comme du plomb ; ses paupières battent.

Travaille donc, Daniel Eyssette !... Il faut reconstruire le foyer... Mais non ! il ne peut pas... Les lettres de son livre dansent devant ses yeux ; puis, c'est le livre qui tourne, puis la table, puis la chambre. Pour chasser cet étrange assoupissement, le petit Chose se lève, fait quelques pas ; arrivé devant la porte, il chancelle et tombe à terre comme une masse, foudroyé par le sommeil.

Au-dehors, les moineaux piaillent ; les cigales chantent à tue-tête ; les platanes, blancs de poussière, s'écaillent au soleil en étirant leurs mille branches.

Le petit Chose fait un rêve singulier ; il lui semble qu'on frappe à la porte de sa chambre, et qu'une voix éclatante l'appelle par son nom « Daniel, Daniel !... » Cette voix, il la reconnaît. C'est du même ton qu'elle criait autrefois : « Jacques, tu es un âne ! »

Les coups redoublent à la porte : « Daniel, mon Daniel, c'est ton père, ouvre vite. »

Oh ! l'affreux cauchemar. Le petit Chose veut répondre, aller ouvrir. Il se redresse sur son coude : mais sa tête est trop lourde, il retombe et perd connaissance...

Quand le petit Chose revient à lui, il est tout étonné de se trouver dans une couchette bien blanche, entourée de grands rideaux bleus qui font de l'ombre tout autour... Lumière douce, chambre tranquille. Pas d'autre bruit que le tic-tac d'une horloge et le tintement d'une cuiller dans la porcelaine... Le petit Chose ne sait pas où il est ; mais il se trouve très bien. Les rideaux s'entrouvrent. M. Eyssette père, une tasse à la main, se penche vers lui avec un bon sourire et des larmes plein les yeux. Le petit Chose croit continuer son rêve.

« Est-ce vous, père ? Est-ce bien vous ?

— Oui, mon Daniel ; oui, cher enfant, c'est moi.

— Où suis-je donc ?

— A l'infirmerie, depuis huit jours... ; maintenant tu es guéri, mais tu as été bien malade...

— Mais vous, père, comment êtes-vous là ? Embrassez-moi donc encore !... Oh ! tenez ! de vous voir, il me semble que je rêve toujours. »

M. Eyssette père l'embrasse :

« Allons ! couvre-toi, sois sage... Le médecin ne veut pas que tu parles. »

Et pour empêcher l'enfant de parler, le brave homme parle tout le temps.

« Figure-toi qu'il y a huit jours la Compagnie vinicole m'envoie faire une tournée dans les Cévennes. Tu penses si j'étais content : une occasion de voir mon Daniel ! J'arrive au collège... On t'appelle, on te cherche... Pas de Daniel. Je me fais conduire à ta chambre : la clef était en dedans... Je frappe : personne. Vlan ! j'enfonce la porte d'un coup de pied, et je te trouve là, par terre, avec une fièvre de cheval... Ah ! pauvre enfant, comme tu as été malade ! Cinq jours de délire ! Je ne t'ai pas quitté d'une minute... Tu battais la campagne tout le temps ; tu parlais toujours de reconstruire le foyer. Quel foyer ? dis !... Tu criais : "Pas de clefs ! ôtez les clefs des serrures !" Tu ris ? Je te jure que je ne riais pas, moi. Dieu ! quelles nuits tu m'as fait passer !... Comprends-tu cela ! M. Viot — c'est bien M. Viot, n'est-ce pas ? — qui voulait m'empêcher de coucher dans le collège ! Il invoquait le règlement... Ah bien ! oui, le règlement ! Est-ce que je le connais, moi, son règlement ? Ce cuistre-là croyait me faire peur en me remuant ses clefs sous le nez. Je l'ai joliment remis à sa place, va ! »

Le petit Chose frémit de l'audace de M. Eyssette ; puis, oubliant bien vite les clefs de M. Viot : « Et ma mère ? » demande-t-il, en étendant ses bras comme si sa mère était là, à portée de ses caresses.

« Si tu te découvres, tu ne sauras rien, répond M. Eyssette d'un ton fâché. Voyons ! couvre-toi... Ta mère va bien, elle est chez l'oncle Baptiste.

— Et Jacques ?

— Jacques ? c'est un âne !... Quand je dis un âne, tu comprends, c'est une façon de parler... Jacques est un très brave enfant, au contraire... Ne te découvre donc pas, mille diables !... Sa position est fort jolie. Il pleure toujours, par exemple. Mais, du reste, il est très content. Son directeur l'a pris pour secrétaire...

Il n'a rien à faire qu'à écrire sous la dictée... Une situation fort agréable.

— Il sera donc toute sa vie condamné à écrire sous la dictée, ce pauvre Jacques !... »

Disant cela, le petit Chose se met à rire de bon cœur, et M. Eyssette rit de le voir rire, tout en le grondant à cause de cette maudite couverture qui se dérange toujours...

Oh ! bienheureuse infirmerie ! Quelles heures charmantes le petit Chose passe entre les rideaux bleus de sa couchette !... M. Eyssette ne le quitte pas ; il reste là tout le jour, assis près du chevet, et le petit Chose voudrait que M. Eyssette ne s'en allât jamais... Hélas ! c'est impossible. La Compagnie vinicole a besoin de son voyageur. Il faut partir, il faut reprendre la tournée des Cévennes...

Après le départ de son père, l'enfant reste seul, tout seul, dans l'infirmerie silencieuse. Il passe ses journées à lire, au fond d'un grand fauteuil roulé près de la fenêtre. Matin et soir, la jaune Mme Cassagne lui apporte ses repas. Le petit Chose boit le bol de bouillon, suce l'aileron de poulet, et dit : « Merci, madame ! » Rien de plus. Cette femme sent les fièvres et lui déplaît ; il ne la regarde même pas.

Or, un matin qu'il vient de faire son : « Merci, madame ! » tout sec comme à l'ordinaire, sans quitter son livre des yeux, il est bien étonné d'entendre une voix très douce lui dire : « Comment cela va-t-il aujourd'hui, monsieur Daniel ? »

Le petit Chose lève la tête, et devinez ce qu'il voit... Les yeux noirs, les yeux noirs en personne, immobiles et souriants devant lui !...

Les yeux noirs annoncent à leur ami que la femme jaune est malade et qu'ils sont chargés de faire son service. Ils ajoutent en se baissant qu'ils éprouvent beaucoup de joie à voir M. Daniel rétabli ; puis ils se retirent avec une profonde révérence, en disant qu'ils reviendront le même soir. Le même soir, en effet, les yeux noirs sont revenus, et le lendemain matin aussi, et le lendemain soir encore. Le petit Chose est ravi. Il bénit sa maladie, la maladie de la femme jaune, toutes les maladies du monde ; si personne n'avait été malade, il n'aurait jamais eu de tête-à-tête avec les yeux noirs.

Oh ! bienheureuse infirmerie ! Quelles heures charmantes le petit Chose passe dans son fauteuil de convalescent, roulé près de la fenêtre !... Le matin, les yeux noirs ont sous leurs grands cils un tas de paillettes d'or que le soleil fait reluire ; le soir, ils resplendissent doucement et font, dans l'ombre autour d'eux, de la lumière d'étoile... Le petit Chose rêve aux yeux noirs toutes les nuits, il n'en dort plus. Dès l'aube, le voilà sur pied pour se préparer à les recevoir ; il a tant de confidences à leur faire !... Puis, quand les yeux noirs arrivent, il ne leur dit rien.

Les yeux noirs ont l'air très étonnés de ce silence. Ils vont et viennent dans l'infirmerie, et trouvent mille prétextes pour rester près du malade, espérant toujours qu'il se décidera à parler ; mais ce damné petit Chose ne se décide pas.

Quelquefois cependant il s'arme de tout son courage et commence ainsi bravement : « Mademoiselle !... »

Aussitôt les yeux noirs s'allument et le regardent en souriant. Mais, de les voir sourire ainsi, le malheureux perd la tête, et d'une voix tremblante, il ajoute : « Je vous remercie de vos bontés pour moi. » Ou bien encore : « Le bouillon est excellent ce matin. »

Alors les yeux noirs font une jolie petite moue qui signifie : « Quoi ! ce n'est que cela ! » Et ils s'en vont en soupirant.

Quand ils sont partis, le petit Chose se désespère : « Oh ! dès demain, dès demain sans faute, je leur parlerai. »

Et puis le lendemain c'est encore à recommencer.

Enfin, de guerre lasse et sentant bien qu'il n'aura jamais le courage de dire ce qu'il pense aux yeux noirs, le petit Chose se décide à leur écrire... Un soir, il demande de l'encre et du papier, pour une lettre importante, oh ! très importante... Les yeux noirs ont sans doute deviné quelle est la lettre dont il s'agit ; ils sont si malins, les yeux noirs !... Vite, vite, ils courent chercher de l'encre et du papier, les posent devant le malade, et s'en vont en riant tout seuls.

Le petit Chose se met à écrire ; il écrit toute la nuit ; puis, quand le matin est venu, il s'aperçoit que cette interminable lettre ne contient que trois mots, vous m'entendez bien ; seulement ces trois mots sont les plus éloquents du monde, et il compte qu'ils produiront un très grand effet.

Attention, maintenant !... Les yeux noirs vont venir... Le petit Chose est très ému ; il a préparé sa lettre d'avance et se jure de la remettre dès qu'on arrivera... Voici comment cela va se passer. Les yeux noirs entreront, ils poseront le bouillon et le poulet sur la table. « Bonjour, monsieur Daniel !... » Alors, lui, leur dira tout de suite, très courageusement : « Gentils yeux noirs, voici une lettre pour vous. »

Mais chut !... Un pas d'oiseau dans le corridor... Les yeux noirs approchent... Le petit Chose tient sa lettre à la main. Son cœur bat, il va mourir...

La porte s'ouvre... Horreur !...

A la place des yeux noirs, paraît la vieille fée, la terrible fée aux lunettes.

Le petit Chose n'ose pas demander d'explications ; mais il est consterné... Pourquoi ne sont-ils pas venus ?... Il attend le soir avec impatience... Hélas ! le soir encore, les yeux noirs ne viennent pas, ni le lendemain non plus, ni les jours d'après, ni jamais.

On a chassé les yeux noirs. On les a renvoyés aux Enfants-Trouvés, où ils resteront enfermés pendant quatre ans, jusqu'à leur majorité... Les yeux noirs volaient du sucre !...

Adieu les beaux jours de l'infirmerie ! les yeux noirs s'en sont allés, et pour comble de malheur, voilà les élèves qui reviennent... Eh, quoi ! déjà la rentrée... Oh, que ces vacances ont été courtes !

Pour la première fois depuis six semaines, le petit Chose descend dans les cours, pâle, maigre, plus petit Chose que jamais... Tout le collège se réveille. On le lave du haut en bas. Les corridors ruissellent d'eau. Férocement comme toujours, les clefs de M. Viot se démènent. Terrible M. Viot, il a profité des vacances pour ajouter quelques articles à son règlement et quelques clefs à son trousseau. Le petit Chose n'a qu'à bien se tenir.

Chaque jour, il arrive des élèves... Clic ! clac ! On revoit devant la porte les chars à bancs et les berlines de la distribution des prix... Quelques anciens manquent à l'appel, mais des nouveaux les remplacent. Les divisions se reforment. Cette année, comme l'an dernier, le petit Chose aura l'étude des moyens. Le pauvre pion tremble déjà. Après tout, qui sait ? les enfants seront peut-être moins méchants cette année-ci.

Le matin de la rentrée, grande musique à la chapelle. C'est la messe du Saint-Esprit... *Veni, creator Spiritus !...* Voici M. le principal avec son bel habit noir et la petite palme d'argent à la boutonnière. Derrière lui se tient l'état-major des professeurs en toge de cérémonie : les sciences ont l'hermine orange ; les humanités, l'hermine blanche. Le professeur de seconde, un freluquet, s'est permis des gants de couleur tendre et une toque de fantaisie ; M. Viot n'a pas l'air content. *Veni, creator Spiritus !* ... Au fond de l'église, pêle-mêle avec les élèves, le petit Chose regarde d'un œil d'envie les toges majestueuses et les palmes d'argent... Quand sera-t-il professeur, lui aussi ?... Quand pourra-t-il reconstruire le foyer ? Hélas ! avant d'en arriver là, que de temps encore et que de peines ! *Veni, creator Spiritus !...* Le petit

Chose se sent l'âme triste ; l'orgue lui donne envie de pleurer... Tout à coup, là-bas, dans un coin du chœur, il aperçoit une belle figure ravagée qui lui sourit... Ce sourire fait du bien au petit Chose, et, de revoir l'abbé Germane, le voilà plein de courage et tout ragaillardi ! *Veni, creator Spiritus !...*

Deux jours après la messe du Saint-Esprit, nouvelles solennités. C'était la fête du principal... Ce jour-là — de temps immémorial —, tout le collège célèbre la Saint-Théophile sur l'herbe, à grand renfort de viandes froides et de vins de Limoux. Cette fois, comme à l'ordinaire, M. le principal n'épargne rien pour donner du retentissement à ce petit festival de famille, qui satisfait les instincts généreux de son cœur, sans nuire cependant aux intérêts de son collège. Dès l'aube, on s'empile tous — élèves et maîtres — dans de grandes tapissières pavoisées aux couleurs municipales, et le convoi part au galop traînant à sa suite, dans deux énormes fourgons, les paniers de vin mousseux et les corbeilles de mangeaille... En tête, sur le premier char, les gros bonnets et la musique. Ordre aux ophicléides de jouer très fort. Les fouets claquent, les grelots sonnent, les piles d'assiettes se heurtent contre les gamelles de fer-blanc... Tout Sarlande en bonnet de nuit se met aux fenêtres pour voir passer la fête du principal.

C'est à la Prairie que le gala doit avoir lieu. A peine arrivé, on étend des nappes sur l'herbe, et les enfants crèvent de rire en voyant messieurs les professeurs assis au frais dans les violettes comme de simples collégiens... Les tranches de pâté circulent. Les bouchons sautent. Les yeux flambent. On parle beaucoup... Seul, au milieu de l'animation générale, le petit Chose a l'air préoccupé. Tout à coup on le voit rougir... M. le principal vient de se lever, un papier à la main : « Messieurs, on me remet à l'instant même quelques vers que m'adresse un poète anonyme. Il paraît que notre Pindare ordinaire, M. Viot, a un émule cette année. Quoique ces vers soient un peu trop flatteurs pour moi, je vous demande la permission de vous les lire.

— Oui, oui... lisez !... lisez !... »

Et de sa belle voix des distributions, M. le principal commence la lecture...

C'est un compliment assez bien tourné, plein de rimes aimables à l'adresse du principal et de tous ces messieurs. Une fleur pour chacun. La fée aux lunettes elle-même n'est pas oubliée. Le poète l'appelle « l'ange du réfectoire », ce qui est charmant.

On applaudit longuement. Quelques voix demandent l'auteur.

Le petit Chose se lève, rouge comme un pépin de grenade, et s'incline avec modestie. Acclamations générales. Le petit Chose devient le héros de la fête. Le principal veut l'embrasser. De vieux professeurs lui serrent la main d'un air entendu. Le régent de seconde lui demande ses vers pour les mettre dans le journal. Le petit Chose est très content ; tout cet encens lui monte au cerveau avec les fumées du vin de Limoux. Seulement, et ceci le dégrise un peu, il croit entendre l'abbé Germane murmurer : « L'imbécile ! » et les clefs de son rival grincer férocement.

Ce premier enthousiasme apaisé, M. le principal frappe dans ses mains pour réclamer le silence.

« Maintenant, Viot, à votre tour ! après la Muse badine, la Muse sévère. »

M. Viot tire gravement de sa poche un cahier relié, gros de promesses, et commence sa lecture en jetant sur le petit Chose un regard de côté.

L'œuvre de M. Viot est une idylle, une idylle toute virgilienne en l'honneur du règlement. L'élève Ménalque et l'élève Dorilas s'y répondent en strophes alternées... L'élève Ménalque est d'un collège où fleurit le règlement ; l'élève Dorilas, d'un autre collège d'où le règlement est exilé... Ménalque dit les plaisirs austères d'une forte discipline ; Dorilas, les joies inféondes d'une folle liberté.

A la fin, Dorilas est terrassé. Il remet entre les mains de son vainqueur le prix de la lutte, et tous deux, unissant leurs voix, entonnent un chant d'allégresse à la gloire du règlement.

Le poème est fini... Silence de mort !... Pendant la lecture, les enfants ont emporté leurs assiettes à l'autre bout de la prairie, et mangent leurs pâtés, tranquilles, loin, bien loin, de l'élève Ménalque et de l'élève Dorilas. M. Viot les regarde de sa place avec un sourire amer... Les professeurs ont tenu bon, mais pas un n'a le courage d'applaudir... Infortuné M. Viot ! C'est une vraie déroute... Le principal essaye de le consoler : « Le sujet était aride, messieurs, mais le poète s'en est bien tiré. »

« Moi, je trouve cela très beau », dit effrontément le petit Chose, à qui son triomphe commence à faire peur...

Lâchetés perdues ! M. Viot ne veut pas être consolé. Il s'incline sans répondre et garde son sourire amer... Il le garde tout le jour ; et le soir, en rentrant, au milieu des chants des élèves, des couacs de la musique et du fracas des tapissières roulant sur les pavés de la ville endormie, le petit Chose entend dans l'ombre, près de lui, les clefs de son rival qui grondent d'un air méchant : « Frinc ! frinc ! frinc ! monsieur le poète, nous vous revaudrons cela ! »

9

L'affaire Boucoyran

Avec la Saint-Théophile, voilà les vacances enterrées.

Les jours qui suivirent furent tristes ; un vrai lendemain de Mardi gras. Personne ne se sentait en train, ni les maîtres, ni les élèves. On s'installait... Après deux grands mois de repos, le collège avait peine à reprendre son va-et-vient habituel. Les rouages fonctionnaient mal, comme ceux d'une vieille horloge qu'on aurait depuis longtemps oublié de remonter. Peu à peu cependant, grâce aux efforts de M. Viot, tout se régularisa. Chaque jour, aux mêmes heures, au son de la même cloche, on vit de petites portes s'ouvrir dans les cours et des litanies d'enfants, roides comme des soldats de bois, défiler deux par deux sous les arbres ; puis la cloche sonnait encore — ding ! dong ! — et les mêmes enfants repassaient par les mêmes petites portes ! Ding ! dong ! Levez-vous. Ding ! dong ! Couchez-vous. Ding ! dong ! Instruisez-vous ! Ding ! dong ! Amusez-vous. Et cela pour toute l'année.

O triomphe du règlement ! Comme l'élève Ménalque aurait été heureux de vivre, sous la férule de M. Viot, dans le collège modèle de Sarlande !...

Moi seul, je faisais ombre à cet adorable tableau. Mon étude ne marchait pas. Les terribles *moyens* m'étaient revenus de leurs montagnes, plus laids, plus âpres, plus féroces que jamais. De mon côté, j'étais aigri ; la maladie m'avait rendu nerveux et irritable ; je ne pouvais plus rien supporter... Trop doux l'année précédente, je fus trop sévère cette année... J'espérais ainsi mater ces méchants drôles, et, pour la moindre incartade, je foudroyais toute l'étude de pensums et de retenues...

Ce système ne me réussit pas. Mes punitions, à force d'être prodiguées, se dépréciérent et tombèrent aussi bas que les assignats de l'an IV... Un jour, je me sentis débordé. Mon étude était en pleine révolte, et je n'avais plus de munitions pour faire tête à l'émeute. Je me vois encore dans ma chaire, me débattant comme un beau diable, au milieu des cris, des pleurs, des grognements, des sifflements : « A la porte !... Cocorico !... kss !... kss !... Plus de tyrans !... C'est une injustice !... » Et les encriers pleuvaient, et les papiers mâchés s'épataient sur mon pupitre, et tous ces petits monstres — sous prétexte de réclamations — se pendaient par grappes à ma chaire, avec des hurlements de macaques.

Quelquefois, en désespoir de cause, j'appelais M. Viot à mon secours. Pensez quelle humiliation ! Depuis la Saint-Théophile, l'homme aux clefs me tenait rigueur, et je le sentais heureux de ma détresse... Quand il entrait dans l'étude brusquement, ses clefs à la main, c'était comme une pierre dans un étang de grenouilles : en un clin d'œil tout le monde se retrouvait à sa place, le nez sur les livres. On aurait entendu voler une mouche. M. Viot se promenait un moment de long en large, agitant son trousseau de ferraille, au milieu du grand silence ; puis il me regardait ironiquement et se retirait sans rien dire.

J'étais très malheureux. Les maîtres, mes collègues, se moquaient de moi. Le principal, quand je le rencontrais, me faisait mauvais accueil ; il y avait sans doute du M. Viot là-dessous... Pour m'achever, survint l'affaire Boucoyran.

Oh ! cette affaire Boucoyran ! Je suis sûr qu'elle est restée dans les annales du collège et que les Sarlandais en parlent encore aujourd'hui... Moi aussi, je veux en parler de cette terrible affaire. Il est temps que le public sache la vérité...

Quinze ans, de gros pieds, de gros yeux, de grosses mains, pas de front, et l'allure d'un valet de ferme : tel était M. le marquis de Boucoyran, terreur de la cour des moyens et seul échantillon de la noblesse cévenole au collège de Sarlande. Le principal tenait beaucoup à cet élève, en considération du vernis aristocratique que sa présence donnait à l'établissement. Dans le collège, on ne l'appelait que « le marquis ». Tout le monde le craignait ; moi-même je subissais l'influence générale et je ne lui parlais qu'avec des ménagements.

Pendant quelque temps, nous vécûmes en assez bons termes.

M. le marquis avait bien par-ci par-là certaines façons impertinentes de me regarder ou de me répondre qui rappelaient par trop l'Ancien Régime, mais j'affectais de n'y point prendre garde, sentant que j'avais affaire à forte partie.

Un jour cependant, ce faquin de marquis se permit de répliquer, en pleine étude, avec une insolence telle que je perdis toute patience.

« Monsieur de Boucoyran, lui dis-je en essayant de garder mon sang-froid, prenez vos livres et sortez sur-le-champ. »

C'était un acte d'autorité inouï pour ce jeune drôle. Il en resta stupéfait et me regarda, sans bouger de sa place, avec de gros yeux.

Je compris que je m'engageais dans une méchante affaire, mais j'étais trop avancé pour reculer.

« Sortez, monsieur de Boucoyran !... » commandai-je de nouveau.

Les élèves attendaient, anxieux... Pour la première fois, j'avais du silence.

A ma seconde injonction, le marquis, revenu de sa surprise, me répondit, il fallait voir de quel air : « Je ne sortirai pas ! »

Il y eut parmi toute l'étude un murmure d'admiration. Je me levai dans ma chaire, indigné.

« Vous ne sortirez pas, monsieur ?... C'est ce que nous allons voir. »

Et je descendis...

Dieu m'est témoin qu'à ce moment-là toute idée de violence était bien loin de moi ; je voulais seulement intimider le marquis par la fermeté de mon attitude ; mais, en me voyant descendre de ma chaire, il se mit à ricaner d'une façon si méprisante, que j'eus le geste de le prendre au collet pour le faire sortir de son banc...

Le misérable tenait cachée sous sa tunique une énorme règle en fer. A peine eus-je levé la main, qu'il m'assena sur le bras un coup terrible. La douleur m'arracha un cri.

Toute l'étude battit des mains.

« Bravo, marquis ! »

Pour le coup, je perdis la tête. D'un bond, je fus sur la table, d'un autre sur le marquis ; et alors, le prenant à la gorge, je fis si bien, des pieds, des poings, des dents, de tout, que je l'arrachai de sa place et qu'il s'en alla rouler hors de l'étude, jusqu'au milieu de la cour... Ce fut l'affaire d'une seconde ; je ne me serais jamais cru tant de vigueur.

Les élèves étaient consternés. On ne criait plus : « Bravo, marquis ! » On avait peur. Boucoyran, le fort des forts, mis à la raison par ce gringalet de pion ! Quelle aventure !... Je venais de gagner en autorité ce que le marquis venait de perdre en prestige.

Quand je remontai dans ma chaire, pâle encore et tremblant d'émotion, tous les visages se penchèrent vivement sur les pupitres. L'étude était matée. Mais le principal, M. Viot, qu'allaient-ils penser de cette affaire ? Comment ! j'avais osé lever la main sur un élève ! sur le marquis de Boucoyran ! sur le noble du collège ! Je voulais donc me faire chasser !

Ces réflexions, qui me venaient un peu tard, me troublèrent dans mon triomphe. J'eus peur, à mon tour. Je me disais : « C'est sûr, le marquis est allé se plaindre. » Et d'une minute à l'autre, je m'attendais à voir entrer le principal. Je tremblai jusqu'à la fin de l'étude ; pourtant personne ne vint.

A la récréation, je fus très étonné de voir Boucoyran rire et jouer avec les autres. Cela me rassura un peu ; et comme toute la journée se passa sans encombre, je m'imaginai que mon drôle se tiendrait coi et que j'en serais quitte pour la peur.

Par malheur, le jeudi suivant était jour de sortie. Le soir, M. le marquis ne rentra pas au dortoir. J'eus comme un pressentiment et je ne dormis pas de toute la nuit.

Le lendemain, à la première étude, les élèves chuchotaient en regardant la place de Boucoyran qui restait vide. Sans en avoir l'air, je mourais d'inquiétude.

Vers les sept heures, la porte s'ouvrit d'un coup sec. Tous les enfants se levèrent.

J'étais perdu...

Le principal entra le premier, puis M. Viot derrière lui, puis enfin un grand vieux boutonné jusqu'au menton dans une longue redingote, et cravaté d'un col de crin haut de quatre doigts. Celui-là, je ne le connaissais pas, mais je compris tout de suite que c'était M. de Boucoyran le père. Il tortillait sa longue moustache et bougonnait entre ses dents.

Je n'eus pas même le courage de descendre de ma chaire pour faire honneur à ces messieurs ; eux non plus, en entrant, ne me saluèrent pas. Ils prirent position tous les trois au milieu de l'étude et, jusqu'à leur sortie, ne regardèrent pas une seule fois de mon côté.

Ce fut le principal qui ouvrit le feu.

« Messieurs, dit-il en s'adressant aux élèves, nous venons ici remplir une mission pénible, très pénible. Un de vos maîtres s'est rendu coupable d'une faute si grave, qu'il est de notre devoir de lui infliger un blâme public. »

Là-dessus le voilà parti à m'infliger un blâme qui dura au moins un grand quart d'heure. Tous les faits dénaturés : le marquis était le meilleur élève du collège ; je l'avais brutalisé sans raison, sans excuse. Enfin j'avais manqué à tous mes devoirs.

Que répondre à ces accusations ?

De temps en temps, j'essayais de me défendre : « Pardon,

monsieur le principal !... » Mais le principal ne m'écoutait pas, et il m'infligea son blâme jusqu'au bout.

Après lui, M. de Boucoyran, le père, prit la parole, et de quelle façon !... Un véritable réquisitoire. Malheureux père ! On lui avait presque assassiné son enfant. Sur ce pauvre petit être sans défense, on s'était rué comme... comme... comment dirait-il ?... comme un buffle, comme un buffle sauvage. L'enfant gardait le lit depuis deux jours. Depuis deux jours, sa mère en larmes le veillait...

Ah ! s'il avait eu affaire à un homme, c'est lui, M. de Boucoyan le père, qui se serait chargé de venger son enfant ! Mais On n'était qu'un galopin dont il avait pitié. Seulement qu'On se le tînt pour dit : si jamais On touchait encore à un cheveu de son fils, On se ferait couper les deux oreilles tout net...

Pendant ce beau discours, les élèves riaient sous cape, et les clefs de M. Viot frétillaient de plaisir. Debout, dans sa chaire, pâle de rage, le pauvre On écoutait toutes ces injures, dévorait toutes ces humiliations et se gardait bien de répondre. Si On avait répondu, On aurait été chassé du collège ; et alors où aller ?

Enfin, au bout d'une heure, quand ils furent à sec d'éloquence, ces trois messieurs se retirèrent. Derrière eux, il se fit dans l'étude un grand brouhaha. J'essayai, mais vainement, d'obtenir un peu de silence ; les enfants me riaient au nez. L'affaire Boucoyran avait achevé de tuer mon autorité.

Oh ! ce fut une terrible affaire !

Toute la ville s'en émut... Au Petit-Cercle, au Grand-Cercle, dans les cafés, à la musique, on ne parlait pas d'autre chose. Les gens bien informés donnaient des détails à faire dresser les cheveux. Il paraît que ce maître d'études était un monstre, un ogre. Il avait torturé l'enfant avec des raffinements inouïs de cruauté. En parlant de lui, on ne disait plus que « le bourreau ».

Quand le jeune Boucoyran s'ennuya de rester au lit, ses parents l'installèrent sur une chaise longue, au plus bel endroit de leur salon, et pendant huit jours, ce fut à travers ce salon une procession interminable. L'intéressante victime était l'objet de toutes les attentions.

Vingt fois de suite, on lui faisait raconter son histoire, et à chaque fois le misérable inventait quelque nouveau détail. Les mères frémissaient ; les vieilles demoiselles l'appelaient « pauvre ange ! » et lui glissaient des bonbons. Le journal de l'opposition profita de l'aventure et fulmina contre le collège un article terrible au profit d'un établissement religieux des environs...

Le principal était furieux ; et s'il ne me renvoya pas, je ne le dus qu'à la protection du recteur... Hélas ! il eût mieux valu pour moi être renvoyé tout de suite. Ma vie dans le collège était devenue impossible. Les enfants ne m'écoutaient plus ; au moindre mot, ils me menaçaient de faire comme Boucoyran, d'aller se plaindre à leur père. Je finis par ne plus m'occuper d'eux.

Au milieu de tout cela, j'avais une idée fixe : me venger des Boucoyran. Je revoyais toujours la figure impertinente du vieux marquis, et mes oreilles étaient restées rouges de la menace qui leur avait été faite. D'ailleurs eussé-je voulu oublier ces affronts, je n'aurais pas pu y parvenir ; deux fois par semaine, les jours de promenade, quand les divisions passaient devant le café de l'Evêché, j'étais sûr de trouver M. de Boucoyran le père planté devant la porte, au milieu d'un groupe d'officiers de la garnison, tous nu-tête et leurs queues de billard à la main. Ils nous regardaient venir de loin avec des rires goguenards ; puis, quand la division était à portée de la voix, le marquis criait très fort, en me toisant d'un air de provocation : « Bonjour, Boucoyran !

— Bonjour, mon père ! » glapissait l'affreux enfant du milieu des rangs. Et les officiers, les élèves, les garçons du café, tout le monde riait...

Le « bonjour, Boucoyran ! » était devenu un supplice pour moi, et pas moyen de m'y soustraire. Pour aller à la Prairie, il fallait absolument passer devant le café de l'Evêché, et pas une fois mon persécuteur ne manquait au rendez-vous.

J'avais par moments des envies folles d'aller à lui et de le provoquer ; mais deux raisons me retenaient : d'abord toujours la peur d'être chassé, puis la rapière du marquis, une grande diablesse de colichemarde qui avait fait tant de victimes lorsqu'il était aux gardes-du-corps.

Pourtant un jour, poussé à bout, j'allai trouver Roger, le maître d'armes, et, de but en blanc, je lui déclarai ma résolution de me mesurer avec le marquis. Roger, à qui je n'avais pas parlé depuis longtemps, m'écouta d'abord avec une certaine réserve ; mais, quand j'eus fini, il eut un mouvement d'effusion et me serra chaleureusement les deux mains.

« Bravo ! monsieur Daniel ! Je le savais bien, moi, qu'avec cet air-là vous ne pouviez pas être un mouchard. Aussi, pourquoi diable étiez-vous toujours fourré avec votre M. Viot ? Enfin, on vous retrouve ; tout est oublié. Votre main ! Vous êtes un noble cœur !... Maintenant, à votre affaire ! Vous avez été insulté ? Bon ! Vous voulez en tirer réparation ? Très bien ! Vous ne savez pas le premier mot des armes ? Bon ! bon ! très bien ! très bien !

Vous voulez que je vous empêche d'être embroché par ce vieux dindon ? Parfait ! Venez à la salle, et, dans six mois, c'est vous qui l'embrocherez. »

D'entendre cet excellent Roger épouser ma querelle avec tant d'ardeur, j'étais rouge de plaisir. Nous convînmes des leçons : trois heures par semaine ; nous convînmes aussi du prix qui serait un prix exceptionnel (exceptionnel en effet ! j'appris plus tard qu'on me faisait payer deux fois plus cher que les autres). Quand toutes ces conventions furent réglées, Roger passa familièrement son bras sous le mien.

« Monsieur Daniel, me dit-il, il est trop tard pour prendre aujourd'hui notre première leçon ; mais nous pouvons toujours aller conclure notre marché au café Barbette... Allons ! voyons, pas d'enfantillage ! est-ce qu'il vous fait peur, par hasard, le café Barbette ?... Venez donc, sacrebleu ! tirez-vous un peu de ce saladier de cuistres. Vous trouverez là-bas des amis, de bons garçons, triple nom ! de nobles cœurs, et vous quitterez vite avec eux ces manières de femmelette qui vous font tort. »

Hélas ! je me laissai tenter. Nous allâmes au café Barbette. Il était toujours le même, plein de cris, de fumée, de pantalons garance ; les mêmes shakos, les mêmes ceinturons pendaient aux mêmes patères.

Les amis de Roger me reçurent à bras ouverts. Il avait bien raison, c'étaient tous de nobles cœurs ! Quand ils connurent mon histoire avec le marquis et la résolution que j'avais prise, ils vinrent, l'un après l'autre, me serrer la main : « Bravo ! jeune homme. Très bien. »

Moi aussi j'étais un noble cœur. Je fis venir un punch, on but à mon triomphe, et il fut décidé entre nobles cœurs que je tuerais le marquis de Boucoyran à la fin de l'année scolaire.

10

Les mauvais jours

L'hiver était venu, un hiver sec, terrible et noir, comme il en fait dans ces pays de montagnes. Avec leurs grands arbres sans feuilles et leur sol gelé plus dur que la pierre, les cours du collège étaient tristes à voir. On se levait avant le jour, aux lumières ; il faisait froid ; de la glace dans les lavabos... Les élèves n'en finissaient plus ; la cloche était obligée de les appeler plusieurs fois. « Plus vite, messieurs ! » criaient les maîtres en marchant de long en large pour se réchauffer... On formait les rangs en silence, tant bien que mal, et on descendait à travers le grand escalier à peine éclairé et les longs corridors où soufflaient les bises mortelles de l'hiver.

Un mauvais hiver pour le petit Chose !

Je ne travaillais plus. A l'étude, la chaleur malsaine du poêle me faisait dormir. Pendant les classes, trouvant ma mansarde trop froide, je courais m'enfermer au café Barbette et n'en sortais qu'au dernier moment. C'était là maintenant que Roger me donnait ses leçons ; la rigueur du temps nous avait chassés de la salle d'armes, et nous nous escrimions au milieu du café avec les queues de billard, en buvant du punch. Les sous-officiers jugeaient les coups ; tous ces nobles cœurs m'avaient décidément admis dans leur intimité et m'enseignaient chaque jour une nouvelle botte infaillible pour tuer ce pauvre marquis de Boucoyran. Ils m'apprenaient aussi comme on édulcore une absinthe, et quand ces messieurs jouaient au billard, c'était moi qui marquais les points...

Un mauvais hiver pour le petit Chose !

Un matin de ce triste hiver, comme j'entrais au café Barbette — j'entends encore le fracas du billard et le ronflement du gros poêle en faïence —, Roger vint à moi précipitamment : « Deux mots, monsieur Daniel ! » et m'emmena dans la salle du fond, d'un air tout à fait mystérieux.

Il s'agissait d'une confidence amoureuse... Vous pensez si j'étais fier de recevoir les confidences d'un homme de cette taille. Cela me grandissait toujours un peu.

Voici l'histoire. Ce sacripant de maître d'armes avait rencontré par la ville, en un certain endroit qu'il ne pouvait pas nommer, certaine personne dont il s'était follement épris. Cette personne occupait à Sarlande une situation tellement élevée — hum ! hum ! vous m'entendez bien ! —, tellement extraordinaire, que le maître d'armes en était encore à se demander comment il avait osé lever les yeux si haut. Et pourtant, malgré la situation de la personne — situation tellement élevée, tellement, etc. —, il ne désespérait pas de s'en faire aimer, et même il croyait le moment venu de lancer quelques déclarations épistolaires. Malheureusement les maîtres d'armes ne sont pas très adroits aux exercices de la plume. Passe encore, s'il ne s'agissait que d'une grisette ; mais avec une personne dans une situation tellement, etc., ce n'était pas du style de cantine qu'il fallait, et même un bon poète ne serait pas de trop.

« Je vois ce que c'est, dit le petit Chose d'un air entendu ; vous avez besoin qu'on vous trousse quelques poulets galants pour envoyer à la personne, et vous avez songé à moi.

— Précisément, répondit le maître d'armes.

— Eh bien ! Roger, je suis votre homme, et nous commencerons quand vous voudrez ; seulement, pour que nos lettres n'aient pas l'air d'être empruntées au *Parfait Secrétaire*, il faudra me donner quelques renseignements sur la personne... »

Le maître d'armes regarda autour de lui d'un air méfiant, puis tout bas il me dit, en me fourrant ses moustaches dans l'oreille :

« C'est une blonde de Paris. Elle sent bon comme une fleur et s'appelle Cécilia. »

Il ne put pas m'en confier davantage, à cause de la situation de la personne, situation tellement, etc. — mais ces renseignements me suffisaient, et le soir même — pendant l'étude —, j'écrivis ma première lettre à la blonde Cécilia.

Cette singulière correspondance entre le petit Chose et cette mystérieuse personne dura près d'un mois. Pendant un mois, j'écrivis en moyenne deux lettres de passion par jour. De ces lettres, les unes étaient tendres et vaporeuses comme le Lamartine d'Elvire, les autres enflammées et rugissantes comme le Mirabeau de Sophie. Il y en avait qui commençaient par ces mots : *O Cécilia, quelquefois sur un rocher sauvage...* et qui finissaient par ceux-ci : *On dit qu'on en meurt... essayons !* Puis, de temps en temps, la Muse s'en mêlait :

> *Oh ! ta lèvre, ta lèvre ardente !*
> *Donne-la-moi ! donne-la-moi !*

Aujourd'hui, j'en parle en riant ; mais à l'époque, le petit Chose ne riait pas, je vous le jure, et tout cela se faisait très sérieusement. Quand j'avais terminé une lettre, je la donnais à Roger pour qu'il la recopiât de sa belle écriture de sous-officier ; lui, de son côté, quand il recevait des réponses (car elle répondait, la malheureuse !), il me les apportait bien vite, et je basais mes opérations là-dessus.

Le jeu me plaisait en somme ; peut-être même me plaisait-il un peu trop. Cette blonde invisible, parfumée comme un lilas blanc, ne me sortait plus de l'esprit. Par moments, je me figurais que j'écrivais pour mon propre compte ; je remplissais mes lettres de confidences toutes personnelles, de malédictions contre la destinée, contre ces êtres vils et méchants au milieu desquels j'étais obligé de vivre : *O Cécilia, si tu savais comme j'ai besoin de ton amour !*

Parfois aussi, quand le grand Roger venait me dire en frisant sa moustache : « Ça mord ! ça mord !... continuez », j'avais de secrets mouvements de dépit, et je pensais en moi-même : « Comment peut-elle croire que c'est ce gros réjoui, ce Fanfan-la-Tulipe, qui lui écrit ces chefs-d'œuvre de passion et de mélancolie ? »

Elle le croyait pourtant ; elle le croyait si bien qu'un jour le maître d'armes, triomphant, m'apporta cette réponse qu'il venait de recevoir : « A neuf heures, ce soir, derrière la sous-préfecture ! »

Est-ce à l'éloquence de mes lettres ou à la longueur de ses moustaches que Roger dut son succès ? Je vous laisse, mesdames, le soin de décider. Toujours est-il que cette nuit-là, dans son dortoir mélancolique, le petit Chose eut un sommeil très agité. Il rêva qu'il était grand, qu'il avait des moustaches, et que des dames de Paris — occupant des situations tout à fait extraordinaires — lui donnaient des rendez-vous derrière les sous-préfectures...

Le plus comique, c'est que le lendemain il me fallut écrire une lettre d'actions de grâces et remercier Cécilia de tout le bonheur qu'elle m'avait donné : *Ange, qui as consenti à passer une nuit sur la terre...*

Cette lettre, je l'avoue, le petit Chose l'écrivit avec la rage dans le cœur. Heureusement la correspondance s'arrêta là, et pendant quelque temps, je n'entendis plus parler de Cécilia, ni de sa haute situation.

11

Mon bon ami le maître d'armes

Ce jour-là, le 18 février, comme il était tombé beaucoup de neige pendant la nuit, les enfants n'avaient pas pu jouer dans les cours. Aussitôt l'étude du matin finie, on les avait casernés tous pêle-mêle dans la *salle*, pour y prendre leur récréation à l'abri du mauvais temps, en attendant l'heure des classes.

C'était moi qui les surveillais.

Ce qu'on appelait la *salle* était l'ancien gymnase du collège de la Marine. Imaginez quatre grands murs nus avec de petites fenêtres grillées ; çà et là des crampons à moitié arrachés, la trace encore visible des échelles, et, se balançant à la maîtresse poutre du plafond, un énorme anneau en fer au bout d'une corde.

Les enfants avaient l'air de s'amuser beaucoup là-dedans. Ils couraient tout autour de la salle bruyamment, en faisant de la poussière. Quelques-uns essayaient d'atteindre l'anneau ; d'autres, suspendus par les mains, criaient ; cinq ou six, de tempérament plus calme, mangeaient leur pain devant les fenêtres, en regardant la neige qui remplissait les rues et les hommes armés de pelles qui l'emportaient dans des tombereaux.

Mais tout ce tapage, je ne l'entendais pas.

Seul, dans un coin, les larmes aux yeux, je lisais une lettre, et les enfants auraient à cet instant démoli le gymnase de fond en comble, que je ne m'en fusse pas aperçu. C'était une lettre de Jacques que je venais de recevoir ; elle portait le timbre de Paris — mon Dieu ! oui, de Paris —, et voici ce qu'elle disait :

Cher Daniel

Ma lettre va bien te surprendre. Tu ne te doutais pas, hein ? que je fusse à Paris depuis quinze jours. J'ai quitté Lyon sans rien dire à personne, un coup de tête... Que veux-tu ? je m'ennuyais trop dans cette horrible ville, surtout depuis ton départ.

Je suis arrivé ici avec trente francs et cinq ou six lettres de M. le curé de Saint-Nizier. Heureusement la Providence m'a protégé tout de suite, et m'a fait rencontrer un vieux marquis chez lequel je suis entré comme secrétaire. Nous mettons en ordre ses mémoires, je n'ai qu'à écrire sous sa dictée, et je gagne à cela cent francs par mois. Ce n'est pas brillant, comme tu vois ; mais, tout compte fait, j'espère pouvoir envoyer de temps en temps quelque chose à la maison sur mes économies.

Ah ! mon cher Daniel, la jolie ville que ce Paris ! Ici — du moins —, il ne fait pas toujours du brouillard ; il pleut bien quelquefois, mais c'est une petite pluie gaie, mêlée de soleil, et comme je n'en ai jamais vu ailleurs. Aussi je suis tout changé ; si tu savais ! je ne pleure plus du tout. C'est incroyable.

J'en étais là de la lettre, quand tout à coup, sous les fenêtres, retentit le bruit sourd d'une voiture roulant dans la neige. La voiture s'arrêta devant la porte du collège, et j'entendis les enfants crier à tue-tête : « Le sous-préfet ! le sous-préfet ! »

Une visite de M. le sous-préfet présageait évidemment quelque chose d'extraordinaire. Il venait à peine au collège de Sarlande une ou deux fois chaque année, et c'était alors comme un événement. Mais, pour le quart d'heure, ce qui m'intéressait avant tout, ce qui me tenait à cœur plus que le sous-préfet de Sarlande et plus que Sarlande tout entier, c'était la lettre de mon frère Jacques. Aussi, tandis que les élèves, mis en gaieté, se culbutaient devant les fenêtres pour voir M. le sous-préfet descendre de voiture, je retournai dans mon coin, et je me remis à lire :

Tu sauras, mon bon Daniel, que notre père est en Bretagne, où il fait le commerce du cidre pour le compte d'une compagnie. En apprenant que j'étais le secrétaire d'un marquis, il a voulu que je place quelques tonneaux de cidre chez lui. Par malheur, le marquis ne boit que du vin, et du vin d'Espagne, encore ! J'ai écrit cela au père ; sais-tu ce qu'il m'a répondu : « Jacques, tu es un âne ! » comme toujours. Mais c'est égal, mon cher Daniel, je crois qu'au fond il m'aime beaucoup.

Quant à maman, tu sais qu'elle est seule maintenant. Tu devrais bien lui écrire, elle se plaint de ton silence.

J'avais oublié de te dire une chose, qui certainement te fera le plus grand plaisir : j'ai ma chambre au Quartier latin... au Quartier latin ! pense un peu !... une vraie chambre de poète, comme dans les romans, avec une petite fenêtre et des toits à perte de vue. Le lit n'est pas large, mais nous y tiendrons deux au besoin ; et puis, il y a dans un coin une table de travail où on serait très bien pour faire des vers.

Je suis sûr que si tu voyais cela, tu voudrais venir me trouver au plus vite ; moi aussi je te voudrais près de moi, et je ne dis pas que quelque jour je ne te ferai pas signe de venir.

En attendant, aime-moi toujours bien et ne travaille pas trop dans ton collège, de peur de tomber malade.

Je t'embrasse. Ton frère,

JACQUES.

Ce brave Jacques ! quel mal délicieux il venait de me faire avec sa lettre ! Je riais et je pleurais en même temps. Toute ma vie de ces derniers mois, le punch, le billard, le café Barbette, me faisaient l'effet d'un mauvais rêve, et je pensais : « Allons ! c'est fini. Maintenant je vais travailler, je vais être courageux comme Jacques. »

A ce moment la cloche sonna. Les élèves se mirent en rang, ils causaient beaucoup du sous-préfet et se montraient en passant sa voiture stationnant devant la porte. Je les remis entre les mains des professeurs ; puis, une fois débarrassé d'eux, je m'élançai en courant dans l'escalier. Il me tardait tant d'être seul dans ma chambre avec la lettre de mon frère Jacques !

A moitié chemin, j'aperçus le portier qui descendait à ma rencontre, tout essoufflé :

« Monsieur Daniel, on vous attend chez le principal. »

Chez le principal ?... Que pouvait avoir à me dire le principal ?... Le portier me regardait avec un drôle d'air. Tout à coup, l'idée du sous-préfet me revint.

« Est-ce que M. le sous-préfet est là-haut ? » demandai-je.

Et le cœur palpitant d'espoir, je me mis à gravir les degrés de l'escalier quatre à quatre.

Il y a des jours où l'on est comme fou. En apprenant que le sous-préfet m'attendait, savez-vous ce que je m'imaginai ? Je m'imaginai qu'il avait remarqué ma bonne mine à la distribution, et qu'il venait au collège tout exprès pour m'offrir d'être son secrétaire. Cela me paraissait la chose la plus naturelle du monde. La lettre de Jacques avec ses histoires de vieux marquis m'avait troublé la cervelle, à coup sûr.

Quoi qu'il en soit, à mesure que je montais l'escalier, ma certitude devenait plus grande : secrétaire du sous-préfet ! je ne me sentais pas de joie...

En tournant le corridor, je rencontrai Roger. Il était très pâle ; il me regarda comme s'il voulait me parler ; mais je ne m'arrêtai pas : le sous-préfet n'avait pas le temps d'attendre.

Quand j'arrivai devant le cabinet du principal, le cœur me battait bien fort, je vous jure. Secrétaire de M. le sous-préfet ! Il fallut m'arrêter un instant pour reprendre haleine ; je rajustai ma cravate, je donnai avec les doigts un petit tour à mes cheveux, et je tournai le bouton de la porte doucement.

Si j'avais su ce qui m'attendait !

M. le sous-préfet était debout, appuyé négligemment au marbre de la cheminée et souriant dans ses favoris blonds. M. le principal, en robe de chambre, se tenait près de lui humblement, son bonnet de velours à la main, et M. Viot appelé en hâte, se dissimulait dans un coin.

Dès que j'entrai, le sous-préfet prit la parole.

« C'est donc monsieur, dit-il en me désignant, qui s'amuse à séduire nos femmes de chambre ? »

Il avait prononcé cette phrase d'une voix claire, ironique et sans cesser de sourire. Je crus d'abord qu'il voulait plaisanter et je ne répondis rien, mais le sous-préfet ne plaisantait pas ; après un moment de silence, il reprit en souriant toujours :

« N'est-ce pas à M. Daniel Eyssette que j'ai l'honneur de parler, à M. Daniel Eyssette qui a séduit la femme de chambre de ma femme ? »

Je ne savais de quoi il s'agissait ; mais en entendant ce mot de femme de chambre, qu'on me jetait ainsi à la figure pour la seconde fois, je me sentis devenir rouge de honte, et ce fut avec une véritable indignation que je m'écriai :

« Une femme de chambre, moi !... je n'ai jamais séduit de femme de chambre. »

A cette réponse, je vis un éclair de mépris jaillir des lunettes du principal, et j'entendis les clefs murmurer dans leur coin : « Quelle effronterie ! »

Le sous-préfet, lui, ne cessait pas de sourire ; il prit sur la tablette de la cheminée un petit paquet de papiers que je n'avais pas aperçus d'abord, puis se tournant vers moi et les agitant négligemment :

« Monsieur, dit-il, voici des témoignages fort graves qui vous accusent. Ce sont des lettres qu'on a surprises chez la demoiselle en question. Elles ne sont pas signées, il est vrai, et, d'un autre côté, la femme de chambre n'a voulu nommer personne. Seulement, dans ces lettres il est souvent parlé du collège, et, malheureusement pour vous, M. Viot a reconnu votre écriture et votre style... »

Ici les clefs grincèrent férocement, et le sous-préfet, souriant toujours, ajouta :

« Tout le monde n'est pas poète au collège de Sarlande. »

A ces mots, une idée fugitive me traversa l'esprit ; je voulus voir de près ces papiers. Je m'élançai ; le principal eut peur d'un scandale et fit un geste pour me retenir. Mais le sous-préfet me tendit le dossier tranquillement.

« Regardez ! » me dit-il.

Miséricorde ! ma correspondance avec Cécilia.

... Elles y étaient toutes, toutes ! Depuis celle qui commençait : *O Cécilia, quelquefois sur un rocher sauvage...* jusqu'au cantique d'actions de grâces : *Ange, qui as consenti à passer une nuit sur la terre...* Et dire que toutes ces belles fleurs de rhétorique amoureuse, je les avais effeuillées sous les pas d'une femme de chambre !... Dire que cette personne, d'une situation tellement élevée, tellement, etc., décrottait tous les matins les socques de la sous-préfète !... On peut se figurer ma rage, ma confusion.

« Eh bien ! qu'en dites-vous, seigneur don Juan ? ricana le sous-préfet, après un moment de silence. Est-ce que ces lettres sont de vous, oui ou non ? »

Au lieu de répondre, je baissai la tête. Un mot pouvait me disculper ; mais ce mot, je ne le prononçai pas. J'étais prêt à tout souffrir plutôt que de dénoncer Roger... Car remarquez bien qu'au milieu de cette catastrophe, le petit Chose n'avait pas un seul instant soupçonné la loyauté de son ami. En reconnaissant les lettres, il s'était dit tout de suite : « Roger aura eu la paresse de les recopier ; il a mieux aimé faire une partie de billard de plus et envoyer les miennes. » Quel innocent, ce petit Chose !

Quand le sous-préfet vit que je ne voulais pas répondre, il remit les lettres dans sa poche et, se tournant vers le principal et son acolyte :

« Maintenant, messieurs, vous savez ce qui vous reste à faire. »

Sur quoi les clefs de M. Viot frétillèrent d'un air lugubre, et le principal répondit en s'inclinant jusqu'à terre « que M. Eyssette avait mérité d'être chassé sur l'heure ; mais qu'afin d'éviter tout scandale, on le garderait au collège encore huit jours ». Juste le temps de faire venir un nouveau maître.

A ce terrible mot « chassé », tout mon courage m'abandonna. Je saluai sans rien dire et je sortis précipitamment. A peine dehors, mes larmes éclatèrent... Je courus d'un trait jusqu'à ma chambre, en étouffant mes sanglots dans mon mouchoir...

Roger m'attendait ; il avait l'air fort inquiet et se promenait à grands pas, de long en large.

En me voyant entrer, il vint vers moi :

« Monsieur Daniel !... » me dit-il, et son œil m'interrogeait. Je me laissai tomber sur une chaise sans répondre.

« Des pleurs, des enfantillages ! reprit le maître d'armes d'un ton brutal, tout cela ne prouve rien. Voyons... vite !... Que s'est-il passé ? »

Alors je lui racontai dans tous ses détails toute l'horrible scène du cabinet.

A mesure que je parlais, je voyais la physionomie de Roger s'éclaircir ; il ne me regardait plus du même air rogue, et à la fin, quand il eut appris comment, pour ne pas le trahir, je m'étais laissé chasser du collège, il me tendit ses deux mains ouvertes et me dit simplement :

« Daniel, vous êtes un noble cœur. »

A ce moment, nous entendîmes dans la rue le roulement d'une voiture, c'était le sous-préfet qui s'en allait.

« Vous êtes un noble cœur, reprit mon bon ami le maître d'armes en me serrant les poignets à les briser, vous êtes un noble cœur, je ne vous dis que ça... Mais vous devez comprendre que je ne permettrai à personne de se sacrifier pour moi. »

Tout en parlant, il s'était rapproché de la porte :

« Ne pleurez pas, monsieur Daniel, je vais aller trouver le principal, et je vous jure bien que ce n'est pas vous qui serez chassé. »

Il fit encore un pas pour sortir ; puis, revenant vers moi comme s'il oubliait quelque chose.

« Seulement, me dit-il à voix basse, écoutez bien ceci avant que je m'en aille... Le grand Roger n'est pas seul au monde ; il a quelque part une mère infirme dans un coin... Une mère !... pauvre sainte femme !... Promettez-moi de lui écrire quand tout sera fini. »

C'était dit gravement, tranquillement, d'un ton qui m'effraya.

« Mais que voulez-vous faire ? » m'écriai-je.

Roger ne répondit rien ; seulement il entrouvrit sa veste et me laissa voir dans sa poche la crosse luisante d'un pistolet.

Je m'élançai vers lui, tout ému :

« Vous tuer, malheureux ? vous voulez vous tuer ? »

Et lui, très froidement :

« Mon cher, quand j'étais au service, je m'étais promis que si jamais, par un coup de ma mauvaise tête, je venais à me faire dégrader, je ne survivrais pas à mon déshonneur. Le moment est venu de me tenir parole... Dans cinq minutes je serai chassé du collège, c'est-à-dire dégradé ; une heure après, bonsoir ! j'avale ma dernière prune. »

En entendant cela, je me plantai résolument devant la porte.

« Eh bien, non ! Roger, vous ne sortirez pas... J'aime mieux perdre ma place que d'être cause de votre mort.

— Laissez-moi faire mon devoir », me dit-il d'un air farouche. Et malgré mes efforts, il parvint à entrouvrir la porte.

Alors, j'eus l'idée de lui parler de sa mère, de cette pauvre mère qu'il avait quelque part dans un coin. Je lui prouvai qu'il devait vivre pour elle, que moi j'étais à même de trouver facilement une autre place, que d'ailleurs, dans tous les cas, nous avions encore huit jours devant nous, et que c'était bien le moins qu'on attendît jusqu'au dernier moment avant de prendre un parti si terrible... Cette dernière réflexion parut le toucher. Il consentit à retarder de quelques heures sa visite au principal et ce qui devait s'ensuivre.

Sur ces entrefaites, la cloche sonna ; nous nous embrassâmes, et je descendis à l'étude.

Ce que c'est que de nous ! J'étais entré dans ma chambre désespéré, j'en sortis presque joyeux... Le petit Chose était si fier d'avoir sauvé la vie à son bon ami le maître d'armes !

Pourtant, il faut bien le dire, une fois assis dans ma chaire et le premier moment de l'enthousiasme passé, je me mis à faire des réflexions. Roger consentait à vivre, c'était bien ; mais moi-même, qu'allais-je devenir après que mon beau dévouement m'aurait mis à la porte du collège ?

La situation n'était pas gaie, je voyais déjà le foyer singulièrement compromis, ma mère en larmes, et M. Eyssette bien en colère. Heureusement je pensai à Jacques ; quelle bonne idée sa lettre avait eue d'arriver précisément le matin ! C'était bien simple, après tout : ne m'écrivait-il pas que dans son lit il y avait place pour deux ? D'ailleurs, à Paris, on trouve toujours de quoi vivre...

Ici, une pensée horrible m'arrêta : pour partir, il fallait de l'argent ; celui du chemin de fer d'abord, puis cinquante-huit francs que je devais au portier, puis dix francs qu'un grand m'avait prêtés, puis des sommes énormes inscrites à mon nom sur le livre de comptes du café Barbette. Le moyen de se procurer tout cet argent ?

« Bah ! me dis-je en y songeant, je me trouve bien naïf de m'inquiéter pour si peu ; Roger n'est-il pas là ? Roger est riche, il donne des leçons en ville, et il sera trop heureux de me procurer quelques cents francs, à moi qui viens de lui sauver la vie. »

Mes affaires ainsi réglées, j'oubliais toutes les catastrophes de la journée pour ne songer qu'à mon grand voyage de Paris. J'étais très joyeux, je ne tenais plus en place, et M. Viot, qui descendit à l'étude pour savourer le spectacle de mon désespoir, eut l'air fort déçu en voyant ma mine réjouie. A dîner, je mangeai vite et bien ; dans la cour, je pardonnai les arrêts des élèves. Enfin l'heure de la classe sonna.

Le plus pressant était de voir Roger ; d'un bond, je fus à sa chambre ; personne à sa chambre. « Bon ! me dis-je en moi-même, il sera allé faire un tour au café Barbette », et cela ne m'étonna pas dans des circonstances aussi dramatiques.

Au café Barbette, personne encore : « Roger, me dit-on, était allé à la Prairie avec les sous-officiers. » Que diable pouvaient-ils faire là-bas par un temps pareil ? Je commençais à être fort inquiet ; aussi, sans vouloir accepter une partie de billard qu'on m'offrait, je relevai le bas de mon pantalon et je m'élançai dans la neige, du côté de la Prairie, à la recherche de mon bon ami le maître d'armes.

12

L'anneau de fer

Des portes de Sarlande à la Prairie il y a bien une bonne demilieue ; mais, du train dont j'allais, je dus ce jour-là faire le trajet en moins d'un quart d'heure. Je tremblais pour Roger. J'avais peur que le pauvre garçon n'eût, malgré sa promesse, tout raconté au principal pendant l'étude ; je croyais voir encore luire la crosse de son pistolet. Cette pensée lugubre me donnait des ailes.

Pourtant, de distance en distance, j'apercevais sur la neige la trace de pas nombreux allant vers la Prairie, et de songer que le maître d'armes n'était pas seul, cela me rassurait un peu.

Alors, ralentissant ma course, je pensais à Paris, à Jacques, à mon départ... Mais au bout d'un instant, mes terreurs recommençaient.

« Roger va se tuer évidemment. Que serait-il venu chercher, sans cela, dans cet endroit désert, loin de la ville ? S'il amène avec lui ses amis du café Barbette, c'est pour leur faire ses adieux, pour boire le coup de l'étrier, comme ils disent... Oh ! ces militaires !... » Et me voilà courant de plus belle à perdre haleine.

Heureusement j'approchais de la Prairie dont j'apercevais déjà les grands arbres chargés de neige. « Pauvre ami, me disais-je, pourvu que j'arrive à temps ! »

La trace des pas me conduisit ainsi jusqu'à la guinguette d'Espéron.

Cette guinguette était un endroit louche et de mauvais renom, où les débauchés de Sarlande faisaient leurs parties fines. J'y étais venu plus d'une fois en compagnie des nobles cœurs, mais jamais je ne lui avais trouvé une physionomie aussi sinistre que ce jour-là. Jaune et sale, au milieu de la blancheur immaculée de la plaine, elle se dérobait, avec sa porte basse, ses murs décrépits et ses fenêtres aux vitres mal lavées, derrière un taillis de petits ormes. La maisonnette avait l'air honteuse du vilain métier qu'elle faisait.

Comme j'approchais, j'entendis un bruit joyeux de voix, de rires et de verres choqués.

« Grand Dieu ! me dis-je en frémissant, c'est le coup de l'étrier. » Et je m'arrêtai pour reprendre haleine.

Je me trouvais alors sur le derrière de la guinguette ; je poussai une porte à claire-voie, et j'entrai dans le jardin. Quel jardin ! Une grande haie dépouillée, des massifs de lilas sans feuilles, des tas de balayures sur la neige, et des tonnelles toutes blanches qui ressemblaient à des huttes d'Esquimaux. Cela était d'un triste à faire pleurer.

Le tapage venait de la salle du rez-de-chaussée, et la ripaille devait chauffer à ce moment, car, malgré le froid, on avait ouvert toutes grandes les deux fenêtres.

Je posais déjà le pied sur la première marche du perron, lorsque j'entendis quelque chose qui m'arrêta net et me glaça : c'était mon nom prononcé au milieu de grands éclats de rire. Roger parlait de moi, et, chose singulière, chaque fois que le nom de Daniel Eyssette revenait, les autres riaient à se tordre.

Poussé par une curiosité douloureuse, sentant bien que j'allais apprendre quelque chose d'extraordinaire, je me rejetai en arrière, et, sans être entendu de personne, grâce à la neige qui assourdissait comme un tapis le bruit de mes pas, je me glissai dans une des tonnelles, qui se trouvait fort à propos juste au-dessous des fenêtres.

Je la reverrai toute ma vie, cette tonnelle ; je reverrai toute ma vie la verdure morte qui la tapissait, son sol boueux et sale, sa petite table peinte en vert et ses bancs de bois tout ruisselants d'eau... A travers la neige dont elle était chargée, le jour passait à peine ; la neige fondait lentement et tombait sur ma tête goutte à goutte.

C'est là, c'est dans cette tonnelle noire et froide comme un tombeau, que j'ai appris combien les hommes peuvent être méchants et lâches ; c'est là que j'ai appris à douter, à mépriser, à haïr... O vous qui me lisez, Dieu vous garde d'entrer jamais dans cette horrible tonnelle !... Debout, retenant mon souffle, rouge de colère et de honte, j'écoutais ce qui se disait chez Espéron.

Mon bon ami le maître d'armes avait toujours la parole... Il racontait l'aventure de Cécilia, la correspondance amoureuse, la visite de M. le sous-préfet au collège, tout cela avec des enjolivements et des gestes qui devaient être bien comiques, à en juger par les transports de l'auditoire.

« Vous comprenez, mes petits amours, disait-il de sa voix goguenarde, qu'on n'a pas joué pour rien la comédie pendant trois ans sur le théâtre des zouaves. Vrai comme je vous parle ! j'ai cru un moment la partie perdue, et je me suis dit que je ne viendrais plus boire avec vous le bon vin du père Espéron... Le petit Eyssette n'avait rien dit, c'est vrai ; mais il était temps de parler encore ; et, entre nous, je crois qu'il voulait seulement me laisser l'honneur de me dénoncer moi-même. Alors je me suis dit : "Ayons l'œil, Roger, et en avant la grande scène ! " »

Là-dessus, mon bon ami le maître d'armes se mit à jouer ce qu'il appelait la grande scène, c'est-à-dire ce qui s'était passé le matin dans ma chambre entre lui et moi. Ah ! le misérable ! il n'oublia rien... Il criait : « Ma mère ! ma pauvre mère ! » avec des intonations de théâtre. Puis il imitait ma voix : « Non, Roger, non ! vous ne sortirez pas !... » La grande scène était réellement d'un haut comique, et tout l'auditoire se roulait. Moi, je sentais de grosses larmes ruisseler le long de mes joues, j'avais le frisson, les oreilles me tintaient, je devinais toute l'odieuse comédie du matin, je comprenais vaguement que Roger avait fait exprès d'envoyer mes lettres pour se mettre à l'abri de toute mésaventure, que depuis vingt ans sa mère, sa pauvre mère, était morte, et que j'avais pris l'étui de sa pipe pour une crosse de pistolet.

« Et la belle Cécilia ? dit un noble cœur.

— Cécilia n'a pas parlé, elle a fait ses malles, c'est une bonne fille.

— Et le petit Daniel ! que va-t-il devenir ?

— Bah ! » répondit Roger...

Ici, un geste qui fit rire tout le monde.

Cet éclat de rire me mit hors de moi. J'eus envie de sortir de la tonnelle et d'apparaître soudainement au milieu d'eux comme un spectre. Mais je me contins : j'avais déjà été assez ridicule.

Le rôti arrivait, les verres se choquèrent :

« A Roger ! à Roger ! » criait-on.

Je n'y tins plus, je souffrais trop. Sans m'inquiéter si quelqu'un pouvait me voir, je m'élançai à travers le jardin. D'un bond je franchis la porte à claire-voie, et je me mis à courir devant moi comme un fou.

La nuit tombait, silencieuse ; et cet immense champ de neige prenait dans la demi-obscurité du crépuscule je ne sais quel aspect de profonde mélancolie.

Je courus ainsi quelque temps comme un cabri blessé ; et si les cœurs qui se brisent et qui saignent étaient autre chose que des façons de parler, à l'usage des poètes, je vous jure qu'on aurait pu trouver derrière moi, sur la plaine blanche, une longue trace de sang.

Je me sentais perdu. Où trouver de l'argent ? Comment m'en aller ? Comment rejoindre mon frère Jacques ? Dénoncer Roger ne m'aurait même servi de rien... Il pouvait nier, maintenant que Cécilia était partie.

Enfin, accablé, épuisé de fatigue et de douleur, je me laissai tomber dans la neige au pied d'un châtaignier. Je serais resté là jusqu'au lendemain peut-être, pleurant et n'ayant pas la force de penser, quand tout à coup, bien loin, bien loin, du côté de Sarlande, j'entendis une cloche sonner. C'était la cloche du collège. J'avais tout oublié ; cette cloche me rappela à la vie : il me fallait rentrer et surveiller la récréation des élèves dans la *salle*... En pensant à la *salle*, une idée subite me vint. Sur-le-champ mes larmes s'arrêtèrent ; je me sentis plus fort, plus calme. Je me levai, et, de ce pas délibéré de l'homme qui vient de prendre une irrévocable décision, je repris le chemin de Sarlande.

Si vous voulez savoir quelle irrévocable décision vient de prendre le petit Chose, suivez-le jusqu'à Sarlande, à travers cette grande plaine blanche ; suivez-le dans les rues sombres et boueuses de la ville ; suivez-le sous le porche du collège ; suivez-le dans la *salle* pendant la récréation, et remarquez avec quelle singulière persistance il regarde le gros anneau de fer qui se balance au milieu ; la récréation finie, suivez-le encore jusqu'à l'étude, montez avec lui dans sa chaire, et lisez par-dessus son épaule cette lettre douloureuse, qu'il est en train d'écrire au milieu du vacarme et des enfants ameutés :

MONSIEUR JACQUES EYSSETTE,
RUE BONAPARTE, A PARIS.

Pardonne-moi, mon bien-aimé Jacques, la douleur que je viens te causer. Toi qui ne pleurais plus, je vais te faire pleurer encore une fois ; ce sera la dernière, par exemple... Quand tu recevras cette lettre, ton pauvre Daniel sera mort...

Ici le vacarme de l'étude redouble ; le petit Chose s'interrompt et distribue quelques punitions de droite et de gauche, mais gravement, sans colère. Puis il continue :

Vois-tu ! Jacques, j'étais trop malheureux. Je ne pouvais pas faire autrement que de me tuer. Mon avenir est perdu : on m'a chassé du collège — c'est pour une histoire de femme, des choses trop longues à te raconter ; puis, j'ai fait des dettes, je ne sais plus travailler, j'ai honte, je m'ennuie, j'ai le dégoût, la vie me fait peur... J'aime mieux m'en aller...

Le petit Chose est obligé de s'interrompre encore : « Cinq cents vers à l'élève Soubeyrol ! Fouque et Loupi en retenue dimanche ! » Ceci fait, il achève sa lettre :

Adieu, Jacques ! J'en aurais encore long à te dire, mais je sens que je vais pleurer, et les élèves me regardent. Dis à maman que j'ai glissé du haut d'un rocher, en promenade, ou bien que je me suis noyé, en patinant. Enfin invente une histoire, mais que la pauvre femme ignore toujours la vérité !... Embrasse-la bien pour moi, cette chère mère ; embrasse aussi notre père, et tâche de leur reconstruire vite un beau foyer... Adieu ! je t'aime. Souviens-toi de Daniel.

Cette lettre terminée, le petit Chose en commence tout de suite une autre ainsi conçue :

Monsieur l'abbé, je vous prie de faire parvenir à mon frère Jacques la lettre que je laisse pour lui. En même temps vous couperez de mes cheveux, et vous en ferez un petit paquet pour ma mère.

Je vous demande pardon du mal que je vous donne. Je me suis tué parce que j'étais trop malheureux ici. Vous seul, monsieur l'abbé, vous êtes toujours montré très bon pour moi. Je vous en remercie.

DANIEL EYSSETTE.

Après quoi, le petit Chose met cette lettre et celle de Jacques sous une même grande enveloppe, avec cette suscription : « La personne qui trouvera la première mon cadavre, est priée de remettre ce pli entre les mains de l'abbé Germane. » Puis, toutes ses affaires terminées, il attend tranquillement la fin de l'étude.

L'étude est finie. On soupe, on fait la prière, on monte au dortoir.

Les élèves se couchent ; le petit Chose se promène de long en large, attendant qu'ils soient endormis. Voici maintenant M. Viot qui fait sa ronde ; on entend le cliquetis mystérieux de ses clefs et le bruit sourd de ses chaussons sur le parquet. « Bonsoir, monsieur Viot ! murmure le petit Chose. — Bonsoir, monsieur ! » répond à voix basse le surveillant ; puis il s'éloigne, ses pas se perdent dans le corridor.

Le petit Chose est seul. Il ouvre la porte doucement et s'arrête un instant sur le palier pour voir si les élèves ne se réveillent pas ; mais tout est tranquille dans le dortoir.

Alors il descend, il se glisse à petits pas, dans l'ombre des murs. La tramontane souffle tristement par-dessous les portes. Au bas de l'escalier, en passant devant le péristyle, il aperçoit la cour blanche de neige, entre ses quatre grands corps de logis tout sombres.

Là-haut, près des toits, veille une lumière : c'est l'abbé Germane qui travaille à son grand ouvrage. Du fond de son cœur le petit Chose envoie un dernier adieu, bien sincère, à ce bon abbé ; puis il entre dans la *salle*...

Le vieux gymnase de l'école de Marine est plein d'une ombre froide et sinistre. Par les grillages d'une fenêtre un peu de lune descend et vient donner en plein sur le gros anneau de fer — oh ! cet anneau, le petit Chose ne fait qu'y penser depuis des heures —, sur le gros anneau de fer qui reluit comme de l'argent... Dans un coin de la *salle*, un vieil escabeau dormait. Le petit Chose va le prendre, le porte sous l'anneau, et monte dessus ; il ne s'est pas trompé, c'est juste à la hauteur qu'il faut. Alors il détache sa cravate, une longue cravate en soie violette qu'il porte chiffonnée autour de son cou, comme un ruban. Il attache la cravate à l'anneau et fait un nœud coulant... Une heure sonne. Allons ! il faut mourir... Avec des mains qui tremblent, le petit Chose ouvre le nœud coulant. Une sorte de fièvre le transporte. Adieu, Jacques ! Adieu, Mme Eyssette !...

Tout à coup un poignet de fer s'abat sur lui. Il se sent saisi par le milieu du corps et planté debout sur ses pieds, au bas de l'escabeau. En même temps une voix rude et narquoise, qu'il connaît bien, lui dit : « En voilà une idée, de faire du trapèze à cette heure ! »

Le petit Chose se retourne, stupéfait.

C'est l'abbé Germane sans soutane, en culotte courte, avec son rabat flottant sur son gilet. Sa belle figure laide sourit tristement, à demi éclairée par la lune... Une seule main lui a suffi pour mettre le suicidé par terre ; de l'autre main il tient encore sa carafe, qu'il venait de remplir à la fontaine de la cour.

De voir la tête effarée et les yeux pleins de larmes du petit Chose, l'abbé Germane a cessé de sourire, et il répète, mais cette fois d'une voix douce et presque attendrie :

« Quelle drôle d'idée, mon cher Daniel, de faire du trapèze à cette heure ! »

Le petit Chose est tout rouge, tout interdit.

« Je ne fais pas du trapèze, monsieur l'abbé, je veux mourir.

— Comment !... mourir ?... Tu as donc bien du chagrin ?

— Oh !... répond le petit Chose avec de grosses larmes brûlantes qui roulent sur ses joues.

— Daniel, tu vas venir avec moi », dit l'abbé.

Le petit Daniel fait signe que non et montre l'anneau de fer avec la cravate... L'abbé Germane le prend par la main : « Voyons ! monte dans ma chambre ; si tu veux te tuer, eh bien ! tu te tueras là-haut : il y a du feu, il fait bon. »

Mais le petit Chose résiste : « Laissez-moi mourir, monsieur l'abbé. Vous n'avez pas le droit de m'empêcher de mourir. »

Un éclair de colère passe dans les yeux du prêtre : « Ah ! c'est comme cela ! » dit-il. Et prenant brusquement le petit Chose par la ceinture, il l'emporte sous son bras comme un paquet, malgré sa résistance et ses supplications...

... Nous voici maintenant chez l'abbé Germane : un grand feu brille dans la cheminée ; près du feu, il y a une table avec une lampe allumée, des pipes, et des tas de papiers chargés de pattes de mouche.

Le petit Chose est assis au coin de la cheminée. Il est très agité, il parle beaucoup, il raconte sa vie, ses malheurs et pourquoi il a voulu en finir. L'abbé l'écoute en souriant ; puis, quand l'enfant a bien parlé, bien pleuré, bien dégonflé son pauvre cœur malade, le brave homme lui prend les mains et lui dit très tranquillement :

« Tout cela n'est rien, mon garçon, et tu aurais été joliment bête de te mettre à mort pour si peu. Ton histoire est fort simple : on t'a chassé du collège — ce qui, par parenthèse, est un grand bonheur pour toi... —, eh bien ! il faut partir, partir tout de suite, sans attendre tes huit jours... Tu n'es pas une cuisinière, ventrebleu !... Ton voyage, tes dettes, ne t'en inquiète pas ! je m'en charge... L'argent que tu voulais emprunter à ce coquin, c'est moi qui te le prêterai. Nous réglerons tout cela demain... A présent plus un mot ! j'ai besoin de travailler, et tu as besoin de dormir... Seulement je ne veux pas que tu retournes dans ton affreux dortoir : tu aurais froid, tu aurais peur ; tu vas te coucher dans mon lit ; de beaux draps blancs de ce matin !... Moi, j'écrirai toute la nuit ; et si le sommeil me prend, je m'étendrai sur le canapé... Bonsoir ! ne me parle plus. »

Le petit Chose se couche, il ne résiste pas... Tout ce qui lui arrive lui fait l'effet d'un rêve. Que d'événements dans une journée ! Avoir été si près de la mort, et se retrouver au fond d'un bon lit, dans cette chambre tranquille et tiède !... Comme le petit Chose est bien !... De temps en temps, en ouvrant les yeux, il voit sous la clarté douce de l'abat-jour le bon abbé Germane qui, tout en fumant, fait courir sa plume, à petit bruit, du haut en bas des feuilles blanches...

... Je fus réveillé le lendemain matin par l'abbé, qui me frappait sur l'épaule. J'avais tout oublié en dormant... Cela fit beaucoup rire mon sauveur.

« Allons ! mon garçon, me dit-il, la cloche sonne, dépêche-toi ; personne ne se sera aperçu de rien, va prendre tes élèves comme à l'ordinaire ; pendant la récréation du déjeuner je t'attendrai ici pour causer. »

La mémoire me revint tout d'un coup. Je voulais le remercier, l'embrasser ; mais positivement le bon abbé me mit à la porte.

Si l'étude me parut longue, je n'ai pas besoin de vous le dire... Les élèves n'étaient pas encore dans la cour, que déjà je frappais chez l'abbé Germane. Je le retrouvai devant son bureau, les tiroirs grands ouverts, occupé à compter des pièces d'or, qu'il alignait soigneusement par petits tas.

Au bruit que je fis en entrant, il retourna la tête, puis se remit à son travail, sans rien me dire ; quand il eut fini, il referma ses tiroirs, et me faisant signe de la main avec un bon sourire :

« Tout ceci est pour toi, me dit-il. J'ai fait ton compte. Voici pour le voyage, voici pour le portier, voici pour le café Barbette, voici pour l'élève qui t'a prêté dix francs... J'avais mis cet argent de côté pour faire un remplaçant à Cadet ; mais Cadet ne tire au sort que dans six ans, et d'ici là nous nous serons revus. »

Je voulus parler, mais ce diable d'homme ne m'en laissa pas le temps : « A présent, mon garçon, fais-moi tes adieux... Voilà ma classe qui sonne, et quand j'en sortirai je ne veux plus te retrouver ici. L'air de cette Bastille ne te vaut rien... File vite à Paris, travaille bien, prie le bon Dieu, fume des pipes, et tâche d'être un homme — Tu m'entends, tâche d'être un homme. Car vois-tu ! mon petit Daniel, tu n'es encore qu'un enfant, et même j'ai bien peur que tu sois un enfant toute ta vie. »

Là-dessus, il m'ouvrit les bras avec un sourire divin ; mais moi je me jetai à ses genoux en sanglotant. Il me releva et m'embrassa sur les deux joues.

La cloche sonnait le dernier coup :

« Bon ! voilà que je suis en retard », dit-il en rassemblant à la hâte ses livres et ses cahiers. Comme il allait sortir, il se retourna encore vers moi.

« J'ai bien un frère à Paris, moi aussi, un brave homme de prêtre, que tu pourrais aller voir... Mais, bah ! à moitié fou comme tu l'es, tu n'aurais qu'à oublier son adresse... » Et sans en dire davantage, il se mit à descendre l'escalier à grands pas. Sa soutane flottait derrière lui ; de la main droite il tenait sa calotte, et, sous le bras gauche, il portait un gros paquet de papiers et de bouquins... Bon abbé Germane ! Avant de m'en aller, je jetai un dernier regard autour de sa chambre ; je contemplai une dernière fois la grande bibliothèque, la petite table, le feu à demi éteint, le fauteuil où j'avais tant pleuré, le lit où j'avais dormi si bien ; et, songeant à cette existence mystérieuse dans laquelle je devinais tant de courage, de bonté cachée, de dévouement et de résignation, je ne pus m'empêcher de rougir de mes lâchetés, et je me fis le serment de me rappeler toujours l'abbé Germane.

En attendant, le temps passait... J'avais ma malle à faire, mes dettes à payer, ma place à retenir à la diligence...

Au moment de sortir, j'aperçus sur un coin de la cheminée plusieurs vieilles pipes toutes noires. Je pris la plus vieille, la plus noire, la plus courte, et je la mis dans ma poche comme une relique ; puis je descendis.

En bas, la porte du vieux gymnase était encore entrouverte. Je ne pus m'empêcher d'y jeter un regard en passant, et ce que je vis me fit frissonner.

Je vis la grande salle sombre et froide, l'anneau de fer qui reluisait, et ma cravate violette avec son nœud coulant, qui se balançait dans le courant d'air au-dessus de l'escabeau renversé.

13

Les clefs de M. Viot

Comme je sortais du collège à grandes enjambées, encore tout ému de l'horrible spectacle que je venais d'avoir, la loge du portier s'ouvrit brusquement, et j'entendis qu'on m'appelait :

« Monsieur Eyssette ! monsieur Eyssette ! »

C'étaient le maître du café Barbette et son digne ami M. Cassagne, l'air effaré, presque insolents.

Le cafetier parla le premier.

« Est-ce vrai que vous partez, monsieur Eyssette ?

— Oui, monsieur Barbette, répondis-je tranquillement, je pars aujourd'hui même. »

M. Barbette fit un bond, M. Cassagne en fit un autre ; mais le bond de M. Barbette fut bien plus fort que celui de M. Cassagne, parce que je lui devais beaucoup plus d'argent.

« Comment ! aujourd'hui même !

— Aujourd'hui même, et je cours de ce pas retenir ma place à la diligence. »

Je crus qu'ils allaient me sauter à la gorge.

« Et mon argent ? dit M. Barbette.

— Et le mien ? » hurla M. Cassagne.

Sans répondre, j'entrai dans la loge, et tirant gravement, à pleines mains, les belles pièces d'or de l'abbé Germane, je me mis à leur compter sur le bout de la table ce que je leur devais à tous les deux.

Ce fut un coup de théâtre ! Les deux figures renfrognées se déridèrent, comme par magie... Quand ils eurent empoché leur argent, un peu honteux des craintes qu'ils m'avaient montrées, et tout joyeux d'être payés, ils s'épanchèrent en compliments de condoléance et en protestations d'amitié :

« Vraiment, monsieur Eyssette, vous nous quittez ?... Oh ! quel dommage ! Quelle perte pour la maison ! »

Et puis des oh ! des ah ! des hélas ! des soupirs, des poignées de main, des larmes étouffées...

La veille encore, j'aurais pu me laisser prendre à ces dehors d'amitié ; mais maintenant j'étais ferré à glace sur les questions de sentiment.

Le quart d'heure passé sous la tonnelle m'avait appris à connaître les hommes — du moins je le croyais ainsi —, et plus ces affreux gargotiers se montraient affables, plus ils m'inspiraient de dégoût. Aussi, coupant court à leurs effusions ridicules, je sortis du collège et m'en allai bien vite retenir ma place à la bienheureuse diligence qui devait m'emporter loin de tous ces monstres.

En revenant du bureau des messageries, je passai devant le café Barbette, mais je n'entrai pas ; l'endroit me faisait horreur. Seulement, poussé par je ne sais quelle curiosité malsaine, je regardai à travers les vitres... Le café était plein de monde ; c'était jour de poule au billard. On voyait parmi la fumée des pipes flamboyer les pompons des shakos et les ceinturons qui reluisaient pendus aux patères. Les nobles cœurs étaient au complet, il ne manquait que le maître d'armes.

Je regardai un moment ces grosses faces rouges que les glaces multipliaient, l'absinthe dansant dans les verres, les carafons d'eau-de-vie tout ébréchés sur le bord ; et de penser que j'avais vécu dans ce cloaque je me sentis rougir... Je revis le petit Chose roulant autour du billard, marquant les points, payant le punch, humilié, méprisé, se dépravant de jour en jour, et mâchonnant sans cesse entre les dents un tuyau de pipe ou un refrain de caserne... Cette vision m'épouvanta encore plus que celle que j'avais eue dans la salle du gymnase en voyant flotter la petite cravate violette. Je m'enfuis...

Or, comme je m'acheminais vers le collège, suivi d'un homme de la diligence pour emporter ma malle, je vis venir sur la place le maître d'armes, sémillant, une badine à la main, le feutre sur l'oreille, mirant sa moustache fine dans ses belles bottes vernies... De loin je le regardais avec admiration en me disant : « Quel dommage qu'un si bel homme porte une si vilaine âme !... » Lui, de son côté, m'avait aperçu et venait vers moi avec un bon sourire bien loyal et deux grands bras ouverts... Oh ! la tonnelle !

« Je vous cherchais, me dit-il... Qu'est-ce que j'apprends ? Vous... »

Il s'arrêta net. Mon regard lui cloua ses phrases menteuses sur les lèvres. Et dans ce regard qui le fixait d'aplomb, en face, le misérable dut lire bien des choses, car je le vis tout à coup pâlir, balbutier, perdre contenance ; mais ce ne fut que l'affaire d'un instant : il reprit aussitôt son air flambant, planta dans mes yeux deux yeux froids et brillants comme l'acier, et fourrant ses mains au fond de ses poches d'un air résolu, il s'éloigna en murmurant que ceux qui ne seraient pas contents n'auraient qu'à venir le lui dire...

Bandit, va !

Quand je rentrai au collège, les élèves étaient en classe. Nous montâmes dans ma mansarde. L'homme chargea la malle sur ses épaules et descendit. Moi, je restai encore quelques instants dans cette chambre glaciale, regardant les murs nus et salis, le pupitre noir tout déchiqueté, et, par la fenêtre étroite, les platanes des cours qui montraient leurs têtes couvertes de neige... En moi-même, je disais adieu à tout ce monde.

A ce moment, j'entendis une voix de tonnerre qui grondait dans les classes : c'était la voix de l'abbé Germane. Elle me réchauffa le cœur et me fit venir au bord des cils quelques bonnes larmes.

Après quoi, je descendis lentement, regardant attentif autour de moi, comme pour emporter dans mes yeux l'image, toute l'image, de ces lieux que je ne devais plus jamais revoir. C'est ainsi que je traversai les longs corridors à hautes fenêtres grillagées, où les yeux noirs m'étaient apparus pour la première fois. Dieu vous protège, mes chers yeux noirs !... Je passai aussi devant le cabinet du principal, avec sa double porte mystérieuse ; puis, à quelques pas plus loin, devant le cabinet de M. Viot... Là, je m'arrêtai subitement... O joie, ô délices ! les clefs, les terribles clefs, pendaient à la serrure, et le vent les faisait doucement frétiller. Je les regardai un moment, ces clefs formidables, je les regardai avec une sorte de terreur religieuse ; puis, tout à coup, une idée de vengeance me vint. Traîtreusement, d'une main sacrilège, je retirai le trousseau de la serrure, et, le cachant sous ma redingote, je descendis l'escalier quatre à quatre.

Il y avait au bout de la cour des moyens un puits très profond. J'y courus d'une haleine... A cette heure-là, la cour était déserte ; la fée aux lunettes n'avait pas encore relevé son rideau. Tout favorisait mon crime. Alors, tirant les clefs de dessous mon habit, ces misérables clefs qui m'avaient tant fait souffrir, je les jetai dans le puits de toutes mes forces... Frinc ! frinc ! frinc ! Je les entendis dégringoler, rebondir contre les parois, et tomber lourdement dans l'eau, qui se referma sur elles ; ce forfait commis, je m'éloignai souriant.

Sous le porche, en sortant du collège, la dernière personne que je rencontrai fut M. Viot, mais un M. Viot comme je n'en avais jamais vu, un M. Viot sans ses clefs, hagard, effaré, courant de droite et de gauche. Quand il passa près de moi, il me regarda un moment avec angoisse. Le malheureux avait envie de me demander si je ne *les* avais pas vues. Mais il n'osa pas... A ce moment, le portier lui criait du haut de l'escalier en se penchant : « Monsieur Viot, je ne les trouve pas ! » J'entendis l'homme aux clefs faire tout bas : « Oh ! mon Dieu ! » — Et il partit comme un fou à la découverte.

J'aurais été heureux de jouir plus longtemps de ce spectacle, mais le clairon de la diligence sonnait sur la place d'Armes, et je ne voulais pas qu'on partît sans moi.

Et maintenant, adieu pour toujours, grand collège enfumé fait de vieux fer et de pierres noires ; adieu, vilains enfants ! adieu, règlement féroce ! Le petit Chose s'envole et ne reviendra plus. Et vous, marquis de Boucoyran, estimez-vous heureux : on s'en va, sans vous allonger ce fameux coup d'épée si longtemps médité avec les nobles cœurs du café Barbette...

Fouette, cocher ! Sonne, trompette ! Bonne vieille diligence, fais feu de tes quatre roues, emporte le petit Chose au galop de tes trois chevaux... Emporte-le bien vite dans sa ville natale, pour qu'il embrasse sa mère chez l'oncle Baptiste, et qu'ensuite il mette le cap sur Paris et rejoigne au plus vite Eyssette (Jacques) dans sa chambre du Quartier latin !...

14

L'oncle Baptiste

Un singulier type d'homme que cet oncle Baptiste, le frère de Mme Eyssette ! Ni bon, ni méchant, marié de bonne heure à un grand gendarme de femme avare et maigre qui lui faisait peur, ce vieil enfant n'avait qu'une passion au monde : la passion du coloriage. Depuis quelque quarante ans, il vivait entouré de godets, de pinceaux, de couleurs, et passait son temps à colorier des images de journaux illustrés. La maison était pleine de vieilles *Illustrations* ! de vieux *Charivaris* ! de vieux *Magasins pittoresques* ! de cartes géographiques ! tout cela fortement enluminé. Même dans ses jours de disette, quand la tante lui refusait de l'argent pour acheter des journaux à images, il arrivait à mon oncle de colorier des livres. Ceci est historique : j'ai tenu dans mes mains une grammaire espagnole que mon oncle Baptiste avait mise en couleur d'un bout à l'autre, les adjectifs en bleu, les substantifs en rose, etc.

C'est entre ce vieux maniaque et sa féroce moitié que Mme Eyssette était obligée de vivre depuis six mois. La malheureuse femme passait toutes ses journées dans la chambre de son frère, assise à côté de lui et s'ingéniant à être utile. Elle essuyait les pinceaux, mettait de l'eau dans les godets... Le plus triste, c'est que depuis notre ruine l'oncle Baptiste avait un profond mépris pour M. Eyssette et que du matin au soir, la pauvre mère était condamnée à entendre dire : « Eyssette n'est pas sérieux ! Eyssette n'est pas sérieux ! » Ah ! le vieil imbécile ! il fallait voir de quel air sentencieux et convaincu il disait cela, en coloriant sa grammaire espagnole ! Depuis, j'en ai souvent rencontré dans la vie, de ces hommes soi-disant très graves, qui passaient leur temps à colorier des grammaires espagnoles et trouvaient que les autres n'étaient pas sérieux.

Tous ces détails sur l'oncle Baptiste et l'existence lugubre que Mme Eyssette menait chez lui, je ne les connus que plus tard ; pourtant, dès mon arrivée dans la maison, je compris que, quoi qu'elle en dît, ma mère ne devait pas être heureuse... Quand j'entrai, on venait de se mettre à table pour le dîner. Mme Eyssette bondit de joie en me voyant, et, comme vous pensez, elle embrassa son petit Chose de toutes ses forces. Cependant, la pauvre mère avait l'air gênée ; elle parlait peu — toujours sa petite voix douce et tremblante, les yeux dans son assiette. Elle faisait peine à voir avec sa robe étriquée et toute noire.

L'accueil de mon oncle et de ma tante fut très froid. Ma tante me demanda d'un air effrayé si j'avais dîné. Je me hâtai de répondre que oui... La tante respira ; elle avait tremblé un instant pour son dîner. Joli, le dîner ! des pois chiches et de la morue.

L'oncle Baptiste, lui, me demanda si nous étions en vacances... Je répondis que je quittais l'Université, et que j'allais à Paris rejoindre mon frère Jacques, qui m'avait trouvé une bonne place. J'inventai ce mensonge pour rassurer la pauvre Mme Eyssette sur mon avenir, et puis aussi pour avoir l'air sérieux aux yeux de mon oncle.

En apprenant que le petit Chose avait une bonne place, la tante Baptiste ouvrit de grands yeux.

« Daniel, dit-elle, il faudra faire venir ta mère à Paris... La pauvre chère femme s'ennuie loin de ses enfants ; et puis, tu comprends ! c'est une charge pour nous, et ton oncle ne peut pas toujours être *la vache à lait* de la famille.

— Le fait est, dit l'oncle Baptiste, la bouche pleine, que je suis *la vache à lait*... »

Cette expression de *vache à lait* l'avait ravi, et il la répéta plusieurs fois avec la plus grande gravité...

Le dîner fut long, comme entre vieilles gens. Ma mère mangeait peu, m'adressait quelques paroles et me regardait à la dérobée ; ma tante la surveillait.

« Vois ta sœur ! disait-elle à son mari, la joie de retrouver Daniel lui coupe l'appétit. Hier elle a pris deux fois du pain, aujourd'hui une fois seulement. »

Ah ! chère Mme Eyssette ! comme j'aurais voulu vous emporter ce soir-là, comme j'aurais voulu vous arracher à cette impitoyable vache à lait et à son épouse ; mais, hélas ! je m'en allais au hasard moi-même, ayant juste de quoi payer ma route, et je pensais bien que la chambre de Jacques n'était pas assez grande pour nous tenir tous les trois. Encore si j'avais pu vous parler, vous embrasser à mon aise ; mais non ! On ne nous laissa pas seuls une minute... Rappelez-vous : tout de suite après dîner l'oncle se remit à sa grammaire espagnole, la tante essuyait son argenterie, et tous deux ils nous épiaient du coin de l'œil... L'heure du départ arriva, sans que nous eussions rien pu nous dire...

Aussi le petit Chose avait le cœur bien gros, quand il sortit de chez l'oncle Baptiste ; et en s'en allant, tout seul, dans l'ombre de la grande avenue qui mène au chemin de fer, il se jura deux ou trois fois très solennellement de se conduire désormais comme un homme et de ne plus songer qu'à reconstruire le foyer.

DEUXIÈME PARTIE

1

Mes caoutchoucs

Quand je vivrais aussi longtemps que mon oncle Baptiste, lequel doit être à cette heure aussi vieux qu'un vieux baobab de l'Afrique centrale, jamais je n'oublierais mon premier voyage à Paris en wagon de troisième classe.

C'était dans les derniers jours de février ; il faisait encore très froid. Au-dehors, un ciel gris, le vent, le grésil, les collines chauves, des prairies inondées, de longues rangées de vignes mortes ; au-dedans, des matelots ivres qui chantaient, de gros paysans qui dormaient la bouche ouverte comme des poissons morts, de petites vieilles avec leurs cabas, des enfants, des puces, des nourrices, tout l'attirail du wagon des pauvres avec son odeur de pipe, d'eau-de-vie, de saucisse à l'ail et de paille moisie. Je crois y être encore.

En partant, je m'étais installé dans un coin, près de la fenêtre, pour voir le ciel ; mais, à deux lieues de chez nous, un infirmier militaire me prit ma place, sous le prétexte d'être en face de sa femme, et voilà le petit Chose, trop timide pour oser se plaindre, condamné à faire deux cents lieues entre ce gros vilain homme qui sentait la graine de lin et un grand tambour-major de Champenoise qui, tout le temps, ronfla sur son épaule.

Le voyage dura deux jours. Je passai ces deux jours à la même place, immobile entre mes deux bourreaux, la tête fixe et les dents serrées. Comme je n'avais pas d'argent ni de provisions, je ne mangeai rien de toute la route. Deux jours sans manger, c'est long ! — Il me restait bien encore une pièce de quarante sous, mais je la gardais précieusement pour le cas où, en arrivant à Paris, je ne trouverais pas l'ami Jacques à la gare, et malgré la faim j'eus le courage de n'y pas toucher. Le diable c'est qu'autour de moi on mangeait beaucoup dans le wagon. J'avais sous mes jambes un grand coquin de panier très lourd, d'où mon voisin l'infirmier tirait à tout moment des charcuteries variées qu'il partageait avec sa dame. Le voisinage de ce panier me rendit très malheureux, surtout le second jour. Pourtant ce n'est pas la faim dont je souffris le plus en ce terrible voyage. J'étais parti de Sarlande sans souliers, n'ayant aux pieds que de petits caoutchoucs fort minces, qui me servaient là-bas pour faire ma ronde dans le dortoir. Très joli, le caoutchouc ; mais l'hiver, en troisième classe... Dieu ! que j'ai eu froid ! C'était à en pleurer. La nuit, quand tout le monde dormait, je prenais doucement mes pieds entre mes mains et je les tenais des heures entières pour essayer de les réchauffer. Ah ! si Mme Eyssette m'avait vu.

Eh bien ! malgré la faim qui lui tordait le ventre, malgré ce froid cruel qui lui arrachait des larmes, le petit Chose était bien heureux, et pour rien au monde il n'aurait cédé cette place, cette demi-place qu'il occupait entre la Champenoise et l'infirmier. Au bout de toutes ces souffrances, il y avait Jacques, il y avait Paris.

Dans la nuit du second jour, vers trois heures du matin, je fus réveillé en sursaut. Le train venait de s'arrêter ; tout le wagon était en émoi.

J'entendis l'infirmier dire à sa femme :

« Nous y sommes.

— Où donc ? demandai-je en me frottant les yeux.

— A Paris, parbleu ! »

Je me précipitai vers la portière. Pas de maisons. Rien qu'une campagne pelée, quelques becs de gaz, et çà et là de gros tas de charbon de terre ; puis là-bas, dans le loin, une grande lumière rouge et un roulement confus pareil au bruit de la mer. De portière en portière, un homme allait, avec une petite lanterne, en criant :

« Paris ! Paris ! Vos billets ! » Malgré moi, je rentrai la tête par un mouvement de terreur. C'était Paris.

Ah ! grande ville féroce, comme le petit Chose avait raison d'avoir peur de toi !

Cinq minutes après, nous entrions dans la gare. Jacques était là depuis une heure. Je l'aperçus de loin avec sa longue taille un peu voûtée et ses grands bras de télégraphe qui me faisaient signe derrière le grillage. D'un bond je fus sur lui.

« Jacques ! mon frère !...

— Ah ! cher enfant ! »

Et nos deux âmes s'étreignirent de toute la force de nos bras. Malheureusement les gares ne sont pas organisées pour ces belles étreintes. Il y a la salle des voyageurs, la salle des bagages ; mais il n'y a pas la salle des effusions, il n'y a pas la salle des âmes. On nous bousculait, on nous marchait dessus.

« Circulez ! circulez ! » nous criaient les gens de l'octroi.

Jacques me dit tout bas : « Allons-nous-en. Demain, j'enverrai chercher ta malle. » Et, bras dessus bras dessous, légers comme nos escarcelles, nous nous mîmes en route pour le Quartier latin.

J'ai essayé bien souvent, depuis, de me rappeler l'impression exacte que me fit Paris cette nuit-là ; mais les choses, comme les hommes, prennent, la première fois que nous les voyons, une physionomie toute particulière, qu'ensuite nous ne leur trouvons plus. Le Paris de mon arrivée, je n'ai jamais pu me le reconstruire. C'est comme une ville brumeuse que j'aurais traversée tout enfant, il y a des années, et où je ne serais plus retourné depuis lors.

Je me souviens d'un pont de bois sur une rivière toute noire, puis d'un grand quai désert et d'un immense jardin au long de ce quai. Nous nous arrêtâmes un moment devant ce jardin. A travers les grilles qui le bordaient, on voyait confusément des huttes, des pelouses, des flaques d'eau, des arbres luisants de givre.

« C'est le Jardin des Plantes, me dit Jacques. Il y a là une quantité considérable d'ours blancs, de lions, de boas, d'hippopotames... »

En effet, cela sentait le fauve, et, par moments, un cri aigu, un rauque rugissement, sortait de cette ombre.

Moi, serré contre mon frère, je regardais de tous mes yeux à travers les grilles, et mêlant dans un même sentiment de terreur ce Paris inconnu, où j'arrivais de nuit, et ce jardin mystérieux, il me semblait que je venais de débarquer dans une grande caverne noire, pleine de bêtes féroces qui allaient se ruer sur moi. Heureusement que je n'étais pas seul : j'avais Jacques pour me défendre... Ah ! Jacques ! Jacques ! pourquoi ne t'ai-je pas toujours eu ?

Nous marchâmes encore longtemps, longtemps, par des rues noires interminables ; puis, tout à coup, Jacques s'arrêta sur une petite place où il y avait une église.

« Nous voici à Saint-Germain-des-Prés, me dit-il. Notre chambre est là-haut.

— Comment ! Jacques !... dans le clocher ?...

— Dans le clocher même... C'est très commode pour savoir l'heure. »

Jacques exagérait un peu. Il habitait, dans la maison à côté de l'église, une petite mansarde au cinquième ou au sixième étage, et sa fenêtre ouvrait sur le clocher de Saint-Germain, juste à la hauteur du cadran.

En entrant, je poussai un cri de joie. « Du feu ! quel bonheur ! » Et tout de suite je courus à la cheminée présenter mes pieds à la flamme, au risque de fondre les caoutchoucs. Alors seulement Jacques s'aperçut de l'étrangeté de ma chaussure. Cela le fit beaucoup rire.

« Mon cher, me dit-il, il y a une foule d'hommes célèbres qui sont arrivés à Paris en sabots, et qui s'en vantent. Toi, tu pourras dire que tu y es arrivé en caoutchoucs : c'est bien plus original. En attendant, mets ces pantoufles, et entamons le pâté. »

Disant cela, le bon Jacques roulait devant le feu une petite table qui attendait dans un coin, toute servie.

2

De la part du curé de Saint-Nizier

Dieu ! qu'on était bien cette nuit-là dans la chambre de Jacques ! Quels joyeux reflets clairs la cheminée envoyait sur notre nappe ! Et ce vieux vin cacheté, comme il sentait les violettes ! Et ce pâté, quelle belle croûte en or bruni il vous avait ! Ah ! de ces pâtés-là, on n'en fait plus maintenant ; tu n'en boiras plus jamais de ces vins-là, mon pauvre Eyssette !

De l'autre côté de la table, en face, tout en face de moi, Jacques me versait à boire : et, chaque fois que je levais les yeux, je voyais son regard tendre comme celui d'une mère, qui me riait doucement. Moi, j'étais si heureux d'être là que j'en avais positivement la fièvre. Je parlais, je parlais !

« Mange donc », me disait Jacques en me remplissant mon assiette ; mais je parlais toujours et je ne mangeais pas. Alors, pour me faire taire, il se mit à bavarder, lui aussi, et me narra longuement, sans prendre haleine, tout ce qu'il avait fait depuis plus d'un an que nous ne nous étions pas vus.

« Quand tu fus parti, me disait-il — et les choses les plus tristes, il les contait toujours avec son divin sourire résigné —, quand tu fus parti, la maison devint tout à fait lugubre. Le père ne travaillait plus ; il passait tout son temps dans le magasin à jurer contre les révolutionnaires et à me crier que j'étais un âne, ce qui n'avançait pas les affaires. Des billets protestés tous les matins, des descentes d'huissiers tous les deux jours ! chaque coup de sonnette nous faisait sauter le cœur. Ah ! tu t'es en allé au bon moment.

« Au bout d'un mois de cette terrible existence, mon père partit pour la Bretagne au compte de la Compagnie vinicole, et Mme Eyssette chez l'oncle Baptiste. Je les embarquai tous les deux. Tu penses si j'en ai versé de ces larmes... Derrière eux, tout notre pauvre mobilier fut vendu, oui, mon cher, vendu dans la rue, sous mes yeux, devant notre porte ; et c'est bien pénible, va ! de voir son foyer s'en aller ainsi pièce par pièce. On ne se figure pas combien elles font partie de nous-mêmes, toutes ces choses de bois ou d'étoffe que nous avons dans nos maisons. Tiens ! quand on a enlevé l'armoire au linge, tu sais, celle qui a sur ses panneaux des Amours roses avec des violons, j'ai eu envie de courir après l'acheteur et de crier bien fort : “Arrêtez-le ! ” Tu comprends ça, n'est-ce pas ?

« De tout notre mobilier, je ne gardai qu'une chaise, un matelas et un balai ; ce balai me fut très utile, tu vas voir. J'installai ces richesses dans un coin de notre maison de la rue Lanterne, dont le loyer était payé encore pour deux mois, et me voilà occupant à moi tout seul ce grand appartement nu, froid, sans rideaux. Ah ! mon ami, quelle tristesse ! Chaque soir, quand je revenais de mon bureau, c'était un nouveau chagrin et comme une surprise de me retrouver seul entre ces quatre murailles. J'allais d'une pièce à l'autre, fermant les portes très fort, pour faire du bruit. Quelquefois il me semblait qu'on m'appelait au magasin, et je criais : “J'y vais ! ” Quand j'entrais chez notre mère, je croyais toujours que j'allais la trouver tricotant tristement dans son fauteuil, près de la fenêtre...

« Pour comble de malheur, les babarottes reparurent. Ces horribles petites bêtes, que nous avions eu tant de peine à combattre en arrivant à Lyon, apprirent sans doute votre départ et tentèrent une nouvelle invasion, bien plus terrible encore que la première. D'abord j'essayai de résister. Je passai mes soirées dans la cuisine, ma bougie d'une main, mon balai de l'autre, à me battre comme un lion, mais toujours en pleurant. Malheureusement j'étais seul, et j'avais beau me multiplier, ce n'était plus comme au temps d'Annou. Du reste, les babarottes, elles aussi, arrivaient en plus grand nombre. Je suis sûr que toutes celles de Lyon — et Dieu sait s'il y en a dans cette grosse ville humide ! — s'étaient levées en masse pour venir assiéger notre maison. La cuisine en était toute noire, je fus obligé de la leur abandonner. Quelquefois je les regardais avec terreur par le trou de la serrure. Il y en avait des milliards de mille... Tu crois peut-être que ces maudites bêtes s'en tinrent là ! Ah ! bien oui ! tu ne connais pas ces gens du Nord. C'est envahissant comme tout. De la cuisine, malgré portes et serrures, elles passèrent dans la salle à manger, où j'avais fait mon lit. Je le transportai dans le magasin, puis dans le salon. Tu ris ! j'aurais voulu t'y voir.

« De pièce en pièce, les damnées babarottes me poussèrent jusqu'à notre ancienne petite chambre, au fond du corridor. Là, elles me laissèrent deux ou trois jours de répit ; puis un matin, en m'éveillant, j'en aperçus une centaine qui grimpaient silencieusement le long de mon balai, pendant qu'un autre corps de troupe se dirigeait en bon ordre vers mon lit... Privé de mes armes, forcé dans mes derniers redans, je n'avais plus qu'à fuir. C'est ce que je fis. J'abandonnai aux babarottes le matelas, la chaise, le balai, et je m'en fus de cette horrible maison de la rue Lanterne, pour n'y plus revenir.

« Je passai encore quelques mois à Lyon, mais bien longs, bien noirs, bien larmoyants. A mon bureau, on ne m'appelait plus que sainte Madeleine. Je n'allais nulle part. Je n'avais pas un ami. Ma seule distraction, c'était tes lettres... Ah ! mon Daniel, quelle jolie façon tu as de dire les choses ! Je suis sûr que tu pourrais écrire dans les journaux, si tu voulais. Ce n'est pas comme moi. Figure-toi qu'à force d'écrire sous la dictée j'en suis arrivé à être à peu près aussi intelligent qu'une machine à coudre. Impossible de rien trouver par moi-même. M. Eyssette avait bien raison de me dire : “Jacques, tu es un âne.” Après tout, ce n'est pas si mal d'être un âne. Les ânes sont de braves bêtes, patientes, fortes, laborieuses, le cœur bon et les reins solides... Mais revenons à mon histoire.

« Dans toutes tes lettres, tu me parlais de la reconstruction du foyer, et, grâce à ton éloquence, j'avais comme toi pris feu pour cette grande idée. Malheureusement, ce que je gagnais à Lyon suffisait à peine pour me faire vivre. C'est alors que la pensée me vint de m'embarquer pour Paris. Il me semblait que là je serais plus à même de venir en aide à la famille, et que je trouverais tous les matériaux nécessaires à notre fameuse reconstruction. Mon voyage fut donc décidé ; seulement je pris mes précautions. Je ne voulais pas tomber dans les rues de Paris comme un pierrot sans plumes. C'est bon pour toi, mon Daniel : il y a des grâces d'état pour les jolis garçons ; mais moi, un grand pleurard !

« J'allai donc demander quelques lettres de recommandation à notre ami le curé de Saint-Nizier. C'est un homme très bien posé dans le faubourg Saint-Germain. Il me donna deux lettres, l'une pour un comte, l'autre pour un duc. Je me mets bien, comme tu vois. De là je m'en fus trouver un tailleur qui, sur ma bonne mine, consentit à me faire crédit d'un bel habit noir avec ses dépendances, gilet, pantalon, *et caetera.* Je mis mes lettres de recommandation dans mon habit, mon habit dans une serviette, et me voilà parti, avec trois louis en poche : trente-cinq francs pour mon voyage et vingt-cinq pour voir venir.

« Le lendemain de mon arrivée à Paris, dès sept heures du matin, j'étais dans les rues, en habit noir et en gants jaunes. Pour ta gouverne, petit Daniel, ce que je faisais là était très ridicule. A sept heures du matin, à Paris, tous les habits noirs sont couchés, ou doivent l'être. Moi, je l'ignorais ; et j'étais très fier de promener le mien parmi ces grandes rues, en faisant sonner mes escarpins neufs. Je croyais aussi qu'en sortant de bonne heure j'aurais plus de chances pour rencontrer la Fortune. Encore une erreur : la Fortune, à Paris, ne se lève pas matin.

« Me voilà donc trottant par le faubourg Saint-Germain avec mes lettres de recommandation en poche.

« J'allai d'abord chez le comte, rue de Lille ; puis chez le duc, rue Saint-Guillaume. Aux deux endroits, je trouvai les gens de service en train de laver les cours et de faire reluire les cuivres des sonnettes. Quand je dis à ces faquins que je venais parler à leurs maîtres de la part du curé de Saint-Nizier, ils me rirent au nez en m'envoyant des seaux d'eau dans les jambes... Que veux-tu, mon cher ? c'est ma faute, aussi : il n'y a que les pédicures qui vont chez les gens à cette heure-là. Je me le tins pour dit.

« Tel que je te connais, toi, je suis sûr qu'à ma place tu n'aurais jamais osé retourner dans ces maisons et affronter les regards moqueurs de la valetaille. Eh bien ! moi, j'y retournai avec aplomb le jour même, dans l'après-midi, et, comme le matin, je demandai aux gens de service de m'introduire auprès de leurs maîtres, toujours de la part du curé de Saint-Nizier. Bien m'en prit d'avoir été brave : ces deux messieurs étaient visibles et je fus tout de suite introduit. Je trouvai deux hommes et deux accueils bien différents. Le comte de la rue de Lille me reçut très froidement. Sa longue figure maigre, sérieuse jusqu'à la solennité, m'intimidait beaucoup, et je ne trouvai pas quatre mots à lui dire. Lui, de son côté, me parla à peine. Il regarda la lettre du curé de Saint-Nizier, la mit dans sa poche, me demanda de lui laisser mon adresse, et me congédia d'un geste glacial, en me disant : "Je m'occuperai de vous ; inutile que vous reveniez. Si je trouve quelque chose, je vous écrirai."

« Le diable soit de l'homme ! Je sortis de chez lui, transi jusqu'aux moelles. Heureusement la réception qu'on me fit rue Saint-Guillaume avait de quoi me réchauffer le cœur. J'y trouvai le duc le plus réjoui, le plus épanoui, le plus bedonnant, le plus avenant du monde. Et comme il l'aimait, son cher curé de Saint-Nizier ! et comme tout ce qui venait de là serait sûr d'être bien accueilli rue Saint-Guillaume !... Ah ! le bon homme ! le brave duc ! Nous fûmes amis tout de suite. Il m'offrit une pincée de tabac à la bergamote, me tira le bout de l'oreille, et me renvoya avec une tape sur la joue et d'excellentes paroles :

« "Je me charge de votre affaire. Avant peu, j'aurai ce qu'il vous faut. D'ici là, venez me voir aussi souvent que vous voudrez."

« Je m'en allai ravi.

« Je passai deux jours sans y retourner, par discrétion. Le troisième jour seulement, je poussai jusqu'à l'hôtel de la rue Saint-Guillaume. Un grand escogriffe bleu et or me demanda mon nom. Je répondis d'un air suffisant :

« "Dites que c'est de la part du curé de Saint-Nizier."

« Il revint au bout d'un moment.

« "M. le duc est très occupé. Il prie monsieur de l'excuser et de vouloir bien passer un autre jour."

« Tu penses si je l'excusai, ce pauvre duc !

« Le lendemain, je revins à la même heure. Je trouvai le grand escogriffe bleu de la veille, perché comme un ara sur le perron. Du plus loin qu'il m'aperçut, il me fit gravement :

« "M. le duc est sorti.

« — Ah ! très bien ! répondis-je, je reviendrai. Dites-lui, je vous prie, que c'est la personne de la part du curé de Saint-Nizier."

« Le lendemain, je revins encore ; les jours suivants aussi, mais toujours avec le même insuccès. Une fois le duc était au bain, une autre fois à la messe, un jour au jeu de paume, un autre jour avec du monde. — Avec du monde ! en voilà une formule. Eh bien ! et moi, je ne suis donc pas du monde !

« A la fin, je me trouvais si ridicule avec mon éternel : “De la part du curé de Saint-Nizier”, que je n'osais plus dire de la part de qui je venais. Mais le grand ara bleu du perron ne me laissait jamais partir sans me crier, avec une gravité imperturbable :

« “Monsieur est sans doute la personne qui vient de la part du curé de Saint-Nizier.”

« Et cela faisait beaucoup rire d'autres aras bleus qui flânaient par-là dans les cours. Tas de coquins ! Si j'avais pu leur allonger quelques bons coups de trique de ma part à moi, et non de celle du curé de Saint-Nizier !

« Il y avait dix jours environ que j'étais à Paris, lorsqu'un soir, en revenant l'oreille basse d'une de ces visites à la rue Saint-Guillaume — je m'étais juré d'y aller jusqu'à ce qu'on me mît à la porte —, je trouvai chez mon portier une petite lettre. Devine de qui ?... une lettre du comte, mon cher, du comte de la rue de Lille, qui m'engageait à me présenter sans retard chez son ami le marquis d'Hacqueville. On demandait un secrétaire... Tu penses, quelle joie ! et aussi quelle leçon ! Cet homme froid et sec, sur lequel je comptais si peu, c'était justement lui qui s'occupait de moi, tandis que l'autre, si accueillant, me faisait faire depuis huit jours le pied de grue sur son perron, exposé, ainsi que le curé de Saint-Nizier, aux rires insolents des aras bleu et or... C'est là la vie, mon cher ; et à Paris on l'apprend vite.

« Sans perdre une minute, je courus chez le marquis d'Hacqueville. Je trouvai un petit vieux, frétillant, sec, tout en nerfs, alerte et gai comme une abeille. Tu verras quel joli type. Une tête d'aristocrate, fine et pâle, des cheveux droits comme des quilles, et rien qu'un œil. L'autre est mort d'un coup d'épée, voilà longtemps. Mais celui qui reste est si brillant, si vivant, si parlant, si interrogeant, qu'on ne peut pas dire que le marquis est borgne. Il a deux yeux dans le même œil, voilà tout.

« Quand j'arrivai devant ce singulier petit vieillard, je commençai par lui débiter quelques banalités de circonstance ; mais il m'arrêta net :

« “Pas de phrases ! me dit-il. Je ne les aime pas. Venons aux faits, voici. J'ai entrepris d'écrire mes mémoires. Je m'y suis malheureusement pris un peu tard, et je n'ai plus de temps à perdre, commençant à me faire très vieux. J'ai calculé qu'en employant tous mes instants, il me fallait encore trois années de travail pour terminer mon œuvre. J'ai soixante-dix ans, les jambes sont en déroute ; mais la tête n'a pas bougé. Je peux donc espérer aller encore trois ans et mener mes mémoires à bonne fin. Seulement, je n'ai pas une minute de trop ; c'est ce que mon secrétaire n'a pas compris. Cet imbécile — un garçon fort intelligent, ma foi ! et dont j'étais enchanté — s'est mis dans la tête d'être amoureux et de vouloir se marier. Jusque-là il n'y a pas de mal. Mais voilà-t-il pas que, ce matin, mon drôle vient me demander deux jours de congé pour faire ses noces. Ah ! bien oui ! deux jours de congé ! Pas une minute.

« "Mais, monsieur le marquis...

« — Il n'y a pas de 'mais, monsieur le marquis...' Si vous vous en allez deux jours, vous vous en irez tout à fait.

« — Je m'en vais, monsieur le marquis.

« — Bon voyage !"

« Et voilà mon coquin parti... C'est sur vous, mon cher garçon, que je compte pour le remplacer. Les conditions sont celles-ci : le secrétaire vient chez moi le matin, à huit heures ; il apporte son déjeuner. Je dicte jusqu'à midi. A midi, le secrétaire déjeune tout seul, car je ne déjeune jamais. Après le déjeuner du secrétaire, qui doit être très court, on se remet à l'ouvrage. Si je sors, le secrétaire m'accompagne ; il a un crayon et du papier. Je dicte toujours : en voiture, à la promenade, en visite, partout ! Le soir, le secrétaire dîne avec moi. Après le dîner, nous relisons ce que j'ai dicté dans la journée. Je me couche à huit heures, et le secrétaire est libre jusqu'au lendemain. Je donne cent francs par mois et le dîner. Ce n'est pas le Pérou ; mais dans trois ans, les mémoires terminés, il y aura un cadeau, et un cadeau royal, foi d'Hacqueville ! Ce que je demande, c'est qu'on soit exact, qu'on ne se marie pas, et qu'on sache écrire lestement sous la dictée. Savez-vous écrire sous la dictée ?

« "Oh ! parfaitement, monsieur le marquis", répondis-je avec une forte envie de rire.

« C'était si comique, en effet, cet acharnement du destin à me faire écrire sous la dictée toute ma vie !...

« "Eh bien ! alors mettez-vous là, reprit le marquis. Voici du papier et de l'encre. Nous allons travailler tout de suite. J'en suis au chapitre XXIV : *Mes démêlés avec M. de Villèle*. Ecrivez..."

« Et le voilà qui se met à me dicter d'une petite voix de cigale, en sautillant d'un bout de la pièce à l'autre.

« C'est ainsi, mon Daniel, que je suis entré chez cet original, lequel est au fond un excellent homme. Jusqu'à présent, nous sommes très contents l'un de l'autre ; hier au soir, en apprenant ton arrivée, il a voulu me faire emporter pour toi cette bouteille de vin vieux. On nous en sert une comme cela tous les jours à notre dîner, c'est te dire si l'on dîne bien. Le matin, par exemple, j'apporte mon déjeuner ; et tu rirais de me voir manger mes deux sous de fromage d'Italie dans une fine assiette de Moustiers, sur une nappe à blason. Ce que le bonhomme en fait, ce n'est pas par avarice ; mais pour éviter à son vieux cuisinier, M. Pilois, la fatigue de me préparer mon déjeuner... En somme, la vie que je mène n'est pas désagréable. Les mémoires du marquis sont fort instructifs, j'apprends sur M. Decazes et M. de Villèle une foule de choses qui ne peuvent pas manquer de me servir un jour ou l'autre. A huit heures, le soir, je suis libre. Je vais lire les journaux dans un cabinet de lecture, ou bien encore dire bonjour à notre ami Pierrotte... Est-ce que tu te le rappelles, l'ami Pierrotte ? tu sais ! Pierrotte des Cévennes, le frère de lait de maman. Aujourd'hui Pierrotte n'est plus Pierrotte : c'est M. Pierrotte gros comme les deux bras. Il a un beau magasin de porcelaines au passage du Saumon ; et comme il aimait beaucoup Mme Eyssette, j'ai trouvé sa maison ouverte à tous battants. Pendant les soirées d'hiver, c'était une ressource... Mais maintenant que te voilà, je ne suis plus en peine pour mes soirées... Ni toi non plus, n'est-ce pas, frérot ? Oh ! Daniel, mon Daniel, que je suis content ! Comme nous allons être heureux !... »

3

Ma mère Jacques

Jacques a fini son odyssée, maintenant c'est le tour de la mienne. Le feu qui meurt a beau nous faire signe : « Allez vous coucher, mes enfants ! » Les bougies ont beau crier : « Au lit ! au lit ! Nous sommes brûlées jusqu'aux bobèches. » — « On ne vous écoute pas », leur dit Jacques en riant, et notre veillée continue.

Vous comprenez ! ce que je raconte à mon frère l'intéresse beaucoup. C'est la vie du petit Chose au collège de Sarlande, cette triste vie que le lecteur se rappelle sans doute. Ce sont les enfants laids et féroces, les persécutions, les haines, les humiliations, les clefs de M. Viot toujours en colère, la petite chambre sous les combles où l'on étouffait les trahisons, les nuits de larmes ; et puis aussi — car Jacques est si bon qu'on peut tout lui dire — ce sont les débauches du café Barbette, l'absinthe avec les caporaux, les dettes, l'abandon de soi-même, tout enfin, jusqu'au suicide et la terrible prédiction de l'abbé Germane : « Tu seras un enfant toute ta vie. »

Les coudes sur la table, la tête dans ses mains, Jacques écoute jusqu'au bout ma confession sans l'interrompre... De temps en temps, je le vois qui frissonne et je l'entends dire : « Pauvre petit ! pauvre petit ! »

Quand j'ai fini, il se lève, me prend les mains et me dit d'une voix douce qui tremble : « L'abbé Germane avait raison : vois-tu ! Daniel, tu es un enfant, un petit enfant incapable d'aller seul dans la vie, et tu as bien fait de te réfugier près de moi. Dès aujourd'hui tu n'es plus seulement mon frère, tu es mon fils aussi, et puisque notre mère est loin, c'est moi qui la remplacerai. Le veux-tu ? dis, Daniel ! Veux-tu que je sois ta mère Jacques ? Je ne t'ennuierai pas beaucoup, tu verras. Tout ce que je te demande, c'est de me laisser toujours marcher à côté de toi et de te tenir la main. Avec cela, tu peux être tranquille et regarder la vie en face, comme un homme : elle ne te mangera pas. »

Pour toute réponse, je lui saute au cou : « O ma mère Jacques, que tu es bon ! » — Et me voilà pleurant sur son épaule, pleurant à chaudes larmes sans pouvoir m'arrêter, tout à fait comme l'ancien Jacques de Lyon. Le Jacques d'aujourd'hui ne pleure plus, lui ; la citerne est à sec, comme il dit. Quoi qu'il arrive, il ne pleurera plus jamais.

A ce moment, sept heures sonnent. Les vitres s'allument. Une lueur pâle entre dans la chambre en frissonnant.

« Voilà le jour, Daniel, dit Jacques. Il est temps de dormir. Couche-toi vite... tu dois en avoir besoin.

— Et toi, Jacques ?

— Oh ! moi, je n'ai pas deux jours de chemin de fer dans les reins... D'ailleurs, avant d'aller chez le marquis, il faut que je rapporte quelques livres au cabinet de lecture, et je n'ai pas de temps à perdre... tu sais que le d'Hacqueville ne plaisante pas... Je rentrerai ce soir à huit heures... Toi, quand tu te seras bien reposé, tu sortiras un peu. Surtout je te recommande... »

Ici ma mère Jacques commence à me faire une foule de recommandations très importantes pour un nouveau débarqué comme moi ; par malheur, tandis qu'il me les fait, je me suis étendu sur le lit, et, sans dormir précisément, je n'ai déjà plus les idées bien nettes. La fatigue, le pâté, les larmes... Je suis aux trois quarts assoupi... J'entends d'une façon confuse quelqu'un qui me parle d'un restaurant tout près d'ici, d'argent dans mon gilet, de ponts à traverser, de boulevards à suivre, de sergents de ville à consulter, et du clocher de Saint-Germain-des-Prés comme point de ralliement. Dans mon demi-sommeil, c'est surtout ce clocher de Saint-Germain qui m'impressionne. Je vois deux, cinq, dix clochers de Saint-Germain rangés autour de mon lit comme des poteaux indicateurs. Parmi tous ces clochers, quelqu'un va et vient dans la chambre, tisonne le feu, ferme les rideaux des croisées, puis s'approche de moi, me pose un manteau sur les pieds, m'embrasse au front et s'éloigne doucement avec un bruit de porte...

Je dormais depuis quelques heures, et je crois que j'aurais dormi jusqu'au retour de ma mère Jacques, quand le son d'une cloche me réveilla subitement. C'était la cloche de Sarlande, l'horrible cloche de fer qui sonnait comme autrefois : « Dig ! dong ! réveillez-vous ! dig ! dong ! habillez-vous ! » D'un bond je fus au milieu de la chambre, la bouche ouverte pour crier comme au dortoir : « Allons, messieurs ! » Puis, quand je m'aperçus que j'étais chez Jacques, je partis d'un grand éclat de rire et je me mis à gambader follement par la chambre. Ce que j'avais pris pour la cloche de Sarlande, c'était la cloche d'un atelier du voisinage, qui sonnait sec et féroce comme celle de là-bas. Pourtant la cloche du collège avait encore quelque chose de plus méchant, de plus en fer. Heureusement elle était à deux cents lieues ; et, si fort qu'elle sonnât, je ne risquais plus de l'entendre.

J'allai à la fenêtre, et je l'ouvris. Je m'attendais presque à voir au-dessous de moi la cour des grands avec ses arbres mélancoliques et l'homme aux clefs rasant les murs...

Au moment où j'ouvrais, midi sonnait partout. La grosse tour de Saint-Germain tinta la première ses douze coups de l'angélus à la suite, presque dans mon oreille. Par la fenêtre ouverte, les grosses notes lourdes tombaient chez Jacques trois par trois, se crevaient en tombant comme des bulles sonores, et remplissaient de bruit toute la chambre. A l'angélus de Saint-Germain, les autres angélus de Paris répondirent sur des timbres divers... En bas, Paris grondait, invisible... Je restai là un moment à regarder luire dans la lumière les dômes, les flèches, les tours ; puis tout à coup, le bruit de la ville montant jusqu'à moi, il me vint je ne sais quelle folle envie de plonger, de me rouler dans ce bruit, dans cette foule, dans cette vie, dans ces passions, et je me dis avec ivresse : « Allons voir Paris ! »

4

La discussion du budget

Ce jour-là, plus d'un Parisien a dû dire en rentrant chez lui, le soir, pour se mettre à table : « Quel singulier petit bonhomme j'ai rencontré aujourd'hui ! » Le fait est qu'avec ses cheveux trop longs, son pantalon trop court, ses caoutchoucs, ses bas bleus, son bouquet départemental et cette solennité de démarche particulière à tous les êtres trop petits, le petit Chose devait être tout à fait comique.

C'était justement une journée de la fin de l'hiver, une de ces journées tièdes et lumineuses qui, à Paris, souvent sont plus le printemps que le printemps lui-même. Il y avait beaucoup de monde dehors. Un peu étourdi par le va-et-vient bruyant de la rue, j'allais devant moi, timide et le long des murs. On me bousculait, je disais « Pardon ! » et je devenais tout rouge. Aussi je me gardais bien de m'arrêter devant les magasins et pour rien au monde je n'aurais demandé ma route. Je prenais une ruc, puis une autre, toujours tout droit. On me regardait. Cela me gênait beaucoup. Il y avait des gens qui se retournaient sur mes talons et des yeux qui riaient en passant près de moi ; une fois, j'entendis une femme dire à une autre : « Regarde donc celui-là. » Cela me fit broncher... Ce qui m'embarrassait beaucoup aussi, c'était l'œil inquisiteur des sergents de ville. A tous les coins de rue, ce diable d'œil silencieux se braquait sur moi curieusement ; et quand j'avais passé je le sentais encore qui me suivait de loin et me brûlait dans le dos. Au fond, j'étais un peu inquiet.

Je marchai ainsi près d'une heure, jusqu'à un grand boulevard planté d'arbres grêles. Il y avait là tant de bruit, tant de gens, tant de voitures, que je m'arrêtai presque effrayé.

« Comment me tirer d'ici ? pensai-je en moi-même. Comment rentrer à la maison ? Si je demande le clocher de Saint-Germain-des-Prés, on se moquera de moi. J'aurai l'air d'une cloche égarée qui revient de Rome le jour de Pâques. »

Alors, pour me donner le temps de prendre un parti, je m'arrêtai devant les affiches de théâtre, de l'air affairé d'un homme qui fait son menu de spectacles pour le soir. Malheureusement les affiches, fort intéressantes d'ailleurs, ne donnaient pas le moindre renseignement sur le clocher de Saint-Germain, et je risquais fort de rester là jusqu'au grand coup de trompette du Jugement dernier, quand soudain ma mère Jacques parut à mes côtés. Il était aussi étonné que moi.

« Comment ! c'est toi, Daniel ! Que fais-tu là, bon Dieu ? »

Je répondis d'un petit air négligent :

« Tu vois ! je me promène. »

Ce bon garçon de Jacques me regardait avec admiration :

« C'est qu'il est déjà parisien, vraiment ! »

Au fond, j'étais bien heureux de l'avoir, et je m'accrochai à son bras avec une joie d'enfant, comme à Lyon, quand M. Eyssette père était venu nous chercher sur le bateau.

« Quelle chance que nous nous soyons rencontrés ! me dit Jacques. Mon marquis a une extinction de voix, et comme heureusement on ne peut pas dicter par gestes, il m'a donné congé jusqu'à demain... Nous allons en profiter pour faire une grande promenade... »

Là-dessus, il m'entraîne ; et nous voilà partis dans Paris, bien serrés l'un contre l'autre et tout fiers de marcher ensemble.

Maintenant que mon frère est près de moi, la rue ne me fait plus peur. Je vais la tête haute, avec un aplomb de trompette aux zouaves, et gare au premier qui rira ! Pourtant une chose m'inquiète. Jacques, chemin faisant, me regarde à plusieurs reprises d'un air piteux. Je n'ose lui demander pourquoi.

« Sais-tu qu'ils sont très gentils tes caoutchoucs ? me dit-il au bout d'un moment.

— N'est-ce pas, Jacques ?

— Oui, ma foi ! très gentils... Puis, en souriant, il ajoute : C'est égal, quand je serai riche, je t'achèterai une paire de bons souliers pour mettre dedans. »

Pauvre cher Jacques ! il a dit cela sans malice ; mais il n'en faut pas plus pour me décontenancer. Voilà toutes mes hontes revenues. Sur ce grand boulevard ruisselant de clair soleil, je me sens ridicule avec mes caoutchoucs, et, quoi que Jacques puisse me dire d'aimable en faveur de ma chaussure, je veux rentrer sur-le-champ.

Nous rentrons. On s'installe au coin du feu, et le reste de la journée se passe gaiement à bavarder ensemble comme deux moineaux de gouttière... Vers le soir, on frappe à notre porte. C'est un domestique du marquis avec ma malle.

« Très bien ! dit ma mère Jacques. Nous allons inspecter un peu ta garde-robe. »

Pécaïre ! ma garde-robe !...

L'inspection commence. Il faut voir notre mine piteusement comique en faisant ce maigre inventaire. Jacques, à genoux devant la malle, tire les objets l'un après l'autre et les annonce à mesure.

« Un dictionnaire... une cravate... un autre dictionnaire... Tiens ! une pipe... tu fumes donc !... Encore une pipe... Bonté divine ! que de pipes !... Si tu avais seulement autant de chaussettes... Et ce gros livre, qu'est-ce que c'est ?... Oh ! oh !... *Cahier de punitions... Boucoyran, 500 lignes... Soubeyrol, 400 lignes... Boucoyran, 500 lignes... Boucoyran... Boucoyran...* Sapristi ! tu ne le ménageais pas le nommé Boucoyran... C'est égal, deux ou trois douzaines de chemises feraient bien mieux notre affaire. »

A cet endroit de l'inventaire, ma mère Jacques pousse un cri de surprise.

« Miséricorde ! Daniel... qu'est-ce que je vois ? Des vers ! ce sont des vers... Tu en fais donc toujours ?... Cachotier, va ! pourquoi ne m'en as-tu jamais parlé dans tes lettres ? Tu sais bien pourtant que je ne suis pas un profane... J'ai fait des poèmes, moi aussi, dans le temps... Souviens-toi de *Religion ! Religion ! Poème en douze chants !...* Ça, monsieur le lyrique, voyons un peu tes poésies !...

— Oh ! non, Jacques, je t'en prie. Cela n'en vaut pas la peine.

— Tous les mêmes, ces poètes, dit Jacques en riant. Allons ! mets-toi là, et lis-moi tes vers ; sinon je vais les lire moi-même, et tu sais comme je lis mal ! »

Cette menace me décide ; je commence ma lecture.

Ce sont des vers que j'ai faits au collège de Sarlande, sous les châtaigniers de la Prairie, en surveillant les élèves... Bons, ou méchants ? Je ne m'en souviens guère ; mais quelle émotion en les lisant !... Pensez donc ! des poésies qu'on n'a jamais montrées à personne... Et puis l'auteur de *Religion ! Religion !* n'est pas un juge ordinaire. S'il allait se moquer de moi ? Pourtant, à mesure que je lis, la musique des rimes me grise et ma voix se raffermit. Assis devant la croisée, Jacques m'écoute, impassible. Derrière lui, dans l'horizon, se couche un gros soleil rouge qui incendie nos vitres. Sur le bord du toit, un chat maigre bâille et s'étire en nous regardant ; il a l'air renfrogné d'un sociétaire de la Comédie-

Française écoutant une tragédie... Je vois tout cela du coin de l'œil sans interrompre ma lecture.

Triomphe inespéré ! A peine j'ai fini, Jacques enthousiasmé quitte sa place et me saute au cou :

« Oh ! Daniel ! que c'est beau ! que c'est beau ! »

Je le regarde avec un peu de défiance.

« Vraiment, Jacques, tu trouves ?...

— Magnifique, mon cher, magnifique !... Quand je pense que tu avais toutes ces richesses dans ta malle et que tu ne m'en disais rien ! c'est incroyable !... »

Et voilà ma mère Jacques qui marche à grands pas dans la chambre, parlant tout seul et gesticulant. Tout à coup, il s'arrête en prenant un air solennel :

« Il n'y a plus à hésiter : Daniel, tu es poète, il faut rester poète et chercher ta vie de ce côté-là.

— Oh ! Jacques, c'est bien difficile... Les débuts surtout. On gagne si peu.

— Bah ! je gagnerai pour deux, n'aie pas peur.

— Et le foyer, Jacques, le foyer que nous voulons reconstruire ?

— Le foyer ! je m'en charge. Je me sens de force à le reconstruire à moi tout seul. Toi, tu t'illustreras, et tu penses comme nos parents seront fiers de s'asseoir à un foyer célèbre !... »

J'essaye encore quelques objections ; mais Jacques a réponse à tout. Du reste, il faut le dire, je ne me défends que faiblement. L'enthousiasme fraternel commence à me gagner. La foi poétique me pousse à vue d'œil, et je sens déjà par tout mon être un prurigo lamartinien... Il y a un point, par exemple, sur lequel Jacques et moi nous ne nous entendons pas du tout. Jacques veut qu'à trente-cinq ans j'entre à l'Académie française. Moi, je m'y refuse énergiquement. Foin de l'Académie ! C'est vieux, démodé, pyramide d'Egypte en diable.

« Raison de plus pour y entrer, me dit Jacques. Tu leur mettras un peu de jeune sang dans les veines, à tous ces vieux Palais-Mazarin... Et puis Mme Eyssette sera si heureuse, songe donc ! »

Que répondre à cela ? Le nom de Mme Eyssette est un argument sans réplique. Il faut se résigner à endosser l'habit vert. Va donc pour l'Académie ! Si mes collègues m'ennuient trop, je ferai comme Mérimée, je n'irai jamais aux séances.

Pendant cette discussion, la nuit est venue, les cloches de Saint-Germain carillonnent joyeusement, comme pour célébrer l'entrée de Daniel Eyssette à l'Académie française. — « Allons dîner ! »

dit ma mère Jacques ; et, tout fier de se montrer avec un académicien, il m'emmène dans une crémerie de la rue Saint-Benoît.

C'est un petit restaurant de pauvres, avec une table d'hôte au fond pour les habitués. Nous mangeons dans la première salle, au milieu de gens très râpés, très affamés, qui raclent leurs assiettes silencieusement. — « Ce sont presque tous des hommes de lettres », me dit Jacques à voix basse. Dans moi-même, je ne puis m'empêcher de faire à ce sujet quelques réflexions mélancoliques, mais je me garde bien de les communiquer à Jacques, de peur de refroidir son enthousiasme.

Le dîner est très gai, M. Daniel Eyssette (de l'Académie française) montre beaucoup d'entrain, et encore plus d'appétit. Le repas fini, on se hâte de remonter dans le clocher ; et tandis que M. l'académicien fume sa pipe à califourchon sur la fenêtre, Jacques assis à sa table s'absorbe dans un grand travail de chiffres qui paraît l'inquiéter beaucoup. Il se ronge les ongles, s'agite fébrilement sur sa chaise, compte sur ses doigts, puis, tout à coup, se lève avec un cri de triomphe : « Bravo !... j'y suis arrivé...

— A quoi, Jacques ?

— A établir notre budget, mon cher. Et je te réponds que ce n'était pas une petite affaire. Pense ! soixante francs par mois pour vivre à deux !...

— Comment ! soixante ?... Je croyais que tu gagnais cent francs chez le marquis.

— Oui ! mais il y a là-dessus quarante francs par mois à envoyer à Mme Eyssette pour la reconstruction du foyer... Restent donc soixante francs. Nous avons quinze francs de chambre ; comme tu vois, ce n'est pas cher ; seulement, il faut que je fasse le lit moi-même.

— Je le ferai aussi, moi, Jacques.

— Non, non. Pour un académicien, ce ne serait pas convenable. Mais revenons au budget... Donc 15 francs de chambre, 5 francs de charbon — seulement 5 francs, parce que je vais le chercher moi-même aux usines tous les mois ; restent 40 francs. Pour ta nourriture, mettons 30 francs. Tu dîneras à la crémerie où nous sommes allés ce soir ; c'est 15 sous sans le dessert, et tu as vu qu'on n'est pas trop mal. Il te reste 5 sous pour ton déjeuner. Est-ce assez ?

— Je crois bien.

— Nous avons encore 10 francs. Je compte 7 francs de blanchissage... Quel dommage que je n'aie pas le temps ! j'irais moi-même au bateau... Restent 3 francs que j'emploie comme ceci :

30 sous pour mes déjeuners... dame, tu comprends ! moi, je fais tous les jours un bon repas chez mon marquis, et je n'ai pas besoin d'un déjeuner aussi substantiel que le tien. Les derniers trente sous sont les menus frais, tabac, timbres-poste et autres dépenses imprévues. Cela nous fait juste nos soixante francs... Hein ! Crois-tu que c'est calculé ? »

Et Jacques, enthousiasmé, se met à gambader dans la chambre ; puis, subitement, il s'arrête et prend un air consterné :

« Allons, bon ! Le budget est à refaire... J'ai oublié quelque chose.

— Quoi donc ?

— Et la bougie !... Comment feras-tu, le soir, pour travailler, si tu n'as pas de bougie ? C'est une dépense indispensable, et une dépense d'au moins cinq francs par mois... Où pourrait-on bien les décrocher ces cinq francs-là ?... L'argent du foyer est sacré, et sous aucun prétexte... Eh ! parbleu ! j'ai notre affaire. Voici le mois de mars qui vient, et avec lui le printemps, la chaleur, le soleil.

— Eh bien ! Jacques ?

— Eh bien ! Daniel, quand il fait chaud, le charbon est inutile : soit 5 francs de charbon, que nous transformons en 5 francs de bougie ; et voilà le problème résolu... Décidément, je suis né pour être ministre des Finances... Qu'en dis-tu ? Cette fois, le budget tient sur ses jambes, et je crois que nous n'avons rien oublié... Il y a bien encore la question des souliers et des vêtements, mais je sais ce que je vais faire... J'ai tous les jours ma soirée libre à partir de huit heures, je chercherai une place de teneur de livres chez quelque petit marchand. Bien sûr que l'ami Pierrotte me trouvera cela facilement.

— Ah ça ! Jacques, vous êtes donc très liés, toi et l'ami Pierrotte ?... Est-ce que tu y vas souvent ?

— Oui, très souvent. Le soir, on fait de la musique.

— Tiens ! Pierrotte est musicien.

— Non ! pas lui ; sa fille.

— Sa fille !... Il a donc une fille ?... Hé ! hé ! Jacques... Est-elle jolie, Mlle Pierrotte ?

— Oh ! tu m'en demandes trop pour une fois, mon petit Daniel... Un autre jour, je te répondrai. Maintenant, il est tard ; allons nous coucher. »

Et pour cacher l'embarras que lui causent mes questions, Jacques se met à border le lit activement, avec un soin de vieille fille.

C'est un lit de fer à une place, en tout pareil à celui dans lequel nous couchions tous les deux, à Lyon, rue Lanterne.

« T'en souviens-tu, Jacques, de notre petit lit de la rue Lanterne, quand nous lisions des romans en cachette, et que M. Eyssette nous criait du fond de son lit, avec sa plus grosse voix : “Eteignez vite, ou je me lève !” »

Jacques se souvient de cela, et aussi de bien d'autres choses... De souvenir en souvenir, minuit sonne à Saint-Germain qu'on ne songe pas encore à dormir.

« Allons !... bonne nuit ! » me dit Jacques résolument. Mais au bout de cinq minutes, je l'entends qui pouffe de rire sous sa couverture.

« De quoi ris-tu, Jacques ?...

— Je ris de l'abbé Micou, tu sais, l'abbé Micou de la manécanterie... Te le rappelles-tu ?...

— Parbleu !... »

Et nous voilà partis à rire, à rire, à bavarder, à bavarder... Cette fois, c'est moi qui suis raisonnable et qui dis :

« Il faut dormir. »

Mais un moment après, je recommence de plus belle :

« Et Rouget, Jacques, Rouget de la fabrique... Est-ce que tu t'en souviens ?... »

Là-dessus, nouveaux éclats de rire et causeries à n'en plus finir...

Soudain un grand coup de poing ébranle la cloison de mon côté, du côté de la ruelle. Consternation générale.

« C'est Coucou-Blanc, me dit Jacques tout bas dans l'oreille.

— Coucou-Blanc !... Qu'est-ce que cela ?

— Chut !... pas si haut... Coucou-Blanc est notre voisine... Elle se plaint sans doute que nous l'empêchons de dormir.

— Dis donc, Jacques ! quel drôle de nom elle a, notre voisine !... Coucou-Blanc ! Est-ce qu'elle est jeune ?...

— Tu pourras en juger toi-même, mon cher. Un jour ou l'autre, vous vous rencontrerez dans l'escalier... Mais en attendant, dormons vite... sans quoi Coucou-Blanc pourrait bien se fâcher encore. »

Là-dessus, Jacques souffle la bougie, et M. Daniel Eyssette (de l'Académie française) s'endort sur l'épaule de son frère comme quand il avait dix ans.

5

Coucou-Blanc et la dame du premier

Il y a, sur la place de Saint-Germain-des-Prés, dans le coin de l'église, à gauche et tout au bord des toits, une petite fenêtre qui me serre le cœur chaque fois que je la regarde. C'est la fenêtre de notre ancienne chambre ; et, encore aujourd'hui, quand je passe par là, je me figure que le Daniel d'autrefois est toujours là-haut, assis à sa table contre la vitre, et qu'il sourit de pitié en voyant dans la rue le Daniel d'aujourd'hui triste et déjà courbé.

Ah ! vieille horloge de Saint-Germain, que de belles heures tu m'as sonnées quand j'habitais là-haut avec la mère Jacques !... Est-ce que tu ne pourrais pas m'en sonner encore quelques-unes de ces heures de vaillance et de jeunesse ? J'étais si heureux dans ce temps-là ! Je travaillais de si bon cœur !...

Le matin, on se levait avec le jour. Jacques, tout de suite, s'occupait du ménage. Il allait chercher de l'eau, balayait la chambre, rangeait ma table. Moi, je n'avais le droit de toucher à rien. Si je lui disais : « Jacques, veux-tu que je t'aide ? »

Jacques se mettait à rire : « Tu n'y songes pas, Daniel. Et la dame du premier ? » Avec ces deux mots gros d'allusions, il me fermait la bouche.

Voici pourquoi :

Pendant les premiers jours de notre vie à deux, c'était moi qui étais chargé de descendre chercher de l'eau dans la cour. A une autre heure de la journée, je n'aurais peut-être pas osé ! mais, le matin, toute la maison dormait encore, et ma vanité ne risquait pas d'être rencontrée dans l'escalier une cruche à la main. Je descendais, en m'éveillant, à peine vêtu. A cette heure-là, la cour était déserte. Quelquefois, un palefrenier en casaque rouge nettoyait ses harnais près de la pompe. C'était le cocher de la dame du premier, une jeune créole très élégante dont on s'occupait beaucoup dans la maison. La présence de cet homme suffisait pour me gêner ; quand il était là, j'avais honte, je pompais vite et je remontais avec ma cruche à moitié remplie. Une fois en haut, je me trouvais très ridicule, ce qui ne m'empêchait pas d'être aussi gêné le lendemain, si j'apercevais la casaque rouge dans la cour... Or, un matin que j'avais eu la chance d'éviter cette formidable casaque, je remontais allègrement et ma cruche toute pleine, lorsque à la hauteur du premier étage je me trouvai face à face avec une dame qui descendait. C'était la dame du premier...

Droite et fière, les yeux baissés sur un livre, elle allait lentement dans un flot d'étoffes soyeuses. A première vue, elle me parut belle, quoique un peu pâle ; ce qui me resta d'elle surtout, c'est une petite cicatrice blanche qu'elle avait dans un coin, au-dessous de la lèvre. En passant devant moi, la dame leva les yeux. J'étais debout contre le mur, ma cruche à la main, tout rouge et tout honteux. Pensez ! être surpris ainsi comme un porteur d'eau, mal peigné, ruisselant, le cou nu, la chemise entrouverte... quelle humiliation ! J'aurais voulu entrer dans la muraille... La dame me regarda un moment bien en face d'un air de reine indulgente, avec un petit sourire, puis elle passa... Quand je remontai, j'étais furieux. Je racontai mon aventure à Jacques, qui se moqua beaucoup de ma vanité ; mais, le lendemain, il prit la cruche sans rien dire et descendit. Depuis lors, il descendit ainsi tous les matins ; et moi, malgré mes remords, je le laissais faire : j'avais trop peur de rencontrer encore la dame du premier.

Le ménage fini, Jacques s'en allait chez son marquis, et je ne le revoyais plus que dans la soirée. Je passais mes journées tout seul, en tête à tête avec la Muse ou ce que j'appelais la Muse. Du matin au soir, la fenêtre restait ouverte avec ma table devant, et sur cet établi, du matin au soir, j'enfilais des rimes. De temps en temps un pierrot venait boire à ma gouttière ; il me regardait un moment d'un air effronté, puis il allait dire aux autres ce que je faisais, et j'entendais le bruit sec de leurs petites pattes sur les ardoises... J'avais aussi les cloches de Saint-Germain qui me rendaient visite plusieurs fois dans le jour. J'aimais bien quand elles venaient me voir. Elles entraient bruyamment par la fenêtre et remplissaient la chambre de musique. Tantôt des carillons joyeux et fous précipitant leurs doubles-croches ; tantôt des glas noirs, lugubres, dont les notes tombaient une à une comme des larmes. Puis j'avais les angélus : l'angélus de midi, un archange aux habits de soleil qui entrait chez moi tout resplendissant de lumière ; l'angélus du soir, un séraphin mélancolique qui descendait dans un rayon de lune et faisait toute la chambre humide en y secouant ses grandes ailes...

La Muse, les pierrots, les cloches, je ne recevais jamais d'autres visites. Qui serait venu me voir ? Personne ne me connaissait. A la crémerie de la rue Saint-Benoît, j'avais toujours soin de me mettre à une petite table à part de tout le monde ; je mangeais vite, les yeux dans mon assiette ; puis, le repas fini, je prenais mon chapeau furtivement et je rentrais à toutes jambes. Jamais une distraction, jamais une promenade ; pas même la musique au Luxembourg. Cette timidité maladive que je tenais de Mme Eyssette était encore augmentée par le délabrement de mon costume et ces malheureux caoutchoucs qu'on n'avait pas pu remplacer. La rue me faisait peur, me rendait honteux. Je n'aurais jamais voulu descendre de mon clocher. Quelquefois pourtant, par ces jolis soirs mouillés des printemps parisiens, je rencontrais, en revenant de la crémerie, des volées d'étudiants en belle humeur, et de les voir s'en aller ainsi bras dessus bras dessous, avec leurs grands chapeaux, leurs pipes, leurs maîtresses, cela me donnait des idées... Alors je remontais bien vite mes cinq étages, j'allumais ma bougie, et je me mettais au travail rageusement jusqu'à l'arrivée de Jacques.

Quand Jacques arrivait, la chambre changeait d'aspect. Elle était toute gaieté, bruit, mouvement. On chantait, on riait, on se demandait des nouvelles de la journée. « As-tu bien travaillé ? me disait Jacques ; ton poème avance-t-il ? » Puis il me racontait quelque nouvelle invention de son original de marquis, tirait de sa poche des friandises du dessert mises de côté pour moi, et s'amusait à me les voir croquer à belles dents. Après quoi, je retournais à l'établi aux rimes. Jacques faisait deux ou trois tours dans la chambre, et, quand il me croyait bien en train, s'esquivait en me disant : « Puisque tu travailles, je vais *là-bas* passer un moment. » *Là-bas*, cela voulait dire chez Pierrotte ; et si vous n'avez pas déjà deviné pourquoi Jacques allait si souvent *là-bas*, c'est que vous n'êtes pas bien habiles. Moi, je compris tout, dès le premier jour, rien qu'à le voir lisser ses cheveux devant la glace avant de partir, et recommencer trois ou quatre fois son nœud de cravate ; mais, pour ne pas le gêner, je faisais semblant de ne me douter de rien, et je me contentais de rire au-dedans de moi, en pensant des choses...

Jacques parti, en avant les rimes ! A cette heure-là, je n'avais plus le moindre bruit ; les pierrots, les angélus, tous mes amis étaient couchés. Complet tête-à-tête avec la Muse... Vers neuf heures, j'entendais monter dans l'escalier — un petit escalier de bois qui faisait suite au grand. — C'était Mlle Coucou-Blanc, notre voisine, qui rentrait. A partir de ce moment, je ne travaillais plus. Ma cervelle émigrait effrontément chez la voisine et n'en bougeait pas... Que pouvait-elle bien être, cette mystérieuse Coucou-

Blanc ?... Impossible d'avoir le moindre renseignement à son endroit... Si j'en parlais à Jacques, il prenait un petit air en dessous pour me dire : « Comment !... tu ne l'as pas encore rencontrée, notre superbe voisine ? » Mais jamais il ne s'expliquait davantage. Moi je pensais : « Il ne veut pas que je la connaisse... C'est sans doute une grisette du Quartier latin. » Et cette idée m'embrasait la tête. Je me figurais quelque chose de frais, de jeune, de joyeux — une grisette, quoi ! Il n'y avait pas jusqu'à ce nom de Coucou-Blanc qui ne me parût plein de saveur, un de ces jolis sobriquets d'amour comme Musette ou Mimi-Pinson. C'était, dans tous les cas, une Musette bien sage et bien rangée que ma voisine, une Musette de Nanterre, qui rentrait tous les soirs à la même heure, et toujours seule. Je savais cela pour avoir plusieurs jours de suite, à l'heure où elle arrivait, appliqué mon oreille à sa cloison... Invariablement, voici ce que j'entendais : d'abord comme un bruit de bouteille qu'on débouche et rebouche plusieurs fois ; puis, au bout d'un moment, pouf ! la chute d'un corps très lourd sur le parquet ; et presque aussitôt une petite voix grêle, très aiguë, une voix de grillon malade, entonnant je ne sais quel air à trois notes, triste à faire pleurer. Sur cet air-là il y avait des paroles, mais je ne les distinguais pas, excepté cependant les incompréhensibles syllabes que voici : — *Tolocototignan !... tolocototignan !...* — qui revenaient de temps en temps dans la chanson comme un refrain plus accentué que le reste. Cette singulière musique durait environ une heure ; puis, sur un dernier *tolocototignan*, la voix s'arrêtait tout à coup ; et je n'entendais plus qu'une respiration lente et lourde... Tout cela m'intriguait beaucoup.

Un matin, ma mère Jacques, qui venait de chercher de l'eau, entra vivement chez nous avec un grand air de mystère et s'approchant de moi me dit tout bas :

« Si tu veux voir notre voisine... chut !... elle est là. »

D'un bond je fus sur le palier... Jacques ne m'avait pas menti... Coucou-Blanc était dans sa chambre, avec sa porte grande ouverte ; et je pus enfin la contempler... Oh ! Dieu ! Ce ne fut qu'une vision, mais quelle vision !... Imaginez une petite mansarde complètement nue, à terre une paillasse, sur la cheminée une bouteille d'eau-de-vie, au-dessus de la paillasse un énorme et mystérieux fer à cheval pendu au mur comme un bénitier. Maintenant, au milieu de ce chenil, figurez-vous une horrible négresse avec de gros yeux de nacre, des cheveux courts, laineux et frisés comme une toison de brebis noire, et n'ayant pour vêtements qu'une camisole fanée et une vieille crinoline rouge, sans rien dessus... C'est ainsi que m'apparut pour la première fois ma voisine Coucou-Blanc, la Coucou-Blanc de mes rêves, la sœur de Mimi-Pinson et de Bernerette... O province romanesque, que ceci te serve de leçon !...

« Eh bien ! me dit Jacques en me voyant rentrer, eh bien ! comment la trouves... » Il n'acheva pas sa phrase et devant ma mine déconfite partit d'un immense éclat de rire. J'eus le bon esprit de faire comme lui, et nous voilà riant de toutes nos forces l'un en face de l'autre sans pouvoir parler. A ce moment, par la porte entrebâillée, une grosse tête noire se glissa dans la chambre et disparut presque aussitôt en nous criant : « Blancs moquer nègre, pas joli. » Vous pensez si nous rîmes de plus belle...

Quand notre gaieté fut un peu calmée, Jacques m'apprit que la négresse Coucou-Blanc était au service de la dame du premier ; dans la maison, on l'accusait d'être un peu sorcière : à preuve, le fer à cheval, symbole du culte vaudou, qui pendait au-dessus de sa paillasse. On disait aussi que tous les soirs, quand sa maîtresse était sortie, Coucou-Blanc s'enfermait dans sa mansarde, buvait de l'eau-de-vie jusqu'à tomber ivre morte, et chantait des chansons nègres une partie de la nuit. Ceci m'expliquait tous les bruits mystérieux qui venaient de chez ma voisine : la bouteille débouchée, la chute sur le parquet, et l'air monotone à trois notes. Quant au *tolocototignan*, il paraît que c'est une sorte d'onomatopée très répandue chez les nègres du Cap, quelque chose comme notre *lon, lan la* ; les Pierre Dupont en ébène mettent de ça dans toutes leurs chansons.

A partir de ce jour, ai-je besoin de le dire ? le voisinage de Coucou-Blanc ne me donna plus autant de distractions. Le soir, quand elle montait, mon cœur ne trottait plus si vite ; jamais je ne me dérangeais plus pour aller coller mon oreille à la cloison... Quelquefois pourtant, dans le silence de la nuit, les *tolocototignan* venaient jusqu'à ma table, et j'éprouvais je ne sais quel vague malaise en entendant ce triste refrain ; on eût dit que je pressentais le rôle qu'il allait jouer dans ma vie...

Sur ces entrefaites, ma mère Jacques trouva une place de teneur de livres à cinquante francs par mois, chez un petit marchand de fer, où il devait se rendre tous les soirs en sortant de chez le marquis. Le pauvre garçon m'apprit cette bonne nouvelle, moitié content, moitié fâché. « Comment feras-tu pour aller *là-bas* ? » lui dis-je tout de suite. Il me répondit, les yeux pleins de larmes : « J'irai le dimanche. » Et dès lors, comme il l'avait dit, il n'alla plus *là-bas* que le dimanche, mais cela lui coûtait, bien sûr.

Quel était donc ce *là-bas* si séduisant qui tenait tant à cœur à ma mère Jacques ?... Je n'aurais pas été fâché de le connaître. Malheureusement on ne me proposait jamais de m'emmener ; et moi, j'étais trop fier pour le demander. Le moyen d'ailleurs d'aller quelque part, avec mes caoutchoucs ?... Un dimanche pourtant, au moment de partir chez Pierrotte, Jacques me dit avec un peu d'embarras :

« Est-ce que tu n'aurais pas envie de m'accompagner *là-bas*, petit Daniel ? Tu leur ferais sûrement un grand plaisir.

— Mais, mon cher, tu plaisantes...

— Oui, je sais bien... Le salon de Pierrotte n'est guère la place d'un poète... Ils sont là un tas de vieilles peaux de lapin.

— Oh ! ce n'est pas pour cela, Jacques ; c'est seulement à cause de mon costume...

— Tiens ! au fait... Je n'y songeais pas », dit Jacques.

Et il partit comme enchanté d'avoir une vraie raison pour ne pas m'emmener.

A peine au bas de l'escalier, le voilà qui remonte et vient vers moi tout essoufflé.

« Daniel, me dit-il, si tu avais eu des souliers et une jaquette présentable, m'aurais-tu accompagné chez Pierrotte ?

— Pourquoi pas ?

— Eh bien ! alors, viens... Je vais t'acheter tout ce qu'il te faut, puis nous irons *là-bas*. »

Je le regardai, stupéfait. « C'est la fin du mois, j'ai de l'argent », ajouta-t-il pour me convaincre. J'étais si content de l'idée d'avoir des nippes fraîches que je ne remarquai pas l'émotion de Jacques ni le ton singulier dont il parlait. Ce n'est que plus tard que je songeai à tout cela. Pour le moment, je lui sautai au cou, et nous partîmes chez Pierrotte, en passant par le Palais-Royal, où je m'habillai de neuf chez un fripier.

6

Le roman de Pierrotte

Quand Pierrotte avait vingt ans, si on lui avait prédit qu'un jour il succéderait à M. Lalouette dans le commerce des porcelaines, qu'il aurait deux cent mille francs chez son notaire

— Pierrotte, un notaire ! — et une superbe boutique à l'angle du passage du Saumon, on l'aurait beaucoup étonné.

Pierrotte à vingt ans n'était jamais sorti de son village, portait de gros *esclots* en sapin des Cévennes, ne savait pas un mot de français et gagnait cent écus par an à élever des vers à soie ; solide compagnon du reste, beau danseur de bourrée, aimant rire et chanter la gloire, mais toujours d'une manière honnête et sans faire de tort aux cabaretiers. Comme tous les gars de son âge, Pierrotte avait une bonne amie, qu'il allait attendre le dimanche à la sortie des vêpres pour l'emmener danser des gavottes sous les mûriers. La bonne amie de Pierrotte s'appelait Roberte, la grande Roberte. C'était une belle magnanarelle de dix-huit ans, orpheline comme lui, pauvre comme lui, mais sachant très bien lire et écrire, ce qui, dans les villages cévenols, est encore plus rare qu'une dot. Très fier de sa Roberte, Pierrotte comptait l'épouser dès qu'il aurait tiré au sort ; mais, le jour du tirage arrivé, le pauvre Cévenol — bien qu'il eût trempé trois fois sa main dans l'eau bénite avant d'aller à l'urne — amena le numéro 4... Il fallait partir. Quel désespoir !... Heureusement Mme Eyssette qui avait été nourrie, presque élevée par la mère de Pierrotte, vint au secours de son frère de lait et lui prêta deux mille francs pour s'acheter un homme. — On était riche chez les Eyssette dans ce temps-là ! — L'heureux Pierrotte ne partit donc pas et put épouser sa Roberte ; mais comme ces braves gens tenaient avant tout à rendre l'argent de Mme Eyssette et qu'en restant au pays ils n'y seraient jamais parvenus, ils eurent le courage de s'expatrier et marchèrent sur Paris pour y chercher fortune.

Pendant un an, on n'entendit plus parler de nos montagnards ; puis, un beau matin, Mme Eyssette reçut une lettre touchante signée « Pierrotte et sa femme », qui contenait 300 francs, premiers fruits de leurs économies. La seconde année, nouvelle lettre de « Pierrotte et sa femme », avec un envoi de 500 francs. La troisième année, rien. — Sans doute, les affaires ne marchaient pas. — La quatrième année, troisième lettre de « Pierrotte et sa femme », avec un dernier envoi de 1 200 francs et des bénédictions pour toute la famille Eyssette. Malheureusement, quand cette lettre arriva chez nous, nous étions en pleine débâcle : on venait de vendre la fabrique, et nous aussi nous allions nous expatrier... Dans sa douleur, Mme Eyssette oublia de répondre à « Pierrotte et sa femme ». Depuis lors, nous n'en eûmes plus de nouvelles, jusqu'au jour où Jacques, arrivant à Paris, trouva le bon Pierrotte

— Pierrotte sans sa femme, hélas ! — installé dans le comptoir de l'ancienne maison Lalouette.

Rien de moins poétique, rien de plus touchant, que l'histoire de cette fortune. En arrivant à Paris, la femme de Pierrotte s'était mise bravement à faire des ménages... Sa première maison fut justement la maison Lalouette. Ces Lalouette étaient de riches commerçants avares et maniaques, qui n'avaient jamais voulu prendre ni un commis ni une bonne, parce qu'il faut tout faire par soi-même (« Monsieur, jusqu'à cinquante ans, j'ai fait mes culottes moi-même ! » disait le père Lalouette avec fierté), et qui, sur leurs vieux jours seulement, se donnaient le luxe flamboyant d'une femme de ménage à douze francs par mois. Dieu sait que ces douze francs-là, l'ouvrage les valait bien ! La boutique, l'arrière-boutique, un appartement au quatrième, deux seilles d'eau pour la cuisine à remplir tous les matins ! Il fallait venir des Cévennes pour accepter de pareilles conditions ; mais bah ! la Cévenole était jeune, alerte, rude au travail et solide des reins comme une jeune taure ; en un tour de main, elle expédiait ce gros ouvrage et, par-dessus le marché, montrait tout le temps aux deux vieillards son joli rire, qui valait plus de douze francs à lui tout seul... A force de belle humeur et de vaillance, cette courageuse montagnarde finit par séduire ses patrons. On s'intéressa à elle ; on la fit causer ; puis, un beau jour, spontanément — les cœurs les plus secs ont parfois de ces soudaines floraisons de bonté —, le vieux Lalouette offrit de prêter un peu d'argent à Pierrotte pour qu'il pût entreprendre un commerce à son idée.

Voici quelle fut l'idée de Pierrotte : il se procura un vieux bidet, une carriole, et s'en alla d'un bout de Paris à l'autre en criant de toutes ses forces : « Débarrassez-vous de ce qui vous gêne ! » Notre finaud de Cévenol ne vendait pas, il achetait... quoi ?... Tout. Les pots cassés, les vieux fers, les papiers, les bris de bouteilles, les meubles hors de service qui ne valent pas la peine d'être vendus, les vieux galons dont les marchands ne veulent pas, tout ce qui ne vaut rien et qu'on garde chez soi par habitude, par négligence, parce qu'on ne sait qu'en faire, tout ce qui encombre, tout ce qui gêne !... Pierrotte ne faisait fi de rien, il achetait tout, ou du moins il acceptait tout ; car le plus souvent on ne lui vendait pas, on lui donnait, on se débarrassait. Débarrassez-vous de ce qui vous gêne !

Dans le quartier Montmartre, le Cévenol était très populaire. Comme tous les petits commerçants ambulants qui veulent faire trou dans le brouhaha de la rue, il avait adopté une mélopée personnelle et bizarre, que les ménagères connaissaient bien... C'était d'abord à pleins poumons le formidable : « Débarrassez-vous de ce qui vous gèèène ! » Puis, sur un ton lent et pleurard, de longs discours tenus à sa bourrique, à son Anastagille, comme il l'appelait. Il croyait dire Anastasie. « Allons ! viens, Anastagille ; allons ! viens, mon enfant... » Et la bonne Anastagille suivait, la tête basse, longeant les trottoirs d'un air mélancolique ; et de toutes les maisons on criait : « Pst ! Pst ! Anastagille !... » La carriole se remplissait, il fallait voir ! Quand elle était bien pleine, Anastagille et Pierrotte s'en allaient à Montmartre déposer la cargaison chez un chiffonnier en gros, qui payait bel et bien tous ces « débarrassez-vous de ce qui vous gêne », qu'on avait eus pour rien, ou pour presque rien.

A ce métier singulier, Pierrotte ne fit pas fortune, mais il gagna sa vie et largement. Dès la première année, on rendit l'argent des Lalouette et on envoya trois cents francs à Mademoiselle — c'est ainsi que Pierrotte appelait Mme Eyssette du temps qu'elle était jeune fille, et depuis il n'avait jamais pu se décider à la nommer autrement. — La troisième année, par exemple, ne fut pas heureuse. C'était en plein 1830. Pierrotte avait beau crier : « Débarrassez-vous de ce qui vous gêne ! » Les Parisiens, en train de se débarrasser d'un vieux roi qui les gênait, étaient sourds aux cris de Pierrotte et laissaient le Cévenol s'égosiller dans la rue ; et, chaque soir, la petite carriole rentrait vide. Pour comble de malheur, Anastagille mourut. C'est alors que les vieux Lalouette, qui commençaient à ne plus pouvoir tout faire par eux-mêmes, proposèrent à Pierrotte d'entrer chez eux comme garçon de magasin. Pierrotte accepta, mais il ne garda pas longtemps ces modestes fonctions. Depuis leur arrivée à Paris, sa femme lui donnait tous les soirs des leçons d'écriture et de lecture ; il savait déjà se tirer d'une lettre et s'exprimait en français d'une façon compréhensible. En entrant chez Lalouette, il redoubla d'efforts, s'en alla dans une classe d'adultes apprendre le calcul, et fit si bien qu'au bout de quelques mois il pouvait suppléer au comptoir M. Lalouette devenu presque aveugle, et à la vente Mme Lalouette dont les vieilles jambes trahissaient le grand cœur. Sur ces entrefaites, Mlle Pierrotte vint au monde, et dès lors la fortune du Cévenol alla toujours croissant. D'abord intéressé dans le commerce des Lalouette, il devint plus tard leur associé ; puis, un beau jour, le père Lalouette, ayant complètement perdu la vue, se retira du commerce et céda son fonds à Pierrotte, qui le paya par annuités. Une fois seul, le Cévenol donna une telle extension aux affaires qu'en trois ans il eut payé les Lalouette, et se trouva, franc de toute redevance, à la tête d'une belle boutique admirablement achalandée... Juste à ce moment, comme si elle eût attendu pour mourir que son homme n'eût plus besoin d'elle, la grande Roberte tomba malade et mourut d'épuisement.

Voilà le roman de Pierrotte, tel que Jacques me le racontait ce soir-là en nous en allant au passage du Saumon ; et comme la route était longue — on avait pris le plus long pour montrer aux Parisiens ma jaquette neuve —, je connaissais mon Cévenol à fond avant d'arriver chez lui. Je savais que le bon Pierrotte avait deux idoles auxquelles il ne fallait pas toucher, sa fille et M. Lalouette. Je savais aussi qu'il était un peu bavard et fatigant à entendre, parce qu'il parlait lentement, cherchait ses phrases, bredouillait, et ne pouvait pas dire trois mots de suite sans y ajouter : « C'est bien le cas de le dire... » Ceci tenait à une chose : le Cévenol n'avait jamais pu se faire à notre langue. Tout ce qu'il pensait lui venant aux lèvres en patois du Languedoc, il était obligé de mettre à mesure ce languedocien en français, et les « C'est bien le cas de le dire... » dont il émaillait ses discours lui donnaient le temps d'accomplir intérieurement ce petit travail. Comme disait Jacques, Pierrotte ne parlait pas, il traduisait... Quant à Mlle Pierrotte, tout ce que j'en pus savoir, c'est qu'elle avait seize ans et qu'elle s'appelait Camille, rien de plus ; sur ce chapitre-là mon Jacques restait muet comme un esturgeon.

Il était environ neuf heures quand nous fîmes notre entrée dans l'ancienne maison Lalouette. On allait fermer. Boulons, volets, barres de fer, tout un formidable appareil de clôture gisait par tas sur le trottoir, devant la porte entrebâillée... Le gaz était éteint et tout le magasin dans l'ombre, excepté le comptoir, sur lequel posait une lampe en porcelaine éclairant des piles d'écus et une grosse face rouge qui riait. Au fond, dans l'arrière-boutique, quelqu'un jouait de la flûte.

« Bonjour, Pierrotte ! cria Jacques en se campant devant le comptoir... (J'étais à côté de lui, dans la lumière de la lampe)... Bonjour, Pierrotte ! »

Pierrotte, qui faisait sa caisse, leva les yeux à la voix de Jacques ; puis, en m'apercevant, il poussa un cri, joignit les mains, et resta là, stupide, la bouche ouverte, à me regarder.

« Eh bien ! fit Jacques d'un air de triomphe, que vous avais-je dit ?

— Oh ! mon Dieu ! mon Dieu ! murmura le bon Pierrotte, il

me semble que... C'est bien le cas de le dire... Il me semble que je la vois.

— Les yeux surtout, reprit Jacques, regardez les yeux, Pierrotte.

— Et le menton, monsieur Jacques, le menton avec la fossette », répondit Pierrotte, qui pour mieux me voir avait levé l'abat-jour de la lampe.

Moi, je n'y comprenais rien. Ils étaient là tous les deux à me regarder, à cligner de l'œil, à se faire des signes... Tout à coup Pierrotte se leva, sortit du comptoir et vint à moi les bras ouverts :

« Avec votre permission, monsieur Daniel, il faut que je vous embrasse... C'est bien le cas de le dire... Je vais croire embrasser Mademoiselle. »

Ce dernier mot m'expliqua tout. A cet âge-là je ressemblais beaucoup à Mme Eyssette, et pour Pierrotte, qui n'avait pas vu Mademoiselle depuis quelque vingt-cinq ans, cette ressemblance était encore plus frappante. Le brave homme ne pouvait pas se lasser de me serrer les mains, de m'embrasser, de me regarder en riant avec ses gros yeux pleins de larmes ; il se mit ensuite à nous parler de notre mère, des deux mille francs, de sa Roberte, de sa Camille, de son Anastagille, et cela avec tant de longueurs, tant de périodes, que nous serions encore — c'est bien le cas de le dire — debout dans le magasin à l'écouter, si Jacques ne lui avait pas dit d'un ton d'impatience : « Et votre caisse, Pierrotte ! »

Pierrotte s'arrêta net. Il était un peu confus d'avoir tant parlé :

« Vous avez raison, monsieur Jacques, je bavarde... je bavarde... et puis la petite... c'est bien le cas de le dire... la petite me grondera d'être monté si tard.

— Est-ce que Camille est là-haut ? demanda Jacques d'un petit air indifférent.

— Oui... oui, monsieur Jacques... la petite est là-haut... Elle languit... C'est bien le cas de le dire... Elle languit joliment de connaître M. Daniel. Montez donc la voir... Je vais faire ma caisse et je vous rejoins... c'est bien le cas de le dire. »

Sans en écouter davantage, Jacques me prit le bras et m'entraîna vite vers le fond, du côté où on jouait de la flûte... Le magasin de Pierrotte était grand et bien garni. Dans l'ombre, on voyait miroiter le ventre des carafes, les globes d'opale, l'or fauve des verres de Bohême, les grandes coupes de cristal, les soupières rebondies, puis, de droite et de gauche, de longues piles d'assiettes qui montaient jusqu'au plafond. Le palais de la fée Porcelaine vu de nuit. Dans l'arrière-boutique, un bec de gaz ouvert à demi veillait encore, laissant sortir d'un air ennuyé un tout petit bout de langue... Nous ne fîmes que traverser. Il y avait là, assis sur le bord d'un canapé-lit, un grand jeune homme blond qui jouait mélancoliquement de la flûte. Jacques, en passant, dit un « bonjour » très sec, auquel le jeune homme blond répondit par deux coups de flûte très secs aussi, ce qui doit être la façon de se dire bonjour entre flûtes qui s'en veulent.

« C'est le commis, me dit Jacques, quand nous fûmes dans l'escalier... Il nous assomme, ce grand blond, à jouer toujours de la flûte... Est-ce que tu aimes la flûte, toi, Daniel ? »

J'eus envie de lui demander : « Et la petite, l'aime-t-elle ? » Mais j'eus peur de lui faire de la peine et je lui répondis très sérieusement : « Non, Jacques, je n'aime pas la flûte. »

L'appartement de Pierrotte était au quatrième étage, dans la même maison que le magasin. Mlle Camille, trop aristocrate pour se montrer à la boutique, restait toujours en haut et ne voyait son père qu'à l'heure des repas. « Oh ! tu verras ! me disait Jacques en montant, c'est tout à fait sur un pied de grande maison... Camille a une dame de compagnie, Mme veuve Tribou, qui ne la quitte jamais... Je ne sais pas trop d'où elle vient cette Mme Tribou, mais Pierrotte la connaît et prétend que c'est une dame de grand mérite... Sonne, Daniel, nous y voilà ! » Je sonnai ; une Cévenole à grande coiffe vint nous ouvrir, sourit à Jacques comme à une vieille connaissance, et nous introduisit dans le salon.

Quand nous entrâmes, Mlle Pierrotte était au piano. Deux vieilles dames un peu fortes, Mme Lalouette et la veuve Tribou, dame de grand mérite, jouaient aux cartes dans un coin. En nous voyant, tout le monde se leva. Il y eut un moment de trouble et de brouhaha ; puis, les saluts échangés, les présentations faites, Jacques invita Camille — il disait Camille tout court — à se remettre au piano ; et la dame de grand mérite profita de l'invitation pour continuer sa partie avec Mme Lalouette... Nous avions pris place, Jacques et moi, chacun d'un côté de Mlle Pierrotte, qui, tout en faisant trotter ses petits doigts sur le piano, causait et riait avec nous. Je la regardais pendant qu'elle parlait. Elle n'était pas jolie. Blanche, rose, l'oreille petite, le cheveu fin, mais trop de joues, trop de santé ; avec cela, les mains rouges, et les grâces un peu froides d'une pensionnaire en vacances. C'était bien la fille de Pierrotte, une fleur des montagnes grandie sous la vitrine du passage du Saumon.

Telle fut du moins ma première impression ; mais, soudain, sur un mot que je lui dis, Mlle Pierrotte, dont les yeux étaient restés baissés jusque-là, les leva lentement sur moi, et, comme par magie, la petite bourgeoise disparut. Je ne vis plus que ses yeux, deux grands yeux noirs éblouissants, que je reconnus tout de suite...

O miracle ! C'étaient les mêmes yeux noirs qui m'avaient lui si doucement là-bas, dans les murs froids du vieux collège, les yeux noirs de l'infirmerie, les yeux noirs de la fée aux lunettes, les yeux noirs enfin... Je croyais rêver. J'avais envie de leur crier : « Beaux yeux noirs, est-ce vous ? Est-ce vous que je retrouve dans un autre visage ? » Et si vous saviez comme c'était bien eux ! Impossible de s'y tromper. Les mêmes cils, le même éclat, le même feu noir et contenu. Quelle folie de penser qu'il pût y avoir deux couples de ces yeux-là par le monde ! Et d'ailleurs la preuve que c'étaient bien les yeux noirs eux-mêmes, et non pas d'autres yeux noirs ressemblant à ceux-là, c'est qu'ils m'avaient reconnu eux aussi, et nous allions reprendre sans doute un de nos jolis dialogues muets d'autrefois, quand j'entendis tout près de moi, presque dans mon oreille, des petites dents de souris qui grignotaient. A ce bruit, je tournai la tête, et j'aperçus dans un fauteuil, à l'angle du piano, un personnage auquel je n'avais pas encore pris garde... C'était un grand vieux sec et blême, avec une tête d'oiseau, le front fuyant, le nez en pointe, deux yeux ronds et sans vie trop loin du nez, presque sur les tempes... Sans un morceau de sucre que le bonhomme tenait à la main, et qu'il becquetait de temps en temps, on aurait pu le croire endormi. Un peu troublé par cette apparition, je fis à ce vieux fantôme un grand salut qu'il ne me rendit pas... « Il ne t'a pas vu, me dit Jacques... C'est l'aveugle... c'est le père Lalouette...

— Il porte bien son nom... » pensai-je en moi-même. Et pour ne plus voir l'horrible vieux à tête d'oiseau, je me tournai bien vite du côté des yeux noirs ; mais, hélas ! le charme était brisé, les yeux noirs avaient disparu. Il n'y avait plus à leur place qu'une petite bourgeoise toute roide sur son tabouret de piano...

A ce moment, la porte du salon s'ouvrit et Pierrotte entra bruyamment. L'homme à la flûte venait derrière lui avec sa flûte sous le bras. Jacques, en le voyant, déchargea sur lui un regard foudroyant capable d'assommer un buffle ; mais il dut le manquer, car le joueur de flûte ne broncha pas.

« Eh bien ! petite, dit le Cévenol en embrassant sa fille à pleines joues, es-tu contente ? on te l'a donc amené ton Daniel... Comment le trouves-tu ? Il est gentil, n'est-ce pas ? C'est bien le cas de le dire... tout le portrait de Mademoiselle. »

Et voilà le bon Pierrotte qui recommence la scène du magasin, et m'amène de force au milieu du salon, pour que tout le monde puisse voir les yeux de Mademoiselle... le nez de Mademoiselle, le menton à fossette de Mademoiselle... Cette exhibition me gênait beaucoup. Mme Lalouette et la dame de grand mérite avaient interrompu leur partie et, renversées dans leurs fauteuils, m'examinaient avec le plus grand sang-froid, critiquant ou louant à haute voix tel ou tel morceau de ma personne, absolument comme si j'étais un petit poulet de grain en vente au marché de la Vallée. Entre nous, la dame de grand mérite avait l'air d'assez bien s'y connaître, en jeunes volatiles.

Heureusement que Jacques vint mettre fin à mon supplice, en demandant à Mlle Pierrotte de nous jouer quelque chose. « C'est cela, jouons quelque chose », dit vivement le joueur de flûte, qui s'élança, la flûte en avant. Jacques cria : « Non... non... pas de duo, pas de flûte ! » Sur quoi, le joueur de flûte lui décocha un petit regard bleu clair empoisonné comme une flèche caraïbe ; mais l'autre ne sourcilla pas et continua à crier : « Pas de flûte !... » En fin de compte, c'est Jacques qui l'emporta, et Mlle Pierrotte nous joua sans la moindre flûte un de ces trémolos bien connus qu'on appelle *Rêveries de Rosellen*... Pendant qu'elle jouait, Pierrotte pleurait d'admiration, Jacques nageait dans l'extase ; silencieux, mais la flûte aux dents, le flûtiste battait la mesure avec ses épaules et flûtait intérieurement.

Le Rosellen fini, Mlle Pierrotte se tourna vers moi : « Et vous, monsieur Daniel, me dit-elle en baissant les yeux, est-ce que nous ne vous entendons pas ?... Vous êtes poète, je le sais.

— Et bon poète », fit Jacques, cet indiscret de Jacques... Moi, pensez que cela ne me tentait guère de dire des vers devant tous ces Amalécites. Encore si les yeux noirs avaient été là ; mais non ! depuis une heure les yeux noirs s'étaient éteints, et je les cherchais vainement autour de moi... Il faut voir aussi avec quel ton dégagé je répondis à la jeune Pierrotte : « Excusez-moi pour ce soir, mademoiselle, je n'ai pas apporté ma lyre.

— N'oubliez pas de l'apporter la prochaine fois », me dit le bon Pierrotte, qui prit cette métaphore au pied de la lettre. Le pauvre homme croyait très sincèrement que j'avais une lyre et que j'en jouais comme son commis jouait de la flûte... Ah ! Jacques m'avait bien prévenu qu'il m'amenait dans un drôle de monde !

Vers onze heures, on servit le thé. Mlle Pierrotte allait, venait dans le salon, offrant le sucre, versant le lait, le sourire sur les lèvres et le petit doigt en l'air. C'est à ce moment de la soirée que je revis les yeux noirs. Ils apparurent tout à coup devant moi, lumineux et sympathiques, puis s'éclipsèrent de nouveau, avant que j'eusse pu leur parler... Alors seulement je m'aperçus d'une chose, c'est qu'il y avait en Mlle Pierrotte deux êtres très distincts : d'abord Mlle Pierrotte, une petite bourgeoise à bandeaux plats, bien faite pour trôner dans l'ancienne maison Lalouette ; et puis, les yeux noirs, ces grands yeux poétiques qui s'ouvraient comme deux fleurs de velours et n'avaient qu'à paraître pour transfigurer cet intérieur de quincailliers burlesques. Mlle Pierrotte, je n'en aurais pas voulu pour rien au monde ; mais les yeux noirs... oh ! les yeux noirs !...

Enfin, l'heure du départ arriva. C'est Mme Lalouette qui donna le signal. Elle roula son mari dans un grand tartan et l'emporta sous son bras comme une vieille momie entourée de bandelettes. Derrière eux, Pierrotte nous garda encore longtemps sur le palier à nous faire des discours interminables : « Ah ! çà, monsieur Daniel, maintenant que vous connaissez la maison, j'espère qu'on vous y verra. Nous n'avons jamais grand monde, mais toujours du monde choisi... c'est bien le cas de le dire... D'abord M. et Mme Lalouette, mes anciens patrons ; puis Mme Tribou, une dame du plus grand mérite, avec qui vous pourrez causer ; puis mon commis, un bon garçon qui nous joue quelquefois de la flûte... c'est bien le cas de le dire... Vous ferez des duos tous les deux. Ce sera gentil. »

L'objectai timidement que j'étais fort occupé, et que je ne pourrais peut-être pas venir aussi souvent que je le désirerais.

Cela le fit rire : « Allons donc ! occupé, monsieur Daniel... On les connaît vos occupations à vous autres, dans le Quartier latin... c'est bien le cas de le dire... on doit avoir par là quelque grisette.

— Le fait est, dit Jacques, en riant aussi, que Mlle Coucou-Blanc... ne manque pas d'attraits. »

Ce nom de Coucou-Blanc mit le comble à l'hilarité de Pierrotte.

« Comment dites-vous cela, monsieur Jacques ?... Coucou-Blanc ? Elle s'appelle Coucou-Blanc... Hé ! hé ! hé ! voyez-vous ce gaillard-là... à son âge... » Il s'arrêta court en s'apercevant que sa fille l'écoutait ; mais nous étions au bas de l'escalier que nous entendions encore son gros rire qui faisait trembler la rampe...

« Eh bien ! comment les trouves-tu ? me dit Jacques, dès que nous fûmes dehors.

— Mon cher, M. Lalouette est bien laid, mais Mlle Pierrotte est charmante.

— N'est-ce pas ? me fit le pauvre amoureux avec une telle vivacité que je ne pus m'empêcher de rire.

— Allons ! Jacques, tu t'es trahi », lui dis-je en lui prenant la main.

Ce soir-là, nous nous promenâmes bien tard le long des quais. A nos pieds, la rivière tranquille et noire roulait comme des perles des milliers de petites étoiles. Les amarres des gros bateaux criaient. C'était plaisir de marcher doucement dans l'ombre et d'entendre Jacques me parler d'amour... Il aimait de toute son âme ; mais on ne l'aimait pas, il savait bien qu'on ne l'aimait pas.

« Alors, Jacques, c'est qu'elle en aime un autre, sans doute.

— Non, Daniel, je ne crois pas qu'avant ce soir elle ait encore aimé personne.

— Avant ce soir ! Jacques, que veux-tu dire ?

— Dame ! c'est que tout le monde t'aime, toi, Daniel... et elle pourrait bien t'aimer aussi. »

Pauvre cher Jacques ! Il faut voir de quel air triste et résigné il disait cela. Moi, pour le rassurer, je me mis à rire bruyamment, plus bruyamment même que je n'en avais envie. — « Diable ! mon cher, comme tu y vas... Je suis donc bien irrésistible, ou Mlle Pierrotte bien inflammable... Mais non ! rassure-toi, ma mère Jacques. Mlle Pierrotte est aussi loin de mon cœur que je le suis du sien ; ce n'est pas moi que tu as à craindre, bien sûr. »

Je parlais sincèrement en disant cela. Mlle Pierrotte n'existait pas pour moi... Les yeux noirs, par exemple, c'est différent.

7

La rose rouge et les yeux noirs

Après cette première visite à l'ancienne maison Lalouette, je restai quelque temps sans retourner *là-bas*. Jacques, lui, continuait fidèlement ses pèlerinages du dimanche, et chaque fois il inventait quelque nouveau nœud de cravate rempli de séductions... C'était tout un poème, la cravate de Jacques, un poème d'amour ardent et contenu, quelque chose comme un selam d'Orient, un de ces bouquets de fleurs emblématiques que les Bach'agas offrent à leurs amoureuses, et auxquels ils savent faire exprimer toutes les nuances de la passion.

Si j'avais été femme, la cravate de Jacques, avec ses mille nœuds qu'il variait à l'infini, m'aurait plus touché qu'une déclaration. Mais voulez-vous que je vous dise ! Les femmes n'y entendent rien... Tous les dimanches, avant de partir, le pauvre amoureux ne manquait jamais de me dire : « Je vais *là-bas*, Daniel... Viens-tu ? » Et moi, je répondais invariablement : « Non ! merci, Jacques ! je travaille... » Alors, il s'en allait bien vite, et je restais seul, tout seul, penché sur l'établi aux rimes.

C'était de ma part un parti pris, et sérieusement pris, de ne plus aller chez Pierrotte. J'avais peur des yeux noirs. Je m'étais dit : « Si tu les revois, tu es perdu », et je tenais bon pour ne pas les revoir... C'est qu'ils ne me sortaient plus de la tête, ces grands démons d'yeux noirs. Je les retrouvais partout. J'y pensais toujours, en travaillant, en dormant. Sur tous mes cahiers, vous auriez vu de grands yeux dessinés à la plume, avec des cils longs comme cela. C'était une obsession.

Ah ! quand ma mère Jacques, l'œil brillant de plaisir, partait en gambadant pour le passage du Saumon, avec un nœud de cravate inédit, Dieu sait quelles envies folles j'avais de dégringoler l'escalier derrière lui et de lui crier : « Attends-moi ! » Mais non ! Quelque chose au fond de moi-même m'avertissait que ce serait mal d'aller *là-bas*, et j'avais quand même le courage de rester à mon établi... « Non ! merci, Jacques ! je travaille. »

Cela dura quelque temps ainsi. A la longue, la Muse aidant, je serais sans doute parvenu à chasser les yeux noirs de ma cervelle. Malheureusement j'eus l'imprudence de les revoir encore une fois. Ce fut fini ! ma tête, mon cœur, tout y passa. Voici dans quelles circonstances :

Depuis la confidence du bord de l'eau, ma mère Jacques ne m'avait plus parlé de ses amours ; mais je voyais bien à son air que cela n'allait pas comme il aurait voulu... Le dimanche, quand il revenait de chez Pierrotte, il était toujours triste. La nuit, je l'entendais soupirer, soupirer... Si je lui demandais : « Qu'est-ce que tu as, Jacques ? » il me répondait brusquement : « Je n'ai rien. » Mais je comprenais qu'il avait quelque chose, rien qu'au ton dont il me disait cela. Lui si bon, si patient, il avait maintenant avec moi des mouvements d'humeur. Quelquefois il me regardait comme si nous étions fâchés. Je me doutais bien, vous pensez ! qu'il y avait là-dessous quelque gros chagrin d'amour ; mais comme Jacques s'obstinait à ne pas m'en parler, je n'osais pas en parler non plus. Pourtant, certain dimanche qu'il m'était revenu plus sombre qu'à l'ordinaire, je voulus en avoir le cœur net.

« Voyons ! Jacques, qu'as-tu ? lui dis-je en lui prenant les mains... Cela ne va donc pas, *là-bas* ?

— Eh bien, non !... cela ne va pas... répondit le pauvre garçon d'un air découragé.

— Mais enfin que se passe-t-il ? Est-ce que Pierrotte se serait aperçu de quelque chose ? Voudrait-il vous empêcher de vous aimer ?...

— Oh ! non ! Daniel, ce n'est pas Pierrotte qui nous empêche... C'est elle qui ne m'aime pas, qui ne m'aimera jamais.

— Quelle folie, Jacques ! Comment peux-tu savoir qu'elle ne t'aimera jamais... Lui as-tu dit que tu l'aimais seulement ?... Non, n'est-ce pas ?... Eh bien ! alors...

— Celui qu'elle aime n'a pas parlé ; il n'a pas eu besoin de parler pour être aimé...

— Vraiment, Jacques, tu crois que le joueur de flûte ?... »

Jacques n'eut pas l'air d'entendre ma question.

« Celui qu'elle aime n'a pas parlé », dit-il pour la seconde fois.

Et je n'en pus pas savoir davantage.

Cette nuit-là, on ne dormit guère dans le clocher de Saint-Germain.

Jacques passa presque tout le temps à la fenêtre à regarder les étoiles en soupirant. Moi, je songeais : « Si j'allais *là-bas*, voir les choses de près... Après tout, Jacques peut se tromper. Mlle Pierrotte n'a sans doute pas compris tout ce qui tient d'amour dans les plis de cette cravate... Puisque Jacques n'ose pas parler de sa passion, peut-être je ferais bien d'en parler pour lui... Oui, c'est cela : j'irai, je parlerai à cette jeune Philistine, et nous verrons. »

Le lendemain, sans avertir ma mère Jacques, je mis ce beau projet à exécution. Certes, Dieu m'est témoin qu'en allant *là-bas* je n'avais aucune arrière-pensée. J'y allais pour Jacques, rien que pour Jacques... Pourtant, quand j'aperçus à l'angle du passage du Saumon l'ancienne maison Lalouette avec ses peintures vertes et le *Porcelaines et cristaux* de la devanture, je sentis un léger battement de cœur qui aurait dû m'avertir... J'entrai. Le magasin était désert ; dans le fond, l'homme-flûte prenait sa nourriture ; même en mangeant il gardait son instrument sur la nappe près de lui. « Que Camille puisse hésiter entre cette flûte ambulante et ma mère Jacques, voilà qui n'est pas possible... me disais-je tout en montant. Enfin, nous allons voir... »

Je trouvai Pierrotte à table, avec sa fille et la dame de grand mérite. Les yeux noirs n'étaient pas là, fort heureusement. Quand j'entrai, il y eut une exclamation de surprise. « Enfin, le voilà ! s'écria le bon Pierrotte de sa voix de tonnerre... C'est bien le cas de le dire... Il va prendre le café avec nous. » On me fit place. La dame de grand mérite alla me chercher une belle tasse à fleurs d'or, et je m'assis à côté de Mlle Pierrotte...

Elle était très gentille ce jour-là, Mlle Pierrotte. Dans ses cheveux, un peu au-dessus de l'oreille — ce n'est plus là qu'on les place aujourd'hui —, elle avait mis une petite rose rouge, mais si rouge, si rouge... Entre nous, je crois que cette petite rose rouge était fée, tellement elle embellissait la jeune Philistine. « Ah çà ! monsieur Daniel, me dit Pierrotte avec un bon gros rire affectueux, c'est donc fini, vous ne voulez plus venir nous voir !... » J'essayai de m'excuser et de parler de mes travaux littéraires. « Oui, oui, je connais ça, le Quartier latin... » fit le Cévenol. Et il se mit à rire de plus belle en regardant la dame de grand mérite qui toussotait hem ! hem ! d'un air entendu et m'envoyait des coups de pied sous la table. Pour ces braves gens, Quartier latin, cela voulait dire orgies, violons, masques, pétards, pots cassés, nuits folles et le reste. Ah ! si je leur avais conté ma vie de cénobite dans le clocher de Saint-Germain, je les aurais fort étonnés. Mais, vous savez ! quand on est jeune, on n'est pas fâché de passer pour un mauvais sujet. Devant les accusations de Pierrotte, je prenais un petit air modeste, et je ne me défendais que faiblement : « Mais non, mais non ! je vous assure... Ce n'est pas ce que vous croyez. » Jacques aurait bien ri de me voir.

Comme nous achevions de prendre le café, un petit air de flûte se fit entendre dans la cour. C'était Pierrotte qu'on appelait au magasin. A peine eut-il le dos tourné, la dame de grand mérite s'en alla à son tour à l'office faire un cinq cents avec la cuisinière. Entre nous, je crois que son plus grand mérite, à cette dame-là, c'était de tripoter les cartes fort habilement...

Quand je vis qu'on me laissait seul avec la petite rose rouge, je pensai : « Voilà le moment ! » et j'avais déjà le nom de Jacques sur les lèvres ; mais Mlle Pierrotte ne me donna pas le temps de parler. A voix basse, sans me regarder, elle me dit tout à coup : « Est-ce que c'est Mlle Coucou-Blanc qui vous empêche de venir chez vos amis ? » D'abord je crus qu'elle riait ; mais non ! elle ne riait pas. Elle paraissait même très émue, à voir l'incarnat de ses joues et les battements rapides de sa guimpe. Sans doute on avait parlé de Coucou-Blanc devant elle, et elle s'imaginait confusément des choses qui n'étaient pas. J'aurais pu la détromper d'un mot ; mais je ne sais quelle sotte vanité me retint... Alors, voyant que je ne lui répondais pas, Mlle Pierrotte se tourna de mon côté, et, levant ces grands cils qu'elle avait tenus baissés jusqu'alors, elle me regarda... Je mens. Ce n'est pas elle qui me regarda ; mais les yeux noirs tout mouillés de larmes et chargés de tendres reproches. Ah ! chers yeux noirs, délices de mon âme !

Ce ne fut qu'une apparition. Les longs cils se baissèrent presque tout de suite, les yeux noirs disparurent ; et je n'eus plus à côté de moi que Mlle Pierrotte. Vite, vite, sans attendre une nouvelle apparition, je me mis à parler de Jacques. Je commençai par dire combien il était bon, loyal, brave, généreux. Je racontai ce dévouement qui ne se lassait pas, cette maternité toujours en éveil, à rendre une vraie mère jalouse. C'est Jacques qui me nourrissait, m'habillait, me faisait ma vie, Dieu sait au prix de quel travail, de quelles privations. Sans lui, je serais encore là-bas, dans cette prison noire de Sarlande, où j'avais tant souffert, tant souffert...

A cet endroit de mon discours, Mlle Pierrotte parut s'attendrir, et je vis une grosse larme glisser le long de sa joue. Moi, bonnement, je crus que c'était pour Jacques et je me dis en moi-même : « Allons ! voilà qui va bien. » Là-dessus, je redoublai d'éloquence. Je parlai des mélancolies de Jacques et de cet amour profond, mystérieux, qui lui rongeait le cœur. Ah ! trois et quatre fois heureuse la femme qui...

Ici la petite rose rouge que Mlle Pierrotte avait dans les cheveux glissa je ne sais comment et vint tomber à mes pieds. Tout juste, à ce moment, je cherchais un moyen délicat de faire comprendre à la jeune Camille qu'elle était cette femme trois et quatre fois heureuse dont Jacques s'était épris. La petite rose rouge en tombant me fournit ce moyen. — Quand je vous disais qu'elle était fée, cette petite rose rouge. — Je la ramassai lestement, mais je me gardai bien de la rendre. « Ce sera pour Jacques, de votre part, dis-je à Mlle Pierrotte avec mon sourire le plus fin. — Pour Jacques, si vous voulez », répondit Mlle Pierrotte, en soupirant ; mais, au même instant, les yeux noirs apparurent et me regardèrent tendrement de l'air de me dire : « Non ! pas pour Jacques ; pour toi ! » Et si vous aviez vu comme ils disaient bien cela, avec quelle candeur enflammée, quelle passion pudique et irrésistible ! Pourtant j'hésitais encore, et ils furent obligés de me répéter deux ou trois fois de suite : « Oui !... pour toi... pour toi. » Alors je baisai la petite rose rouge et je la mis dans ma poitrine.

Ce soir-là, quand Jacques revint, il me trouva comme à l'ordinaire penché sur l'établi aux rimes et je lui laissai croire que je n'étais pas sorti de la journée. Par malheur, en me déshabillant, la petite rose rouge que j'avais gardée dans ma poitrine roula par terre au pied du lit : toutes ces fées sont pleines de malice. Jacques la vit, la ramassa, et la regarda longuement. Je ne sais pas qui était le plus rouge de la rose rouge ou de moi.

« Je la reconnais, me dit-il, c'est une fleur du rosier qui est *là-bas* sur la fenêtre du salon. »

Puis il ajouta en me la rendant :

« Elle ne m'en a jamais donné, à moi. »

Il dit cela si tristement que les larmes m'en vinrent aux yeux.

« Jacques, mon ami Jacques, je te jure qu'avant ce soir... »

Il m'interrompit avec douceur : « Ne t'excuse pas, Daniel. Je suis sûr que tu n'as rien fait pour me trahir... Je le savais, je savais que c'était toi qu'elle aimait. Rappelle-toi ce que je t'ai dit : celui qu'elle aime n'a pas parlé, il n'a pas eu besoin de parler pour être aimé. » Là-dessus, le pauvre garçon se mit à marcher de long en large dans la chambre. Moi, je le regardais, immobile, ma rose rouge à la main. « Ce qui arrive devait arriver, reprit-il au bout d'un moment. Il y a longtemps que j'avais prévu tout cela. Je savais que, si elle te voyait, elle ne voudrait jamais de moi... Voilà pourquoi j'ai si longtemps tardé à t'amener *là-bas*. J'étais jaloux de toi par avance. Pardonne-moi, je l'aimais tant !... Un jour, enfin, j'ai voulu tenter l'épreuve, et je t'ai laissé venir... Ce jour-là, mon cher, j'ai compris que c'était fini. Au bout de cinq minutes, elle t'a regardé comme jamais elle n'a regardé personne. Tu t'en es bien aperçu, toi aussi. Oh ! ne mens pas, tu t'en es aperçu. La preuve, c'est que tu es resté plus d'un mois sans retourner *là-bas* ; mais pécaïre ! cela ne m'a guère servi... Pour les âmes comme la sienne, les absents n'ont jamais tort, au contraire... Chaque fois que j'y allais, elle ne faisait que me parler de toi, et si naïvement, avec tant de confiance et d'amour... C'était un vrai supplice. Maintenant c'est fini... J'aime mieux ça. »

Jacques me parla ainsi longuement avec la même douceur, le même sourire résigné. Tout ce qu'il disait me faisait peine et plaisir à la fois. Peine, parce que je le sentais malheureux ; plaisir, parce que je voyais à travers chacune de ses paroles les yeux noirs qui me luisaient, tout pleins de moi. Quand il eut fini, je m'approchai de lui, un peu honteux, mais sans lâcher la petite rose rouge : « Jacques, est-ce que tu ne vas plus m'aimer maintenant ? » Il sourit, et me serrant contre son cœur : « T'es bête, je t'aimerai bien davantage. »

C'est une vérité. L'histoire de la rose rouge ne changea rien à la tendresse de ma mère Jacques, pas même à son humeur. Je crois qu'il souffrit beaucoup, mais il ne le laissa jamais voir. Pas un soupir, pas une plainte, rien. Comme par le passé, il continua d'aller *là-bas* le dimanche et de faire bon visage à tous. Il n'y eut que les nœuds de cravate de supprimés. Du reste, toujours calme et fier, travaillant à se tuer, et marchant courageusement dans la vie, les yeux fixés sur un seul but, la reconstruction du foyer... O Jacques ! ma mère Jacques !

Quant à moi, du jour où je pus aimer les yeux noirs librement, sans remords, je me jetai à corps perdu dans ma passion. Je ne bougeais plus de chez Pierrotte. J'y avais gagné tous les cœurs — au prix de quelles lâchetés, grand Dieu ! Apporter du sucre à M. Lalouette, faire la partie de la dame de grand mérite, rien ne me coûtait... Je m'appelais Désir-de-plaire dans cette maison-là... En général, Désir-de-plaire venait vers le milieu de la journée. A cette heure, Pierrotte était au magasin, et Mlle Camille toute seule en haut, dans le salon, avec la dame de grand mérite. Dès que j'arrivais, les yeux noirs se montraient bien vite, et presque aussitôt la dame de grand mérite nous laissait seuls. Cette noble dame, que le Cévenol avait donnée à sa fille comme dame de compagnie, se croyait débarrassée de tout service quand elle me voyait là. Vite, vite à l'office avec la cuisinière, et en avant les cartes. Je ne m'en plaignais pas ; pensez donc ! en tête à tête avec les yeux noirs.

Dieu ! les bonnes heures que j'ai passées dans ce petit salon jonquille ! Presque toujours j'apportais un livre, un de mes poètes favoris, et j'en lisais des passages aux yeux noirs, qui se mouillaient de belles larmes ou lançaient des éclairs, selon les endroits. Pendant ce temps, Mlle Pierrotte brodait près de nous des pantoufles pour son père ou nous jouait ses éternelles rêveries de Rosellen ; mais nous la laissions bien tranquille, je vous assure. Quelquefois cependant, à l'endroit le plus pathétique de nos lectures, cette petite bourgeoise faisait à haute voix une réflexion saugrenue, comme : « Il faut que je fasse venir l'accordeur... » ou bien encore : « J'ai deux points de trop à ma pantoufle. » Alors de dépit je fermais le livre et je ne voulais pas aller plus loin ; mais les yeux noirs avaient une certaine façon de me regarder qui m'apaisait tout de suite, et je continuais.

Il y avait sans doute une grande imprudence à nous laisser ainsi toujours seuls dans ce petit salon jonquille. Songez qu'à nous deux — les yeux noirs et Désir-de-plaire — nous ne faisions pas trente-quatre ans... Heureusement que Mlle Pierrotte ne nous quittait jamais, et c'était une surveillante très sage, très avisée, très éveillée, comme il en faut à la garde des poudrières... Un jour — je me souviens —, nous étions assis, les yeux noirs et moi, sur un canapé du salon, par une tiède après-midi du mois de mai. La fenêtre entrouverte, les grands rideaux baissés et tombant jusqu'à terre. On lisait Faust, ce jour-là !... La lecture finie, le livre me glissa des mains ; nous restâmes un moment l'un contre l'autre, sans parler, dans le silence et le demi-jour... Elle avait sa tête appuyée sur mon épaule. Par la guimpe entrebâillée, je voyais de petites médailles d'argent qui reluisaient au fond de la gorgerette... Subitement, Mlle Pierrotte parut au milieu de nous. Il faut voir comme elle me renvoya bien vite à l'autre bout du canapé — et quel grand sermon ! — « Ce que vous faites là est très mal, chers enfants, nous dit-elle... Vous abusez de la confiance qu'on vous montre... Il faut parler au père de vos projets... Voyons ! Daniel, quand lui parlerez-vous ? » Je promis de parler à Pierrotte très prochainement, dès que j'aurais fini mon grand poème. Cette promesse apaisa un peu notre surveillante ; mais, c'est égal ! depuis ce jour, défense fut faite aux yeux noirs de s'asseoir sur le canapé, à côté de Désir-de-plaire.

Ah ! c'était une jeune personne très rigide, cette demoiselle Pierrotte. Figurez-vous que, dans les premiers temps, elle ne voulait pas permettre aux yeux noirs de m'écrire ; à la fin, pourtant, elle y consentit, à l'expresse condition qu'on lui montrerait toutes les lettres. Malheureusement, ces adorables lettres pleines de passion que m'écrivaient les yeux noirs, Mlle Pierrotte ne se contentait pas de les relire ; elle y glissait souvent des phrases de son cru comme ceci par exemple :

« ... Ce matin, je suis toute triste. J'ai trouvé une araignée dans mon armoire. Araignée du matin, chagrin. »

Ou bien encore :

« On ne se met pas en ménage avec des noyaux de pêche... »

Et puis l'éternel refrain :

« Il faut parler au père de vos projets... »

A quoi je répondais invariablement :

« Quand j'aurai fini mon poème !... »

8

Une lecture au passage du Saumon

Enfin, je le terminai, ce fameux poème. J'en vins à bout après quatre mois de travail, et je me souviens qu'arrivé aux derniers vers je ne pouvais plus écrire, tellement les mains me tremblaient de fièvre, d'orgueil, de plaisir, d'impatience.

Dans le clocher de Saint-Germain, ce fut un événement. Jacques, à cette occasion, redevint pour un jour le Jacques d'autrefois, le Jacques du cartonnage et des petits pots de colle. Il me relia un magnifique cahier sur lequel il voulut recopier mon poème de sa propre main ; et c'étaient à chaque vers des cris d'admiration, des trépignements d'enthousiasme... Moi, j'avais moins de confiance dans mon œuvre. Jacques m'aimait trop ; je me méfiais de lui. J'aurais voulu faire lire mon poème à quelqu'un d'impartial et de sûr. Le diable, c'est que je ne connaissais personne.

Pourtant, à la crémerie, les occasions ne m'avaient pas manqué de faire des connaissances. Depuis que nous étions riches, je mangeais à table d'hôte, dans la salle du fond. Il y avait là une vingtaine de jeunes gens, des écrivains, des peintres, des architectes, ou pour mieux dire de la graine de tout cela. — Aujourd'hui la graine a monté ; quelques-uns de ces jeunes gens sont devenus célèbres, et quand je vois leurs noms dans les journaux, cela me crève le cœur, moi qui ne suis rien. — A mon arrivée à la table, tout ce jeune monde m'accueillit à bras ouverts ; mais comme j'étais trop timide pour me mêler aux discussions, on m'oublia vite, et je fus aussi seul au milieu d'eux tous que je l'étais à ma petite table, dans la salle commune. J'écoutais ; je ne parlais pas...

Une fois par semaine, nous avions à dîner avec nous un poète très fameux dont je ne me rappelle plus le nom, mais que ces messieurs appelaient Baghavat, du titre d'un de ses poèmes. Ces jours-là on buvait du bordeaux à dix-huit sous ; puis, le dessert venu, le grand Baghavat récitait un poème indien. C'était sa spécialité, les poèmes indiens. Il en avait un intitulé *Lakçamana*, un autre *Daçaratha*, un autre *Kalatçala*, un autre *Bhagiratha*, et puis *Çudra, Cunocépa, Viçvamitra...* ; mais le plus beau de tous était encore *Baghavat.* Ah ! quand le poète récitait *Baghavat,* toute la salle du fond croulait. On hurlait, on trépignait, on montait sur les tables. J'avais à ma droite un petit architecte à nez rouge qui sanglotait dès le premier vers et tout le temps s'essuyait les yeux avec ma serviette...

Moi, par entraînement, je criais plus fort que tout le monde : mais au fond je n'étais pas fou de Baghavat. En somme, ces poèmes indiens se ressemblaient tous. C'était toujours un lotus, un condor, un éléphant et un buffle ; quelquefois, pour changer, les lotus s'appelaient lotos ; mais, à part cette variante, toutes ces rapsodies se valaient : ni passion, ni vérité, ni fantaisie. Des rimes sur des rimes. Une mystification... Voilà ce qu'en moi-même je pensais du grand Baghavat ; et je l'aurais peut-être jugé avec moins de sévérité si on m'avait à mon tour demandé quelques vers ; mais on ne me demandait rien, et cela me rendait impitoyable... Du reste, je n'étais pas le seul de mon avis sur la poésie hindoue. J'avais mon voisin de gauche qui n'y mordait pas non plus... Un singulier personnage, mon voisin de gauche : huileux, râpé, luisant, avec un grand front chauve et une longue barbe où couraient toujours quelques fils de vermicelle. C'était le plus vieux de la table et de beaucoup aussi le plus intelligent. Comme tous les grands esprits, il parlait peu, ne se prodiguait pas. Chacun le respectait. On disait de lui : « Il est très fort... c'est un penseur. » Moi, de voir la grimace ironique qui tordait sa bouche en écoutant les vers du grand Baghavat, j'avais conçu de mon voisin de gauche la plus haute opinion. Je pensais : « Voilà un homme de goût... Si je lui disais mon poème ! »

Un soir — comme on se levait de table — je fis apporter un flacon d'eau-de-vie, et j'offris au penseur de prendre un petit verre avec moi. Il accepta, je connaissais son vice. Tout en buvant, j'amenai la conversation sur le grand Baghavat, et je commençai par dire beaucoup de mal des lotus, des condors, des éléphants et des buffles. — C'était de l'audace, les éléphants sont si rancuniers !... — Pendant que je parlais, le penseur se versait de l'eau-de-vie sans rien dire. De temps en temps, il souriait et remuait approbativement la tête en faisant : « Oua... oua... » Enhardi par ce premier succès, je lui avouai que moi aussi j'avais composé un grand poème, et que je désirais le lui soumettre. « Oua... oua... » fit encore le penseur sans sourciller. En voyant mon homme si bien disposé, je me dis : « C'est le moment ! » et je tirai mon poème de ma poche. Le penseur, sans s'émouvoir, se versa un cinquième petit verre, me regarda tranquillement dérouler mon manuscrit ; mais, au moment suprême, il posa sa main de vieil ivrogne sur ma manche : « Un mot, jeune homme, avant de commencer... Quel est votre critérium ? »

Je le regardai avec inquiétude.

« Votre critérium !... fit le terrible penseur en haussant la voix... Quel est votre critérium ? »

Hélas ! mon critérium !... je n'en avais pas, je n'avais jamais songé à en avoir un ; et cela se voyait du reste, à mon œil étonné, à ma rougeur, à ma confusion.

Le penseur se leva indigné : « Comment ! malheureux jeune homme, vous n'avez pas de critérium !... Inutile alors de me lire votre poème... je sais d'avance ce qu'il vaut. » Là-dessus, il se versa coup sur coup deux ou trois petits verres qui restaient encore au fond de la bouteille, prit son chapeau et sortit en roulant des yeux furibonds.

Le soir, quand je contai mon aventure à l'ami Jacques, il entra dans une belle colère. « Ton penseur est un imbécile, me dit-il... Qu'est-ce que cela fait d'avoir un critérium ?... Les bengalis en ont-ils un ?... Un critérium ! qu'est-ce que c'est que ça ?... Où ça se fabrique-t-il ? A-t-on jamais vu ?... Marchand de critériums, va !... » Mon brave Jacques ! il en avait les larmes aux yeux, de l'affront que mon chef-d'œuvre et moi nous venions de subir. « Ecoute, Daniel ! reprit-il au bout d'un moment, j'ai une idée... Puisque tu veux lire ton poème, si tu le lisais chez Pierrotte, un dimanche ?...

— Chez Pierrotte ?... Oh ! Jacques !

— Pourquoi pas ?... Dame ! Pierrotte n'est pas un aigle, mais ce n'est pas une taupe non plus. Il a le sens très net, très droit... Camille, elle, serait un juge excellent, quoique un peu prévenu... La dame de grand mérite a beaucoup lu... Ce vieil oiseau de père Lalouette lui-même n'est pas si fermé qu'il en a l'air... D'ailleurs Pierrotte connaît à Paris des personnes très distinguées qu'on pourrait inviter pour ce soir-là... Qu'en dis-tu ? Veux-tu que je lui en parle ?... »

Cette idée d'aller chercher des juges au passage du Saumon ne me souriait guère ; pourtant j'avais une telle démangeaison de lire mes vers, qu'après avoir un brin rechigné, j'acceptai la proposition de Jacques. Dès le lendemain il parla à Pierrotte. Que le bon Pierrotte eût exactement compris ce dont il s'agissait, voilà ce qui est fort douteux ; mais comme il voyait là une occasion d'être agréable aux enfants de Mademoiselle, le brave homme dit « oui » sans hésiter, et tout de suite on lança des invitations.

Jamais le petit salon jonquille ne s'était trouvé à pareille fête. Pierrotte, pour me faire honneur, avait invité ce qu'il y a de mieux dans le monde de la porcelaine. Le soir de la lecture, nous avions là, en dehors du personnel accoutumé, M. et Mme Passajon, avec leur fils le vétérinaire, un des plus brillants élèves de l'Ecole d'Alfort ; Ferrouillat cadet, franc-maçon, beau parleur, qui venait d'avoir un succès de tous les diables à la loge du Grand-Orient ; puis les Fougeroux, avec leurs six demoiselles rangées en tuyaux d'orgue, et enfin Ferrouillat l'aîné, un membre du Caveau, l'homme de la soirée. Quand je me vis en face de cet important aréopage, vous pensez si je fus ému. Comme on leur avait dit qu'ils étaient là pour juger un ouvrage de poésie, tous ces braves gens avaient cru devoir prendre des physionomies de circonstance, froides, éteintes, sans sourires. Ils parlaient entre eux à voix basse et gravement, en remuant la tête comme des magistrats. Pierrotte, qui n'y mettait pas tant de mystère, les regardait tous d'un air étonné... Quand tout le monde fut arrivé, on se plaça. J'étais assis, le dos au piano, l'auditoire en demi-cercle autour de moi, à l'exception du vieux Lalouette, qui grignotait son sucre à la place habituelle. Après un moment de tumulte le silence se fit, et d'une voix émue je commençai mon poème...

C'était un poème dramatique, pompeusement intitulé *La Comédie pastorale*... Dans les premiers jours de sa captivité au collège de Sarlande, le petit Chose s'amusait à raconter à ses élèves des historiettes fantastiques, pleines de grillons, de papillons et autres bestioles. C'est avec trois de ces petits contes, dialogués et mis en vers, que j'avais fait *La Comédie pastorale*. Mon poème était divisé en trois parties ; mais ce soir-là, chez Pierrotte, je ne leur lus que la première partie. Je demande la permission de transcrire ici ce fragment de *La Comédie pastorale*, non pas comme un morceau choisi de littérature, mais seulement comme pièces justificatives à joindre à *L'Histoire du petit Chose*. Figurez-vous pour un moment, mes chers lecteurs, que vous êtes assis en rond dans le petit salon jonquille, et que Daniel Eyssette tout tremblant récite devant vous.

Les Aventures d'un papillon bleu

Le théâtre représente la campagne. Il est six heures du soir ; le soleil s'en va. Au lever du rideau, un Papillon bleu et une jeune

Bête à bon Dieu, du sexe mâle, causent à cheval sur un brin de fougère. Ils se sont rencontrés le matin, et ont passé la journée ensemble. Comme il est tard, la Bête à bon Dieu fait mine de se retirer.

LE PAPILLON

Quoi... tu t'en vas déjà ?...

LA BÊTE À BON DIEU

Dame ! il faut que je rentre ;
Il est tard, songez donc !

LE PAPILLON

Attends un peu, que diantre !
Il n'est jamais trop tard pour retourner chez soi...
Moi d'abord, je m'ennuie à ma maison ; et toi ?
C'est si bête une porte, un mur, une croisée,
Quand au-dehors on a le soleil, la rosée,
Et les coquelicots, et le grand air, et tout.
Si les coquelicots ne sont pas de ton goût,
Il faut le dire...

LA BÊTE À BON DIEU

Hélas ! monsieur, je les adore.

LE PAPILLON

Hé bien ! alors, nigaud, ne t'en va pas encore ;
Reste avec moi. Tu vois ! il fait bon ; l'air est doux.

LA BÊTE À BON DIEU

Oui, mais...

LE PAPILLON, *la poussant dans l'herbe.*

Hé ! roule-toi dans l'herbe ; elle est à nous.

LA BÊTE À BON DIEU, *se débattant.*

Non ! Laissez-moi ; parole ! il faut que je m'en aille.

LE PAPILLON

Chut ! Entends-tu ?

LA BÊTE À BON DIEU, *effrayée.*

Quoi donc ?

LE PAPILLON

Cette petite caille,
Qui chante en se grisant dans la vigne à côté...
Hein ! la bonne chanson pour ce beau soir d'été,
Et comme c'est joli, de la place où nous sommes !...

LA BÊTE À BON DIEU

Sans doute, mais...

LE PAPILLON

Tais-toi.

LA BÊTE À BON DIEU

Quoi donc ?

LE PAPILLON

Voilà des hommes.

Passent des hommes.

LA BÊTE À BON DIEU, *bas, après un silence.*

L'homme, c'est très méchant, n'est-ce pas ?

LE PAPILLON

Très méchant.

LA BÊTE À BON DIEU

J'ai toujours peur qu'un d'eux m'aplatisse en marchant.
Ils ont de si gros pieds, et moi des reins si frêles...
Vous, vous n'êtes pas grand, mais vous avez des ailes ;
C'est énorme !

LE PAPILLON

Parbleu ! mon cher, si ces lourdauds
De paysans te font peur, grimpe-moi sur le dos ;
Je suis très fort des reins, moi ! je n'ai pas des ailes
En pelure d'oignon comme les demoiselles,
Et je veux te porter où tu voudras, aussi
Longtemps que tu voudras.

LA BÊTE À BON DIEU

Oh ! non, monsieur, merci !
Je n'oserai jamais...

LE PAPILLON

C'est donc bien difficile
De grimper là ?

LA BÊTE À BON DIEU

Non ! mais...

LE PAPILLON

Grimpe donc, imbécile !

LA BÊTE À BON DIEU

Vous me ramènerez chez moi, bien entendu ;
Car, sans cela...

LE PAPILLON

Sitôt parti, sitôt rendu.

LA BÊTE À BON DIEU, *grimpant sur son camarade.*

C'est que le soir, chez nous, nous faisons la prière.
Vous comprenez ?

LE PAPILLON

Sans doute... Un peu plus en arrière.
Là... Maintenant, silence à bord ! je lâche tout.

Prrt ! Ils s'envolent : le dialogue continue en l'air.

Mon cher, c'est merveilleux ! tu n'es pas lourd du tout.

LA BÊTE À BON DIEU, *effrayée.*

Ah !... monsieur...

LE PAPILLON

Eh bien ! quoi ?

LA BÊTE À BON DIEU

Je n'y vois plus... la tête
Me tourne ; je voudrais bien descendre...

LE PAPILLON

Es-tu bête !
Si la tête te tourne, il faut fermer les yeux.
Les as-tu fermés ?

LA BÊTE À BON DIEU, *fermant les yeux.*

Oui...

LE PAPILLON

Ça va mieux ?

LA BÊTE À BON DIEU, *avec effort.*

Un peu mieux.

LE PAPILLON, *riant sous cape.*

Décidément, on est mauvais aéronaute
Dans ta famille...

LA BÊTE À BON DIEU

Oh ! oui...

LE PAPILLON

Ce n'est pas votre faute
Si le guide-ballon n'est pas encor trouvé.

LA BÊTE À BON DIEU

Oh ! non...

LE PAPILLON

Ça, monseigneur, vous êtes arrivé.

Il se pose sur un muguet.

LA BÊTE A BON DIEU, *ouvrant les yeux.*

Pardon ! mais... ce n'est pas ici que je demeure.

LE PAPILLON

Je sais ; mais comme il est encore de très bonne heure,
Je t'ai mené chez un Muguet de mes amis.
On va se rafraîchir le bec ; — c'est bien permis...

LA BÊTE À BON DIEU

Oh ! je n'ai pas le temps...

LE PAPILLON

Bah ! rien qu'une seconde...

LA BÊTE À BON DIEU

Et puis, je ne suis pas reçu, moi, dans le monde...

LE PAPILLON

Viens donc ! je te ferai passer pour mon bâtard ;
Tu seras bien reçu, va !...

LA BÊTE À BON DIEU

Puis, c'est qu'il est tard.

LE PAPILLON

Eh ! non ! il n'est pas tard ; écoute la cigale...

LA BÊTE À BON DIEU, *à voix basse.*

Puis... je... n'ai pas d'argent...

LE PAPILLON, *l'entraînant.*

Viens ! le Muguet régale.

Ils entrent chez le Muguet. — La toile tombe.

Au second acte, quand le rideau se lève, il fait presque nuit... On voit les deux camarades sortir de chez le Muguet... La Bête à bon Dieu est légèrement ivre.

LE PAPILLON, *tendant le dos.*

Et maintenant, en route !

LA BÊTE À BON DIEU, *grimpant bravement.*

En route !

LE PAPILLON

Eh bien ! comment
Trouves-tu mon Muguet ?

LA BÊTE À BON DIEU

Mon cher, il est charmant ;
Il vous livre sa cave et tout sans vous connaître...

LE PAPILLON, *regardant le ciel.*

Oh ! oh ! Phœbé qui met le nez à la fenêtre ;
Il faut nous dépêcher...

LA BÊTE À BON DIEU

Nous dépêcher, pourquoi ?

LE PAPILLON

Tu n'es donc plus pressé de retourner chez toi ?...

LA BÊTE À BON DIEU

Oh ! pourvu que j'arrive à temps pour la prière...
D'ailleurs, ce n'est pas loin, chez nous... c'est là derrière.

LE PAPILLON

Si tu n'es pas pressé, je ne le suis pas, moi.

LA BÊTE À BON DIEU, *avec effusion.*

Quel bon enfant tu fais !... Je ne sais pas pourquoi
Tout le monde n'est pas ton ami sur la terre.
On dit de toi : « C'est un bohème ! un réfractaire !
Un poète ! un sauteur !... »

LE PAPILLON

Tiens ! tiens ! et qui dit ça ?

LA BÊTE À BON DIEU

Mon Dieu ! le Scarabée...

LE PAPILLON

Ah ! oui, ce gros poussah !
Il m'appelle sauteur, parce qu'il a du ventre.

LA BÊTE À BON DIEU

C'est qu'il n'est pas le seul qui te déteste...

LE PAPILLON

Ah ! diantre !

LA BÊTE À BON DIEU

Ainsi, les Escargots ne sont pas tes amis,
Va ! ni les Scorpions, pas même les Fourmis.

LE PAPILLON

Vraiment ?

LA BÊTE À BON DIEU, *confidentielle.*

Ne fais jamais la cour à l'Araignée ;
Elle te trouve affreux.

LE PAPILLON

On l'a mal renseignée.

LA BÊTE À BON DIEU

Hé !... Les Chenilles sont un peu de son avis...

LE PAPILLON

Je crois bien !... Mais, dis-moi ! dans le monde où tu vis,
Car enfin tu n'es pas du monde des Chenilles,
Suis-je aussi mal vu ?...

LA BÊTE À BON DIEU

Dam ! c'est selon les familles :
La jeunesse est pour toi ; les vieux, en général,
Trouvent que tu n'as pas assez de sens moral.

LE PAPILLON, *tristement*

Je vois que je n'ai pas beaucoup de sympathies,
En somme...

LA BÊTE À BON DIEU

Ma foi ! non, mon pauvre ! Les Orties
T'en veulent. Le Crapaud te hait ; jusqu'au Grillon,
Quand il parle de toi, qui dit : « Ce p... p... Papillon. »

LE PAPILLON

Est-ce que tu me hais, toi, comme tous ces drôles ?

LA BÊTE À BON DIEU

Moi !... Je t'adore ; on est si bien sur tes épaules !
Et puis, tu me conduis toujours chez les Muguets.
C'est amusant !... Dis donc, si je te fatiguais,
Nous pourrions faire encore une petite pause
Quelque part... Tu n'es pas fatigué, je suppose ?

LE PAPILLON

Je te trouve un peu lourd, ce n'est pas l'embarras.

LA BÊTE À BON DIEU, *montrant des muguets.*

Alors, entrons ici, tu te reposeras.

LE PAPILLON

Ah ! merci !... des Muguets, toujours la même chose !

Bas, d'un ton libertin.

J'aime bien mieux entrer à côté...

LA BÊTE À BON DIEU, *toute rouge.*

Chez la Rose ?...
Oh ! non, jamais...

LE PAPILLON, *l'entraînant.*

Viens donc ! on ne nous verra pas.

Ils entrent discrètement chez la Rose. — La toile tombe.

Au troisième acte...

Mais je ne voudrais pas, mes chers lecteurs, abuser plus longtemps de votre patience. Les vers, par le temps qui court, n'ont pas le don de plaire, je le sais. Aussi, j'arrête là mes citations, et je vais me contenter de raconter sommairement le reste de mon poème.

Au troisième acte, il est nuit tout à fait... Les deux camarades sortent ensemble de chez la Rose... Le Papillon veut ramener la Bête à bon Dieu chez ses parents, mais celle-ci s'y refuse ; elle est complètement ivre, fait des cabrioles sur l'herbe et pousse des cris séditieux... Le Papillon est obligé de l'emporter chez elle. On se sépare sur la porte, en se promettant de se revoir bientôt... Et alors le Papillon s'en va tout seul, dans la nuit. Il est un peu ivre, lui aussi ; mais son ivresse est triste : il se rappelle les confidences de la Bête à bon Dieu, et se demande amèrement pourquoi tant de monde le déteste, lui qui jamais n'a fait de mal à personne... Ciel sans lune, le vent souffle, la campagne est toute noire... Le Papillon a peur, il a froid ; mais il se console en songeant que son camarade est en sûreté, au fond d'une couchette bien chaude... Cependant, on entrevoit dans l'ombre de gros oiseaux de nuit qui traversent la scène d'un vol silencieux. L'éclair brille. Des bêtes méchantes, embusquées sous des pierres, ricanent en se montrant le Papillon : « Nous le tenons ! » disent-elles. Et tandis que l'infortuné va de droite et de gauche, plein d'effroi, un Chardon au passage le larde d'un grand coup d'épée, un Scorpion l'éventre avec ses pinces, une grosse Araignée velue lui arrache un pan de son manteau de satin bleu, et, pour finir, une Chauve-Souris lui casse les reins d'un coup d'aile. Le Papillon tombe blessé à mort... Tandis qu'il râle sur l'herbe, les Orties se réjouissent, et les Crapauds disent : « C'est bien fait ! »

A l'aube, les Fourmis, qui vont au travail avec leurs saquettes et leurs gourdes, trouvent le cadavre au bord du chemin. Elles le regardent à peine et s'éloignent sans vouloir l'enterrer. Les Fourmis ne travaillent pas pour rien... Heureusement une confrérie de Nécrophores vient à passer par là. Ce sont, comme vous savez, de petites bêtes noires qui ont fait vœu d'ensevelir les morts...

Pieusement, elles s'attèlent au Papillon défunt et le traînent vers le cimetière... Une foule curieuse se presse sur leur passage, et chacun fait des réflexions à haute voix... Les petits Grillons bruns, assis au soleil devant leurs portes, disent gravement : « Il aimait trop les fleurs ! — Il courait trop la nuit ! » ajoutent les Escargots, et les Scarabées à gros ventre se dandinent dans leurs habits d'or en grommelant : « Trop bohème ! trop bohème ! » Parmi toute cette foule pas un mot de regret pour le pauvre mort ; seulement, dans les plaines d'alentour, les grands lis ont fermé et les cigales ne chantent pas.

La dernière scène se passe dans le cimetière des Papillons. Après que les Nécrophores ont fait leur œuvre, un Hanneton solennel qui a suivi le convoi s'approche de la fosse, et, se mettant sur le dos, commence l'éloge du défunt. Malheureusement la mémoire lui manque ; il reste là les pattes en l'air, gesticulant pendant une heure et s'entortillant dans ses périodes... Quand l'orateur a fini, chacun se retire, et alors, dans le cimetière désert, on voit la Bête à bon Dieu des premières scènes sortir de derrière une tombe. Tout en larmes, elle s'agenouille sur la terre fraîche de la fosse et dit une prière touchante pour son pauvre petit camarade qui est là.

9

Tu vendras de la porcelaine

Au dernier vers de mon poème, Jacques, enthousiasmé, se leva pour crier bravo ; mais il s'arrêta net en voyant la mine effarée de tous ces braves gens.

En vérité, je crois que le cheval de feu de l'Apocalypse, faisant irruption au milieu du petit salon jonquille, n'y aurait pas causé plus de stupeur que mon papillon bleu. Les Passajon, les Fougeroux, tout hérissés de ce qu'ils venaient d'entendre, me regardaient avec de gros yeux ronds ; les deux Ferrouillat se faisaient des signes. Personne ne soufflait mot. Pensez comme j'étais à l'aise...

Tout à coup, au milieu du silence et de la consternation générale, une voix — et quelle voix ! — blanche, terne, froide, sans timbre, une voix de fantôme, sortit de derrière le piano et me fit tressaillir sur ma chaise. C'était la première fois, depuis dix ans, qu'on entendait parler l'homme à la tête d'oiseau, le vénérable Lalouette : « Je suis bien content qu'on ait tué ce papillon, dit le singulier vieillard en grignotant son sucre d'un air féroce ; je ne les aime pas, moi, les papillons !... »

Tout le monde se mit à rire, et la discussion s'engagea sur mon poème.

Le membre du Caveau trouvait l'œuvre un peu trop longue et m'engagea beaucoup à la réduire en une ou deux chansonnettes, genre essentiellement français. L'élève d'Alfort, savant naturaliste, me fit observer que les bêtes à bon Dieu avaient des ailes, ce qui enlevait toute vraisemblance à mon affabulation. Ferrouillat cadet prétendait avoir lu tout cela quelque part. « Ne les écoute pas, me dit Jacques à voix basse, c'est un chef-d'œuvre. » Pierrotte, lui, ne disait rien ; il paraissait très occupé. Peut-être le brave homme, assis à côté de sa fille tout le temps de la lecture, avait-il senti trembler dans ses mains une petite main trop impressionnable ou surpris au passage un regard trop noir enflammé ; toujours est-il que ce jour-là Pierrotte avait — c'est bien le cas de le dire — un air fort singulier, qu'il resta collé tout le soir au canezou de sa demoiselle, que je ne pus dire un seul mot aux yeux noirs, et que je me retirai de très bonne heure, sans vouloir entendre une chansonnette nouvelle du membre du Caveau, qui ne me le pardonna jamais.

Deux jours après cette lecture mémorable, je reçus de Mlle Pierrotte un billet aussi court qu'éloquent : « Venez vite, mon père sait tout. » Et, plus bas, mes chers yeux noirs avaient signé : « Je vous aime. »

Je fus un peu troublé, je l'avoue, par cette grosse nouvelle. Depuis deux jours, je courais les éditeurs avec mon manuscrit, et je m'occupais beaucoup moins des yeux noirs que de mon poème. Puis l'idée d'une explication avec ce gros Cévenol de Pierrotte ne me souriait guère... Aussi, malgré le pressant appel des yeux noirs, je restai quelque temps sans retourner *là-bas*, me disant à moi-même pour me rassurer sur mes intentions : « Quand j'aurai vendu mon poème. » Malheureusement je ne le vendis pas.

En ce temps-là — je ne sais pas si c'est encore la même chose aujourd'hui —, MM. les éditeurs étaient des gens très doux, très polis, très généreux, très accueillants ; mais ils avaient un défaut capital : on ne les trouvait jamais chez eux. Comme certaines étoiles trop menues qui ne se révèlent qu'aux grosses lunettes de l'Observatoire, ces messieurs n'étaient pas visibles pour la foule.

N'importe l'heure où vous arriviez, on vous disait toujours de revenir...

Dieu ! que j'en ai couru de ces boutiques ! que j'en ai tourné de ces boutons de portes vitrées ! que j'en ai fait de ces stations aux devantures des libraires, à me dire, le cœur battant : « Entrerai-je ? n'entrerai-je pas ? » A l'intérieur, il faisait chaud. Cela sentait le livre neuf. C'était plein de petits hommes chauves, très affairés, qui vous répondaient de derrière un comptoir, du haut d'une échelle double. Quant à l'éditeur, invisible... Chaque soir, je revenais à la maison, triste, las, énervé. « Courage ! me disait Jacques, tu seras plus heureux demain. » Et, le lendemain, je me remettais en campagne, armé de mon manuscrit. Ce malheureux manuscrit ! De jour en jour, je le sentais devenir plus pesant, plus incommode. D'abord je le portais sous mon bras, fièrement, comme un parapluie neuf ; mais à la fin j'en avais honte, et je le mettais dans ma poitrine, avec ma redingote soigneusement boutonnée par-dessus.

Huit jours se passèrent ainsi. Le dimanche arriva. Jacques, selon sa coutume, alla dîner chez Pierrotte ; mais il y alla seul. J'étais si las de ma chasse aux étoiles invisibles, que je restai couché tout le jour... Le soir, en rentrant, il vint s'asseoir au bord de mon lit et me gronda doucement :

« Ecoute, Daniel ! tu as bien tort de ne pas aller *là-bas*. Les yeux noirs pleurent, se désolent ; ils meurent de ne pas te voir... Nous avons parlé de toi toute la soirée... Ah ! brigand, comme elle t'aime ! »

La pauvre mère Jacques avait les larmes aux yeux en disant cela.

« Et Pierrotte ? demandai-je timidement. Pierrotte, qu'est-ce qu'il dit ?...

— Rien... Il a seulement paru très étonné de ne pas te voir... Il faut y aller, mon Daniel ; tu iras, n'est-ce pas ?

— Dès demain, Jacques ; je te le promets. »

Pendant que nous causions, Coucou-Blanc, qui venait de rentrer chez elle, entama son interminable chanson... *Tolocototignan ! tolocototignan !...* Jacques se mit à rire : « Tu ne sais pas, me dit-il à voix basse, les yeux noirs sont jaloux de notre voisine. Ils croient qu'elle est leur rivale... J'ai eu beau dire ce qu'il en était, on n'a pas voulu m'entendre... Les yeux noirs jaloux de Coucou-Blanc !... c'est drôle, n'est-ce pas ? » Je fis semblant de rire comme lui ; mais, dans moi-même, j'étais plein de honte en songeant que c'était bien ma faute si les yeux noirs étaient jaloux de Coucou-Blanc.

Le lendemain, dans l'après-midi, je m'en allai passage du Saumon. J'aurais voulu monter tout droit au quatrième et parler aux yeux noirs avant de voir Pierrotte ; mais le Cévenol me guettait à la porte du passage, et je ne pus pas l'éviter. Il fallut entrer dans la boutique et m'asseoir à côté de lui, derrière le comptoir. Nous étions seuls. De temps en temps, un petit air de flûte nous arrivait discrètement de l'arrière-magasin.

« Monsieur Daniel, me dit le Cévenol avec une assurance de langage et une facilité d'élocution que je ne lui avais jamais connues, ce que je veux savoir de vous est très simple, et je n'irai pas par quatre chemins. C'est bien le cas de le dire... la petite vous aime d'amour... Est-ce que vous l'aimez vraiment, vous aussi ?

— De toute mon âme, monsieur Pierrotte.

— Alors tout va bien. Voici ce que j'ai à vous proposer... Vous êtes trop jeune et la petite aussi pour songer à vous marier d'ici trois ans. C'est donc trois années que vous avez devant vous pour vous faire une position... Je ne sais pas si vous comptez rester toujours dans le commerce des papillons bleus ; mais je sais bien ce que je ferais à votre place... C'est bien le cas de le dire, je planterais là mes historiettes, j'entrerais dans l'ancienne maison Lalouette, je me mettrais au courant du petit train-train de la porcelaine, et je m'arrangerais pour que dans trois ans Pierrotte, qui devient vieux, pût trouver en moi un associé en même temps qu'un gendre... Hein ? Qu'est-ce que vous dites de ça, compère ? »

Là-dessus, Pierrotte m'envoya un grand coup de coude et se mit à rire, mais à rire... Bien sûr qu'il croyait me combler de joie, le pauvre homme, en m'offrant de vendre de la porcelaine à ses côtés. Je n'eus pas le courage de me fâcher, pas même celui de répondre ; j'étais atterré...

Les assiettes, les verres peints, les globes d'albâtre, tout dansait autour de moi. Sur une étagère, en face du comptoir, des bergers et des bergères, en biscuit de couleurs tendres, me regardaient d'un air narquois et semblaient me dire en brandissant leurs houlettes : « Tu vendras de la porcelaine ! » Un peu plus loin, des magots chinois en robes violettes remuaient leurs caboches vénérables, comme pour approuver ce qu'avaient dit les bergers : « Oui... oui... tu vendras de la porcelaine... ! » Et là-bas, dans le fond, la flûte ironique et sournoise sifflotait doucement : « Tu vendras de la porcelaine... tu vendras de la porcelaine... » C'était à devenir fou.

Pierrotte crut que l'émotion et la joie m'avaient coupé la parole.

« Nous causerons de cela ce soir, me dit-il pour me donner le loisir de me remettre... Maintenant montez vers la petite... C'est bien le cas de le dire... le temps doit lui sembler long. »

Je montai vers la petite, que je trouvai installée dans le salon jonquille, à broder ses éternelles pantoufles en compagnie de la dame de grand mérite... Que ma chère Camille me pardonne ! jamais Mlle Pierrotte ne me parut si Pierrotte que ce jour-là ; jamais sa façon tranquille de tirer l'aiguille et de compter ses points à haute voix ne me causa tant d'irritation. Avec ses petits doigts rouges, sa joue en fleur, son air paisible, elle ressemblait à une de ces bergères en biscuit colorié qui venaient de me crier d'une façon si impertinente : « Tu vendras de la porcelaine ! » Par bonheur, les yeux noirs étaient là eux aussi, un peu voilés, un peu mélancoliques, mais si naïvement joyeux de me revoir que je me sentis tout ému. Cela ne dura pas longtemps. Presque sur mes talons, Pierrotte fit son entrée. Sans doute il n'avait plus autant de confiance dans la dame de grand mérite.

A partir de ce moment, les yeux noirs disparurent et sur toute la ligne la porcelaine triompha. Pierrotte était très gai, très bavard, insupportable ; les « c'est bien le cas de le dire » pleuvaient plus drus que giboulée. Dîner bruyant, beaucoup trop long... En sortant de table, Pierrotte me prit à part pour me rappeler sa proposition. J'avais eu le temps de me remettre, et je lui dis avec assez de sang-froid que la chose demandait réflexion et que je lui répondrais dans un mois.

Le Cévenol fut certainement très étonné de mon peu d'empressement à accepter ses offres, mais il eut le bon goût de n'en rien laisser paraître.

« C'est entendu, me dit-il, dans un mois. » Et il ne fut plus question de rien... N'importe ! le coup était porté. Pendant toute la soirée, le sinistre et fatal « Tu vendras de la porcelaine » retentit à mon oreille. Je l'entendais dans le grignotement de la tête d'oiseau qui venait d'entrer avec Mme Lalouette et s'était installé au coin du piano, je l'entendais dans les roulades du joueur de flûte, dans la rêverie de Rosellen que Mlle Pierrotte ne manqua pas de jouer ; je le lisais dans les gestes de toutes ces marionnettes bourgeoises, dans la coupe de leurs vêtements, dans le dessin de la tapisserie, dans l'allégorie de la pendule — Vénus cueillant une rose d'où s'envole un Amour dédoré —, dans la forme des meubles, dans les moindres détails de cet affreux salon jonquille où les mêmes gens disaient tous les soirs les mêmes choses, où le même piano jouait tous les soirs la même rêverie, et que l'uniformité de ses soirées faisait ressembler à un tableau à musique. Le salon jonquille, un tableau à musique !... Où vous cachiez-vous donc, beaux yeux noirs ?...

Lorsque au retour de cette ennuyeuse soirée je racontai à ma mère Jacques les propositions de Pierrotte, il en fut encore plus indigné que moi :

« Daniel Eyssette, marchand de porcelaine !... Par exemple, je voudrais bien voir cela ! disait le brave garçon, tout rouge de colère... C'est comme si on proposait à Lamartine de vendre des paquets d'allumettes, ou à Sainte-Beuve de débiter des petits balais de crin... Vieille bête de Pierrotte, va !... Après tout, il ne faut pas lui en vouloir ; il ne sait pas, ce pauvre homme. Quand il verra le succès de ton livre et les journaux tout remplis de toi, il changera joliment de gamme.

— Sans doute, Jacques ; mais pour que les journaux parlent de moi, il faut que mon livre paraisse, et je vois bien qu'il ne paraîtra pas... Pourquoi ?... Mais, mon cher, parce que je ne peux pas mettre la main sur un éditeur et que ces gens-là ne sont jamais chez eux pour les poètes. Le grand Baghavat lui-même est obligé d'imprimer ses vers à ses frais.

— Eh bien ! nous ferons comme lui, dit Jacques en frappant du poing sur la table ; nous imprimerons à nos frais. »

Je le regarde avec stupéfaction :

« A nos frais ?...

— Oui, mon petit, à nos frais... Tout juste, le marquis fait imprimer en ce moment le premier volume de ses mémoires... Je vois son imprimeur tous les jours... C'est un Alsacien qui a le nez rouge et l'air bon enfant. Je suis sûr qu'il nous fera crédit... Pardieu ! nous le payerons, à mesure que ton volume se vendra... Allons ! voilà qui est dit ; dès demain je vais voir mon homme. »

Effectivement Jacques, le lendemain, va trouver l'imprimeur et revient enchanté : « C'est fait, me dit-il d'un air de triomphe ; on met ton livre à l'impression demain. Cela nous coûtera neuf cents francs, une bagatelle. Je ferai des billets de trois cents francs, payables de trois mois en trois mois. Maintenant, suis bien mon raisonnement. Nous vendons le volume trois francs, nous tirons à mille exemplaires ; c'est donc trois mille francs que ton livre doit nous rapporter... tu m'entends bien, trois mille francs. Là-dessus, nous payons l'imprimeur, plus la remise d'un franc par exemplaire aux libraires qui vendront l'ouvrage, plus l'envoi aux journalistes... Il nous restera, clair comme de l'eau de roche, un bénéfice de onze cents francs. Hein ? C'est joli pour un début... »

Si c'était joli, je crois bien !... Plus de chasse aux étoiles invisibles, plus de stations humiliantes aux portes des libraires, et par-dessus le marché onze cents francs à mettre de côté pour la reconstruction du foyer... Aussi quelle joie ce jour-là dans le clocher de Saint-Germain ! Que de projets, que de rêves ! Et puis les jours suivants, que de petits bonheurs savourés goutte à goutte : aller à l'imprimerie, corriger les épreuves, discuter la couleur de la couverture, voir le papier sortir tout humide de la presse avec vos pensées imprimées dessus, courir deux fois, trois fois chez le brocheur, et revenir enfin avec le premier exemplaire qu'on ouvre en tremblant du bout des doigts... Dites ! est-il rien de plus délicieux au monde ?

Pensez que le premier exemplaire de *La Comédie pastorale* revenait de droit aux yeux noirs. Je le leur portai le soir même, accompagné de ma mère Jacques, qui voulait jouir de mon triomphe. Nous fîmes notre entrée dans le salon jonquille, fiers et radieux. Tout le monde était là.

« Monsieur Pierrotte, dis-je au Cévenol, permettez-moi d'offrir ma première œuvre à Camille. » Et je mis mon volume dans une chère petite main qui frémissait de plaisir. Oh ! si vous aviez vu le joli merci que les yeux noirs m'envoyèrent, et comme ils resplendissaient en lisant mon nom sur la couverture. Pierrotte était moins enthousiasmé, lui. Je l'entendis demander à Jacques combien un volume comme cela pouvait me rapporter :

« Onze cents francs », répondit Jacques avec assurance. Là-dessus, ils se mirent à causer longuement, à voix basse, mais je ne les écoutai pas. J'étais tout à la joie de voir les yeux noirs abaisser leurs grands cils de soie sur les pages de mon livre et les relever vers moi avec admiration... Mon livre ! Les yeux noirs ! deux bonheurs que je devais à ma mère Jacques...

Ce soir-là, avant de rentrer, nous allâmes rôder dans les galeries de l'Odéon pour juger de l'effet que *La Comédie pastorale* faisait à l'étalage des libraires.

« Attends-moi, me dit Jacques ; je vais voir combien on en a vendu. »

Je l'attendis en me promenant de long en large, regardant du coin de l'œil certaine couverture verte à filets noirs qui s'épanouissait au milieu de la devanture. Jacques vint me rejoindre au bout d'un moment ; il était pâle d'émotion.

« Mon cher, me dit-il, on en a déjà vendu un. C'est de bon augure... »

Je lui serrai la main silencieusement. J'étais trop ému pour parler ; mais, à part moi, je me disais : « Il y a quelqu'un à Paris qui vient de tirer trois francs de sa bourse pour acheter cette production de ton cerveau, quelqu'un qui te lit, qui te juge... Quel est ce quelqu'un ? Je voudrais bien le connaître... » Hélas ! pour mon malheur, j'allais bientôt le connaître, ce terrible quelqu'un.

Le lendemain de l'apparition de mon volume, j'étais en train de déjeuner à table d'hôte à côté du farouche penseur, quand Jacques, très essoufflé, se précipita dans la salle :

« Grande nouvelle ! me dit-il en m'entraînant dehors ; je pars ce soir, à sept heures, avec le marquis... Nous allons à Nice voir sa sœur, qui est mourante... Peut-être resterons-nous longtemps... Ne t'inquiète pas de ta vie... Le marquis double mes appointements. Je pourrai t'envoyer cent francs par mois... Eh bien, qu'as-tu ? Te voilà tout pâle. Voyons ! Daniel, pas d'enfantillages. Rentre là-dedans, achève de déjeuner et bois une demi-bordeaux, afin de te donner du courage. Moi, je cours dire adieu à Pierrotte, prévenir l'imprimeur, faire porter les exemplaires aux journalistes... Je n'ai pas une minute... Rendez-vous à la maison à cinq heures. »

Je le regardai descendre la rue Saint-Benoît à grandes enjambées, puis je rentrai dans le restaurant ; mais je ne pus rien manger ni boire, et c'est le penseur qui vida la demi-bordeaux. L'idée que dans quelques heures ma mère Jacques serait loin m'étreignait le cœur. J'avais beau songer à mon livre, aux yeux noirs, rien ne pouvait me distraire de cette pensée que Jacques allait partir et que je resterais seul, tout seul dans Paris, maître de moi-même et responsable de toutes mes actions.

Il me rejoignit à l'heure dite. Quoique très ému lui-même, il affecta jusqu'au dernier moment la plus grande gaieté. Jusqu'au dernier moment aussi il me montra la générosité de son âme et l'ardeur admirable qu'il mettait à m'aimer. Il ne songea qu'à moi, à mon bien-être, à ma vie. Sous prétexte de faire sa malle, il inspectait mon linge, mes vêtements :

« Tes chemises sont dans ce coin, vois-tu, Daniel... tes mouchoirs à côté, derrière les cravates. »

Comme je lui disais :

« Ce n'est pas ta malle que tu fais, Jacques ; c'est mon armoire... »

Armoire et malle, quand tout fut prêt, on envoya chercher une voiture, et nous partîmes pour la gare. En route, Jacques me faisait ses recommandations. Il y en avait de tout genre :

« Ecris-moi souvent... Tous les articles qui paraîtront sur ton volume, envoie-les-moi, surtout celui de Gustave Planche. Je ferai un cahier cartonné et je les collerai tous dedans. Ce sera le livre d'or de la famille Eyssette... A propos, tu sais que la blanchisseuse vient le mardi... Surtout ne te laisse pas éblouir par le succès... Il est clair que tu vas en avoir un très grand, et c'est fort dangereux, les succès parisiens. Heureusement que Camille sera là pour te garder des tentations... Sur toute chose, mon Daniel, ce que je te demande, c'est d'aller souvent là-bas et de ne pas faire pleurer les yeux noirs. »

A ce moment nous passions devant le Jardin des Plantes. Jacques se mit à rire.

« Te rappelles-tu, me dit-il, que nous avons passé ici une nuit, il y a quatre ou cinq mois ?... Hein !... Quelle différence entre le Daniel d'alors et celui d'aujourd'hui... Ah ! tu as joliment fait du chemin en quatre mois !... »

C'est qu'il le croyait vraiment, mon brave Jacques, que j'avais fait beaucoup de chemin ; et moi aussi, pauvre niais, j'en étais convaincu.

Nous arrivâmes à la gare. Le marquis s'y trouvait déjà. Je vis de loin ce drôle de petit homme, avec sa tête de hérisson blanc, sautillant de long en large dans une salle d'attente.

« Vite, vite, adieu ! » me dit Jacques. Et prenant ma tête dans ses larges mains, il m'embrassa trois ou quatre fois de toutes ses forces, puis courut rejoindre son bourreau.

En le voyant disparaître, j'éprouvai une singulière sensation.

Je me trouvai tout à coup plus petit, plus chétif, plus timide, plus enfant, comme si mon frère, en s'en allant, m'avait emporté la moelle de mes os, ma force, mon audace et la moitié de ma taille. La foule qui m'entourait me faisait peur. J'étais redevenu le petit Chose...

La nuit tombait. Lentement, par le plus long chemin, par les quais les plus déserts, le petit Chose regagna son clocher. L'idée de se retrouver dans cette chambre vide l'attristait horriblement. Il aurait voulu rester dehors jusqu'au matin. Pourtant il fallait rentrer.

En passant devant la loge, le portier lui cria :

« Monsieur Eyssette, une lettre !... »

C'était un petit billet, élégant, parfumé, satiné ; écriture de femme plus fine, plus féline que celle des yeux noirs... De qui cela pouvait-il être ?... Vivement il rompit le cachet, et lut dans l'escalier à la lueur du gaz :

Monsieur mon voisin,

La Comédie pastorale *est depuis hier sur ma table ; mais il y manque une dédicace. Vous seriez bien aimable de venir la mettre ce soir, en prenant une tasse de thé... Vous savez ! c'est entre artistes.*

IRMA BOREL.

Et plus bas :

La dame du premier.

La dame du premier !... Quand le petit Chose lut cette signature, un grand frisson lui courut par tout le corps. Il la revit telle qu'elle lui était apparue un matin, descendant l'escalier dans un tourbillon de velours, belle, froide, imposante, avec sa petite cicatrice blanche au coin de la lèvre. Et de songer qu'une femme pareille avait acheté son volume, son cœur bondissait d'orgueil.

Il resta là un moment, dans l'escalier, la lettre à la main, se demandant s'il monterait chez lui ou s'il s'arrêterait au premier étage ; puis tout à coup la recommandation de Jacques lui revint à la mémoire : « Surtout, Daniel, ne fais pas pleurer les yeux noirs. » Un secret pressentiment l'avertit que s'il allait chez la dame du premier, les yeux noirs pleureraient, et Jacques aurait de la peine. Alors il mit résolument la lettre dans sa poche, le petit Chose, et il se dit : « Je n'irai pas. »

10

Irma Borel

C'est Coucou-Blanc qui vint lui ouvrir. — Car, ai-je besoin de vous le dire ? cinq minutes après s'être juré qu'il n'irait pas, ce vaniteux petit Chose sonnait à la porte d'Irma Borel. — En le voyant, l'horrible négresse grimaça un sourire d'ogre en belle humeur, et lui fit signe : « Venez ! » de sa grosse main luisante et noire. Après avoir traversé deux ou trois salons très somptueux, ils s'arrêtèrent devant une petite porte mystérieuse, à travers laquelle on entendait — aux trois quarts étouffés par l'épaisseur des tentures — des cris rauques, des sanglots, des imprécations, des rires convulsifs. La négresse frappa, et, sans attendre qu'on lui eût répondu, introduisit le petit Chose.

Seule, dans un riche boudoir capitonné de soie mauve et tout ruisselant de lumière, Irma Borel marchait à grands pas en déclamant. Un large peignoir bleu de ciel, couvert de guipures, flottait autour d'elle comme une nuée. Une des manches du peignoir, relevée jusqu'à l'épaule, laissait voir un bras de neige d'une incomparable pureté, brandissant, en guise de poignard, un coupe-papier de nacre. L'autre main, noyée dans la guipure, tenait un livre ouvert...

Le petit Chose s'arrêta, ébloui. Jamais la dame du premier ne lui avait paru si belle. D'abord elle était moins pâle qu'à leur première rencontre. Fraîche et rose, au contraire, mais d'un rose un peu voilé, elle avait l'air, ce jour-là, d'une jolie fleur d'amandier, et la petite cicatrice blanche du coin de la lèvre en paraissait d'autant plus blanche. Puis ses cheveux, qu'il n'avait pas pu voir la première fois, l'embellissaient encore, en adoucissant ce que son visage avait d'un peu fier et de presque dur. C'étaient des cheveux blonds, d'un blond cendré, d'un blond de poudre, et il y en avait, et ils étaient fins. Un brouillard d'or autour de la tête.

Quand elle vit le petit Chose, la dame coupa net à sa déclamation. Elle jeta sur un divan derrière elle son couteau de nacre et son livre, ramena par un geste adorable la manche de son peignoir, et vint à son visiteur la main cavalièrement tendue.

« Bonjour, mon voisin ! lui dit-elle avec un gentil sourire ; vous me surprenez en pleines fureurs tragiques : j'apprends le rôle de Clytemnestre... C'est empoignant, n'est-ce pas ? »

Elle le fit asseoir sur un divan à côté d'elle, et la conversation s'engagea.

« Vous vous occupez d'art dramatique, madame ! (Il n'osa pas dire « ma voisine ! »)

— Oh ! vous savez, une fantaisie... comme je me suis occupée de sculpture et de musique... Pourtant, cette fois, je crois que je suis bien mordue... Je vais débuter au Théâtre-Français... »

A ce moment, un énorme oiseau à huppe jaune vint, avec un grand bruit d'ailes, s'abattre sur la tête frisée du petit Chose.

« N'ayez pas peur, dit la dame en riant de son air effaré, c'est mon kakatoès... une brave bête que j'ai ramenée des îles Marquises. »

Elle prit l'oiseau, le caressa, lui dit deux ou trois mots d'espagnol, et le rapporta sur un perchoir doré à l'autre bout du salon... Le petit Chose ouvrait de grands yeux. La négresse, le kakatoès, le Théâtre-Français, les îles Marquises...

« Quelle femme singulière ! » se disait-il avec admiration.

La dame revint s'asseoir à côté de lui ; et la conversation

continua. *La Comédie pastorale* en fit d'abord tous les frais. La dame l'avait lue et relue plusieurs fois depuis la veille ; elle en savait des vers par cœur et les déclamait avec enthousiasme. Jamais la vanité du petit Chose ne s'était trouvée à pareille fête. On voulut savoir son âge, son pays, comment il vivait, s'il allait dans le monde, s'il était amoureux... A toutes ces questions, il répondait avec la plus grande candeur ; si bien qu'au bout d'une heure la dame du premier connaissait à fond la mère Jacques, l'histoire de la maison Eyssette et ce pauvre foyer que les enfants avaient juré de reconstruire. Par exemple, pas un mot de Mlle Pierrotte. Il fut seulement parlé d'une jeune personne du grand monde qui mourait d'amour pour le petit Chose, et d'un père barbare — pauvre Pierrotte ! — qui contrariait leur passion.

Au milieu de ces confidences, quelqu'un entra dans le salon. C'était un vieux sculpteur à crinière blanche, qui avait donné des leçons à la dame, au temps où elle sculptait.

« Je parie, lui dit-il à demi-voix en regardant le petit Chose d'un œil plein de malice, je parie que c'est votre corailleur napolitain.

— Tout juste », fit-elle en riant ; et se tournant vers le corailleur qui semblait fort surpris de s'entendre désigner ainsi : « Vous ne vous souvenez pas, lui dit-elle, d'un matin où nous nous sommes rencontrés ?... Vous alliez le cou nu, la poitrine ouverte, le cheveux en désordre, votre cruche de grès à la main... Je crus revoir un de ces petits pêcheurs de corail qu'on rencontre dans la baie de Naples... Et le soir, j'en parlai à mes amis ; mais nous ne nous doutions guère alors que le petit corailleur était un grand poète, et qu'au fond de cette cruche de grès, il y avait *La Comédie pastorale.* »

Je vous demande si le petit Chose était ravi de s'entendre traiter avec une admiration respectueuse. Pendant qu'il s'inclinait et souriait d'un air modeste, Coucou-Blanc introduisit un nouveau visiteur, qui n'était autre que le grand Baghavat, le poète indien de la table d'hôte. Baghavat, en entrant, alla droit à la dame et lui tendit un livre à couverture verte :

« Je vous rapporte vos papillons, dit-il. Quelle drôle de littérature !... »

Un geste de la dame l'arrêta net. Il comprit que l'auteur était là et regarda de son côté avec un sourire contraint. Il y eut un moment de silence et de gêne, auquel l'arrivée d'un troisième personnage vint faire une heureuse diversion. Celui-ci était le professeur de déclamation ; un affreux petit bossu, tête blême, perruque rousse, rire aux dents moisies. Il paraît que, sans sa bosse, ce bossu-là eût été le plus grand comédien de son époque ; mais son infirmité ne lui permettant pas de monter sur les planches, il se consolait en faisant des élèves et en disant du mal de tous les comédiens du temps.

Dès qu'il parut, la dame lui cria :

« Avez-vous vu l'Israélite ? Comment a-t-elle marché ce soir ? »

L'Israélite, c'était la grande tragédienne Rachel, alors au plus beau moment de sa gloire.

« Elle va de plus en plus mal, dit le professeur en haussant les épaules... Cette fille n'a rien... C'est une grue, une vraie grue.

— Une vraie grue », ajouta l'élève ; et derrière elle les deux autres répétèrent avec conviction : « Une vraie grue... »

Un moment après on demanda à la dame de réciter quelque chose.

Sans se faire prier, elle se leva, prit le coupe-papier de nacre, retroussa la manche de son peignoir et se mit à déclamer.

Bien, ou mal ? Le petit Chose eût été fort empêché pour le dire. Ebloui par ce beau bras de neige, fasciné par cette chevelure d'or qui s'agitait frénétiquement, il regardait et n'écoutait pas. Quand la dame eut fini, il applaudit plus fort que personne et déclara à son tour que Rachel n'était qu'une grue, une vraie grue.

Il en rêva toute la nuit de ce bras de neige et de ce brouillard d'or. Puis, le jour venu, quand il voulut s'asseoir devant l'établi aux rimes, le bras enchanté vint encore le tirer par la manche. Alors, ne pouvant pas rimer, ne voulant pas sortir, il se mit à écrire à Jacques et à lui parler de la dame du premier.

« ... Ah ! mon ami, quelle femme ! Elle sait tout, elle connaît tout. Elle a fait des sonates, elle a fait des tableaux. Il y a sur sa cheminée une jolie Colombine en terre cuite qui est son œuvre. Depuis trois mois, elle joue la tragédie, et elle la joue déjà bien mieux que la fameuse Rachel. — Il paraît décidément que cette Rachel n'est qu'une grue. — Enfin, mon cher, une femme comme tu n'en as jamais rêvé. Elle a tout vu, elle a été partout. Tout à coup elle vous dit : "Quand j'étais à Saint-Pétersbourg..." puis, au bout d'un moment, elle vous apprend qu'elle préfère la rade de Rio à celle de Naples. Elle a un kakatoès qu'elle a ramené des îles Marquises, une négresse qu'elle a prise en passant à Port-au-Prince... Mais au fait, tu la connais sa négresse, c'est notre voisine Coucou-Blanc. Malgré son air féroce, cette Coucou-Blanc est une excellente fille, tranquille, discrète, dévouée, et ne parlant jamais que par proverbes comme le bon Sancho. Quand les gens de la maison veulent lui tirer les vers du nez à propos de sa maîtresse, si elle est mariée, s'il y a un M. Borel quelque part, si elle est aussi riche qu'on le dit, Coucou-Blanc répond dans son patois : "*Zaffai cabrite pas zaffai mouton.*" (Les affaires du chevreau ne sont pas celles du mouton) ; ou bien encore : "*C'est soulié qui connaît si bas tini trou*" (c'est le soulier qui connaît si les bas ont des trous). Elle en a comme cela une centaine, et les indiscrets n'ont jamais le dernier mot avec elle... A propos, sais-tu qui j'ai rencontré chez la dame du premier ?... Le poète hindou de la table d'hôte, le grand Baghavat lui-même. Il a l'air d'en être fort épris, et lui fait de beaux poèmes où il la compare tour à tour à un condor, un lotus ou un buffle ; mais la dame ne fait pas grand cas de ses hommages. D'ailleurs elle doit y être habituée : tous les artistes qui viennent chez elle — et je te réponds qu'il y en a des plus fameux — en sont amoureux.

« Elle est si belle, si étrangement belle !... En vérité, j'aurais craint pour mon cœur, s'il n'était déjà pris. Heureusement que les yeux noirs sont là pour me défendre... Chers yeux noirs ! j'irai passer la soirée avec eux aujourd'hui, et nous parlerons de vous tout le temps, ma mère Jacques. »

Comme le petit Chose achevait cette lettre, on frappa doucement à la porte. C'était la dame du premier qui lui envoyait, par Coucou-Blanc, une invitation pour venir, au Théâtre-Français, entendre la grue dans sa loge. Il aurait accepté de bon cœur, mais il songea qu'il n'avait pas d'habit et fut obligé de dire non. Cela le mit de fort méchante humeur. « Jacques aurait dû me faire faire un habit, se disait-il... C'est indispensable... Quand les articles paraîtront, il faudra que j'aille remercier les journalistes... Comment faire si je n'ai pas d'habit ?... » Le soir, il alla au passage du Saumon ; mais cette visite ne l'égaya pas. Le Cévenol riait fort ; Mlle Pierrotte était trop brune. Les yeux noirs avaient beau lui faire signe et lui dire doucement : « Aimez-moi ! » dans la langue mystique des étoiles, l'ingrat ne voulait rien entendre. Après dîner, quand les Lalouette arrivèrent, il s'installa triste et maussade dans un coin, et tandis que le tableau à musique jouait ses petits airs, il se figurait Irma Borel trônant dans une loge découverte, le bras de neige jouant de l'éventail, le brouillard d'or scintillant sous les lumières de la salle : « Comme j'aurais honte si elle me voyait ici ! » songeait-il.

Plusieurs jours se passèrent sans nouveaux incidents. Irma Borel ne donnait plus signe de vie. Entre le premier et le cinquième étage, les relations semblaient interrompues. Toutes les nuits, le petit Chose, assis à son établi, entendait entrer la victoria de la dame, et, sans qu'il y prît garde, le roulement sourd de la voiture, le « Porte, s'il vous plaît ! » du cocher, le faisaient tressaillir. Même il ne pouvait pas entendre sans émotion la négresse remonter chez elle ; s'il avait osé, il serait allé lui demander des nouvelles de sa maîtresse... Malgré tout, cependant, les yeux noirs étaient encore maîtres de la place. Le petit Chose passait de longues heures auprès d'eux. Le reste du temps, il s'enfermait chez lui pour chercher des rimes, au grand ébahissement des moineaux, qui venaient le voir de tous les toits à la ronde, car les moineaux du Pays latin sont comme la dame de grand mérite et se font de drôles d'idées sur les mansardes d'étudiants. En revanche, les cloches de Saint-Germain — les pauvres cloches vouées au Seigneur et cloîtrées toute leur vie comme des carmélites — se réjouissaient de voir leur ami le petit Chose éternellement assis devant sa table ; et, pour l'encourager, elles lui faisaient grande musique.

Sur ces entrefaites, on reçut des nouvelles de Jacques. Il était installé à Nice et donnait force détails sur son installation... « Le beau pays, mon Daniel, et comme cette mer qui est là sous mes fenêtres t'inspirerait ! Moi, je n'en jouis guère ; je ne sors jamais... Le marquis dicte tout le jour. Diable d'homme, va ! Quelquefois, entre deux phrases, je lève la tête, je vois une petite voile rouge à l'horizon, puis tout de suite le nez sur mon papier... Mlle d'Hacqueville est toujours bien malade... Je l'entends au-dessus de nous qui tousse, qui tousse... Moi-même, à peine débarqué, j'ai attrapé un gros rhume qui ne veut pas finir... »

Un peu plus loin, parlant de la dame du premier, Jacques disait :

« ... Si tu m'en crois tu ne retourneras pas chez cette femme. Elle est trop compliquée pour toi ; et même, faut-il te le dire ? je flaire en elle une aventurière... Tiens ! j'ai vu hier dans le port un brick hollandais qui venait de faire un voyage autour du monde et qui rentrait avec des mâts japonais, des espars du Chili, un équipage bariolé comme une carte géographique... Eh bien ! mon cher, je trouve que ton Irma Borel ressemble à ce navire. Bon pour un brick d'avoir beaucoup voyagé, mais pour une femme, c'est différent. En général, celles qui ont vu tant de pays en font beaucoup voir aux autres... Méfie-toi, Daniel, méfie-toi ! et surtout, je t'en conjure, ne fais pas pleurer les yeux noirs... »

Ces derniers mots allèrent droit au cœur du petit Chose. La persistance de Jacques à veiller sur le bonheur le celle qui n'avait pas voulu l'aimer lui parut admirable. « Oh ! non ! Jacques, n'aie pas peur ; je ne la ferai pas pleurer », se dit-il, et tout de suite il prit la ferme résolution de ne plus retourner chez la dame du premier... Fiez-vous au petit Chose pour les fermes résolutions.

Ce soir-là, quand la victoria roula sous le porche, il y prit à peine garde. La chanson de la négresse ne lui causa pas non plus de distraction. C'était une nuit de septembre, orageuse et lourde... Il travaillait, la porte entrouverte. Tout à coup, il crut entendre craquer l'escalier de bois qui menait à sa chambre. Bientôt il distingua un léger bruit de pas et le frôlement d'une robe. Quelqu'un montait, c'était sûr... mais qui ?...

Coucou-Blanc était rentrée depuis longtemps... Peut-être la dame du premier qui venait parler à sa négresse...

A cette idée, le petit Chose sentit son cœur battre avec violence ; mais il eut le courage de rester devant sa table... Les pas approchaient toujours. Arrivé sur le palier on s'arrêta... Il y eut un moment de silence ; puis un léger coup frappé à la porte de la négresse, qui ne répondit pas.

« C'est elle », se dit-il sans bouger de sa place.

Tout à coup, une lumière parfumée se répandit dans la chambre.

La porte cria, quelqu'un entrait.

Alors, sans tourner la tête, le petit Chose demanda en tremblant :

« Qui est là ? »

11

Le cœur de sucre

Voilà deux mois que Jacques est parti, et il n'est pas encore au moment de revenir. Mlle d'Hacqueville est morte. Le marquis, escorté de son secrétaire, promène son deuil par toute l'Italie, sans interrompre d'un seul jour la terrible dictée de ses mémoires. Jacques, surmené, trouve à peine le temps d'écrire à son frère quelques lignes datées de Rome, de Naples, de Pise, de Palerme. Mais si le timbre de ces lettres varie souvent, leur texte ne change guère... « ... Travailles-tu ?... Comment vont les yeux noirs ?... L'article de Gustave Planche a-t-il paru ?... Es-tu retourné chez Irma Borel ? » A ces questions, toujours les mêmes, le petit Chose répond invariablement qu'il travaille beaucoup, que la vente du livre va très bien, les yeux noirs aussi, qu'il n'a pas revu Irma Borel, ni entendu parler de Gustave Planche.

Qu'y a-t-il de vrai dans tout cela ?... Une dernière lettre, écrite par le petit Chose en une nuit de fièvre et de tempête, va nous l'apprendre.

MONSIEUR JACQUES EYSSETTE, À PISE

Dimanche soir, 10 heures.

Jacques, je t'ai menti. Depuis deux mois je ne fais que te mentir. Je t'écris que je travaille, et depuis deux mois mon écritoire est à sec. Je t'écris que la vente de mon livre va bien, et depuis deux mois on n'en a pas vendu un exemplaire. Je t'écris que je ne revois plus Irma Borel, et depuis deux mois je ne l'ai pas quittée. Quant aux yeux noirs, hélas !... O Jacques, Jacques, pourquoi ne t'ai-je pas écouté ? Pourquoi suis-je retourné chez cette femme ?

Tu avais raison. C'est une aventurière, rien de plus. D'abord, je la croyais intelligente. Ce n'est pas vrai... tout ce qu'elle dit lui vient de quelqu'un. Elle n'a pas de cervelle, pas d'entrailles. Elle est fourbe, elle est cynique, elle est méchante. Dans ses accès de colère, je l'ai vue rouer sa négresse de coups de cravache, la jeter par terre, la trépigner. Avec cela, une femme forte, qui ne croit ni à Dieu ni au diable, mais qui accepte aveuglément les prédictions des somnambules et du marc de café. Quant à son talent de tragédienne, elle a beau prendre des leçons d'un avorton à bosse et passer toutes ses journées chez elle avec des boules élastiques dans la bouche, je suis sûr qu'aucun théâtre n'en voudra. Dans la vie privée, par exemple, c'est une fière comédienne.

Comment j'étais tombé dans les griffes de cette créature, moi qui aime tant ce qui est bon et ce qui est simple, je n'en sais vraiment rien, mon pauvre Jacques ; mais ce que je puis te jurer, c'est que je lui ai échappé, et que maintenant tout est fini, fini, fini... Si tu savais comme j'étais lâche et ce qu'elle faisait de moi !... Je lui avais raconté toute mon histoire ; je lui parlais de toi, de notre mère, des yeux noirs. C'est à mourir de honte, je te dis... Je lui avais donné tout mon cœur, je lui avais livré toute ma vie ; mais de sa vie à elle, jamais elle n'avait rien voulu me livrer. Je ne sais pas qui elle est, je ne sais pas d'où elle vient. Un jour, je lui ai demandé si elle avait été mariée, elle s'est mise à rire. Tu sais, cette petite cicatrice qu'elle a sur la lèvre, c'est un coup de couteau qu'elle a reçu là-bas dans son pays, à Cuba. J'ai voulu savoir qui lui avait fait cela. Elle m'a répondu très simplement : « Un Espagnol nommé Pacheco », et pas un mot de plus. C'est bête, n'est-ce pas ? Est-ce que je le connais, moi, ce Pacheco ? Est-ce qu'elle n'aurait pas dû me donner quelques explications ?... Un coup de couteau, ce n'est pas naturel, que diable ! Mais voilà... les artistes qui l'entourent lui ont fait un renom de femme étrange, et elle tient à sa réputation... Oh ! ces artistes, mon cher, je les exècre. Si tu savais, ces gens-là, à force de vivre avec des statues et des peintures, ils en arrivent à croire qu'il n'y a que cela au monde. Ils vous parlent toujours de forme, de ligne, de couleur, d'art grec, de Parthénon, de méplats, de mastoïdes. Ils cherchent si vous avez un type, du galbe, du caractère *; mais de ce qui bat dans nos poitrines, de nos passions, de nos larmes, de nos angoisses, ils s'en soucient autant que d'une chèvre morte. Moi, ces bonnes gens ont trouvé que ma tête avait du caractère, mais que ma poésie n'en avait pas du tout. Ils m'ont joliment encouragé, va !*

Au début de notre liaison, cette femme avait cru mettre la main sur un petit prodige, un grand poète de mansarde — m'a-t-elle assommé avec sa mansarde ! Plus tard, quand son cénacle lui a prouvé que je n'étais qu'un imbécile, elle m'a gardé pour le caractère de ma tête. Ce caractère, il faut te dire, variait selon les gens. Un de ses peintres, qui me voyait le type italien, m'a fait poser pour un pifferaro ; un autre, pour un Algérien marchand de violettes ; un autre... Est-ce que je sais ? Le plus souvent, je posais chez elle, et, pour lui plaire, je devais garder tout le jour mes oripeaux sur les épaules et figurer dans son salon, à côté du kakatoès. Nous avons passé bien des heures ainsi, moi en Turc, fumant de longues pipes dans un coin de sa chaise longue, elle à l'autre bout de sa chaise, déclamant avec ses boules élastiques dans la bouche, et s'interrompant de temps à autre pour me dire : « Quelle tête à caractère vous avez, mon cher Dani-Dan ! » Quand j'étais en Turc, elle m'appelait Dani-Dan ; quand j'étais en Italien, Danielo ; jamais, Daniel... J'aurai du reste l'honneur de figurer sous ces deux espèces à l'exposition prochaine de peinture ; on verra sur le livret : « Jeune pifferaro, à Madame Irma Borel. » « Jeune fellah, à Madame Irma Borel. » Et ce sera moi... quelle honte !

Je m'arrête un moment, Jacques. Je vais ouvrir la fenêtre, et boire un peu l'air de la nuit. J'étouffe... je n'y vois plus.

Onze heures.

L'air m'a fait du bien. En laissant la fenêtre ouverte, je puis continuer à t'écrire. Il pleut, il fait noir, les cloches sonnent. Que cette chambre est triste !... Chère petite chambre ! Moi qui l'aimais tant autrefois ; maintenant je m'y ennuie. C'est elle *qui me l'a gâtée ; elle y est venue trop souvent. Tu comprends, elle m'avait là sous la main, dans la maison ; c'était commode. Oh ! ce n'est plus la chambre du travail...*

Que je fusse ou non chez moi, elle entrait à toute heure et fouillait partout. Un soir, je la trouvai furetant dans un tiroir où je renferme ce que j'ai de plus précieux au monde, les lettres de notre mère, les tiennes, celles des yeux noirs ; celles-ci dans une boîte dorée que tu dois connaître. Au moment où j'entrai, Irma Borel tenait cette boîte et allait l'ouvrir. Je n'eus que le temps de m'élancer et de la lui arracher des mains. « Que faites-vous là ? » lui criai-je indigné... Elle prit son air le plus tragique : « J'ai respecté les lettres de votre mère ; mais celles-ci m'appartiennent, je les veux... Rendez-moi cette boîte.

— Que voulez-vous en faire ?

— Lire les lettres qu'elle contient...

— Jamais, lui dis-je. Je ne connais rien de votre vie, et vous connaissez toute la mienne.

— Oh ! Dani-Dan ! — C'était le jour du Turc. — Oh ! Dani-Dan, est-il possible que vous me reprochiez cela ? Est-ce que vous n'entrez pas chez moi quand vous voulez ? Est-ce que tous ceux qui viennent chez moi ne vous sont pas connus ?... »

Tout en parlant, et de sa voix la plus câline, elle essayait de me prendre la boîte.

« Eh bien ! lui dis-je, puisqu'il en est ainsi je vous permets de l'ouvrir ; mais à une condition...

— Laquelle ?

— Vous me direz où vous allez tous les matins de huit à dix heures. »

Elle devint pâle et me regarda droit dans les yeux... Je ne lui avais jamais parlé de cela. Ce n'est pas l'envie qui me manquait pourtant. Cette mystérieuse sortie de tous les matins m'intriguait, m'inquiétait comme la cicatrice, comme le Pacheco et tout le train de cette existence bizarre. J'aurais voulu savoir, mais en même temps j'avais peur d'apprendre. Je sentais qu'il y avait là-dessous quelque mystère d'infamie qui m'aurait obligé à fuir... Ce jour-là, cependant, j'osai l'interroger, comme tu vois. Cela la surprit beaucoup. Elle hésita un moment, puis elle me dit avec effort d'une voix sourde :

« Donnez-moi la boîte, vous saurez tout. »

Alors je lui donnai la boîte, Jacques ; c'est infâme, n'est-ce pas ? Elle l'ouvrit en frémissant de plaisir et se mit à lire toutes les lettres — il y en avait une vingtaine —, lentement, à demi-voix, sans sauter une ligne. Cette histoire d'amour, fraîche et pudique, paraissait l'intéresser beaucoup. Je la lui avais déjà racontée, mais à ma façon, lui donnant les yeux noirs pour une jeune fille de la plus haute noblesse, que ses parents refusaient de marier à ce petit plébéien de Daniel Eyssette ; tu reconnais bien là ma ridicule vanité.

De temps en temps, elle interrompait sa lecture pour dire : « Tiens ! c'est gentil, ça ! » ou bien encore : « Oh ! oh ! pour une fille noble... » Puis, à mesure qu'elle les avait lues, elle les approchait de la bougie et les regardait brûler avec un rire méchant. Moi, je la laissais faire ; je voulais savoir où elle allait tous les matins de huit à dix...

Or, parmi ces lettres, il y en avait une écrite sur du papier de la maison Pierrotte, du papier à tête, avec trois petites assiettes vertes dans le haut, et au-dessous : Porcelaines et cristaux. Pierrotte, successeur de Lalouette... *Pauvres yeux noirs ! Sans doute un jour, au magasin, ils avaient éprouvé le besoin de m'écrire, et le premier papier venu leur avait semblé bon... Tu penses, quelle découverte pour la tragédienne ! Jusque-là elle avait cru à mon histoire de fille noble et de parents grands seigneurs ; mais quand elle en fut à cette lettre, elle comprit tout et partit d'un grand éclat de rire :*

« La voilà donc, cette jeune patricienne, cette perle du noble faubourg... Elle s'appelle Pierrotte, et vend de la porcelaine au passage du Saumon... Ah ! je comprends maintenant pourquoi vous ne vouliez pas me donner la boîte. » Et elle riait, elle riait...

Mon cher, je ne sais pas ce qui me prit ; la honte, le dépit, la rage... Je n'y voyais plus. Je me jetai sur elle pour lui arracher les lettres. Elle eut peur, fit un pas en arrière, et, s'empêtrant dans sa traîne, tomba avec un grand cri. Son horrible négresse l'entendit de la chambre à côté et accourut aussitôt, nue, noire, hideuse, décoiffée. Je voulais l'empêcher d'entrer, mais d'un revers de sa grosse main huileuse elle me cloua contre la muraille et se campa entre sa maîtresse et moi.

L'autre, pendant ce temps, s'était relevée et pleurait ou faisait semblant. Tout en pleurant, elle continuait à fouiller dans la boîte : « Tu ne sais pas, disait-elle à sa négresse, tu ne sais pas pourquoi il a voulu me battre ?... Parce que j'ai découvert que sa demoiselle noble n'est pas noble du tout, et qu'elle vend des assiettes dans un passage...

— Tout ça qui porte zéperons, pas maquignon, dit la vieille en forme de sentence.

— Tiens, regarde, fit la tragédienne, regarde les gages d'amour que lui donnait sa boutiquière... Quatre crins de son chignon et un bouquet de violettes d'un sou... Approche ta lampe, Coucou-Blanc. »

La négresse approcha sa lampe ; les cheveux et les fleurs flambèrent en pétillant. Je laissai faire ; j'étais atterré.

« Oh ! oh ! qu'est-ce que ceci ? continua la tragédienne en dépliant un papier de soie... Une dent ?... Non ! ça a l'air d'être en sucre... Ma foi, oui... c'est une sucrerie allégorique... un petit cœur en sucre. »

Hélas ! un jour, à la foire des Prés-Saint-Gervais, les yeux noirs avaient acheté ce petit cœur de sucre et me l'avaient donné en me disant :

« Je vous donne mon cœur. »

La négresse le regardait d'un œil d'envie.

« Tu le veux ! Coucou, lui cria sa maîtresse... Eh bien ! attrape... »

Et elle le lui jeta dans la bouche comme à un chien... C'est peut-être ridicule ; mais quand j'ai entendu le sucre craquer sous la meule de la négresse, j'ai frissonné des pieds à la tête. Il me semblait que c'était le propre cœur des yeux noirs que ce monstre aux dents blanches dévorait si joyeusement.

Tu crois peut-être, mon pauvre Jacques, qu'après cela tout a été fini entre nous. Eh bien ! mon cher, si au lendemain de cette scène tu étais entré chez Irma Borel, tu l'aurais trouvée répétant le rôle d'Hermione avec son bossu, et dans un coin, sur une natte, à côté du kakatoès, tu aurais vu un jeune Turc accroupi, avec une grande pipe qui lui faisait trois fois le tour du corps... Quelle tête à caractère vous avez, mon Dani-Dan !

Mais au moins, diras-tu, pour prix de ton infamie, tu as su ce que tu voulais savoir et ce qu'elle devenait tous les matins, de huit à dix ? Oui, Jacques, je l'ai su, mais ce matin seulement, à la suite d'une scène terrible — la dernière, par exemple ! — que je vais te raconter... Mais, chut !... Quelqu'un monte... Si c'était elle, si elle venait me relancer encore... C'est qu'elle en est bien capable, même après ce qui s'est passé. Attends !... Je vais fermer la porte à double tour... Elle n'entrera pas, n'aie pas peur...

Il ne faut pas qu'elle entre.

Minuit.

Ce n'est pas elle ; c'était sa négresse. Cela m'étonnait aussi ; je n'avais pas entendu rentrer sa voiture... Coucou-Blanc vient de se coucher. A travers la cloison, j'entends le glouglou de la bouteille et l'horrible refrain... tolocototignan... *Maintenant elle ronfle ; on dirait le balancier d'une grosse horloge.*

Voici comment ont fini nos tristes amours.

Il y a trois semaines à peu près, le bossu qui lui donne des leçons lui déclara qu'elle était mûre pour les grands succès tragiques et qu'il voulait la faire entendre, ainsi que quelques autres de ses élèves.

Voilà ma tragédienne ravie... Comme on n'a pas de théâtre sous la main, on convient de changer en salle de spectacle l'atelier d'un de ces messieurs, et d'envoyer des invitations à tous les directeurs de théâtre de Paris... Quant à la pièce de début, après avoir longtemps discuté, on se décide pour Athalie... *De toutes les pièces du répertoire, c'était celle que les élèves du bossu savaient le mieux. On n'avait besoin pour la mettre sur pied que de quelques raccords et répétitions d'ensemble. Va donc pour* Athalie... *Comme Irma Borel était trop grande dame pour se déranger, les répétitions se firent chez elle. Chaque jour, le bossu amenait ses élèves, quatre ou cinq grandes filles maigres, solennelles, drapées dans des cachemires français à treize francs cinquante, et trois ou quatre pauvres diables avec des habits de papier noirci et des têtes de naufragés... On répétait tout le jour, excepté de huit à dix ; car, malgré les apprêts de la représentation, les mystérieuses sorties n'avaient pas cessé. Irma, le bossu, les élèves, tout le monde travaillait avec rage. Pendant deux jours on oublia de donner à manger au kakatoès. Quant au jeune Dani-Dan, on ne s'occupait plus de lui... En somme, tout allait bien : l'atelier était paré, le théâtre construit, les costumes prêts, les invitations faites. Voilà que trois ou quatre jours avant la représentation, le jeune Eliacin — une fillette de dix ans, la nièce du bossu — tombe malade... Comment faire ? Où trouver un Eliacin, un enfant capable d'apprendre son rôle en trois jours ?... Consternation générale. Tout à coup Irma Borel se tourne vers moi : « Au fait, Dani-Dan, si vous vous en chargiez ?*

— Moi ? Vous plaisantez... A mon âge !...

— Ne dirait-on pas que c'est un homme... Mais, mon petit, vous avez l'air d'avoir quinze ans ; en scène, costumé, maquillé, vous en paraîtrez douze... D'ailleurs, le rôle est tout à fait dans le caractère de votre tête. »

Mon cher ami, j'eus beau me débattre. Il fallut en passer par où elle voulait, comme toujours. Je suis si lâche...

La représentation eut lieu... Ah ! si j'avais le cœur à rire, comme je t'amuserais avec le récit de cette journée... On avait compté sur les directeurs du Gymnase et du Théâtre-Français ; mais il paraît que ces messieurs avaient affaire ailleurs, et nous nous contentâmes d'un directeur de la banlieue, amené au dernier moment. En somme, ce petit spectacle de famille n'alla pas trop de travers... Irma Borel fut très applaudie... Moi, je trouvais que cette Athalie de Cuba était trop emphatique, qu'elle manquait d'expression, et parlait le français comme une... fauvette espagnole ; mais, bah ! ses amis les artistes n'y regardaient pas de si près. Le costume était authentique, la cheville fine, le cou bien attaché... C'est tout ce qu'il leur fallait. Quant à moi, le caractère de ma tête me valut aussi un très beau succès, moins beau pourtant que celui de Coucou-Blanc dans le rôle muet de la nourrice. Il est vrai que la tête de la négresse avait encore plus de caractère que la mienne. Aussi, lorsque au cinquième acte elle parut tenant sur son poing l'énorme kakatoès — son Turc, sa négresse, son kakatoès, la tragédienne avait voulu que nous figurions tous dans la pièce — et roulant d'un air étonné de gros yeux blancs très féroces, il y eut par toute la salle une formidable explosion de bravos. « Quel succès ! » disait Athalie rayonnante...

Jacques !... Jacques !... J'entends sa voiture qui rentre. Oh ! la misérable femme ! D'où vient-elle si tard ? Elle l'a donc oubliée notre horrible matinée ; moi qui en tremble encore !

La porte s'est refermée. Pourvu maintenant qu'elle ne monte pas ! Vois-tu, c'est terrible, le voisinage d'une femme qu'on exècre !

Une heure.

La représentation que je viens de te raconter a eu lieu il y a trois jours.

Pendant ces trois jours, elle a été gaie, douce, affectueuse, charmante. Elle n'a pas une fois battu sa négresse. A plusieurs reprises, elle m'a demandé de tes nouvelles, si tu toussais toujours ; et pourtant, Dieu sait qu'elle ne t'aime pas... J'aurais dû me douter de quelque chose.

Ce matin, elle entre dans ma chambre, comme neuf heures sonnaient. Neuf heures !... Jamais je ne l'avais vue à cette heure-là !... Elle s'approche de moi et me dit en souriant : « Il est neuf heures ! »

Puis tout à coup, devenant solennelle : « Mon ami, me dit-elle, je vous ai trompé. Quand nous nous sommes rencontrés, je n'étais pas libre. Il y avait un homme dans ma vie, lorsque vous y êtes entré ; un homme à qui je dois mon luxe, mes loisirs, tout ce que j'ai. »

Je te le disais bien, Jacques, qu'il y avait quelque infamie sous ce mystère.

« ... Du jour où je vous ai connu, cette liaison m'est devenue odieuse... Si je ne vous en ai pas parlé, c'est que je vous connaissais trop fier pour consentir à me partager avec un autre. Si je ne l'ai pas brisée, c'est parce qu'il m'en coûtait de renoncer à cette existence indolente et luxueuse pour laquelle je suis née... Aujourd'hui, je ne peux plus vivre ainsi... Ce mensonge me pèse, cette trahison de tous les jours me rend folle... Et si vous voulez encore de moi après l'aveu que je viens de vous faire, je suis prête à tout quitter et à vivre avec vous dans un coin, où vous voudrez... »

Ces derniers mots « où vous voudrez » furent dits à voix basse, tout près de moi, presque sur mes lèvres, pour me griser...

J'eus pourtant le courage de lui répondre, et même très sèchement, que j'étais pauvre, que je ne gagnais pas ma vie, et que je ne pouvais pas la faire nourrir par mon frère Jacques.

Sur cette réponse, elle releva la tête d'un air de triomphe :

« Eh bien ! si j'avais trouvé pour nous deux un moyen honorable et sûr de gagner notre vie sans nous quitter, que diriez-vous ? »

Là-dessus, elle tira d'une de ses poches un grimoire sur papier timbré qu'elle se mit à me lire... C'était un engagement pour nous deux dans un théâtre de la banlieue parisienne ; elle, à raison de cent francs par mois ; moi, à raison de cinquante. Tout était prêt ; nous n'avions plus qu'à signer.

Je la regardai, épouvanté. Je sentais qu'elle m'entraînait dans un trou, et j'eus peur un moment de n'être pas assez fort pour résister... La lecture du grimoire finie, sans me laisser le temps de répondre, elle se mit à parler fiévreusement des splendeurs de la carrière théâtrale et de la vie glorieuse que nous allions mener là-bas, libres, fiers, loin du monde, tout à notre art et à notre amour.

Elle parla trop ; c'était une faute. J'eus le temps de me remettre, d'invoquer ma mère Jacques dans le fond de mon cœur, et quand elle eut fini sa tirade, je pus lui dire très froidement :

« Je ne veux pas être comédien... »

Bien entendu, elle ne lâcha pas prise et recommença ses belles tirades.

Peine perdue... A tout ce qu'elle put me dire, je ne répondis qu'une chose :

« Je ne veux pas être comédien... »

Elle commençait à perdre patience.

« Alors, me dit-elle en pâlissant, vous préférez que je retourne là-bas, de huit à dix, et que les choses restent comme elles sont... »

A cela je répondis un peu moins froidement : « Je ne préfère rien... Je trouve très honorable à vous de vouloir gagner votre vie et ne plus la devoir aux générosités d'un monsieur de huit à dix... Je vous répète seulement que je ne me sens pas la moindre vocation théâtrale, et que je ne serai pas comédien. »

A ce coup elle éclata.

« Ah ! tu ne veux pas être comédien... Qu'est-ce que tu seras donc alors ?... Te croirais-tu poète, par hasard ?... Il se croit poète !... Mais tu n'as rien de ce qu'il faut, pauvre fou !... Je vous demande, parce que ça vous a fait imprimer un méchant livre dont personne ne parle, dont personne ne veut, ça se croit poète... Mais, malheureux, ton livre est idiot, tous me le disent bien... Depuis deux mois qu'il est en vente, on n'en a vendu qu'un exemplaire, et c'est le mien... Toi, poète, allons donc !... Il n'y a que ton frère pour croire à une niaiserie pareille... Encore un joli naïf, celui-là !... et qui t'écrit de bonnes lettres... Il est à mourir de rire avec son article de Gustave Planche... En attendant, il se tue pour te faire vivre ; et toi, pendant ce temps-là, tu... tu... au fait, qu'est-ce que tu fais ? Le sais-tu seulement ?... Parce que ta tête a un certain caractère, cela te suffit ; tu t'habilles en Turc, et tu crois que tout est là !... D'abord, je te préviens que depuis quelque temps le caractère de ta tête se perd joliment... tu es laid, tu es très laid. Tiens ! regarde-toi... Je suis sûre que si tu retournais vers ta donzelle Pierrotte, elle ne voudrait plus de toi... Et pourtant, vous êtes bien faits l'un pour l'autre... Vous êtes nés tous les deux pour vendre de la porcelaine au passage du Saumon. C'est bien mieux ton affaire que d'être comédien... »

Elle bavait, elle étranglait. Jamais tu n'as vu folie pareille. Je la regardais sans rien dire. Quand elle eut fini, je m'approchai d'elle — j'avais tout le corps qui me tremblait —, et je lui dis bien tranquillement :

« Je ne veux pas être comédien. »

Disant cela, j'allai vers la porte, je l'ouvris et la lui montrai.

« M'en aller, fit-elle en ricanant... Oh ! pas encore... j'en ai encore long à vous dire. »

Pour le coup, je n'y tins plus. Un paquet de sang me monta au visage. Je pris un des chenets de la cheminée et je courus sur elle... Je te réponds qu'elle a déguerpi... Mon cher, à ce moment-là, j'ai compris l'Espagnol Pacheco.

Derrière elle, j'ai pris mon chapeau et je suis descendu. J'ai couru tout le jour, de droite et de gauche, comme un homme ivre... Ah ! si tu avais été là... Un moment j'ai eu l'idée d'aller chez Pierrotte, de me jeter à ses pieds, de demander grâce aux yeux noirs. Je suis allé jusqu'à la porte du magasin, mais je n'ai pas osé entrer... Voilà deux mois que je n'y vais plus. On m'a écrit, pas de réponse. On est venu me voir, je me suis caché. Comment pourrait-on me pardonner ?... Pierrotte était assis sur son comptoir. Il avait l'air triste... Je suis resté un moment à le regarder, debout contre la vitre ; puis je me suis enfui en pleurant.

La nuit venue, je suis rentré. J'ai pleuré longtemps à la fenêtre ; après quoi, j'ai commencé à t'écrire. Je t'écrirai ainsi toute la nuit. Il me semble que tu es là, que je cause avec toi, et cela me fait du bien.

Quel monstre que cette femme ! Comme elle était sûre de moi ! Comme elle me croyait bien son jouet, sa chose !... Comprends-tu ? m'emmener jouer la comédie dans la banlieue !... Conseille-moi, Jacques, je m'ennuie, je souffre... Elle m'a fait bien du mal, vois-tu ! Je ne crois plus en moi, je doute, j'ai peur. Que faut-il faire ?... travailler ?... Hélas ! elle a raison, je ne suis pas poète. Mon livre ne s'est pas vendu... Et pour payer, comment vas-tu faire ?...

Toute ma vie est gâtée. Je n'y vois plus, je ne sais plus. Il fait noir... Il y a des noms prédestinés. Elle s'appelle Irma Borel. Borel, chez nous, ça veut dire bourreau... Irma Bourreau !... Comme ce nom lui va bien !... Je voudrais déménager. Cette chambre m'est odieuse... Et puis, je suis exposé à la rencontrer dans l'escalier... Par exemple, sois tranquille, si elle remonte jamais... Mais elle ne remontera pas. Elle m'a oublié. Les artistes sont là pour la consoler...

Ah ! mon Dieu ! qu'est-ce que j'entends ?... Jacques, mon frère, c'est elle. Je te dis que c'est elle. Elle vient ici ; j'ai reconnu son pas... Elle est là, tout près. J'entends son haleine... Son œil collé à la serrure me regarde, me brûle, me...

Cette lettre ne partit pas.

12

Tolocototignan

Me voici arrivé aux pages les plus sombres de mon histoire, aux jours de misère et de honte que Daniel Eyssette a vécus à côté de cette femme, comédien dans la banlieue de Paris. Chose singulière ! ce temps de ma vie, accidenté, bruyant, tourbillonnant, m'a laissé des remords plutôt que des souvenirs.

Tout ce coin de ma mémoire est brouillé, je ne vois rien, rien...

Mais, attendez !... Je n'ai qu'à fermer les yeux et à fredonner deux ou trois fois ce refrain bizarre et mélancolique : *Tolocototignan ! Tolocototignan !* , tout de suite, comme par magie, mes souvenirs assoupis vont se réveiller, les heures mortes sortiront de leurs tombeaux, et je retrouverai le petit Chose, tel qu'il était alors, dans une grande maison neuve du boulevard Montparnasse, entre Irma Borel qui répétait ses rôles, et Coucou-Blanc qui chantait sans cesse :

Tolocototignan ! Tolocototignan !

Pouah ! l'horrible maison ! Je la vois maintenant, je la vois avec ses mille fenêtres, sa rampe verte et poisseuse, ses plombs béants, ses portes numérotées, ses longs corridors blancs qui sentaient la peinture fraîche... toute neuve, et déjà salie !... Il y avait cent huit chambres là-dedans ; dans chaque chambre un ménage. Et quels ménages !... Tout le jour c'étaient des scènes, des cris, du fracas, des tueries ; la nuit, des piaillements d'enfants, des pieds nus marchant sur le carreau, puis le balancement uniforme et lourd des berceaux. De temps en temps, pour varier, des visites de la police.

C'est là, c'est dans cet antre garni à sept étages qu'Irma Borel et le petit Chose étaient venus abriter leur amour... Triste logis et bien fait pour un pareil hôte !... Ils l'avaient choisi parce que c'était près de leur théâtre ; et puis, comme dans toutes les maisons neuves, ils ne payaient pas cher. Pour quarante francs — un prix d'essuyeurs de plâtres —, ils avaient deux chambres au second étage, avec un liseré de balcon sur le boulevard, le plus bel appartement de l'hôtel... Ils rentraient tous les soirs vers minuit, à la fin du spectacle. C'était sinistre de revenir par ces grandes avenues désertes, où rôdaient des blouses silencieuses, des filles en cheveux, et les grandes redingotes des patrouilles grises.

Ils marchaient vite, au milieu de la chaussée. En arrivant, ils trouvaient un peu de viande froide sur un coin de la table et la négresse Coucou-Blanc qui attendait... car Irma Borel avait gardé Coucou-Blanc. M. de Huit-à-Dix avait repris son cocher, ses meubles, sa vaisselle, sa voiture. Irma Borel avait gardé sa négresse, son kakatoès, quelques bijoux et toutes ses robes. Celles-ci, bien entendu, ne lui servaient plus qu'à la scène, les traînes de velours et de moire n'étant point faites pour balayer les boulevards extérieurs... A elles seules, les robes occupaient une des deux chambres. Elles étaient là pendues tout autour à des porte-manteaux d'acier, et leurs grands plis soyeux, leurs couleurs voyantes contrastaient étrangement avec le carreau dérougi et le meuble fané. C'est dans cette chambre que couchait la négresse.

Elle y avait installé sa paillasse, son fer à cheval, sa bouteille d'eau-de-vie ; seulement, de peur du feu, on ne lui laissait pas de lumière. Aussi, la nuit, quand ils rentraient, Coucou-Blanc, accroupie sur sa paillasse au clair de lune, avait l'air, parmi ces robes mystérieuses, d'une vieille sorcière préposée par Barbe-Bleue à la garde des sept pendues... L'autre pièce, la plus petite, était pour eux et le kakatoès. Juste la place d'un lit, de trois chaises, d'une table et du grand perchoir à bâtons dorés.

Si triste et si étroit que fût leur logis, ils n'en sortaient jamais. Le temps que leur laissait le théâtre, ils le passaient chez eux à apprendre leurs rôles, et c'était, je vous le jure, un terrible charivari. D'un bout de la maison à l'autre on entendait leurs rugissements dramatiques : « Ma fille, rendez-moi ma fille ! — Par ici, Gaspardo ! — Son nom, son nom, miséra-a-able ! » Par là-dessus, les cris déchirants du kakatoès, et la voix aiguë de Coucou-Blanc qui chantonnait sans cesse :

Tolocototignan !... Tolocototignan !...

Irma Borel était heureuse, elle. Cette vie lui plaisait ; cela l'amusait de jouer au ménage d'artistes pauvres. « Je ne regrette rien », disait-elle souvent. Qu'aurait-elle regretté ? Le jour où la misère la fatiguerait, le jour où elle serait lasse de boire du vin au litre et de manger ces hideuses portions à sauce brune qu'on leur montait de la gargote, le jour où elle en aurait jusque-là de l'art dramatique de la banlieue, ce jour-là, elle savait bien qu'elle reprendrait son existence d'autrefois. Tout ce qu'elle avait perdu, elle n'aurait qu'à lever un doigt pour le retrouver.

C'est cette pensée d'arrière-garde qui lui donnait du courage et lui faisait dire : « Je ne regrette rien. » Elle ne regrettait rien, elle ; mais lui, lui ?...

Ils avaient débuté tous les deux dans *Gaspardo le pêcheur*, un des plus beaux morceaux de la ferblanterie mélodramatique. Elle y fut très acclamée, non certes pour son talent — mauvaise voix, gestes ridicules —, mais pour ses bras de neige, pour ses robes de velours. Le public de là-bas n'est pas habitué à ces exhibitions de chair éblouissante et de robes glorieuses à quarante francs le mètre. Dans la salle, on disait : « C'est une duchesse ! » et les titis émerveillés applaudissaient à tête fendre...

Il n'eut pas le même succès. On le trouva trop petit ; et puis il avait peur, il avait honte. Il parlait tout bas, comme à confesse : « Plus haut ! Plus haut ! » lui criait-on. Mais sa gorge se serrait, étranglant les mots au passage. Il fut sifflé... Que voulez-vous ! Irma avait beau dire, la vocation n'y était pas. Après tout, parce qu'on est mauvais poète, ce n'est pas une raison pour être bon comédien.

La créole le consolait de son mieux : « Ils n'ont pas compris le caractère de ta tête... » lui disait-elle souvent. Le directeur ne s'y trompa point, lui, sur le caractère de sa tête. Après deux représentations orageuses, il le fit venir dans son cabinet et lui dit : « Mon petit, le drame n'est pas ton affaire. Nous nous sommes fourvoyés. Essayons du vaudeville. Je crois que dans les comiques tu marcheras très bien. » Et dès le lendemain, on essaya du vaudeville. Il joua les jeunes premiers comiques, les gandins ahuris auxquels on fait boire de la limonade Rogé en guise de champagne, et qui courent la scène en se tenant le ventre, les niais à perruque rousse qui pleurent comme des veaux, « heu !... heu !... heu !... », les amoureux de campagne qui roulent des yeux bêtes en disant : « Mam'selle, j'vous aimons ben !... heulla ! ben vrai, j'vous aimons tout plein ! »

Il joua les Jeannot, les trembleurs, tous ceux qui sont laids, tous ceux qui font rire, et la vérité me force à dire qu'il ne s'en tira pas trop mal. Le malheureux avait du succès ; il faisait rire !

Expliquez cela, si vous pouvez. C'est quand il était en scène, grimé, plâtré, chargé d'oripeaux, que le petit Chose pensait à Jacques, aux yeux noirs. C'est au milieu d'une grimace, au coin d'un lazzi bête, que l'image de tous ces chers êtres, qu'il avait si lâchement trahis, se dressait tout à coup devant lui.

Presque tous les soirs, les titis de l'endroit pourront vous l'affirmer, il lui arrivait de s'arrêter net au beau milieu d'une tirade et de rester debout, sans parler, la bouche ouverte, à regarder la salle... Dans ces moments-là, son âme lui échappait, sautait par-dessus la rampe, crevait le plafond du théâtre d'un coup d'aile, et s'en allait bien loin donner un bonjour à Jacques, un baiser à Mme Eyssette, demander grâce aux yeux noirs, en se plaignant amèrement du triste métier qu'on lui faisait faire...

« Heulla ! ben vrai, j'vous aimons tout plein !... » disait tout à coup la voix du souffleur, et alors, le malheureux petit Chose, arraché à son rêve, tombé de son ciel, promenait autour de lui de grands yeux étonnés où se peignait un effarement si naturel, si comique, que toute la salle partait d'un gros éclat de rire. En argot de théâtre, c'est ce qu'on appelle un effet. Sans le vouloir, il avait trouvé un effet.

La troupe dont ils faisaient partie desservait plusieurs communes. C'était une façon de troupe nomade, jouant tantôt à Grenelle, à Montparnasse, à Sèvres, à Sceaux, à Saint-Cloud. Pour aller d'un pays à l'autre, on s'entassait dans l'omnibus du théâtre — un vieil omnibus café-au-lait traîné par un cheval phtisique. En route, on chantait, on jouait aux cartes. Ceux qui ne savaient pas leurs rôles se mettaient dans le fond et repassaient les brochures. C'était sa place à lui.

Il restait là, taciturne et triste comme sont les grands comiques, l'oreille fermée à toutes les trivialités qui bourdonnaient à ses côtés. Si bas qu'il fût tombé, ce cabotinage roulant était encore au-dessous de lui. Il avait honte de se trouver en pareille compagnie. Les femmes, de vieilles prétentions, fanées, fardées, maniérées, sentencieuses. Les hommes, des êtres communs, sans idéal, sans orthographe, des fils de coiffeurs ou de marchandes de *frites*, qui s'étaient faits comédiens par désœuvrement, par fainéantise, par amour du paillon, du costume, pour se montrer sur les planches en collants de couleur tendre et redingotes à la Souwaroff, des Lovelaces de barrière, toujours préoccupés de leur tenue, dépensant leurs appointements en frisures, en vous disant, d'un air convaincu : « Aujourd'hui, j'ai bien travaillé », quand ils avaient passé cinq heures à se faire une paire de bottes Louis XV avec deux mètres de papier verni... En vérité, c'était bien la peine de tant railler le salon à musique de Pierrotte pour venir s'échouer dans cette guimbarde.

A cause de son air maussade et de ses fiertés silencieuses, ses camarades ne l'aimaient pas. On disait : « C'est un sournois. » La créole, en revanche, avait su gagner tous les cœurs. Elle trônait dans l'omnibus comme une princesse en bonne fortune, riait à belles dents, renversait la tête en arrière pour montrer sa fine encolure, tutoyait tout le monde, appelait les hommes « mon vieux », les femmes « ma petite », et forçait les plus hargneux à dire d'elle : « C'est une bonne fille. » Une bonne fille, quelle dérision !...

Ainsi roulant, riant, les grosses plaisanteries faisant feu, on arrivait au lieu de la représentation. Le spectacle fini, on se déshabillait d'un tour de main, et vite on remontait en voiture pour rentrer à Paris. Alors il faisait noir. On causait à voix basse, en se cherchant dans l'ombre avec les genoux. De temps en temps, un rire étouffé... A l'octroi du faubourg du Maine, l'omnibus s'arrêtait pour remiser. Tout le monde descendait, et l'on allait en troupe reconduire Irma Borel jusqu'à la porte du grand taudis, où Coucou-Blanc, aux trois quarts ivre, les attendait avec sa chanson triste :

Tolocototignan !... Tolocototignan !...

A les voir rivés ainsi l'un à l'autre, on aurait pu croire qu'ils s'aimaient. Non ! ils ne s'aimaient pas. Ils se connaissaient bien trop pour cela. Il la savait menteuse, froide, sans entrailles. Elle le savait faible et mou jusqu'à la lâcheté. Elle se disait : « Un beau matin, son frère va venir et me l'enlever pour le rendre à sa porcelainière. » Lui se disait : « Un de ces jours, lassée de la vie qu'elle mène, elle s'envolera avec un monsieur de Huit-à-Dix, et moi je resterai seul dans ma fange... » Cette crainte éternelle qu'ils avaient de se perdre faisait le plus clair de leur amour. Ils ne s'aimaient pas, et pourtant ils étaient jaloux.

Chose singulière, n'est-ce pas ? que là où il n'y a point d'amour, il puisse y avoir de la jalousie. Eh bien ! c'était ainsi... Quand elle parlait familièrement à quelqu'un du théâtre, il devenait pâle. Quand il recevait une lettre, elle se jetait dessus et la décachetait avec des mains tremblantes... Le plus souvent, c'était une lettre de Jacques. Elle la lisait jusqu'au bout en ricanant, puis la jetait sur un meuble : « Toujours la même chose », disait-elle avec dédain. Hélas ! oui ! toujours la même chose, c'est-à-dire toujours le dévouement, la générosité, l'abnégation. C'est bien pour cela qu'elle détestait tant le frère...

Le brave Jacques ne s'en doutait pas, lui. Il ne se doutait de rien. On lui écrivait que tout allait bien, que *La Comédie pastorale* était aux trois quarts vendue, et qu'à l'échéance des billets on trouverait chez les libraires tout l'argent qu'il faudrait pour faire face. Confiant et bon comme toujours, il continuait d'envoyer les cents francs du mois rue Bonaparte, où Coucou-Blanc allait les chercher.

Avec les cent francs de Jacques et les appointements du théâtre, ils avaient bien sûr de quoi vivre, surtout dans ce quartier de pauvres hères. Mais ni l'un ni l'autre ils ne savaient, comme on dit, ce que c'est que l'argent : lui, parce qu'il n'en avait jamais eu ; elle, parce qu'elle en avait toujours eu de trop. Aussi, quel gaspillage ! Dès le 5 du mois, la caisse — une petite pantoufle javanaise en paille de maïs — la caisse était vide. Il y avait d'abord le kakatoès qui, à lui seul, coûtait autant à nourrir qu'une personne de grandeur naturelle. Il y avait ensuite le blanc, le kohl, la poudre de riz, les opiats, les pattes de lièvre, tout l'attirail de la peinture dramatique. Puis les brochures du théâtre étaient trop vieilles, trop fanées ; madame voulait des brochures neuves. Il lui fallait aussi des fleurs, beaucoup de fleurs. Elle se serait passée de manger plutôt que de voir ses jardinières vides.

En deux mois, la maison fut criblée de dettes. On devait à l'hôtel, au restaurant, au portier du théâtre. De temps en temps, un fournisseur se lassait et venait faire du bruit le matin. Ces jours-là, en désespoir de tout, on courait vite chez l'imprimeur de *La Comédie pastorale*, et on lui empruntait quelques louis de la part de Jacques. L'imprimeur, qui avait entre les mains le second volume des fameux mémoires et savait Jacques toujours secrétaire du d'Hacqueville, ouvrait sa bourse sans méfiance. De louis en louis, on était arrivé à lui emprunter quatre cents francs, qui, joints aux neuf cents de *La Comédie pastorale*, portaient la dette de Jacques à treize cents francs.

Pauvre mère Jacques ! Que de désastres l'attendaient à son retour ! Daniel disparu, les yeux noirs en larmes, pas un volume vendu et treize cents francs à payer. Comment se tirerait-il de là ?... La créole ne s'inquiétait guère, elle. Mais lui, le petit Chose, cette pensée ne le quittait pas. C'était une obsession, une angoisse perpétuelle. Il avait beau chercher à s'étourdir, travailler comme un forçat (et de quel travail, juste Dieu !), apprendre de nouvelles bouffonneries, étudier devant son miroir de nouvelles grimaces, toujours le miroir lui renvoyait l'image de Jacques au lieu de la sienne ; entre les lignes de son rôle, au lieu de Langlumeau, de Josias et autres personnages de vaudeville, il ne voyait que le nom de Jacques : Jacques, Jacques, toujours Jacques !

Chaque matin, il regardait le calendrier avec terreur, et, comptant les jours qui le séparaient de la première échéance des billets, il se disait en frissonnant : « Plus qu'un mois... plus que trois semaines ! » Car il savait bien qu'au premier billet protesté tout serait découvert, et que le martyre de son frère commencerait dès ce jour-là. Jusque dans son sommeil cette idée le poursuivait. Quelquefois il se réveillait en sursaut, le cœur serré, le visage inondé de larmes, avec le souvenir confus d'un rêve terrible et singulier qu'il venait d'avoir.

Ce rêve, toujours le même, revenait presque toutes les nuits. Cela se passait dans une chambre inconnue, où il y avait une grande armoire à vieilles ferrures grimpantes. Jacques était là, pâle, horriblement pâle, étendu sur un canapé ; il venait de mourir. Camille Pierrotte était là, elle aussi, et, debout devant l'armoire, elle cherchait à l'ouvrir pour prendre un linceul. Seulement, elle ne pouvait pas y parvenir ; et, tout en tâtonnant avec la clef autour de la serrure, on l'entendait dire d'une voix navrante : « Je ne peux pas ouvrir... J'ai trop pleuré... je n'y vois plus... »

Quoiqu'il voulût s'en défendre, ce rêve l'impressionnait au-delà de la raison. Dès qu'il fermait les yeux, il revoyait Jacques étendu sur le canapé, et Camille, aveugle, devant l'armoire... Tous ces remords, toutes ces terreurs le rendaient de jour en jour plus sombre, plus irritable. La créole, de son côté, n'était pas endurante. D'ailleurs elle sentait vaguement qu'il lui échappait — sans qu'elle sût par où — et cela l'exaspérait. A tout moment, c'étaient des scènes terribles, des cris, des injures, à se croire dans un bateau de blanchisseuses.

Elle lui disait : « Va-t'en avec ta Pierrotte te faire donner des cœurs de sucre. »

Et lui tout de suite : « Retourne à ton Pacheco te faire fendre la lèvre. »

Elle l'appelait : « Bourgeois ! »

Il lui répondait : « Coquine ! »

Puis ils fondaient en larmes et se pardonnaient généreusement pour recommencer le lendemain.

C'est ainsi qu'ils vivaient, non ! qu'ils croupissaient ensemble, rivés au même fer, couchés dans le même ruisseau... C'est cette existence fangeuse, ce sont ces heures misérables qui défilent aujourd'hui devant mes yeux, quand je fredonne le refrain de la négresse, le bizarre et mélancolique :

Tolocototignan ! Tolocototignan !

13

L'enlèvement

C'était un soir, vers neuf heures, au théâtre Montparnasse. Le petit Chose, qui jouait dans la première pièce, venait de finir et remontait dans sa loge. En montant, il se croisa avec Irma Borel, qui allait entrer en scène. Elle était rayonnante, toute en velours et en guipure, l'éventail au poing comme Célimène.

« Viens dans la salle, lui dit-elle en passant, je suis en train... je serai très belle. »

Il hâta le pas vers sa loge et se déshabilla bien vite. Cette loge, qu'il partageait avec deux camarades, était un cabinet sans fenêtre, bas de plafond, éclairé au schiste. Deux ou trois chaises de paille formaient tout l'ameublement. Le long du mur pendaient des fragments de glace, des perruques défrisées, des guenilles à paillettes, velours fanés, dorures éteintes. A terre, dans un coin, des pots de rouge sans couvercles, des houppes à poudre de riz toutes déplumées...

Le petit Chose était là depuis un moment, en train de se désaffubler, quand il entendit un machiniste qui l'appelait d'en bas : « Monsieur Daniel ! monsieur Daniel ! » Il sortit de sa loge, et, penché sur le bois humide de la rampe, demanda : « Qu'y a-t-il ? » Puis, voyant qu'on ne répondait pas, il descendit, tel qu'il était, à peine vêtu, barbouillé de blanc et de rouge, avec sa grande perruque jaune qui lui tombait sur les yeux...

Au bas de l'escalier, il se heurta contre quelqu'un.

« Jacques ! » cria-t-il en reculant.

C'était Jacques... Ils se regardèrent un moment, sans parler. A la fin, Jacques joignit les mains et murmura d'une voix douce, pleine de larmes : « Oh ! Daniel ! » Ce fut assez. Le petit Chose, remué jusqu'au fond des entrailles, regarda autour de lui comme un enfant craintif, et dit tout bas, si bas que son frère put à peine l'entendre : « Emmène-moi d'ici, Jacques. »

Jacques tressaillit ; et, le prenant par la main, il l'entraîna dehors. Un fiacre attendait à la porte ; ils y montèrent. — « Rue des Dames, aux Batignolles ! cria la mère Jacques. — C'est mon quartier ! » répondit le cocher d'une voix joyeuse, et la voiture s'ébranla.

... Jacques était à Paris depuis deux jours. Il arrivait de Palerme, où une lettre de Pierrotte — qui lui courait après depuis trois mois — l'avait enfin découvert. Cette lettre, courte et sans phrases, lui apprenait la disparition de Daniel.

En la lisant, Jacques devina tout. Il se dit : « L'enfant fait des bêtises... Il faut que j'y aille. » Et sur-le-champ il demanda un congé au marquis.

« Un congé ! fit le bonhomme en bondissant, êtes-vous fou ?... Et mes mémoires ?...

— Rien que huit jours, monsieur le marquis, le temps d'aller et de revenir : il y va de la vie de mon frère.

— Je me moque pas mal de votre frère... Est-ce que vous n'étiez pas prévenu, en entrant ? Avez-vous oublié nos conventions ?

— Non, monsieur le marquis, mais...

— Pas de mais qui tienne. Il en sera de vous comme des autres. Si vous quittez votre place pour huit jours, vous n'y rentrerez jamais. Réfléchissez là-dessus, je vous prie... Et tenez ! pendant que vous faites vos réflexions, mettez-vous là. Je vais dicter.

— C'est tout réfléchi, monsieur le marquis. Je m'en vais.

— Allez au diable. »

Sur quoi l'intraitable vieillard prit son chapeau et se rendit au consulat français pour s'informer d'un nouveau secrétaire.

Jacques partit le soir même.

En arrivant à Paris, il courut rue Bonaparte. « Mon frère est là-haut ? » cria-t-il au portier qui fumait sa pipe dans la cour, à califourchon sur la fontaine. Le portier se mit à rire : « Il y a beau temps qu'il court », dit-il sournoisement.

Il voulait faire le discret, mais une pièce de cent sous lui desserra les dents. Alors il raconta que depuis longtemps le petit du cinquième et la dame du premier avaient disparu, qu'ils se cachaient on ne sait où, dans quelque coin de Paris, mais ensemble à coup sûr, car la négresse Coucou-Blanc venait tous les mois voir s'il n'y avait rien pour eux. Il ajouta que M. Daniel, en partant, avait oublié de lui donner congé, et qu'on lui devait les loyers des quatre derniers mois, sans parler d'autres menues dettes.

« C'est bien, dit Jacques, tout sera payé. » Et sans perdre une minute, sans prendre seulement le temps de secouer la poussière du voyage, il se mit à la recherche de son enfant.

Il alla d'abord chez l'imprimeur, pensant avec raison que le dépôt général de *La Comédie pastorale* étant là, Daniel devait y venir souvent.

« J'allais vous écrire, lui dit l'imprimeur en le voyant entrer. Vous savez que le premier billet échoit dans quatre jours. »

Jacques répondit sans s'émouvoir : « J'y ai songé... Dès demain j'irai faire ma tournée chez les libraires. Ils ont de l'argent à me remettre. La vente a très bien marché. »

L'imprimeur ouvrit démesurément ses gros yeux bleu d'Alsace.

« Comment ?... La vente a bien marché ! Qui vous a dit cela ? »

Jacques pâlit, pressentant une catastrophe.

« Regardez donc dans ce coin, continua l'Alsacien, tous ces volumes empilés. C'est *La Comédie pastorale*. Depuis cinq mois qu'elle est dans le commerce, on n'en a vendu qu'un exemplaire. A la fin, les libraires se sont lassés et m'ont renvoyé les volumes qu'ils avaient en dépôt. A l'heure qu'il est, tout cela n'est plus bon qu'à vendre au poids du papier. C'est dommage ; c'était bien imprimé. »

Chaque parole de cet homme tombait sur la tête de Jacques comme un coup de canne plombée ; mais ce qui l'acheva, ce fut d'apprendre que Daniel, en son nom, avait emprunté de l'argent à l'imprimeur.

« Pas plus tard qu'hier, dit l'impitoyable Alsacien, il m'a envoyé une horrible négresse pour me demander deux louis ; mais j'ai refusé net. D'abord, parce que ce mystérieux commissionnaire à tête de ramoneur ne m'inspirait pas de confiance ; et puis, vous comprenez, monsieur Eyssette, moi, je ne suis pas riche, et cela fait déjà plus de quatre cents francs que j'avance à votre frère.

— Je le sais, répondit fièrement la mère Jacques, mais soyez sans inquiétude, cet argent vous sera bientôt rendu. » Puis il sortit bien vite, de peur de laisser voir son émotion. Dans la rue, il fut obligé de s'asseoir sur une borne. Les jambes lui manquaient. Son enfant en fuite, sa place perdue, l'argent de l'imprimeur à rendre, la chambre, le portier, l'échéance du surlendemain, tout cela bourdonnait, tourbillonnait dans sa cervelle... Tout à coup il se leva : « D'abord les dettes, se dit-il, c'est le plus pressé. » Et malgré la lâche conduite de son frère envers les Pierrotte, il alla sans hésiter s'adresser à eux.

En entrant dans le magasin de l'*ancienne maison Lalouette*, Jacques aperçut derrière le comptoir une grosse face jaune et bouffie que d'abord il ne reconnaissait pas ; mais au bruit que fit la porte, la grosse face se souleva, et voyant qu'il venait d'entrer, poussa un retentissant « C'est bien le cas de le dire » auquel on ne pouvait pas se tromper... Pauvre Pierrotte ! Le chagrin de sa fille en avait fait un autre homme. Le Pierrotte d'autrefois, si jovial et si rubicond, n'existait plus. Les larmes que sa petite versait depuis cinq mois avaient rougi ses yeux, fondu ses joues. Sur ses lèvres décolorées, le rire éclatant des anciens jours faisait place maintenant à un sourire froid, silencieux, le sourire des veuves et des amantes délaissées. Ce n'était plus Pierrotte, c'était Ariane, c'était Nina.

Du reste, dans le magasin de l'*ancienne maison Lalouette*, il n'y avait que lui de changé. Les bergères coloriées, les Chinois à bedaines violettes souriaient toujours béatement sur les hautes étagères, parmi les verres de Bohême et les assiettes à grandes fleurs. Les soupières rebondies, les carcels en porcelaine peinte reluisaient toujours par places derrière les mêmes vitrines, et dans l'arrière-boutique la même flûte roucoulait toujours discrètement.

« C'est moi, Pierrotte, dit la mère Jacques, en affermissant sa voix, je viens vous demander un grand service. Prêtez-moi quinze cents francs. »

Pierrotte, sans répondre, ouvrit sa caisse, remua quelques écus ; puis, repoussant le tiroir, il se leva tranquillement.

« Je ne les ai pas ici, monsieur Jacques. Attendez-moi, je vais les chercher là-haut. » Avant de sortir, il ajouta d'un air contraint : « Je ne vous dis pas de monter ; cela lui ferait trop de peine. »

Jacques soupira. « Vous avez raison, Pierrotte ; il vaut mieux que je ne monte pas. »

Au bout de cinq minutes, le Cévenol revint avec deux billets de mille francs qu'il lui mit dans la main. Jacques ne voulait pas les prendre ; « Je n'ai besoin que de quinze cents francs », disait-il. Mais le Cévenol insista :

« Je vous en prie, monsieur Jacques, gardez tout. Je tiens à ce chiffre de deux mille francs. C'est ce que Mademoiselle m'a prêté dans le temps pour m'acheter un homme. Si vous me refusiez... c'est bien le cas de le dire, je vous en voudrais mortellement. »

Jacques n'osa pas refuser ; il mit l'argent dans sa poche, et, tendant la main au Cévenol, il lui dit très simplement : « Adieu, Pierrotte, et merci ! » Pierrotte lui retint la main.

Ils restèrent quelque temps ainsi, émus et silencieux, en face l'un de l'autre. Tous les deux, ils avaient le nom de Daniel sur les lèvres, mais ils n'osaient pas le prononcer, par une même délicatesse... Ce père et cette mère se comprenaient si bien !... Jacques, le premier, se dégagea doucement. Les larmes le gagnaient ; il avait hâte de sortir. Le Cévenol l'accompagna jusque dans le passage. Arrivé là, le pauvre homme ne put pas contenir plus longtemps l'amertume dont son cœur était plein, et il commença d'un air de reproche : « Ah ! monsieur Jacques... monsieur Jacques... c'est bien le cas de le dire !... » Mais il était trop ému pour achever sa traduction, et ne put que répéter deux fois de suite : « C'est bien le cas de le dire... c'est bien le cas de le dire... »

Oh ! oui, c'était bien le cas de le dire !...

En quittant Pierrotte, Jacques retourna chez l'imprimeur. Malgré les protestations de l'Alsacien, il voulut lui rendre sur-le-champ les quatre cents francs prêtés à Daniel. Il lui laissa, en outre, pour n'avoir plus à s'en inquiéter, l'argent des trois billets à échoir ; après quoi, se sentant le cœur plus léger, il se dit : « Cherchons l'enfant. » Malheureusement, l'heure était déjà trop avancée pour se mettre en chasse le jour même ; d'ailleurs la fatigue du voyage, l'émotion, la petite toux sèche et continue qui le minait depuis longtemps, avaient tellement brisé la pauvre mère Jacques, qu'il dut revenir rue Bonaparte pour prendre un peu de repos.

Ah ! lorsqu'il entra dans la petite chambre et qu'aux dernières heures d'un vieux soleil d'octobre, il revit tous ces objets qui lui parlaient de son enfant, l'établi aux rimes devant la fenêtre, son verre, son encrier, ses pipes à court tuyau comme celles de l'abbé Germane ; lorsqu'il entendit sonner les bonnes cloches de Saint-Germain un peu enrouées par le brouillard, lorsque l'angélus du soir — cet angélus mélancolique que Daniel aimait tant — vint battre de l'aile contre les vitres humides ; ce que la mère Jacques souffrit, une mère seule pourrait le dire...

Il fit deux ou trois fois le tour de la chambre, regardant partout, ouvrant toutes les armoires, dans l'espoir d'y trouver quelque chose qui le mît sur la trace du fugitif. Mais, hélas ! les armoires étaient vides. On n'avait laissé que du vieux linge, des guenilles. Toute la chambre sentait le désastre et l'abandon. On n'était pas parti, on s'était enfui. Il y avait dans un coin, par terre, un chandelier, et dans la cheminée, sous un monceau de papier brûlé, une boîte blanche à filets d'or. Cette boîte, il la reconnut. C'était là qu'on mettait les lettres des yeux noirs. Maintenant il la retrouvait dans les cendres. Quel sacrilège !

En continuant ses recherches, il dénicha dans un tiroir de l'établi quelques feuillets couverts d'une écriture irrégulière, fiévreuse, l'écriture de Daniel quand il était inspiré. « C'est un poème, sans doute », se dit la mère Jacques en s'approchant de la fenêtre pour lire. C'était un poème, en effet, un poème lugubre, qui commençait ainsi :

« Jacques, je t'ai menti. Depuis deux mois, je ne fais que te mentir... » Cette lettre n'était pas partie ; mais, comme on voit, elle arrivait quand même à sa destination. La Providence cette fois avait fait le service de la poste.

Jacques la lut d'un bout à l'autre. Quand il fut au passage où la lettre parlait d'un engagement à Montparnasse, proposé avec tant d'insistance, refusé avec tant de fermeté, il fit un bond de joie :

« Je sais où il est », cria-t-il ; et, mettant la lettre dans sa poche, il se coucha plus tranquille ; mais, quoique brisé de fatigue, il ne dormit pas. Toujours cette maudite toux... Au premier bonjour de l'aurore, une aurore d'automne, paresseuse et froide, il se leva lestement. Son plan était fait.

Il ramassa les hardes qui restaient au fond des armoires, les mit dans sa malle, sans oublier la petite boîte à filets d'or, dit un dernier adieu à la vieille tour de Saint-Germain, et partit en laissant tout ouvert, la porte, la fenêtre, les armoires, pour que rien de leur belle vie ne restât dans ce logis que d'autres habiteraient désormais. En bas, il donna congé de la chambre, paya les loyers en retard ; puis, sans répondre aux questions insidieuses du portier, il héla une voiture qui passait et se fit conduire à l'hôtel Pilois, rue des Dames, à Batignolles.

Cet hôtel était tenu par un frère du vieux Pilois, le cuisinier du marquis. On n'y logeait qu'au trimestre et des personnes recommandées. Aussi, dans le quartier, la maison jouissait-elle d'une réputation toute particulière. Habiter l'hôtel Pilois, c'était un certificat de bonne vie et mœurs. Jacques, qui avait gagné la confiance du Vatel de la maison d'Hacqueville, apportait de sa part à son frère un panier de vin de Marsala.

Cette recommandation fut suffisante, et quand il demanda timidement à faire partie des locataires, on lui donna sans hésiter une belle chambre au rez-de-chaussée, avec deux croisées ouvrant sur le jardin de l'hôtel, j'allais dire du couvent. Ce jardin n'était pas grand : trois ou quatre acacias, un carré de verdure indigente — la verdure de Batignolles —, un figuier sans figues, une vigne malade et quelques pieds de chrysanthème en faisaient tous les frais ; mais enfin cela suffisait pour égayer la chambre, un peu triste et humide de son naturel...

Jacques, sans perdre une minute, fit son installation, planta des clous, serra son linge, posa un râtelier pour les pipes de Daniel, accrocha le portrait de Mme Eyssette à la tête du lit, fit enfin de son mieux pour chasser cet air de banalité qui empeste les garnis ; puis, quand il eut bien pris possession, il déjeuna sur le pouce, et sortit sitôt après. En passant, il avertit M. Pilois que ce soir-là, exceptionnellement, il rentrerait peut-être un peu tard, et le pria de faire préparer dans sa chambre un gentil souper avec deux couverts et du vin vieux. Au lieu de se réjouir de cet extra, le bon M. Pilois rougit jusqu'au bout des oreilles, comme un vicaire de première année.

« C'est que, dit-il d'un air embarrassé, je ne sais pas... Le règlement de l'hôtel s'oppose... nous avons des ecclésiastiques qui... »

Jacques sourit : « Ah ! très bien, je comprends... Cc sont les deux couverts qui vous épouvantent... Rassurez-vous, mon cher monsieur Pilois, ce n'est pas une femme. » Et à part lui, en descendant vers Montparnasse, il se disait : « Pourtant si, c'est une femme, une femme sans courage, un enfant sans raison qu'il ne faut plus jamais laisser seul. »

Dites-moi pourquoi ma mère Jacques était si sûr de me trouver à Montparnasse. J'aurais bien pu, depuis le temps où je lui écrivis la terrible lettre qui ne partit pas, avoir quitté le théâtre ; j'aurais pu n'y être pas entré... Eh bien ! non. L'instinct maternel le guidait. Il avait la conviction de me trouver là-bas, et de me ramener le soir même ; seulement, il pensait avec raison : « Pour l'enlever, il faut qu'il soit seul, que cette femme ne se doute de rien. » C'est ce qui l'empêcha de se rendre directement au théâtre chercher des renseignements. Les coulisses sont bavardes ; un mot pouvait donner l'éveil... Il aima mieux s'en rapporter tout bonnement aux affiches, et s'en fut vite les consulter.

Les prospectus des spectacles faubouriens se posent à la porte des marchands de vins du quartier, derrière un grillage, à peu près comme les publications de mariage dans les villages de l'Alsace. Jacques, en les lisant, poussa une exclamation de joie.

Le théâtre Montparnasse donnait ce soir-là *Marie-Jeanne*, drame en cinq actes, joué par Mmes Irma Borel, Désirée Levrault, Guigne, etc.

Précédé de :

Amour et pruneaux, vaudeville en un acte, par MM. Daniel, Antonin et Mlle Léontine.

« Tout va bien, se dit-il. Ils ne jouent pas dans la même pièce ; je suis sûr de mon coup. »

Et il entra dans un café du Luxembourg pour attendre l'heure de l'enlèvement.

Le soir venu, il se rendit au théâtre. Le spectacle était déjà commencé. Il se promena environ une heure sous la galerie, devant la porte, avec les gardes municipaux.

De temps en temps, les applaudissements de l'intérieur venaient jusqu'à lui comme un bruit de grêle lointaine, et cela lui serrait le cœur de penser que c'était peut-être les grimaces de son enfant qu'on applaudissait ainsi... Vers neuf heures, un flot de monde se précipita bruyamment dans la rue. Le vaudeville venait de finir ; il y avait des gens qui riaient encore. On sifflait, on s'appelait : « Ohé !... Pilouitt !... Lala-itou ! » toutes les vociférations de la ménagerie parisienne... Dame ! ce n'était pas la sortie des Italiens !

Il attendit encore un moment, perdu dans cette cohue ; puis, vers la fin de l'entracte, quand tout le monde rentrait, il se glissa dans une allée noire et gluante à côté du théâtre — l'entrée des artistes —, et demanda à parler à Mme Irma Borel.

« Impossible, lui dit-on. Elle est en scène... »

C'était un sauvage pour la ruse, cette mère Jacques ! De son air le plus tranquille, il répondit : « Puisque je ne peux pas voir Mme Irma Borel, veuillez appeler M. Daniel ; il fera ma commission auprès d'elle. »

Une minute après, la mère Jacques avait reconquis son enfant et l'emportait bien vite à l'autre bout de Paris.

14

Le rêve

« Regarde donc, Daniel, me dit ma mère Jacques quand nous entrâmes dans la chambre de l'hôtel Pilois, c'est comme la nuit de ton arrivée à Paris ! »

Comme cette nuit-là, en effet, un joli réveillon nous attendait sur une nappe bien blanche : le pâté sentait bon, le vin avait l'air vénérable, la flamme claire des bougies riait au fond des verres... Et pourtant, et pourtant, ce n'était plus la même chose ! Il y a des bonheurs qu'on ne recommence pas. Le réveillon était le même ;

mais il y manquait la fleur de nos anciens convives, les belles ardeurs de l'arrivée, les projets de travail, les rêves de gloire, et cette sainte confiance qui fait rire et qui donne faim. Pas un, hélas ! pas un de ces réveillonneurs du temps passé n'avait voulu venir chez M. Pilois. Ils étaient tous restés dans le clocher de Saint-Germain ; même au dernier moment, l'Expansion, qui nous avait promis d'être de la fête, fit dire qu'elle ne viendrait pas.

Oh ! non, ce n'était plus la même chose. Je le compris si bien qu'au lieu de m'égayer l'observation de Jacques me fit monter aux yeux un grand flot de larmes. Je suis sûr qu'au fond du cœur il avait bonne envie de pleurer, lui aussi ; mais il eut le courage de se contenir, et me dit en prenant un petit air allègre : « Voyons ! Daniel, assez pleuré ! Tu ne fais que cela depuis une heure. (Dans la voiture, pendant qu'il me parlait, je n'avais cessé de sangloter sur son épaule.) En voilà un drôle d'accueil ! Tu me rappelles positivement les plus mauvais jours de mon histoire, le temps des pots de colle et de : "Jacques, tu es un âne ! " Voyons ! séchez vos larmes, jeune repenti, et regardez-vous dans la glace, cela vous fera rire. »

Je me regardai dans la glace ; mais je ne ris pas. Je me fis honte... J'avais ma perruque jaune collée à plat sur mon front, du rouge et du blanc plein les joues, par là-dessus la sueur, les larmes... C'était hideux ! D'un geste de dégoût, j'arrachai ma perruque ; mais, au moment de la jeter, je fis réflexion, et j'allai la pendre à un clou au beau milieu de la muraille.

Jacques me regardait très étonné : « Pourquoi la mets-tu là, Daniel ? C'est très vilain, ce trophée de guerrier apache... Nous avons l'air d'avoir scalpé Polichinelle. »

Et moi, très gravement : « Non ! Jacques, ce n'est pas un trophée. C'est mon remords, mon remords palpable et visible, que je veux avoir toujours devant moi. »

Il y eut l'ombre d'un sourire amer sur les lèvres de Jacques, mais tout de suite il reprit sa mine joyeuse : « Bah ! laissons cela tranquille ; maintenant que te voilà débarbouillé et que j'ai retrouvé ta chère frimousse, mettons-nous à table, mon joli frisé, je meurs de faim. »

Ce n'était pas vrai ; il n'avait pas faim, ni moi non plus, grand Dieu ! J'avais beau vouloir faire bon visage au réveillon, tout ce que je mangeais s'arrêtait à ma gorge, et, malgré mes efforts pour être calme, j'arrosais mon pâté de larmes silencieuses. Jacques, qui m'épiait du coin de l'œil, me dit au bout d'un moment :

« Pourquoi pleures-tu ?... Est-ce que tu regrettes d'être ici ? Est-ce que tu m'en veux de t'avoir enlevé ?... »

Je lui répondis tristement : « Voilà une mauvaise parole, Jacques ! mais je t'ai donné le droit de tout me dire. »

Nous continuâmes pendant quelque temps encore à manger, ou plutôt à faire semblant. A la fin, impatienté de cette comédie que nous nous jouions l'un à l'autre, Jacques repoussa son assiette et se leva : « Décidément le réveillon ne va pas ; nous ferons mieux de nous coucher... »

Il y a chez nous un proverbe qui dit : « Le tourment et le sommeil ne sont pas camarades de lit. » Je m'en aperçus cette nuit-là. Mon tourment, c'était de songer à tout le bien que m'avait fait ma mère Jacques et à tout le mal que je lui avais rendu, de comparer ma vie à la sienne, mon égoïsme à son dévouement, cette âme d'enfant lâche à ce cœur de héros, qui avait pris pour devise : il n'y a qu'un bonheur au monde, le bonheur des autres. C'était aussi de me dire : « Maintenant, ma vie est gâtée. J'ai perdu la confiance de Jacques, l'amour des yeux noirs, l'estime de moi-même... Qu'est-ce que je vais devenir ? »

Cet affreux tourment-là me tint éveillé jusqu'au matin... Jacques non plus ne dormit pas. Je l'entendis se virer de droite et de gauche sur son oreiller, et tousser d'une petite toux sèche qui me picotait les yeux. Une fois, je lui demandai bien doucement : « Tu tousses ! Jacques. Est-ce que tu es malade ?... » Il me répondit : « Ce n'est rien... Dors... » Et je compris à son air qu'il était plus fâché contre moi qu'il ne voulait le paraître. Cette idée redoubla mon chagrin, et je me remis à pleurer tout seul et sous ma couverture, tant et tant que je finis par m'endormir. Si le tourment empêche le sommeil les larmes sont un narcotique.

Quand je me réveillai, il faisait grand jour. Jacques n'était plus à côté de moi. Je le croyais sorti ; mais, en écartant les rideaux, je l'aperçus à l'autre bout de la chambre, couché sur un canapé, et si pâle, oh ! si pâle... Je ne sais quelle idée terrible me traversa la cervelle. « Jacques ! » criai-je en m'élançant vers lui... Il dormait, mon cri ne le réveilla pas. Chose singulière ! son visage avait dans le sommeil une expression de souffrance triste que je ne lui avais jamais vue, et qui pourtant ne m'était pas nouvelle. Ses traits amaigris, sa face allongée, la pâleur de ses joues, la transparence maladive de ses mains, tout cela me faisait peine à voir, mais une peine déjà ressentie.

Cependant Jacques n'avait jamais été malade. Jamais il n'avait eu auparavant ce demi-cercle bleuâtre sous les yeux, ce visage décharné... Dans quel monde antérieur avais-je donc eu déjà la vision de ces choses ?... Tout à coup, le souvenir de mon rêve me revint. Oui ! c'est cela, voilà bien le Jacques du rêve, pâle, horriblement pâle, étendu sur un canapé, il vient de mourir... Jacques vient de mourir, Daniel Eyssette, et c'est vous qui l'avez tué... A ce moment un rayon de soleil gris entre timidement par la fenêtre, et vient courir comme un lézard sur ce pâle visage inanimé... O douceur ! voilà le mort qui se réveille, se frotte les yeux, et me voyant debout devant lui me dit avec un gai sourire :

« Bonjour, Daniel ! As-tu bien dormi ? Moi, je toussais trop. Je me suis mis sur ce canapé pour ne pas te réveiller. » Et, tandis qu'il me parle bien tranquillement, je sens mes jambes qui tremblent encore de l'horrible vision que je viens d'avoir, et je dis dans le secret de mon cœur : « Eternel Dieu, conservez-moi ma mère Jacques ! »

Malgré ce triste réveil, le matin fut assez gai. Nous sûmes même retrouver un écho des anciens bons rires, lorsque je m'aperçus en m'habillant que je possédais pour tout vêtement une culotte courte en futaine et un gilet rouge à grandes basques, défroques théâtrales que j'avais sur moi au moment de l'enlèvement.

« Pardieu ! mon cher, me dit Jacques, on ne pense pas à tout. Il n'y a que les don Juan sans délicatesse qui songent au trousseau quand ils enlèvent une belle... Du reste, n'aie pas peur. Nous allons te faire habiller de neuf... Ce sera encore comme à ton arrivée à Paris. »

Il disait cela pour me faire plaisir, car il sentait bien comme moi que ce n'était plus la même chose. Oh ! non ! ce n'était plus la même chose.

« Allons ! Daniel, continua mon brave Jacques en voyant ma mine redevenir songeuse, ne pensons plus au passé. Voici une vie nouvelle qui s'ouvre devant nous ; entrons-y sans remords, sans méfiance, et tâchons seulement qu'elle ne nous joue pas les mêmes tours que l'ancienne... Ce que tu comptes faire désormais, mon frère, je ne te le demande pas ; mais il me semble que si tu veux entreprendre un nouveau poème, l'endroit sera bon ici pour travailler. La chambre est tranquille. Il y a des oiseaux qui chantent dans le jardin. Tu mets l'établi aux rimes devant la fenêtre... »

Je l'interrompis vivement : « Non ! Jacques, plus de poèmes, plus de rimes. Ce sont des fantaisies qui te coûtent trop cher. Ce que je veux, maintenant, c'est faire comme toi, travailler, gagner ma vie, et t'aider de toutes mes forces à reconstruire le foyer. »

Et lui, souriant et calme : « Voilà de beaux projets, monsieur le papillon bleu ; mais ce n'est point cela qu'on vous demande. Il ne s'agit pas de gagner votre vie, et si seulement vous promettiez... Mais, baste ! nous recauserons de cela plus tard. Allons acheter tes habits. »

Je fus obligé, pour sortir, d'endosser une de ses redingotes, qui me tombait jusqu'aux talons et me donnait l'air d'un musicien piémontais ; il ne me manquait qu'une harpe. Quelques mois auparavant, si j'avais dû courir les rues dans un pareil accoutrement, je serais mort de honte ; mais pour l'heure j'avais bien d'autres hontes à fouetter, et les yeux des femmes pouvaient rire sur mon passage, ce n'était plus la même chose que du temps de mes caoutchoucs... Oh ! non ! ce n'était plus la même chose.

« A présent que te voilà chrétien, me dit la mère Jacques en sortant de chez le fripier, je vais te ramener à l'hôtel Pilois ; puis, j'irai voir si le marchand de fer dont je tenais les livres avant mon départ veut encore me donner de l'ouvrage... L'argent de Pierrotte ne sera pas éternel ; il faut que je songe à notre pot-au-feu ! »

J'avais envie de lui dire : « Eh bien ! Jacques, va-t'en chez ton marchand de fer. Je saurai bien rentrer seul à la maison. » Mais ce qu'il en faisait, je le compris, c'était pour être sûr que je n'allais pas retourner à Montparnasse. Ah ! s'il avait pu lire dans mon âme.

... Pour le tranquilliser, je le laissai me reconduire jusqu'à l'hôtel ; mais à peine eut-il les talons tournés que je pris mon vol dans la rue. J'avais des courses à faire, moi aussi...

Quand je rentrai, il était tard. Dans la brume du jardin, une grande ombre noire se promenait avec agitation. C'était ma mère Jacques. « Tu as bien fait d'arriver, me dit-il en grelottant. J'allais partir pour Montparnasse... »

J'eus un mouvement de colère : « Tu doutes trop de moi, Jacques, ce n'est pas généreux... Est-ce que nous serons toujours ainsi ? Est-ce que tu ne me rendras jamais ta confiance ? Je te jure, sur ce que j'ai de plus cher au monde, que je ne viens pas d'où tu crois, que cette femme est morte pour moi, que je ne la reverrai jamais, que tu m'as reconquis tout entier, et que ce passé terrible auquel ta tendresse m'arrache ne m'a laissé que des remords et pas un regret... Que faut-il te dire encore pour te convaincre ? Ah ! tiens, méchant ! Je voudrais t'ouvrir ma poitrine, tu verrais que je ne mens pas. »

Ce qu'il me répondit ne m'est pas resté, mais je me souviens que dans l'ombre il secouait tristement la tête de l'air de dire :

« Hélas ! je voudrais bien te croire... » Et cependant j'étais sincère en lui parlant ainsi. Sans doute qu'à moi seul je n'aurais jamais eu le courage de m'arracher à cette femme, mais maintenant que la chaîne était brisée, j'éprouvais un soulagement inexprimable. Comme ces gens qui essaient de se faire mourir par le charbon et qui s'en repentent au dernier moment, lorsqu'il est trop tard et que déjà l'asphyxie les étrangle et les paralyse : tout à coup les voisins arrivent, la porte vole en éclats, l'air sauveur circule dans la chambre, et les pauvres suicidés le boivent avec délice, heureux de vivre encore et promettant bien de ne plus recommencer. Moi pareillement, après cinq mois d'asphyxie morale, je humais à pleines narines l'air pur et fort de la vie honnête, j'en remplissais mes poumons, et je vous jure Dieu que je n'avais pas envie de recommencer... C'est ce que Jacques ne voulait pas croire, et tous les serments du monde ne l'auraient pas convaincu de ma sincérité... Pauvre garçon ! Je lui en avais tant fait !

Nous passâmes cette première soirée chez nous, assis au coin du feu comme en hiver, car la chambre était humide et la brume du jardin nous pénétrait jusqu'à la moelle des os. Puis, vous savez ! quand on est triste, cela semble bon de voir un peu de flamme... Jacques travaillait, faisait des chiffres. En son absence, le marchand de fer avait voulu tenir ses livres lui-même et il était résulté un si beau griffonnage, un tel gâchis du *doit* et *avoir*, qu'il fallait maintenant un mois de grand travail pour remettre les choses en état. Comme vous pensez, je n'aurais pas mieux demandé que d'aider ma mère Jacques dans cette opération. Mais les papillons bleus n'entendent rien à l'arithmétique ; et, après une heure passée sur ces gros cahiers de commerce rayés de rouge et chargés d'hiéroglyphes bizarres, je fus obligé de jeter ma plume aux chiens.

Jacques, lui, se tirait à merveille de cette aride besogne. Il donnait, tête baissée, au plus épais des chiffres, et les grosses colonnes ne lui faisaient pas peur. De temps en temps, au milieu de son travail, il se tournait vers moi et me disait, un peu inquiet de ma rêverie silencieuse :

« Nous sommes bien, n'est-ce pas ? Tu ne t'ennuies pas, au moins ? »

Je ne m'ennuyais pas, mais j'étais triste de lui voir prendre tant de peine, et je pensais, plein d'amertume : « Pourquoi suis-je sur la terre ?... Je ne sais rien faire de mes bras... Je ne paye pas ma place au soleil de la vie. Je ne suis bon qu'à tourmenter le monde et faire pleurer les yeux qui m'aiment... » En me disant cela, je songeais aux yeux noirs, et je regardais douloureusement la petite boîte à filets d'or que Jacques avait posée — peut-être à dessein — sur le dôme carré de la pendule. Que de choses elle me rappelait, cette boîte ! Quels discours éloquents elle me tenait du haut de son socle de bronze ! « Les yeux noirs t'avaient donné leur cœur, qu'en as-tu fait ? me disait-elle... tu l'as livré en pâture aux bêtes... C'est Coucou-Blanc qui l'a mangé. »

Et moi, gardant encore un germe d'espoir au fond de l'âme, j'essayais de rappeler à la vie, de réchauffer de mon haleine tous ces anciens bonheurs tués de ma propre main. Je songeais : « Peut-être il est encore temps... Peut-être, si les yeux noirs me voyaient à leurs genoux, me pardonneraient-ils encore... » Mais cette damnée petite boîte était inflexible et répétait toujours : « C'est Coucou-Blanc qui l'a mangé !... C'est Coucou-Blanc qui l'a mangé ! »

... Cette longue soirée mélancolique passée devant le feu, en travail et en rêvasseries, vous représente assez bien la nouvelle vie que nous allions mener dorénavant. Tous les jours qui suivirent ressemblèrent à cette soirée... Ce n'est pas Jacques qui rêvassait, bien entendu. Il vous restait des dix heures sur ses gros livres, enfoui jusqu'au cou dans la chiffraille. Moi, pendant ce temps, je tisonnais et, tout en tisonnant, je disais à la petite boîte à filets d'or : « Parlons un peu des yeux noirs ! veux-tu ?... » Car pour en parler avec Jacques, il n'y fallait pas penser. Pour une raison ou pour une autre, il évitait avec soin toute conversation à ce sujet. Pas même un mot sur Pierrotte. Rien... Aussi je prenais ma revanche avec la petite boîte, et nos causeries n'en finissaient pas.

Vers le milieu du jour, quand je voyais ma mère bien en train sur ses livres, je gagnais la porte à pas de chat et m'esquivais doucement, en disant : « A tout à l'heure, Jacques ! » Jamais il ne me demandait où j'allais ; mais je comprenais à son air malheureux, au ton plein d'inquiétude dont il me faisait : « Tu t'en vas ? » qu'il n'avait pas grande confiance en moi. L'idée de cette femme le poursuivait toujours. Il pensait : « S'il la revoit, nous sommes perdus !... »

Et qui sait ? Peut-être avait-il raison. Peut-être que si je l'avais revue, l'ensorceleuse, j'aurais encore subi le charme qu'elle exerçait sur mon pauvre moi, avec sa crinière d'or pâle et son signe blanc au coin de la lèvre... Mais, Dieu merci ! je ne la revis pas. Un monsieur de Huit-à-Dix quelconque lui fit sans doute oublier son Dani-Dan, et jamais plus, jamais plus je n'entendis parler d'elle, ni de son kakatoès, ni de sa négresse Coucou-Blanc.

Un soir, au retour d'une de mes courses mystérieuses, j'entrai dans la chambre avec un cri de joie : « Jacques ! Jacques ! Une bonne nouvelle. J'ai trouvé une place... Voilà dix jours que, sans t'en rien dire, je battais le pavé à cette intention... Enfin, c'est fait. J'ai une place... Dès demain, j'entre comme surveillant général à l'institution Ouly, à Montmartre, tout près de chez nous... J'irai de sept heures du matin à sept heures du soir... Ce sera beaucoup de temps passé loin de toi, mais au moins je gagnerai ma vie, et je pourrai te soulager un peu. »

Jacques releva sa tête de dessus ses chiffres, et me répondit assez froidement : « Ma foi ! mon cher, tu fais bien de venir à mon secours... La maison serait trop lourde pour moi seul... Je ne sais pas ce que j'ai, mais depuis quelque temps je me sens tout patraque. » Un violent accès de toux l'empêcha de continuer. Il laissa tomber sa plume d'un air de tristesse et vint se jeter sur le canapé... De le voir allongé là-dessus, pâle, horriblement pâle, la terrible vision de mon rêve passa encore une fois devant mes yeux, mais ce ne fut qu'un éclair... Presque aussitôt ma mère Jacques se releva et se mit à rire en voyant ma mine égarée :

« Ce n'est rien, nigaud ! C'est un peu de fatigue... J'ai trop travaillé ces derniers temps... Maintenant que tu as une place, j'en prendrai plus à mon aise, et dans huit jours je serai guéri. »

Il disait cela si naturellement, d'une figure si riante, que mes tristes pressentiments s'envolèrent, et d'un grand mois je n'entendis plus dans mon cerveau le battement de leurs ailes noires...

Le lendemain, j'entrai à l'institution Ouly.

Malgré son étiquette pompeuse, l'institution Ouly était une petite école pour rire, tenue par une vieille dame à repentirs, que les enfants appelaient « bonne amie ». Il y avait là-dedans une vingtaine de petits bonshommes, mais, vous savez ! des tout petits, de ceux qui viennent à la classe avec leur goûter dans un panier, et toujours un bout de chemise qui passe. C'étaient nos élèves. Mme Ouly leur apprenait des cantiques ; moi, je les initiais aux mystères de l'alphabet. J'étais en outre chargé de surveiller les récréations, dans une cour où il y avait des poules et un coq d'Inde dont ces messieurs avaient grand peur.

Quelquefois aussi, quand « bonne amie » avait sa goutte, c'était moi qui balayais la classe, besogne bien peu digne d'un surveillant général, et que pourtant je faisais sans dégoût, tant je me sentais heureux de pouvoir gagner ma vie... Le soir, en rentrant à l'hôtel Pilois, je trouvais le dîner servi et la mère Jacques qui m'attendait... Après dîner, quelques tours de jardin faits à grands pas, puis la veillée au coin du feu... Voilà toute notre vie... De temps en temps, on recevait une lettre de M. ou de Mme Eyssette ; c'étaient nos grands événements. Mme Eyssette continuait à vivre chez l'oncle Baptiste ; M. Eyssette voyageait toujours pour la *Compagnie vinicole*. Les affaires n'allaient pas trop mal. Les dettes de Lyon étaient aux trois quarts payées. Dans un an ou deux, tout serait réglé, et on pourrait songer à se remettre tous ensemble...

Moi, j'étais d'avis, en attendant, de faire venir Mme Eyssette à l'hôtel Pilois avec nous, mais Jacques ne voulait pas. « Non ! pas encore, disait-il d'un air singulier, pas encore... Attendons ! » Et cette réponse, toujours la même, me brisait le cœur. Je me disais : « Il se méfie de moi... Il a peur que je fasse encore quelque folie quand Mme Eyssette sera ici... C'est pour cela qu'il veut attendre encore... » Je me trompais... Ce n'était pas pour cela que Jacques disait : « Attendons ! »

15

...

Lecteur, si tu es un esprit fort, si les rêves te font sourire, si tu n'as jamais eu le cœur mordu — mordu jusqu'à crier — par le pressentiment des choses futures, si tu es un homme positif, une de ces têtes de fer que la réalité seule impressionne et qui ne laissent pas traîner un grain de superstition dans leurs cerveaux, si tu ne veux en aucun cas croire au surnaturel, admettre l'inexplicable, n'achève pas de lire ces mémoires. Ce qui me reste à dire en ces derniers chapitres est vrai comme la vérité éternelle ; mais tu ne le croiras pas.

C'était le 4 décembre...

Je revenais de l'institution Ouly encore plus vite que d'ordinaire. Le matin, j'avais laissé Jacques à la maison, se plaignant d'une grande fatigue, et je languissais d'avoir de ses nouvelles. En traversant le jardin, je me jetai dans les jambes de M. Pilois, debout près du figuier, et causant à voix basse avec un gros personnage court et pattu, qui paraissait avoir beaucoup de peine à boutonner ses gants.

Je voulais m'excuser et passer outre, mais l'hôtelier me retint :
« Un mot, monsieur Daniel ! »
Puis, se tournant vers l'autre, il ajouta :
« C'est le jeune homme en question. Je crois que vous feriez bien de le prévenir... »
Je m'arrêtai fort intrigué. De quoi ce gros bonhomme voulait-il me prévenir ? Que ses gants étaient beaucoup trop étroits pour ses pattes ? Je le voyais bien, parbleu !...
Il y eut un moment de silence et de gêne. M. Pilois, le nez en l'air, regardait dans son figuier comme pour y chercher les figues qui n'y étaient pas. L'homme aux gants tirait toujours sur ses boutonnières... A la fin, pourtant, il se décida à parler ; mais sans lâcher son bouton, n'ayez pas peur.
« Monsieur, me dit-il, je suis depuis vingt ans médecin de l'hôtel Pilois, et j'ose affirmer... »
Je ne le laissai pas achever sa phrase. Ce mot de médecin m'avait tout appris. « Vous venez pour mon frère, lui demandai-je en tremblant... Il est bien malade, n'est-ce pas ? »
Je ne crois pas que ce médecin fût un méchant homme, mais, à ce moment-là, c'étaient ses gants surtout qui le préoccupaient, et sans songer qu'il parlait à l'enfant de Jacques, sans essayer d'amortir le coup, il me répondit brutalement : « S'il est malade ! je crois bien... Il ne passera pas la nuit. »
Ce fut bien assené, je vous en réponds. La maison, le jardin, M. Pilois, le médecin, je vis tout tourner. Je fus obligé de m'appuyer contre le figuier... Il avait le poignet rude, le docteur de l'hôtel Pilois !... Du reste, il ne s'aperçut de rien et continua avec le plus grand calme, sans cesser de boutonner ses gants : « C'est un cas foudroyant de phtisie galopante... Il n'y a rien à faire, du moins rien de sérieux... D'ailleurs on m'a prévenu beaucoup trop tard, comme toujours.
— Ce n'est pas ma faute, docteur — fit le bon M. Pilois qui persistait à chercher des figues avec la plus grande attention, un moyen comme un autre de cacher ses larmes —, ce n'est pas ma faute. Je savais depuis longtemps qu'il était malade, ce pauvre M. Eyssette, et je lui ai souvent conseillé de faire venir quelqu'un ; mais il ne voulait jamais. Bien sûr qu'il avait peur d'effrayer son frère... C'était si uni, voyez-vous ! ces enfants-là ! »
Un sanglot désespéré me jaillit du fond des entrailles.
« Allons ! mon garçon, du courage ! me dit l'homme aux gants d'un air de bonté... Qui sait ? la science a prononcé son dernier mot, mais la nature pas encore... Je reviendrai demain matin. »

Là-dessus, il fit une pirouette et s'éloigna avec un soupir de satisfaction : il venait d'en boutonner un !

Je restai encore un moment dehors, pour essuyer mes yeux et me calmer un peu ; puis, faisant appel à tout mon courage, j'entrai dans notre chambre d'un air délibéré.

Ce que je vis, en ouvrant la porte, me terrifia. Jacques, pour me laisser le lit sans doute, s'était fait mettre un matelas sur le canapé, et c'est là que je le trouvai, pâle, horriblement pâle, tout à fait semblable au Jacques de mon rêve.

Ma première idée fut de me jeter sur lui, de le prendre dans mes bras, de le porter sur son lit, n'importe où, mais de l'enlever de là, mon Dieu ! de l'enlever de là. Puis tout de suite je fis cette réflexion : « Tu ne pourras pas, il est trop grand ! » Et alors, ayant vu ma mère Jacques étendu sans rémission à cette place où le rêve avait dit qu'il devait mourir, mon courage m'abandonna ; ce masque de gaieté contrainte, qu'on se colle au visage pour rassurer les moribonds, ne put pas tenir sur mes joues, et je vins tomber à genoux près du canapé, en versant un torrent de larmes.

Jacques se tourna vers moi, péniblement.

« C'est toi, Daniel... Tu as rencontré le médecin, n'est-ce pas ? Je lui avais pourtant bien recommandé de ne pas t'effrayer, à ce gros-là. Mais je vois à ton air qu'il n'en a rien fait et que tu sais tout... Donne-moi ta main, frérot... Qui diable se serait douté d'une chose pareille ? Il y a des gens qui vont à Nice pour guérir leur maladie de poitrine ; moi, je suis allé en chercher une. C'est tout à fait original... Ah ! tu sais ! si tu te désoles, tu vas m'enlever tout mon courage ; je ne suis déjà pas si vaillant... Ce matin, après ton départ, j'ai compris que cela se gâtait. J'ai envoyé chercher le curé de Saint-Pierre ; il est venu me voir et reviendra tout à l'heure m'apporter les sacrements... Cela fera plaisir à notre mère, tu comprends !... C'est un bon homme, ce curé... Il s'appelle comme ton ami, ton ami du collège de Sarlande. »

Il n'en put pas dire plus long et se renversa sur l'oreiller, en fermant les yeux. Je crus qu'il allait mourir, et je me mis à crier bien fort : « Jacques ! Jacques ! mon ami !... » De la main, sans parler, il me fit : « Chut ! chut ! » à plusieurs reprises.

A ce moment, la porte s'ouvrit. M. Pilois entra dans la chambre suivi d'un gros homme qui roula comme une boule vers le canapé en criant : « Qu'est-ce que j'apprends, monsieur Jacques ?... C'est bien le cas de le dire...

— Bonjour, Pierrotte ! dit Jacques en rouvrant les yeux ; bonjour, mon vieil ami ! J'étais bien sûr que vous viendriez au premier signe... Laisse-le mettre là, Daniel : nous avons à causer tous les deux. »

Pierrotte pencha sa grosse tête jusqu'aux lèvres pâles du moribond, et ils restèrent ainsi un long moment à s'entretenir à voix basse... Moi, je regardais, immobile au milieu de la chambre. J'avais encore mes livres sous le bras. M. Pilois me les enleva doucement, en me disant quelque chose que je n'entendis pas ; puis il alla allumer les bougies et mettre sur la table une grande serviette blanche. En moi-même je me disais : « Pourquoi met-il le couvert ?... Est-ce que nous allons dîner ?... mais je n'ai pas faim ! »

La nuit tombait. Dehors, dans le jardin, des personnes de l'hôtel se faisaient des signes en regardant nos fenêtres. Jacques et Pierrotte causaient toujours. De temps en temps, j'entendais le Cévenol dire avec sa grosse voix pleine de larmes : « Oui, monsieur Jacques... Oui, monsieur Jacques... » Mais je n'osais pas m'approcher... A la fin, pourtant, Jacques m'appela et me fit mettre à son chevet, à côté de Pierrotte :

« Daniel, mon chéri, me dit-il après une longue pause, je suis bien triste d'être obligé de te quitter ; mais une chose me console : je ne te laisse pas seul dans la vie... Il te restera Pierrotte, le bon Pierrotte, qui te pardonne et s'engage à me remplacer près de toi...

— Oh ! oui ! monsieur Jacques, je m'engage... C'est bien le cas de le dire... je m'engage...

— Vois-tu ! mon pauvre petit, continua la mère Jacques, jamais à toi seul tu ne parviendrais à reconstruire le foyer... Ce n'est pas pour te faire de la peine, mais tu es un mauvais reconstructeur de foyer... Seulement, je crois qu'aidé de Pierrotte tu parviendras à réaliser notre rêve... Je ne te demande pas d'essayer de devenir un homme ; je pense, comme l'abbé Germane, que tu seras un enfant toute ta vie. Mais je te supplie d'être toujours un bon enfant, un brave enfant, et surtout... approche un peu, que je te dise ça dans l'oreille... et surtout de ne pas faire pleurer les yeux noirs. »

Ici mon pauvre bien-aimé se reposa encore un moment ; puis il reprit :

« Quand tout sera fini, tu écriras à papa et à maman. Seulement il faudra leur apprendre la chose par morceaux... En une seule fois, cela leur ferait trop de mal... Comprends-tu, maintenant, pourquoi je n'ai pas fait venir Mme Eyssette ? je ne voulais pas qu'elle fût là. Ce sont de trop mauvais moments pour les mères... »

Il s'interrompit et regarda du côté de la porte :

« Voilà le bon Dieu ! » dit-il en souriant. Et il nous fit signe de nous écarter.

C'était le viatique qu'on apportait. Sur la nappe blanche, au milieu des cierges, l'hostie et les saintes huiles prirent place. Après quoi, le prêtre s'approcha du lit, et la cérémonie commença...

Quand ce fut fini — oh ! que le temps me sembla long ! —, quand ce fut fini, Jacques m'appela doucement près de lui :

« Embrasse-moi », me dit-il ; et sa voix était si faible qu'il avait l'air de me parler de loin... Il devait être loin en effet, depuis tantôt douze heures que l'horrible phtisie galopante l'avait jeté sur son dos maigre et l'emportait vers la mort au triple galop !...

Alors, en m'approchant pour l'embrasser, ma main rencontra sa main, sa chère main toute moite des sueurs de l'agonie. Je m'en emparai et je ne la quittai plus... Nous restâmes ainsi je ne sais combien de temps ; peut-être une heure, peut-être une éternité, je ne sais pas du tout... Il ne me voyait plus, il ne me parlait plus. Seulement, à plusieurs reprises, sa main remua dans la mienne comme pour me dire : « Je sens que tu es là. » Soudain un long soubresaut agita son pauvre corps des pieds à la tête. Je vis ses yeux s'ouvrir et regarder autour d'eux pour chercher quelqu'un ; et, comme je me penchais sur lui, je l'entendis dire deux fois très doucement : « Jacques, tu es un âne... Jacques, tu es un âne !... » puis rien... Il était mort...

... Oh ! le rêve !...

Il fit grand vent cette nuit-là. Décembre envoyait des poignées de grésil contre les vitres. Sur la table, au bout de la chambre, un christ d'argent flambait entre deux bougies. A genoux devant le christ, un prêtre que je ne connaissais pas priait d'une voix forte, dans le bruit du vent... Moi, je ne priais pas ; je ne pleurais pas non plus... Je n'avais qu'une idée, une idée fixe, c'était de réchauffer la main de mon bien-aimé que je tenais étroitement serrée dans les miennes. Hélas ! plus le matin approchait, plus cette main devenait lourde et de glace...

Tout à coup le prêtre qui récitait du latin là-bas, devant le christ, se leva et vint me frapper sur l'épaule.

« Essaye de prier, me dit-il... Cela te fera du bien. »

Alors seulement je le reconnus... C'était mon vieil ami du collège de Sarlande, l'abbé Germane lui-même, avec sa belle figure mutilée et son air de dragon en soutane... La souffrance m'avait tellement anéanti que je ne fus pas étonné de le voir. Cela me parut tout simple... Mais voici comment il était là.

Le jour où le petit Chose quittait le collège, l'abbé Germane lui avait dit : « J'ai bien un frère à Paris, un brave homme de prêtre... mais baste ! à quoi bon te donner son adresse ?... Je suis sûr que tu n'irais pas. » Voyez un peu la destinée ! Ce frère de l'abbé était curé de l'église Saint-Pierre à Montmartre, et c'est lui que la pauvre mère Jacques avait appelé à son lit de mort. Juste à ce moment il se trouvait que l'abbé Germane était de passage à Paris et logeait au presbytère... Le soir du 4 décembre, son frère lui dit en rentrant :

« Je viens de porter l'extrême-onction à un malheureux enfant qui meurt tout près d'ici. Il faudra prier pour lui, l'abbé ! »

L'abbé répondit : « J'y penserai demain, en disant ma messe. Comment s'appelle-t-il ?...

— Attends... c'est un nom du Midi, assez difficile à retenir... Jacques Eyssette... Oui, c'est cela... Jacques Eyssette... »

Ce nom rappela à l'abbé certain petit pion de sa connaissance ; et sans perdre une minute il courut à l'hôtel Pilois... En entrant, il m'aperçut debout, cramponné à la main de Jacques. Il ne voulut pas déranger ma douleur et renvoya tout le monde en disant qu'il veillerait avec moi ; puis il s'agenouilla, et ce ne fut que fort avant dans la nuit qu'effrayé de mon immobilité il me frappa sur l'épaule et se fit connaître.

A partir de ce moment, je ne sais plus bien ce qui se passa. La fin de cette nuit terrible, le jour qui la suivit, le lendemain de ce jour et beaucoup d'autres lendemains encore ne m'ont laissé que de vagues souvenirs confus. Il y a là un grand trou dans ma mémoire. Pourtant je me souviens — mais vaguement, comme de choses arrivées il y a des siècles — d'une longue marche interminable dans la boue de Paris, derrière la voiture noire. Je me vois allant, tête nue, entre Pierrotte et l'abbé Germane. Une pluie froide mêlée de grésil nous fouette le visage ; Pierrotte a un grand parapluie ; mais il le tient si mal, et la pluie tombe si dru que la soutane de l'abbé ruisselle, toute luisante !... Il pleut ! il pleut ! oh ! comme il pleut !

Près de nous, à côté de la voiture, marche un long monsieur tout en noir, qui porte une baguette d'ébène. Celui-là, c'est le maître des cérémonies, une sorte de chambellan de la mort. Comme tous les chambellans, il a le manteau de soie, l'épée, la culotte courte et le claque... Est-ce une hallucination de mon cerveau ?... Je trouve que cet homme ressemble à M. Viot, le surveillant général du collège de Sarlande. Il est long comme lui, tient comme lui sa tête penchée sur l'épaule, et chaque fois qu'il me regarde, il a ce même sourire faux et glacial qui courait sur les lèvres du terrible porte-clefs. Ce n'est pas M. Viot, mais c'est peut-être son ombre.

La voiture noire avance toujours, mais si lentement, si lentement... Il me semble que nous n'arriverons jamais... Enfin, nous voici dans un jardin triste, plein d'une boue jaunâtre où l'on enfonce jusqu'aux chevilles. Nous nous arrêtons au bord d'un grand trou. Des hommes en manteaux courts apportent une grande boîte très lourde qu'il faut descendre là-dedans. L'opération est difficile. Les cordes, toutes roides de pluie, ne glissent pas. J'entends un des hommes qui crie : « Les pieds en avant ! les pieds en avant !... » En face de moi, de l'autre côté du trou, l'ombre de M. Viot, la tête penchée sur l'épaule, continue à me sourire doucement. Longue, mince, étranglée dans ses habits de deuil, elle se détache sur le gris du ciel, comme une grande sauterelle noire, toute mouillée...

Maintenant, je suis seul avec Pierrotte... Nous descendons le faubourg Montmartre... Pierrotte cherche une voiture, mais il n'en trouve pas. Je marche à côté de lui, mon chapeau à la main ; il me semble que je suis toujours derrière le corbillard... Tout le long du faubourg, les gens se retournent pour voir ce gros homme qui pleure en appelant des fiacres, et cet enfant qui va tête nue sous une pluie battante...

Nous allons, nous allons toujours. Et je suis las, et ma tête est lourde... Enfin, voici le passage du Saumon, l'ancienne maison Lalouette avec ses contrevents peints, ruisselants d'eau verte... Sans entrer dans la boutique, nous montons chez Pierrotte... Au premier étage, les forces me manquent. Je m'assieds sur une marche. Impossible d'aller plus loin ; ma tête pèse trop... Alors Pierrotte me prend dans ses bras ; et tandis qu'il me monte chez lui, aux trois quarts mort et grelottant de fièvre, j'entends le grésil qui pétille sur la vitrine du passage et l'eau des gouttières qui tombe à grand bruit dans la cour... Il pleut ! il pleut ! oh ! comme il pleut !

16

La fin du rêve

Le petit Chose est malade ; le petit Chose va mourir... Devant le passage du Saumon, une large litière de paille qu'on renouvelle tous les deux jours fait dire aux gens de la rue : « Il y a là-haut quelque vieux richard en train de mourir... » Ce n'est pas un vieux richard qui va mourir, c'est le petit Chose... Tous les médecins l'ont condamné. Deux fièvres typhoïdes en deux ans, c'est beaucoup trop pour ce cervelet d'oiseau-mouche ! Allons ! vite, attelez la voiture noire ! Que la grande sauterelle prépare sa baguette d'ébène et son sourire désolé ! Le petit Chose est malade ; le petit Chose va mourir.

Il faut voir quelle consternation dans l'ancienne maison Lalouette ! Pierrotte ne dort plus ; les yeux noirs se désespèrent. La dame de grand mérite feuillette son Raspail avec frénésie, en suppliant le bienheureux saint Camphre de faire un nouveau miracle en faveur du cher malade... Le salon jonquille est condamné, le piano mort, la flûte enclouée. Mais le plus navrant de tout, oh ! le plus navrant, c'est une petite robe noire assise dans un coin de la maison, et tricotant du matin au soir, sans rien dire, avec de grosses larmes qui lui coulent.

Or, tandis que l'ancienne maison Lalouette se lamente ainsi nuit et jour, le petit Chose est bien tranquillement couché dans un grand lit de plume, sans se douter des pleurs qu'il fait répandre autour de lui. Il a les yeux ouverts, mais il ne voit rien ; les objets ne vont pas jusqu'à son âme. Il n'entend rien non plus, rien qu'un bourdonnement sourd, un roulement confus, comme s'il avait pour oreilles deux coquilles marines, de ces grosses coquilles à lèvres roses où l'on entend ronfler la mer. Il ne parle pas, il ne pense pas : vous diriez une fleur malade... Pourvu qu'on lui tienne une compresse d'eau fraîche sur la tête et un morceau de glace dans la bouche, c'est tout ce qu'il demande. Quand la glace est fondue, quand la compresse est desséchée au feu de son crâne, il pousse un grognement : c'est toute sa conversation.

Plusieurs jours se passent ainsi — jours sans heures, jours de chaos ; puis subitement, un beau matin, le petit Chose éprouve une sensation singulière. Il semble qu'on vient de le tirer du fond de la mer. Ses yeux voient, ses oreilles entendent. Il respire ; il reprend pied... La machine à penser, qui dormait dans un coin du cerveau avec ses rouages fins comme des cheveux de fée, se réveille et se met en branle ; d'abord lentement, puis un peu plus vite, puis avec une rapidité folle — tic ! tic ! tic ! — à croire que tout va casser. On sent que cette jolie machine n'est pas faite pour dormir et qu'elle veut réparer le temps perdu... Tic ! tic ! tic... Les idées se croisent, s'enchevêtrent comme des fils de soie : « Où suis-je, mon Dieu ?... Qu'est-ce que c'est que ce grand lit ?... Et ces trois dames, là-bas près de la fenêtre, qu'est-ce qu'elles font ?... Cette petite robe noire qui me tourne le dos, est-ce que je ne la connais pas ?... On dirait que... »

Et pour mieux regarder cette robe noire qu'il croit reconnaître, péniblement le petit Chose se soulève sur son coude et se penche hors du lit, puis tout de suite se jette en arrière, épouvanté... Là, devant lui, au milieu de la chambre, il vient d'apercevoir une armoire en noyer avec de vieilles ferrures qui grimpent sur le devant. Cette armoire, il la reconnaît ; il l'a vue déjà dans un rêve, dans un horrible rêve... Tic ! tic ! tic ! La machine à penser va comme le vent... Oh ! maintenant le petit Chose se rappelle. L'hôtel Pilois, la mort de Jacques, l'enterrement, l'arrivée chez Pierrotte dans la pluie, il revoit tout, il se souvient de tout. Hélas ! en renaissant à la vie, le malheureux enfant vient de renaître à la douleur ; et sa première parole est un gémissement...

A ce gémissement, les trois femmes qui travaillent là-bas, près de la fenêtre, ont tressailli. Une d'elles, la plus jeune, se lève en criant : « De la glace ! de la glace ! » Et vite elle court à la cheminée prendre un morceau de glace qu'elle vient présenter au petit Chose ; mais le petit Chose n'en veut pas... Doucement il repousse la main qui cherche ses lèvres — c'est une main bien fine pour une main de garde-malade ! En tout cas, d'une voix qui tremble, il dit :

« Bonjour, Camille !... »

Camille Pierrotte est si surprise d'entendre parler le moribond, qu'elle reste là tout interdite, le bras tendu, la main ouverte, avec son morceau de glace claire qui tremble au bout de ses doigts roses de froid.

« Bonjour, Camille ! reprend le petit Chose. Oh ! je vous reconnais bien, allez !... J'ai toute ma tête maintenant... Et vous ? est-ce que vous me voyez ?... Est-ce que vous pouvez me voir ? »

Camille Pierrotte ouvre de grands yeux :

« Si je vous vois, Daniel !... Je crois bien que je vous vois !... »

Alors, à l'idée que l'armoire a menti, que Camille Pierrotte n'est pas aveugle, que le rêve, l'horrible rêve, ne sera pas vrai jusqu'au bout, le petit Chose reprend courage et se hasarde à faire d'autres questions :

« J'ai été bien malade, n'est-ce pas, Camille ?

— Oh ! oui, Daniel, bien malade...

— Est-ce que je suis couché depuis longtemps ?...

— Il y aura demain trois semaines...

— Miséricorde ! trois semaines !... Déjà trois semaines que ma pauvre mère Jacques... »

Il n'achève pas sa phrase et cache sa tête dans l'oreiller en sanglotant.

... A ce moment, Pierrotte entre dans la chambre ; il amène un nouveau médecin. (Pour peu que la maladie continue, toute l'Académie de médecine y passera.) Celui-ci est l'illustre docteur *Broum-Broum*, un gaillard qui va vite en besogne et ne s'amuse pas à boutonner ses gants au chevet des malades. Il s'approche du petit Chose, lui tâte le pouls, lui regarde les yeux et la langue, puis se tournant vers Pierrotte :

« Qu'est-ce que vous me chantiez donc ?... Mais il est guéri, ce garçon-là !...

— Guéri ! fait le bon Pierrotte en joignant les mains.

— Si bien guéri que vous allez me jeter tout de suite cette glace par la fenêtre et donner à votre malade une aile de poulet aspergée de Saint-Emilion... Allons ! ne vous désolez plus, ma petite demoiselle ; dans huit jours, ce jeune trompe-la-mort sera sur pied, c'est moi qui vous en réponds... D'ici là, gardez-le bien tranquille dans son lit ; évitez-lui toute émotion, toute secousse ; c'est le point essentiel... Pour le reste, laissons faire la nature : elle s'entend à soigner mieux que vous et moi... »

Ayant ainsi parlé, l'illustre docteur *Broum-Broum* donne une chiquenaude au jeune trompe-la-mort, un sourire à Mlle Camille, et s'éloigne lestement, escorté du bon Pierrotte qui pleure de joie et répète tout le temps : « Ah ! monsieur le docteur, c'est bien le cas de le dire... c'est bien le cas de le dire... »

Derrière eux, Camille veut faire dormir le malade ; mais il s'y refuse avec énergie :

« Ne vous en allez pas, Camille, je vous en prie... Ne me laissez pas seul... Comment voulez-vous que je dorme avec le gros chagrin que j'ai ?

— Si, Daniel, il le faut... Il faut que vous dormiez... Vous avez besoin de repos ; le médecin l'a dit... Voyons ! soyez raisonnable, fermez les yeux, et ne pensez à rien... Tantôt je viendrai vous voir encore ; et, si vous avez dormi, je resterai bien longtemps.

— Je dors... je dors... », dit le petit Chose en fermant les yeux. Puis se ravisant : « Encore un mot, Camille !... Quelle est donc cette petite robe noire que j'ai aperçue ici tout à l'heure ?

— Une robe noire !...

— Mais, oui ! Vous savez bien ! cette petite robe noire qui

travaillait là-bas avec vous près de la fenêtre... Maintenant, elle n'y est plus... Mais tout à l'heure je l'ai vue, j'en suis sûr...

— Oh ! non ! Daniel, vous vous trompez... J'ai travaillé ici toute la matinée avec Mme Tribou, votre vieille amie Mme Tribou, vous savez ! celle que vous appeliez la dame de grand mérite. Mais Mme Tribou n'est pas en noir... elle a toujours sa même robe verte... Non ! sûrement, il n'y a pas de robe noire dans la maison... Vous avez dû rêver cela... Allons ! Je m'en vais... Dormez bien... »

Là-dessus, Camille Pierrotte s'encourt vite, toute confuse et le feu aux joues, comme si elle venait de mentir.

Le petit Chose reste seul ; mais il n'en dort pas mieux. La machine aux fins rouages fait le diable dans sa cervelle. Les fils de soie se croisent, s'enchevêtrent... Il pense à son bien-aimé qui dort dans l'herbe de Montmartre ; il pense aux yeux noirs aussi, à ces belles lumières sombres que la Providence semblait avoir allumées exprès pour lui, et qui maintenant...

Ici, la porte de la chambre s'entrouvre doucement, doucement, comme si quelqu'un voulait entrer ; mais presque aussitôt on entend Camille Pierrotte dire à voix basse :

« N'y allez pas... L'émotion va le tuer, s'il se réveille... »

Et voilà la porte qui se referme doucement, doucement, comme elle s'était ouverte. Par malheur, un pan de robe noire se trouve pris dans la rainure ; et ce pan de robe qui passe, de son lit le petit Chose l'aperçoit...

Du coup son cœur bondit ; ses yeux s'allument, et, se dressant sur son coude, il se met à crier bien fort : « Mère ! mère ! pourquoi ne venez-vous pas m'embrasser ?... »

Aussitôt la porte s'ouvre. La petite robe noire — qui n'y peut plus tenir — se précipite dans la chambre ; mais au lieu d'aller vers le lit, elle va droit à l'autre bout de la pièce, les bras ouverts, en appelant :

« Daniel ! Daniel !

— Par ici, mère... crie le petit Chose, qui lui tend les bras en riant... Par ici ; vous ne me voyez donc pas ?... »

Et alors Mme Eyssette, à demi tournée vers le lit, tâtonnant dans l'air autour d'elle avec ses mains qui tremblent, répond d'une voix navrante :

« Hélas ! non ! mon cher trésor, je ne te vois pas... Jamais plus je ne te verrai... Je suis aveugle ! »

En entendant cela, le petit Chose pousse un grand cri et tombe à la renverse sur son oreiller...

Certes, qu'après vingt ans de misères et de souffrances, deux enfants morts, son foyer détruit, son mari loin d'elle, la pauvre mère Eyssette ait ses yeux divins tout brûlés par les larmes comme les voilà, il n'y rien là-dedans de bien extraordinaire... Mais pour le petit Chose, quelle coïncidence avec son rêve ! Quel dernier coup terrible la destinée lui tenait en réserve ! Est-ce qu'il ne va pas en mourir, de celui-là ?...

Eh bien ! non !... le petit Chose ne mourra pas. Il ne faut pas qu'il meure. Derrière lui, que deviendrait la pauvre mère aveugle ? Où trouverait-elle des larmes pour cette victime de l'honneur commercial, ce Juif errant de viniculture, qui n'a pas même le temps de venir embrasser son enfant malade, ni de porter une fleur à son enfant mort ? Qui reconstruirait le foyer, ce beau foyer de famille où les deux vieux viendront un jour chauffer leurs pauvres mains glacées ?... Non ! non ! le petit Chose ne veut pas mourir. Il se cramponne à la vie, au contraire, et de toutes ses forces... On lui a dit que, pour guérir plus vite, il ne fallait pas penser — il ne pense pas ; qu'il ne fallait pas parler — il ne parle pas ; qu'il ne fallait pas pleurer, il ne pleure pas... C'est plaisir de le voir dans son lit, l'air paisible, les yeux ouverts, jouant pour se distraire avec les glands de l'édredon. Une vraie convalescence de chanoine...

Autour de lui, toute la maison Lalouette s'empresse silencieuse. Mme Eyssette passe ses journées au pied du lit, avec son tricot ; la chère aveugle a tellement l'habitude des longues aiguilles qu'elle tricote aussi bien que du temps de ses yeux. La dame de grand mérite est là, elle aussi ; puis à tout moment on voit paraître à la porte la bonne figure de Pierrotte. Il n'y a pas jusqu'au joueur de flûte qui ne monte prendre des nouvelles quatre ou cinq fois dans le jour. Seulement, il faut bien le dire, celui-là ne vient pas pour le malade ; c'est la dame de mérite qui l'attire surtout... Depuis que Camille Pierrotte lui a formellement déclaré qu'elle ne voulait ni de lui ni de sa flûte, le fougueux instrumentiste s'est rabattu sur la veuve Tribou, qui, pour être moins riche et moins jolie que la fille du Cévenol, n'est pas cependant tout à fait dépourvue de charmes ni d'économies. Avec cette romanesque matrone, l'homme-flûte n'a pas perdu son temps ; à la troisième séance, il y avait déjà du mariage dans l'air, et l'on parlait vaguement de monter une herboristerie rue des Lombards, avec les économies de la dame. C'est pour ne pas laisser dormir ces beaux projets, que le jeune virtuose vient si souvent prendre des nouvelles.

Et Mlle Pierrotte ? On n'en parle pas ? Est-ce qu'elle ne serait plus dans la maison ?... Si, toujours ; seulement, depuis que le malade est hors de danger, elle n'entre presque jamais dans sa chambre. Quand elle y vient, c'est en passant, pour prendre l'aveugle et la mener à table ; mais le petit Chose, jamais un mot... Ah ! qu'il est loin le temps de la rose rouge, le temps où, pour dire : « Je vous aime », les yeux noirs s'ouvraient comme deux fleurs de velours ! Dans son lit, le malade soupire, en pensant à ces bonheurs envolés. Il voit bien qu'on ne l'aime plus, qu'on le fuit, qu'il fait horreur ; mais c'est lui qui l'a voulu. Il n'a pas le droit de se plaindre. Et pourtant c'eût été si bon, au milieu de tant de deuils et de tristesses, d'avoir un peu d'amour pour se chauffer le cœur ! c'eût été si bon de pleurer sur une épaule amie !... « Enfin !... le mal est fait, se dit le pauvre enfant, n'y songeons plus, et trêve aux rêvasseries ! Pour moi, il ne s'agit plus d'être heureux dans la vie ; il s'agit de faire son devoir... Demain, je parlerai à Pierrotte. »

En effet, le lendemain, à l'heure où le Cévenol traverse la chambre à pas de loup pour descendre au magasin, le petit Chose, qui est là depuis l'aube à guetter derrière ses rideaux, appelle doucement : « Monsieur Pierrotte ! monsieur Pierrotte ! »

Pierrotte s'approche du lit ; et alors le malade, très ému, sans lever les yeux :

« Voici que je m'en vais sur ma guérison, mon bon monsieur Pierrotte, et j'ai besoin de causer sérieusement avec vous. Je ne veux pas vous remercier de ce que vous faites pour ma mère et pour moi... »

Vive interruption du Cévenol : « Pas un mot là-dessus, monsieur Daniel ! tout ce que je fais, je devais le faire. C'était convenu avec M. Jacques.

— Oui ! je sais, Pierrotte, je sais qu'à tout ce qu'on veut vous dire sur ce chapitre vous faites toujours la même réponse... Aussi n'est-ce pas de cela que je vais vous parler. Au contraire, si je vous appelle, c'est pour vous demander un service. Votre commis va vous quitter bientôt ; voulez-vous me prendre à sa place ? Oh ! je vous en prie, Pierrotte, écoutez-moi jusqu'au bout ; ne me dites pas non, sans m'avoir écouté jusqu'au bout... Je le sais, après ma lâche conduite, je n'ai plus le droit de vivre au lieu de vous. Il y a dans la maison quelqu'un que ma présence fait souffrir, quelqu'un à qui ma vue est odieuse, ce n'est que justice !... Mais si je m'arrange pour qu'on ne me voie jamais, si je m'engage à ne jamais monter ici, si je reste toujours au magasin, si je suis de votre maison sans en être, comme les gros chiens de basse-cour qui n'entrent jamais dans les appartements, est-ce qu'à ces conditions-là vous ne pourriez pas m'accepter ? »

Pierrotte a bonne envie de prendre dans ses grosses mains la tête frisée du petit Chose et de l'embrasser bien fort ; mais il se contient et répond tranquillement :

« Dame ! écoutez, monsieur Daniel, avant de rien dire, j'ai besoin de consulter la petite... Moi, votre proposition me convient assez, mais je ne sais pas si la petite... Du reste, nous allons voir. Elle doit être levée... Camille ! Camille ! »

Camille Pierrotte, matinale comme une abeille, est en train d'arroser son rosier rouge sur la cheminée du salon. Elle arrive en peignoir du matin, les cheveux relevés à la chinoise, fraîche, gaie, sentant les fleurs.

« Tiens ! petite, lui dit le Cévenol, voilà M. Daniel qui demande à entrer chez nous pour remplacer le commis... Seulement, comme il pense que sa présence ici te serait trop pénible...

— Trop pénible ! » interrompt Camille Pierrotte en changeant de couleur.

Elle n'en dit pas plus long ; mais les yeux noirs achèvent sa phrase. Oui ! les yeux noirs eux-mêmes se montrent devant le petit Chose, profonds comme la nuit, lumineux comme les étoiles, en criant : « Amour ! amour ! » avec tant de passion et de flamme que le pauvre malade en a le cœur incendié.

Alors Pierrotte dit en riant sous cape :

« Dame ! expliquez-vous tous les deux... Il y a quelque malentendu là-dessous. »

Et il s'en va tambouriner une bourrée cévenole sur les vitres ; puis, quand il croit que les enfants se sont suffisamment expliqués — oh ! mon Dieu ! c'est à peine s'ils ont eu le temps de se dire trois paroles ! —, il s'approche d'eux et les regarde :

« Eh bien ?

— Ah ! Pierrotte, dit le petit Chose en lui tendant les mains, elle est aussi bonne que vous... elle m'a pardonné ! »

A partir de ce moment, la convalescence du malade marche avec des bottes de sept lieues... Je crois bien ! les yeux noirs ne bougent plus de la chambre. On passe les journées à faire des projets d'avenir. On parle de mariage, de foyer à reconstruire. On parle aussi de la chère mère Jacques, et son nom fait encore verser de belles larmes. Mais c'est égal ! il y a de l'amour dans l'ancienne maison Lalouette. Cela se sent. Et si quelqu'un s'étonne que l'amour puisse fleurir ainsi dans le deuil et dans les larmes, je lui dirai d'aller voir aux cimetières toutes ces jolies fleurettes qui poussent entre les fentes des tombeaux.

D'ailleurs, n'allez pas croire que la passion fasse oublier son devoir au petit Chose. Pour si bien qu'il soit dans son grand lit, entre Mme Eyssette et les yeux noirs, il a hâte d'être guéri, de se lever, de descendre au magasin. Non certes que la porcelaine le tente beaucoup ; mais il languit de commencer cette vie de dévouement et de travail dont la mère Jacques lui a donné l'exemple. Après tout, il vaut encore mieux vendre des assiettes dans un passage, comme disait la tragédienne Irma, que balayer l'institution Ouly ou se faire siffler à Montparnasse. Quant à la Muse, on n'en parle plus. Daniel Eyssette aime toujours les vers, mais plus les siens ; et le jour où l'imprimeur, fatigué de garder chez lui les neuf cent quatre-vingt-dix-neuf volumes de *La Comédie pastorale*, les renvoie au passage du Saumon, le malheureux ancien poète a le courage de dire :

« Il faut brûler tout ça. »

A quoi Pierrotte, plus avisé, répond :

« Brûler tout ça !... ma foi, non !... j'aime bien mieux le garder au magasin. J'en trouverai l'emploi... C'est bien le cas de le dire... J'ai tout juste prochainement un envoi de coquetiers à faire à Madagascar. Il paraît que dans ce pays-là, depuis qu'on a vu la femme d'un missionnaire anglais manger des œufs à la coque, on ne veut plus manger les œufs autrement... Avec votre permission, monsieur Daniel, vos livres serviront à envelopper mes coquetiers. »

Et en effet, quinze jours après, *La Comédie pastorale* se met en route pour le pays de l'illustre Rana-Volo. Puisse-t-elle y avoir plus de succès qu'à Paris !

... Et maintenant, lecteur, avant de clore cette histoire, je veux encore une fois t'introduire dans le salon jonquille. C'est par une après-midi de dimanche, un beau dimanche d'hiver — froid sec et grand soleil. Toute la maison Lalouette rayonne. Le petit Chose est complètement guéri et vient de se lever pour la première fois. Le matin, en l'honneur de cet heureux événement, on a sacrifié à Esculape quelques douzaines d'huîtres, arrosées d'un joli vin blanc de Touraine. Maintenant on est au salon, tous réunis. Il fait bon ; la cheminée flambe. Sur les vitres chargées de givre, le soleil fait des paysages d'argent...

Devant la cheminée, le petit Chose, assis sur un tabouret aux pieds de la pauvre aveugle assoupie, cause à voix basse avec Mlle Pierrotte plus rouge que la petite rose rouge qu'elle a dans les cheveux. Cela se comprend, elle est si près du feu !... De temps en temps, un grignotement de souris — c'est la tête d'oiseau qui becquette dans un coin ; ou bien un cri de détresse — c'est la dame de grand mérite qui est en train de perdre au bésigue l'argent de l'herboristerie. Je vous prie de remarquer l'air triomphant de Mme Lalouette qui gagne, et le sourire inquiet du joueur de flûte — qui perd.

Et M. Pierrotte ?... Oh ! M. Pierrotte n'est pas loin... Il est là-bas, dans l'embrasure de la fenêtre, à demi caché par le grand rideau jonquille, et se livrant à une besogne silencieuse qui l'absorbe et le fait suer. Il a devant lui, sur un guéridon, des compas, des crayons, des règles, des équerres, de l'encre de Chine, des pinceaux, et enfin une longue pancarte de papier à dessin qu'il couvre de signes singuliers... L'ouvrage a l'air de lui plaire. Toutes les cinq minutes, il relève la tête, la penche un peu de côté et sourit à son barbouillage d'un air de complaisance.

Quel est donc ce travail mystérieux ?...

Attendez, nous allons le savoir... Pierrotte a fini. Il sort de sa cachette, arrive doucement derrière Camille et le petit Chose ; puis, tout à coup, leur étale sa grande pancarte sous les yeux en disant : « Tenez ! les amoureux, que pensez-vous de ceci ? »

Deux exclamations lui répondent : « Oh ! papa... — Oh ! monsieur Pierrotte ! »

« Qu'est-ce qu'il y a ?... Qu'est-ce que c'est ?... » demande la pauvre aveugle, réveillée en sursaut.

Et Pierrotte joyeusement :

« Ce que c'est, mademoiselle Eyssette ?... C'est... c'est bien le cas de le dire... C'est un projet de la nouvelle enseigne que nous mettrons sur la boutique dans quelques mois... Allons ! monsieur Daniel, lisez-nous ça tout haut pour qu'on juge un peu de l'effet. »

Dans le fond de son cœur, le petit Chose donne une dernière larme à ses papillons bleus ; et prenant la pancarte à deux mains — voyons ! sois homme, petit Chose ! —, il lit tout haut, d'une voix ferme, cette enseigne de boutique, où son avenir est écrit en lettres grosses d'un pied :

PORCELAINES ET CRISTAUX
Ancienne maison Lalouette
EYSSETTE ET PIERROTTE
SUCCESSEURS

Histoire de mes livres

Aucun de mes livres n'a été écrit dans des conditions aussi capricieuses, aussi désordonnées que celui-ci. Ni plan ni notes, une improvisation forcenée sur de longues feuilles de papier d'emballage, rugueux, jaune, où bronchait ma plume en courant et que je jetais furieusement par terre, l'une après l'autre, sitôt noircies. Cela se passait à deux cents lieues de Paris, entre Beaucaire et Nîmes, dans un grand logis de campagne, désert, perdu, que des parents avaient mis obligeamment à ma disposition pour quelques mois d'hiver. J'étais venu là chercher les dernières scènes d'un drame dont le dénouement ne marchait pas ; mais la paix triste de ces grandes plaines, ces champs de mûriers, d'oliviers, de vignes ondulant jusqu'au Rhône, la mélancolie de cette retraite en pleine nature n'allaient guère avec les conventions d'une œuvre théâtrale. Probablement aussi l'air du pays, le soleil fouetté de mistral, le voisinage de la ville où je suis né, ces noms de petits villages où je jouais tout gamin, Bezouces, Redessan, Jonquières, remuèrent en moi tout un monde de vieux souvenirs, et je laissai bientôt mon drame pour me mettre à une sorte d'autobiographie : *Le Petit Chose, histoire d'un enfant.*

Commencé dans les premiers jours de février 1866, ce fougueux travail fut poussé d'une haleine jusqu'à la seconde quinzaine de mars. Nulle part, à aucune époque de ma vie, pas même quand un caprice de silence et d'isolement m'enfermait dans une chambre de phare, je n'ai vécu aussi complètement seul. La maison était loin de la route, dans les terres, écartée même de la ferme dépendante dont les bruits ne m'arrivaient pas. Deux fois par jour, la femme du *baïlo* (fermier) me servait mon repas, à un bout de la vaste salle à manger dont toutes les fenêtres, moins une, tenaient leurs volets clos. Cette Provençale, bègue, noire, le nez écrasé comme un Cafre, ne comprenant pas quelle étrange besogne m'avait amené à la campagne en plein hiver, gardait de moi une méfiance et une terreur, posait les plats à la hâte, se sauvait sans un mot, en évitant de retourner la tête. Et c'est le seul visage que j'aie vu pendant cette existence de stylite, distraite uniquement, vers le soir, par une promenade dans une allée de hauts platanes jetant leurs écorces à la plainte du vent, à la tristesse d'un soleil froid et rouge dont les grenouilles saluaient le coucher hâtif de leur discordantes clameurs.

Sitôt fini le brouillon de mon livre, je commençai tout de suite la seconde copie, la partie douloureuse du travail, contraire surtout à ma nature d'improvisateur, de *trouvère* ; et je m'y acharnais de tout mon courage, quand un matin la voix de la *baïlesse* me héla violemment dans le patois local : *Moussu, moussu, vaqui un homo...* « Monsieur, monsieur, voilà un homme !... »

L'homme, c'était un Parisien, un journaliste appelé à quelque concours régional des environs et qui, me sachant par là, venait chercher de mes nouvelles. Il déjeune, on cause journaux, théâtres, boulevards ; la fièvre de Paris me gagne, et, le soir, je partais avec mon intrus.

Ce brusque arrêt au milieu du travail, cet abandon de l'œuvre en pleine fonte, donne une idée exacte de ce qu'était ma vie de ce temps-là, ouverte à tout vent, n'ayant que des élans courts, des velléités au lieu de volontés, ne suivant jamais que son caprice et l'aveugle frénésie d'une jeunesse qui menaçait de ne point finir. Rentré à Paris, je laissai bien longtemps mon manuscrit achever de jaunir au fond d'un tiroir, ne trouvant pas dans mon existence morcelée le loisir d'une œuvre de longue haleine ; mais l'hiver suivant, talonné quand même par l'idée de ce livre inachevé, je pris le parti violent de me soustraire aux distractions, aux invasions bruyantes qui faisaient, à cette époque, de mon logis sans défense un vrai campement tzigane, et j'allai m'installer chez un ami, dans la petite chambre que Jean Duboys occupait alors à l'entresol de l'hôtel Lassus, place de l'Odéon.

Jean Duboys, à qui ses pièces et ses romans donnaient quelque notoriété, était un bon être, doux, timide, au sourire d'enfant dans une barbe de Robinson, une barbe sauvage, hirsute, qui ne semblait pas appartenir à ce visage. Sa littérature manquait d'accent ; mais j'aimais sa bienveillance, j'admirais le courage avec lequel il s'attelait à d'interminables romans, coupés d'avance par tranches régulières, et dont il écrivait chaque jour tant de mots, de lignes et de pages. Enfin il avait fait jouer à la Comédie-Française une grande pièce intitulée : *La Volonté* ; et, bien que manifestée en vers exécrables, cette volonté m'imposait, à moi qui en manquais tellement. Aussi étais-je venu me serrer contre son auteur, espérant gagner le goût du travail au contact de ce producteur infatigable.

Le fait est que, pendant deux ou trois mois, je piochai ferme, à une petite table voisine de la sienne, dans le jour d'une fenêtre cintrée et basse qui encadrait l'Odéon et son portique, la place déserte, toute luisante de verglas. De temps en temps Duboys, qui travaillait à je ne sais quelle grande machine à surprises, s'interrompait pour me raconter les combinaisons de son roman ou me développer ses théories sur « le mouvement cylindrique de l'humanité ». Il y avait en effet chez ce méthodique et doux bureaucrate des tendances de visionnaire, d'illuminé, comme il y avait dans sa bibliothèque un rayon réservé à la cabale, à la magie noire, aux plus bizarres élucubrations. Dans la suite, cette fêlure de son cerveau s'agrandit, laissant la démence entrer ; et le pauvre Jean Duboys mourut fou à la fin du siège, sans avoir terminé son grand poème philosophique *Enceldoune*, où toute l'humanité devait évoluer sur son cylindre. Mais qui se fût douté alors de la triste destinée de cet excellent garçon, tranquille, raisonnable, que je regardais avec envie noircissant de sa fine écriture régulière les innombrables pages d'un roman de petit journal et s'assurant, les yeux à la pendule d'heure en heure, s'il avait bien fait toute sa tâche ?

Il gelait dur, cet hiver-là, et, malgré les panerées de charbon englouties dans la grille, nous voyions, par ces veilles laborieuses indéfiniment prolongées, le givre dessiner sur la vitre un voile aux fantastiques arabesques. Dehors, des ombres frileuses erraient dans la brume opaque de la place ; c'était la sortie de l'Odéon, ou la jeunesse qui remontait vers Bullier en poussant des cris pour s'allumer. Les soirs de bal masqué, l'étroit escalier de l'hôtel s'ébranlait sous des dégringolades effrénées où sonnaient chaque fois les grelots d'un bonnet de folie. Le même bonnet de folie battait au retour, bien avant dans la nuit, son train de carnaval ; et souvent, quand les garçons de l'hôtel dormaient trop fort, tardaient à ouvrir, je l'entendais secouer ses grelots devant la porte en des mouvements découragés, diminués, qui me faisaient songer à la *barrique d'Amontillado* d'Edgar Poe, au malheureux emmuré, las de supplier, de crier, ne trahissant plus sa présence que par les convulsions dernières de son bonnet. J'ai gardé un souvenir charmant de ces nuits d'hiver pendant lesquelles fut écrite la première partie du *Petit Chose*. La seconde partie ne suivit que bien plus tard. Entre les deux se place un événement fort inattendu pour moi, sérieux et décisif : je me mariai. Comment cela advint-il ? Par quel sortilège l'endiablé tzigane que j'étais alors se trouva-t-il pris, envoûté ? Quel charme sut fixer l'éternel caprice ?

Pendant des mois, le manuscrit fut encore abandonné, oublié au fond des malles du voyage de noces, étalé sur des tables d'hôtel devant un encrier aride et une plume sèche. Il faisait si bon sous les pins de l'Esterel, si bon pêcher des oursins vers les roches de Pormieu ! Ensuite l'installation du petit ménage, la nouveauté de cette existence intime, le nid à faire et à parer, que de prétextes pour ne pas travailler !

C'est seulement l'été venu, sous les ombrages du château de Vigneux, dont on voit la toiture italienne et les hautes futaies se dérouler dans la plaine de Villeneuve-Saint-Georges, que je me remis à mon interminable roman. Six mois délicieux, loin de Paris alors bouleversé par cette exposition de 1867 que je ne voulus pas même aller voir.

J'écrivais *Le Petit Chose*, tantôt sur un banc moussu au fond du parc, troublé par des bonds de lapins, des glissements de couleuvres dans les bruyères, ou bien en bateau sur l'étang qui s'irisait de toutes les teintes de l'heure dans un ciel d'été, et encore, les jours de pluie, dans notre chambre où ma femme me jouait du Chopin que je ne peux plus entendre sans me figurer l'égouttement de la pluie sur les houles vertes des charmilles, les cris rauques des paons, les clameurs de la faisanderie, parmi des odeurs de fleurs d'arbres et de bois mouillé. A l'automne, le livre, enfin terminé, parut en feuilleton au *Petit Moniteur* de Paul Dalloz, fut publié à la librairie Hetzel et eut quelque succès, malgré tout ce qui lui manque.

J'ai dit de quelle façon cette première œuvre de longue haleine avait été entreprise, sans réflexion, comme à la volée ; mais son plus grand défaut fut encore d'être écrite avant l'heure. On n'est pas mûr, à vingt-cinq ans, pour revoir et annoter sa vie. Et *Le Petit Chose*, surtout dans la première partie, n'est en somme que cela, un écho de mon enfance et de ma jeunesse.

Plus tard, j'aurais moins craint de m'arrêter aux enfantillages du début et donné plus de développement à ces lointains souvenirs où sont nos impressions initiatrices, si vives, si profondes, que tout ce qui vient ensuite les renouvelle sans les dépasser. Dans le mouvement agrandi de l'existence, le flux des jours et des années, les faits se perdent, s'effacent, disparaissent, mais ce passé reste debout, lumineux, baigné d'aube. On pourra oublier une date récente, un visage vu d'hier ; on se rappelle toujours le dessin du papier de tenture dans la chambre où l'on couchait enfant, un nom, un refrain du temps où l'on ne savait pas lire. Et comme la mémoire va loin dans ces retours en arrière, franchissant des années vides, des lacunes ainsi que dans les rêves ! J'ai, par exemple, un souvenir de mes trois ans, un feu d'artifice à Nîmes pour quelque Saint-Louis, et que je vis porté à bras tout en haut d'une colline chargée de pins. Les moindres détails m'en sont restés présents, le murmure des arbres au vent de nuit — sans doute ma première nuit dehors —, l'extase bruyante de la foule, les « ah !... » montant, éclatant, s'étalant avec les fusées et les soleils dont le reflet éclairait d'une pâleur fantômale les visages autour de moi.

Je me vois, à peu près vers le même temps, monté sur une chaise devant le tableau noir d'une classe des frères, et traçant mes lettres à la craie, tout fier de mon savoir précoce. Et la mémoire des sens, ces sons, ces odeurs qui vous arrivent du passé comme d'un autre monde, sans qu'il y ait trace d'événement ou d'émotion quelconque !

Tout au fond de la fabrique où le petit Chose a passé son enfance, près de bâtiments abandonnés dont un vent de solitude faisait battre les portes, il y avait de hauts lauriers-roses, en pleine terre, répandant un bouquet amer qui me hante encore après quarante ans. Je voudrais un peu plus de ce bouquet aux premières pages de mon livre.

Trop écourtés aussi les chapitres sur Lyon où j'ai laissé se perdre bien des sensations vives et précieuses. Non pas que mes yeux d'enfant aient pu saisir l'originalité, la grandeur de cette ville industrielle et mystique, avec le brouillard permanent qui monte de ses fleuves et pénètre ses murs, sa race, répand une vague mélancolie germanique jusque dans les productions de ses écrivains et de ses artistes : Ballanche, Flandrin, de Laprade, Chenavard, Puvis de Chavannes. Mais si la personnalité morale du pays m'échappait, l'énorme ruche ouvrière de la Croix-Rousse bourdonnant de ses cent mille métiers, et, sur la colline en face, Fourvières carillonnant, processionnant entre les étroites ruelles de sa montée, bordées d'imageries religieuses, d'échoppes à reliques, m'ont laissé d'ineffaçables souvenirs dont la place était toute marquée dans *Le Petit Chose*.

Ce que j'y trouve assez fidèlement noté, c'est l'ennui, l'exil, la détresse d'une famille méridionale perdue dans la brume lyonnaise, ce changement d'une province à une autre, climat, mœurs, langage, cette distance morale que les facilités de communication ne suppriment pas. J'avais dix ans, alors, et déjà tourmenté du désir de sortir de moi-même, de m'incarner en d'autres êtres dans une manie commençante d'observation, d'annotation humaine, ma grande distraction pendant mes promenades était de choisir un passant, de le suivre à travers Lyon, au cours de ses flâneries ou de ses affaires, pour essayer de m'identifier à sa vie, d'en comprendre les préoccupations intimes.

Un jour, pourtant, que j'avais escorté de la sorte une fort belle dame de toilette éblouissante, jusqu'à une maison basse aux persiennes closes, au rez-de-chaussée occupé par un café où chantaient des voix rauques et des harpes, mes parents, à qui je faisais part de ma surprise, m'interdirent de continuer mes études errantes et mes observations sur le vif.

Mais comment ai-je pu, tandis que je notais les étapes de mon adolescence, ne pas dire un mot des crises religieuses qui entre dix ou douze ans secouèrent cruellement le petit Chose, de ses révoltes contre l'absurde et le mystère auxquels il fallait croire, révoltes suivies de remords, de désespoirs qui prosternaient l'enfant en des coins d'église déserte où, furtivement, il se glissait, honteux et tremblant d'être vu ? Comment surtout ai-je laissé à l'apparence du petit homme cette douceur, cette bonne tenue, sans parler de la diabolique existence où il s'emporta brusquement vers sa treizième année dans un besoin éperdu de vivre, de se dépenser, de s'arracher aux tristesse racornies, aux larmes qui étouffaient l'intérieur de ses parents de jour en jour plus assombri par la ruine. Une effervescence de tempérament méridional et d'imagination trop comprimée. L'enfant délicat et timide se transformait alors, hardi, violent, prêt à toutes les folies. Il manquait la classe, passait ses journées sur l'eau, dans l'encombrement des *mouches*, des chalands, des remorqueurs, ramait sous la pluie, la pipe aux dents, un flacon d'absinthe ou d'eau-de-vie dans sa poche, échappait à mille morts, aux roues d'un vapeur, à l'abordage d'un bateau à charbon, au courant qui le jetait contre les piles d'un pont ou sous un câble de halage, noyé, repêché, le front fendu, taloché par les mariniers qu'exaspérait la maladresse de ce mioche trop faible pour ses rames ; et dans ces fatigues, ces coups, ces dangers, il sentait une joie farouche, un élargissement de son être et du sombre horizon.

Quelques *Contes du lundi* ont donné plus tard l'esquisse de ce temps troublé ; mais combien cela aurait pris plus de valeur dans l'*Histoire d'un enfant*.

Il y avait déjà chez cet enragé petit Chose une faculté singulière qu'il n'a jamais perdue depuis, un don de se voir, de se juger, de se prendre en flagrant délit de tout, comme s'il eût marché toujours accompagné d'un surveillant féroce et redoutable. Non pas ce qu'on appelle la conscience ; car la conscience prêche, gronde, se mêle à nos actes, les modifie ou les arrête. Et puis on l'endort, cette bonne conscience, avec de faciles excuses ou des subterfuges, tandis que le témoin dont je parle ne faiblissait jamais, ne se mêlait de rien, surveillait. C'était comme un regard intérieur, impassible et fixe, un *double* inerte et froid qui dans les plus violentes bordées du petit Chose observait tout, prenait des notes et disait le lendemain : « A nous deux ! » Lisez le chapitre intitulé « Il est mort ! Priez pour lui ! » une page de ma vie absolument vraie. C'est bien ainsi que la mort de mon frère aîné nous fut apprise, et j'ai encore dans les oreilles le cri du pauvre père devinant que son fils venait de mourir ; si navrant, si poignant, ce premier grand cri de douleur humaine tout près de moi, que toute la nuit, en pleurant, en me désespérant, je me surprenais à répéter : « Il est mort... » avec l'intonation paternelle. Par là me fut révélée l'existence de mon *double*, de l'implacable témoin qui, au milieu de notre deuil, avait retenu, comme au théâtre, la justesse d'un cri de mort, et l'essayait sur mes lèvres désolées. Je regrette, en relisant mon livre, de n'y rien trouver de ces aveux, surtout dans la première partie où le personnage de Daniel Eyssette me ressemble tellement.

Oui, c'est bien moi, ce petit Chose obligé de gagner sa vie à seize ans dans cet horrible métier de pion, et l'exerçant au fond d'une province, d'un pays de hauts fourneaux qui nous envoyait de grossiers petits montagnards m'insultant dans leur patois cévenol, brutal et dur. Livré à toutes les persécutions de ces monstres, entouré de cagots et de cuistres qui me méprisaient, j'ai subi là les basses humiliations du pauvre.

Pas d'autre sympathie, dans cette geôle douloureuse, que celle du prêtre que j'ai appelé l'abbé Germane et de l'affreux « Bamban » dont la cocasse petite figure, toujours barbouillée d'encre et de boue, se lève vers moi tristement pendant que j'écris ceci.

Je me rappelle un autre de mes « petits », nature fine, choisie, auquel je m'étais attaché, que je faisais travailler tout particulièrement, pour l'unique plaisir de voir se développer cette petite intelligence comme un bourgeon au printemps. Très touché de mes soins, l'enfant m'avait fait promettre de passer mes vacances chez lui, à la campagne. Ses parents seraient si heureux de me connaître, de me remercier. Et, en effet, le jour des prix, après de grands succès qu'il me devait un peu, mon élève vint me prendre par la main et m'amena gentiment vers les siens, père, mère, sœurs élégantes, tous occupés à faire charger les prix sur un grand break de promenade. Je devais avoir une triste tournure dans mes habits râpés, quelque chose qui déplut ; car la famille me regarda à peine, et le pauvre petit s'en alla, les yeux gros, tout honteux de sa déception et de la mienne. Minutes humiliantes et cruelles qui fanent, déshonorent la vie ! J'en tremblais de rage dans ma petite chambre sous les toits, tandis que la voiture emportait l'enfant chargé de couronnes et les épais bourgeois qui m'avaient si lâchement blessé.

Longtemps après ma sortie de ce bagne d'Alais, il m'arrivait souvent de me réveiller au milieu de la nuit, ruisselant de larmes ; je rêvais que j'étais encore pion et martyr. Par bonheur, cette dure entrée dans la vie ne m'a pas rendu méchant ; et je ne maudis pas trop ce temps misérable qui m'a fait supporter légèrement les épreuves de mon noviciat littéraire et les premières années de Paris. Elles ont été rudes, ces années, et l'histoire du petit Chose n'en donne aucune idée.

Du reste, il n'y a guère de réel dans cette seconde partie que mon arrivée sans souliers, mes bas bleus et mes caoutchoucs ; puis l'accueil fraternel, le dévouement ingénieux de cette mère Jacques, Ernest Daudet de son vrai nom, qui est la figure rayonnante de mon enfance et de ma jeunesse. A part mon frère, tous les autres personnages sont de pure imagination.

Les modèles ne me manquaient pas, pourtant, et des plus intéressants, des plus rares, mais, comme je le disais tout à l'heure, j'ai écrit ce livre trop jeune. Toute une partie de mon existence était trop près de moi, je manquais de recul pour la voir et, n'y voyant pas, j'ai inventé. Ainsi le petit Chose n'a jamais été comédien ; il n'a jamais même pu dire un seul mot en public. Le commerce de la porcelaine lui est également inconnu. Pierrotte et les yeux noirs, la dame du premier, sa négresse Coucou-Blanc, faits de chic, comme disent les peintres ; et il leur manque bien le relief, la vraie articulation de la vie. De même pour les silhouettes littéraires où l'on a cru voir des personnalités blessantes auxquelles je n'ai jamais songé.

A signaler pourtant, parmi les réalités de mon livre, la chambre sous les toits, contre le clocher de Saint-Germain-des-Prés, dans une maison maintenant démolie qui laisse mon regard vide chaque fois que je cherche en passant la place de tant de folies, de misères, de belles veillées de travail ou de morne solitude désespérée.

AVENTURES PRODIGIEUSES DE TARTARIN DE TARASCON

La publication en feuilleton commença sous le titre *Barbarin de Tarascon* dans *Le Petit Moniteur*, du 9 au 19 décembre 1869, et se poursuivit dans *Le Figaro*, de février à mars 1870. *Aventures prodigieuses de Tartarin de Tarascon* parut en librairie en 1870, chez Dentu.

A mon ami
Gonzague Privat

« En France, tout le monde est un peu de Tarascon. »

PREMIER ÉPISODE

À TARASCON

1

Le jardin du baobab

Ma première visite à Tartarin de Tarascon est restée dans ma vie comme une date inoubliable ; il y a douze ou quinze ans de cela, mais je m'en souviens mieux que d'hier. L'intrépide Tartarin habitait alors, à l'entrée de la ville, la troisième maison à main gauche sur le chemin d'Avignon. Jolie petite villa tarasconnaise avec jardin devant, balcon derrière, des murs très blancs, des persiennes vertes, et sur le pas de la porte une nichée de petits Savoyards jouant à la marelle ou dormant au bon soleil, la tête sur leurs boîtes à cirage.

Du dehors, la maison n'avait l'air de rien.

Jamais on ne se serait cru devant la demeure d'un héros. Mais, quand on entrait, coquin de sort !...

De la cave au grenier, tout le bâtiment avait l'air héroïque, même le jardin !

O le jardin de Tartarin, il n'y en avait pas deux comme celui-là en Europe. Pas un arbre du pays, pas une fleur de France ; rien que des plantes exotiques, des gommiers, des calebassiers, des cotonniers, des cocotiers, des manguiers, des bananiers, des palmiers, un baobab, des nopals, des cactus, des figuiers de Barbarie, à se croire en pleine Afrique centrale, à dix mille lieues de Tarascon. Tout cela, bien entendu, n'était pas de grandeur naturelle ; ainsi les cocotiers n'étaient guère plus gros que des betteraves, et le baobab *(arbre géant, arbor gigantea)* tenait à l'aise dans un pot de réséda ; mais c'est égal ! pour Tarascon, c'était déjà bien joli, et les personnes de la ville, admises le dimanche à l'honneur de contempler le baobab de Tartarin, s'en retournaient pleines d'admiration.

Pensez quelle émotion je dus éprouver ce jour-là en traversant ce jardin mirifique !... Ce fut bien autre chose quand on m'introduisit dans le cabinet du héros.

Ce cabinet, une des curiosités de la ville, était au fond du jardin, ouvrant de plain-pied sur le baobab par une porte vitrée.

Imaginez-vous une grande salle tapissée de fusils et de sabres, depuis en haut jusqu'en bas ; toutes les armes de tous les pays du monde : carabines, rifles, tromblons, couteaux corses, couteaux catalans, couteaux-revolvers, couteaux-poignards, kriss malais, flèches caraïbes, flèches de silex, coups-de-poing, casse-tête, massues hottentotes, lassos mexicains, est-ce que je sais !

Par là-dessus, un grand soleil féroce qui faisait luire l'acier des glaives et les crosses des armes à feu, comme pour vous donner encore plus la chair de poule... Ce qui rassurait un peu pourtant, c'était le bon air d'ordre et de propreté qui régnait sur toute cette yataganerie. Tout y était rangé, soigné, brossé, étiqueté comme dans une pharmacie ; de loin en loin, un petit écriteau bonhomme sur lequel on lisait :

Flèches empoisonnées, n'y touchez pas !

Ou :

Armes chargées, méfiez-vous !

Sans ces écriteaux, jamais je n'aurais osé entrer.

Au milieu du cabinet, il y avait un guéridon. Sur le guéridon, un flacon de rhum, une blague turque, les *Voyages du capitaine Cook*, les romans de Cooper, de Gustave Aimard, des récits de chasse, chasse à l'ours, chasse au faucon, chasse à l'éléphant, etc. Enfin, devant le guéridon, un homme était assis, de quarante à quarante-cinq ans, petit, gros, trapu, rougeaud, en bras de chemise, avec des caleçons de flanelle, une forte barbe courte et des yeux flamboyants ; d'une main il tenait un livre, de l'autre il brandissait une énorme pipe à couvercle de fer, et, tout en lisant je ne sais quel formidable récit de chasseurs de chevelures, il faisait, en avançant sa lèvre inférieure, une moue terrible, qui donnait à sa brave figure de petit rentier tarasconnais ce même caractère de férocité bonasse qui régnait dans toute la maison.

Cet homme, c'était Tartarin, Tartarin de Tarascon, l'intrépide, le grand, l'incomparable Tartarin de Tarascon.

2

Coup d'œil général jeté sur la bonne ville de Tarascon.
Les chasseurs de casquettes

Au temps dont je vous parle, Tartarin de Tarascon n'était pas encore le Tartarin qu'il est aujourd'hui, le grand Tartarin de Tarascon si populaire dans tout le Midi de la France. Pourtant — même à cette époque — c'était déjà le roi de Tarascon.

Disons d'où lui venait cette royauté.

Vous saurez d'abord que là-bas tout le monde est chasseur, depuis le plus grand jusqu'au plus petit. La chasse est la passion des Tarasconnais, et cela depuis les temps mythologiques où la Tarasque faisait les cent coups dans les marais de la ville et où les Tarasconnais d'alors organisaient des battues contre elle. Il y a beaux jours, comme vous voyez.

Donc, tous les dimanches matin, Tarascon prend les armes et sort de ses murs, le sac au dos, le fusil sur l'épaule, avec un tremblement de chiens, de furets, de trompes, de cors de chasse. C'est superbe à voir... Par malheur le gibier manque, il manque absolument.

Si bêtes que soient les bêtes, vous pensez bien qu'à la longue elles ont fini par se méfier.

A cinq lieues autour de Tarascon, les terriers sont vides, les nids abandonnés. Pas un merle, pas une caille, pas le moindre lapereau, pas le plus petit cul-blanc.

Elles sont cependant bien tentantes, ces jolies collinettes tarasconnaises, toutes parfumées de myrte, de lavande, de romarin ; et ces beaux raisins muscats gonflés de sucre, qui s'échelonnent au bord du Rhône, sont diablement appétissants aussi... Oui, mais il y a Tarascon derrière, et, dans le petit monde du poil et de la plume, Tarascon est très mal noté. Les oiseaux de passage eux-mêmes l'ont marqué d'une grande croix sur leurs feuilles de route, et quand les canards sauvages, descendant vers la Camargue en longs triangles, aperçoivent de loin les clochers de la ville, celui qui est en tête se met à crier bien fort : « Voilà Tarascon !... voilà Tarascon ! » et toute la bande fait un crochet.

Bref, en fait de gibier, il ne reste plus dans le pays qu'un vieux coquin de lièvre, échappé comme par miracle aux septembrisades tarasconnaises et qui s'entête à vivre là ! A Tarascon, ce lièvre est très connu. On lui a donné un nom. Il s'appelle *le Rapide*. On sait qu'il a son gîte dans la terre de M. Bompard — ce qui, par parenthèse, a doublé et même triplé le prix de cette terre — mais on n'a pas encore pu l'atteindre.

A l'heure qu'il est même, il n'y a plus que deux ou trois enragés qui s'acharnent après lui.

Les autres en ont fait leur deuil, et *le Rapide* est passé depuis longtemps à l'état de superstition locale, bien que le Tarasconnais soit très peu superstitieux de sa nature et qu'il mange les hirondelles en salmis, quand il en trouve.

Ah çà ! me direz-vous, puisque le gibier est si rare à Tarascon, qu'est-ce que les chasseurs tarasconnais font donc tous les dimanches ?

Ce qu'ils font ?

Eh mon Dieu ! ils s'en vont en pleine campagne, à deux ou trois lieues de la ville. Ils se réunissent par petits groupes de cinq ou six, s'allongent tranquillement à l'ombre d'un puits, d'un vieux mur, d'un olivier, tirent de leurs carniers un bon morceau de bœuf en daube, des oignons crus, un *saucissot*, quelques anchois, et commencent un déjeuner interminable, arrosé d'un de ces jolis vins du Rhône qui font rire et qui font chanter.

Après quoi, quand on est bien lesté, on se lève, on siffle les chiens, on arme les fusils, et on se met en chasse. C'est-à-dire que chacun de ces messieurs prend sa casquette, la jette en l'air de toutes ses forces et la tire au vol avec du 5, du 6 ou du 2 — selon les conventions.

Celui qui met le plus souvent dans sa casquette est proclamé roi de la chasse, et rentre le soir en triomphateur à Tarascon, la casquette criblée au bout du fusil, au milieu des aboiements et des fanfares.

Inutile de vous dire qu'il se fait dans la ville un grand commerce de casquettes de chasse. Il y a même des chapeliers qui vendent des casquettes trouées et déchirées d'avance à l'usage des maladroits ; mais on ne connaît guère que Bézuquet, le pharmacien, qui leur en achète. C'est déshonorant !

Comme chasseur de casquettes, Tartarin de Tarascon n'avait pas son pareil. Tous les dimanches matin, il partait avec une casquette neuve : tous les dimanches soir, il revenait avec une loque. Dans la petite maison du baobab, les greniers étaient pleins de ces glorieux trophées. Aussi, tous les Tarasconnais le reconnaissaient-ils pour leur maître, et comme Tartarin savait à fond le code du chasseur, qu'il avait lu tous les traités, tous les manuels de toutes les chasses possibles, depuis la chasse à la casquette jusqu'à la chasse au tigre birman, ces messieurs en avaient fait leur grand justicier cynégétique et le prenaient pour arbitre dans toutes leurs discussions.

Tous les jours, de trois à quatre, chez l'armurier Costecalde, on voyait un gros homme, grave et la pipe aux dents, assis sur un fauteuil de cuir vert, au milieu de la boutique pleine de chasseurs de casquettes, tous debout et se chamaillant. C'était Tartarin de Tarascon qui rendait la justice, Nemrod doublé de Salomon.

3

Nan ! Nan ! Nan !
Suite du coup d'œil général jeté sur la bonne ville de Tarascon

A la passion de la chasse, la forte race tarasconnaise joint une autre passion : celle des romances. Ce qui se consomme de romances dans ce petit pays, c'est à n'y pas croire. Toutes les vieilleries sentimentales qui jaunissent dans les plus vieux cartons, on les retrouve à Tarascon en pleine jeunesse, en plein éclat. Elles y sont toutes, toutes. Chaque famille a la sienne, et dans la ville cela se sait. On sait, par exemple, que celle du pharmacien Bézuquet, c'est :

Toi, blanche étoile que j'adore ;

Celle de l'armurier Costecalde :

Veux-tu venir au pays des cabanes ?

Celle du receveur de l'enregistrement :

Si j'étais-t-invisible, personne n'me verrait.

(Chansonnette comique.)

Et ainsi de suite pour tout Tarascon. Deux ou trois fois par semaine on se réunit les uns chez les autres et on se *les* chante. Ce qu'il y a de singulier, c'est que ce sont toujours les mêmes, et que, depuis si longtemps qu'ils se les chantent, ces braves

Tarasconnais n'ont jamais envie d'en changer. On se les lègue dans les familles, de père en fils, et personne n'y touche ; c'est sacré. Jamais même on ne s'en emprunte. Jamais il ne viendrait à l'idée des Costecalde de chanter celle des Bézuquet ni aux Bézuquet de chanter celle des Costecalde. Et pourtant vous pensez s'ils doivent les connaître depuis quarante ans qu'ils se les chantent. Mais non ! chacun garde la sienne et tout le monde est content.

Pour les romances comme pour les casquettes, le premier de la ville était encore Tartarin. Sa supériorité sur ses concitoyens consistait en ceci : Tartarin de Tarascon n'avait pas la sienne. Il les avait toutes.

Toutes !

Seulement c'était le diable pour les lui faire chanter. Revenu de bonne heure des succès de salon, le héros tarasconnais aimait bien mieux se plonger dans ses livres de chasse ou passer sa soirée au cercle que de faire le joli cœur devant un piano de Nîmes entre deux bougies de Tarascon. Ces parades musicales lui semblaient au-dessous de lui... Quelquefois cependant, quand il y avait de la musique à la pharmacie Bézuquet, il entrait comme par hasard, et après s'être bien fait prier, consentait à dire le grand duo de *Robert le Diable*, avec Mme Bézuquet la mère... Qui n'a pas entendu cela n'a jamais rien entendu... Pour moi, quand je vivrais cent ans, je verrais toute ma vie le grand Tartarin s'approchant du piano d'un pas solennel, s'accoudant, faisant sa moue, et sous le reflet vert des bocaux de la devanture, essayant de donner à sa bonne face l'expression satanique et farouche de Robert le Diable. A peine avait-il pris position, tout de suite le salon frémissait ; on sentait qu'il allait se passer quelque chose de grand... Alors, après un silence, Mme Bézuquet la mère commençait en s'accompagnant :

> *Robert, toi que j'aime*
> *Et qui reçus ma foi,*
> *Tu vois mon effroi* (bis),
> *Grâce pour toi-même*
> *Et grâce pour moi.*

A voix basse, elle ajoutait : « A vous, Tartarin », et Tartarin de Tarascon, le bras tendu, le poing fermé, la narine frémissante, disait par trois fois d'une voix formidable, qui roulait comme un coup de tonnerre dans les entrailles du piano : « Non !... non !... non !... », ce qu'en bon Méridional il prononçait : « Nan !...

nan !... nan !... » Sur quoi Mme Bézuquet la mère reprenait encore une fois :

Grâce pour toi-même
Et grâce pour moi.

« “Nan !... nan !... nan !...” hurlait Tartarin de plus belle, et la chose en restait là... Ce n’était pas long, comme vous voyez : mais c’était si bien jeté, si bien mimé, si diabolique, qu’un frisson de terreur courait dans la pharmacie, et qu’on lui faisait recommencer ses : “Nan !... nan !...” quatre et cinq fois de suite.

Là-dessus Tartarin s’épongeait le front, souriait aux dames, clignait de l’œil aux hommes et, se retirant sur son triomphe, s’en allait dire au cercle d’un petit air négligent : « Je viens de chez les Bézuquet chanter le duo de *Robert le Diable !* »

Et le plus fort, c’est qu’il le croyait !...

4

Ils !!!

C’est à ces différents talents que Tartarin de Tarascon devait sa haute situation dans la ville.

Du reste, c’est une chose positive que ce diable d’homme avait su prendre tout le monde.

A Tarascon, l’armée était pour Tartarin. Le brave commandant Bravida, capitaine d’habillement en retraite, disait de lui : « C’est un lapin ! » et vous pensez que le commandant s’y connaissait en lapins, après en avoir tant habillé.

La magistrature était pour Tartarin. Deux ou trois fois, en plein tribunal, le vieux président Ladevèze avait dit, parlant de lui :

« C’est un caractère ! »

Enfin le peuple était pour Tartarin. Sa carrure, sa démarche, son air, un air de bon cheval de trompette qui ne craignait pas le bruit, cette réputation de héros qui lui venait on ne sait d’où, quelques distributions de gros sous et de taloches aux petits décrotteurs étalés devant sa porte, en avaient fait le lord Seymour de l’endroit, le roi des halles tarasconnaises. Sur les quais, le dimanche soir, quand Tartarin revenait de la chasse, la casquette au bout du canon, bien sanglé dans sa veste de futaine, les portefaix du Rhône s'inclinaient pleins de respect, et se montrant du coin de l'œil les biceps gigantesques qui roulaient sur ses bras, ils se disaient tout bas les uns aux autres avec admiration :

« C'est celui-là qui est fort !... Il a *doubles muscles* ! »

Doubles muscles !

Il n'y a qu'à Tarascon qu'on entend de ces choses-là !

Et pourtant, en dépit de tout, avec ses nombreux talents, ses doubles muscles, la faveur populaire et l'estime si précieuse du brave commandant Bravida, ancien capitaine d'habillement, Tartarin n'était pas heureux ; cette vie de petite ville lui pesait, l'étouffait. Le grand homme de Tarascon s'ennuyait à Tarascon. Le fait est que pour une nature héroïque comme la sienne, pour une âme aventureuse et folle qui ne rêvait que batailles, courses dans les pampas, grandes chasses, sables du désert, ouragans et typhons, faire tous les dimanches une battue à la casquette et le reste du temps rendre la justice chez l'armurier Costecalde, ce n'était guère... Pauvre cher grand homme ! A la longue, il y aurait eu de quoi le faire mourir de consomption.

En vain, pour agrandir ses horizons, pour oublier un peu le cercle et la place du Marché, en vain s'entourait-il de baobabs et autres végétations africaines ; en vain entassait-il armes sur armes, kriss malais sur kriss malais ; en vain se bourrait-il de lectures romanesques, cherchant, comme l'immortel don Quichotte, à s'arracher par la vigueur de son rêve aux griffes de l'impitoyable réalité... Hélas ! tout ce qu'il faisait pour apaiser sa soif d'aventures ne servait qu'à l'augmenter. La vue de toutes ses armes l'entretenait dans un état perpétuel de colère et d'excitation. Ses rifles, ses flèches, ses lassos lui criaient : « Bataille ! bataille ! » Dans les branches de son baobab, le vent des grands voyages soufflait et lui donnait de mauvais conseils. Pour l'achever, Gustave Aimard et Fenimore Cooper...

Oh ! par les lourdes après-midi d'été quand il était seul à lire au milieu de ses glaives, que de fois Tartarin s'est levé en rugissant ; que de fois il a jeté son livre et s'est précipité sur le mur pour décrocher une panoplie !

Le pauvre homme oubliait qu'il était chez lui à Tarascon, avec un foulard de tête et des caleçons, il mettait ses lectures en actions, et, s'exaltant au son de sa propre voix, criait en brandissant une hache ou un tomahawk :

« Qu'ils y viennent maintenant ! »

Ils ? Qui, *Ils ?*

Tartarin ne le savait pas bien lui-même... *Ils !* c'était tout ce qui attaque, tout ce qui combat, tout ce qui mord, tout ce qui griffe, tout ce qui scalpe, tout ce qui hurle, tout ce qui rugit... *Ils !* c'était l'Indien sioux dansant autour du poteau de guerre où le malheureux Blanc est attaché.

C'était l'ours gris des montagnes Rocheuses qui se dandine, et qui se lèche avec une langue pleine de sang. C'était encore le Touareg du désert, le pirate malais, le bandit des Abruzzes... *Ils,* enfin, c'était *ils !...* c'est-à-dire la guerre, les voyages, l'aventure, la gloire.

Mais, hélas ! l'intrépide Tarasconnais avait beau *les* appeler, *les* défier... *ils* ne venaient jamais... Pecaïré ! qu'est-ce *qu'ils* seraient venus faire à Tarascon ?

Tartarin cependant *les* attendait toujours, — surtout le soir en allant au cercle

5

Quand Tartarin allait au cercle

Le chevalier du Temple se disposant à faire une sortie contre l'infidèle qui l'assiège, le tigre chinois s'équipant pour la bataille, le guerrier comanche entrant sur le sentier de la guerre, tout cela n'est rien auprès de Tartarin de Tarascon s'armant de pied en cap pour aller au cercle, à neuf heures du soir, une heure après les clairons de la retraite.

Branle-bas de combat ! comme disent les matelots.

A la main gauche, Tartarin prenait un coup-de-poing à pointes de fer, à la main droite une canne à épée ; dans la poche gauche, un casse-tête ; dans la poche droite, un revolver. Sur la poitrine, entre drap et flanelle, un kriss malais. Par exemple, jamais de flèche empoisonnée ; ce sont des armes trop déloyales !...

Avant de partir, dans le silence et l'ombre de son cabinet, il s'exerçait un moment, se fendait, tirait au mur, faisait jouer ses muscles ; puis, il prenait son passe-partout, et traversait le jardin, gravement, sans se presser. — A l'anglaise, messieurs, à l'anglaise ! c'est le vrai courage. — Au bout du jardin, il ouvrait la lourde porte de fer. Il l'ouvrait brusquement, violemment, de façon à ce qu'elle allât battre en dehors contre la muraille... *S'ils* avaient été derrière, vous pensez quelle marmelade !... Malheureusement, *ils* n'étaient pas derrière.

La porte ouverte, Tartarin sortait, jetait vite un coup d'œil de droite et de gauche, fermait la porte à double tour et vivement. Puis en route.

Sur le chemin d'Avignon, pas un chat. Portes closes, fenêtres éteintes. Tout était noir. De loin en loin un réverbère, clignotant dans le brouillard du Rhône...

Superbe et calme, Tartarin de Tarascon s'en allait ainsi dans la nuit, faisant sonner ses talons en mesure, et du bout ferré de sa canne arrachant des étincelles aux pavés... Boulevards, grandes rues ou ruelles, il avait soin de tenir toujours le milieu de la chaussée, excellente mesure de précaution qui vous permet de voir venir le danger, et surtout d'éviter ce qui, le soir, dans les rues de Tarascon, tombe quelquefois des fenêtres. A lui voir tant de prudence, n'allez pas croire au moins que Tartarin eût peur... Non ! seulement il se gardait.

La meilleure preuve que Tartarin n'avait pas peur, c'est qu'au lieu d'aller au cercle par le cours, il y allait par la ville, c'est-à-dire par le plus long, par le plus noir, par un tas de vilaines petites rues au bout desquelles on voit le Rhône luire sinistrement. Le pauvre homme espérait toujours qu'au détour d'un de ces coupe-gorge *ils* allaient s'élancer de l'ombre et lui tomber sur le dos. *Ils* auraient été bien reçus, je vous en réponds. Mais, hélas ! par une dérision du destin, jamais, au grand jamais, Tartarin de Tarascon n'eut la chance de faire une mauvaise rencontre. Pas même un chien, pas même un ivrogne. Rien !

Parfois cependant une fausse alerte. Un bruit de pas, des voix étouffées... « Attention ! » se disait Tartarin, et il restait planté sur place, scrutant l'ombre, prenant le vent, appuyant son oreille contre terre à la mode indienne... Les pas approchaient. Les voix devenaient distinctes... Plus de doute ! *Ils* arrivaient... *Ils* étaient là. Déjà Tartarin, l'œil en feu, la poitrine haletante, se ramassait sur lui-même comme un jaguar, et se préparait à bondir en poussant son cri de guerre... quand tout à coup, du sein de l'ombre, il entendait de bonnes voix tarasconnaises l'appeler bien tranquillement :

« Té ! vé !... c'est Tartarin... Et adieu, Tartarin ! »

Malédiction ! c'était le pharmacien Bézuquet avec sa famille qui venait de chanter *la sienne* chez les Costecalde. — « Bonsoir ! bonsoir ! » grommelait Tartarin, furieux de sa méprise ; et, farouche, la canne haute, il s'enfonçait dans la nuit.

Arrivé dans la rue du cercle, l'intrépide Tarasconnais attendait encore un moment en se promenant de long en large devant la porte avant d'entrer... A la fin, las de *les* attendre et certain qu'*ils* ne se montreraient pas, il jetait un dernier regard de défi dans l'ombre et murmurait avec colère : « Rien !... rien !... jamais rien !... »

Là-dessus le brave homme entrait faire son bésigue avec le commandant.

6

Les deux Tartarin

Avec cette rage d'aventures, ce besoin d'émotions fortes, cette folie de voyages, de courses, de diable au vert, comment diantre se trouvait-il que Tartarin de Tarascon n'eût jamais quitté Tarascon ?

Car c'est un fait. Jusqu'à l'âge de quarante-cinq ans, l'intrépide Tarasconnais n'avait pas une fois couché hors de la ville. Il n'avait pas même fait ce fameux voyage à Marseille, que tout bon Provençal se paie à sa majorité. C'est au plus s'il connaissait Beaucaire, et cependant Beaucaire n'est pas bien loin de Tarascon, puisqu'il n'y a que le pont à traverser. Malheureusement ce diable de pont a été si souvent emporté par les coups de vent, il est si long, si frêle, et le Rhône a tant de largeur à cet endroit que, ma foi ! vous comprenez... Tartarin de Tarascon préférait la terre ferme.

C'est qu'il faut bien vous l'avouer, il y avait dans notre héros deux natures très distinctes : « Je sens deux hommes en moi », a dit je ne sais quel Père de l'Eglise. Il l'eût dit vrai de Tartarin qui portait en lui l'âme de don Quichotte, les mêmes élans chevaleresques, le même idéal héroïque, la même folie du romanesque et du grandiose, mais malheureusement n'avait pas le corps du célèbre hidalgo, ce corps osseux et maigre, ce prétexte de corps, sur lequel la vie matérielle manquait de prise, capable de passer vingt nuits sans déboucler sa cuirasse et quarante-huit heures avec une poignée de riz... Le corps de Tartarin, au contraire, était un brave homme de corps, très gras, très lourd, très sensuel, très douillet, très geignard, plein d'appétits bourgeois et d'exigences domestiques, le corps ventru et court sur pattes de l'immortel Sancho Pança.

Don Quichotte et Sancho Pança dans le même homme ! vous comprenez quel mauvais ménage ils y devaient faire ! quels combats ! quels déchirements !... O le beau dialogue à écrire pour Lucien ou pour Saint-Evremond, un dialogue entre les deux Tartarin, le Tartarin-Quichotte et le Tartarin-Sancho ! Tartarin-Quichotte s'exaltant aux récits de Gustave Aimard et criant : « Je pars ! »

Tartarin-Sancho ne pensant qu'aux rhumatismes et disant : « Je reste. »

TARTARIN-QUICHOTTE, *très exalté.* — Couvre-toi de gloire, Tartarin.

TARTARIN-SANCHO, *très calme.* — Tartarin. couvre-toi de flanelle.

TARTARIN-QUICHOTTE, *de plus en plus exalté.* — O les bons rifles à deux coups ! ô les dagues, les lassos, les mocassins !

TARTARIN-SANCHO, *de plus en plus calme.* — O les bons gilets tricotés ! les bonnes genouillères bien chaudes ! ô les braves casquettes à oreillettes !

TARTARIN-QUICHOTTE, *hors de lui.* — Une hache ! qu'on me donne une hache !

TARTARIN-SANCHO, *sonnant la bonne.* — Jeannette, mon chocolat.

Là-dessus, Jeannette apparaît avec un excellent chocolat, chaud, moiré, parfumé, et de succulentes grillades à l'anis, qui font rire Tartarin-Sancho en étouffant les cris de Tartarin-Quichotte.

Et voilà comme il se trouvait que Tartarin de Tarascon n'eût jamais quitté Tarascon.

7

Les Européens à Shanghaï. Le Haut Commerce. Les Tartares. Tartarin de Tarascon serait-il un imposteur ? Le mirage

Une fois cependant Tartarin avait failli partir, pour un grand voyage.

Les trois frères Garcio-Camus, des Tarasconnais établis à

Shanghaï, lui avaient offert la direction d'un de leurs comptoirs là-bas. Ça, par exemple, c'était bien la vie qu'il lui fallait. Des affaires considérables, tout un monde de commis à gouverner, des relations avec la Russie, la Perse, la Turquie d'Asie, enfin le Haut Commerce.

Dans la bouche de Tartarin, ce mot de Haut Commerce vous apparaissait d'une hauteur !...

La maison de Garcio-Camus avait en outre cet avantage qu'on y recevait quelquefois la visite des Tartares. Alors vite on fermait les portes. Tous les commis prenaient les armes, on hissait le drapeau consulaire, et pan ! pan ! par les fenêtres, sur les Tartares.

Avec quel enthousiasme Tartarin-Quichotte sauta sur cette proposition, je n'ai pas besoin de vous le dire ; par malheur, Tartarin-Sancho n'entendait pas de cette oreille-là, et, comme il était le plus fort, l'affaire ne put pas s'arranger. Dans la ville, on en parla beaucoup. Partira-t-il ? ne partira-t-il pas ? Parions que si, parions que non. Ce fut un événement... En fin de compte, Tartarin ne partit pas, mais toutefois cette histoire lui fit beaucoup d'honneur. Avoir failli aller à Shanghaï ou y être allé, pour Tarascon, c'était tout comme. A force de parler du voyage de Tartarin, on finit par croire qu'il en revenait, et le soir, au cercle, tous ces messieurs lui demandaient des renseignements sur la vie à Shanghaï, sur les mœurs, le climat, l'opium, le Haut Commerce.

Tartarin, très bien renseigné, donnait de bonne grâce les détails qu'on voulait, et, à la longue, le brave homme n'était pas bien sûr lui-même de n'être pas allé à Shanghaï, si bien qu'en racontant pour la centième fois la descente des Tartares, il en arrivait à dire très naturellement : « Alors, je fais armer mes commis, je hisse le pavillon consulaire, et pan ! pan ! par les fenêtres, sur les Tartares. » En entendant cela, tout le cercle frémissait...

« Mais alors, votre Tartarin n'était qu'un affreux menteur.

— Non ! mille fois non ! Tartarin n'était pas un menteur...

— Pourtant, il devait bien savoir qu'il n'était pas allé à Shanghaï !

— Eh sans doute, il le savait. Seulement... »

Seulement, écoutez bien ceci. Il est temps de s'entendre une fois pour toutes sur cette réputation de menteurs que les gens du Nord ont faite aux Méridionaux. Il n'y a pas de menteurs dans le Midi, pas plus à Marseille qu'à Nîmes, qu'à Toulouse, qu'à Tarascon. L'homme du Midi ne ment pas, il se trompe. Il ne dit pas toujours la vérité, mais il croit la dire... Son mensonge à lui, ce n'est pas du mensonge, c'est une espèce de mirage...

Oui, du mirage !... Et pour bien me comprendre, allez-vous-en dans le Midi, et vous verrez. Vous verrez ce diable de pays où le soleil transfigure tout, et fait tout plus grand que nature. Vous verrez ces petites collines de Provence pas plus hautes que la butte Montmartre et qui vous paraîtront gigantesques, vous verrez la Maison carrée de Nîmes — un petit bijou d'étagère — qui vous semblera aussi grande que Notre-Dame. Vous verrez... Ah ! le seul menteur du Midi, s'il y en a un, c'est le soleil... Tout ce qu'il touche, il l'exagère !... Qu'est-ce que c'était que Sparte aux temps de sa splendeur ? Une bourgade... Qu'est-ce que c'était qu'Athènes ? Tout au plus une sous-préfecture... et pourtant dans l'Histoire elles nous apparaissent comme des villes énormes. Voilà ce que le soleil en a fait...

Vous étonnerez-vous après cela que le même soleil, tombant sur Tarascon, ait pu faire d'un ancien capitaine d'habillement comme Bravida, le brave commandant Bravida, d'un navet un baobab, et d'un homme qui avait failli aller à Shanghaï un homme qui y était allé ?

8

La ménagerie Mitaine. Un lion de l'Atlas à Tarascon. Terrible et solennelle entrevue

Et maintenant que nous avons montré Tartarin de Tarascon comme il était en son privé, avant que la gloire l'eût baisé au front et coiffé du laurier séculaire, maintenant que nous avons raconté cette vie héroïque dans un milieu modeste, ses joies, ses douleurs, ses rêves, ses espérances, hâtons-nous d'arriver aux grandes pages de son histoire et au singulier événement qui devait donner l'essor à cette incomparable destinée.

C'était un soir, chez l'armurier Costecalde. Tartarin de Tarascon était en train de démontrer à quelques amateurs le maniement du fusil à aiguille, alors dans toute sa nouveauté... Soudain la porte s'ouvre, et un chasseur de casquettes se précipite effaré dans la boutique, en criant : « Un lion !... un lion !... » Stupeur générale, effroi, tumulte, bousculade, Tartarin croise la baïonnette, Costecalde court fermer la porte. On entoure le chasseur, on l'interroge, on le presse, et voici ce qu'on apprend : la ménagerie Mitaine, revenant de la foire de Beaucaire, avait consenti à faire une halte de quelques jours à Tarascon et venait de s'installer sur la place du Château avec un tas de boas, de phoques, de crocodiles et un magnifique lion de l'Atlas.

Un lion de l'Atlas à Tarascon ! Jamais, de mémoire d'homme, pareille chose ne s'était vue. Aussi comme nos braves chasseurs de casquettes se regardaient fièrement ! quel rayonnement sur leurs mâles visages, et, dans tous les coins de la boutique Costecalde, quelles bonnes poignées de main silencieusement échangées ! L'émotion était si grande, si imprévue, que personne ne trouvait un mot à dire...

Pas même Tartarin. Pâle et frémissant, le fusil à aiguille encore entre les mains, il songeait debout devant le comptoir... Un lion de l'Atlas, là, tout près, à deux pas ! Un lion ! c'est-à-dire la bête héroïque et féroce par excellence, le roi des fauves, le gibier de ses rêves, quelque chose comme le premier sujet de cette troupe idéale qui lui jouait de si beaux drames dans son imagination...

Un lion, mille dieux !...

Et de l'Atlas encore !!! C'était plus que le grand Tartarin n'en pouvait supporter...

Tout à coup un paquet de sang lui monta au visage.

Ses yeux flambèrent. D'un geste convulsif il jeta le fusil à aiguille sur son épaule, et, se tournant vers le brave commandant Bravida, ancien capitaine d'habillement, il lui dit d'une voix de tonnerre : « Allons voir ça, commandant. »

« Hé ! bé... hé ! bé... Et mon fusil !... mon fusil à aiguille que vous emportez !... » hasarda timidement le prudent Costecalde ; mais Tartarin avait tourné la rue, et derrière lui tous les chasseurs de casquettes emboîtant fièrement le pas.

Quand ils arrivèrent à la ménagerie, il y avait déjà beaucoup de monde. Tarascon, race héroïque, mais trop longtemps privée de spectacle à sensations, s'était rué sur la baraque Mitaine et l'avait prise d'assaut. Aussi la grosse Mme Mitaine était bien contente... En costume kabyle, les bras nus jusqu'au coude, des bracelets de fer aux chevilles, une cravache dans une main, dans l'autre un poulet vivant, quoique plumé, l'illustre dame faisait les honneurs de la baraque aux Tarasconnais, et comme elle avait *doubles muscles*, elle aussi, son succès était presque aussi grand que celui de ses pensionnaires.

L'entrée de Tartarin, le fusil sur l'épaule, jeta un froid.

Tous ces braves Tarasconnais, qui se promenaient bien tranquillement devant les cages, sans armes, sans méfiance, sans même aucune idée de danger, eurent un mouvement de terreur assez naturel en voyant leur grand Tartarin entrer dans la baraque avec son formidable engin de guerre. Il y avait donc quelque chose à craindre, puisque lui, ce héros... En un clin d'œil, tout le devant des cages se trouva dégarni. Les enfants criaient de peur, les dames regardaient la porte. Le pharmacien Bézuquet s'esquiva, en disant qu'il allait chercher son fusil...

Peu à peu cependant, l'attitude de Tartarin rassura les courages. Calme, la tête haute, l'intrépide Tarasconnais fit lentement le tour de la baraque, passa sans s'arrêter devant la baignoire du phoque, regarda d'un œil dédaigneux la longue caisse pleine de son où le boa digérait son poulet cru, et vint enfin se planter devant la cage du lion...

Terrible et solennelle entrevue ! le lion de Tarascon et le lion de l'Atlas en face l'un de l'autre... D'un côté, Tartarin, debout, le jarret tendu, les deux bras appuyés sur son rifle ; de l'autre, le lion, un lion gigantesque, vautré dans la paille, l'œil clignotant, l'air abruti, avec son énorme mufle à perruque jaune posé sur les pattes de devant... Tous deux calmes et se regardant.

Chose singulière ! soit que le fusil à aiguille lui eût donné de l'humeur, soit qu'il eût flairé un ennemi de sa race, le lion, qui jusque-là avait regardé les Tarasconnais d'un air de souverain mépris en leur bâillant au nez à tous, le lion eut tout à coup un mouvement de colère. D'abord il renifla, gronda sourdement, écarta ses griffes, étira ses pattes ; puis il se leva, dressa la tête, secoua sa crinière, ouvrit une gueule immense et poussa vers Tartarin un formidable rugissement.

Un cri de terreur lui répondit. Tarascon, affolé, se précipita vers les portes. Tous, femmes, enfants, portefaix, chasseurs de casquettes, le brave commandant Bravida lui-même... Seul, Tartarin de Tarascon ne bougea pas... Il était là, ferme et résolu, devant la cage, des éclairs dans les yeux et cette terrible moue que toute la ville connaissait... Au bout d'un moment, quand les chasseurs de casquettes, un peu rassurés par son attitude et la solidité des barreaux, se rapprochèrent de leur chef, ils entendirent qu'il murmurait, en regardant le lion : « Ça, oui, c'est une chasse. »

Ce jour-là, Tartarin de Tarascon n'en dit pas davantage...

9

Singuliers effets du mirage

Ce jour-là, Tartarin de Tarascon n'en dit pas davantage ; mais le malheureux en avait déjà trop dit...

Le lendemain, il n'était bruit dans la ville que du prochain départ de Tartarin pour l'Algérie et la chasse aux lions. Vous êtes tous témoins, chers lecteurs, que le brave homme n'avait pas soufflé mot de cela ; mais vous savez, le mirage...

Bref, tout Tarascon ne parlait que de ce départ.

Sur le cours, au cercle, chez Costecalde, les gens s'abordaient d'un air effaré :

« Et autrement, vous savez la nouvelle, au moins ?

— Et autrement, quoi donc ?... Le départ de Tartarin, au moins ? »

Car à Tarascon toutes les phrases commencent par *et autrement*, qu'on prononce *autremain*, et finissent par *au moins*, qu'on prononce *au mouain*. Or, ce jour-là, plus que tous les autres, les *au mouain* et les *autremain* sonnaient à faire trembler les vitres.

L'homme le plus surpris de la ville, en apprenant qu'il allait partir pour l'Afrique, ce fut Tartarin. Mais voyez ce que c'est que la vanité ! Au lieu de répondre simplement qu'il ne partait pas du tout, qu'il n'avait jamais eu l'intention de partir, le pauvre Tartarin — la première fois qu'on lui parla de ce voyage — fit d'un petit air évasif : « Hé !... hé !... peut-être... je ne dis pas. » La seconde fois, un peu plus familiarisé avec cette idée, il répondit : « C'est probable. » La troisième fois : « C'est certain ! »

Enfin, le soir, au cercle et chez les Costecalde, entraîné par le punch aux œufs, les bravos, les lumières ; grisé par le succès que l'annonce de son départ avait eu dans la ville, le malheureux déclara formellement qu'il était las de chasser la casquette et qu'il allait, avant peu, se mettre à la poursuite des grands lions de l'Atlas..

Un hourra formidable accueillit cette déclaration. Là-dessus, nouveau punch aux œufs, poignées de main, accolades et sérénade aux flambeaux jusqu'à minuit devant la petite maison du baobab.

C'est Tartarin-Sancho qui n'était pas content ! Cette idée de voyage en Afrique et de chasse au lion lui donnait le frisson par avance ; et, en rentrant au logis, pendant que la sérénade d'honneur sonnait sous leurs fenêtres, il fit à Tartarin-Quichotte une scène effroyable, l'appelant toqué, visionnaire, imprudent, triple fou, lui détaillant par le menu toutes les catastrophes qui l'attendaient dans cette expédition, naufrages, rhumatismes, fièvres chaudes, dysenteries, peste noire, éléphantiasis, et le reste...

En vain Tartarin-Quichotte jurait-il de ne pas faire d'imprudences, qu'il se couvrirait bien, qu'il emporterait tout ce qu'il faudrait, Tartarin-Sancho ne voulait rien entendre. Le pauvre homme se voyait déjà déchiqueté par les lions, englouti dans les sables du désert comme feu Cambyse, et l'autre Tartarin ne parvint à l'apaiser un peu qu'en lui expliquant que ce n'était pas pour tout de suite, que rien ne pressait et qu'en fin de compte ils n'étaient pas encore partis.

Il est bien clair, en effet, que l'on ne s'embarque pas pour une expédition semblable sans prendre quelques précautions. Il faut savoir où l'on va, que diable ! et ne pas partir comme un oiseau...

Avant toutes choses, le Tarasconnais voulut lire les récits des grands touristes africains, les relations de Mungo-Park, de Caillé, du docteur Livingstone, d'Henri Duveyrier.

Là, il vit que ces intrépides voyageurs, avant de chausser leurs sandales pour les excursions lointaines, s'étaient préparés de longue main à supporter la faim, la soif, les marches forcées, les privations de toutes sortes. Tartarin voulut faire comme eux, et, à partir de ce jour-là, ne se nourrit plus que d'*eau bouillie*. — Ce qu'on appelle *eau bouillie*, à Tarascon, c'est quelques tranches de pain noyées dans de l'eau chaude, avec une gousse d'ail, un peu de thym, un brin de laurier. — Le régime était sévère, et vous pensez si le pauvre Sancho fit la grimace...

A l'entraînement par l'eau bouillie Tartarin de Tarascon joignit d'autres sages pratiques. Ainsi, pour prendre l'habitude des longues marches, il s'astreignit à faire chaque matin son tour de ville sept ou huit fois de suite, tantôt au pas accéléré, tantôt au pas gymnastique, les coudes au corps et deux petits cailloux blancs dans la bouche, selon la mode antique.

Puis, pour se faire aux fraîcheurs nocturnes, aux brouillards, à la rosée, il descendait tous les soirs dans son jardin et restait jusqu'à des dix et onze heures, seul avec son fusil, à l'affût derrière le baobab...

Enfin, tant que la ménagerie Mitaine resta à Tarascon, les chasseurs de casquettes attardés chez Costecalde purent voir dans l'ombre, en passant sur la place du Château, un homme mystérieux se promenant de long en large derrière la baraque.

C'était Tartarin de Tarascon, qui s'habituait à entendre sans frémir les rugissements du lion dans la nuit sombre.

10

Avant le départ

Pendant que Tartarin s'entraînait ainsi par toutes sortes de moyens héroïques, tout Tarascon avait les yeux sur lui ; on ne s'occupait plus d'autre chose. La chasse à la casquette ne battait plus que d'une aile, les romances chômaient. Dans la pharmacie Bézuquet, le piano languissait sous une housse verte, et les mouches cantharides séchaient dessus le ventre en l'air... L'expédition de Tartarin avait arrêté tout.

Il fallait voir le succès du Tarasconnais dans les salons. On se l'arrachait, on se le disputait, on se l'empruntait, on se le volait. Il n'y avait pas de plus grand honneur pour les dames que d'aller à la ménagerie Mitaine au bras de Tartarin, et de se faire expliquer devant la cage au lion comment on s'y prenait pour chasser ces grandes bêtes, où il fallait viser, à combien de pas, si les accidents étaient nombreux, etc., etc.

Tartarin donnait toutes les explications qu'on voulait. Il avait lu Jules Gérard et connaissait la chasse au lion sur le bout du doigt, comme s'il l'avait faite. Aussi parlait-il de ces choses avec une grande éloquence.

Mais où il était le plus beau, c'était le soir à dîner chez le président Ladevèze ou le brave commandant Bravida, ancien capitaine d'habillement, quand on apportait le café et que, toutes les chaises se rapprochant, on le faisait parler de ses chasses futures...

Alors, le coude sur la nappe, le nez dans son moka, le héros racontait d'une voix émue tous les dangers qui l'attendaient là-bas. Il disait les longs affûts sans lune, les marais pestilentiels, les rivières empoisonnées par la feuille du laurier-rose, les neiges, les soleils ardents, les scorpions, les pluies de sauterelles ; il disait aussi les mœurs des grands lions de l'Atlas, leur façon de combattre, leur vigueur phénoménale et leur férocité au temps du rut...

Puis, s'exaltant à son propre récit, il se levait de table, bondissait au milieu de la salle à manger, imitant le cri du lion, le bruit d'une carabine, pan ! pan ! le sifflement d'une balle explosive, pfft ! pfft ! gesticulait, rugissait, renversait les chaises...

Autour de la table, tout le monde était pâle. Les hommes se regardaient en hochant la tête, les dames fermaient les yeux avec de petits cris d'effroi, les vieillards brandissaient leurs longues cannes belliqueusement, et, dans la chambre à côté, les petits garçonnets qu'on couche de bonne heure, éveillés en sursaut par les rugissements et les coups de feu, avaient grand-peur et demandaient de la lumière.

En attendant, Tartarin ne partait pas.

11

*Des coups d'épée, messieurs, des coups d'épée !...
Mais pas de coups d'épingle !*

Avait-il bien réellement l'intention de partir ?... Question délicate, et à laquelle l'historien de Tartarin serait fort embarrassé de répondre.

Toujours est-il que la ménagerie Mitaine avait quitté Tarascon depuis plus de trois mois, et le tueur de lions ne bougeait pas.. Après tout, peut-être le candide héros, aveuglé par un nouveau mirage, se figurait-il de bonne foi qu'il était allé en Algérie. Peut-être qu'à force de raconter ses futures chasses, il s'imaginait les avoir faites, aussi sincèrement qu'il s'imaginait avoir hissé le drapeau consulaire et tiré sur les Tartares, pan ! pan ! à Shanghaï.

Malheureusement, si cette fois encore Tartarin de Tarascon fut victime du mirage, les Tarasconnais ne le furent pas. Lorsqu'au bout de trois mois d'attente, on s'aperçut que le chasseur n'avait pas encore fait une malle, on commença à murmurer.

« Ce sera comme pour Shanghaï ! » disait Costecalde en souriant. Et le mot de l'armurier fit fureur dans la ville ; car personne ne croyait plus en Tartarin.

Les naïfs, les poltrons, des gens comme Bézuquet, qu'une puce aurait mis en fuite et qui ne pouvaient pas tirer un coup de fusil sans fermer les yeux, ceux-là surtout étaient impitoyables. Au cercle, sur l'esplanade ils abordaient le pauvre Tartarin avec de petits airs goguenards.

« Et *autremain*, pour quand ce voyage ? »

Dans la boutique Costecalde, son opinion ne faisait plus foi. Les chasseurs de casquettes reniaient leur chef !

Puis les épigrammes s'en mêlèrent. Le président Ladevèze, qui faisait volontiers en ses heures de loisir deux doigts de cour à la muse provençale, composa dans la langue du cru une chanson qui eut beaucoup de succès. Il était question d'un certain grand chasseur appelé maître Gervais, dont le fusil redoutable devait exterminer jusqu'au dernier tous les lions d'Afrique. Par malheur ce diable de fusil était de complexion singulière : *on le chargeait toujours, il ne partait jamais.*

Il ne partait jamais ! vous comprenez l'allusion...

En un tour de main, cette chanson devint populaire et quand Tartarin passait, les portefaix du quai, les petits décrotteurs de devant sa porte chantaient en chœur :

Lou fùsioù de mestre Gervaï
Toujou lou cargon, toujou lou cargon,
Lou fùsioù de mestre Gervaï
Toujour lou cargon, part jamaï[1].

Seulement cela se chantait de loin, à cause des doubles muscles.

O fragilité des engouements de Tarascon !...

Le grand homme, lui, feignait de ne rien voir, de ne rien entendre ; mais au fond cette petite guerre sourde et venimeuse l'affligeait beaucoup ; il sentait Tarascon lui glisser dans la main, la faveur populaire aller à d'autres, et cela le faisait horriblement souffrir.

Ah ! la grande gamelle de la popularité, il fait bon s'asseoir devant, mais quel échaudement quand elle se renverse !...

En dépit de sa souffrance, Tartarin souriait et menait paisiblement sa même vie, comme si de rien n'était.

Quelquefois cependant ce masque de joyeuse insouciance, qu'il s'était par fierté collé sur le visage, se détachait subitement. Alors, au lieu du rire, on voyait l'indignation et la douleur...

C'est ainsi qu'un matin que les petits décrotteurs chantaient sous ses fenêtres : *Lou fùsioù de mestre Gervaï*, les voix de ces

1. Le fusil de maître Gervais / On le charge toujours, / Le fusil de maître Gervais / On le charge toujours, il ne part jamais.

misérables arrivèrent jusqu'à la chambre du pauvre grand homme en train de se raser devant sa glace. (Tartarin portait toute sa barbe, mais, comme elle venait trop forte, il était obligé de la surveiller.)

Tout à coup la fenêtre s'ouvrit violemment et Tartarin apparut en chemise, en serre-tête, barbouillé de bon savon blanc, brandissant son rasoir et sa savonnette, et criant d'une voix formidable :

« Des coups d'épée, messieurs, des coups d'épée !... Mais pas de coups d'épingle ! »

Belles paroles dignes de l'histoire, qui n'avaient que le tort de s'adresser à ces petits *fouchtras*, hauts comme leurs boîtes à cirage, et gentilshommes tout à fait incapables de tenir une épée !

12

De ce qui fut dit dans la petite maison du baobab

Au milieu de la défection générale, l'armée seule tenait bon pour Tartarin.

Le brave commandant Bravida, ancien capitaine d'habillement, continuait à lui marquer la même estime : « C'est un lapin ! » s'entêtait-il à dire, et cette affirmation valait bien, j'imagine, celle du pharmacien Bézuquet... Pas une fois le brave commandant n'avait fait allusion au voyage en Afrique ; pourtant, quand la clameur publique devint trop forte, il se décida à parler.

Un soir, le malheureux Tartarin était seul dans son cabinet, pensant à des choses tristes, quand il vit entrer le commandant, grave, ganté de noir, boutonné jusqu'aux oreilles.

« Tartarin », fit l'ancien capitaine avec autorité, « Tartarin, il faut partir ! » Et il restait debout dans l'encadrement de la porte — rigide et grand comme le devoir.

Tout ce qu'il y avait dans ce « Tartarin, il faut partir ! » Tartarin de Tarascon le comprit.

Très pâle, il se leva, regarda autour de lui d'un œil attendri ce joli cabinet, bien clos, plein de chaleur et de lumière douce, ce large fauteuil si commode, ses livres, son tapis, les grands stores blancs de ses fenêtres, derrière lesquels tremblaient les branches grêles du petit jardin ; puis, s'avançant vers le brave commandant, il lui prit la main, la serra avec énergie et, d'une voix où roulaient des larmes, stoïque cependant, il lui dit : « Je partirai, Bravida ! »

Et il partit comme il l'avait dit. Seulement pas encore tout de suite... il lui fallut le temps de s'outiller.

D'abord il commanda chez Bompard deux grandes malles doublées de cuivre, avec une longue plaque portant cette inscription :

TARTARIN DE TARASCON
CAISSE D'ARMES

Le doublage et la gravure prirent beaucoup de temps. Il commanda aussi chez Tastavin un magnifique album de voyage pour écrire son journal, ses impressions ; car enfin on a beau chasser le lion, on pense tout de même en route.

Puis il fit venir de Marseille toute une cargaison de conserves alimentaires, du pemmican en tablettes pour faire du bouillon, une tente-abri d'un nouveau modèle, se montant et se démontant à la minute, des bottes de marin, deux parapluies, un waterproof, des lunettes bleues pour prévenir les ophtalmies. Enfin le pharmacien Bézuquet lui confectionna une petite pharmacie portative bourrée de sparadrap, d'arnica, de camphre, de vinaigre des quatre-voleurs.

Pauvre Tartarin ! ce qu'il en faisait, ce n'était pas pour lui ; mais il espérait, à force de précautions et d'attentions délicates, apaiser la fureur de Tartarin-Sancho, qui, depuis que le départ était décidé, ne décolérait ni de jour ni de nuit.

13

Le départ

Enfin il arriva, le jour solennel, le grand jour.

Dès l'aube, tout Tarascon était sur pied, encombrant le chemin d'Avignon et les abords de la petite maison du baobab.

Du monde aux fenêtres, sur les toits, sur les arbres ; des mariniers du Rhône, des portefaix, des décrotteurs, des bourgeois, des ourdisseuses, des taffetassières, le cercle, enfin toute la ville ; puis aussi des gens de Beaucaire qui avaient passé le pont, des maraîchers de la banlieue, des charrettes à grandes bâches, des vignerons hissés sur de belles mules attifées de rubans, de flots, de grelots, de nœuds, de sonnettes, et même, de loin en loin, quelques jolies filles d'Arles venues en croupe de leur galant, le ruban d'azur autour de la tête, sur de petits chevaux de Camargue gris de fer.

Toute cette foule se pressait, se bousculait devant la porte de Tartarin, ce bon M. Tartarin, qui s'en allait tuer des lions chez les *Teurs*.

Pour Tarascon, l'Algérie, l'Afrique, la Grèce, la Perse, la Turquie, la Mésopotamie, tout cela forme un grand pays très vague, presque mythologique, et cela s'appelle les *Teurs* (les Turcs).

Au milieu de cette cohue, les chasseurs de casquettes allaient et venaient, fiers du triomphe de leur chef, et traçant sur leur passage comme des sillons glorieux.

Devant la maison du baobab, deux grandes brouettes. De temps en temps, la porte s'ouvrait, laissait voir quelques personnes qui se promenaient gravement dans le petit jardin. Des hommes apportaient des malles, des caisses, des sacs de nuit, qu'ils empilaient sur les brouettes.

A chaque nouveau colis, la foule frémissait. On se nommait les objets à haute voix. « Ça, c'est la tente-abri... Ça, ce sont les conserves... la pharmacie... les caisses d'armes... » Et les chasseurs de casquettes donnaient des explications.

Tout à coup, vers dix heures, il se fit un grand mouvement dans la foule. La porte du jardin tourna sur ses gonds violemment.

« C'est lui !... c'est lui !... » criait-on.

C'était lui...

Quand il parut sur le seuil, deux cris de stupeur partirent de la foule :

« C'est un *Teur* !... »

« Il a des lunettes ! »

Tartarin de Tarascon, en effet, avait cru de son devoir, allant en Algérie, de prendre le costume algérien. Large pantalon bouffant en toile blanche, petite veste collante à boutons de métal, deux pieds de ceinture rouge autour de l'estomac, le cou nu, le front rasé, sur sa tête une gigantesque *chéchia* (bonnet rouge) et un flot bleu d'une longueur !... Avec cela, deux lourds fusils, un sur chaque épaule, un grand couteau de chasse à la ceinture, sur le ventre une cartouchière, sur la hanche un revolver se balançant dans sa poche de cuir. C'est tout...

Ah ! pardon, j'oubliais les lunettes, une énorme paire de lunettes bleues qui venaient là bien à propos pour corriger ce qu'il y avait d'un peu trop farouche dans la tournure de notre héros !

« Vive Tartarin !... vive Tartarin ! » hurla le peuple. Le grand homme sourit, mais ne salua pas, à cause de ses fusils qui le gênaient. Du reste, il savait maintenant à quoi s'en tenir sur la faveur populaire ; peut-être même qu'au fond de son âme il maudissait ses terribles compatriotes, qui l'obligeaient à partir, à quitter son joli petit chez-lui aux murs blancs, aux persiennes vertes... Mais cela ne se voyait pas.

Calme et fier, quoique un peu pâle, il s'avança sur la chaussée, regarda ses brouettes, et, voyant que tout était bien, prit gaillardement le chemin de la gare, sans même se retourner une fois vers la maison du baobab. Derrière lui marchaient le brave commandant Bravida, ancien capitaine d'habillement, le président Ladevèze, puis l'armurier Costecalde et tous les chasseurs de casquettes, puis les brouettes, puis le peuple.

Devant l'embarcadère, le chef de gare l'attendait — un vieil Africain de 1830, qui lui serra la main plusieurs fois avec chaleur.

L'express Paris-Marseille n'était pas encore arrivé. Tartarin et son état-major entrèrent dans les salles d'attente. Pour éviter l'encombrement, derrière eux le chef de gare fit fermer les grilles.

Pendant un quart d'heure, Tartarin se promena de long en large dans les salles, au milieu des chasseurs de casquettes. Il leur parlait de son voyage, de sa chasse, promettant d'envoyer des peaux. On s'inscrivait sur son carnet pour une peau comme pour une contredanse.

Tranquille et doux comme Socrate au moment de boire la ciguë, l'intrépide Tarasconnais avait un mot pour chacun, un sourire pour tout le monde. Il parlait simplement, d'un air affable ; on aurait dit qu'avant de partir, il voulait laisser derrière lui comme une traînée de charme, de regrets, de bons souvenirs. D'entendre leur chef parler ainsi, tous les chasseurs de casquettes avaient des larmes, quelques-uns même des remords, comme le président Ladevèze et le pharmacien Bézuquet.

Des hommes d'équipe pleuraient dans des coins. Dehors, le peuple regardait à travers les grilles, et criait : « Vive Tartarin ! »

Enfin la cloche sonna. Un roulement sourd, un sifflet déchirant ébranla les voûtes... En voiture ! en voiture !

« Adieu, Tartarin !... adieu, Tartarin !...

— Adieu, tous !... » murmura le grand homme, et sur les joues du brave commandant Bravida il embrassa son cher Tarascon.

Puis il s'élança sur la voie, et monta dans un wagon plein de

Parisiennes, qui pensèrent mourir de peur en voyant arriver cet homme étrange avec tant de carabines et de revolvers.

14

Le port de Marseille. Embarque ! Embarque !

Le 1er décembre 186..., à l'heure de midi, par un soleil d'hiver provençal, un temps clair, luisant, splendide, les Marseillais effarés virent déboucher sur la Canebière un *Teur*, oh mais un *Teur* !... Jamais ils n'en avaient vu un comme celui-là ; et pourtant, Dieu sait s'il en manque à Marseille, des *Teurs !*

Le *Teur* en question — ai-je besoin de vous le dire ? — c'était Tartarin, le grand Tartarin de Tarascon, qui s'en allait le long des quais, suivi de ses caisses d'armes, de sa pharmacie, de ses conserves, rejoindre l'embarcadère de la compagnie Touache, et le paquebot le *Zouave*, qui devait l'emporter là-bas.

L'oreille encore pleine des applaudissements tarasconnais, grisé par la lumière du ciel, l'odeur de la mer, Tartarin rayonnant marchait, ses fusils sur l'épaule, la tête haute, regardant de tous ses yeux ce merveilleux port de Marseille qu'il voyait pour la première fois, et qui l'éblouissait... Le pauvre homme croyait rêver. Il lui semblait qu'il s'appelait Sinbad le Marin, et qu'il errait dans une de ces villes fantastiques comme il y en a dans les *Mille et Une Nuits.*

C'était à perte de vue un fouillis de mâts, de vergues, se croisant dans tous les sens. Pavillons de tous les pays, russes, grecs, suédois, tunisiens, américains... Les navires au ras du quai, les beauprés arrivant sur la berge comme des rangées de baïonnettes. Au-dessous les naïades, les déesses, les saintes vierges et autres sculptures de bois peint qui donnent le nom au vaisseau ; tout cela mangé par l'eau de mer, dévoré, ruisselant, moisi... De temps en temps, entre les navires, un morceau de mer, comme une grande moire tachée d'huile... Dans l'enchevêtrement des vergues, des nuées de mouettes faisant de jolies taches sur le ciel bleu, des mousses qui s'appelaient dans toutes les langues.

Sur le quai, au milieu des ruisseaux qui venaient des savonneries, verts, épais, noirâtres, chargés d'huile et de soude, tout un peuple de douaniers, de commissionnaires, de portefaix avec leurs *bogheys* attelés de petits chevaux corses.

Des magasins de confections bizarres, des baraques enfumées où les matelots faisaient leur cuisine, des marchands de pipes, des marchands de singes, de perroquets, de cordes, de toiles à voiles, des bric-à-brac fantastiques où s'étalaient pêle-mêle de vieilles couleuvrines, de grosses lanternes dorées, de vieux palans, de vieilles ancres édentées, vieux cordages, vieilles poulies, vieux porte-voix, lunettes marines du temps de Jean Bart et de Duguay-Trouin. Des vendeuses de moules et de clovisses accroupies et piaillant à côté de leurs coquillages. Des matelots passant avec des pots de goudron, des marmites fumantes, de grands paniers pleins de poulpes qu'ils allaient laver dans l'eau blanchâtre des fontaines.

Partout, un encombrement prodigieux de marchandises de toute espèce ; soieries, minerais, trains de bois, saumons de plomb, draps, sucres, caroubes, colzas, réglisses, cannes à sucre. L'Orient et l'Occident pêle-mêle. De grands tas de fromages de Hollande que les Génoises teignaient en rouge avec leurs mains.

Là-bas, le quai au blé ; les portefaix déchargeant leurs sacs sur la berge du haut de grands échafaudages. Le blé, torrent d'or, qui roulait au milieu d'une fumée blonde. Des hommes en fez rouge, le criblant à mesure dans de grands tamis de peau d'âne, et le chargeant sur des charrettes qui s'éloignaient suivies d'un régiment de femmes et d'enfants avec des balayettes et des paniers à glanes... Plus loin, le bassin de carénage, les grands vaisseaux couchés sur le flanc et qu'on flambait avec des broussailles pour les débarrasser des herbes de la mer, les vergues trempant dans l'eau, l'odeur de la résine, le bruit assourdissant des charpentiers doublant la coque des navires avec de grandes plaques de cuivre.

Parfois entre les mâts, une éclaircie. Alors Tartarin voyait l'entrée du port, le grand va-et-vient des navires, une frégate anglaise partant pour Malte, pimpante et bien lavée, avec des officiers en gants jaunes, ou bien un grand brick marseillais démarrant au milieu des cris, des jurons, et à l'arrière un gros capitaine en redingote et chapeau de soie, commandant la manœuvre en provençal. Des navires qui s'en allaient en courant, toutes voiles dehors. D'autres là-bas, bien loin, qui arrivaient lentement, dans le soleil, comme en l'air.

Et puis tout le temps un tapage effroyable, roulement de charrettes, « oh ! hisse » des matelots, jurons, chants, sifflets de bateaux à vapeur, les tambours et les clairons du fort Saint-Jean, du fort Saint-Nicolas, les cloches de la Major, des Accoules, de Saint-Victor ; par là-dessus le mistral qui prenait tous ces bruits, toutes ces clameurs, les roulait, les secouait, les confondait avec sa propre voix et en faisait une musique folle, sauvage, héroïque comme la grande fanfare du voyage, fanfare qui donnait envie de partir, d'aller loin, d'avoir des ailes.

C'est au son de cette belle fanfare que l'intrépide Tartarin de Tarascon s'embarqua pour le pays des lions !...

DEUXIÈME ÉPISODE

CHEZ LES TEURS

1

La traversée. Les cinq positions de la chéchia. Le soir du troisième jour. Miséricorde

Je voudrais, mes chers lecteurs, être peintre et grand peintre pour mettre sous vos yeux, en tête de ce second épisode, les différentes positions que prit la *chéchia* (bonnet rouge) de Tartarin de Tarascon, dans ces trois jours de traversée qu'elle fit à bord du *Zouave,* entre la France et l'Algérie.

Je vous la montrerais d'abord au départ sur le pont, héroïque et superbe comme elle était, auréolant cette belle tête tarasconnaise. Je vous la montrerais ensuite à la sortie du port, quand le *Zouave* commence à caracoler sur les lames ; je vous la montrerais frémissante, étonnée, et comme sentant déjà les premières atteintes de son mal.

Puis, dans le golfe du Lion, à mesure qu'on avance au large et que la mer devient plus dure, je vous la ferais voir aux prises avec la tempête, se dressant effarée sur le crâne du héros, et son grand flot de laine bleue qui se hérisse dans la brume de mer et la bourrasque... Quatrième position. Six heures du soir, en vue des côtes corses. L'infortunée *chéchia* se penche par-dessus le bastingage et lamentablement regarde et sonde la mer... Enfin, cinquième et dernière position, au fond d'une étroite cabine, dans un petit lit qui a l'air d'un tiroir de commode, quelque chose d'informe et de désolé roule en geignant sur l'oreiller. C'est la *chéchia,* l'héroïque *chéchia* du départ, réduite maintenant au vulgaire état de casque à mèche et s'enfonçant jusqu'aux oreilles d'une tête de malade blême et convulsionnée...

Ah ! si les Tarasconnais avaient pu voir leur grand Tartarin couché dans son tiroir de commode sous le jour blafard et triste qui tombait des hublots, parmi cette odeur fade de cuisine et de bois mouillé, l'écœurante odeur du paquebot ; s'ils l'avaient entendu râler à chaque battement de l'hélice, demander du thé toutes les cinq minutes et jurer contre le garçon avec une petite voix d'enfant, comme ils s'en seraient voulu de l'avoir obligé à partir... Ma parole d'historien ! le pauvre *Teur* faisait pitié. Surpris tout à coup par le mal, l'infortuné n'avait pas eu le courage de desserrer sa ceinture algérienne, ni de se défubler de son arsenal. Le couteau de chasse à gros manche lui cassait la poitrine, le cuir de son revolver lui meurtrissait les jambes. Pour l'achever, les bougonnements de Tartarin-Sancho, qui ne cessait de geindre et de pester :

« Imbécile, va !... Je te l'avais bien dit !... Ah ! tu as voulu aller en Afrique... Eh bien, té ! la voilà l'Afrique... Comment la trouves-tu ? »

Ce qu'il y avait de plus cruel, c'est que du fond de sa cabine et de ses gémissements, le malheureux entendait les passagers du grand salon rire, manger, chanter, jouer aux cartes. La société était aussi joyeuse que nombreuse à bord du *Zouave.* Des officiers qui rejoignaient leurs corps, des dames de l'*Alcazar* de Marseille, des cabotins, un riche musulman qui revenait de La Mecque, un prince monténégrin très farceur qui faisait des imitations de Ravel et de Gil Pérès... Pas un de ces gens-là n'avait le mal de mer, et leur temps se passait à boire du champagne avec le capitaine du *Zouave,* un bon gros vivant de Marseillais, qui avait ménage à Alger et à Marseille, et répondait au joyeux nom de Barbassou.

Tartarin de Tarascon en voulait à tous ces misérables. Leur gaieté redoublait son mal...

Enfin, dans l'après-midi du troisième jour, il se fit à bord du navire un mouvement extraordinaire qui tira notre héros de sa longue torpeur. La cloche de l'avant sonnait. On entendait les grosses bottes des matelots courir sur le pont.

« Machine en avant !... machine en arrière ! » criait la voix enrouée du capitaine Barbassou.

Puis : « Machine, stop ! » Un grand arrêt, une secousse, et plus rien... Rien que le paquebot se balançant silencieusement de droite à gauche, comme un ballon dans l'air...

Cet étrange silence épouvanta le Tarasconnais.

« Miséricorde ! nous sombrons !... » cria-t-il d'une voix terrible, et, retrouvant ses forces par magie, il bondit de sa couchette, et se précipita sur le pont avec son arsenal.

2

Aux armes ! Aux armes !

On ne sombrait pas, on arrivait.

Le *Zouave* venait d'entrer dans la rade, une belle rade aux eaux noires et profondes, mais silencieuse, morne, presque déserte. En face, sur une colline, Alger-la-Blanche avec ses petites maisons d'un blanc mat qui descendent vers la mer, serrées les unes contre les autres. Un étalage de blanchisseuse sur le coteau de Meudon. Par là-dessus un grand ciel de satin bleu, oh ! mais si bleu !...

L'illustre Tartarin, un peu remis de sa frayeur, regardait le paysage, en écoutant avec respect le prince monténégrin, qui, debout à ses côtés, lui nommait les différents quartiers de la ville, la Casbah, la ville haute, la rue Bab-Azoun. Très bien élevé, ce prince monténégrin ; de plus, connaissant à fond l'Algérie et parlant l'arabe couramment. Aussi Tartarin se proposait-il de cultiver sa connaissance... Tout à coup, le long du bastingage, contre lequel ils étaient appuyés, le Tarasconnais aperçoit une rangée de grosses mains noires qui se cramponnaient par-dehors. Presque aussitôt une tête de nègre toute crépue apparaît devant lui, et, avant qu'il ait eu le temps d'ouvrir la bouche, le pont se trouve envahi de tous côtés par une centaine de forbans, noirs, jaunes, à moitié nus, hideux, terribles.

Ces forbans-là, Tartarin les connaissait... C'était eux, c'est-à-dire *ils,* ces fameux *ils* qu'il avait si souvent cherchés la nuit dans les rues de Tarascon. Enfin *ils* se décidaient donc à venir.

... D'abord la surprise le cloua sur place. Mais quand il vit les forbans se précipiter sur les bagages, arracher la bâche qui les recouvrait, commencer enfin le pillage du navire, alors le héros se réveilla, et dégainant son couteau de chasse : « Aux armes, aux armes ! » cria-t-il aux voyageurs, et le premier de tous, il fondit sur les pirates

« *Quès aco* ? Qu'est-ce qu'il y a ? Qu'est-ce que vous avez ? fit le capitaine Barbassou qui sortait de l'entrepont.

— Ah ! vous voilà, capitaine !... vite, vite, armez vos hommes.

— Hé ! pourquoi faire, *boun Diou ?*

— Mais vous ne voyez donc pas ?...

— Quoi donc ?...

— Là... devant vous... les pirates... »

Le capitaine Barbassou le regardait tout ahuri. A ce moment, un grand diable de nègre passait devant eux, en courant, avec la pharmacie du héros sur son dos :

« Misérable !... attends-moi !... » hurla le Tarasconnais ; et il s'élança, la dague en avant.

Barbassou le rattrapa au vol, et, le retenant par sa ceinture :

« Mais restez donc tranquille, tron de ler ! Ce ne sont pas des pirates... Il y a longtemps qu'il n'y en a plus de pirates... Ce sont des portefaix.

— Des portefaix !...

— Hé ! oui, des portefaix, qui viennent chercher les bagages pour les porter à terre... Rengainez donc votre coutelas, donnez-moi votre billet, et marchez derrière ce nègre, un brave garçon, qui va vous conduire à terre, et même jusqu'à l'hôtel, si vous le désirez !... »

Un peu confus, Tartarin donna son billet, et, se mettant à la suite du nègre, descendit par le tire-vieille dans une grosse barque qui dansait le long du navire. Tous ses bagages y étaient déjà, ses malles, caisses d'armes, conserves alimentaires ; comme ils tenaient toute la barque, on n'eut pas besoin d'attendre d'autres voyageurs. Le nègre grimpa sur les malles et s'y accroupit comme un singe, les genoux dans ses mains. Un autre nègre prit les rames... Tous deux regardaient Tartarin en riant et montrant leurs dents blanches.

Debout à l'arrière, avec cette terrible moue qui faisait la terreur de ses compatriotes, le grand Tarasconnais tourmentait fiévreusement le manche de son coutelas ; car, malgré ce qu'avait pu lui dire Barbassou, il n'était qu'à moitié rassuré sur les intentions de ces portefaix à peau d'ébène, qui ressemblaient si peu aux braves portefaix de Tarascon...

Cinq minutes après, la barque arrivait à terre, et Tartarin posait le pied sur ce petit quai barbaresque, où, trois cents ans auparavant, un galérien espagnol nommé Michel Cervantès préparait — sous le bâton de la chiourme algérienne — un sublime roman qui devait s'appeler *Don Quichotte* !

3

Invocation à Cervantès. Débarquement. Où sont les Teurs ? Pas de Teurs. Désillusion

O Michel Cervantès Saavedra, si ce qu'on dit est vrai, qu'aux lieux où les grands hommes ont habité, quelque chose d'eux-mêmes erre et flotte dans l'air jusqu'à la fin des âges, ce qui restait de toi sur la plage barbaresque dut tressaillir de joie en voyant débarquer Tartarin de Tarascon, ce type merveilleux du Français du Midi en qui s'étaient incarnés les deux héros de ton livre, Don Quichotte et Sancho Pança...

L'air était chaud ce jour-là. Sur le quai ruisselant de soleil, cinq ou six douaniers, des Algériens attendant des nouvelles de France, quelques Maures accroupis qui fumaient leurs longues pipes, des matelots maltais ramenant de grands filets où des milliers de sardines luisaient entre les mailles comme de petites pièces d'argent.

Mais à peine Tartarin eut-il mis pied à terre, le quai s'anima, changea d'aspect. Une bande de sauvages, encore plus hideux que les forbans du bateau, se dressa d'entre les cailloux de la berge et se rua sur le débarquant. Grands Arabes tout nus sous des couvertures de laine, petits Maures en guenilles, Nègres, Tunisiens, Mahonnais, M'zabites, garçons d'hôtel en tablier blanc, tous criant, hurlant, s'accrochant à ses habits, se disputant ses bagages, l'un emportant ses conserves, l'autre sa pharmacie, et, dans un charabia fantastique, lui jetant à la tête des noms d'hôtel invraisemblables...

Etourdi de tout ce tumulte, le pauvre Tartarin allait, venait, pestait, jurait, se démenait, courait après ses bagages, et, ne sachant comment se faire comprendre de ces barbares, les haranguait en français, en provençal, et même en latin, du latin de Pourceaugnac, *rosa, la rose, bonus, bona, bonum,* tout ce qu'il savait... Peine perdue. On ne l'écoutait pas... Heureusement qu'un petit homme, vêtu d'une tunique à collet jaune, et armé d'une longue canne de compagnon, intervint comme un dieu d'Homère dans la mêlée, et dispersa toute cette racaille à coups de bâton. C'était un sergent de ville algérien. Très poliment, il engagea Tartarin à descendre à l'hôtel de l'Europe, et le confia à des garçons de l'endroit qui l'emmenèrent, lui et ses bagages, en plusieurs brouettes.

Aux premiers pas qu'il fit dans Alger, Tartarin de Tarascon ouvrit de grands yeux. D'avance, il s'était figuré une ville orientale, féerique, mythologique, quelque chose tenant le milieu entre Constantinople et Zanzibar... Il tombait en plein Tarascon... Des cafés, des restaurants, de larges rues, des maisons à quatre étages, une petite place macadamisée où des musiciens de la ligne jouaient des polkas d'Offenbach, des messieurs sur des chaises buvant de la bière avec des échaudés, des dames, quelques lorettes, et puis des militaires... et pas un *Teur !...* Il n'y avait que lui... Aussi, pour traverser la place, se trouva-t-il un peu gêné. Tout le monde le regardait. Les musiciens de la ligne s'arrêtèrent, et la polka d'Offenbach resta un pied en l'air.

Les deux fusils sur l'épaule, le revolver sur la hanche, farouche et majestueux comme Robinson Crusoé, Tartarin passa gravement au milieu de tous les groupes ; mais en arrivant à l'hôtel ses forces l'abandonnèrent. Le départ de Tarascon, le port de Marseille, la traversée, le prince monténégrin, les pirates, tout se brouillait et roulait dans sa tête... Il fallut le monter à sa chambre, le désarmer, le déshabiller... Déjà même on parlait d'envoyer chercher un médecin ; mais, à peine sur l'oreiller, le héros se mit à ronfler si haut et de si bon cœur, que l'hôtelier jugea les secours de la science inutiles, et tout le monde se retira discrètement.

4

Le premier affût

Trois heures sonnaient à l'horloge du Gouvernement, quand Tartarin se réveilla. Il avait dormi toute la soirée, toute la nuit, toute la matinée, et même un bon morceau de l'après-midi ; il faut dire aussi que depuis trois jours la *chéchia* en avait vu de rudes !...

La première pensée du héros, en ouvrant les yeux, fut celle-ci : « Je suis dans le pays du lion ! » Pourquoi ne pas le dire ? A cette idée que les lions étaient là tout près, à deux pas, et presque sous la main, et qu'il allait falloir en découdre, brr !... un froid mortel le saisit, et il se fourra intrépidement sous sa couverture.

Mais, au bout d'un moment, la gaieté du dehors, le ciel si bleu, le grand soleil qui ruisselait dans la chambre, un bon petit déjeuner qu'il se fit servir au lit, sa fenêtre grande ouverte sur la mer, le tout arrosé d'un excellent flacon de vin de Crescia, lui rendit bien vite son ancien héroïsme. « Au lion ! au lion ! » cria-t-il en rejetant sa couverture, et il s'habilla prestement.

Voici quel était son plan : sortir de la ville sans rien dire à personne, se jeter en plein désert, attendre la nuit, s'embusquer, et, au premier lion qui passerait, pan ! pan !... Puis revenir le lendemain déjeuner à l'hôtel de l'Europe, recevoir les félicitations des Algériens et fréter une charrette pour aller chercher l'animal.

Il s'arma donc à la hâte, roula sur son dos la tente-abri dont le gros manche montait d'un bon pied au-dessus de sa tête, et raide comme un pieu, descendit dans la rue. Là, ne voulant demander sa route à personne de peur de donner l'éveil sur ses projets, il tourna carrément à droite, enfila jusqu'au bout les arcades Bab-Azoun, où du fond de leurs noires boutiques des nuées de juifs algériens le regardaient passer, embusqués dans un coin comme des araignées ; traversa la place du Théâtre, prit le faubourg et enfin la grande route poudreuse de Mustapha.

Il y avait sur cette route un encombrement fantastique. Omnibus, fiacres, corricolos, des fourgons du train, de grandes charrettes de foin traînées par des bœufs, des escadrons de chasseurs d'Afrique, des troupeaux de petits ânes microscopiques, des négresses qui vendaient des galettes, des voitures d'Alsaciens émigrants, des spahis en manteaux rouges, tout cela défilant dans un tourbillon de poussière, au milieu des cris, des chants, des trompettes, entre deux haies de méchantes baraques où l'on voyait de grandes Mahonnaises se peignant devant leurs portes, des cabarets pleins de soldats, des boutiques de bouchers, d'équarrisseurs...

« Qu'est-ce qu'ils me chantent donc avec leur Orient ? pensait le grand Tartarin ; il n'y a pas même tant de *Teurs* qu'à Marseille. »

Tout à coup, il vit passer près de lui, allongeant ses grandes jambes et rengorgé comme un dindon, un superbe chameau. Cela lui fit battre le cœur.

Des chameaux déjà ! Les lions ne devaient pas être loin ; et, en effet, au bout de cinq minutes, il vit arriver vers lui, le fusil sur l'épaule, toute une troupe de chasseurs de lions.

« Les lâches ! » se dit notre héros en passant à côté d'eux, « les lâches ! Aller au lion par bandes, et avec des chiens !... » Car il ne se serait jamais imaginé qu'en Algérie on pût chasser autre chose que des lions. Pourtant ces chasseurs avaient de si bonnes figures de commerçants retirés, et puis cette façon de chasser le lion avec des chiens et des carnassières était si patriarcale, que le Tarasconnais, un peu intrigué, crut devoir aborder un de ces messieurs.

« Et autrement, camarade, bonne chasse ?

— Pas mauvaise, répondit l'autre en regardant d'un œil effaré l'armement considérable du guerrier de Tarascon.

— Vous avez tué ?

— Mais oui... pas mal... voyez plutôt. »

Et le chasseur algérien montrait sa carnassière, toute gonflée de lapins et de bécasses.

« Comment ça ! votre carnassière ?... Vous les mettez dans votre carnassière ?

— Où voulez-vous donc que je les mette ?

— Mais alors, c'est... c'est des tout petits...

— Des petits et puis des gros », fit le chasseur. Et comme il était pressé de rentrer chez lui, il rejoignait ses camarades à grandes enjambées...

L'intrépide Tartarin en resta planté de stupeur au milieu de la route. Puis, après un moment de réflexion : « Bah ! se dit-il, ce sont des blagueurs... Ils n'ont rien tué du tout... » et il continua son chemin.

Déjà les maisons se faisaient plus rares, les passants aussi. La nuit tombait, les objets devenaient confus... Tartarin de Tarascon marcha encore une demi-heure. A la fin il s'arrêta... C'était tout à fait nuit. Nuit sans lune, criblée d'étoiles. Personne sur la route... Malgré tout, le héros pensa que les lions n'étaient pas des diligences et ne devaient pas volontiers suivre le grand chemin. Il se jeta à travers champs... A chaque pas des fossés, des ronces, des broussailles. N'importe ! il marchait toujours... Puis tout à coup, halte ! « Il y a du lion dans l'air, par ici », se dit notre homme, et il renifla fortement de droite et de gauche.

5

Pan ! Pan !

C'était un grand désert sauvage, tout hérissé de plantes bizarres, de ces plantes d'Orient qui ont l'air de bêtes méchantes. Sous le jour discret des étoiles, leur ombre agrandie s'étirait par terre en tous sens. A droite, la masse confuse et lourde d'une montagne, l'Atlas peut-être !... A gauche, la mer invisible, qui roulait sourdement... Un vrai gîte à tenter les fauves.

Un fusil devant lui, un autre dans les mains, Tartarin de Tarascon mit un genou en terre et attendit... Il attendit une heure, deux heures... Rien !...

Alors il se souvint que, dans ses livres, les grands tueurs de lions n'allaient jamais à la chasse sans emmener un petit chevreau qu'ils attachaient à quelques pas devant eux et qu'ils faisaient crier en lui tirant la patte avec une ficelle. N'ayant pas de chevreau, le Tarasconnais eut l'idée d'essayer des imitations, et se mit à bêler d'une voix chevrotante : « Mé ! Mé !... »

D'abord très doucement, parce qu'au fond de l'âme il avait tout de même un peu peur que le lion l'entendît... puis, voyant que rien ne venait, il bêla plus fort : « Mê !... Mê !... » Rien encore !... Impatienté, il reprit de plus belle et plusieurs fois de suite : « Mê !... Mê !... Mê !... » avec tant de puissance que ce chevreau finissait par avoir l'air d'un bœuf...

Tout à coup, à quelques pas devant lui, quelque chose de noir et de gigantesque s'abattit. Il se tut... Cela se baissait, flairait la terre, bondissait, se roulait, partait au galop, puis revenait et s'arrêtait net... c'était le lion, à n'en pas douter !... Maintenant on voyait très bien ses quatre pattes courtes, sa formidable encolure, et deux yeux, deux grands yeux qui luisaient dans l'ombre... En joue ! feu ! pan ! pan !... C'était fait. Puis tout de suite un bondissement en arrière, et le coutelas de chasse au poing.

Au coup de feu du Tarasconnais, un hurlement terrible répondit.

« Il en a ! » cria le bon Tartarin, et, ramassé sur ses fortes jambes, il se préparait à recevoir la bête ; mais elle en avait plus que son compte et s'enfuit au triple galop en hurlant... Lui pourtant ne bougea pas. Il attendait la femelle... toujours comme dans ses livres !

Par malheur la femelle ne vint pas. Au bout de deux ou trois heures d'attente, le Tarasconnais se lassa. La terre était humide, la nuit devenait fraîche, la bise de mer piquait.

« Si je faisais un somme en attendant le jour ? » se dit-il, et, pour éviter les rhumatismes, il eut recours à la tente-abri... Mais voilà le diable ! cette tente-abri était d'un système si ingénieux, si ingénieux, qu'il ne put jamais venir à bout de l'ouvrir.

Il eut beau s'escrimer et suer pendant une heure, la damnée tente ne s'ouvrit pas... Il y a des parapluies qui, par des pluies torrentielles, s'amusent à vous jouer de ces tours-là... De guerre lasse, le Tarasconnais jeta l'ustensile par terre, et se coucha dessus, en jurant comme un vrai Provençal qu'il était.

« Ta, ta, ra, ta Tarata !... »

« Quès aco ?... » fit Tartarin, s'éveillant en sursaut.

C'étaient les clairons des chasseurs d'Afrique qui sonnaient la diane, dans les casernes de Mustapha... Le tueur de lions, stupéfait, se frotta les yeux... Lui qui se croyait en plein désert !... Savez-vous où il était ?... Dans un carré d'artichauts, entre un plant de choux-fleurs et un plant de betteraves.

Son Sahara avait des légumes... Tout près de lui, sur la jolie côte verte de Mustapha supérieur, des villas algériennes, toutes blanches, luisaient dans la rosée du jour levant : on se serait cru aux environs de Marseille, au milieu des *bastides* et des *bastidons*.

La physionomie bourgeoise et potagère de ce paysage endormi étonna beaucoup le pauvre homme, et le mit de fort méchante humeur.

« Ces gens-là sont fous, se disait-il, de planter leurs artichauts dans le voisinage du lion... car enfin, je n'ai pas rêvé... Les lions viennent jusqu'ici... En voilà la preuve... »

La preuve, c'étaient des taches de sang que la bête en fuyant avait laissées derrière elle. Penché sur cette piste sanglante, l'œil aux aguets, le revolver au poing, le vaillant Tarasconnais arriva, d'artichaut en artichaut, jusqu'à un petit champ d'avoine... De l'herbe foulée, une mare de sang, et, au milieu de la mare, couché sur le flanc avec une large plaie à la tête, un... Devinez quoi !...

« Un lion, parbleu !... »

Non ! un âne, un de ces tout petits ânes qui sont si communs en Algérie et qu'on désigne là-bas sous le nom de *bourriquots*.

6

Arrivée de la femelle. Terrible combat. Le rendez-vous des lapins

Le premier mouvement de Tartarin à l'aspect de sa malheureuse victime fut un mouvement de dépit. Il y a si loin en effet d'un lion à un *bourriquot* !... Son second mouvement fut tout à la pitié. Le pauvre bourriquot était si joli ; il avait l'air si bon ! La peau de ses flancs, encore chaude, allait et venait comme une vague. Tartarin s'agenouilla, et du bout de sa ceinture algérienne essaya d'étancher le sang de la malheureuse bête ; et ce grand homme soignant ce petit âne, c'était tout ce que vous pouvez imaginer de plus touchant.

Au contact soyeux de la ceinture, le bourriquot, qui avait encore pour deux liards de vie, ouvrit son grand œil gris, remua deux ou trois fois ses longues oreilles comme pour dire : « Merci !... merci... » Puis une dernière convulsion l'agita de tête en queue et il ne bougea plus.

« Noiraud ! Noiraud ! » cria tout à coup une voix étranglée par l'angoisse. En même temps dans un taillis voisin les branches remuèrent... Tartarin n'eut que le temps de se relever et de se mettre en garde... C'était la femelle !

Elle arriva, terrible et rugissante, sous les traits d'une vieille Alsacienne en marmotte, armée d'un grand parapluie rouge et réclamant son âne à tous les échos de Mustapha. Certes il aurait mieux valu pour Tartarin avoir affaire à une lionne en furie qu'à cette méchante vieille... Vainement le malheureux essaya de lui faire entendre comment la chose s'était passée ; qu'il avait pris Noiraud pour un lion... La vieille crut qu'on voulait se moquer d'elle, et poussant d'énergiques « tarteifle ! » tomba sur le héros à coups de parapluie. Tartarin, un peu confus, se défendait de son mieux, parait les coups avec sa carabine, suait, soufflait, bondissait, criait : « Mais madame... mais madame... »

Va te promener ! Madame était sourde, et sa vigueur le prouvait bien.

Heureusement un troisième personnage arriva sur le champ de bataille. C'était le mari de l'Alsacienne, Alsacien lui-même et cabaretier, de plus, fort bon comptable. Quand il vit à qui il avait affaire, et que l'assassin ne demandait qu'à payer le prix de la victime, il désarma son épouse et l'on s'entendit.

Tartarin donna deux cents francs ; l'âne en valait bien dix. C'est le prix des *bourriquots* sur les marchés arabes. Puis on enterra le pauvre Noiraud au pied d'un figuier, et l'Alsacien, mis en bonne humeur par la couleur des douros tarasconnais, invita le héros à venir rompre une croûte à son cabaret, qui se trouvait à quelques pas de là, sur le bord de la grande route.

Les chasseurs algériens venaient y déjeuner tous les dimanches, car la plaine était giboyeuse et à deux lieues autour de la ville il n'y avait pas de meilleur endroit pour les lapins.

« Et les lions ? » demanda Tartarin.

L'Alsacien le regarda, très étonné :

« Les lions ?

— Oui... les lions... en voyez-vous quelquefois ? » reprit le pauvre homme avec un peu moins d'assurance.

Le cabaretier éclata de rire.

« Ah ! ben ! merci... Des lions... pour quoi faire ?...

— Il n'y en a donc pas en Algérie ?...

— Ma foi ! je n'en ai jamais vu... Et pourtant voilà vingt ans que j'habite la province. Cependant je crois bien avoir entendu dire... Il me semble que les journaux... Mais c'est beaucoup plus loin, là-bas, dans le Sud... »

A ce moment, ils arrivaient au cabaret. Un cabaret de banlieue, comme on en voit à Vanves ou à Pantin, avec un rameau tout fané au-dessus de la porte, des queues de billard peintes sur les murs et cette enseigne inoffensive :

AU RENDEZ-VOUS DES LAPINS

Le Rendez-Vous des Lapins !... O Bravida, quel souvenir !

7

Histoire d'un omnibus, d'une Mauresque et d'un chapelet de fleurs de jasmin

Cette première aventure aurait eu de quoi décourager bien des gens ; mais les hommes trempés comme Tartarin ne se laissent pas facilement abattre.

« Les lions sont dans le Sud, pensa le héros ; eh bien ! j'irai dans le Sud. »

Et dès qu'il eut avalé son dernier morceau, il se leva, remercia son hôte, embrassa la vieille sans rancune, versa une dernière larme sur l'infortuné Noiraud, et retourna bien vite à Alger avec la ferme intention de boucler ses malles et de partir le jour même pour le Sud.

Malheureusement la grande route de Mustapha semblait s'être allongée depuis la veille : il faisait un soleil, une poussière ! La tente-abri était d'un lourd !... Tartarin ne se sentit pas le courage d'aller à pied jusqu'à la ville, et le premier omnibus qui passa, il fit signe et monta dedans...

Ah ! pauvre Tartarin de Tarascon ! Combien il aurait mieux fait pour son nom, pour sa gloire, de ne pas entrer dans cette fatale guimbarde et de continuer pédestrement sa route, au risque de tomber asphyxié sous le poids de l'atmosphère, de la tente-abri et de ses lourds fusils rayés à doubles canons...

Tartarin étant monté, l'omnibus fut complet. Il y avait au fond, le nez dans son bréviaire, un vicaire d'Alger à grande barbe noire. En face, un jeune marchand maure, qui fumait de grosses cigarettes. Puis, un matelot maltais, et quatre ou cinq Mauresques masquées de linges blancs, et dont on ne pouvait voir que les yeux. Ces dames venaient de faire leurs dévotions au cimetière d'Abd-el-Kader ; mais cette vision funèbre ne semblait pas les avoir attristées. On les entendait rire et jacasser entre elles sous leurs masques, en croquant des pâtisseries.

Tartarin crut s'apercevoir qu'elles le regardaient beaucoup. Une surtout, celle qui était assise en face de lui, avait planté son regard dans le sien, et ne le retira pas de toute la route. Quoique la dame fût voilée, la vivacité de ce grand œil noir allongé par le khôl, un poignet délicieux et fin chargé de bracelets d'or qu'on entrevoyait de temps en temps entre les voiles, tout, le son de la voix, les mouvements gracieux, presque enfantins de la tête, disait qu'il y avait là-dessous quelque chose de jeune, de joli, d'adorable... Le malheureux Tartarin ne savait où se fourrer. La caresse muette de ces beaux yeux d'Orient le troublait, l'agitait, le faisait mourir ; il avait chaud, il avait froid...

Pour l'achever, la pantoufle de la dame s'en mêla : sur ses grosses bottes de chasse, il la sentait courir, cette mignonne pantoufle, courir et frétiller comme une petite souris rouge... Que faire ? Répondre à ce regard, à cette pression ! Oui, mais les conséquences... Une intrigue d'amour en Orient, c'est quelque chose de terrible !... Et avec son imagination romanesque et méridionale, le brave Tarasconnais se voyait déjà tombant aux mains des eunuques, décapité, mieux que cela peut-être, cousu dans un sac de cuir, et roulant sur la mer, sa tête à côté de lui. Cela le refroidissait un peu... En attendant, la petite pantoufle continuait son manège, et les yeux d'en face s'ouvraient tout grands vers lui comme deux fleurs de velours noir, en ayant l'air de dire :

« Cueille-nous !... »

L'omnibus s'arrêta. On était sur la place du Théâtre, à l'entrée de la rue Bab-Azoun. Une à une, empêtrées dans leurs grands pantalons et serrant leurs voiles contre elles avec une grâce sauvage, les Mauresques descendirent. La voisine de Tartarin se leva la dernière, et en se levant son visage passa si près de celui du héros qu'il l'effleura de son haleine, un vrai bouquet de jeunesse, de jasmin, de musc et de pâtisserie.

Le Tarasconnais n'y résista pas. Ivre d'amour et prêt à tout, il s'élança derrière la Mauresque... Au bruit de ses buffleteries, elle se retourna, mit un doigt sur son masque comme pour dire « chut ! » et vivement, de l'autre main, elle lui jeta un petit chapelet parfumé fait avec des fleurs de jasmin. Tartarin de Tarascon se baissa pour le ramasser ; mais, comme notre héros était un peu lourd et très chargé d'armures, l'opération fut assez longue...

Quand il se releva, le chapelet de jasmin sur son cœur, — la Mauresque avait disparu.

8

Lions de l'Atlas, dormez !

Lions de l'Atlas, dormez ! Dormez tranquilles au fond de vos retraites, dans les aloès et les cactus sauvages... De quelques jours encore, Tartarin de Tarascon ne vous massacrera point. Pour le moment, tout son attirail de guerre — caisse d'armes, pharmacie, tente-abri, conserves alimentaires — repose paisiblement emballé, à l'hôtel de l'Europe dans un coin de la chambre 36.

Dormez sans peur, grands lions roux ! Le Tarasconnais cherche sa Mauresque. Depuis l'histoire de l'omnibus, le malheureux croit sentir perpétuellement sur son pied, sur son vaste pied de trappeur, les frétillements de la petite souris rouge ; et la brise de mer, en effleurant ses lèvres, se parfume toujours — quoi qu'il fasse — d'une amoureuse odeur de pâtisserie et d'anis.

Il lui faut sa Maugrabine !

Mais ce n'est pas une mince affaire ! Retrouver dans une ville de cent mille âmes une personne dont on ne connaît que l'haleine, les pantoufles et la couleur des yeux ; il n'y a qu'un Tarasconnais, féru d'amour, capable de tenter une pareille aventure.

Le terrible c'est que, sous leurs grands masques blancs, toutes les Mauresques se ressemblent ; puis ces dames ne sortent guère, et, quand on veut en voir, il faut monter dans la ville haute, la ville arabe, la ville des *Teurs*.

Un vrai coupe-gorge, cette ville haute. De petites ruelles noires très étroites, grimpant à pic entre deux rangées de maisons mystérieuses dont les toitures se rejoignent et font tunnel. Des portes basses, des fenêtres toutes petites, muettes, tristes, grillagées. Et puis, de droite et de gauche un tas d'échoppes très sombres où les *Teurs* farouches à têtes de forbans — yeux blancs et dents brillantes — fument de longues pipes, et se parlent à voix basse comme pour concerter de mauvais coups.

Dire que notre Tartarin traversait sans émotion cette cité formidable, ce serait mentir. Il était au contraire très ému, et dans ces ruelles obscures, dont son gros ventre tenait toute la largeur, le brave homme n'avançait qu'avec la plus grande précaution, l'œil aux aguets, le doigt sur la détente d'un revolver. Tout à fait comme à Tarascon, en allant au cercle. A chaque instant il s'attendait à recevoir sur le dos toute une dégringolade d'eunuques et de janissaires, mais le désir de revoir sa dame lui donnait une audace et une force de géant.

Huit jours durant, l'intrépide Tartarin ne quitta pas la ville haute. Tantôt on le voyait faire le pied de grue devant les bains maures, attendant l'heure où ces dames sortent par bandes, frissonnantes et sentant le bain ; tantôt il apparaissait accroupi à la porte des mosquées, suant et soufflant pour quitter ses grosses bottes avant d'entrer dans le sanctuaire...

Parfois, à la tombée de la nuit, quand il s'en revenait navré de n'avoir rien découvert, pas plus au bain qu'à la mosquée, le Tarasconnais, en passant devant les maisons mauresques, entendait des chants monotones, des sons étouffés de guitare, des roulements de tambours de basque, et des petits rires de femme qui lui faisaient battre le cœur.

« Elle est peut-être là ! » se disait-il.

Alors, si la rue était déserte, il s'approchait d'une de ces maisons, levait le lourd marteau de la poterne basse, et frappait timidement... Aussitôt les chants, les rires cessaient. On n'entendait plus derrière la muraille que de petits chuchotements vagues, comme dans une volière endormie.

« Tenons-nous bien ! » pensait le héros. « Il va m'arriver quelque chose ! »

Ce qui lui arrivait le plus souvent, c'était une grande potée d'eau froide sur la tête, ou bien des peaux d'oranges et de figues de Barbarie... Jamais rien de plus grave...

Lions de l'Atlas, dormez !

9

Le prince Grégory du Monténégro

Il y avait deux grandes semaines que l'infortuné Tartarin cherchait sa dame algérienne, et très vraisemblablement il la chercherait encore, si la Providence des amants n'était venue à son aide sous les traits d'un gentilhomme monténégrin. Voici :

En hiver, toutes les nuits de samedi, le grand théâtre d'Alger donne son bal masqué, ni plus ni moins que l'Opéra. C'est l'éternel et insipide bal masqué de province. Peu de monde dans la salle, quelques épaves de Bullier ou du Casino, vierges folles suivant l'armée, chicards fanés, débardeurs en déroute, et cinq ou six petites blanchisseuses mahonnaises qui se lancent, mais gardent de leur temps de vertu un vague parfum d'ail et de sauces safranées. Le vrai coup d'œil n'est pas là. Il est au foyer, transformé pour la circonstance en salon de jeu... Une foule fiévreuse et bariolée s'y bouscule, autour des longs tapis verts : des turcos en permission misant les gros sous du prêt, des Maures marchands de la ville haute, des nègres, des Maltais, des colons de l'intérieur qui ont fait quarante lieues pour venir hasarder sur un as l'argent d'une charrue ou d'une couple de bœufs... tout frémissants, pâles, les dents serrées, avec ce regard singulier du joueur, trouble, en biseau, devenu louche à force de fixer toujours la même carte.

Plus loin, ce sont des tribus de juifs algériens, jouant en famille.

Les hommes ont le costume oriental hideusement agrémenté de bas bleus et de casquettes de velours. Les femmes, bouffies et blafardes, se tiennent toutes raides dans leurs étroits plastrons d'or... Groupée autour des tables, toute la tribu piaille, se concerte, compte sur ses doigts et joue peu. De temps en temps seulement, après de longs conciliabules, un vieux patriarche à barbe de Père éternel se détache et va risquer le douro familial... C'est alors, tant que la partie dure, un scintillement d'yeux hébraïques tournés vers la table, terribles yeux d'aimant noir qui font frétiller les pièces d'or sur le tapis et finissent par les attirer tout doucement comme par un fil...

Puis des querelles, des batailles, des jurons de tous les pays, des cris fous dans toutes les langues, des couteaux qu'on dégaine, la garde qui monte, de l'argent qui manque !...

C'est au milieu de ces saturnales que le grand Tartarin était venu s'égarer un soir pour chercher l'oubli et la paix du cœur.

Le héros s'en allait seul, dans la foule, pensant à sa Mauresque, quand parmi les cris, tout à coup, à une table de jeu, par-dessus le bruit de l'or, deux voix irritées s'élevèrent :

« Je vous dis qu'il me manque vingt francs, M'sieu !...

— M'sieu !...

— Après ?... M'sieu !...

— Apprenez à qui vous parlez, M'sieu !

— Je ne demande pas mieux, M'sieu !

— Je suis le prince Grégory du Monténégro, M'sieu !... »

A ce nom Tartarin, tout ému, fendit la foule et vint se placer au premier rang, joyeux et fier de retrouver son prince, ce prince monténégrin si poli dont il avait ébauché la connaissance à bord du paquebot...

Malheureusement, ce titre d'altesse, qui avait tant ébloui le bon Tarasconnais, ne produisit pas la moindre impression sur l'officier de chasseurs avec qui le prince avait son algarade.

« Me voilà bien avancé... fit le militaire en ricanant ; puis, se tournant vers la galerie : Grégory du Monténégro... qui connaît ça ?... Personne ! »

Tartarin indigné fit un pas en avant.

« Pardon... je connais le *preïnce* ! » dit-il d'une voix très ferme, et de son plus bel accent tarasconnais.

L'officier de chasseurs le regarda un moment bien en face, puis levant les épaules :

« Allons ! c'est bon... Partagez-vous les vingt francs qui manquent et qu'il n'en soit plus question. »

Là-dessus il tourna le dos et se perdit dans la foule.

Le fougueux Tartarin voulait s'élancer derrière lui, mais le prince l'en empêcha :

« Laissez... j'en fais mon affaire. »

Et, prenant le Tarasconnais par le bras, il l'entraîna dehors rapidement.

Dès qu'ils furent sur la place, le prince Grégory du Monténégro se découvrit, tendit la main à notre héros, et, se rappelant vaguement son nom, commença d'une voix vibrante :

« Monsieur Barbarin...

— Tartarin ! souffla l'autre timidement.

— Tartarin, Barbarin, n'importe ! Entre nous, maintenant, c'est à la vie, à la mort ! »

Et le noble Monténégrin lui secoua la main avec une farouche énergie... Vous pensez si le Tarasconnais était fier.

« *Preïnce ! Preïnce !...* » répétait-il avec ivresse.

Un quart d'heure après, ces deux messieurs étaient installés au restaurant des Platanes, agréable maison de nuit dont les terrasses plongent sur la mer, et là, devant une forte salade russe arrosée d'un joli vin de Crescia, on renoua connaissance.

Vous ne pouvez rien imaginer de plus séduisant que ce prince monténégrin. Mince, fin, les cheveux crépus, frisé au petit fer, rasé à la pierre ponce, constellé d'ordres bizarres, il avait l'œil futé, le geste câlin et un accent vaguement italien qui lui donnait un faux air de Mazarin sans moustaches ; très ferré d'ailleurs sur les langues latines, et citant à tout propos Tacite, Horace et les *Commentaires*.

De vieille race héréditaire, ses frères l'avaient, paraît-il, exilé dès l'âge de dix ans, à cause de ses opinions libérales, et depuis il courait le monde pour son instruction et son plaisir, en Altesse philosophe... Coïncidence singulière ! Le prince avait passé trois ans à Tarascon, et comme Tartarin s'étonnait de ne l'avoir jamais rencontré au cercle ou sur l'Esplanade : « Je sortais peu... » fit l'Altesse d'un ton évasif. Et le Tarasconnais, par discrétion, n'osa pas en demander davantage. Toutes ces grandes existences ont des côtés si mystérieux !...

En fin de compte, un très bon prince, ce seigneur Grégory. Tout en sirotant le vin rosé de Crescia, il écouta patiemment Tartarin lui parler de sa Mauresque et même il se fit fort, connaissant toutes ces dames, de la retrouver promptement.

On but sec et longtemps. On trinqua « aux dames d'Alger ! au Monténégro libre ! »...

Dehors, sous la terrasse, la mer roulait et les vagues, dans l'ombre, battaient la rive avec un bruit de draps mouillés qu'on secoue. L'air était chaud, le ciel plein d'étoiles.

Dans les platanes, un rossignol chantait...

Ce fut Tartarin qui paya la note.

10

Dis-moi le nom de ton père, et je te dirai le nom de cette fleur

Parlez-moi des princes monténégrins pour lever lestement la caille.

Le lendemain de cette soirée aux Platanes, dès le petit jour, le prince Grégory était dans la chambre du Tarasconnais.

« Vite, vite, habillez-vous... Votre Mauresque est retrouvée... Elle s'appelle Baïa... Vingt ans, jolie comme un cœur, et déjà veuve...

— Veuve !... quelle chance ! fit joyeusement le brave Tartarin, qui se méfiait des maris d'Orient.

— Oui, mais très surveillée par son frère.

— Ah ! diantre !...

— Un Maure farouche qui vend des pipes au bazar d'Orléans... »

Ici un silence.

« Bon ! reprit le prince, vous n'êtes pas homme à vous effrayer pour si peu ; et puis on viendra peut-être à bout de ce forban en lui achetant quelques pipes... Allons vite, habillez-vous... heureux coquin ! »

Pâle, ému, le cœur plein d'amour, le Tarasconnais sauta de son lit et, boutonnant à la hâte son vaste caleçon de flanelle :

« Qu'est-ce qu'il faut que je fasse ?

— Ecrire à la dame tout simplement, et lui demander un rendez-vous !

— Elle sait donc le français ?... fit d'un air désappointé le naïf Tartarin qui rêvait d'Orient sans mélange.

— Elle n'en sait pas un mot, répondit le prince imperturbablement... mais vous allez me dicter la lettre, et je traduirai à mesure.

— O prince, que de bontés ! »

Et le Tarasconnais se mit à marcher à grands pas dans la chambre, silencieux et se recueillant.

Vous pensez qu'on n'écrit pas à une Mauresque d'Alger comme à une grisette de Beaucaire. Fort heureusement que notre héros avait par-devers lui ses nombreuses lectures qui lui permirent, en amalgamant la rhétorique apache des Indiens de Gustave Aimard avec le *Voyage en Orient* de Lamartine, et quelques lointaines réminiscences du *Cantique des cantiques*, de composer la lettre la plus orientale qu'il se pût voir. Cela commençait par :

« *Comme l'autruche dans les sables...* »

Et finissait par :

« *Dis-moi le nom de ton père, et je te dirai le nom de cette fleur*[1]... »

A cet envoi, le romanesque Tartarin aurait bien voulu joindre un bouquet de fleurs emblématiques, à la mode orientale ; mais le prince Grégory pensa qu'il valait mieux acheter quelques pipes chez le frère, ce qui ne manquerait pas d'adoucir l'humeur sauvage du monsieur et ferait certainement très grand plaisir à la dame, qui fumait beaucoup.

« Allons vite acheter des pipes ! fit Tartarin plein d'ardeur.

— Non !... non !... Laissez-moi y aller seul. Je les aurai à meilleur compte...

— Comment ! vous voulez... O prince... prince... » Et le brave homme, tout confus, tendit sa bourse à l'obligeant Monténégrin, en lui recommandant de ne rien négliger pour que la dame fût contente.

Malheureusement l'affaire — quoique bien lancée — ne marcha pas aussi vite qu'on aurait pu l'espérer. Très touchée, paraît-il, de l'éloquence de Tartarin et du reste aux trois quarts séduite par avance, la Mauresque n'aurait pas mieux demandé que de le recevoir ; mais le frère avait des scrupules, et, pour les endormir, il fallut acheter des douzaines, des grosses, des cargaisons de pipes...

« Qu'est-ce que diable Baïa peut faire de toutes ces pipes ? » se demandait parfois le pauvre Tartarin ; — mais il paya quand même et sans lésiner.

Enfin, après avoir acheté des montagnes de pipes et répandu des flots de poésie orientale, on obtint un rendez-vous.

Je n'ai pas besoin de vous dire avec quels battements de cœur le Tarasconnais s'y prépara, avec quel soin ému il tailla, lustra, parfuma sa rude barbe de chasseur de casquettes, sans oublier

1. Citation du *Voyage en Orient* de Lamartine (1835).

— car il faut tout prévoir — de glisser dans sa poche un casse-tête à pointes et deux ou trois revolvers.

Le prince, toujours obligeant, vint à ce premier rendez-vous en qualité d'interprète La dame habitait dans le haut de la ville. Devant sa porte, un jeune Maure de treize à quatorze ans fumait des cigarettes. C'était le fameux Ali, le frère en question. En voyant arriver les deux visiteurs, il frappa deux coups à la poterne et se retira discrètement.

La porte s'ouvrit. Une négresse parut qui, sans dire un seul mot, conduisit ces messieurs à travers l'étroite cour intérieure dans une petite chambre fraîche où la dame attendait, accoudée sur un lit bas... Au premier abord, elle parut au Tarasconnais plus petite et plus forte que la Mauresque de l'omnibus... Au fait, était-ce bien la même ? Mais ce soupçon ne fit que traverser le cerveau de Tartarin comme un éclair.

La dame était si jolie ainsi avec ses pieds nus, ses doigts grassouillets chargés de bagues, rose, fine, et sous son corselet de drap doré, sous les ramages de sa robe à fleurs laissant deviner une aimable personne un peu boulotte, friande à point, et ronde de partout... Le tuyau d'ambre d'un narghilé fumait à ses lèvres et l'enveloppait toute d'une gloire de fumée blonde.

En entrant, le Tarasconnais posa une main sur son cœur, et s'inclina le plus mauresquement possible, en roulant de gros yeux passionnés... Baïa le regarda un moment sans rien dire ; puis, lâchant son tuyau d'ambre, se renversa en arrière, cacha sa tête dans ses mains, et l'on ne vit plus que son cou blanc qu'un fou rire faisait danser comme un sac rempli de perles.

11

Sidi Tart'ri ben Tart'ri

Si vous entriez, un soir, à la veillée, chez les cafetiers algériens de la ville haute, vous entendriez encore aujourd'hui les Maures causer entre eux, avec des clignements d'yeux et de petits rires, d'un certain Sidi Tart'ri ben Tart'ri, Européen aimable et riche qui — voici quelques années déjà — vivait dans les hauts quartiers avec une petite dame du cru appelée Baïa.

Le Sidi Tart'ri en question qui a laissé de si gais souvenirs autour de la Casbah n'est autre, on le devine, que notre Tartarin...

Qu'est-ce que vous voulez ? Il y a comme cela, dans la vie des saints et des héros, des heures d'aveuglement, de trouble, de défaillance. L'illustre Tarasconnais n'en fut pas plus exempt qu'un autre, et c'est pourquoi — deux mois durant — oublieux des lions et de la gloire, il se grisa d'amour oriental et s'endormit, comme Annibal à Capoue, dans les délices d'Alger-la-Blanche.

Le brave homme avait loué au cœur de la ville arabe une jolie maisonnette indigène avec cour intérieure, bananiers, galeries fraîches et fontaines. Il vivait là loin de tout bruit en compagnie de sa Mauresque, Maure lui-même de la tête aux pieds, soufflant tout le jour dans son narghilé, et mangeant des confitures au musc.

Etendue sur un divan en face de lui, Baïa, la guitare au poing, nasillait des airs monotones, ou bien pour distraire son seigneur elle mimait la danse du ventre, en tenant à la main un petit miroir dans lequel elle mirait ses dents blanches et se faisait des mines.

Comme la dame ne savait pas un mot de français ni Tartarin un mot d'arabe, la conversation languissait quelquefois, et le bavard Tarasconnais avait tout le temps de faire pénitence pour les intempérances de langage dont il s'était rendu coupable à la pharmacie Bézuquet ou chez l'armurier Costecalde.

Mais cette pénitence même ne manquait pas de charme, et c'était comme un spleen voluptueux qu'il éprouvait à rester là tout le jour sans parler, en écoutant le glouglou du narghilé, le frôlement de la guitare et le bruit léger de la fontaine dans les mosaïques de la cour.

Le narghilé, le bain, l'amour remplissaient toute sa vie. On sortait peu. Quelquefois Sidi Tart'ri, sa dame en croupe, s'en allait sur une brave mule manger des grenades à un petit jardin qu'il avait acheté aux environs... Mais jamais, au grand jamais, il ne descendait dans la ville européenne. Avec ses zouaves en ribote, ses alcazars bourrés d'officiers, et son éternel bruit de sabres traînant sous les arcades, cet Alger-là lui semblait insupportable et laid comme un corps de garde d'Occident.

En somme, le Tarasconnais était très heureux. Tartarin-Sancho surtout, très friand de pâtisseries turques, se déclarait on ne peut plus satisfait de sa nouvelle existence... Tartarin-Quichotte, lui, avait bien par-ci par-là quelques remords, en pensant à Tarascon et aux peaux promises... Mais cela ne durait pas, et pour chasser ses tristes idées il suffisait d'un regard de Baïa ou d'une cuillerée de ces diaboliques confitures odorantes et troublantes comme les breuvages de Circé.

Le soir, le prince Grégory venait parler un peu du Monténégro libre... D'une complaisance infatigable, cet aimable seigneur remplissait dans la maison les fonctions d'interprète, au besoin même celles d'intendant, et tout cela pour rien, pour le plaisir... A part lui, Tartarin ne recevait que des *Teurs*. Tous ces forbans à têtes farouches, qui naguère lui faisaient tant de peur du fond de leurs noires échoppes, se trouvèrent être, une fois qu'il les connut, de bons commerçants inoffensifs, des brodeurs, des marchands d'épices, des tourneurs de tuyaux de pipes, tous gens bien élevés, humbles, finauds, discrets et de première force à la bouillotte. Quatre ou cinq fois par semaine, ces messieurs venaient passer la soirée chez Sidi Tart'ri, lui gagnaient son argent, lui mangeaient ses confitures, et sur le coup de dix heures se retiraient discrètement en remerciant le Prophète.

Derrière eux, Sidi Tart'ri et sa fidèle épouse finissaient la soirée sur la terrasse, une grande terrasse blanche qui faisait toit à la maison et dominait la ville. Tout autour, un millier d'autres terrasses blanches aussi, tranquilles sous le clair de lune, descendaient en s'échelonnant jusqu'à la mer. Des fredons de guitare arrivaient, portés par la brise.

... Soudain, comme un bouquet d'étoiles, une grande mélodie claire s'égrenait doucement dans le ciel, et, sur le minaret de la mosquée voisine, un beau muezzin apparaissait, découpant son ombre blanche dans le bleu profond de la nuit, et chantait la gloire d'Allah avec une voix merveilleuse qui remplissait l'horizon.

Aussitôt Baïa lâchait sa guitare, et ses grands yeux tournés vers le muezzin semblaient boire la prière avec délices Tant que le chant durait, elle restait là, frissonnante, extasiée, comme une sainte Thérèse d'Orient... Tartarin, tout ému, la regardait prier et pensait en lui-même que c'était une forte et belle religion, celle qui pouvait causer des ivresses de foi pareilles.

Tarascon, voile-toi la face ! ton Tartarin songeait à se faire renégat.

12

On nous écrit de Tarascon

Par une belle après-midi de ciel bleu et de brise tiède, Sidi Tart'ri à califourchon sur sa mule revenait tout seulet de son petit clos... Les jambes écartées par de larges coussins en sparterie que gonflaient les cédrats et les pastèques, bercé au bruit de ses grands étriers et suivant de tout son corps le *balin-balan* de la tête, le brave homme s'en allait ainsi dans un paysage adorable, les deux mains croisées sur son ventre, aux trois quarts assoupi par le bien-être et la chaleur

Tout à coup, en entrant dans la ville, un appel formidable le réveilla.

« Hé ! monstre de sort ! on dirait monsieur Tartarin. »

A ce nom de Tartarin, à cet accent joyeusement méridional, le Tarasconnais leva la tête et aperçut à deux pas de lui la brave figure tannée de maître Barbassou, le capitaine du *Zouave*, qui prenait l'absinthe en fumant sa pipe sur la porte d'un petit café.

« Hé ! adieu Barbassou », fit Tartarin en arrêtant sa mule.

Au lieu de lui répondre, Barbassou le regarda un moment avec de grands yeux ; puis le voilà parti à rire, à rire tellement, que Sidi Tart'ri en resta tout interloqué, le derrière sur ses pastèques.

« Qué turban, mon pauvre monsieur Tartarin !... C'est donc vrai ce qu'on dit, que vous vous êtes fait *Teur* ?... Et la petite Baïa, est-ce qu'elle chante toujours *Marco la Belle* ?

— *Marco la Belle !* fit Tartarin indigné... Apprenez, capitaine, que la personne dont vous parlez est une honnête fille maure, et qu'elle ne sait pas un mot de français.

— Baïa, pas un mot de français ?... D'où sortez-vous donc ? »

Et le brave capitaine se remit à rire plus fort.

Puis voyant la mine du pauvre Sidi Tart'ri qui s'allongeait, il se ravisa.

« Au fait, ce n'est peut-être pas la même... Mettons que j'ai confondu... Seulement, voyez-vous, monsieur Tartarin, vous ferez tout de même bien de vous méfier des Mauresques algériennes et des princes du Monténégro !... »

Tartarin se dressa sur ses étriers en faisant sa moue.

« Le prince est mon ami, capitaine.

— Bon ! bon ! ne nous fâchons pas... Vous ne prenez pas une absinthe ? Non. Rien à faire dire au pays ?... Non plus... Eh bien ! alors, bon voyage... A propos, collègue, j'ai là du bon tabac de France, si vous en vouliez emporter quelques pipes... Prenez donc ! prenez donc ! ça vous fera du bien... Ce sont vos sacrés tabacs d'Orient qui vous barbouillent les idées. »

Là-dessus le capitaine retourna à son absinthe et Tartarin, tout pensif, reprit au petit trot le chemin de sa maisonnette... Bien que sa grande âme se refusât à rien en croire, les insinuations de Barbassou l'avaient attristé, puis ces jurons du cru, l'accent de là-bas, tout cela éveillait en lui de vagues remords.

Au logis, il ne trouva personne. Baïa était au bain... La négresse lui parut laide, la maison triste... En proie à une indéfinissable mélancolie, il vint s'asseoir près de la fontaine et bourra une pipe avec le tabac de Barbassou. Ce tabac était enveloppé dans un fragment du *Sémaphore*. En le déployant, le nom de sa ville natale lui sauta aux yeux.

On nous écrit de Tarascon :

« La ville est dans les transes. Tartarin, le tueur de lions, parti pour chasser les grands félins en Afrique, n'a pas donné de ses nouvelles depuis plusieurs mois... Qu'est devenu notre héroïque compatriote ?... On ose à peine se le demander, quand on a connu comme nous cette tête ardente, cette audace, ce besoin d'aventures... A-t-il été comme tant d'autres englouti dans le sable, ou bien est-il tombé sous la dent meurtrière d'un de ces monstres de l'Atlas dont il avait promis les peaux à la municipalité ?... Terrible incertitude ! Pourtant des marchands nègres, venus à la foire de Beaucaire, prétendent avoir rencontré en plein désert un Européen dont le signalement se rapportait au sien, et qui se dirigeait vers Tombouctou... Dieu nous garde notre Tartarin ! »

Quand il lut cela, le Tarasconnais rougit, pâlit, frissonna. Tout Tarascon lui apparut : le cercle, les chasseurs de casquettes, le fauteuil vert chez Costecalde, et, planant au-dessus comme un aigle éployé, la formidable moustache du brave commandant Bravida.

Alors, de se voir là, comme il était, lâchement accroupi sur sa natte, tandis qu'on le croyait en train de massacrer des fauves, Tartarin de Tarascon eut honte de lui-même et pleura.

Tout à coup le héros bondit :

« Au lion ! au lion ! »

Et s'élançant dans le réduit poudreux où dormaient la tente-abri, la pharmacie, les conserves, la caisse d'armes, il les traîna au milieu de la cour.

Tartarin-Sancho venait d'expirer ; il ne restait plus que Tartarin-Quichotte.

Le temps d'inspecter son matériel, de s'armer, de se harnacher, de rechausser ses grandes bottes, d'écrire deux mots au prince pour lui confier Baïa, le temps de glisser sous l'enveloppe quelques billets bleus mouillés de larmes, et l'intrépide Tarasconnais roulait en diligence sur la route de Blidah, laissant à la maison sa négresse stupéfaite devant le narghilé, le turban, les babouches, toute la défroque musulmane de Sidi Tart'ri qui traînait piteusement sous les petits trèfles blancs de la galerie...

TROISIÈME ÉPISODE

CHEZ LES LIONS

1

Les diligences déportées

C'était une vieille diligence d'autrefois, capitonnée à l'ancienne mode de drap gros bleu tout fané, avec ces énormes pompons de laine rêche qui, après quelques heures de route, finissent par vous faire des moxas [1] dans le dos... Tartarin de Tarascon avait un coin de la rotonde ; il s'y installa de son mieux, et en attendant de respirer les émanations musquées des grands félins d'Afrique, le héros dut se contenter de cette bonne vieille odeur de diligence, bizarrement composée de mille odeurs, hommes, chevaux, femmes et cuir, victuailles et paille moisie.

Il y avait de tout un peu dans cette rotonde. Un trappiste, des

1. Procédé extrême-oriental de cautérisation.

marchands juifs, deux cocottes qui rejoignaient leur corps — le 3ᵉ hussards —, un photographe d'Orléansville... Mais, si charmante et variée que fût la compagnie, le Tarasconnais n'était pas en train de causer et resta là tout pensif, le bras passé dans la brassière, avec ses carabines entre ses genoux... Son départ précipité, les yeux noirs de Baïa, la terrible chasse qu'il allait entreprendre, tout cela lui troublait la cervelle, sans compter qu'avec son bon air patriarcal, cette diligence européenne, retrouvée en pleine Afrique, lui rappelait vaguement le Tarascon de sa jeunesse, des courses dans la banlieue, de petits dîners au bord du Rhône, une foule de souvenirs...

Peu à peu la nuit tomba. Le conducteur alluma ses lanternes... La diligence rouillée sautait en criant sur ses vieux ressorts ; les chevaux trottaient, les grelots tintaient... De temps en temps, là-haut, sous la bâche de l'impériale, un terrible bruit de ferraille... C'était le matériel de guerre

Tartarin de Tarascon, aux trois quarts assoupi, resta un moment à regarder les voyageurs comiquement secoués par les cahots, et dansant devant lui comme des ombres falotes, puis ses yeux s'obscurcirent, sa pensée se voila, et il n'entendit plus que très vaguement geindre l'essieu des roues, et les flancs de la diligence qui se plaignaient...

Subitement, une voix, une voix de vieille fée, enrouée, cassée, fêlée, appela le Tarasconnais par son nom :

« Monsieur Tartarin ! monsieur Tartarin !

— Qui m'appelle ?

— C'est moi, monsieur Tartarin ; vous ne me reconnaissez pas ?... Je suis la vieille diligence qui faisait — il y a vingt ans — le service de Tarascon à Nîmes... Que de fois je vous ai portés, vous et vos amis, quand vous alliez chasser les casquettes du côté de Jonquières ou de Bellegarde !... Je ne vous ai pas remis d'abord, à cause de votre bonnet de *Teur* et du corps que vous avez pris ; mais sitôt que vous vous êtes mis à ronfler, coquin de bon sort ! je vous ai reconnu tout de suite.

— C'est bon ! c'est bon ! » fit le Tarasconnais un peu vexé.

Puis, se radoucissant :

« Mais enfin, ma pauvre vieille, qu'est-ce que vous êtes venue faire ici ?

— Ah ! mon bon monsieur Tartarin, je n'y suis pas venue de mon plein gré, je vous assure... Une fois que le chemin de fer de Beaucaire a été fini, ils ne m'ont plus trouvée bonne à rien et ils m'ont envoyée en Afrique... Et je ne suis pas la seule ! presque toutes les diligences de France ont été déportées comme moi. On nous trouvait trop réactionnaires, et maintenant nous voilà toutes ici à mener une vie de galère... C'est ce qu'en France vous appelez les chemins de fer algériens. »

Ici la vieille diligence poussa un long soupir ; puis elle reprit :

« Ah ! monsieur Tartarin, que je le regrette, mon beau Tarascon ! C'était alors le bon temps pour moi, le temps de la jeunesse ! Il fallait me voir partir le matin, lavée à grande eau et toute luisante avec mes roues vernissées à neuf, mes lanternes qui semblaient deux soleils et ma bâche toujours frottée d'huile ! C'est ça qui était beau quand le postillon faisait claquer son fouet sur l'air de : *Lagadigadeou, la Tarasque ! la Tarasque !* et que le conducteur, son piston en bandoulière, sa casquette brodée sur l'oreille, jetant d'un tour de bras son petit chien, toujours furieux, sur la bâche de l'impériale, s'élançait lui-même là-haut, en criant : « Allume ! allume ! » Alors mes quatre chevaux s'ébranlaient au bruit des grelots, des aboiements, des fanfares, les fenêtres s'ouvraient, et tout Tarascon regardait avec orgueil la diligence détaler sur la grande route royale.

« Quelle belle route, monsieur Tartarin, large, bien entretenue, avec ses bornes kilométriques, ses petits tas de pierres régulièrement espacés, et de droite et de gauche ses jolies plaines d'oliviers et de vignes... Puis, des auberges tous les dix pas, des relais toutes les cinq minutes... Et mes voyageurs, quels braves gens ! des maires et des curés qui allaient à Nîmes voir leur préfet ou leur évêque, de bons taffetassiers qui revenaient du *Mazet* bien honnêtement, des collégiens en vacances, des paysans en blouse brodée, tous frais rasés du matin, et là-haut, sur l'impériale, vous tous, messieurs les chasseurs de casquettes, qui étiez toujours de si bonne humeur, et qui chantiez si bien chacun *la vôtre*, le soir, aux étoiles, en revenant !...

« Maintenant, c'est une autre histoire... Dieu sait les gens que je charrie ! un tas de mécréants venus je ne sais d'où, qui me remplissent de vermine, des nègres, des Bédouins, des soudards, des aventuriers de tous les pays, des colons en guenilles qui m'empestent de leurs pipes, et tout cela parlant un langage auquel Dieu le Père ne comprendrait rien... Et puis vous voyez comme on me traite ! Jamais brossée, jamais lavée. On me plaint le cambouis de mes essieux... Au lieu de mes gros bons chevaux tranquilles d'autrefois, de petits chevaux arabes qui ont le diable au corps, se battent, se mordent, dansent en courant comme des chèvres, et me brisent mes brancards à coups de pied... Aïe !...

aïe !... tenez ! Voilà que cela commence... Et les routes ! Par ici, c'est encore supportable, parce que nous sommes près du gouvernement ; mais là-bas, plus rien, pas de chemin du tout. On va comme on peut, à travers monts et plaines, dans les palmiers nains, dans les lentisques... Pas un seul relais fixe. On arrête au caprice du conducteur, tantôt dans une ferme, tantôt dans une autre.

« Quelquefois ce polisson-là me fait faire un détour de deux lieues pour aller chez un ami boire l'absinthe ou le *champoreau...* Après quoi, fouette, postillon ! il faut rattraper le temps perdu. Le soleil cuit, la poussière brûle. Fouette toujours ! On accroche, on verse ! Fouette plus fort ! On passe des rivières à la nage, on s'enrhume, on se mouille, on se noie... Fouette ! fouette ! fouette !... Puis le soir, toute ruisselante, c'est cela qui est bon à mon âge, avec mes rhumatismes !... — il me faut coucher à la belle étoile, dans une cour de caravansérail ouverte à tous les vents. La nuit, des chacals, des hyènes viennent flairer mes caissons, et les maraudeurs qui craignent la rosée se mettent au chaud dans mes compartiments... Voilà la vie que je mène, mon pauvre monsieur Tartarin, et je la mènerai jusqu'au jour où, brûlée par le soleil, pourrie par les nuits humides, je tomberai — ne pouvant plus faire autrement — sur un coin de méchante route, où les Arabes feront bouillir leur couscous avec les débris de ma vieille carcasse... »

« Blidah ! Blidah ! » fit le conducteur en ouvrant la portière.

2

Où l'on voit passer un petit monsieur

Vaguement, à travers les vitres dépolies par la buée, Tartarin de Tarascon entrevit une place de jolie sous-préfecture, place régulière, entourée d'arcades et plantée d'orangers, au milieu de laquelle de petits soldats de plomb faisaient l'exercice dans la claire brume rose du matin. Les cafés ôtaient leurs volets. Dans un coin, une halle avec des légumes... C'était charmant, mais cela ne sentait pas encore le lion.

« Au Sud !... Plus au Sud ! » murmura le bon Tarasconnais en se renfonçant dans son coin.

A ce moment, la portière s'ouvrit. Une bouffée d'air frais entra, apportant sur ses ailes, dans le parfum des orangers fleuris, un tout petit monsieur en redingote noisette, vieux, sec, ridé, compassé, une figure grosse comme le poing, une cravate en soie noire haute de cinq doigts, une serviette en cuir, un parapluie : le parfait notaire de village.

En apercevant le matériel de guerre du Tarasconnais, le petit monsieur, qui s'était assis en face, parut excessivement surpris et se mit à regarder Tartarin avec une insistance gênante.

On détela, on attela, la diligence partit... Le petit monsieur regardait toujours Tartarin... A la fin, le Tarasconnais prit la mouche.

« Ça vous étonne ? fit-il en regardant à son tour le petit monsieur bien en face.

— Non ! Ça me gêne », répondit l'autre fort tranquillement ; et le fait est qu'avec sa tente-abri, son revolver, ses deux fusils dans leur gaine, son couteau de chasse — sans parler de sa corpulence naturelle —, Tartarin de Tarascon tenait beaucoup de place...

La réponse du petit monsieur le fâcha :

« Vous imaginez-vous par hasard que je vais aller au lion avec votre parapluie ? » dit le grand homme fièrement.

Le petit monsieur regarda son parapluie, sourit doucement ; puis, toujours avec son même flegme :

« Alors, monsieur, vous êtes ?...

— Tartarin de Tarascon, tueur de lions ! »

En prononçant ces mots, l'intrépide Tarasconnais secoua comme une crinière le gland de sa *chéchia*.

Il y eut dans la diligence un mouvement de stupeur.

Le trappiste se signa, les cocottes poussèrent de petits cris d'effroi, et le photographe d'Orléansville se rapprocha du tueur de lions, rêvant déjà l'insigne honneur de faire sa photographie.

Le petit monsieur, lui, ne se déconcerta pas.

« Est-ce que vous avez déjà tué beaucoup de lions, monsieur Tartarin ? » demanda-t-il très tranquillement.

Le Tarasconnais le reçut de la belle manière :

« Si j'en ai beaucoup tué, monsieur !... Je vous souhaiterais d'avoir seulement autant de cheveux sur la tête. »

Et toute la diligence de rire en regardant les trois cheveux jaunes de Cadet-Roussel qui se hérissaient sur le crâne du petit monsieur.

A son tour le photographe d'Orléansville prit la parole :

« Terrible profession que la vôtre, monsieur Tartarin !... On passe quelquefois de mauvais moments... Ainsi, ce pauvre M. Bombonnel...

— Ah ! oui, le tueur de panthères... fit Tartarin assez dédaigneusement.

— Est-ce que vous le connaissez ? demanda le petit monsicur.

— Té ! pardi... Si je le connais... Nous avons chassé plus de vingt fois ensemble. »

Le petit monsieur sourit :

« Vous chassez donc la panthère aussi, monsieur Tartarin ?

— Quelquefois, par passe-temps... » fit l'enragé Tarasconnais.

Il ajouta, en relevant la tête d'un geste héroïque qui enflamma le cœur des deux cocottes :

« Ça ne vaut pas le lion !

— En somme, hasarda le photographe d'Orléansville, une panthère, ce n'est qu'un gros chat...

— Tout juste ! » fit Tartarin qui n'était pas fâché de rabaisser un peu la gloire de Bombonnel, surtout devant les dames.

Ici la diligence s'arrêta, le conducteur vint ouvrir la portière et, s'adressant au petit vieux :

« Vous voilà arrivé, monsieur », lui dit-il d'un air très respectueux.

Le petit monsieur se leva, descendit, puis avant de refermer la portière :

« Voulez-vous me permettre de vous donner un conseil, monsieur Tartarin ?

— Lequel, monsieur ?

— Ma foi ! écoutez, vous avez l'air d'un brave homme, j'aime mieux vous dire ce qu'il en est... Retournez vite à Tarascon, monsieur Tartarin... Vous perdez votre temps ici... Il reste bien encore quelques panthères dans la province ; mais, fi donc ! c'est un trop petit gibier pour vous... Quant aux lions, c'est fini. Il n'en reste plus en Algérie... mon ami Chassaing vient de tuer le dernier. »

Sur quoi le petit monsieur salua, ferma la portière, et s'en alla en riant avec sa serviette et son parapluie.

« Conducteur, demanda Tartarin en faisant sa moue, qu'est-ce que c'est donc que ce bonhomme-là ?

— Comment ! vous ne le connaissez pas ? Mais c'est M. Bombonnel. »

3

Un couvent de lions

A Milianah, Tartarin de Tarascon descendit, laissant la diligence continuer sa route vers le Sud.

Deux jours de durs cahots, deux nuits passées les yeux ouverts à regarder par la portière s'il n'apercevrait pas dans les champs, au bord de la route, l'ombre formidable du lion, tant d'insomnies méritaient bien quelques heures de repos. Et puis, s'il faut tout dire, depuis sa mésaventure avec Bombonnel, le loyal Tarasconnais se sentait mal à l'aise, malgré ses armes, sa moue terrible, son bonnet rouge, devant le photographe d'Orléansville et les deux demoiselles du 3e hussards.

Il se dirigea donc à travers les larges rues de Milianah, pleines de beaux arbres et de fontaines ; mais, tout en cherchant un hôtel à sa convenance, le pauvre homme ne pouvait s'empêcher de songer aux paroles de Bombonnel... Si c'était vrai pourtant ? S'il n'y avait plus de lions en Algérie ?... A quoi bon alors tant de courses, tant de fatigues ?...

Soudain, au détour d'une rue, notre héros se trouva face à face... avec qui ? Devinez... Avec un lion superbe, qui attendait devant la porte d'un café, assis royalement sur son train de derrière, sa crinière fauve au soleil.

« Qu'est-ce qu'ils me disaient donc, qu'il n'y en avait plus ? » s'écria le Tarasconnais en faisant un saut en arrière... En entendant cette exclamation, le lion baissa la tête et, prenant dans sa gueule une sébile en bois posée devant lui sur le trottoir, il la tendit humblement du côté de Tartarin immobile de stupeur... Un Arabe qui passait jeta un gros sou dans la sébile ; le lion remua la queue... Alors Tartarin comprit tout. Il vit, ce que l'émotion l'avait d'abord empêché de voir, la foule attroupée autour du pauvre lion aveugle et apprivoisé, et les deux grands nègres armés de gourdins qui le promenaient à travers la ville comme un Savoyard sa marmotte.

Le sang du Tarasconnais ne fit qu'un tour : « Misérables, cria-t-il d'une voix de tonnerre, ravaler ainsi ces nobles bêtes ! » Et, s'élançant sur le lion, il lui arracha l'immonde sébile d'entre ses royales mâchoires. Les deux nègres, croyant avoir affaire à un voleur, se précipitèrent sur le Tarasconnais, la matraque haute... Ce fut une terrible bousculade... Les nègres tapaient, les femmes piaillaient, les enfants riaient. Un vieux cordonnier juif criait du fond de sa boutique : « *Au zouge de paix ! Au zouge de paix !* » Le lion lui-même, dans sa nuit, essaya d'un rugissement, et le malheureux Tartarin, après une lutte désespérée, roula par terre au milieu des gros sous et des balayures.

A ce moment, un homme fendit la foule, écarta les nègres d'un mot, les femmes et les enfants d'un geste, releva Tartarin, le brossa, le secoua, et l'assit tout essoufflé sur une borne.

Comment ! *preïnce*, c'est vous ?... fit le bon Tartarin en se frottant les côtes.

— Eh ! oui, mon vaillant ami, c'est moi... Sitôt votre lettre reçue, j'ai confié Baïa à son frère, loué une chaise de poste, fait cinquante lieues ventre à terre, et me voilà juste à temps pour vous arracher à la brutalité de ces rustres... Qu'est-ce que vous avez donc fait, juste Dieu ! pour vous attirer cette méchante affaire ?

— Que voulez-vous, *preïnce* ?... De voir ce malheureux lion avec sa sébile aux dents, humilié, vaincu, bafoué, servant de risée à toute cette pouillerie musulmane...

— Mais vous vous trompez, mon noble ami. Ce lion est, au contraire, pour eux un objet de respect et d'adoration. C'est une bête sacrée, qui fait partie d'un grand couvent de lions, fondé il y a trois cents ans par Mohammed-ben-Aouda, une espèce de Trappe formidable et farouche, pleine de rugissements et d'odeurs de fauve, où des moines singuliers élèvent et apprivoisent des lions par centaines et les envoient de là dans toute l'Afrique septentrionale, accompagnés de frères quêteurs. Les dons que reçoivent les frères servent à l'entretien du couvent et de sa mosquée ; et si les deux nègres ont montré tant d'humeur tout à l'heure, c'est qu'ils ont la conviction que pour un sou, un seul sou de la quête, volé ou perdu par leur faute, le lion qu'ils conduisent les dévorerait immédiatement. »

En écoutant ce récit invraisemblable et pourtant véridique, Tartarin de Tarascon se délectait et reniflait l'air bruyamment.

« Ce qui me va dans tout ceci, fit-il en matière de conclusion, c'est que, n'en déplaise à mon Bombonnel, il y a encore des lions en Algérie !...

— S'il y en a ! dit le prince avec enthousiasme... Dès demain, nous allons battre la plaine du Chéliff, et vous verrez !

— Eh quoi ! prince... Auriez-vous l'intention de chasser, vous aussi !

— Parbleu ! pensez-vous donc que je vous laisserais vous en aller seul en pleine Afrique, au milieu de ces tribus féroces dont vous ignorez la langue et les usages... Non ! non ! illustre Tartarin, je ne vous quitte plus... Partout où vous serez, je veux être.

— Oh ! *preïnce, preïnce...* »

Et Tartarin, radieux, pressa sur son cœur le vaillant Grégory, en songeant avec fierté qu'à l'exemple de Jules Gérard, de Bombonnel et tous les autres fameux tueurs de lions, il allait avoir un prince étranger pour l'accompagner dans ses chasses.

4

La caravane en marche

Le lendemain, dès la première heure, l'intrépide Tartarin et le non moins intrépide prince Grégory, suivis d'une demi-douzaine de portefaix nègres, sortaient de Milianah et descendaient vers la plaine du Chéliff par un raidillon délicieux tout ombragé de jasmins, de thuyas, de caroubiers, d'oliviers sauvages, entre deux haies de petits jardins indigènes et des milliers de joyeuses sources vives qui dégringolaient de roche en roche en chantant... Un paysage du Liban.

Aussi chargé d'armes que le grand Tartarin, le prince Grégory s'était en plus affublé d'un magnifique et singulier képi tout galonné d'or, avec une garniture de feuilles de chêne brodées au fil d'argent, qui donnait à Son Altesse un faux air de général mexicain, ou de chef de gare des bords du Danube.

Ce diable de képi intriguait beaucoup le Tarasconnais ; et comme il demandait timidement quelques explications :

« Coiffure indispensable pour voyager en Afrique », répondit le prince avec gravité ; et tout en faisant reluire sa visière d'un revers de manche, il renseigna son naïf compagnon sur le rôle important que joue le képi dans nos relations avec les Arabes, la terreur que cet insigne militaire a, seul, le privilège de leur inspirer, si bien que l'administration civile a été obligée de coiffer tout son monde avec des képis, depuis le cantonnier jusqu'au receveur de l'enregistrement. En somme pour gouverner l'Algérie

— c'est toujours le prince qui parle — pas n'est besoin d'une forte tête, ni même de tête du tout. Il suffit d'un képi, d'un beau képi galonné reluisant au bout d'une trique comme la toque de Gessler.

Ainsi causant et philosophant, la caravane allait son train. Les portefaix — pieds nus — sautaient de roche en roche avec des cris de singes. Les caisses d'armes sonnaient. Les fusils flambaient. Les indigènes qui passaient s'inclinaient jusqu'à terre devant le képi magique... Là-haut, sur les remparts de Milianah, le chef du bureau arabe, qui se promenait au bon frais avec sa dame, entendant ces bruits insolites, et voyant des armes luire entre les branches, crut à un coup de main, fit baisser le pont-levis, battre la générale, et mit incontinent la ville en état de siège

Beau début pour la caravane !

Malheureusement, avant la fin du jour, les choses se gâtèrent. Des nègres qui portaient les bagages, l'un fut pris d'atroces coliques pour avoir mangé le sparadrap de la pharmacie. Un autre tomba sur le bord de la route ivre mort d'eau-de-vie camphrée. Le troisième, celui qui portait l'album de voyage, séduit par les dorures des fermoirs, et persuadé qu'il enlevait les trésors de La Mecque, se sauva dans le Zaccar à toutes jambes... Il fallut aviser... La caravane fit halte, et tint conseil dans l'ombre trouée d'un vieux figuier.

« Je serais d'avis, dit le prince, en essayant, mais sans succès, de délayer une tablette de pemmican dans une casserole perfectionnée à triple fond, je serais d'avis que, dès ce soir, nous renoncions aux porteurs nègres... Il y a précisément un marché arabe tout près d'ici. Le mieux est de nous y arrêter, et de faire emplette de quelques bourriquots...

— Non !... non !... pas de bourriquots !... » interrompit vivement le grand Tartarin, que le souvenir de Noiraud avait fait devenir tout rouge.

Et il ajouta, l'hypocrite :

« Comment voulez-vous que de si petites bêtes puissent porter tout notre attirail ? »

Le prince sourit :

« C'est ce qui vous trompe, mon illustre ami. Si maigre et si chétif qu'il vous paraisse, le bourriquot algérien a les reins solides... Il le faut bien pour supporter tout ce qu'il supporte... Demandez plutôt aux Arabes. Voici comment ils expliquent notre organisation coloniale... En haut, disent-ils, il y a *mouci* le gouverneur, avec une grande trique, qui tape sur l'état-major ;

l'état-major, pour se venger, tape sur le soldat ; le soldat tape sur le colon, le colon tape sur l'Arabe, l'Arabe tape sur le nègre, le nègre tape sur le juif, le juif à son tour tape sur le bourriquot ; et le pauvre petit bourriquot n'ayant personne sur qui taper, tend l'échine et porte tout. Vous voyez bien qu'il peut porter vos caisses.

— C'est égal, reprit Tartarin de Tarascon, je trouve que, pour le coup d'œil de notre caravane, des ânes ne feraient pas très bien... Je voudrais quelque chose de plus oriental... Ainsi, par exemple, si nous pouvions avoir un chameau...

— Tant que vous en voudrez », fit l'Altesse, et l'on se mit en route pour le marché arabe.

Le marché se tenait à quelques kilomètres, sur les bords du Chéliff... Il y avait là cinq ou six mille Arabes en guenilles, grouillant au soleil, et trafiquant bruyamment au milieu des jarres d'olives noires, des pots de miel, des sacs d'épices et des cigares en gros tas ; de grands feux où rôtissaient des moutons entiers, ruisselant de beurre, des boucheries en plein air, où des nègres tout nus, les pieds dans le sang, les bras rouges, dépeçaient, avec de petits couteaux, des chevreaux pendus à une perche.

Dans un coin, sous une tente rapetassée de mille couleurs, un greffier maure, avec un grand livre et des lunettes. Ici, un groupe, des cris de rage : c'est un jeu de roulette, installé sur une mesure à blé, et des Kabyles qui s'éventrent autour... Là-bas, des trépignements, une joie, des rires : c'est un marchand juif avec sa mule, qu'on regarde se noyer dans le Chéliff... Puis des scorpions, des chiens, des corbeaux ; et des mouches !... des mouches !...

Par exemple, les chameaux manquaient. On finit pourtant par en découvrir un, dont les Mozabites cherchaient à se défaire. C'était le vrai chameau du désert, le chameau classique, chauve, l'air triste, avec sa longue tête de bédouin et sa bosse qui, devenue flasque par suite de trop longs jeûnes, pendait mélancoliquement sur le côté.

Tartarin le trouva si beau, qu'il voulut que la caravane entière montât dessus... Toujours la folie orientale !...

La bête s'accroupit. On sangla les malles.

Le prince s'installa sur le cou de l'animal. Tartarin, pour plus de majesté, se fit hisser tout en haut de la bosse, entre deux caisses ; et là, fier et bien calé, saluant d'un geste noble tout le marché accouru, il donna le signal du départ... Tonnerre ! si ceux de Tarascon avaient pu le voir !...

Le chameau se redressa, allongea ses grandes jambes à nœuds, et prit son vol...

O stupeur ! Au bout de quelques enjambées, voilà Tartarin qui se sent pâlir, et l'héroïque chéchia qui reprend une à une ses anciennes positions du temps du *Zouave*. Ce diable de chameau tanguait comme une frégate.

« *Preïnce, preïnce,* murmura Tartarin tout blême, et s'accrochant à l'étoupe sèche de la bosse, *preïnce,* descendons... Je sens... je sens... que je vais faire bafouer la France... »

Va te promener ! le chameau était lancé, et rien ne pouvait plus l'arrêter. Quatre mille Arabes couraient derrière, pieds nus, gesticulant, riant comme des fous, et faisant luire au soleil six cent mille dents blanches...

Le grand homme de Tarascon dut se résigner. Il s'affaissa tristement sur la bosse. La chéchia prit toutes les positions qu'elle voulut... et la France fut bafouée.

5

L'affût du soir dans un bois de lauriers-roses

Si pittoresque que fût leur nouvelle monture, nos tueurs de lions durent y renoncer, par égard pour la chéchia. On continua donc la route à pied comme devant, et la caravane s'en alla tranquillement vers le Sud par petites étapes, le Tarasconnais en tête, le Monténégrin en queue, et dans les rangs le chameau avec les caisses d'armes.

L'expédition dura près d'un mois.

Pendant un mois, cherchant des lions introuvables, le terrible Tartarin erra de douar en douar dans l'immense plaine du Chéliff, à travers cette formidable et cocasse Algérie française, où les parfums du vieil Orient se compliquent d'une forte odeur d'absinthe et de caserne, Abraham et Zouzou mêlés, quelque chose de féerique et de naïvement burlesque, comme une page de l'Ancien Testament racontée par le sergent La Ramée ou le brigadier Pitou [1]... Curieux spectacle pour des yeux qui auraient su voir... Un peuple sauvage et pourri que nous civilisons, en lui

1. Types du soldat de l'Ancien Régime et du XIXe siècle.

donnant nos vices... L'autorité féroce et sans contrôle de bachagas fantastiques, qui se mouchent gravement dans leurs grands cordons de la Légion d'honneur, et pour un oui ou pour un non font bâtonner les gens sur la plante des pieds. La justice sans conscience de cadis à grosses lunettes, tartufes du Coran et de la loi, qui rêvent de quinze août et de promotion sous les palmes, et vendent leurs arrêts, comme Esaü son droit d'aînesse, pour un plat de lentilles ou de couscous au sucre. Des caïds libertins et ivrognes, anciens brosseurs d'un général Yusuf quelconque, qui se soûlent de champagne avec des blanchisseuses mahonnaises, et font des ripailles de mouton rôti, pendant que, devant leurs tentes, toute la tribu crève de faim, et dispute aux lévriers les rogatons de la ribote seigneuriale.

Puis, tout autour, des plaines en friche, de l'herbe brûlée, des buissons chauves, des maquis de cactus et de lentisques, le grenier de la France !... Grenier vide de grains, hélas ! et riche seulement en chacals et en punaises. Des douars abandonnés, des tribus effarées qui s'en vont sans savoir où, fuyant la faim, et semant des cadavres le long de la route. De loin en loin, un village français, avec des maisons en ruine, des champs sans culture, des sauterelles enragées, qui mangent jusqu'aux rideaux des fenêtres, et tous les colons dans les cafés, en train de boire de l'absinthe en discutant des projets de réforme et de constitution.

Voilà ce que Tartarin aurait pu voir, s'il s'en était donné la peine ; mais, tout entier à sa passion léonine, l'homme de Tarascon allait droit devant lui, sans regarder ni à droite ni à gauche, l'œil obstinément fixé sur ces monstres imaginaires, qui ne paraissaient jamais.

Comme la tente-abri s'entêtait à ne pas s'ouvrir et les tablettes de pemmican à ne pas fondre, la caravane était obligée de s'arrêter matin et soir dans les tribus. Partout, grâce au képi du prince Grégory, nos chasseurs étaient reçus à bras ouverts. Ils logeaient chez les agas, dans des palais bizarres, grandes fermes blanches sans fenêtres, où l'on trouve pêle-mêle des narghilés et des commodes en acajou, des tapis de Smyrne et des lampes-modérateurs, des coffres de cèdre pleins de sequins turcs, et des pendules à sujets, style Louis-Philippe... Partout on donnait à Tartarin des fêtes splendides, des *diffas*, des *fantasias*... En son honneur, des goums entiers faisaient parler la poudre et luire leurs burnous au soleil. Puis, quand la poudre avait parlé, le bon aga venait et présentait sa note... C'est ce qu'on appelle l'hospitalité arabe...

Et toujours pas de lions. Pas plus de lions que sur le Pont-Neuf !

Cependant le Tarasconnais ne se décourageait pas. S'enfonçant bravement dans le Sud, il passait ses journées à battre le maquis, fouillant les palmiers-nains du bout de sa carabine, et faisant : « frrt ! frrt ! » à chaque buisson. Puis, tous les soirs avant de se coucher, un petit affût de deux ou trois heures... Peine perdue ! le lion ne se montrait pas.

Un soir pourtant, vers les six heures, comme la caravane traversait un bois de lentisques tout violet où de grosses cailles alourdies par la chaleur sautaient çà et là dans l'herbe, Tartarin de Tarascon crut entendre — mais si loin, mais si vague, mais si émietté par la brise — ce merveilleux rugissement qu'il avait entendu tant de fois là-bas à Tarascon, derrière la baraque Mitaine.

D'abord le héros croyait rêver... Mais au bout d'un instant, lointains toujours, quoique plus distincts, les rugissements recommencèrent ; et cette fois, tandis qu'à tous les coins de l'horizon on entendait hurler les chiens des douars — secouée par la terreur et faisant retentir les conserves et les caisses d'armes, la bosse du chameau frissonna.

Plus de doute. C'était le lion... Vite, vite, à l'affût. Pas une minute à perdre.

Il y avait tout juste près de là un vieux *marabout* (tombeau de saint) à coupole blanche, avec les grandes pantoufles jaunes du défunt déposées dans une niche au-dessus de la porte, et un fouillis d'ex-voto bizarres, pans de burnous, fils d'or, cheveux roux, qui pendaient le long des murailles... Tartarin de Tarascon y remisa son prince et son chameau et se mit en quête d'un affût. Le prince Grégory voulait le suivre, mais le Tarasconnais s'y refusa ; il tenait à affronter le lion seul à seul. Toutefois il recommanda à Son Altesse de ne pas s'éloigner, et, par mesure de précaution, il lui confia son portefeuille, un gros portefeuille plein de papiers précieux et de billets de banque, qu'il craignait de faire écornifler par la griffe du lion. Ceci fait, le héros chercha son poste.

Cent pas en avant du marabout, un petit bois de lauriers-roses tremblait dans la gaze du crépuscule, au bord d'une rivière presque à sec. C'est là que Tartarin vint s'embusquer, le genou en terre, selon la formule, la carabine au poing et son grand couteau de chasse planté fièrement devant lui dans le sable de la berge.

La nuit arriva. Le rose de la nature passa au violet, puis au bleu sombre... En bas, dans les cailloux de la rivière, luisait comme un miroir à main une petite flaque d'eau claire. C'était l'abreuvoir des fauves. Sur la pente de l'autre berge, on voyait vaguement le sentier blanc que leurs grosses pattes avaient tracé dans les lentisques. Cette pente mystérieuse donnait le frisson. Joignez à cela le fourmillement vague des nuits africaines, branches frôlées, pas de velours d'animaux rôdeurs, aboiements grêles des chacals, et là-haut, dans le ciel, à cent, deux cents mètres, de grands troupeaux de grues qui passent avec des cris d'enfants qu'on égorge ; vous avouerez qu'il y avait de quoi être ému.

Tartarin l'était. Il l'était même beaucoup. Les dents lui claquaient, le pauvre homme ! Et sur la garde de son couteau de chasse planté en terre le canon de son fusil rayé sonnait comme une paire de castagnettes... Qu'est-ce que vous voulez ! Il y a des soirs où l'on n'est pas en train, et puis où serait le mérite, si les héros n'avaient jamais peur...

Eh bien ! oui, Tartarin eut peur, et tout le temps encore. Néanmoins, il tint bon une heure, deux heures, mais l'héroïsme a ses limites... Près de lui, dans le lit desséché de la rivière, le Tarasconnais entend tout à coup un bruit de pas, des cailloux qui roulent. Cette fois la terreur l'enlève de terre. Il tire ses deux coups au hasard dans la nuit, et se replie à toutes jambes sur le marabout, laissant son coutelas debout dans le sable comme une croix commémorative de la plus formidable panique qui ait jamais assailli l'âme d'un dompteur d'hydres.

« A moi, *preïnce...* le lion !... »

Un silence.

« *Preïnce, preïnce,* êtes-vous là ? »

Le prince n'était pas là. Sur le mur blanc du marabout, le bon chameau projetait seul au clair de lune l'ombre bizarre de sa bosse. Le prince Grégory venait de filer en emportant portefeuille et billets de banque. Il y avait un mois que Son Altesse attendait cette occasion...

5

Enfin !...

Le lendemain de cette aventureuse et tragique soirée, lorsqu'au petit jour notre héros se réveilla, et qu'il eut acquis la certitude que le prince et le magot étaient réellement partis, partis sans retour ; lorsqu'il se vit seul dans cette petite tombe blanche, trahi, volé, abandonné en pleine Algérie sauvage avec un chameau à bosse simple et quelque monnaie de poche pour toute ressource, alors, pour la première fois, le Tarasconnais douta. Il douta du Monténégro, il douta de l'amitié, il douta de la gloire, il douta même des lions ; et, comme le Christ à Gethsémani, le grand homme se prit à pleurer amèrement.

Or, tandis qu'il était là pensivement assis sur la porte du marabout, sa tête dans ses deux mains, sa carabine entre ses jambes, et le chameau qui le regardait, soudain le maquis d'en face s'écarte et Tartarin, stupéfait, voit paraître, à dix pas devant lui, un lion gigantesque s'avançant la tête haute et poussant des rugissements formidables qui font trembler les murs du marabout tout chargés d'oripeaux et jusqu'aux pantoufles du saint dans leur niche.

Seul, le Tarasconnais ne trembla pas.

« Enfin ! » cria-t-il en bondissant, la crosse à l'épaule... Pan !... pan !... pfft ! C'était fait... Le lion avait deux balles explosibles dans la tête... Pendant une minute, sur le fond embrasé du ciel africain, ce fut un feu d'artifice épouvantable de cervelle en éclats, de sang fumant et de toison rousse éparpillée. Puis tout retomba et Tartarin aperçut... deux grands nègres qui couraient sur lui, la matraque en l'air. Les deux nègres de Milianah !

O misère ! c'était le lion apprivoisé, le pauvre aveugle du couvent de Mohammed que les balles tarasconnaises venaient d'abattre.

Cette fois, par Mahom ! Tartarin l'échappa belle. Ivres de fureur fanatique, les deux nègres quêteurs l'auraient sûrement mis en pièces, si le Dieu des chrétiens n'avait envoyé à son aide un ange libérateur, le garde champêtre de la commune d'Orléansville arrivant son sabre sous le bras, par un petit sentier.

La vue du képi municipal calma subitement la colère des nègres. Paisible et majestueux, l'homme de la plaque dressa procès-verbal de l'affaire, fit charger sur le chameau ce qui restait du lion, ordonna aux plaignants comme au délinquant de le suivre, et se dirigea sur Orléansville, où le tout fut déposé au greffe.

Ce fut une longue et terrible procédure !

Après l'Algérie des tribus, qu'il venait de parcourir, Tartarin de Tarascon connut alors une autre Algérie non moins cocasse et formidable, l'Algérie des villes, processive et avocassière. Il connut la judiciaire louche qui se tripote au fond des cafés, la bohème des gens de loi, les dossiers qui sentent l'absinthe, les cravates blanches mouchetées de *champoreau* ; il connut les huissiers, les agréés, les agents d'affaires, toutes ces sauterelles du papier timbré, affamées et maigres, qui mangent le colon jusqu'aux tiges de ses bottes et le laissent déchiqueté feuille par feuille comme un plant de maïs...

Avant tout il s'agissait de savoir si le lion avait été tué sur le territoire civil ou le territoire militaire. Dans le premier cas l'affaire regardait le tribunal de commerce ; dans le second, Tartarin relevait du conseil de guerre, et, à ce mot de conseil de guerre, l'impressionnable Tarasconnais se voyait déjà fusillé au pied des remparts, ou croupissant dans le fond d'un silo...

Le terrible, c'est que la délimitation des deux territoires est très vague en Algérie... Enfin, après un mois de courses, d'intrigues, de stations au soleil dans les cours des bureaux arabes, il fut établi que si d'une part le lion avait été tué sur le territoire militaire, d'autre part, Tartarin, lorsqu'il tira, se trouvait sur le territoire civil. L'affaire se jugea donc au civil et notre héros en fut quitte pour *deux mille cinq cents francs* d'indemnité, sans les frais.

Comment faire pour payer tout cela ? Les quelques piastres échappées à la razzia du prince s'en étaient allées depuis longtemps en papiers légaux et en absinthes judiciaires.

Le malheureux tueur de lions fut donc réduit à vendre la caisse d'armes au détail, carabine par carabine. Il vendit les poignards, les kriss malais, les casse-tête... Un épicier acheta les conserves alimentaires. Un pharmacien, ce qui restait du sparadrap. Les grandes bottes elles-mêmes y passèrent et suivirent la tente-abri perfectionnée chez un marchand de bric-à-brac, qui les éleva à la hauteur de curiosités cochinchinoises... Une fois tout payé, il ne restait plus à Tartarin que la peau du lion et le chameau. La peau, il l'emballa soigneusement et la dirigea sur Tarascon, à l'adresse du brave commandant Bravida. (Nous verrons tout à l'heure ce qu'il advint de cette fabuleuse dépouille.) Quant au chameau, il comptait s'en servir pour regagner Alger, non pas en montant dessus, mais en le vendant pour payer la diligence ; ce qui est encore la meilleure façon de voyager à chameau. Malheureusement, la bête était d'un placement difficile, et personne n'en offrit un liard.

Tartarin cependant voulait regagner Alger à toute force. Il avait hâte de revoir le corselet bleu de Baïa, sa maisonnette, ses fontaines, et de se reposer sur les trèfles blancs de son petit cloître, en attendant de l'argent de France. Aussi notre héros n'hésita pas : et navré, mais point abattu, il entreprit de faire la route à pied, sans argent, par petites journées.

En cette occurrence, le chameau ne l'abandonna pas. Cet étrange animal s'était pris pour son maître d'une tendresse inexplicable, et, le voyant sortir d'Orléansville, se mit à marcher religieusement derrière lui, réglant son pas sur le sien et ne le quittant pas d'une semelle.

Au premier moment, Tartarin trouva cela touchant ; cette fidélité, ce dévouement à toute épreuve lui allaient au cœur, d'autant que la bête était commode et se nourrissait avec rien. Pourtant, au bout de quelques jours, le Tarasconnais s'ennuya d'avoir perpétuellement sur les talons ce compagnon mélancolique, qui lui rappelait toutes ses mésaventures ; puis, l'aigreur s'en mêlant, il lui en voulut de son air triste, de sa bosse, de son allure d'oie bridée. Pour tout dire, il le prit en grippe et ne songea plus qu'à s'en débarrasser ; mais l'animal tenait bon... Tartarin essaya de le perdre, le chameau le retrouva ; il essaya de courir, le chameau courut plus vite... Il lui criait : « Va-t'en ! » en lui jetant des pierres. Le chameau s'arrêtait et le regardait d'un air triste, puis, au bout d'un moment, il se remettait en route et finissait toujours par le rattraper. Tartarin dut se résigner.

Pourtant, lorsque, après huit grands jours de marche, le Tarasconnais poudreux, harassé, vit de loin étinceler dans la verdure les premières terrasses blanches d'Alger, lorsqu'il se trouva aux portes de la ville, sur l'avenue bruyante de Mustapha, au milieu des zouaves, des biskris, des Mahonnaises, tous grouillant autour de lui et le regardant défiler avec son chameau, pour le coup la patience lui échappa : « Non ! non ! dit-il, ce n'est pas possible... je ne peux pas entrer dans Alger avec un animal pareil ! » et, profitant d'un encombrement de voitures, il fit un crochet dans les champs et se jeta dans un fossé !...

Au bout d'un moment, il vit au-dessus de sa tête, sur la chaussée de la route, le chameau qui filait à grandes enjambées, allongeant le cou d'un air anxieux.

Alors, soulagé d'un grand poids, le héros sortit de sa cachette et rentra dans la ville par un sentier détourné qui longeait le mur de son petit clos.

7

Catastrophes sur catastrophes

En arrivant devant sa maison mauresque, Tartarin s'arrêta très étonné. Le jour tombait, la rue était déserte. Par la porte basse en ogive que la négresse avait oublié de fermer, on entendait des rires, des bruits de verres, des détonations de bouchons de champagne, et dominant tout ce joli vacarme une voix de femme qui chantait, joyeuse et claire :

Aimes-tu, Marco la belle,
La danse aux salons en fleurs...

« Tron de Diou ! » fit le Tarasconnais en pâlissant, et il se précipita dans la cour.

Malheureux Tartarin ! Quel spectacle l'attendait... Sous les arceaux du petit cloître, au milieu des flacons, des pâtisseries, des coussins épars, des pipes, des tambourins, des guitares, Baïa debout, sans veston bleu ni corselet, rien qu'une chemisette de gaze argentée et un grand pantalon rose tendre, chantait *Marco la Belle* avec une casquette d'officier de marine sur l'oreille... A ses pieds, sur une natte, gavé d'amour et de confitures, Barbassou, l'infâme capitaine Barbassou, se crevait de rire en l'écoutant.

L'apparition de Tartarin, hâve, maigri, poudreux, les yeux flamboyants, la chéchia hérissée, interrompit tout net cette aimable orgie turco-marseillaise. Baïa poussa un petit cri de levrette effrayée, et se sauva dans la maison. Barbassou, lui, ne se troubla pas, et riant de plus belle :

« Hé ! bé ! monsieur Tartarin, qu'est-ce que vous en dites ? Vous voyez bien qu'elle savait le français ! »

Tartarin de Tarascon s'avança furieux :

« Capitaine !

— *Digo-li qué vengué, moun bon*[1] *!* » cria la Mauresque, se penchant de la galerie du premier avec un joli geste canaille. Le pauvre homme, atterré, se laissa choir sur un tambour. Sa Mauresque savait même le marseillais !

1. « Dis-lui qu'il vienne, mon bon. »

« Quand je vous le disais de vous méfier des Algériennes ! fit sentencieusement le capitaine Barbassou C'est comme votre prince monténégrin. »

Tartarin releva la tête.

« Vous savez où est le prince ?

— Oh ! il n'est pas loin. Il habite pour cinq ans la belle prison de Mustapha. Le drôle s'est laissé prendre la main dans le sac... Du reste, ce n'est pas la première fois qu'on le met à l'ombre. Son Altesse a déjà fait trois ans de maison centrale quelque part... et, tenez ! je crois même que c'est à Tarascon.

— A Tarascon !... s'écria Tartarin subitement illuminé... C'est donc ça qu'il ne connaissait qu'un côté de la ville...

— Hé ! sans doute... Tarascon vu de la maison centrale... Ah ! mon pauvre monsieur Tartarin, il faut joliment ouvrir l'œil dans ce diable de pays, sans quoi on est exposé à des choses bien désagréables... Ainsi votre histoire avec le muezzin...

— Quelle histoire ? Quel muezzin ?

— Té ! pardi !... le muezzin d'en face qui faisait la cour à Baïa... L'*Akbar* a raconté l'affaire l'autre jour, et tout Alger en rit encore... C'est si drôle ce muezzin qui, du haut de sa tour, tout en chantant ses prières, faisait sous votre nez des déclarations à la petite, et lui donnait des rendez-vous en invoquant le nom d'Allah...

— Mais c'est donc tous des gredins dans ce pays ?... » hurla le malheureux Tarasconnais.

Barbassou eut un geste de philosophe.

« Mon cher, vous savez, les pays neufs... C'est égal ! si vous m'en croyez, vous retournerez bien vite à Tarascon.

— Retourner... c'est facile à dire... Et l'argent ?... Vous ne savez donc pas comme ils m'ont plumé, là-bas, dans le désert ?

— Qu'à cela ne tienne ! fit le capitaine en riant... Le *Zouave* part demain, et si vous voulez, je vous rapatrie... ça vous va-t-il, collègue ?... Alors, très bien. Vous n'avez plus qu'une chose à faire. Il reste encore quelques fioles de champagne, une moitié de croustade... Asseyez-vous là, et sans rancune !... »

Après la minute d'hésitation que lui commandait sa dignité, le Tarasconnais prit bravement son parti. Il s'assit, on trinqua ; Baïa, redescendue au bruit des verres, chanta la fin de *Marco la Belle*, et la fête se prolongea fort avant dans la nuit.

Vers trois heures du matin, la tête légère et le pied lourd, le bon Tartarin revenait d'accompagner son ami le capitaine, lorsqu'en passant devant la mosquée, le souvenir du muezzin et de ses farces le fit rire, et tout de suite une belle idée de vengeance lui traversa le cerveau. La porte était ouverte. Il entra, suivit de longs couloirs tapissés de nattes, monta encore, et finit par se trouver dans un petit oratoire turc, où une lanterne en fer découpé se balançait au plafond, brodant les murs blancs d'ombres bizarres.

Le muezzin était là, assis sur un divan, avec son gros turban, sa pelisse blanche, sa pipe de Mostaganem, et devant un grand verre d'absinthe, qu'il battait religieusement, en attendant l'heure d'appeler les croyants à la prière... A la vue de Tartarin, il lâcha sa pipe de terreur

« Pas un mot, curé, dit le Tarasconnais, qui avait son idée... Vite, ton turban, ta pelisse !... »

Le curé turc, tout tremblant, donna son turban, sa pelisse, tout ce qu'on voulut. Tartarin s'en affubla, et passa gravement sur la terrasse du minaret.

La mer luisait au loin. Les toits blancs étincelaient au clair de lune. On entendait dans la brise marine quelques guitares attardées... Le muezzin de Tarascon se recueillit un moment, puis, levant les bras, il commença à psalmodier d'une voix suraiguë :

« *La Allah il Allah...* Mahomet est un vieux farceur... L'Orient, le Coran, les bachagas, les lions, les Mauresques, tout ça ne vaut pas un viédaze !... Il n'y a plus de *Teurs.* Il n'y a que des carotteurs... Vive Tarascon !... »

Et pendant qu'en un jargon bizarre, mêlé d'arabe et de provençal, l'illustre Tartarin jetait aux quatre coins de l'horizon, sur la mer, sur la ville, sur la plaine, sur la montagne, sa joyeuse malédiction tarasconnaise, la voix claire et grave des autres muezzins lui répondait, en s'éloignant de minaret en minaret, et les derniers croyants de la ville haute se frappaient dévotement la poitrine.

8

Tarascon ! Tarascon !

Midi. Le *Zouave* chauffe, on va partir. Là-haut, sur le balcon du café Valentin, MM. les officiers braquent la longue-vue, et viennent, colonel en tête, par rang de grade, regarder l'heureux petit bateau qui va en France. C'est la grande distraction de l'état-major... En bas, la rade étincelle. La culasse des vieux canons turcs enterrés le long du quai flambe au soleil. Les passagers se pressent. Biskris et Mahonnais entassent les bagages dans les barques.

Tartarin de Tarascon, lui, n'a pas de bagages. Le voici qui descend de la rue de la Marine, par le petit marché, plein de bananes et de pastèques, accompagné de son ami Barbassou. Le malheureux Tarasconnais a laissé sur la rive du Maure sa caisse d'armes et ses illusions, et maintenant il s'apprête à voguer vers Tarascon, les mains dans les poches... A peine vient-il de sauter dans la chaloupe du capitaine, qu'une bête essoufflée dégringole du haut de la place, et se précipite vers lui, en galopant. C'est le chameau, le chameau fidèle, qui, depuis vingt-quatre heures, cherche son maître dans Alger.

Tartarin, en le voyant, change de couleur et feint de ne pas le connaître ; mais le chameau s'acharne. Il frétille au long du quai. Il appelle son ami, et le regarde avec tendresse : « Emmène-moi, semble dire son œil triste, emmène-moi dans la barque, loin, bien loin de cette Arabie en carton peint, de cet Orient ridicule, plein de locomotives et de diligences, où — dromadaire déclassé — je ne sais plus que devenir. Tu es le dernier Turc, je suis le dernier chameau... Ne nous quittons plus, ô mon Tartarin... »

« Est-ce que ce chameau est à vous ? demande le capitaine.

— Pas du tout ! » répondit Tartarin, qui frémit à l'idée d'entrer dans Tarascon avec cette escorte ridicule ; et, reniant impudemment le compagnon de ses infortunes, il repousse du pied le sol algérien, et donne à la barque l'élan du départ... Le chameau flaire l'eau, allonge le cou, fait craquer ses jointures et, s'élançant derrière la barque à corps perdu, il nage de conserve vers le *Zouave*, avec son dos bombé, qui flotte comme une gourde, et son grand col, dressé sur l'eau en éperon de trirème.

Barque et chameau viennent ensemble se ranger aux flancs du paquebot.

« A la fin, il me fait peine ce dromadaire ! dit le capitaine Barbassou tout ému, j'ai envie de le prendre à mon bord... En arrivant à Marseille, j'en ferai hommage au jardin zoologique. »

On hissa sur le pont, à grand renfort de palans et de cordes, le chameau, alourdi par l'eau de mer, et le *Zouave* se mit en route.

Les deux jours que dura la traversée, Tartarin les passa tout seul dans sa cabine, non pas que la mer fût mauvaise, ni que la chéchia eût trop à souffrir, mais le diable de chameau, dès que son maître apparaissait sur le pont, avait autour de lui des empressements ridicules... Vous n'avez jamais vu un chameau afficher quelqu'un comme cela !...

D'heure en heure, par les hublots de la cabine où il mettait le nez quelquefois, Tartarin vit le bleu du ciel algérien pâlir ; puis enfin, un matin, dans une brume d'argent, il entendit avec bonheur chanter toutes les cloches de Marseille. On était arrivé... le *Zouave* jeta l'ancre.

Notre homme, qui n'avait pas de bagages, descendit sans rien dire, traversa Marseille en hâte, craignant toujours d'être suivi par le chameau, et ne respira que lorsqu'il se vit installé dans un wagon de troisième classe, filant bon train sur Tarascon... Sécurité trompeuse ! A peine à deux lieues de Marseille, voilà toutes les têtes aux portières. On crie, on s'étonne. Tartarin, à son tour, regarde, et... qu'aperçoit-il ?... Le chameau, monsieur, l'inévitable chameau, qui détalait sur les rails, en pleine Crau, derrière le train, et lui tenant pied. Tartarin, consterné, se rencoigna, en fermant les yeux.

Après cette expédition désastreuse, il avait compté rentrer chez lui incognito. Mais la présence de ce quadrupède encombrant rendait la chose impossible. Quelle rentrée il allait faire ! bon Dieu ! pas le sou, pas de lions, rien... Un chameau !...

« Tarascon !... Tarascon !... »

Il fallut descendre.

O stupeur ! à peine la chéchia du héros apparut-elle dans l'ouverture de la portière, un grand cri : « Vive Tartarin ! » fit trembler les voûtes vitrées de la gare. « Vive Tartarin ! vive le tueur de lions ! » Et des fanfares, des chœurs d'orphéons éclatèrent... Tartarin se sentit mourir ; il croyait à une mystification. Mais non ! tout Tarascon était là, chapeaux en l'air, et sympathique. Voilà le brave commandant Bravida, l'armurier Costecalde, le président, le pharmacien, et tout le noble corps des chasseurs de casquettes qui se presse autour de son chef, et le porte en triomphe tout le long des escaliers...

Singuliers effets du mirage ! la peau du lion aveugle, envoyée à Bravida, était cause de tout ce bruit. Avec cette modeste fourrure, exposée au cercle, les Tarasconnais, et derrière eux tout le Midi, s'étaient monté la tête. Le *Sémaphore* avait parlé. On avait inventé un drame. Ce n'était plus un lion que Tartarin avait tué, c'étaient dix lions, vingt lions, une marmelade de lions ! Aussi Tartarin, débarquant à Marseille, y était déjà illustre sans le savoir, et un télégramme enthousiaste l'avait devancé de deux heures dans sa ville natale.

Mais ce qui mit le comble à la joie populaire, ce fut quand on vit un animal fantastique, couvert de poussière et de sueur, apparaître derrière le héros, et descendre à cloche-pied l'escalier de la gare. Tarascon crut un instant sa Tarasque revenue.

Tartarin rassura ses compatriotes.

« C'est mon chameau », dit-il.

Et déjà sous l'influence du soleil tarasconnais, ce beau soleil, qui fait mentir ingénument, il ajouta, en caressant la bosse du dromadaire :

« C'est une noble bête !... Elle m'a vu tuer tous mes lions. »

Là-dessus, il prit familièrement le bras du commandant, rouge de bonheur ; et, suivi de son chameau, entouré des chasseurs de casquettes, acclamé par tout le peuple, il se dirigea paisiblement vers la maison du baobab, et, tout en marchant, il commença le récit de ses grandes chasses :

« Figurez-vous, disait-il, qu'un certain soir, en plein Sahara... »

Histoire de mes livres

Depuis bientôt quinze ans que j'ai publié les *Aventures de Tartarin*, Tarascon ne me les a pas encore pardonnées, et des voyageurs dignes de foi m'affirment que, chaque matin, à l'heure où la petite ville provençale ouvre les volets de ses boutiques et secoue ses tapis au souffle du grand Rhône, de tous les seuils, de toutes les fenêtres, jaillit le même poing irrité, le même flamboiement d'yeux noirs, le même cri de rage vers Paris : « Oh ! ce Daudet... si un coup, il descend par ici... » comme dans l'histoire de Barbe-Bleue : « Descends-tu... ou si je monte ! »

Et sans rire, une fois, Tarascon est monté.

C'était en 1878, quand la province foisonnait dans les hôtels, sur les boulevards et ce pont gigantesque jeté entre le Champ-de-Mars et le Trocadéro. Un matin, le sculpteur Amy, Tarasconnais nationalisé Parisien, voyait pointer chez lui une formidable paire de moustaches venues en train de plaisir, sous prétexte d'Exposition universelle, en réalité pour s'expliquer avec Daudet au sujet du brave commandant Bravida et de *La Défense de Tarascon*, un petit conte publié pendant la guerre.

« *Qué ?...* nous y allons chez Daudet ! »

Ce fut leur premier mot, à ces moustaches tarasconnaises, en entrant dans l'atelier ; et, quinze jours durant, le sculpteur Amy n'eut que cette phrase aux oreilles : « Et *autrement*, où le trouve-t-on ce Daudet ? » Le malheureux artiste ne savait plus qu'imaginer pour m'épargner cette apparition héroï-comique. Il menait les moustaches de son « pays » à l'Exposition, les perdait dans la rue des Nations, dans la galerie des machines, les arrosait de bière anglaise, vin hongrois, lait de jument, boissons exotiques et variées, les étourdissait de musique mauresque, tzigane, japonaise, les brisait, les harassait, les hissait — comme Tartarin sur son minaret — jusqu'aux tourillons du Trocadéro.

Mais la rancune du Provençal tenait ferme, et de là-haut, guettant Paris, le sourcil froncé, il demandait :

« Est-ce qu'on la voit, sa maison ?
— Quelle maison ?
— *Té !...* de ce Daudet, pardi ! »

Et comme cela partout. Heureusement le train de plaisir chauffait et remportait, inassouvie, la vengeance du Tarasconnais ; mais celui-là parti, il pouvait en venir d'autres, et de tout le temps de l'Exposition je ne dormis pas. C'est quelque chose, allez, de sentir sur soi la haine de toute une ville ! Encore aujourd'hui, quand je vais dans le Midi, Tarascon me gêne au passsage ; je sais qu'il m'en veut toujours, que mes livres sont chassés de ses librairies, introuvables même à la gare, et du plus loin que j'aperçois dans l'embrasure du wagon le château du bon roi René, je me sens mal à l'aise et voudrais brûler la station. Voilà pourquoi je profite de cette édition nouvelle pour offrir publiquement aux Tarasconnais, avec toutes mes excuses, l'explication que l'ancien commandant en chef de leur milice était venu me demander.

Tarascon n'a été pour moi qu'un pseudonyme ramassé sur la voie de Paris à Marseille, parce qu'il ronflait bien dans l'accent du Midi et triomphait, à l'appel des stations, comme un cri de guerrier apache. En réalité, le pays de Tartarin et des chasseurs de casquettes est un peu plus loin, à cinq ou six lieues, « de l'autre main » du Rhône. C'est là que, tout enfant, j'ai vu languir le baobab dans son petit pot à réséda, image de mon héros à l'étroit dans sa petite ville, là que les Rebuffa chantaient le duo de *Robert le Diable* ; c'est de là, enfin, qu'un jour de novembre 1861, Tartarin et moi, armés jusqu'aux dents et coiffés de la chéchia, nous partîmes chasser le lion en Algérie.

A dire vrai, je n'y allais pas expressément pour cela, ayant surtout besoin de calfater au bon soleil mes poumons un peu délabrés. Mais ce n'est pas pour rien, mille dieux ! que je suis né au pays des chasseurs de casquettes ; et dès que j'eus mis le pied sur le pont du *Zouave* où l'on embarquait notre énorme caisse d'armes, plus Tartarin que Tartarin, je m'imaginai réellement que j'allais exterminer tous les fauves de l'Atlas.

Féerie du premier voyage ! Il me semble que c'est aujourd'hui ce départ, cette mer bleue, mais bleue comme une eau de teinture, toute rebroussée par le vent, avec des étincellements de saline, et ce beaupré qui se cabrait, piquait la lame, se secouait tout blanc d'écume et repartait la pointe au large, toujours au large, et midi qui sonnait partout dans la lumière avec toutes les cloches de Marseille, et mes vingt ans qui faisaient dans ma tête aussi un retentissant carillon.

Tout cela, je le revis rien que d'en parler, je suis là-bas, je roule les bazars d'Alger dans un demi-jour qui sent le musc, l'ambre, la rose étouffée et la laine chaude ; les guzlas nasillent sur trois cordes devant les petites armoires à glace tunisiennes aux arabesques de nacre, pendant que le jet d'eau tinte sa note fraîche sur les faïences du patio. Et me voilà courant le Sahel, les bois d'orangers de Blidah, la Chiffa, le ruisseau des Singes, Milianah et ses pentes vertes, ses vergers enchevêtrés de tournesols, de figuiers, de cougourdiers comme nos bastides provençales.

Voilà l'immense vallée du Chélif, des maquis de lentisques, de palmiers nains, des torrents à sec bordés de lauriers-roses ; sur l'horizon la fumée d'un gourbi montant droite d'un fourré de cactus, l'enceinte grise d'un caravansérail, un tombeau de saint avec sa coupole blanche en turban, ses ex-voto sur le mur de chaux éblouissant, et çà et là, dans l'étendue brûlée et claire, de mouvantes taches sombres qui sont des troupeaux.

Et j'entends encore, avec la sensation au creux de l'estomac des secousses de ma selle arabe, le cliquetis de mes grands étriers, les appels des bergers dans cette atmosphère ondée et fine où la voix ricoche : « Si Mohame... e... ed... », les abois furieux des chiens slougis autour des douars, les coups de feu et les hurlements des fantasias, et la sauvage musique des derboukas, le soir, devant la tente ouverte, tandis que les chacals glapissent dans la plaine, enragés comme nos cigales, et qu'un croissant de lune claire, le croissant de Mahomet, scintille sur le velours constellé de la nuit. Très nette aussi dans ma mémoire la tristesse du retour, l'impression d'exil et de froid en rentrant à Marseille, le bleu du ciel provençal me paraissant embruni et voilé à côté de ces horizons algériens, palette aux gammes intenses et variées, aurores d'un vert inouï, le vert minéral, le vert poison, courts crépuscules du soir, changeants et nacrés de pourpre et d'améthyste, puits roses où viennent boire des chameaux roses, où la corde du puits, la barbe du Bédouin, lapant à même le seau, ruissellent de gouttelettes roses... ; après plus de vingt ans, je retrouve en moi ce regret, cette nostalgie d'une lumière disparue.

Il y a dans la langue de Mistral un mot qui résume et définit bien tout un instinct de la race : *galéja*, railler, plaisanter. Et l'on voit l'éclair d'ironie, la pointe malicieuse qui luit au fond des yeux provençaux. *Galéja* revient à tout propos dans la conversation, sous forme de verbe, de substantif. « *Vesés-pàs ?... Es uno galéjado...* Tu ne vois donc pas ?... C'est une plaisanterie...

Taisoté, galéjaïré... Taisez-vous, vilain moqueur. » Mais d'être *galéjaïré*, cela n'exclut ni la bonté ni la tendresse. On s'amuse, *té !* on veut rire ; et là-bas le rire va avec tous les sentiments, les plus passionnés, les plus tendres. Dans une vieille, vieille chanson de chez nous, l'histoire de la petite Fleurance, ce goût des Provençaux pour le rire apparaît d'une exquise façon. Fleurance s'est mariée presque enfant à un chevalier qui l'a prise si jeunette, *la pren tan jouveneto se saup pas courdela*, qu'elle ne sait pas agrafer ses cordons. Mais, sitôt le mariage, voilà le seigneur de Fleurance obligé de partir en Palestine et de laisser sa petite femme toute seule. Sept ans se sont passés, sans que le chevalier ait donné signe de vie, quand un pèlerin à coquille et longue barbe se présente au pont du château. Il revient de chez les *Teurs*, il apporte des nouvelles du mari de Fleurance ; et, tout de suite, la jeune dame le fait entrer, le met à table en face d'elle.

Ce qu'il advint entre eux alors, je puis vous le dire de deux façons ; car l'histoire de Fleurance, comme toutes les chansons populaires, a fait son tour de France dans la balle des colporteurs, et je l'ai retrouvée en Picardie avec une variante significative. Dans la chanson picarde, au milieu du repas, la dame se met à pleurer.

« Vous pleurez, belle Fleurance ? » demande le pèlerin tout tremblant.

« Je pleure parce que je vous reconnais et que vous êtes mon cher mari... »

Au contraire la petite Fleurance provençale, à peine est-elle assise en face du pèlerin à grande barbe que, gentiment, elle *se n'en rit*. « Hé ! de quoi vous riez, Fleurance ? — *Té !* je ris, parce que vous êtes mon mari. »

Et elle saute sur ses genoux en riant, et le pèlerin rit aussi dans sa barbe d'étoupe, car c'est comme elle un *galéjaïré*, ce qui ne les empêche pas de s'aimer tendrement à pleins bras, à pleines lèvres, de toute l'émotion de leurs cœurs fidèles.

Et moi aussi, je suis un *galéjaïré*. Dans les brumes de Paris, dans l'éclaboussement de sa boue, de ses tristesses, j'ai peut-être perdu le goût et la faculté de rire ; mais à lire Tartarin, on s'aperçoit qu'il restait en moi un fond de gaieté brusquement épanoui à la belle lumière de là-bas.

Certes, je conviens qu'il y avait autre chose à écrire sur la France algérienne que les *Aventures de Tartarin* ; par exemple une étude de mœurs cruelle et vraie, l'observation d'un pays neuf aux confins de deux races et de deux civilisations, avec leur action réflexe, le conquérant conquis à son tour par le climat, par les mœurs molles, l'incurie, la pourriture d'Orient, matraque et chapardage, l'Algérien Doineau et l'Algérien Bazaine, ces deux parfaits produits du bureau arabe. Que de révélations à faire sur la misère de ces mœurs d'avant-garde, l'histoire d'un colon, la fondation d'une ville au milieu des rivalités de trois pouvoirs en présence, armée, administration, magistrature. Au lieu de tout cela je n'ai rien rapporté que *Tartarin*, un éclat de rire, une *galéjade*.

C'est vrai que nous faisions, mon compagnon et moi, un beau couple de jobards, débarquant en ceinture rouge et chéchia flamboyante dans cette brave ville d'Alger où il n'y avait guère que nous deux de *Teurs*. De quel air recueilli, convaincu, Tartarin quittait ses énormes bottes de chasse à la porte des mosquées et s'avançait dans le sanctuaire de Mahomet, grave, les lèvres serrées, en chaussettes de couleur. Ah ! il y croyait, celui-là, à l'Orient, et aux muezzins et aux almées, aux lions, aux panthères, aux dromadaires, à tout ce qu'avaient bien voulu lui raconter ses livres et que son imagination méridionale lui grandissait encore.

Moi, fidèle comme le chameau de mon histoire, je le suivais dans son rêve héroïque ; mais, par instants, je doutais un peu. Je me rappelle qu'un soir, à l'Oued-Fodda, partant pour un affût au lion et traversant un camp de chasseurs d'Afrique avec tout notre accoutrement de houseaux, de fusils, revolvers, couteaux de chasse, j'eus la sensation aiguë du ridicule devant la stupeur muette des bons troupiers faisant leur soupe sur le front des tentes alignées. « Et s'il n'y avait pas de lion ! »

Ce qui n'empêche qu'une heure après, la nuit venue, à genoux dans un bouquet de lauriers, fouillant l'ombre avec mes lunettes, pendant que des piaillements de grues passaient très haut dans l'air et que des chacals froissaient l'herbe autour de moi, je sentais grelotter mon fusil sur la garde du couteau de chasse fiché en terre.

J'ai prêté à Tartarin ce frisson de peur et les bouffonnes réflexions qui l'accompagnaient ; mais c'est une grande injustice. Je vous jure bien que, si le lion était venu, le bon Tartarin l'aurait reçu, le rifle au poing, la dague haute ; et si sa balle se fût perdue, son sabre faussé dans un corps à corps, il eût fini la lutte poil contre poil, étouffé le monstre entre ses bras à doubles muscles, déchiqueté de ses ongles, de ses dents, sans seulement cracher la peau ; car c'était un rude homme au demeurant que ce chasseur de casquettes, et de plus un homme d'esprit qui a été le premier à rire de ma *galéjade* !

L'histoire de Tartarin ne fut écrite que longtemps après mon voyage en Algérie. Le voyage est de 1861-62, le livre de 1869. Je commençai à le publier en variétés au *Petit Moniteur universel*, avec d'amusants croquis d'Emile Benassit. L'insuccès fut absolu. *Le Petit Moniteur* était un journal populaire, et le peuple n'entend rien à l'ironie imprimée qui le déroute, lui fait croire qu'on veut se moquer de lui. Rien ne saurait rendre le désappointement des abonnés du journal à un sou, si friands de *Rocambole* et de Ponson du Terrail, en lisant ces premiers chapitres de la vie de Tartarin, les romances, le baobab, désappointement qui allait jusqu'aux menaces de désabonnement, jusqu'aux injures personnelles. On m'écrivait : « Eh ! bien, oui... et puis après ? Qu'est-ce que ça prouve ? Imbécile ! » et l'on signait violemment Le plus malheureux était Paul Dalloz qui avait fait de grands frais de publicité, de dessins, et payait cher une expérience. Après une dizaine de feuilletons, j'eus pitié de lui et portai *Tartarin* au *Figaro* où il fut mieux compris des lecteurs, mais se buta à d'autres mauvais vouloirs. Le secrétaire de la rédaction du *Figaro*, à cette époque, était Alexandre Duvernois, le frère de Clément Duvernois, ancien journaliste et ministre. Par grand hasard j'avais, neuf ans auparavant, au courant de ma joyeuse expédition, rencontré Alexandre Duvernois, alors modeste employé au bureau civil de Milianah, et gardant de cette époque un vrai culte pour la colonie. Irrité, révolté par la façon légère dont je parlais de sa chère Algérie, il ne pouvait empêcher la publication de *Tartarin*, mais il s'arrangea pour la morceler en lambeaux intermittents, prétextant l'horrible cliché de « l'abondance des matières », si bien que ce tout petit roman s'éternisa dans le journal presque autant que *Le Juif errant* ou *Les Trois Mousquetaires*. « Ça tire, ça tire... », grondait le faux-bourdon de Villemessant, et j'avais grand-peur d'être obligé d'interrompre encore une fois.

Puis, nouvelles tribulations. Le personnage de mon livre s'appelait alors Barbarin de Tarascon.

Or, il y avait justement à Tarascon une vieille famille de Barbarin qui me menaça de papier timbré, si je n'enlevais son nom au plus vite de cette outrageante bouffonnerie. Ayant des tribunaux et de la justice une sainte épouvante, je consentis à remplacer Barbarin par Tartarin sur les épreuves déjà tirées qu'il fallut reprendre ligne par ligne dans une minutieuse chasse aux B. Quelques-uns ont dû m'échapper à travers ces trois cents pages ; et l'on trouve dans la première édition des Bartarin, Tarbarin, et même tonsoir pour bonsoir. Enfin le livre parut, et réussit assez bien en librairie, malgré l'arôme très local et que tout le monde ne goûte pas. Il faut être du Midi ou le connaître beaucoup pour savoir combien ce type de Tartarin est fréquent chez nous, et que sous le grand soleil tarasconnais qui les chauffe et les électrise, la cocasserie des crânes et des imaginations s'exagère en des développements monstrueux aussi variés de forme et de dimension que les cougourdes.

Jugé librement, à des années de distance, *Tartarin*, avec son allure débridée et folle, me semble avoir des qualités de jeunesse, de vie et de vérité ; une vérité d'outre-Loire qui enfle, exagère, ne ment jamais, et tarasconne tout le temps. Le grain de l'écriture n'est pas très fin ni très serré. C'est ce que j'appelle de la « littérature debout », parlée, gesticulée, avec les allures débordantes de mon héros. Mais je dois avouer, quel que soit mon amour du style, de la belle prose harmonieuse et colorée, qu'à mon avis tout n'est pas là pour le romancier. Sa vraie joie restera de créer des êtres, de mettre sur pied à force de vraisemblance des types d'humanité qui circulent désormais par le monde avec le nom, le geste, la grimace qu'il leur a donnés et qui font parler d'eux — qu'on les déteste ou qu'on les aime —, en dehors de leur créateur et sans que son nom soit prononcé. Pour ma part, mon émotion est toujours la même, quand à propos d'un passant de la vie, d'un des mille fantoches de la comédie politique, artistique ou mondaine, j'entends dire : « C'est un Tartarin... un Monpavon... un Delobelle. » Un frisson me passe alors, le frisson d'orgueil d'un père, caché dans la foule tandis qu'on applaudit son fils, et qui, tout le temps, a l'envie de crier : « C'est mon garçon ! »

TARTARIN SUR LES ALPES

Nouveaux exploits du héros tarasconnais

Tartarin sur les Alpes parut directement en librairie en 1885, chez Calmann Lévy.

1

Apparition au Rigi-Kulm. — Qui ? — Ce qu'on dit autour d'une table de six cents couverts. — Riz et pruneaux. — Un bal improvisé. — L'Inconnu signe son nom sur le registre de l'hôtel. — P. C. A.

Le 10 août 1880, à l'heure fabuleuse de ce coucher de soleil sur les Alpes, si fort vanté par les Guides Joanne et Baedeker, un brouillard jaune hermétique, compliqué d'une tourmente de neige en blanches spirales, enveloppait la cime du Rigi *(Regina montium)* et cet hôtel gigantesque, extraordinaire à voir dans l'aride paysage des hauteurs, ce Rigi-Kulm vitré comme un observatoire, massif comme une citadelle, où pose pour un jour et une nuit la foule des touristes adorateurs du soleil.

En attendant le second coup du dîner, les passagers de l'immense et fastueux caravansérail, morfondus en haut dans les chambres ou pâmés sur les divans des salons de lecture dans la tiédeur moite des calorifères allumés, regardaient, à défaut des splendeurs promises, tournoyer les petites mouchetures blanches et s'allumer devant le perron les grands lampadaires dont les doubles verres de phares grinçaient au vent.

Monter si haut, venir des quatre coins du monde pour voir cela... O Baedeker !...

Soudain, quelque chose émergea du brouillard, s'avançant vers l'hôtel avec un tintement de ferrailles, une exagération de mouvements causée par d'étranges accessoires.

A vingt pas, à travers la neige, les touristes désœuvrés, le nez contre les vitres, les *misses* aux curieuses petites têtes coiffées en garçons, prirent cette apparition pour une vache égarée, puis pour un rétameur chargé de ses ustensiles.

A dix pas, l'apparition changea encore et montra l'arbalète à l'épaule, le casque à visière baissée d'un archer du Moyen Age, encore plus invraisemblable à rencontrer sur ces hauteurs qu'une vache ou qu'un ambulant.

Au perron, l'arbalétrier ne fut plus qu'un gros homme, trapu, râblé, qui s'arrêtait pour souffler, secouer la neige de ses jambières en drap jaune comme sa casquette, de son passe-montagne tricoté ne laissant guère voir du visage que quelques touffes de barbe grisonnante et d'énormes lunettes vertes, bombées en verres de stéréoscope. Le *piolet*, l'alpenstock, un sac sur le dos, un paquet de cordes en sautoir, des crampons et crochets de fer à la ceinture d'une blouse anglaise à larges pattes complétaient le harnachement de ce parfait alpiniste.

Sur les cimes désolées du Mont-Blanc ou du Finsteraarhorn, cette tenue d'escalade aurait semblé naturelle ; mais au Rigi-Kulm, à deux pas du chemin de fer !

L'Alpiniste, il est vrai, venait du côté opposé à la station, et l'état de ses jambières témoignait d'une longue marche dans la neige et la boue.

Un moment il regarda l'hôtel et ses dépendances, stupéfait de trouver à deux mille mètres au-dessus de la mer une bâtisse de cette importance, des galeries vitrées, des colonnades, sept étages de fenêtres et le large perron s'étalant entre deux rangées de pots à feu qui donnaient à ce sommet de montagne l'aspect de la place de l'Opéra par un crépuscule d'hiver.

Mais si surpris qu'il pût être, les gens de l'hôtel le paraissaient bien davantage, et lorsqu'il pénétra dans l'immense antichambre, une poussée curieuse se fit à l'entrée de toutes les salles : des messieurs armés de queues de billards, d'autres avec des journaux déployés, des dames tenant leur livre ou leur ouvrage, tandis que tout au fond, dans le développement de l'escalier, des têtes se penchaient par-dessus la rampe, entre les chaînes de l'ascenseur.

L'homme dit haut, très fort, d'une voix de basse profonde, un « creux du Midi » sonnant comme une paire de cymbales :

« Coquin de bon sort ! En voilà un temps !... »

Et tout de suite il s'arrêta, quitta sa casquette et ses lunettes.

Il suffoquait.

L'éblouissement des lumières, la chaleur du gaz, des calorifères, en contraste avec le froid noir du dehors, puis cet appareil somptueux, ces hauts plafonds, ces portiers chamarrés avec *Regina montium* en lettres d'or sur leurs casquettes d'amiraux, les cravates blanches des maîtres d'hôtel et le bataillon des Suissesses en costumes nationaux accouru sur un coup de timbre, tout cela l'étourdit une seconde, pas plus d'une.

Il se sentit regardé et, sur-le-champ, retrouva son aplomb, comme un comédien devant les loges pleines.

« Monsieur désire ?... »

C'était le gérant qui l'interrogeait du bout des dents, un gérant très chic, jaquette rayée, favoris soyeux, une tête de couturier pour dames.

L'Alpiniste, sans s'émouvoir, demanda une chambre, « une bonne petite chambre, au moins », à l'aise avec ce majestueux gérant comme avec un vieux camarade de collège.

Il fut par exemple bien près de se fâcher quand la servante bernoise, qui s'avançait un bougeoir à la main, toute raide dans son plastron d'or et les bouffants de tulle de ses manches, s'informa si Monsieur désirait prendre l'ascenseur. La proposition d'un crime à commettre ne l'eût pas indigné davantage.

« Un ascenseur, à lui !... à lui !... » Et son cri, son geste secouèrent toute sa ferraille.

Subitement radouci, il dit à la Suissesse d'un ton aimable : « *Pedibusse cum jambisse*, ma belle chatte... » et il monta derrière elle, son large dos tenant l'escalier, écartant les gens sur son passage, pendant que par tout l'hôtel courait une clameur, un long « Qu'est-ce que c'est que ça ? » chuchoté dans les langues diverses des quatre parties du monde. Puis le second coup du dîner sonna, et nul ne s'occupa plus de l'extraordinaire personnage.

Un spectacle, cette salle à manger du Rigi-Kulm.

Six cents couverts autour d'une immense table en fer à cheval où des compotiers de riz et de pruneaux alternaient en longues files avec des plantes vertes, reflétant dans leur sauce claire ou brune les petites flammes droites des lustres et les dorures du plafond caissonné.

Comme dans toutes les tables d'hôte suisses, ce riz et ces pruneaux divisaient le dîner en deux factions rivales, et rien qu'aux regards de haine ou de convoitise jetés d'avance sur les compotiers du dessert, on devinait aisément à quel parti les convives appartenaient. Les Riz se reconnaissaient à leur pâleur défaite, les Pruneaux à leurs faces congestionnées.

Ce soir-là, les derniers étaient en plus grand nombre, comptaient surtout des personnalités plus importantes, des célébrités européennes, telles que le grand historien Astier-Réhu, de l'Académie française, le baron de Stoltz, vieux diplomate austro-hongrois, Lord Chipendale (?), un membre du Jockey-Club avec sa nièce (hum ! hum !), l'illustre docteur-professeur Schwanthaler, de l'université de Bonn, un général péruvien et ses huit demoiselles.

A quoi les Riz ne pouvaient guère opposer comme grandes vedettes qu'un sénateur belge et sa famille, Mme Schwanthaler, la femme du professeur, et un ténor italien, retour de Russie, étalant sur la nappe ses boutons de manchettes larges comme des soucoupes.

C'est ce double courant opposé qui faisait sans doute la gêne et la raideur de la table. Comment expliquer autrement le silence de ces six cents personnes, gourmées, renfrognées, méfiantes, et le souverain mépris qu'elles semblaient affecter les unes pour les autres ? Un observateur superficiel aurait pu l'attribuer à la stupide morgue anglo-saxonne qui, maintenant, par tous pays donne le ton du monde voyageur.

Mais non ! Des êtres à face humaine n'arrivent pas à se haïr ainsi à première vue, à se dédaigner du nez, de la bouche et des yeux, faute de présentation préalable. Il doit y avoir autre chose.

Riz et Pruneaux, je vous dis. Et vous avez l'explication du morne silence pesant sur ce dîner du Rigi-Kulm qui, vu le nombre et la variété internationale des convives, aurait dû être animé, tumultueux, comme on se figure les repas au pied de la tour de Babel.

L'Alpiniste entra, un peu troublé devant ce réfectoire de chartreux en pénitence sous le flamboiement des lustres, toussa bruyamment sans que personne prît garde à lui, s'assit à son rang de dernier venu, au bout de la salle. Défublé maintenant, c'était un touriste comme un autre, mais d'aspect plus aimable, chauve, bedonnant, la barbe en pointe et touffue, le nez majestueux, d'épais sourcils féroces sur un regard bon enfant.

Riz ou Pruneau ? on ne savait encore.

A peine installé, il s'agita avec inquiétude, puis quittant sa place d'un bond effrayé : « *Outre !...* un courant d'air !... » dit-il tout haut, et il s'élança vers une chaise libre, rabattue au milieu de la table.

Il fut arrêté par une Suissesse de service, du canton d'Uri, celle-là, chaînettes d'argent et guimpe blanche :

« Monsieur, c'est retenu... »

Alors, de la table, une jeune fille dont il ne voyait que la chevelure en blonds relevés sur des blancheurs de neige vierge dit sans se retourner, avec un accent d'étrangère :

« Cette place est libre... mon frère est malade, il ne descend pas.

— Malade ?... demanda l'Alpiniste en s'asseyant, l'air empressé, presque affectueux... Malade ? Pas dangereusement au moins ? »

Il prononçait *au mouain*, et le mot revenait dans toutes ses phrases avec quelques autres vocables parasites « hé, qué, té, zou, vé, vaï, allons, et autrement, différemment », qui soulignaient encore son accent méridional, déplaisant sans doute pour la jeune blonde, car elle ne répondit que par un regard glacé, d'un bleu noir, d'un bleu d'abîme.

Le voisin de droite n'avait rien d'encourageant non plus ; c'était le ténor italien, fort gaillard au front bas, aux prunelles huileuses. avec des moustaches de matamore qu'il frisait d'un doigt furibond, depuis qu'on l'avait séparé de sa jolie voisine. Mais le bon Alpiniste avait l'habitude de parler en mangeant, il lui fallait cela pour sa santé.

« *Vé !* Les jolis boutons... se dit-il tout haut à lui-même en guignant les manchettes de l'Italien... Ces notes de musique, incrustées dans le jaspe, c'est d'un effet *charmain...* »

Sa voix cuivrée sonnait dans le silence, sans y trouver le moindre écho.

« Sûr que monsieur est chanteur, *qué ?*

— Non capisco... » grogna l'Italien dans ses moustaches.

Pendant un moment l'homme se résigna à dévorer sans rien dire, mais les morceaux l'étouffaient. Enfin, comme son vis-à-vis le diplomate austro-hongrois essayait d'atteindre le moutardier du bout de ses vieilles petites mains grelottantes, enveloppées de mitaines, il le lui passa obligeamment : « A votre service, monsieur le baron... » car il venait de l'entendre appeler ainsi.

Malheureusement le pauvre M. de Stoltz malgré l'air finaud et spirituel contracté dans les chinoiseries diplomatiques, avait perdu depuis longtemps ses mots et ses idées, et voyageait dans la montagne spécialement pour les rattraper. Il ouvrit ses yeux vides sur ce visage inconnu, les referma sans rien dire. Il en eût fallu dix, anciens diplomates de sa force intellectuelle, pour trouver en commun la formule d'un remerciement.

A ce nouvel insuccès, l'Alpiniste fit une moue terrible, et la brusque façon dont il s'empara de la bouteille aurait pu faire croire qu'il allait achever de fendre, avec, la tête fêlée du vieux diplomate. Pas plus ! C'était pour offrir à boire à sa voisine, qui ne l'entendit pas, perdue dans une causerie à mi-voix, d'un gazouillis étranger doux et vif, avec deux jeunes gens assis tout près d'elle. Elle se penchait, s'animait. On voyait des petits frisons briller dans la lumière contre une oreille menue, transparente et toute rose... Polonaise, Russe, Norvégienne ?... mais du Nord bien certainement ; et une jolie chanson de son pays lui revenant aux lèvres, l'homme du Midi se mit à fredonner tranquillement :

O coumtesso gènto,
Estelo dou Nord
Qué la neu argento,
Qu'Amour friso en or[1].

Toute la table se retourna ; on crut qu'il devenait fou. Il rougit, se tint coi dans son assiette, n'en sortit plus que pour repousser violemment un des compotiers sacrés qu'on lui passait :

« Des pruneaux, encore !... Jamais de la vie ! »

C'en était trop.

Il se fit un grand mouvement de chaises. L'académicien, Lord Chipendale (?), le professeur de Bonn, et quelques autres notabilités du parti se levaient, quittaient la salle pour protester.

Les Riz presque aussitôt suivirent, en le voyant repousser le second compotier aussi vivement que l'autre.

Ni Riz ni Pruneau !... Quoi alors ?...

Tous se retirèrent ; et c'était glacial ce défilé silencieux de nez tombants, de coins de bouche abaissés et dédaigneux, devant le malheureux qui resta seul dans l'immense salle à manger flamboyante, en train de faire une trempette à la mode de son pays, courbé sous le dédain universel.

Mes amis, ne méprisons personne. Le mépris est la ressource des parvenus, des poseurs, des laiderons et des sots, le masque où s'abrite la nullité, quelquefois la gredinerie, et qui dispense d'esprit, de jugement, de bonté. Tous les bossus sont méprisants ; tous les nez tors se froncent et dédaignent quand ils rencontrent un nez droit.

Il savait cela, le bon Alpiniste. Ayant de quelques années dépassé la quarantaine, ce « palier du quatrième » où l'homme trouve et ramasse la clef magique qui ouvre la vie jusqu'au fond, en montre la monotone et décevante enfilade, connaissant en outre sa valeur, l'importance de sa mission et du grand nom qu'il portait, l'opinion de ces gens-là ne l'occupait guère. Il n'aurait eu d'ailleurs qu'à se nommer, à crier : « C'est moi... » pour changer en respects aplatis toutes ces lippes hautaines ; mais l'incognito l'amusait.

Il souffrait seulement de ne pouvoir parler, faire du bruit, s'ouvrir, se répandre, serrer des mains, s'appuyer familièrement à

1. « Gentille comtesse, lumière du Nord, que la neige argente, qu'Amour frise en or. » (Frédéric Mistral.)

une épaule, appeler les gens par leurs prénoms. Voilà ce qui l'oppressait au Rigi-Kulm.

Oh ! surtout, ne pas parler.

« J'en aurai la pépie, bien sûr... » se disait le pauvre diable, errant dans l'hôtel, ne sachant que devenir.

Il entra au café, vaste et désert comme un temple en semaine, appela le garçon « mon bon ami », commanda « un moka sans sucre, *qué !* » Et le garçon ne demandant pas : « Pourquoi sans sucre ? » l'Alpiniste ajouta vivement : « C'est une habitude que j'ai prise en Algérie, du temps de mes grandes chasses. »

Il allait les raconter, mais l'autre avait fui sur ses escarpins de fantôme pour courir à Lord Chipendalc affalé de son long sur un divan et criant d'une voix morne : « Tchimppègne !... tchimppègne ! » Le bouchon fit son bruit bête de noce de commande, puis on n'entendit plus rien que les rafales du vent dans la monumentale cheminée et le cliquetis frissonnant de la neige sur les vitres.

Bien sinistre aussi, le salon de lecture, tous les journaux en main, ces centaines de têtes penchées autour des longues tables vertes, sous les réflecteurs. De temps en temps une bâillée, une toux, le froissement d'une feuille déployée, et, planant sur ce calme de salle d'étude, debout et immobiles, le dos au poêle, solennels tous les deux et sentant pareillement le moisi, les deux pontifes de l'histoire officielle, Schwanthaler et Astier-Réhu, qu'une fatalité singulière avait mis en présence au sommet du Rigi, depuis trente ans qu'ils s'injuriaient, se déchiraient dans des notes explicatives, s'appelaient « Schwanthaler l'âne bâté, *vir ineptissimus* Astier-Réhu ».

Vous pensez l'accueil que reçut le bienveillant Alpiniste approchant une chaise pour faire un brin de causette instructive au coin du feu. Du haut de ces deux cariatides tomba subitement sur lui un de ces courants froids, dont il avait si grand peur ; il se leva, arpenta la salle autant par contenance que pour se réchauffer, ouvrit la bibliothèque. Quelques romans anglais y traînaient, mêlés à de lourdes bibles et à des volumes dépareillés du Club Alpin Suisse ; il en prit un, l'emportait pour le lire au lit, mais dut le laisser à la porte, le règlement ne permettant pas qu'on promenât la bibliothèque dans les chambres.

Alors, continuant à errer, il entrouvrit la porte du billard, où le ténor italien jouait tout seul, faisait des effets de torse et de manchettes pour leur jolie voisine, assise sur un divan, entre deux jeunes gens auxquels elle lisait une lettre. A l'entrée de l'Alpiniste elle s'interrompit, et l'un des jeunes gens se leva, le plus grand, une sorte de moujik, d'homme-chien, aux pattes velues, aux longs cheveux noirs, luisants et plats, rejoignant la barbe inculte. Il fit deux pas vers le nouveau venu, le regarda comme on provoque, et si férocement que le bon Alpiniste, sans demander d'explication, exécuta un demi-tour à droite, prudent et digne.

« Différemment, ils ne sont pas liants, dans le Nord... » dit-il tout haut, et il referma la porte bruyamment pour bien prouver à ce sauvage qu'on n'avait pas peur de lui.

Le salon restait comme dernier refuge ; il y entra... Coquin de sort !... La morgue, bonnes gens ! la morgue du mont Saint-Bernard, où les moines exposent les malheureux ramassés sous la neige dans les attitudes diverses que la mort congelante leur a laissées, c'était cela le salon du Rigi-Kulm.

Toutes les dames figées, muettes, par groupes sur des divans circulaires, ou bien isolées, tombées çà et là. Toutes les misses immobiles sous les lampes des guéridons, ayant encore aux mains l'album, le magazine, la broderie qu'elles tenaient quand le froid les avait saisies ; et parmi elles les filles du général, les huit petites Péruviennes avec leur teint de safran, leurs traits en désordre, les rubans vifs de leurs toilettes tranchant sur les tons de lézard des modes anglaises, pauvres petits *pays-chauds* qu'on se figurait si bien grimaçant, gambadant à la cime des cocotiers et qui, plus encore que les autres victimes, faisaient peine à regarder en cet état de mutisme et de congélation. Puis au fond, devant le piano, la silhouette macabre du vieux diplomate, ses petites mains à mitaines posées et mortes sur le clavier, dont sa figure avait les reflets jaunis...

Trahi par ses forces et sa mémoire, perdu dans une polka de sa composition qu'il recommençait toujours au même motif, faute de retrouver la coda, le malheureux de Stoltz s'était endormi en jouant, et avec lui toutes les dames du Rigi, berçant dans leur sommeil des frisures romantiques ou ce bonnet de dentelle en forme de croûte de vol-au-vent qu'affectionnent les dames anglaises et qui fait partie du cant voyageur.

L'arrivée de l'Alpiniste ne les réveilla pas, et lui-même s'écroulait sur un divan, envahi par ce découragement de glace, quand des accords vigoureux et joyeux éclatèrent dans le vestibule, où trois « musicos », harpe, flûte, violon, de ces ambulants aux mines piteuses, aux longues redingotes battant les jambes, qui courent les hôtelleries suisses, venaient d'installer leurs instruments. Dès les premières notes, notre homme se dressa, galvanisé.

« *Zou !* bravo !... En avant musique ! »

Et le voilà courant, ouvrant les portes grandes, faisant fête aux musiciens, qu'il abreuve de champagne, se grisant lui aussi, sans boire, avec cette musique qui lui rend la vie. Il imite le piston, il imite la harpe, claque des doigts au-dessus de sa tête, roule les yeux, esquisse des pas, à la grande stupéfaction des touristes accourus de tous côtés au tapage. Puis brusquement, sur l'attaque d'une valse de Strauss que les musicos allumés enlèvent avec la furie de vrais tziganes, l'Alpiniste, apercevant à l'entrée du salon la femme du professeur Schwanthaler, petite Viennoise boulotte aux regards espiègles, restés jeunes sous ses cheveux gris tout poudrés, s'élance, lui prend la taille, l'entraîne en criant aux autres : « Eh ! allez donc !... valsez donc ! »

L'élan est donné, tout l'hôtel dégèle et tourbillonne, emporté. On danse dans le vestibule, dans le salon, autour de la longue table verte de la salle de lecture. Et c'est ce diable d'homme qui leur a mis à tous le feu au ventre. Lui cependant ne danse plus, essoufflé au bout de quelques tours ; mais il veille sur son bal, presse les musiciens, accouple les danseurs, jette le professeur de Bonn dans les bras d'une vieille Anglaise, et sur l'austère Astier-Réhu la plus fringante des Péruviennes. La résistance est impossible. Il se dégage de ce terrible Alpiniste on ne sait quels effluves qui vous soulèvent, vous allègent. Et zou ! et zou ! Plus de mépris, plus de haine. Ni Riz ni Pruneaux, tous valseurs. Bientôt la folie gagne, se communique aux étages, et dans l'énorme baie de l'escalier, on voit jusqu'au sixième tourner sur les paliers, avec la raideur d'automates devant un chalet à musique, les jupes lourdes et colorées des Suissesses de service.

Ah ! le vent peut souffler, dehors, secouer les lampadaires, faire grincer les fils du télégraphe et tourbillonner la neige en spirales sur la cime déserte. Ici l'on a chaud, l'on est bien, en voilà pour toute la nuit.

« Différemment, je vais me coucher, moi... » se dit en lui-même le bon Alpiniste, homme de précaution, et d'un pays où tout le monde s'emballe et se déballe encore plus vite. Riant dans sa barbe grise, il se glisse, se dissimule pour échapper à la maman Schwanthaler qui, depuis leur tour de valse, le cherche, s'accroche à lui, voudrait toujours « ballir... dantsir... ».

Il prend la clef, son bougeoir ; puis au premier étage s'arrête une minute pour jouir de son œuvre, regarder ce tas d'empalés qu'il a forcés à s'amuser, à se dégourdir.

Une Suissesse s'approche, toute haletante de sa valse interrompue, lui présente une plume et le registre de l'hôtel :

« Si j'oserais demander à mossié de vouloir bien signer son nom... »

Il hésite un instant. Faut-il, ne faut-il pas conserver l'incognito ? Après tout, qu'importe ! En supposant que la nouvelle de sa présence au Rigi arrive là-bas, nul ne saura ce qu'il est venu faire en Suisse. Et puis ce sera si drôle, demain matin, la stupeur de tous ces « Inglichemans » quand ils apprendront... Car cette fille ne pourra pas s'en taire... Quelle surprise par tout l'hôtel, quel éblouissement !...

« Comment ? C'était lui... Lui !... »

Ces réflexions passèrent dans sa tête, rapides et vibrantes comme les coups d'archet de l'orchestre. Il prit la plume, et d'une main négligente, au-dessous d'Astier-Réhu, de Schwanthaler et autres illustres, il signa ce nom qui les éclipsait tous, son nom ; puis monta vers sa chambre, sans même se retourner pour voir l'effet dont il était sûr.

Derrière lui, la Suissesse regarda.

TARTARIN DE TARASCON

et au-dessous :

P. C. A.

Elle lut cela, cette Bernoise, et ne fut pas éblouie du tout. Elle ne savait pas ce que signifiait P. C. A. Elle n'avait jamais entendu parler de « Dardarin ».

Sauvage, *vaï !*

2

Tarascon, cinq minutes d'arrêt. — Le Club des Alpines. — Explication du P. C. A. — Lapins de garenne et lapins de choux. — Ceci est mon testament. — Le sirop de cadavre. — Première ascension. — Tartarin tire ses lunettes.

Quand ce nom de « Tarascon » sonne en fanfare sur la voie du Paris-Lyon-Méditerranée, dans le bleu vibrant et limpide du ciel provençal, des têtes curieuses se montrent à toutes les portières de l'express, et de wagon en wagon les voyageurs se disent : « Ah ! voilà Tarascon... Voyons un peu Tarascon. »

Ce qu'on en voit n'a pourtant rien que de fort ordinaire, une petite ville paisible et proprette, des tours, des toits, un pont sur le Rhône. Mais le soleil tarasconnais et ses prodigieux effets de mirage, si féconds en surprises, en inventions, en cocasseries délirantes ; ce joyeux petit peuple, pas plus gros qu'un pois chiche, qui reflète et résume les instincts de tout le Midi français, vivant, remuant, bavard, exagéré, comique, impressionnable, c'est là ce que les gens de l'express guettent au passage et ce qui fait la popularité de l'endroit.

En des pages mémorables que la modestie l'empêche de rappeler plus explicitement, l'historiographe de Tarascon a jadis essayé de dépeindre les jours heureux de la petite ville menant sa vie de cercle, chantant ses romances — chacun la sienne —, et, faute de gibier, organisant de curieuses chasses à la casquette. Puis, la guerre venue, les temps noirs, il a dit Tarascon, et sa défense héroïque, l'esplanade torpillée, le cercle et le café de la Comédie imprenables, tous les habitants formés en compagnies franches, soutachés de fémurs croisés et de têtes de mort, toutes les barbes poussées, un tel déploiement de haches, sabres d'abordage, revolvers américains, que les malheureux en arrivaient à se faire peur les uns aux autres et à ne plus oser s'aborder dans les rues.

Bien des années ont passé depuis la guerre, bien des almanachs ont été mis au feu ; mais Tarascon n'a pas oublié, et, renonçant aux futiles distractions d'autre temps, n'a plus songé qu'à se faire du sang et des muscles au profit des revanches futures. Des sociétés de tir et de gymnastique, costumées, équipées, ayant toutes leur musique et leur bannière ; des salles d'armes, boxe, bâton, chausson ; des courses à pied, des luttes à main plate entre personnes du meilleur monde ont remplacé les chasses à la casquette, les platoniques causeries cynégétiques chez l'armurier Costecalde.

Enfin le cercle, le vieux cercle lui-même, abjurant bouillotte et bezigue, s'est transformé en Club Alpin, sur le patron du fameux « Alpine Club » de Londres qui a porté jusqu'aux Indes la renommée de ses grimpeurs. Avec cette différence que les Tarasconnais, au lieu de s'expatrier vers des cimes étrangères à conquérir, se sont contentés de ce qu'ils avaient sous la main, ou plutôt sous le pied, aux portes de la ville.

Les Alpes à Tarascon ?... Non, mais les Alpines, cette chaîne de montagnettes parfumées de thym et de lavande, pas bien méchantes ni très hautes (150 à 200 mètres au-dessus du niveau de la mer), qui font un horizon de vagues bleues aux routes provençales, et que l'imagination locale a décorées de noms fabuleux et caractéristiques : *le Mont-Terrible, le Bout-du-Monde, le Pic-des-Géants*, etc.

C'est plaisir, les dimanches matin, de voir les Tarasconnais guêtrés, le pic en main, le sac et la tente sur le dos, partir, clairons en tête, pour des ascensions dont le *Forum*, le journal de la localité, donne le compte rendu avec un luxe descriptif, une exagération d'épithètes, « abîmes, gouffres, gorges effroyables », comme s'il s'agissait de courses sur l'Himalaya. Pensez qu'à ce jeu les indigènes ont acquis des forces nouvelles, ces « doubles muscles » réservés jadis au seul Tartarin, le bon, le brave, l'héroïque Tartarin.

Si Tarascon résume le Midi, Tartarin résume Tarascon. Il n'est pas seulement le premier citoyen de la ville, il en est l'âme, le génie, il en a toutes les belles fêlures. On connaît ses anciens exploits, ses triomphes de chanteur (oh ! le duo de *Robert le Diable* à la pharmacie Bézuquet !) et l'étonnante odyssée de ses chasses au lion d'où il ramena ce superbe chameau, le dernier de l'Algérie, mort depuis, chargé d'ans et d'honneurs, conservé en squelette au musée de la ville, parmi les curiosités tarasconnaises.

Tartarin, lui, n'a pas bronché ; toujours bonnes dents, bon œil, malgré la cinquantaine, toujours cette imagination extraordinaire qui rapproche et grossit les objets avec une puissance de télescope. Il est resté celui dont le brave commandant Bravida disait : « C'est un lapin. »

Deux lapins, plutôt ! Car dans Tartarin comme dans tout Tarasconnais, il y a la race garenne et la race choux très nettement accentuées : le lapin de garenne coureur, aventureux, casse-cou ; le lapin de choux casanier, tisanier, ayant une peur atroce de la fatigue, des courants d'air, et de tous les accidents quelconques pouvant amener la mort.

On sait que cette prudence ne l'empêchait pas de se montrer brave et même héroïque à l'occasion ; mais il est permis de se demander ce qu'il venait faire sur le Rigi *(Regina montium)* à son âge, alors qu'il avait si chèrement conquis le droit au repos et au bien-être.

A cela, l'infâme Costecalde aurait pu seul répondre.

Costecalde, armurier de son état, représente un type assez rare à Tarascon. L'envie, la basse et méchante envie, visible à un pli mauvais de ses lèvres minces et à une espèce de buée jaune qui lui monte du foie par bouffées, enfume sa large face rasée et régulière, aux méplats fripés, meurtris comme à coups de marteau, pareille à une ancienne médaille de Tibère ou de Caracalla. L'envie chez lui est une maladie qu'il n'essaie pas même de cacher, et, avec ce beau tempérament tarasconnais qui déborde toujours, il lui arrive de dire en parlant de son infirmité : « Vous ne savez pas comme ça fait mal... »

Naturellement, le bourreau de Costecalde, c'est Tartarin. Tant de gloire pour un seul homme ! Lui partout, toujours lui ! Et lentement, sourdement, comme un termite introduit dans le bois doré de l'idole, voilà vingt ans qu'il sape en dessous cette renommée triomphante, et la ronge, et la creuse. Quand le soir, au Cercle, Tartarin racontait ses affûts au lion, ses courses dans le grand Sahara, Costecalde avait des petits rires muets, des hochements de tête incrédules.

« Mais les peaux, pas moins, Costecalde... ces peaux de lion qu'il nous a envoyées, qui sont là, dans le salon du cercle ?...

— *Té !* pardi... Et les fourreurs, croyez-vous pas qu'il en manque, en Algérie ?

— Mais les marques des balles, toutes rondes, dans les têtes ?

— Et autrem*ain*, est-ce qu'au temps de la chasse aux casquettes, on ne trouvait pas chez nos chapeliers des casquettes trouées de plomb, et déchiquetées, pour les tireurs maladroits ? »

Sans doute l'ancienne gloire du Tartarin tueur de fauves restait au-dessus de ces attaques ; mais l'Alpiniste chez lui prêtait à toutes les critiques, et Costecalde ne s'en privait pas, furieux qu'on eût nommé président du Club des Alpines un homme que l'âge « enlourdissait » visiblement et que l'habitude, prise en Algérie, des babouches et des vêtements flottants prédisposait encore à la paresse.

Rarement, en effet, Tartarin prenait part aux ascensions ; il se contentait de les accompagner de ses vœux et de lire en grande séance, avec des roulements d'yeux et des intonations à faire pâlir les dames, les tragiques comptes rendus des expéditions.

Costecalde, au contraire, sec, nerveux, la « Jambe de coq », comme on l'appelait, grimpait toujours en tête ; il avait fait les Alpines une par une, planté sur les cimes inaccessibles le drapeau du club, la *Tarasque* étoilée d'argent. Pourtant, il n'était que vice-président, V. P. C. A. ; mais il travaillait si bien la place qu'aux élections prochaines, évidemment, Tartarin sauterait.

Averti par ses fidèles, Bézuquet le pharmacien, Excourbaniès, le brave commandant Bravida, le héros fut pris d'abord d'un noir dégoût, cette rancœur révoltée dont l'ingratitude et l'injustice soulèvent les belles âmes. Il eut l'envie de tout planter là, de s'expatrier, de passer le pont pour aller vivre à Beaucaire, chez les Volsques ; puis se calma.

Quitter sa petite maison, son jardin, ses chères habitudes, renoncer à son fauteuil de président du Club des Alpines fondé par lui, à ce majestueux P. C. A. qui ornait et distinguait ses cartes, son papier à lettres, jusqu'à la coiffe de son chapeau ! Ce n'était pas possible, *vé !* Et tout à coup lui vint une idée mirobolante.

En définitive, les exploits de Costecalde se bornaient à des courses dans les Alpines. Pourquoi Tartarin, pendant les trois mois qui le séparaient des élections, ne tenterait-il pas quelque aventure grandiose ; arborer, par *ézemple*, l'étendard du Club sur une des plus hautes cimes de l'Europe, la Jungfrau ou le Mont-Blanc ?

Quel triomphe au retour, quelle gifle pour Costecalde lorsque le *Forum* publierait le récit de l'ascension ! Comment, après cela, oser lui disputer le fauteuil ?

Tout de suite il se mit à l'œuvre, fit venir secrètement de Paris une foule d'ouvrages spéciaux : les *Escalades* de Whymper, les *Glaciers* de Tyndall, le *Mont Blanc* de Stephen d'Arve, des relations du Club Alpin, anglais et suisse, se farcit la tête d'une foule d'expressions alpestres, « cheminées, couloirs, moulins, névés, séracs, moraine, rotures », sans savoir bien précisément ce qu'elles signifiaient.

La nuit, ses rêves s'effrayèrent de glissades interminables, de brusques chutes dans des crevasses sans fond. Les avalanches le roulaient, des arêtes de glace embrochaient son corps au passage ; et longtemps après le réveil et le chocolat du matin qu'il avait l'habitude de prendre au lit, il gardait l'angoisse et l'oppression de son cauchemar ; mais cela ne l'empêchait pas, une fois debout, de consacrer sa matinée à de laborieux exercices d'entraînement.

Il y a tout autour de Tarascon un cours planté d'arbres qui, dans le dictionnaire local, s'appelle « le Tour de ville ». Chaque dimanche, l'après-midi, les Tarasconnais, gens de routine malgré leur imagination, font leur tour de ville, et toujours dans le même sens. Tartarin s'exerça à le faire huit fois, dix fois dans la matinée, et souvent même à rebours. Il allait, les mains derrière le dos, à petit pas de montagne, lents et sûrs, et les boutiquiers, effarés de cette infraction aux habitudes locales, se perdaient en suppositions de toutes sortes.

Chez lui, dans son jardinet exotique, il s'accoutumait à franchir les crevasses en sautant par-dessus le bassin où quelques cyprins nageaient parmi des lentilles d'eau ; à deux reprises il tomba et fut obligé de se changer. Ces déconvenues l'excitaient et, sujet au vertige, il longeait l'étroite maçonnerie du bord, au grand effroi de la vieille servante qui ne comprenait rien à toutes ces manigances.

En même temps, il commandait *en* Avignon, chez un bon serrurier, des crampons système Whymper pour sa chaussure, un piolet système Kennedy ; il se procurait aussi une lampe à chalumeau, deux couvertures imperméables et deux cents pieds d'une corde de son invention, tressée avec du fil de fer.

L'arrivage de ces différents objets, les allées et venues mystérieuses que leur fabrication nécessita, intriguèrent beaucoup les Tarasconnais ; on disait en ville : « Le président prépare un coup. » Mais, quoi ? Quelque chose de grand, bien sûr, car selon la belle parole du brave et sentencieux commandant Bravida, ancien capitaine d'habillement, lequel ne parlait que par apophtegmes : « L'aigle ne chasse pas les mouches. »

Avec ses plus intimes, Tartarin demeurait impénétrable ; seulement, aux séances du Club, on remarquait le frémissement de sa voix et ses regards zébrés d'éclairs lorsqu'il adressait la parole à Costecalde, cause indirecte de cette nouvelle expédition dont s'accentuaient, à mesure qu'elle se faisait plus proche, les dangers et les fatigues. L'infortuné ne se le dissimulait pas et même les considérait tellement en noir, qu'il crut indispensable de mettre ordre à ses affaires, d'écrire ces volontés suprêmes dont l'expression coûte tant aux Tarasconnais, épris de vie, qu'ils meurent presque tous intestat.

Oh ! par un matin de juin rayonnant, un ciel sans nuage, arqué, splendide, la porte de son cabinet ouvert sur le petit jardin propret, sablé, où les plantes exotiques découpaient leurs ombres lilas immobiles, où le jet d'eau tintait sa note claire parmi les cris joyeux des petits Savoyards jouant à la marelle devant la porte, voyez-vous Tartarin en babouches, larges vêtements de flanelle, à l'aise, heureux, une bonne pipe, lisant tout haut à mesure qu'il écrivait :

« Ceci est mon testament. »

Allez, on a beau avoir le cœur bien en place, solidement agrafé, ce sont là de cruelles minutes. Pourtant, ni sa main ni sa voix ne tremblèrent, pendant qu'il distribuait à ses concitoyens toutes les richesses ethnographiques entassées dans sa petite maison, soigneusement époussetées et conservées avec un ordre admirable ;

« Au Club des Alpines, le baobab *(arbos gigantea)*, pour figurer sur la cheminée de la salle des séances ;

A Bravida, ses carabines, revolvers, couteaux de chasse, kriss malais, tomahawks et autres pièces meurtrières ;

A Excourbaniès, toutes ses pipes, calumets, narghilés, pipettes à fumer le kif et l'opium ;

A Costecalde — oui, Costecalde lui-même avait son legs ! —, les fameuses flèches empoisonnées (N'y touchez pas). »

Peut-être y avait-il sous ce don le secret espoir que le traître se blesse et qu'il en meure ; mais rien de pareil n'émanait du testament, fermé sur ces paroles d'une divine mansuétude :

« Je prie mes chers alpinistes de ne pas oublier leur président... je veux qu'ils pardonnent à mon ennemi comme je lui pardonne, et pourtant c'est bien lui qui a causé ma mort... »

Ici, Tartarin fut obligé de s'arrêter, aveuglé d'un grand flot de larmes. Pendant une minute, il se vit fracassé, en lambeaux, au pied d'une haute montagne, ramassé dans une brouette et ses restes informes rapportés à Tarascon. O puissance de l'imagination provençale ! il assistait à ses propres funérailles, entendait les chants noirs, les discours sur sa tombe : « Pauvre Tartarin, *péchère !...* » Et, perdu dans la foule de ses amis, il se pleurait lui-même.

Mais, presque aussitôt, la vue de son cabinet plein de soleil, tout reluisant d'armes et de pipes alignées, la chanson du petit filet d'eau au milieu du jardin, le remit dans le vrai des choses. Différemment, pourquoi mourir ? pourquoi partir même ? Qui l'y obligeait, quel sot amour-propre ? risquer la vie pour un fauteuil présidentiel et pour trois lettres !...

Ce ne fut qu'une faiblesse, et qui ne dura pas plus que l'autre. Au bout de cinq minutes, le testament était fini, paraphé, scellé d'un énorme cachet noir, et le grand homme faisait ses derniers préparatifs de départ.

Une fois encore le Tartarin de garenne avait triomphé du Tartarin de choux. Et l'on pouvait dire du héros tarasconnais ce qu'il a été dit de Turenne. « Son corps n'était pas toujours prêt à aller à la bataille, mais sa volonté l'y menait malgré lui. »

Le soir de ce même jour, comme le dernier coup de dix heures sonnait au jaquemart de la maison de ville, les rues déjà désertes, agrandies, à peine çà et là un heurtoir retardataire, de grosses voix étranglées de peur se criant dans le noir : « Bonne nuit, au *mouain...* » avec une brusque retombée de porte, un passant se glissait dans la ville éteinte où rien n'éclairait plus la façade des maisons que les réverbères et les bocaux teintés de rose et de vert de la pharmacie Bézuquet se projetant sur la placette avec la silhouette du pharmacien accoudé à son bureau et dormant sur le Codex. Un petit acompte qu'il prenait ainsi chaque soir, de neuf à dix, afin, disait-il, d'être plus frais la nuit si l'on avait besoin de ses services. Entre nous, c'était là une simple tarasconnade, car on ne le réveillait jamais et, pour dormir plus tranquille, il avait coupé lui-même le cordon de la sonnette de secours.

Subitement, Tartarin entra, chargé de couvertures, un sac de voyage à la main, et si pâle, si décomposé, que le pharmacien, avec cette fougueuse imagination locale dont l'apothicairerie ne le gardait pas, crut à quelque aventure effroyable et s'épouvanta : « Malheureux !... qu'y a-t-il ?... vous êtes empoisonné ?... Vite, vite, l'ipéca... »

Il s'élançait, bousculait ses bocaux. Tartarin, pour l'arrêter, fut obligé de le prendre à bras le corps : « Mais écoutez-moi donc, *qué* diable ! » et dans sa voix grinçait le dépit de l'acteur à qui l'on a fait manquer son entrée. Le pharmacien une fois immobilisé au comptoir par un poignet de fer, Tartarin lui dit tout bas :

« Sommes-nous seuls, Bézuquet ?

— *Bé* oui... fit l'autre en regardant autour de lui avec un vague effroi... Pascalon est couché (Pascalon, c'était son élève), la maman aussi, mais pourquoi ?

— Fermez les volets, commanda Tartarin sans répondre... on pourrait nous voir du dehors. »

Bézuquet obéit en tremblant. Vieux garçon, vivant avec sa mère qu'il n'avait jamais quittée, il était d'une douceur, d'une timidité de demoiselle, contrastant étrangement avec son teint basané, ses lèvres lippues, son grand nez en croc sur une moustache éployée, une tête de forban algérien d'avant la conquête. Ces antithèses sont fréquentes à Tarascon où les têtes ont trop de caractère, romaines, sarrazines, têtes d'expression des modèles de dessin, déplacées en des métiers bourgeois et des mœurs ultra-pacifiques de petite ville.

C'est ainsi qu'Excourbaniès, qui a l'air d'un conquistador compagnon de Pizarre, vend de la mercerie, roule des yeux flamboyants pour débiter deux sous de fil, et que Bézuquet, étiquetant la réglisse sanguinède et le *sirupus gummi*, ressemble à un vieil écumeur des côtes barbaresques.

Quand les volets furent mis, assurés de boulons de fer et de barres transversales : « Ecoutez, Ferdinand... » dit Tartarin, qui appelait volontiers les gens par leur prénom ; et il se débonda, vida son cœur gros de rancunes contre l'ingratitude de ses compatriotes, raconta les basses manœuvres de la « Jambe de coq », le tour qu'on voulait lui jouer aux prochaines élections, et la façon dont il comptait parer la botte.

Avant tout, il fallait tenir la chose très secrète, ne la révéler qu'au moment précis où elle déciderait peut-être du succès, à moins qu'un accident toujours à prévoir, une de ces affreuses catastrophes... « Eh ! coquin de sort, Bézuquet, ne sifflez donc pas comme ça pendant qu'on parle. »

C'était un des tics du pharmacien. Peu bavard de sa nature, ce qui ne se rencontre guère à Tarascon et lui valait la confidence du président, ses grosses lèvres toujours en O gardaient l'habitude d'un perpétuel sifflotement qui semblait rire au nez du monde, même dans l'entretien le plus grave.

Et pendant que le héros faisait allusion à sa mort possible, disait en posant sur le comptoir un large pli cacheté : « Mes dernières volontés sont là, Bézuquet, c'est vous que j'ai choisi pour exécuteur testamentaire...

— Hu... hu... hu... » sifflotait le pharmacien emporté par sa manie, mais, au fond, très ému et comprenant la grandeur de son rôle.

Puis, l'heure du départ étant proche, il voulut boire à l'entreprise « quelque chose de bon, *qué ?...* un verre d'élixir de Garus ». Plusieurs armoires ouvertes et visitées, il se souvint que la maman avait les clefs du Garus. Il aurait fallu la réveiller, dire qui était là. On remplaça l'élixir par un verre de *sirop de Calabre*, boisson d'été, modeste et inoffensive, dont Bézuquet est l'inventeur et qu'il annonce dans le *Forum* sous cette rubrique : *« Sirop de Calabre, dix sols la bouteille, verre compris ». « Sirop de cadavre, vers compris »*, disait l'infernal Costecalde qui bavait sur tous les succès ; du reste, cet affreux jeu de mots n'a fait que servir à la vente et les Tarasconnais en raffolent, de ce sirop de cadavre.

Les libations faites, quelques derniers mots échangés, ils s'étreignirent. Bézuquet sifflotant dans sa moustache où roulaient de grosses larmes.

« Adieu, au *mouain...* » dit Tartarin d'un ton brusque, sentant qu'il allait pleurer aussi ; et comme l'auvent de la porte était mis, le héros dut sortir de la pharmacie à quatre pattes.

C'étaient les épreuves du voyage qui commençaient.

Trois jours après, il débarquait à Vitznau, au pied du Rigi. Comme montagne de début, exercice d'entraînement, le Rigi l'avait tenté à cause de sa petite altitude (1 800 mètres, environ dix fois le Mont-Terrible, la plus haute des Alpines !) et aussi à cause du splendide panorama qu'on découvre du sommet, toutes les Alpes bernoises alignées, blanches et roses, autour des lacs, attendant que l'ascensionniste fasse son choix, jette son piolet sur l'une d'elles.

Certain d'être reconnu en route, et peut-être suivi, car c'était sa faiblesse de croire que par toute la France il était aussi célèbre et populaire qu'à Tarascon, il avait fait un grand détour pour entrer en Suisse et ne se harnacha qu'après la frontière. Bien lui en prit : jamais tout son armement n'aurait pu tenir dans un wagon français.

Mais, si commodes que soient les compartiments suisses, l'Alpiniste, empêtré d'ustensiles dont il n'avait pas encore l'habitude, écrasait des orteils avec la pointe de son alpenstock, harponnait les gens au passage de ses crampons de fer, et partout où il entrait, dans les gares, les salons d'hôtel ou de paquebot, excitait autant d'étonnements que de malédictions, de reculs, de regards de colère qu'il ne s'expliquait pas et dont souffrait sa nature affectueuse et communicative. Pour l'achever, un ciel toujours gris, moutonneux, et une pluie battante.

Il pleuvait à Bâle sur les petites maisons blanches lavées et relavées par la main des servantes et l'eau du ciel ; il pleuvait à Lucerne sur le quai d'embarquement où les malles, les colis semblaient sauvés d'un naufrage, et quand il arriva à la station de Vitznau, au bord du lac des Quatre-Cantons, c'était le même déluge sur les pentes vertes du Rigi, chevauchées de nuées noires, avec des torrents qui dégoulinaient le long des roches, des cascades en humide poussière, des égouttements de toutes les pierres, de toutes les aiguilles des sapins. Jamais le Tarasconnais n'avait vu tant d'eau.

Il entra dans une auberge, se fit servir un café au lait, miel et beurre, la seule chose vraiment bonne qu'il eût encore savourée dans le voyage ; puis une fois restauré, sa barbe empoissée de miel nettoyée d'un coin de serviette, il se disposa à tenter sa première ascension.

« Et autrement, demanda-t-il pendant qu'il chargeait son sac, combien de temps faut-il pour monter au Rigi ?

— Une heure, une heure et quart, monsieur ; mais dépêchez-vous, le train part dans cinq minutes.

— Un train pour le Rigi !... vous badinez ! »

Par la fenêtre à vitraux de plomb de l'auberge, on le lui montra qui partait. Deux grands wagons couverts, sans vasistas, poussés par une locomotive à cheminée courte et ventrue en forme de marmite, un monstrueux insecte agrippé à la montagne et s'essoufflant à grimper ses pentes vertigineuses.

Les deux Tartarin, garenne et choux, se révoltèrent en même temps à l'idée de monter dans cette hideuse mécanique. L'un trouvait ridicule cette façon de grimper les Alpes en ascenseur ; quant à l'autre, ces ponts aériens que traversait la voie, avec la perspective d'une chute de 1 000 mètres au moindre déraillement, lui inspiraient toutes sortes de réflexions lamentables que justifiait la présence du petit cimetière de Vitznau, dont les tombes blanches se serraient, tout au bas de la pente, comme du linge étalé dans la cour d'un lavoir. Evidemment ce cimetière est là par précaution, et pour qu'en cas d'accident les voyageurs se trouvent tout portés.

« Allons-y de mon pied, se dit le vaillant Tarasconnais, ça m'exercera... *zou !* »

Et le voilà parti, tout préoccupé de la manœuvre de son alpenstock en présence du personnel de l'auberge accouru sur la porte et lui criant pour sa route des indications qu'il n'écoutait pas. Il suivit d'abord un chemin montant, pavé de gros cailloux inégaux et pointus comme une ruelle du Midi, et bordé de rigoles en sapin pour l'écoulement des eaux de pluie.

A droite et à gauche, de grands vergers, des prairies grasses et humides traversées de ces mêmes canaux d'irrigation en troncs d'arbres. Cela faisait un long clapotis du haut en bas de la montagne, et chaque fois que le piolet de l'Alpiniste accrochait au passage les branches basses d'un chêne ou d'un noyer, sa casquette crépitait comme sous une pomme d'arrosoir.

« *Diou !* que d'eau ! » soupirait l'homme du Midi. Mais ce fut bien pis quand, le cailloutis du chemin ayant brusquement cessé, il dut barboter à même le torrent, sauter d'une pierre à l'autre pour ne pas tremper ses guêtres. Puis l'ondée s'en mêla, pénétrante, continue, semblant froidir à mesure qu'il montait. Quand il s'arrêtait pour reprendre haleine, il n'entendait plus qu'un vaste bruit d'eau où il était comme noyé, et il voyait en se retournant les nuages rejoindre le lac en fines et longues baguettes de verre au travers desquelles les chalets de Vitznau luisaient comme des joujoux frais vernissés.

Des hommes, des enfants passaient près de lui la tête basse, le dos courbé sous la même hotte en bois blanc contenant des provisions pour quelque villa ou pension dont les balcons découpés s'apercevaient à mi-côte. « Rigi-Kulm ? » demandait Tartarin pour s'assurer qu'il était bien dans la direction ; mais son équipement extraordinaire, surtout le passe-montagne en tricot qui lui masquait la figure, jetait l'effroi sur sa route, et tous, ouvrant des yeux ronds, pressaient le pas sans lui répondre.

Bientôt ces rencontres devinrent rares ; le dernier être humain qu'il aperçut était une vieille qui lavait son linge dans un tronc d'arbre, à l'abri d'un énorme parapluie rouge planté en terre.

« Rigi-Kulm ? » demanda l'Alpiniste.

La vieille leva vers lui une face idiote et terreuse, avec un goitre qui lui ballait dans le cou, aussi gros que la sonnaille rustique d'une vache suisse ; puis, après l'avoir longuement regardé, elle fut prise d'un rire inextinguible qui lui fendait la bouche jusqu'aux oreilles, bridait de rides ses petits yeux, et chaque fois qu'elle les rouvrait, la vue de Tartarin planté devant elle, le piolet sur l'épaule, semblait redoubler sa joie.

« *Tron de l'air !* gronda le Tarasconnais, elle a de la chance d'être femme... » et, tout bouffant de colère, il continua sa route, s'égara dans une sapinière, où ses bottes glissaient sur la mousse ruisselante.

Au-delà, le paysage avait changé. Plus de sentiers, d'arbres ni de pâturages. Des pentes mornes, dénudées, de grands éboulis de roche qu'il escaladait sur les genoux de peur de tomber ; des fondrières pleines d'une boue jaune qu'il traversait lentement, tâtant devant lui avec l'alpenstock, levant le pied comme un rémouleur. A chaque instant, il regardait la boussole en breloque à son large cordon de montre ; mais, soit l'altitude ou les variations de la température, l'aiguille semblait affolée. Et nul moyen de s'orienter avec l'épais brouillard jaune empêchant de voir à dix pas, traversé depuis un moment d'un verglas fourmillant et glacial qui rendait la montée de plus en plus difficile.

Tout à coup il s'arrêta ; le sol blanchissait vaguement devant lui... Gare les yeux !...

Il arrivait dans la région des neiges...

Tout de suite il tira ses lunettes de leur étui, les assujettit solidement. La minute était solennelle. Un peu ému, fier tout de même, il sembla à Tartarin que, d'un bond, il s'était élevé de 1 000 mètres vers les cimes et les grands dangers.

Il n'avança plus qu'avec précaution, rêvant des crevasses et des rotures dont lui parlaient ses livres, et dans le fond de son cœur, maudissant les gens de l'auberge qui lui avaient conseillé de monter tout droit et sans guides. Au fait, peut-être s'était-il trompé de montagne ! Plus de six heures qu'il marchait, quand le Rigi ne demandait que trois heures. Le vent soufflait, un vent froid qui faisait tourbillonner la neige dans la brume crépusculaire.

La nuit allait le surprendre. Où trouver une hutte, seulement l'avancée d'une roche pour s'abriter ? Et tout à coup il aperçut devant lui, sur le terre-plein sauvage et nu, une espèce de chalet en bois, bandé d'une pancarte aux lettres énormes qu'il déchiffra péniblement : « PHO... TO... GRA... PHIE... DU RI... GI... KULM ». En même temps, l'immense hôtel aux trois cents fenêtres lui apparaissait un peu plus loin, entre les lampadaires de fête qui s'allumaient dans le brouillard.

3

Une alerte sur le Rigi. — Du sang-froid ! du sang-froid ! — Le cor des Alpes. — Ce que Tartarin trouve à sa glace en se réveillant. — Perplexité. — On demande un guide par le téléphone.

« *Quès aço ?...* Qui vive ?... » fit le Tarasconnais l'oreille tendue, les yeux écarquillés dans les ténèbres.

Des pas couraient par tout l'hôtel, avec des claquements de portes, des souffles haletants, des cris : « Dépêchez-vous !... » tandis qu'au-dehors sonnaient comme des appels de trompe et que de brusques montées de flammes illuminaient vitres et rideaux...

Le feu !...

D'un bond il fut hors du lit, chaussé, vêtu, dégringolant l'escalier où le gaz brûlait encore et que descendait tout un essaim bruissant de misses coiffées à la hâte, serrées dans des châles verts, des fichus de laine rouge, tout ce qui leur était tombé sous la main en se levant.

Tartarin, pour se réconforter lui-même et rassurer ces demoiselles, criait en se précipitant et bousculant tout le monde : « Du sang-froid ! du sang-froid ! » avec une voix de goëland, blanche, éperdue, une de ces voix comme on en a dans les rêves, à donner la chair de poule aux plus braves. Et comprenez-vous ces petites misses qui riaient en le regardant, semblaient le trouver très drôle. On n'a aucune notion du danger, à cet âge !

Heureusement, le vieux diplomate venait derrière elles, très sommairement vêtu d'un pardessus que dépassaient des caleçons blancs et des bouts de cordonnets.

Enfin, voilà un homme !...

Tartarin courut à lui en agitant les bras : « Ah ! monsieur le baron, quel malheur !... Savez-vous quelque chose ?... Où est-ce ?... Comment a-t-il pris ?

— Qui ? Quoi ?... bégayait le baron ahuri, sans comprendre.

— Mais le feu...

— Quel feu ?... »

Le pauvre homme avait une mine si extraordinairement déprimée et stupide que Tartarin l'abandonna et s'élança dehors brusquement pour « organiser les secours !... »

« Des secours ! » répétait le baron et après lui, cinq ou six garçons de salle qui dormaient debout dans l'antichambre et s'entre-regardèrent, absolument égarés... « Des secours !... »

Au premier pas dehors, Tartarin s'aperçut de son erreur. Pas le moindre incendie. Un froid de loup, la nuit profonde à peine éclaircie des torches de résine qu'on agitait çà et là et qui faisaient sur la neige de grandes traces sanglantes.

Au bas du perron, un joueur de cor des Alpes mugissait sa plainte modulée, un monotone ranz des vaches à trois notes avec lequel il est d'usage, au Rigi-Kulm, de réveiller les adorateurs du soleil et de leur annoncer la prochaine apparition de l'astre.

On prétend qu'il se montre parfois à son premier réveil à la pointe extrême de la montagne, derrière l'hôtel. Pour s'orienter. Tartarin n'eut qu'à suivre le long éclat de rire des misses qui passaient près de lui. Mais il allait plus lentement, encore plein de sommeil et les jambes lourdes de ses six heures d'ascension.

« C'est vous, Manilof ?... dit tout à coup dans l'ombre une voix claire, une voix de femme... Aidez-moi donc... J'ai perdu mon soulier. »

Il reconnut le gazouillis étranger de sa petite voisine de table, dont il cherchait la fine silhouette dans le pâle reflet blanc montant du sol.

« Ce n'est pas Manilof, mademoiselle, mais si je puis vous être utile... »

Elle eut un petit cri de surprise et de peur, un geste de recul que Tartarin n'aperçut pas, déjà penché, tâtant l'herbe rase et craquante autour de lui.

« Té, pardi ! le voilà... » s'écria-t-il joyeusement. Il secoua la fine chaussure que la neige poudrait à frimas, mit un genou à terre, dans le froid et l'humide, de la façon la plus galante, et demanda pour récompense l'honneur de chausser Cendrillon.

Celle-ci, plus farouche que dans le conte, répondit par un « non » très sec, et sautillait, essayant de réintégrer son bas de soie dans le soulier mordoré ; mais elle n'y serait jamais parvenue sans l'aide du héros, tout ému de sentir une minute cette main mignonne effleurer son épaule.

« Vous avez de bons yeux... ajouta-t-elle en manière de remerciement, pendant qu'ils marchaient à tâtons, côte à côte.

— L'habitude de l'affût, mademoiselle.

— Ah ! vous êtes chasseur ? »

Elle dit cela avec un accent railleur, incrédule. Tartarin n'aurait eu qu'à se nommer pour la convaincre, mais, comme tous les porteurs de noms illustres, il gardait une discrétion, une coquetterie ; et, voulant graduer la surprise :

« Je suis chasseur, *effétivemain*... »

Elle continua sur le même ton d'ironie :

« Et quel gibier chassez-vous donc, de préférence ?

— Les grands carnassiers, les grands fauves... fit Tartarin, croyant l'éblouir.

— En trouvez-vous beaucoup sur le Rigi ? »

Toujours galant et à la riposte, le Tarasconnais allait répondre que, sur le Rigi, il n'avait rencontré que des gazelles, quand sa réplique fut coupée par l'approche de deux ombres qui appelaient :

« Sonia... Sonia...

— J'y vais... » dit-elle ; et se tournant vers Tartarin dont les yeux, faits à l'obscurité, distinguaient sa pâle et jolie figure sous une mantille en manola, elle ajouta, sérieuse cette fois :

« Vous faites une chasse dangereuse, mon bonhomme... prenez garde d'y laisser vos os... »

Et, tout de suite, elle disparut dans le noir avec ses compagnons.

Plus tard l'intonation menaçante qui soulignait ces paroles devait troubler l'imagination du Méridional ; mais, ici, il fut seulement vexé de ce mot de « bonhomme » jeté à son embonpoint grisonnant et du brusque départ de la jeune fille juste au moment où il allait se nommer, jouir de sa stupéfaction.

Il fit quelques pas dans la direction où le groupe s'éloignait, entendit une rumeur confuse, les toux, les éternuements des touristes attroupés qui attendaient avec impatience le lever du soleil, quelques-uns des plus braves grimpés sur un petit belvédère dont les montants, ouatés de neige, se distinguaient en blanc dans la nuit finissante.

Une lueur commençait à éclaircir l'Orient, saluée d'un nouvel appel de cor des Alpes et de ce « ah ! » soulagé que provoque au théâtre le troisième coup pour lever le rideau. Mince comme la fente d'un couvercle, elle s'étendait, cette lueur, élargissait l'horizon ; mais en même temps montait de la vallée un brouillard opaque et jaune, une buée plus pénétrante et plus épaisse à mesure que le jour venait. C'était comme un voile entre la scène et les spectateurs.

Il fallait renoncer aux gigantesques effets annoncés sur les guides. En revanche, les tournures hétéroclites des danseurs de la veille arrachés au sommeil se découpaient en ombres chinoises, falotes et cocasses ; des châles, des couvertures, jusqu'à des courtines de lit les recouvraient. Sous des coiffures variées, bonnets de soie ou de coton, capelines, toques, casquettes à oreilles, c'étaient des faces effarées, bouffies, des têtes de naufragés perdus sur un îlot en pleine mer et guettant une voile au large de tous leurs yeux écarquillés.

Et rien, toujours rien !

Pourtant certains s'évertuaient à distinguer des cimes dans un élan de bonne volonté et, tout en haut du belvédère, on entendait les gloussements de la famille péruvienne serrée autour d'un grand diable, vêtu jusqu'aux pieds de son ulster à carreaux, qui détaillait imperturbablement l'invisible panorama des Alpes bernoises, nommant et désignant à voix haute les sommets perdus dans la brume :

« Vous voyez à gauche le Finsteraarhorn, quatre mille deux cent soixante-quinze mètres... le Schreckhorn, le Wetterhorn, le Moine, la Jungfrau, dont je signale à ces demoiselles les proportions élégantes...

— *Bé !* vrai, en voilà un qui ne manque pas de toupet !... » se dit le Tarasconnais, puis à la réflexion : « Je connais cette voix, pas *mouain.* »

Il reconnaissait surtout l'accent, cet *assent* du Midi qui se distingue de loin comme l'odeur de l'ail ; mais tout préoccupé de retrouver sa jeune inconnue, il ne s'arrêta pas, continua d'inspecter les groupes sans succès. Elle avait dû rentrer à l'hôtel, comme ils faisaient tous, fatigués de rester à grelotter, à battre la semelle.

Des dos ronds, des tartans dont les franges balayaient la neige s'éloignaient, disparaissaient dans le brouillard de plus en plus épaissi. Bientôt, il ne resta plus, sur le plateau froid et désolé d'une aube grise, que Tartarin et le joueur de cor des Alpes qui continuait à souffler mélancoliquement dans l'énorme bouquin, comme un chien qui aboie à la lune.

C'était un petit vieux à longue barbe, coiffé d'un chapeau tyrolien orné de glands verts lui tombant dans le dos, et portant, comme toutes les casquettes de service de l'hôtel, le *Regina montium* en lettres dorées. Tartarin s'approcha pour lui donner son pourboire, ainsi qu'il l'avait vu faire aux autres touristes.

« Allons nous coucher, mon vieux », dit-il ; et, lui tapant sur l'épaule avec sa familiarité tarasconnaise : « Une fière blague, *qué !* le soleil du Rigi. »

Le vieux continua de souffler dans sa corne, achevant sa ritournelle à trois notes avec un rire muet qui plissait le coin de ses yeux et secouait les glands verts de sa coiffure.

Tartarin, malgré tout, ne regrettait pas sa nuit. La rencontre de la jolie blonde le dédommageait du sommeil interrompu ; car, tout près de la cinquantaine, il avait encore le cœur chaud, l'imagination romanesque, un ardent foyer de vie. Remonté chez lui, les yeux fermés pour se rendormir, il croyait sentir dans sa main le petit soulier menu si léger, entendre les petits cris sautillants de la jeune fille : « Est-ce vous, Manilof ?... »

Sonia... quel joli nom !... Elle était russe certainement ; et ces jeunes gens voyageant avec elle, des amis de son frère, sans doute... Puis tout se brouilla, le joli minois frisé en or alla rejoindre d'autres visions flottantes et assoupies, pentes du Rigi, cascades en panaches ; et bientôt le souffle héroïque du grand homme, sonore et rythmé, emplit la petite chambre et une bonne partie du corridor...

Au moment de descendre, sur le premier coup du déjeuner, Tartarin s'assurait que sa barbe était bien brossée et qu'il n'avait pas trop mauvaise mine dans son costume d'alpiniste, quand tout à coup il tressaillit. Devant lui, grande ouverte et collée à la glace par deux pains à cacheter, une lettre anonyme étalait les menaces suivantes :

Français du diable, ta défroque te cache mal. On te fait grâce encore ce coup-ci, mais si tu te retrouves sur notre passage, prends garde.

Ebloui, il relut deux ou trois fois sans comprendre. A qui, à quoi prendre garde ? Comment cette lettre était-elle venue là ?

Evidemment pendant son sommeil, car il ne l'avait pas aperçue au retour de sa promenade aurorale. Il sonna la fille de service, une grosse face blafarde et plate, trouée de petite vérole, un vrai pain de gruyère, dont il ne put rien tirer d'intelligible sinon qu'elle était de « pon famille » et n'entrait jamais dans les chambres pendant que les messieurs ils y étaient.

« Quelle drôle de chose, pas moins ! » disait Tartarin tournant et retournant sa lettre, très impressionné. Un moment le nom de Costecalde lui traversa l'esprit : Costecalde instruit de ses projets d'ascension et essayant de l'en détourner par des manœuvres, des menaces. A la réflexion, cela lui parut invraisemblable, il finit par se persuader que cette lettre était une farce... peut-être les petites misses qui lui riaient au nez de si bon cœur... elles sont si libres, ces jeunes filles anglaises et américaines !

Le second coup sonnait. Il cacha la lettre anonyme dans sa poche : « Après tout, nous verrons bien... » Et la moue formidable dont il accompagnait cette réflexion indiquait l'héroïsme de son âme.

Nouvelle surprise en se mettant à table. Au lieu de sa jolie voisine « qu'amour frise en or », il aperçut le cou de vautour d'une vieille dame anglaise dont les grands repentirs époussetaient la nappe. On disait tout près de lui que la jeune demoiselle et sa société étaient partis par un des premiers trains du matin.

« Cré nom ! Je suis floué... » fit, tout haut, le ténor italien qui, la veille, signifiait si brusquement à Tartarin qu'il ne comprenait pas le français. Il l'avait donc appris pendant la nuit ! Le ténor se leva, jeta sa serviette et s'enfuit, laissant le Méridional complètement anéanti.

Des convives de la veille, il ne restait plus que lui. C'est toujours ainsi, au Rigi-Kulm, où l'on ne séjourne guère que vingt-quatre heures. D'ailleurs le décor était invariable, les compotiers en files séparant les factions. Mais ce matin, les Riz triomphaient en grand nombre, renforcés d'illustres personnages, et les Pruneaux, comme on dit, n'en menaient pas large.

Tartarin, sans prendre parti pour les uns ni pour les autres, monta dans sa chambre avant les manifestations du dessert, boucla son sac et demanda sa note ; il en avait assez du *Regina montium* et de sa table d'hôte de sourds-muets.

Brusquement repris de sa folie alpestre au contact du piolet, des crampons et des cordes dont il s'était réaffublé, il brûlait d'attaquer une vraie montagne, au sommet dépourvu d'ascenseur et de photographie en plein vent. Il hésitait encore entre le

Finsteraarhorn plus élevé et la Jungfrau plus célèbre, dont le joli nom de virginale blancheur le ferait penser plus d'une fois à la petite Russe.

En ruminant ces alternatives, pendant qu'on préparait sa note, il s'amusait à regarder, dans l'immense hall lugubre et silencieux de l'hôtel, les grandes photographies coloriées accrochées aux murailles, représentant des glaciers, des pentes neigeuses, des passages fameux et dangereux de la montagne : ici, des ascensionnistes à la file, comme des fourmis en quête, sur une arête de glace tranchante et bleue ; plus loin une énorme crevasse aux parois glauques en travers de laquelle on a jeté une échelle que franchit une dame sur les genoux, puis un abbé relevant sa soutane.

L'alpiniste de Tarascon, les deux mains sur son piolet, n'avait jamais eu l'idée de difficultés pareilles ; il faudrait passer par là, pas moins !...

Tout à coup, il pâlit affreusement.

Dans un cadre noir, une gravure, d'après le dessin fameux de Gustave Doré, reproduisait la catastrophe du mont Cervin : quatre corps humains à plat ventre ou sur le dos, dégringolant la pente presque à pic d'un névé, les bras jetés, les mains qui tâtent, se cramponnent, cherchent la corde rompue qui tenait ce collier de vies et ne sert qu'à les entraîner mieux vers la mort, vers le gouffre où le tas va tomber pêle-mêle avec les cordes, les piolets, les voiles verts, tout le joyeux attirail d'ascension devenu soudainement tragique.

« Mâtin ! » fit le Tarasconnais parlant tout haut dans son épouvante.

Un maître d'hôtel fort poli entendit son exclamation et crut devoir le rassurer. Les accidents de ce genre devenaient de plus en plus rares ; l'essentiel était de ne pas faire d'imprudence et, surtout, de se procurer un bon guide.

Tartarin demanda si on pourrait lui en indiquer un, là, de confiance... Ce n'est pas qu'il eût peur, mais cela vaut toujours mieux d'avoir quelqu'un de sûr.

Le garçon réfléchit, l'air important, tortillant ses favoris : « De confiance... Ah ! si monsieur m'avait dit ça plus tôt, nous avions ce matin un homme qui aurait bien été l'affaire... le courrier d'une famille péruvienne...

— Il connaît la montagne ? fit Tartarin d'un air entendu.

— Oh ! monsieur, toutes les montagnes... de Suisse, de Savoie, du Tyrol, de l'Inde, du monde entier, il les a toutes faites, il les sait par cœur et vous les raconte, c'est quelque chose !... Je crois qu'on le déciderait facilement... Avec un homme comme celui-là, un enfant irait partout sans danger.

— Où est-il ? où pourrais-je le trouver ?

— Au Kaltbad, monsieur, où il prépare les chambres de ses voyageurs... Nous allons téléphoner. »

Un téléphone, au Rigi !

Ça, c'était le comble. Mais Tartarin ne s'étonnait plus.

Cinq minutes après, le garçon revint, rapportant la réponse.

Le courrier des Péruviens venait de partir pour la Tellsplatte, où il passerait certainement la nuit.

Cette Tellsplatte est une chapelle commémorative, un de ces pèlerinages en l'honneur de Guillaume Tell comme on en trouve plusieurs en Suisse. On s'y rendait beaucoup pour voir les peintures murales qu'un fameux peintre bâlois achevait d'exécuter dans la chapelle...

Par le bateau, il ne fallait guère plus d'une heure, une heure et demie, Tartarin n'hésita pas. Cela lui ferait perdre un jour, mais il se devait de rendre cet hommage à Guillaume Tell, pour lequel il avait une prédilection singulière, et puis, quelle chance s'il pouvait saisir ce guide merveilleux, le décider à faire la Jungfrau avec lui.

En route, *zou !...*

Il paya vite sa note où le coucher et le lever du soleil étaient comptés à part ainsi que la bougie et le service, et, toujours précédé de ce terrible bruit de ferraille qui semait la surprise et l'effroi sur son passage, il se rendit à la gare, car redescendre le Rigi à pied, comme il l'avait monté, c'était du temps de perdu et, vraiment, faire trop d'honneur à cette montagne artificielle.

4

Sur le bateau. — Il pleut. — Le héros Tarasconnais salue des mânes. — La vérité sur Guillaume Tell. — Désillusion. — Tartarin de Tarascon n'a jamais existé. — « Té ! Bompard. »

Il avait laissé la neige au Rigi-Kulm ; en bas, sur le lac, il retrouva la pluie, fine, serrée, indistincte, une vapeur d'eau à travers laquelle les montagnes s'estompaient, graduées et lointaines, en forme de nuages.

Le « fœhn » soufflait, faisait moutonner le lac où les mouettes volant bas semblaient portées par la vague ; on aurait pu se croire en pleine mer.

Et Tartarin se rappelait sa sortie de Marseille, quinze ans auparavant, lorsqu'il partit pour la chasse au lion, ce ciel sans tache, ébloui de lumière blonde, cette mer bleue, mais bleue comme une eau de teinture, rebroussée par le mistral avec de blancs étincellements de salines, et les clairons des forts, tous les clochers en branle, ivresse, joie, soleil, féerie du premier voyage !

Quel contraste avec ce pont noir de mouillure, presque désert, sur lequel se distinguaient dans la brume, comme derrière un papier huilé, quelques passagers vêtus d'ulsters, de caoutchoucs informes, et l'homme de la barre immobile à l'arrière, tout encapuchonné dans son caban, l'air grave et sybillin au-dessus de cette pancarte en trois langues :

Défense de parler au timonier.

Recommandation bien inutile, car personne ne parlait à bord du *Winkelried*, pas plus sur le pont que dans les salons de première et de seconde, bondés de voyageurs aux mines lugubres, dormant, lisant, bâillant, pêle-mêle avec leurs menus bagages semés sur les banquettes. C'est ainsi qu'on se figure un convoi de déportés au lendemain d'un coup d'Etat.

De temps en temps, le beuglement rauque de la vapeur annonçait l'approche d'une station. Un bruit de pas, de bagages remués traînait sur le pont. Le rivage sortait de la brume, s'avançait, montrant des pentes d'un vert sombre, des villas grelottant parmi des massifs inondés, des peupliers en file au bord de routes boueuses le long desquelles de somptueux hôtels s'alignaient avec des lettres d'or sur leurs façades, hôtels Meyer, Müller, du Lac, et des têtes ennuyées apparaissant aux vitres ruisselantes.

On abordait le ponton de débarquement, des gens descendaient, montaient, également crottés, trempés et silencieux. C'était sur le petit port un va-et-vient de parapluies, d'omnibus vite évanouis. Puis le grand battement des roues faisait mousser l'eau sous leurs palettes et le rivage fuyait, rentrait dans le vague paysage avec les pensions Meyer, Müller, du Lac, dont les fenêtres, un instant ouvertes, laissaient voir à tous les étages des mouchoirs agités, des bras tendus qui semblaient dire : « Grâce, pitié, emmenez-nous... si vous saviez... ! »

Parfois, le *Winkelried* croisait au passage un autre vapeur avec son nom en lettres noires sur le tambour blanc : *Germania..., Guillaume Tell...* C'était le même pont lugubre, les mêmes caoutchoucs miroitants, la même traversée lamentable, que le vaisseau fantôme allât dans ce sens-ci ou dans celui-là, les mêmes regards navrés, échangés d'un bord à l'autre.

Et dire que tous ces gens voyageaient pour leur plaisir, et qu'ils étaient aussi captifs pour leur plaisir, les pensionnaires des hôtels du Lac, Meyer et Müller !

Ici, comme au Rigi-Kulm, ce qui suffoquait surtout Tartarin, ce qui le navrait, le gelait encore plus que la pluie froide et le ciel sans lumière, c'était de ne pouvoir parler. En bas, il avait bien retrouvé des figures de connaissance, le membre du Jockey avec sa nièce (hum ! hum !...), l'académicien Astier-Réhu et le professeur Schwanthaler, ces deux implacables ennemis condamnés à vivre côte à côte, pendant un mois, rivés au même itinéraire d'un voyage circulaire Cook, d'autres encore : mais aucun de ces illustres Pruneaux ne voulait reconnaître le Tarasconnais, que son passe-montagne, ses outils de fer, ses cordes en sautoir distinguaient cependant, poinçonnaient d'une façon toute particulière. Tous semblaient honteux du bal de la veille, de l'entraînement inexplicable où les avait jetés la fougue de ce gros homme.

Seule, Mme Schwanthaler était venue vers son danseur, avec sa mine toute rose et riante de petite fée boulotte, et, prenant sa jupe à deux doigts, comme pour esquisser un pas de menuet : « Ballir... dantsir... très choli... » disait la bonne dame. Etait-ce un souvenir qu'elle évoquait, ou la tentation de tourner encore en mesure ? C'est qu'elle ne le lâchait pas, et Tartarin, pour échapper à son insistance, remontait sur le pont, aimant mieux se tremper jusqu'aux os que d'être ridicule.

Et il en tombait, et le ciel était sale ! Pour achever de l'assombrir, toute une bande de « l'Armée du Salut » qu'on venait de prendre à Beckenried, une dizaine de grosses filles à l'air hébété, en robe bleu marine et chapeaux Greenaway, se groupait sous trois énormes parapluies rouges et chantait des versets, accompagnée sur l'accordéon par un homme, une espèce de David-la-Gamme, long, décharné, les yeux fous. Ces voix aiguës, molles, discordantes comme des cris de mouettes, roulaient, se traînaient à travers la pluie, la fumée noire de la machine que le vent rabattait. Jamais Tartarin n'avait entendu rien de si lamentable.

A Brunnen, la troupe descendit, laissant les poches des voyageurs gonflées de petites brochures pieuses ; et presque aussitôt que l'accordéon et les chants de ces pauvres larves eurent cessé, le ciel se débrouilla, laissa voir quelques morceaux de bleu.

Maintenant, on entrait dans le lac d'Uri assombri et resserré entre de hautes montagnes sauvages et, sur la droite, au pied du Seelisberg, les touristes se montraient le champ de Grütli, où Melchtal, Fürst et Stauffacher firent le serment de délivrer leur partie.

Tartarin, très ému, se découvrit religieusement sans prendre garde à la stupeur environnante, agita même sa casquette en l'air par trois fois pour rendre hommage aux mânes des héros. Quelques passagers s'y trompèrent et, poliment, lui rendirent son salut.

Enfin la machine poussa un mugissement enroué, répercuté d'un écho à l'autre de l'étroit espace. L'écriteau qu'on accrochait sur le pont à chaque station nouvelle, comme on fait dans les bals publics pour varier les contredanses, annonça Tellsplatte.

On arrivait.

La chapelle est située à cinq minutes du débarcadère, tout au bord du lac, sur la roche même où Guillaume Tell sauta, pendant la tempête, de la barque de Gessler. Et c'était pour Tartarin une émotion délicieuse, pendant qu'il suivait le long du lac les voyageurs du Circulaire Cook, de fouler ce sol historique, de se rappeler, de revivre les principaux épisodes du grand drame qu'il connaissait comme sa propre histoire.

De tout temps, Guillaume Tell avait été son type. Quand, à la pharmacie Bézuquet, on jouait aux préférences et que chacun écrivait sous pli cacheté le poète, l'arbre, l'odeur, le héros, la femme qu'il préférait, un de ces papiers portait invariablement ceci :

« L'arbre préféré ? — le baobab.

« L'odeur ? — de la poudre.

« L'écrivain ? — Fenimore Cooper.

« Ce que j'aurais voulu être ? — Guillaume Tell... »

Et dans la pharmacie, il n'y avait qu'une voix pour s'écrier : « C'est Tartarin ! »

Pensez s'il était heureux et si le cœur lui battait d'arriver devant la chapelle commémorative élevée par la reconnaissance de tout un peuple. Il lui semblait que Guillaume Tell, en personne, allait lui ouvrir la porte, encore trempé de l'eau du lac, son arbalète et ses flèches à la main.

« On n'entre pas... Je travaille... Ce n'est pas le jour... » cria de l'intérieur une voix forte doublée par la sonorité des voûtes.

« Monsieur Astier-Réhu, de l'Académie française !...

— Her Doctor Professor Schwanthaler !...

— Tartarin de Tarascon !... »

Dans l'ogive au-dessus du portail, le peintre, grimpé sur un échafaudage, parut presque à mi-corps, en blouse de travail, la palette à la main.

« Mon *famulus* descend vous ouvrir, messieurs », dit-il avec une intonation respectueuse.

« J'en étais sûr, pardi ! pensa Tartarin... Je n'avais qu'à me nommer. »

Toutefois il eut le bon goût de se ranger et, modestement, n'entra qu'après tout le monde.

Le peintre, gaillard superbe, la tête rutilante et dorée d'un artiste de la Renaissance, reçut ses visiteurs sur l'escalier de bois qui menait à l'étage provisoire installé pour les peintures du haut de la chapelle. Les fresques, représentant les principaux épisodes de la vie de Guillaume Tell, étaient terminées, moins une, la scène de la pomme sur la place d'Altorf. Il y travaillait en ce moment, et son jeune *famoulous* — comme il disait —, les cheveux à l'archange, les jambes et les pieds nus sous son sarrau moyen âge, lui posait l'enfant de Guillaume Tell.

Tous ces personnages archaïques, rouges, verts, jaunes, bleus, empilés plus hauts que nature dans d'étroites rues, sous des poternes du temps, et faits pour être vus à distance, impressionnaient les spectateurs un peu tristement, mais on était là pour admirer et l'on admira. D'ailleurs, personne n'y connaissait rien.

« Je trouve cela d'un grand caractère ! » dit le pontifiant Astier-Réhu, son sac de nuit à la main.

Et Schwanthaler, un pliant sous le bras, ne voulant pas être en reste, cita deux vers de Schiller, dont la moitié resta dans sa barbe de fleuve. Puis les dames s'exclamèrent et, pendant un moment, on n'entendit que des :

« *Schön !... oh ! schön...*

— *Yes... lovely...*

— Exquis, délicieux... »

On se serait cru chez le pâtissier.

Brusquement une voix éclata, déchira d'une sonnerie de trompette le silence recueilli :

« Mal épaulé, je vous dis... Cette arbalète n'est pas en place... »

On se figure la stupeur du peintre en face de l'exorbitant alpiniste qui, le pic en main, le piolet sur l'épaule, risquant d'assommer quelqu'un à chacune de ses voltes nombreuses, lui démontrait par a + b que le mouvement de son Guillaume Tell n'était pas juste.

« Et je m'y connais, au *mouains*... Je vous prie de le croire...

— Vous êtes ?

— Comment ! qui je suis ?... » fit le Tarasconnais tout à fait vexé. Ce n'était donc pas devant lui que la porte avait cédé ; et redressant sa taille : « Allez demander mon nom aux panthères du Zaccar, aux lions de l'Atlas, ils vous répondront peut-être. »

Il y eut une reculade, un effarement général.

« Mais, enfin, demanda le peintre, en quoi mon mouvement n'est-il pas juste ?

— Regardez-moi, *té !* »

Tombant en arrêt d'un double coup de talon qui fit fumer les planches, Tartarin, épaulant son piolet en arbalète, se campa.

« Superbe ! Il a raison... Ne bougez plus... »

Puis au famulus : « Vite, un carton, du fusain. »

Le fait est que le Tarasconnais était à peindre, trapu, le dos rond, la tête inclinée dans le passe-montagne en mentonnière de casque et son petit œil flamboyant qui visait le famulus épouvanté.

Imagination, ô magie ! Il se croyait sur la place d'Altorf, en face de son enfant, lui qui n'en avait jamais eu ; une flèche dans le goulot de son arbalète, une autre à sa ceinture pour percer le cœur du tyran. Et sa conviction devenait si forte qu'elle se communiquait autour de lui.

« C'est Guillaume Tell !... » disait le peintre, accroupi sur un escabeau, poussant son croquis d'une main fiévreuse : « Ah ! monsieur, que ne vous ai-je connu plus tôt ! vous m'auriez servi de modèle...

— Vraiment ! vous trouvez quelque ressemblance ?... » fit Tartarin flatté, sans déranger la pose.

Oui, c'est bien ainsi que l'artiste se représentait son héros.

« La tête aussi ?

— Oh ! la tête, peu importe... » Le peintre s'écartait, regardait son croquis : « Un masque viril, énergique, c'est tout ce qu'il faut, puisqu'on ne sait rien de Guillaume Tell et que probablement il n'a jamais existé. »

De stupeur, Tartarin laissa tomber son arbalète.

« *Outre* [1] *!*... Jamais existé !... Que me dites-vous là ?

— Demandez à ces messieurs... »

---

1. « Outre » et « boufre » sont des jurons tarasconnais d'étymologie mystérieuse. Les dames elles-mêmes s'en servent parfois, mais en y ajoutant une atténuation. « Outre !... que vous me feriez dire. »

Astier-Réhu solennel, ses trois mentons sur sa cravate blanche : « C'est une légende danoise.

— *Isländische... !* affirma Schwanthaler non moins majestueux.

— Saxo Grammaticus raconte qu'un vaillant archer appelé Tobe ou Paltanoke...

— *Es ist in der Vilkinasaga geschrieben...*

Ensemble :

fut condamné par le roi de Danemark, Harold aux dents bleues... »

dass der Isländische König Necding... »

L'œil fixe, le bras tendu, sans se regarder ni se comprendre, ils parlaient à la fois, comme en chaire, de ce ton doctoral, despotique, du professeur sûr de n'être jamais contesté. Ils s'échauffaient, criant des noms, des dates : Justinger de Berne ! Jean de Winterthur !...

Et peu à peu, la discussion devint générale, agitée, furieuse, parmi les visiteurs. On brandissait des pliants, des parapluies, des valises, et le malheureux artiste allait de l'un à l'autre prêchant la concorde, tremblant pour la solidité de son échafaudage. Quand la tempête fut apaisée, il voulut reprendre son croquis et chercher le mystérieux alpiniste, celui dont les panthères du Zaccar et les lions de l'Atlas seuls auraient pu dire le nom ; l'Alpiniste avait disparu.

Il grimpait maintenant à grands pas furieux un petit chemin à travers les bouleaux et les hêtres vers l'hôtel de la Tellsplatte où le courrier des Péruviens devait passer la nuit, et, sous le coup de sa déception, parlait tout haut, enfonçait rageusement son alpenstock dans la sente détrempée.

Jamais existé, Guillaume Tell ! Guillaume Tell une légende ! Et c'est le peintre chargé de décorer la Tellsplatte qui lui disait cela tranquillement. Il lui en voulait comme d'un sacrilège, il en voulait aux savants, à ce siècle nieur, démolisseur, impie, qui ne respecte rien, ni gloire ni grandeur, coquin de sort !

Ainsi, dans deux cents, trois cents ans, lorsqu'on parlerait de Tartarin, il se trouverait des Astier-Réhu, des Schwanthaler pour soutenir que Tartarin n'avait jamais existé ; une légende provençale ou barbaresque ! Il s'arrêta, suffoqué par l'indignation et la raide montée, s'assit sur un banc rustique.

On voyait de là le lac entre les branches, les murs blancs de la chapelle comme un mausolée neuf. Un mugissement de vapeur, avec le clapotis de l'abordage, annonçait encore l'arrivée de nouveaux visiteurs. Ils se groupaient au bord de l'eau, le guide en main, s'avançaient avec des gestes recueillis, des bras tendus qui racontaient la légende. Et tout à coup, par un brusque revirement d'idées, le comique de la chose lui apparut.

Il se représentait toute la Suisse historique vivant sur ce héros imaginaire, élevant des statues, des chapelles en son honneur sur les placettes des petites villes et dans les musées des grandes, organisant des fêtes patriotiques où l'on accourait, bannières en tête, de tous les cantons ; et des banquets, des toasts, des discours, des hurrahs, des chants, des larmes gonflant les poitrines, tout cela pour le grand patriote que tous savaient n'avoir jamais existé.

Vous parlez de Tarascon, en voilà une tarasconnade, et comme jamais, là-bas, il ne s'en est inventé de pareille !

Remis en belle humeur, Tartarin gagna en quelques solides enjambées la grand-route de Fluelen au bord de laquelle l'hôtel de la Tellsplatte étale sa longue façade à volets verts. En attendant la cloche du dîner, les pensionnaires marchaient de long en large devant une cascade en rocaille sur la route ravinée où s'alignaient des berlines, brancards à terre, parmi les flaques d'eau mirées d'un couchant couleur de cuivre.

Tartarin s'informa de son homme. On lui apprit qu'il était à table : « Menez-moi vers lui, zou ! » et ce fut dit d'une telle autorité que, malgré la respectueuse répugnance qu'on témoignait pour déranger un si important personnage, une servante mena l'Alpiniste par tout l'hôtel, où son passage souleva quelque stupeur, vers le précieux courrier, mangeant à part, dans une petite salle sur la cour.

« Monsieur, dit Tartarin en entrant, son piolet sur l'épaule, excusez-moi si... »

Il s'arrêta stupéfait, pendant que le courrier, long, sec, la serviette au menton dans le nuage odorant d'une assiettée de soupe chaude, lâchait sa cuillère.

« *Vé !* Monsieur Tartarin...

— *Té !* Bompard. »

C'était Bompard, l'ancien gérant du Cercle, bon garçon, mais affligé d'une imagination fabuleuse qui l'empêchait de dire un mot de vrai et l'avait fait surnommer, à Tarascon, l'Imposteur. Qualifié d'imposteur à Tarascon, jugez ce que cela doit être ! Et voilà le guide incomparable, le grimpeur des Alpes, de l'Himalaya, des monts de la Lune !

« Oh ! alors, je comprends... » fit Tartarin un peu déçu, mais joyeux quand même de retrouver une figure du pays et le cher, le délicieux accent du Cours.

« Différemment, monsieur Tartarin, vous dînez avec moi, *qué ?* »

Tartarin s'empressa d'accepter, savourant le plaisir de s'asseoir à une petite table intime, deux couverts face à face, sans le moindre compotier litigieux, de pouvoir trinquer, parler en mangeant, et en mangeant d'excellentes choses, soignées et naturelles, car MM. les courriers sont admirablement traités par les aubergistes, servis à part, des meilleurs vins et des mets d'extra.

Et il y en eut des « au moins, pas moins, différemment ! »

« Alors, mon bon, c'est vous que j'entendais cette nuit, là-haut, sur la plate-forme ?...

— Eh ! parfaite*main*... Je faisais admirer à ces demoiselles... C'est beau, pas vrai, ce soleil levant sur les Alpes ?

— Superbe ! » fit Tartarin, d'abord sans conviction, pour ne pas le contrarier, mais emballé au bout d'une minute ; et c'était étourdissant d'entendre les deux Tarasconnais célébrer avec enthousiasme les splendeurs qu'on découvre du Rigi. On aurait dit Joanne alternant avec Baedeker.

Puis, à mesure que le repas avançait, la conversation devenait plus intime, pleine de confidences, d'effusions, de protestations qui mettaient de bonnes larmes dans leurs yeux de Provence, brillants et vifs, gardant toujours en leur facile émotion une pointe de farce et de raillerie. C'est par là seulement que les deux amis se ressemblaient ; l'un, aussi sec, mariné, tanné, couturé de ces fronces spéciales aux grimes de profession, que l'autre était petit, râblé, de teint lisse et de sang reposé.

Il en avait tant vu, ce pauvre Bompard, depuis son départ du Cercle ; cette imagination insatiable qui l'empêchait de tenir en place l'avait roulé sous tant de soleils, de fortunes diverses ! Et il racontait ses aventures, dénombrait toutes les belles occasions de s'enrichir qui lui avaient craqué, là, dans la main, comme sa dernière invention d'économiser au budget de la guerre la dépense des godillots... « Savez-vous comment ? Oh ! mon Dieu, c'est bien simple... en faisant ferrer les pieds des militaires.

— *Outre !...* » dit Tartarin épouvanté.

Bompard continuait, toujours très calme, avec cet air fou à froid qu'il avait :

« Une grande idée, n'est-ce pas ? Eh ! *bé,* au ministère, ils ne m'ont seulement pas répondu... Ah ! mon pauvre monsieur

Tartarin, j'en ai eu de mauvais moments, j'en ai mangé du pain de misère, avant d'être entré au service de la Compagnie...

— La Compagnie ? »

Bompard baissa la voix discrètement.

« Chut ! tout à l'heure, pas ici... » Puis reprenant son intonation naturelle : « Et autrement, vous autres, à Tarascon, qu'est-ce qu'on fait ? Vous ne m'avez toujours pas dit ce qui vous amène dans nos montagnes... »

Ce fut à Tartarin de s'épancher. Sans colère, mais avec cette mélancolie de déclin, cet ennui dont sont atteints en vieillissant les grands artistes, les femmes très belles, tous les conquérants de peuples et de cœurs, il dit la défection de ses compatriotes, le complot tramé pour lui enlever la présidence, et le parti qu'il avait pris de faire acte d'héroïsme, une grande ascension, la bannière tarasconnaise plus haut qu'on ne l'avait jamais plantée, de prouver enfin aux alpinistes de Tarascon qu'il était toujours digne... toujours digne... L'émotion l'étreignait, il dut se taire, puis :

« Vous me connaissez, Gonzague... » Et rien ne saurait rendre ce qu'il mettait d'effusion, de caresse rapprochante, dans ce prénom troubadouresque de Bompard. C'était comme une façon de serrer ses mains, de se le mettre plus près du cœur... « Vous me connaissez, *qué !* Vous savez si j'ai boudé quand il s'est agi de marcher au lion ; et pendant la guerre, quand nous avons organisé ensemble la défense du Cercle... »

Bompard hocha la tête avec une mimique terrible ; il croyait y être encore.

« Eh bien, mon bon, ce que les lions, ce que les canons Krupp n'avaient pu faire, les Alpes y sont arrivées... J'ai peur.

— Ne dites pas cela, Tartarin !

— Pourquoi ? fit le héros avec une grande douceur... Je le dis, parce que cela est... »

Et tranquillement, sans pose, il avoua l'impression que lui avait faite le dessin de Doré, cette catastrophe du Cervin restée dans ses yeux. Il craignait des périls pareils ; et c'est ainsi qu'entendant parler d'un guide extraordinaire, capable de les lui éviter, il était venu se confier à lui.

Du ton le plus naturel, il ajouta :

« Vous n'avez jamais été guide, n'est-ce pas, Gonzague ?

— Hé ! si, répondit Bompard en souriant... Seulement je n'ai pas fait tout ce que j'ai raconté...

— Bien entendu ! » approuva Tartarin.

Et l'autre entre ses dents :

« Sortons un moment sur la route, nous serons plus libres pour causer. »

La nuit venait, un souffle tiède, humide, roulait des flocons noirs sur le ciel où le couchant avait laissé de vagues poussières grises. Ils allaient à mi-côte, dans la direction de Fluelen, croisant des ombres muettes de touristes affamés qui rentraient à l'hôtel, ombres eux-mêmes, sans parler, jusqu'au long tunnel qui coupe la route, ouvert de baies en terrasse du côté du lac.

« Arrêtons-nous ici... » entonna la voix creuse de Bompard, qui résonna sous la voûte comme un coup de canon. Et assis sur le parapet, ils contemplèrent l'admirable vue du lac, des dégringolades de sapins et de hêtres, noirs, serrés, en premier plan ; derrière, des montagnes plus hautes, aux sommets en vagues, puis d'autres encore, d'une confusion bleuâtre comme des nuées ; au milieu la traînée blanche, à peine visible, d'un glacier figé dans les creux, qui tout à coup s'illuminait de feux irisés, jaunes, rouges, verts. On éclairait la montagne de flammes de bengale.

De Fluelen, des fusées montaient, s'égrenaient en étoiles multicolores, et des lanternes vénitiennes allaient, venaient sur le lac dont les bateaux restaient invisibles, promenant de la musique et des gens de fête.

Un vrai décor de féerie dans l'encadrement des murs de granit, réguliers et froids, du tunnel.

« Quel drôle de pays, pas moins, que cette Suisse... » s'écria Tartarin.

Bompard se mit à rire.

« Ah ! *vaï*, la Suisse... D'abord, il n'y en a pas de Suisse ! »

5

Confidences sous un tunnel.

« La Suisse, à l'heure qu'il est, *vé !* monsieur Tartarin, n'est plus qu'un vaste Kursaal, ouvert de juin en septembre, un casino panoramique, où l'on vient se distraire des quatre parties du monde et qu'exploite une Compagnie richissime à centaines de millions de milliasses, qui a son siège à Genève et à Londres. Il en fallait de l'argent, figurez-vous bien, pour affermer, peigner et pomponner tout ce territoire, lacs, forêts, montagnes et cascades, entretenir un peuple d'employés, de comparses, et sur les plus hautes cimes installer des hôtels mirobolants, avec gaz, télégraphes, téléphones !...

— C'est pourtant vrai, songe tout haut Tartarin qui se rappelle le Rigi.

— Si c'est vrai !... Mais vous n'avez rien vu... Avancez un peu dans le pays, vous ne trouverez pas un coin qui ne soit truqué, machiné comme les dessous de l'Opéra ; des cascades éclairées *a giorno*, des tourniquets à l'entrée des glaciers, et, pour les ascensions, des tas de chemins de fer hydrauliques ou funiculaires. Toutefois, la Compagnie, songeant à sa clientèle d'Anglais et d'Américains grimpeurs, garde à quelques Alpes fameuses, la Jungfrau, le Moine, le Finsteraarhorn, leur apparence dangereuse et farouche, bien qu'en réalité, il n'y ait pas plus de risque là qu'ailleurs.

— Pas moins, les crevasses, mon bon, ces horribles crevasses... Si vous tombez dedans ?

— Vous tombez sur la neige, monsieur Tartarin, et vous ne vous faites pas de mal ; il y a toujours en bas, au fond, un portier, un chasseur, quelqu'un qui vous relève, vous brosse, vous secoue et gracieusement s'informe : « Monsieur n'a pas de bagages ?... »

— Qu'est-ce que vous me chantez là, Gonzague ? »

Et Bompard redoublant de gravité :

« L'entretien de ces crevasses est une des plus grosses dépenses de la Compagnie. »

Un moment de silence sous le tunnel dont les environs sont accalmis. Plus de feux variés, de poudre en l'air, de barques sur l'eau ; mais la lune s'est levée et fait un autre paysage de convention, bleuâtre, fluidique, avec des pans d'une ombre impénétrable...

Tartarin hésite à croire son compagnon sur parole. Pourtant il réfléchit à tout ce qu'il a vu déjà d'extraordinaire en quatre jours, le soleil du Rigi, la farce de Guillaume Tell ; et les inventions de Bompard lui paraissent d'autant plus vraisemblables que dans tout Tarasconnais le hâbleur se double d'un gobeur.

« Différemment, mon bon ami, comment expliquez-vous ces catastrophes épouvantables... celle du Cervin, par exemple !...

— Il y a seize ans de cela, la Compagnie n'était pas constituée, monsieur Tartarin.

— Mais, l'année dernière encore, l'accident du Wetterhorn, ces deux guides ensevelis avec leurs voyageurs !...

— Il faut bien *té,* pardi !... pour amorcer les alpinistes... Une montagne où l'on ne s'est pas un peu cassé la tête, les Anglais n'y viennent plus... Le Wetterhorn périclitait depuis quelque temps ; avec ce petit fait divers, les recettes ont remonté tout de suite.

— Alors, les deux guides ?...

— Se portent aussi bien que les voyageurs ; on les a seulement fait disparaître, entretenus à l'étranger pendant six mois... Une réclame qui coûte cher, mais la Compagnie est assez riche pour s'offrir cela.

— Ecoutez, Gonzague... »

Tartarin s'est levé, une main sur l'épaule de l'ancien gérant :

« Vous ne voudriez pas qu'il m'arrivât malheur, *qué ?...* Eh bien, parlez-moi franchement... vous connaissez mes moyens comme alpiniste, ils sont médiocres.

— Très médiocres, c'est vrai !

— Pensez-vous cependant que je puisse, sans trop de danger, tenter l'ascension de la Jungfrau ?

— J'en répondrais, ma tête dans le feu, monsieur Tartarin... Vous n'avez qu'à vous fier au guide, *vé !*

— Et si j'ai le vertige ?

— Fermez les yeux.

— Si je glisse ?

— Laissez-vous faire... C'est comme au théâtre... Il y a des praticables... On ne risque rien...

— Ah ! si je vous avais là pour me le dire, pour me le répéter... Allons, mon brave, un bon mouvement, venez avec moi... »

Bompard ne demanderait pas mieux, *pécaïré !* mais il a ses Péruviens sur les bras jusqu'à la fin de la saison ; et comme son ami s'étonne de lui voir accepter ces fonctions de courrier, de subalterne :

« Que voulez-vous, monsieur Tartarin ?... C'est dans notre engagement... La Compagnie a le droit de nous employer comme bon lui semble. »

Le voilà comptant sur ses doigts tous ses avatars divers depuis trois ans... guide dans l'Oberland, joueur de cor des Alpes, vieux chasseur de chamois, ancien soldat de Charles X, pasteur protestant sur les hauteurs...

« Quès aco ? » demanda Tartarin surpris.

Et l'autre de son air tranquille :

« *Bé !* oui. Quand vous voyagez dans la Suisse allemande, des fois vous apercevez à des hauteurs vertigineuses un pasteur prêchant en plein air, debout sur une roche ou dans une chaire rustique en tronc d'arbre. Quelques bergers, fromagers, à la main leurs bonnets de cuir, des femmes coiffées et costumées selon le canton, se groupent autour avec des poses pittoresques ; et le paysage est joli, des pâturages verts ou frais moissonnés, des cascades jusqu'à la route et des troupeaux aux lourdes cloches sonnant à tous les degrés de la montagne. Tout ça, *vé !* c'est du décor, de la figuration. Seulement, il n'y a que les employés de la Compagnie, guides, pasteurs, courriers, hôteliers qui soient dans le secret, et leur intérêt est de ne pas l'ébruiter, de peur d'effaroucher la clientèle. »

L'Alpiniste reste abasourdi, muet, le comble chez lui de la stupéfaction. Au fond, quelque doute qu'il ait de la véracité de Bompard, il se sent rassuré, plus calme sur les ascensions alpestres, et bientôt l'entretien se fait joyeux. Les deux amis parlent de Tarascon, de leurs bonnes parties de rire d'autrefois, quand on était plus jeune.

« A propos de *galéjade*, dit subitement Tartarin, ils m'en ont fait une bien bonne au Rigi-Kulm... Figurez-vous que ce matin... » et il raconte la lettre piquée à sa glace, la récite avec emphase : « *Français du diable*... C'est une mystification, *qué ?...*

— On ne sait pas... Peut-être... » dit Bompard qui semble prendre la chose plus sérieusement que lui. Il s'informe si Tartarin, pendant son séjour au Rigi, n'a eu d'histoire avec personne, n'a pas dit un mot de trop.

« Ah ! *vaï*, un mot de trop ! Est-ce qu'on ouvre seulement la bouche avec tous ces Anglais, Allemands, muets comme des carpes sous prétexte de bonne tenue ! »

A la réflexion, pourtant, il se souvient d'avoir rivé son clou, et vertement, à une espèce de Cosaque, un certain Mi... Milanof.

« Manilof, corrige Bompard.

— Vous le connaissez ?... De vous à moi, je crois que ce Manilof m'en voulait à cause d'une petite Russe...

— Oui, Sonia... murmure Bompard soucieux...

— Vous la connaissez aussi ? Ah ! mon ami, la perle fine, le joli petit perdreau gris !

— Sonia de Wassilief... C'est elle qui a tué d'un coup de revolver, en pleine rue, le général Felianine, le président du Conseil de guerre qui avait condamné son frère à la déportation perpétuelle. »

Sonia assassin ! cette enfant, cette blondinette... Tartarin ne veut y croire. Mais Bompard précise, donne des détails sur l'aventure, du reste bien connue. Depuis deux ans, Sonia habite Zurich, où son frère Boris, échappé de Sibérie, est venu la rejoindre, la poitrine perdue ; et, tout l'été, elle le promène au bon air dans la montagne. Le courrier les a souvent rencontrés, escortés d'amis qui sont tous des exilés, des conspirateurs. Les Wassilief, très intelligents, très énergiques, ayant encore quelque fortune, sont à la tête du parti nihiliste avec Bolibine, l'assassin du préfet de police, et ce Manilof qui, l'an dernier, a fait sauter le palais d'Hiver.

« *Boufre !* dit Tartarin, on a de drôles de voisins au Rigi. »

Mais en voilà bien d'une autre. Bompard ne va-t-il pas s'imaginer que la fameuse lettre est venue de ces jeunes gens ; il reconnaît là les procédés nihilistes. Le tsar, tous les matins, trouve de ces avertissements, dans son cabinet, sous sa serviette...

« Mais enfin, dit Tartarin en pâlissant, pourquoi ces menaces ? Qu'est-ce que je leur ai fait ? »

Bompard pense qu'on l'a pris pour un espion.

« Un espion, moi !

— *Bé* oui ! » Dans tous les centres nihilistes, à Zurich, à Lausanne, à Genève, la Russie entretient à grands frais une nombreuse surveillance ; depuis quelque temps même, elle a engagé l'ancien chef de la police impériale française avec une dizaine de Corses qui suivent et observent tous les exilés russes, se servent de mille déguisements pour les surprendre. La tenue de l'Alpiniste, ses lunettes, son accent, il n'en fallait pas plus pour le confondre avec un de ces agents.

« Coquin de sort ! vous m'y faites penser, dit Tartarin... ils avaient tout le temps sur leurs talons un sacré ténor italien... Ce doit être un mouchard bien sûr... Différemment, qu'est-ce qu'il faut que je fasse ?

— Avant tout, ne plus vous trouver sur le chemin de ces gens-là, puisqu'on vous prévient qu'il vous arriverait malheur.

— Ah ! *vaï*, malheur... Le premier qui m'approche, je lui fends la tête avec mon piolet. »

Et dans l'ombre du tunnel les yeux du Tarasconnais s'enflamment. Mais Bompard, moins rassuré que lui, sait que la haine de ces nihilistes est terrible, s'attaque en dessous, creuse et trame. On a beau être un lapin comme le président, allez donc vous méfier du lit d'auberge où l'on couche, de la chaise où l'on s'assied, de la rampe de paquebot qui cédera tout à coup pour une chute mortelle. Et les cuisines préparées, le verre enduit d'un poison invisible.

« Prenez garde au kirsch de votre gourde, au lait mousseux que vous apporte le vacher en sabots. Ils ne reculent devant rien, je vous dis.

— Alors, quoi ? Je suis fichu ! » gronde Tartarin ; puis, saisissant la main de son compagnon :

« Conseillez-moi, Gonzague. »

Après une minute de réflexion, Bompard lui trace son programme. Partir le lendemain de bonne heure, traverser le lac, le col du Brünig, coucher le soir à Interlaken. Le jour suivant Grindelwald et la petite Scheideck. Le surlendemain, la Jungfrau ! Puis, en route pour Tarascon, sans perdre une heure, sans se retourner.

« Je partirai demain, Gonzague... » fait le héros d'une voix mâle avec un regard d'effroi au mystérieux horizon que recouvre la pleine nuit, au lac qui semble recéler pour lui toutes les trahisons dans son calme glacé de pâles reflets...

6

Le col du Brünig. — Tartarin tombe aux mains des nihilistes. — Disparition d'un ténor italien et d'une corde fabriquée en Avignon. — Nouveaux exploits du chasseur de casquettes. — Pan ! pan !

« Mondez... mondez tonc !

— Mais où, *qué* diable, faut-il que je monte ? tout est plein... Ils ne veulent de moi nulle part... »

C'était à la pointe extrême du lac des Quatre-Cantons, sur ce rivage d'Alpnach, humide, infiltré comme un delta, où les voitures de la poste s'organisent en convoi et prennent les voyageurs à la descente du bateau pour leur faire traverser le Brünig.

Une pluie fine, en pointes d'aiguilles, tombait depuis le matin ; et le bon Tartarin, empêtré de son fourniment, bousculé par les postiers, les douaniers, courait de voiture en voiture, sonore et encombrant comme cet homme-orchestre de nos fêtes foraines, dont chaque mouvement met en branle un triangle, une grosse caisse, un chapeau chinois, des cymbales. A toutes les portières l'accueillait le même cri d'effroi, le même « Complet ! » rébarbatif grogné dans tous les dialectes, le même hérissement en boule pour tenir le plus de place possible et empêcher de monter un si dangereux et retentissant compagnon.

Le malheureux suait, haletait, répondait par des « Coquin de bon sort ! » et des gestes désespérés à la clameur impatiente du convoi : « En route ! — *All right ! — Andiamo ! — Vorwärtz !* » Les chevaux piaffaient, les cochers juraient. A la fin, le conducteur de la poste, un grand rouge en tunique et casquette plate, s'en mêla lui-même, et, ouvrant de force la portière d'un landau à demi-couvert, poussa Tartarin, le hissa comme un paquet, puis resta debout et majestueux devant le garde-crotte, la main tendue pour son *trinkgeld*.

Humilié, furieux contre les gens de la voiture qui l'acceptaient *manu militari*, Tartarin affectait de ne pas les regarder, enfonçait son porte-monnaie dans sa poche, calait son piolet à côté de lui avec des mouvements de mauvaise humeur, un parti pris grossier, à croire qu'il descendait du packet de Douvres à Calais.

« Bonjour, monsieur... » dit une voix douce déjà entendue.

Il leva les yeux, resta saisi, terrifié devant la jolie figure ronde et rose de Sonia, assise en face de lui, sous l'auvent du landau où s'abritait aussi un grand garçon enveloppé de châles, de couvertures, et dont on ne voyait que le front d'une pâleur livide parmi quelques boucles de cheveux menus et dorés comme les tiges de ses lunettes de myope ; le frère, sans doute. Un troisième personnage que Tartarin connaissait trop, celui-là, les accompagnait, Manilof, l'incendiaire du palais impérial.

Sonia, Manilof, quelle souricière !

C'est maintenant qu'ils allaient accomplir leur menace, dans ce col du Brünig si escarpé, entouré d'abîmes. Et le héros, par une de ces épouvantes en éclair qui montrent le danger à fond, se vit étendu sur la pierraille d'un ravin, balancé au plus haut d'un chêne. Fuir ? où, comment ? Voici que les voitures s'ébranlaient, détalaient à la file au son de la trompe, une nuée de gamins présentant aux portières des petits bouquets d'edelweiss. Tartarin affolé eut envie de ne pas attendre, de commencer l'attaque en crevant d'un coup d'alpenstock le Cosaque assis à son côté ; puis, à la réflexion, il trouva plus prudent de s'abstenir. Evidemment ces gens ne tenteraient leur coup que plus loin, en des parages inhabités ; et peut-être aurait-il le temps de descendre. D'ailleurs, leurs intentions ne lui semblaient plus aussi malveillantes. Sonia lui souriait doucement de ses jolis yeux de turquoise, le grand jeune homme pâle le regardait, intéressé, et Manilof, sensiblement radouci, s'écartait obligeamment, lui faisait poser son sac entre eux deux. Avaient-ils reconnu leur méprise en lisant sur le registre du Rigi-Kulm l'illustre nom de Tartarin ?... Il voulut s'en assurer et, familier, bonhomme, commença :

« Enchanté de la rencontre, belle jeunesse... seulement, permettez-moi de me présenter... vous ignorez à qui vous avez affaire, *vé*, tandis que je sais parfaitement qui vous êtes.

— Chut ! » fit, du bout de son gant de Suède, la petite Sonia toujours souriante, et elle lui montrait sur le siège de la voiture, à côté du conducteur, le ténor aux manchettes et l'autre jeune Russe, abrités sous le même parapluie, riant, causant tous deux en italien.

Entre le policier et les nihilistes, Tartarin n'hésitait pas :

« Connaissez-vous cet homme, au *mouains ?* » dit-il tout bas, rapprochant sa tête du frais visage de Sonia et se mirant dans ses yeux clairs, tout à coup farouches et durs tandis qu'elle répondait « oui » d'un battement de cils.

Le héros frissonna, mais comme au théâtre ; cette délicieuse inquiétude d'épiderme qui vous saisit quand l'action se corse et qu'on se carre dans son fauteuil pour mieux entendre ou regarder. Personnellement hors d'affaire, délivré des horribles transes qui l'avaient hanté toute la nuit, empêché de savourer son café suisse, miel et beurre, et, sur le bateau, tenu loin du bastingage, il respirait à larges poumons, trouvait la vie bonne et cette petite Russe irrésistiblement plaisante avec sa toque de voyage, son jersey montant au cou, serrant les bras, moulant sa taille encore mince, mais d'une élégance parfaite. Et si enfant ! Enfant par la candeur de son rire, le duvet de ses joues et la grâce gentille dont elle étalait le châle sur les genoux de son frère : « Es-tu bien ?... Tu n'as pas froid ? » Comment croire que cette petite main, si fine sous le gant chamois, avait eu la force morale et le courage physique de tuer un homme !

Les autres, non plus, ne semblaient plus féroces ; tous, le même rire ingénu, un peu contraint et douloureux sur les lèvres tirées du malade, plus bruyant chez Manilof qui tout jeune sous sa barbe en broussaille, avait des explosions d'écolier en vacances, des bouffées de gaieté exubérante.

Le troisième compagnon, celui qu'on appelait Bolibine et qui causait sur le siège avec l'Italien, s'amusait aussi beaucoup, se retournait souvent pour traduire à ses amis des récits que lui faisait le faux chanteur, ses succès à l'Opéra de Pétersbourg, ses bonnes fortunes, les boutons de manchettes que les dames abonnées lui avaient offerts à son départ, des boutons extraordinaires, gravés de trois notes, *la do ré*, l'adoré ; et ce calembour redit dans le landau y causait une telle joie, le ténor lui-même se rengorgeait, frisait si bien sa moustache d'un air bête et vainqueur en regardant Sonia, que Tartarin commençait à se demander s'il n'avait pas affaire à de simples touristes, à un vrai ténor.

Mais les voitures, toujours à fond de train, roulaient sur des ponts, longeaient de petits lacs, des champs fleuris, de beaux vergers ruisselants et déserts, car c'était dimanche et les paysans rencontrés avaient tous leurs costumes de fête, les femmes de longues nattes et des chaînes d'argent. On commençait à gravir la route en lacet parmi des forêts de chênes et de hêtres ; peu à peu le merveilleux horizon se déroulait sur la gauche, à chaque détour en étage, des rivières, des vallées d'où montaient des clochers d'église, et, tout au fond, la cime givrée du Finsteraarhorn, blanchissant sous le soleil invisible.

Bientôt le chemin s'assombrit, d'aspect plus sauvage. D'un côté, des ombres profondes, chaos d'arbres plantés en pente, tourmentés et tordus, où grondait l'écume d'un torrent ; à droite, une roche immense, surplombante, hérissée de branches jaillies de ses fentes.

On ne riait plus dans le landau ; tous admiraient, la tête levée, essayaient d'apercevoir le sommet de ce tunnel de granit.

« Les forêts de l'Atlas !... Il semble qu'on y est... » dit gravement Tartarin ; et, sa remarque passant inaperçue, il ajouta : « Sans les rugissements du lion, toutefois.

— Vous les avez entendus, monsieur ? » demanda Sonia.

Entendu le lion, lui !... Puis, avec un doux sourire indulgent : « Je suis Tartarin de Tarascon, mademoiselle... »

Et voyez un peu ces barbares ? Il aurait dit : « Je m'appelle Dupont », c'eût été pour eux exactement la même chose. Ils ignoraient le nom de Tartarin.

Pourtant, il ne se vexa pas et répondit à la jeune fille qui voulait savoir si le cri du lion lui avait fait peur : « Non, mademoiselle... Mon chameau, lui, tremblait la fièvre entre mes jambes ; mais je visitais mes amorces, aussi tranquille que devant un troupeau de vaches... A distance, c'est à peu près le même cri, comme ceci, *té !* »

Pour donner à Sonia une exacte impression de la chose, il poussait de son creux le plus sonore un *meuh...* formidable, qui s'enfla, s'étala, répercuté par l'écho de la roche. Les chevaux se cabrèrent : dans toutes les voitures les voyageurs dressés, pleins d'épouvante, cherchaient l'accident, la cause d'un pareil vacarme, et reconnaissant l'Alpiniste, dont la capote à demi rabattue du landau montrait la tête à casque et le débordant harnachement, se demandaient une fois encore : « Quel est donc cet animal-là ! »

Lui, très calme, continuait à donner des détails, la façon d'attaquer la bête, de l'abattre et de la dépecer, le guidon en diamant dont il ornait sa carabine pour tirer sûrement, la nuit. La jeune fille l'écoutait, penchée, avec un petit palpitement de narines très attentif.

« On dit que Bombonnel chasse encore, demanda le frère, l'avez-vous connu ?

— Oui, dit Tartarin sans enthousiasme... C'est un garçon pas maladroit... Mais nous avons mieux que lui. »

A bon entendeur, salut ! puis, d'un ton de mélancolie : « Pas moins, ce sont de fortes émotions que ces chasses aux grands fauves. Quand on ne les a plus, l'existence semble vide, on ne sait de quoi la combler. »

Ici, Manilof, qui comprenait le français sans le parler et semblait écouter le Tarasconnais très curieusement, son front d'homme du peuple coupé d'une grande ride en cicatrice, dit quelques mots en riant à ses amis.

« Manilof prétend que nous sommes de la même confrérie, expliqua Sonia à Tartarin... Nous chassons comme vous les grands fauves.

— *Té !* oui, pardi... les loups, les ours blancs...

— Oui, les loups, les ours blancs et d'autres bêtes nuisibles encore... »

Et les rires de recommencer, bruyants, interminables, sur un ton aigu et féroce cette fois, des rires qui montraient les dents et rappelaient à Tartarin en quelle triste et singulière compagnie il voyageait.

Tout à coup, les voitures s'arrêtèrent. La route devenait plus raide et faisait à cet endroit un long circuit pour arriver en haut du Brünig que l'on pouvait atteindre par un raccourci de vingt minutes à pic dans une admirable forêt de hêtres. Malgré la pluie du matin, les terrains glissants et détrempés, les voyageurs, profitant d'une éclaircie, descendaient presque tous, s'engageaient à la file dans l'étroit chemin de « schlittage ».

Du landau de Tartarin, qui venait le dernier, les hommes mettaient pied à terre ; mais Sonia, trouvant les chemins trop boueux, s'installait au contraire, et, comme l'Alpiniste descendait après les autres, un peu retardé par son attirail, elle lui dit à mi-voix : « Restez donc, tenez-moi compagnie... » et d'une façon si câline ! Le pauvre homme en resta bouleversé, se forgeant un roman aussi délicieux qu'invraisemblable qui fit battre son vieux cœur à grands coups.

Il fut vite détrompé en voyant la jeune fille se pencher anxieuse, guetter Bolibine et l'Italien causant vivement à l'entrée de la schlitte, derrière Manilof et Boris déjà en marche. Le faux ténor hésitait. Un instinct semblait l'avertir de ne pas s'aventurer seul en compagnie de ces trois hommes. Il se décida enfin, et Sonia le regardait monter, en caressant sa joue ronde avec un bouquet de cyclamens violâtres, ces violettes de montagnes dont la feuille est doublée de la fraîche couleur des fleurs.

Le landau allait au pas, le cocher descendu marchait en avant avec d'autres camarades, et le convoi échelonnait plus de quinze voitures rapprochées par la perpendiculaire, roulant à vide, silencieusement. Tartarin, très ému, pressentant quelque chose de sinistre, n'osait regarder sa voisine, tant il craignait une parole, un regard qui aurait pu le faire acteur ou tout au moins complice dans le drame qu'il sentait tout proche. Mais Sonia ne faisait pas attention à lui, l'œil un peu fixe et ne cessant la caresse machinale des fleurs sur le duvet de sa peau.

« Ainsi, dit-elle après un long temps, ainsi vous savez qui nous sommes, moi et mes amis... Eh bien ! que pensez-vous de nous ? Qu'en pensent les Français ? »

Le héros pâlit, rougit. Il ne tenait pas à indisposer par quelques mots imprudents des gens aussi vindicatifs ; d'autre part, comment pactiser avec des assassins ? Il s'en tira par une métaphore :

« Différemment, mademoiselle, vous me disiez tout à l'heure que nous étions de la même confrérie, chasseurs d'hydres et de monstres, de despotes et de carnassiers... C'est donc en confrère de Saint-Hubert que je vais répondre... Mon sentiment est que, même contre les fauves, on doit se servir d'armes loyales... Notre Jules Gérard, fameux tueur de lions, employait des balles explosibles... Moi, je n'admets pas ça et ne l'ai jamais fait... Quand j'allais au lion ou à la panthère, je me plantais devant la bête, face à face, avec une bonne carabine à deux canons, et pan ! pan ! une balle dans chaque œil.

— Dans chaque œil !... fit Sonia.

— Jamais je n'ai manqué mon coup. »

Il affirmait, s'y croyait encore.

La jeune fille le regardait avec une admiration naïve, songeant tout haut :

« C'est bien ce qu'il y aurait de plus sûr. »

Un brusque déchirement de branches, de broussailles, et le fourré s'écarta au-dessus d'eux, si vivement, si félinement, que Tartarin, la tête pleine d'aventures de chasse, aurait pu se croire à l'affût dans le Zaccar. Manilof sauta du talus, sans bruit, près de la voiture. Ses petits yeux bridés luisaient dans sa figure tout écorchée par les ronces, sa barbe et ses cheveux en oreille de chien ruisselaient de l'eau des branches. Haletant, ses grosses mains courtes et velues appuyées à la portière, il interpella en russe Sonia qui, se tournant vers Tartarin, lui demanda d'une voix brève :

« Votre corde... vite...

— Ma... ma corde ?... bégaya le héros.

— Vite, vite... on vous la rendra tout à l'heure. »

Sans lui fournir d'autre explication, de ses petits doigts gantés elle l'aidait à se défubler de sa fameuse corde fabriquée en Avignon. Manilof prit le paquet en grognant de joie, regrimpa en deux bonds sous le fourré avec une élasticité de chat sauvage.

« Qu'est-ce qui se passe ? Qu'est-ce qu'ils vont faire ?... Il a l'air féroce... » murmura Tartarin n'osant dire toute sa pensée.

Féroce, Manilof ! Ah ! comme on voyait bien qu'il ne le connaissait pas. Nul être n'était meilleur, plus doux, plus compatissant ; et comme trait de cette nature exceptionnelle, Sonia, le regard clair et bleu, racontait que son ami venant d'exécuter un dangereux mandat du Comité révolutionnaire et sautant dans le traîneau qui l'attendait pour la fuite, menaçait le cocher de descendre, coûte que coûte, s'il continuait à frapper, à surmener sa bête dont la vitesse pourtant le sauvait.

Tartarin trouva le trait digne de l'antique ; puis, ayant réfléchi à toutes les vies humaines sacrifiées par ce même Manilof, aussi inconscient qu'un tremblement de terre ou qu'un volcan en fusion, mais qui ne voulait pas qu'on fît du mal à une bête devant lui, il interrogea la jeune fille d'un air ingénu :

« Est-il mort beaucoup de monde, dans l'explosion du palais d'Hiver ?

— Beaucoup trop, répondit tristement Sonia. Et le seul qui devait mourir a échappé. »

Elle resta silencieuse, comme fâchée, et si jolie, la tête basse avec ses grands cils dorés battant sa joue d'un rose pâle. Tartarin s'en voulait de lui avoir fait de la peine, repris par le charme de jeunesse, de fraîcheur épandu autour de l'étrange petite créature.

« Donc, monsieur, la guerre que nous faisons vous semble injuste, inhumaine ? » Elle lui disait cela de tout près, dans la caresse de son haleine et de son regard ; et le héros se sentait faiblir...

« Vous ne croyez pas que toute arme soit bonne et légitime pour délivrer un peuple qui râle, qui suffoque ?...

— Sans doute, sans doute... »

La jeune fille, plus pressante à mesure que Tartarin faiblissait :

« Vous parliez de vide à combler tout à l'heure ; ne vous semble-t-il pas qu'il serait plus noble, plus intéressant de jouer sa vie pour une grande cause que de la risquer en tuant des lions, ou en escaladant des glaciers ?

— Le fait est... » dit Tartarin grisé, la tête perdue, tout angoissé par le désir fou, irrésistible, de prendre et de baiser cette petite main ardente, persuadante, qu'elle posait sur son bras comme là-haut, dans la nuit du Rigi-Kulm, quand il lui remettait son soulier. A la fin, n'y tenant plus, et saisissant cette petite main gantée entre les siennes.

« Ecoutez, Sonia », dit-il d'une bonne grosse voix paternelle et familière... « Ecoutez, Sonia... »

Un brusque arrêt du landau l'interrompit. On arrivait en haut du Brünig ; voyageurs et cochers rejoignaient leurs voitures pour rattraper le temps perdu et gagner, d'un coup de galop, le prochain village où l'on devait déjeuner et relayer. Les trois Russes reprirent leurs places, mais celle de l'Italien resta inoccupée.

« Ce monsieur est monté dans les premières voitures », dit Boris au cocher qui s'informait ; et s'adressant à Tartarin dont l'inquiétude était visible :

« Il faudra lui réclamer votre corde ; il a voulu la garder avec lui. »

Là-dessus, nouveaux rires dans le landau et reprise, pour le brave Tartarin, des plus atroces perplexités, ne sachant que penser, que croire devant la belle humeur et la mine ingénue des prétendus assassins. Tout en enveloppant son malade de manteaux, de plaids, car l'air de la hauteur s'avivait encore de la vitesse des voitures, Sonia racontait, en russe, sa conversation avec Tartarin, jetant des pan ! pan ! d'une gentille intonation que répétaient ses compagnons après elle, les uns admirant le héros, Manilof hochant la tête, incrédule.

Le relais !

C'est sur la place d'un grand village, une vieille auberge au balcon de bois vermoulu, à l'enseigne en potence de fer rouillé. La file des voitures s'arrête là, et, pendant qu'on dételle, les voyageurs affamés se précipitent, envahissent au premier étage une salle peinte en vert qui sent le moisi, où la table d'hôte est dressée pour vingt couverts tout au plus. On est soixante, et l'on entend pendant cinq minutes une bousculade effroyable, des cris, des altercations véhémentes entre Riz et Pruneaux autour des compotiers, au grand effarement de l'aubergiste qui perd la tête comme si, tous les jours à la même heure, la poste ne passait pas, et qui dépêche ses servantes, prises aussi d'un égarement chronique, excellent prétexte à ne servir que la moitié des plats inscrits sur la carte et à rendre une monnaie fantaisiste, où les sous blancs de Suisse comptent pour cinquante centimes.

« Si nous déjeunions dans la voiture ?... » dit Sonia que ce remue-ménage ennuie ; et comme personne n'a le temps de s'occuper d'eux, les jeunes gens se chargent du service. Manilof revient brandissant un gigot froid, Bolibine un pain long et des saucisses ; mais le meilleur fourrier, c'est encore Tartarin. Certes, l'occasion s'offrait belle pour lui de se séparer de ses compagnons dans le brouhaha du relais, de s'assurer tout au moins si l'Italien avait reparu, mais il n'y a pas songé, préoccupé uniquement du déjeuner de la « petite » et de montrer à Manilof et aux autres ce que peut un Tarasconnais débrouillard.

Quand il descend le perron de l'hôtel, grave et le regard fixe, soutenant de ses mains robustes un grand plateau chargé d'assiettes, serviettes, victuailles assorties, champagne suisse au casque doré, Sonia bat des mains, le complimente :

« Mais comment avez-vous fait ?

— Je ne sais pas... on s'en tire, *té !...* Nous sommes tous comme ça à Tarascon. »

Oh ! les minutes heureuses. Il comptera dans la vie du héros, ce joli déjeuner en face de Sonia, presque sur ses genoux, dans un décor d'opérette : la place villageoise aux verts quinconces sous lesquels éclatent les dorures, les mousselines des Suissesses en costumes se promenant deux à deux comme des poupées.

Que le pain lui semble bon, et quelles savoureuses saucisses ! Le ciel lui-même s'est mis de la partie, clément, doux et voilé ; il pleut sans doute, mais si légèrement, des gouttes perdues, juste de quoi tremper le champagne suisse, dangereux pour les têtes méridionales.

Sous la véranda de l'hôtel, un quatuor tyrolien, deux géants et deux naines aux haillons éclatants et lourds, qu'on dirait échappés à la faillite d'un théâtre de foire, mêlent leurs coups de gosier ; « aou... aou... » au cliquetis des assiettes et des verres. Ils sont laids, bêtes, immobiles, tendant les cordes de leurs cous maigres.

Tartarin les trouve délicieux, leur jette des poignées de sous, au grand ébahissement des villageois qui entourent le landau dételé.

« Fife le Vranze ! » chevrote une voix dans la foule d'où surgit un grand vieux, vêtu d'un extraordinaire habit bleu à boutons d'argent dont les basques balaient la terre, coiffé d'un shako gigantesque en forme de baquet à choucroute et si lourd avec son grand panache qu'il oblige le vieux à marcher en balançant les bras comme un équilibriste.

« Fieux soltat... carte royale... Charles tix. »

Le Tarasconnais, encore aux récits de Bompard, se met à rire, et tout bas en clignant de l'œil :

« Connu, mon vieux... » mais il lui donne quand même une pièce blanche et lui verse une rasade que le vieux accepte en riant et faisant de l'œil, lui aussi, sans savoir pourquoi. Puis dévissant d'un coin de sa bouche une énorme pipe en porcelaine, il lève son verre et boit « à la compagnie ! » ce qui affermit Tartarin dans son opinion qu'ils ont affaire à un collègue de Bompard.

N'importe ! un toast en vaut un autre.

Et, debout, dans la voiture, la voix forte, le verre haut, Tartarin se fait venir les larmes aux yeux en buvant d'abord : « à la France, à sa patrie... » puis à la Suisse hospitalière, qu'il est heureux d'honorer publiquement, de remercier pour l'accueil généreux qu'elle fait à tous les vaincus, à tous les exilés. Enfin, baissant la voix, le verre incliné vers ses compagnons de route, il leur souhaite de rentrer bientôt dans leur pays, d'y retrouver de bons parents, des amis sûrs, des carrières honorables et la fin de toutes leurs dissensions ; car on ne peut pas passer sa vie à se dévorer.

Pendant le toast, le frère de Sonia sourit, froid et railleur derrière ses lunettes blondes ; Manilof, la nuque en avant, les sourcils gonflés creusant sa ride, se demande si le gros « barine » ne va pas cesser bientôt ses bavardages, pendant que Bolibine perché sur le siège et faisant grimacer sa mine falote, jaune et fripée à la tartare, semble un vilain petit singe grimpé sur les épaules du Tarasconnais.

Seule, la jeune fille l'écoute, très sérieuse, essayant de comprendre cet étrange type d'homme. Pense-t-il tout ce qu'il dit ? A-t-il fait tout ce qu'il raconte ? Est-ce un fou, un comédien ou seulement un bavard, comme le prétend Manilof qui, en sa qualité d'homme d'action, donne à ce mot une signification méprisante ?

L'épreuve se fera tout de suite. Son toast fini, Tartarin vient de se rasseoir, quand un coup de feu, un autre, encore un, partis non loin de l'auberge, le remettent debout tout ému, l'oreille dressée, reniflant la poudre.

« Qui a tiré ?... où est-ce !... que se passe-t-il ? »

Dans sa caboche inventive défile tout un drame, l'attaque du convoi à main armée, l'occasion de défendre l'honneur et la vie de cette charmante demoiselle. Mais non, ces détonations viennent simplement du *Stand*, où la jeunesse du village s'exerce au tir tous les dimanches. Et comme les chevaux ne sont pas encore attelés, Tartarin propose négligemment d'aller faire un tour jusque-là. Il a son idée, Sonia la sienne en acceptant. Guidés par le vieux de la garde royale ondulant sous son grand shako, ils traversent la place, ouvrent les rangs de la foule qui les suit curieusement.

Sous son toit de chaume et ses montants de sapins frais équarris, le stand ressemble, en plus rustique, à un de nos tirs forains, avec cette différence qu'ici les amateurs apportent leurs armes, des fusils à baguette d'ancien système et qu'ils manient assez adroitement. Muet, les bras croisés, Tartarin juge les coups, critique tout haut, donne des conseils, mais ne tire pas. Les Russes l'épient et se font signe.

« Pan... pan... » ricane Bolibine avec le geste de mettre en joue et l'accent de Tarascon. Tartarin se retourne, tout rouge et bouffant de colère.

« Parfaite*main*, jeune homme... Pan... pan... Et autant de fois que vous voudrez. »

Le temps d'armer une vieille carabine à double canon qui a dû servir à des générations de chasseurs de chamois... pan !... pan !... C'est fait. Les deux balles sont dans la mouche. Des hurrah d'admiration éclatent de toutes parts. Sonia triomphe, Bolibine ne rit plus.

« Mais ce n'est rien, cela, dit Tartarin... vous allez voir... »

Le stand ne lui suffit plus, il cherche un but, quelque chose à abattre, et la foule recule épouvantée devant cet étrange alpiniste, trapu, farouche, la carabine au poing, proposant au vieux garde royal de lui casser sa pipe entre les dents, à cinquante pas. Le vieux pousse des cris épouvantables et s'égare dans la foule que domine son panache grelottant au-dessus des têtes serrées. Pas moins, il faut que Tartarin la loge quelque part, cette balle. « *Té,* pardi ! comme à Tarascon... » Et l'ancien chasseur de casquettes jetant son couvre-chef en l'air, de toutes les forces de ses doubles muscles, tire au vol et le traverse. « Bravo ! » dit Sonia en piquant dans la petite ouverture faite par la balle au drap de la casquette le bouquet de montagne qui tantôt caressait sa joue.

C'est avec ce joli trophée que Tartarin remonte en voiture. La trompe sonne, le convoi s'ébranle, les chevaux détalent à fond de train sur la descente de Brienz, merveilleuse route en corniche, ouverte à la mine au bord des roches, et que des bouteroues espacés de deux mètres séparent d'un abîme de plus de mille pieds ; mais Tartarin ne voit plus le danger, il ne regarde pas non plus le paysage, la vallée de Meiringen baignée d'une claire buée d'eau, avec sa rivière aux lignes droites, le lac, des villages qui se massent dans l'éloignement et tout un horizon de montagnes, de glaciers confondus parfois avec les nuées ou se déplaçant aux détours du chemin, s'écartant, se découvrant comme les pièces remuées d'un décor.

Amolli de pensées tendres, le héros admire cette jolie enfant en face de lui, songe que la gloire n'est qu'un demi-bonheur, que c'est triste de vieillir seul par trop de grandeur, comme Moïse, et que cette frileuse fleur du Nord, transplantée dans le petit jardin de Tarascon, en égaierait la monotonie, autrement bonne à voir et à respirer que l'éternel baobab, l'*arbos gigantea*, minusculement empoté. Avec ses yeux d'enfant, son large front pensif et volontaire, Sonia le regarde aussi et rêve ; mais sait-on jamais à quoi rêvent les jeunes filles ?

7

Les nuits de Tarascon. — Où est-il ? — Anxiété. — Les cigales du Cours redemandent Tartarin. — Martyre d'un grand saint tarasconnais. — Le Club des Alpines. — Ce qui se passait à la pharmacie de la placette. — A moi, Bézuquet !

« Une lettre, monsieur Bézuquet !... Ça vient de Suisse, *vé !*... de Suisse ! » criait le facteur joyeusement de l'autre bout de la placette, agitant quelque chose en l'air et se hâtant dans le jour qui tombait.

Le pharmacien, qui prenait le frais en bras de chemise devant sa porte, bondit, saisit la lettre avec des mains folles, l'emporta dans son antre aux odeurs variées d'élixirs et d'herbes sèches, mais ne l'ouvrit que le facteur parti, lesté et rafraîchi d'un verre du délicieux sirop de cadavre, en récompense de la bonne nouvelle.

Quinze jours que Bézuquet l'attendait, cette lettre de Suisse, quinze jours qu'il la guettait avec angoisse ! Maintenant, la voilà. Et rien qu'à regarder la petite écriture trapue et déterminée de l'enveloppe, le nom du bureau de poste : « Interlaken », et le large timbre violet de « l'hôtel Jungfrau, tenu par Meyer », des larmes gonflaient ses yeux, faisaient trembler ses lourdes moustaches de corsaire barbaresque où susurrait un petit sifflotis bon enfant.

Confidentiel. Déchirer après lecture.

Ces mots très gros en tête de la page et dans le style télégrammique de la pharmacopée « usage externe, agiter avant de s'en servir », le troublèrent au point qu'il lut tout haut, comme on parle dans les mauvais rêves :

« *Ce qui m'arrive est épouvantable...* »

Du salon à côté où elle faisait son petit somme d'après souper, Mme Bézuquet la mère pouvait l'entendre, ou bien l'élève dont le pilon sonnait à coups réguliers dans le grand mortier de marbre au fond du laboratoire. Bézuquet continua sa lecture à voix basse, la recommença deux ou trois fois, très pâle, les cheveux littéralement dressés. Ensuite un regard rapide autour de lui, et *cra cra...* voilà la lettre en mille miettes dans la corbeille à papiers ; mais on pourrait l'y retrouver, ressouder tous ces bouts ensemble, et pendant qu'il se baisse pour les reprendre, une voix chevrotante appelle :

« *Vé,* Ferdinand, tu es là ?

— Oui, maman... » répond le malheureux corsaire, figé de peur, tout son grand corps à tâtons sous le bureau.

« Qu'est-ce que tu fais, mon trésor ?

— Je fais... hé ! Je fais le collyre de Mlle Tournatoire. »

La maman se rendort, le pilon de l'élève un instant suspendu reprend son lent mouvement de pendule qui berce la maison et la placette assoupies dans la fatigue de cette fin de journée d'été. Bézuquet, maintenant, marche à grands pas devant sa porte, tour à tour rose ou vert selon qu'il passe devant l'un ou l'autre de ses bocaux. Il lève les bras, profère des mots hagards : « Malheureux... perdu... fatal amour... comment le tirer de là ? » et, malgré son trouble, accompagne d'un sifflement allègre la retraite des dragons s'éloignant sous les platanes du Tour de ville.

« Hé ! adieu, Bézuquet... » dit une ombre pressée dans le crépuscule couleur de cendre.

« Où allez-vous donc, Pégoulade ?

— Au Club, pardi !... séance de nuit... on doit parler de Tartarin et de la présidence... Il faut venir.

— *Té,* oui ! je viendrai... » répond brusquement le pharmacien traversé d'une idée providentielle ; il rentre, passe sa redingote, tâte dans les poches pour s'assurer que le passe-partout s'y trouve et le casse-tête américain sans lequel aucun Tarasconnais ne se hasarde par les rues après la retraite. Puis il appelle : « Pascalon... Pascalon... » mais pas trop fort, de peur de réveiller la vieille dame.

Presque enfant et déjà chauve, comme s'il portait tous ses cheveux dans sa barbe frisée et blonde, l'élève Pascalon avait l'âme exaltée d'un séide, le front en dôme, des yeux de chèvre folle, et sur ses joues poupines les tons délicats, croustillants et dorés d'un petit pain de Beaucaire. Aux grands jours des fêtes alpestres, c'est à lui que le Club confiait sa bannière, et l'enfant avait voué au P. C. A. une admiration frénétique, l'adoration brûlante et silencieuse du cierge qui se consume au pied de l'autel en temps de Pâques.

« Pascalon, dit le pharmacien tout bas et de si près qu'il lui enfonçait le crin de sa moustache dans l'oreille, j'ai des nouvelles de Tartarin... Elles sont navrantes... »

Et le voyant pâlir :

« Courage, enfant, tout peut encore se réparer... Différemment je te confie la pharmacie... Si l'on te demande de l'arsenic, n'en donne pas ; de l'opium, n'en donne pas non plus, ni de la rhubarbe... ne donne rien. Si je ne suis pas rentré à dix heures, couche-toi et mets les boulons. Va ! »

D'un pas intrépide, il s'enfonça dans la nuit du Tour de ville, sans se retourner une fois, ce qui permit à Pascalon de se ruer sur la corbeille, de la fouiller de ses mains rageuses et avides, de la retourner enfin sur la basane du bureau pour voir s'il n'y restait pas quelques morceaux de la mystérieuse lettre apportée par le facteur.

Pour qui connaît l'exaltation tarasconnaise, il est aisé de se représenter l'affolement de la petite ville depuis la brusque disparition de Tartarin. Et autrement, pas moins différemment, ils en avaient tous perdu la tête, d'autant qu'on était en plein cœur d'août et que les crânes bouillaient sous le soleil à faire sauter tous leurs couvercles. Du matin au soir, on ne parlait que de cela en ville, on n'entendait que ce nom : « Tartarin » sur les lèvres pincées des dames à *capot*, sur la bouche fleurie des grisettes coiffées d'un ruban de velours : « Tartarin, Tartarin... » et dans les platanes du Cours, alourdis de poussière blanche, où les cigales éperdues, vibrant avec la lumière, semblaient s'étrangler de ces deux syllabes sonores : « Tar... tar... tar... tar... tar... »

Personne ne sachant rien, naturellement tout le monde était informé et donnait une explication au départ du président. Il y avait des versions extravagantes. Selon les uns, il venait d'entrer à la Trappe, il avait enlevé la Dugazon ; pour les autres, il était allé dans les Iles fonder une colonie qui s'appelait Port-Tarascon, ou bien, parcourait l'Afrique centrale à la recherche de Livingstone.

« Ah ! *vaï,* Livingstone !... Voilà deux ans qu'il est mort... »

Mais l'imagination tarasconnaise défie tous les calculs du temps et de l'espace. Et le rare, c'est que ces histoires de Trappe, de colonisation, de lointains voyages, étaient des idées de Tartarin, des rêves de ce dormeur éveillé, jadis communiqués à ses intimes qui ne savaient que croire à cette heure et, très vexés au fond de n'être pas informés, affectaient vis-à-vis de la foule la plus grande réserve, prenaient entre eux des airs sournois, entendus. Excourbaniès soupçonnait Bravida d'être au courant ; et Bravida disait de son côté : « Bézuquet doit tout savoir. Il regarde de travers comme un chien qui porte un os. »

C'est vrai que le pharmacien souffrait mille morts avec ce secret en cilice qui le cuisait, le démangeait, le faisait pâlir et rougir dans la même minute et loucher continuellement. Songez qu'il était de Tarascon, le malheureux, et dites si, dans tout le martyrologe, il existe un supplice aussi terrible que celui-là : le martyre de saint Bézuquet, qui savait quelque chose, mais ne pouvait rien dire.

C'est pourquoi, ce soir-là, malgré les nouvelles terrifiantes, sa démarche avait on ne sait quoi d'allégé, de plus libre, pour courir à la séance. Enf*eïn !...* Il allait parler, s'ouvrir, dire ce qui lui pesait tant ; et dans sa hâte de se délester, il jetait en passant des demi-mots aux promeneurs du Tour de ville. La journée avait été si chaude que, malgré l'heure insolite et l'ombre terrifiante — huit heures *manque un quart* au cadran de la commune —, il y avait dehors un monde fou, des familles bourgeoises assises sur les bancs et prenant le bon de l'air pendant que leurs maisons s'évaporaient, des bandes d'ourdisseuses marchant à cinq ou six en se tenant le bras sur une ligne ondulante de bavardages et de rires. Dans tous les groupes, on parlait de Tartarin :

« Et autrement, monsieur Bézuquet, toujours pas de lettre ?... » demandait-on au pharmacien en l'arrêtant au passage.

« Si fait, mes enfants, si fait... Lisez *Le Forum*, demain matin... »

Il hâtait le pas, mais on le suivait, on s'accrochait à lui, et cela faisait le long du Cours une rumeur, un piétinement de troupeau qui s'arrêta sous les croisées du Club ouvertes en grands carrés de lumière.

Les séances se tenaient dans l'ancienne salle de la bouillotte dont la longue table, recouverte du même drap vert, servait à présent de bureau. Au milieu, le fauteuil présidentiel avec le P. C. A. brodé sur le dossier ; à un bout et comme en dépendance, la chaise du secrétaire. Derrière, la bannière se déployait au-dessus d'un long carton-pâte vernissé où les Alpines sortaient en relief avec leurs noms respectifs et leurs altitudes. Des alpenstocks d'honneur incrustés d'ivoire, en faisceaux comme des queues de billard, ornaient les coins, et la vitrine étalait des curiosités ramassées sur la montagne, cristaux, silex, pétrifications, deux oursins, une salamandre.

En l'absence de Tartarin, Costecalde rajeuni, rayonnant, occupait le fauteuil, la chaise était pour Excourbaniès qui faisait fonction de secrétaire ; mais ce diable d'homme, crépu, velu, barbu, éprouvait un besoin de bruit, d'agitation qui ne lui permettait pas les emplois sédentaires. Au moindre prétexte, il levait les bras, les jambes, poussait des hurlements effroyables, des « ha ! ha ! ha ! » d'une joie féroce, exubérante, que terminait toujours ce terrible cri de guerre en patois tarasconnais : « *Fen dé brut !*... faisons du bruit... » On l'appelait le gong à cause de sa voix de cuivre partant à vous faire saigner les oreilles sous une continuelle détente.

Çà et là, sur un divan de crin autour de la salle, les membres du comité.

En première ligne, l'ancien capitaine d'habillement Bravida, que tout le monde, à Tarascon, appelait le Commandant ; un tout petit homme, propre comme un sou, qui se rattrapait de sa taille d'enfant de troupe, en se faisant la tête moustachue et sauvage de Vercingétorix.

Puis une longue face creusée et maladive, Pégoulade, le receveur, le dernier naufragé de la *Méduse*. De mémoire d'homme, il y a toujours eu à Tarascon un dernier naufragé de la *Méduse*. Dans un temps, même, on en comptait jusqu'à trois, qui se traitaient mutuellement d'imposteurs et n'avaient jamais consenti à se trouver ensemble. Des trois, le seul vrai, c'était Pégoulade. Embarqué sur la *Méduse* avec ses parents, il avait subi le désastre à six mois, ce qui ne l'empêchait pas de le raconter, *de visu*, dans les moindres détails, la famine, les canots, le radeau, et comment il avait pris à la gorge le commandant qui se sauvait : « Sur ton banc de quart, misérable !... » A six mois, *outre !*... Assommant, du reste, avec cette éternelle histoire que tout le monde connaissait, ressassait depuis cinquante ans, et dont il prenait prétexte pour se donner un air désolé, détaché de la vie. « Après ce que j'ai vu ! » disait-il, et bien injustement, puisqu'il devait à cela son poste de receveur conservé sous tous les régimes.

Près de lui, les frères Rognonas, jumeaux et sexagénaires, ne se quittant pas, mais toujours en querelle et disant des monstruosités l'un de l'autre ; une telle ressemblance que leurs deux vieilles têtes frustes et irrégulières, regardant à l'opposé par antipathie, auraient pu figurer dans un médaillier avec IANVS BIFRONS pour exergue.

De-ci, de-là, le président Bédaride, Barjavel l'avoué, le notaire Cambalalette, et le terrible docteur Tournatoire dont Bravida disait qu'il aurait tiré du sang d'une rave.

Vu la chaleur accablante, accrue par l'éclairage au gaz, ces messieurs siégeaient en bras de chemise, ce qui ôtait beaucoup de solennité à la réunion. Il est vrai qu'on était en petit comité, et l'infâme Costecalde voulait en profiter pour fixer au plus tôt la date des élections, sans attendre le retour de Tartarin. Assuré de son coup, il triomphait d'avance et lorsque, après la lecture de l'ordre du jour par Excourbaniès, il se leva pour intriguer, un infernal sourire retroussait sa lèvre mince.

« Méfie-toi de celui qui rit avant de parler », murmura le commandant.

Costecalde, sans broncher, et clignant de l'œil au fidèle Tournatoire, commença d'une voix fielleuse :

« Messieurs, l'inqualifiable conduite de notre président, l'incertitude où il nous laisse...

— C'est faux !... Le président a écrit... »

Bézuquet frémissant se campait devant le bureau ; mais, comprenant ce que son attitude avait d'antiréglementaire, il changea de ton et, la main levée selon l'usage, demanda la parole pour une communication pressante.

« Parlez ! Parlez ! »

Costecalde, très jaune, la gorge serrée, lui donna la parole d'un mouvement de tête. Alors, mais alors seulement, Bézuquet commença :

« Tartarin est au pied de la Jungfrau... Il va monter... Il demande la bannière !... »

Un silence coupé du rauque halètement des poitrines, du crépitement du gaz ; puis un hurrah formidable, des bravos, des trépignements, que dominait le gong d'Excourbaniès poussant son cri de guerre : « Ah ! ah ! ah ! *fen dé brut* » auquel la foule anxieuse répondait du dehors.

Costecalde, de plus en plus jaune, agitait désespérément la sonnette présidentielle ; enfin Bézuquet continua, s'épongeant le front, soufflant comme s'il venait de monter cinq étages.

Différemment, cette bannière que leur président réclamait pour la planter sur les cimes vierges, allait-on la ficeler, l'empaqueter par la grande vitesse comme un simple colis ?

« Jamais !... ah ! ah ! ah !... » rugit Excourbaniès.

Ne vaudrait-il pas mieux nommer une délégation, tirer au sort trois membres du bureau ?...

On ne le laissa pas finir. Le temps de dire « *zou !* » la proposition de Bézuquet était votée, acclamée, les noms des trois délégués sortis dans l'ordre suivant : 1, Bravida ; 2, Pégoulade ; 3, le pharmacien.

Le 2 protesta. Ce grand voyage lui faisait peur, si faible et mal portant comme il était, *péchère*, depuis le sinistre de la *Méduse*.

« Je partirai pour vous, Pégoulade... » gronda Excourbaniès dans une télégraphie de tous ses membres. Quant à Bézuquet, il ne pouvait quitter la pharmacie. Il y allait du salut de la ville. Une imprudence de l'élève et voilà Tarascon empoisonné, décimé.

« *Outre !* » fit le bureau se levant comme un seul homme.

Bien sûr que le pharmacien ne pouvait partir, mais il enverrait Pascalon, Pascalon se chargerait de la bannière. Ça le connaissait ! Là-dessus, nouvelles exclamations, nouvelle explosion du gong et, sur le Cours, une telle tempête populaire, qu'Excourbaniès dut se montrer à la fenêtre, au-dessus des hurlements que maîtrisa bientôt sa voix sans rivale.

« Mes amis, Tartarin est retrouvé. Il est en train de se couvrir de gloire. »

Sans rien ajouter de plus que « Vive Tartarin ! » et son cri de guerre lancé à toute gorge, il savoura une minute la clameur épouvantable de toute cette foule sous les arbres du Cours, roulant et s'agitant confuse dans une fumée de poussière, tandis que, sur les branches, tout un tremblement de cigales faisait aller ses petites crécelles comme en plein jour.

Entendant cela, Costecalde, qui s'était approché d'une croisée avec tous les autres, revint vers son fauteuil en chancelant.

« *Vé* Costecalde, dit quelqu'un... Qu'est-ce qu'il a ?... Comme il est jaune ! »

On s'élança ; déjà le terrible Tournatoire tirait sa trousse, mais l'armurier, tordu par le mal, en une grimace horrible, murmurait ingénument :

« Rien... rien... laissez-moi... Je sais ce que c'est... c'est l'envie ! »

Pauvre Costecalde, il avait l'air de bien souffrir.

Pendant que se passaient ces choses, à l'autre bout du Tour de ville, dans la pharmacie de la placette, l'élève de Bézuquet, assis au bureau du patron, collait patiemment et remettait bout à bout les fragments oubliés par le pharmacien au fond de la corbeille ; mais de nombreux morceaux échappaient à la reconstruction, car voici l'énigme singulière et farouche, étalée devant lui, assez pareille à une carte de l'Afrique centrale, avec des manques, des blancs de *terra incognita*, qu'explorait dans la terreur l'imagination du naïf porte-bannière :

fou d'amour
lampe à chalum conserves de Chicago
peux pas m'arrach nihiliste
à mort condition abom en échange
de son Vous me connaissez. Ferdi
savez mes idées libérales,
mais de là au tzaricide
rribles conséquences
Sibérie pendu l'adore
Ah ! serrer ta main loya
Tar Tar

8

Dialogue mémorable entre la Jungfrau et Tartarin. — Un salon nihiliste. — Le duel au couteau de chasse. — Affreux cauchemar. — « C'est moi que vous cherchez, messieurs ? » — Etrange accueil fait par l'hôtelier Meyer à la délégation tarasconnaise.

Comme tous les hôtels chic d'Interlaken, l'hôtel Jungfrau, tenu par Meyer, est situé sur le Hœheweg, large promenade à la double allée de noyers qui rappelait vaguement à Tartarin son cher Tour de ville, moins le soleil, la poussière et les cigales ; car, depuis une semaine de séjour, la pluie n'avait cessé de tomber.

Il habitait une très belle chambre avec balcon, au premier étage ; et le matin, faisant sa barbe devant la petite glace à main pendue à la croisée, une vieille habitude de voyage, le premier objet qui frappait ses yeux par-delà des blés, des luzernes, des sapinières, un cirque de sombres verdures étagées, c'était la Jungfrau sortant des nuages sa cime en corne, d'un blanc pur de neige amoncelée, où s'accrochait toujours le rayon furtif d'un invisible levant. Alors entre l'Alpe rose et blanche et l'Alpiniste de Tarascon, s'établissait un court dialogue qui ne manquait pas de grandeur.

« Tartarin, y sommes-nous ? » demandait la Jungfrau sévèrement.

« Voilà, voilà... » répondait le héros, son pouce sous le nez, se hâtant de finir sa barbe ; et, bien vite, il atteignait son complet à carreaux d'ascensionniste, au rancart depuis quelques jours, le passait en s'injuriant :

« Coquin de sort ! c'est vrai que ça n'a pas de nom... »

Mais une petite voix discrète et claire montait entre les myrtes en bordure devant les fenêtres du rez-de-chaussée :

« Bonjour... disait Sonia, le voyant paraître au balcon... Le landau nous attend... dépêchez-vous donc, paresseux...

— Je viens, je viens... »

En deux temps, il remplaçait sa grosse chemise de laine par du linge empesé fin, ses knickerbockers de montagne par la jaquette vert serpent qui, le dimanche, à la musique, tournait la tête à toutes les dames de Tarascon.

Le landau piaffait devant l'hôtel, Sonia déjà installée à côté de son frère, plus pâle et creusé de jour en jour malgré le bienfaisant climat d'Interlaken ; mais, au moment de partir, Tartarin voyait régulièrement se lever d'un banc de la promenade et s'approcher, avec le lourd dandinement d'ours de montagne, deux guides fameux de Grindelwald, Rodolphe Kaufmann et Christian Inebnit, retenus par lui pour l'ascension de la Jungfrau et qui, chaque matin, venaient voir si leur monsieur était disposé.

L'apparition de ces deux hommes aux fortes chaussures ferrées, aux vestes de futaine râpées au dos et sur l'épaule par le sac et les cordes d'ascension, leurs faces naïves et sérieuses, les quatre mots de français qu'ils baragouinaient péniblement en tortillant leurs grands chapeaux de feutre, c'était pour Tartarin un véritable supplice. Il avait beau leur dire :

« Ne vous dérangez pas... je vous préviendrai... »

Tous les jours, il les retrouvait à la même place et s'en débarrassait par une grosse pièce proportionnée à l'énormité de son remords. Enchantés de cette façon de « faire la Jungfrau », les montagnards empochaient le *trinkgeld* gravement et reprenaient d'un pas résigné, sous la fine pluie, le chemin de fer de leur village, laissant Tartarin confus et désespéré de sa faiblesse. Puis le grand air, les plaines fleuries reflétées aux prunelles limpides de Sonia, le frôlement d'un petit pied contre sa botte au fond de la voiture... Au diable la Jungfrau ! Le héros ne songeait qu'à ses amours, ou plutôt à la mission qu'il s'était donnée de ramener dans le droit chemin cette pauvre petite Sonia, criminelle inconsciente, jetée par dévouement fraternel hors la loi et hors la nature.

C'était le motif qui le retenait à Interlaken, dans le même hôtel que les Wassilief. A son âge, avec son air papa, il ne pouvait songer à se faire aimer de cette enfant ; seulement, il la voyait si douce, si bravette, si généreuse envers tous les misérables de son parti, si dévouée pour ce frère, que les mines sibériennes lui avaient renvoyé le corps rongé d'ulcères, empoisonné de vert-de-gris, condamné à mort par la phtisie plus sûrement que par toutes les cours martiales ! Il y avait de quoi s'attendrir, allons !

Tartarin leur proposait de les emmener à Tarascon, de les installer dans un bastidon plein de soleil aux portes de la ville, cette bonne petite ville où il ne pleut jamais, où la vie se passe en chansons et en fêtes. Il s'exaltait, esquissait un air de tambourin sur son chapeau, entonnait le gai refrain national sur une mesure de farandole :

Lagadigadeù
La Tarasco, la Tarasco,
Lagadigadeù
La Tarasco de Casteù.

Mais tandis qu'un sourire ironique amincissait encore les lèvres du malade, Sonia secouait la tête. Ni fêtes ni soleil pour elle, tant que le peuple russe râlerait sous le tyran. Sitôt son frère guéri — ses yeux navrés disaient autre chose —, rien ne l'empêcherait de retourner là-bas souffrir et mourir pour la cause sacrée.

« Mais, coquin de bon sort ! criait le Tarasconnais, après ce tyran-là, si vous le faites sauter, il en viendra un autre... Il faudra donc recommencer... Et les années se passent, *vé !* le temps du bonheur et des jeunes amours... » Sa façon de dire « amour » à la tarasconnaise, avec trois *r* et les yeux hors du front, amusait la jeune fille ; puis, sérieuse, elle déclarait qu'elle n'aimerait jamais que l'homme qui délivrerait sa patrie. Oh ! celui-là, fût-il laid comme Bolibine, plus rustique et grossier que Manilof, elle était prête à se donner toute à lui, à vivre à ses côtés en libre grâce, aussi longtemps que durerait sa jeunesse de femme, et que cet homme voudrait d'elle.

« En libre grâce ! » le mot dont se servent les nihilistes pour qualifier ces unions illégales contractées entre eux par le consentement réciproque. Et de ce mariage primitif, Sonia parlait tranquillement, avec son air de vierge, en face du Tarasconnais, bon bourgeois, électeur paisible, tout disposé pourtant à finir ses jours auprès de cette adorable fille, dans ledit état de libre grâce si elle n'y avait mis d'aussi meurtrières et abominables conditions.

Pendant qu'ils devisaient de ces choses extrêmement délicates, des champs, des lacs, des forêts, des montagnes se déroulaient devant eux et, toujours, à quelque tournant, à travers le frais tamis de cette perpétuelle ondée qui suivait le héros dans ses excursions, la Jungfrau dressait sa cime blanche comme pour aiguiser d'un remords la délicieuse promenade. On rentrait déjeuner, s'asseoir à l'immense table d'hôte où les Riz et les Pruneaux continuaient leurs hostilités silencieuses dont se désintéressait absolument Tartarin, assis près de Sonia, veillant à ce que Boris n'eût pas de fenêtre ouverte dans le dos, empressé, paternel, mettant à l'air toutes ses séductions d'homme du monde et ses qualités domestiques d'excellent lapin de choux.

Ensuite, on prenait le thé chez les Russes, dans le petit salon ouvert au rez-de-chaussée devant un bout de jardin, au bord de la promenade. Encore une heure exquise pour Tartarin, de causerie intime, à voix basse, pendant que Boris sommeillait sur un divan. L'eau chaude grésillait dans le samovar, une odeur de fleurs mouillées se glissait par l'entrebâillure de la porte avec le reflet bleu des glycines qui l'encadraient. Un peu plus de soleil, de chaleur, et c'était le rêve du Tarasconnais réalisé, sa petite Russe installée là-bas, près de lui, soignant le jardinet du baobab.

Tout à coup, Sonia tressautait :

« Deux heures !... Et le courrier ?

— On y va », disait le bon Tartarin ; et rien qu'à l'accent de sa voix, au geste résolu et théâtral dont il boutonnait sa jaquette, empoignait sa canne, on eût deviné la gravité de cette démarche en apparence assez simple, aller à la poste restante chercher le courrier des Wassilief.

Très surveillés par l'autorité locale et la police russe, les nihilistes, les chefs surtout, sont tenus à de certaines précautions, comme de se faire adresser lettres et journaux bureau restant, et sur de simples initiales.

Depuis leur installation à Interlaken, Boris se traînant à peine, Tartarin, pour éviter à Sonia l'ennui d'une longue attente au guichet, sous des regards curieux, s'était chargé à ses risques et périls de cette corvée quotidienne. La poste aux lettres n'est qu'à dix minutes de l'hôtel, dans une large et bruyante rue faisant suite à la promenade et bordée de cafés, de brasseries, de boutiques pour les étrangers, étalages d'alpenstocks, guêtres, courroies, lorgnettes, verres fumés, gourdes, sacs de voyage, qui semblaient là tout exprès pour faire honte à l'Alpiniste renégat. Des touristes défilaient en caravanes, chevaux, guides, mulets, voiles bleus, voiles verts, avec le brimbalement des cantines à l'amble des bêtes, les pics ferrés marquant le pas contre les cailloux ; mais cette fête, toujours renouvelée, le laissait indifférent. Il ne sentait même pas la bise fraîche à goût de neige qui venait de la montagne par bouffées, uniquement attentif à dépister les espions qu'il supposait sur ses traces.

Le premier soldat d'avant-garde, le tirailleur rasant les murs dans la ville ennemie, n'avance pas avec plus de méfiance que le Tarasconnais pendant ce court trajet de l'hôtel à la poste. Au moindre coup de talon sonnant derrière les siens, il s'arrêtait attentivement devant les photographies étalées, feuilletait un livre anglais ou allemand pour obliger le policier à passer devant lui ; ou bien il se retournait brusquement, dévisageait sous le nez avec des yeux féroces une grosse fille d'auberge allant aux provisions, ou quelque touriste inoffensif, vieux Pruneau de table d'hôte, qui descendait du trottoir, épouvanté, le prenant pour un fou.

A la hauteur du bureau dont les guichets ouvrent assez bizarrement à même la rue, Tartarin passait et repassait, guettait les physionomies avant de s'approcher, puis s'élançait, fourrait sa tête, ses épaules, dans l'ouverture, chuchotait quelques mots indistinctement, qu'on lui faisait toujours répéter, ce qui le mettait au désespoir, et, possesseur enfin du mystérieux dépôt, rentrait à l'hôtel par un grand détour du côté des cuisines, la main crispée au fond de sa poche sur le paquet de lettres et de journaux, prêt à tout déchirer, à tout avaler à la moindre alerte.

Presque toujours Manilof et Bolibine attendaient les nouvelles chez leurs amis ; ils ne logeaient pas à l'hôtel pour plus d'économie et de prudence. Bolibine avait trouvé de l'ouvrage dans une imprimerie, et Manilof, très habile ébéniste, travaillait pour des entrepreneurs. Le Tarasconnais ne les aimait pas ; l'un le gênait par ses grimaces, ses airs narquois, l'autre le poursuivait de mines farouches. Puis ils prenaient trop de place dans le cœur de Sonia.

« C'est un héros ! » disait-elle de Bolibine, et elle racontait que pendant trois ans il avait imprimé tout seul une feuille révolutionnaire en plein cœur de Pétersbourg. Trois ans sans descendre une fois, sans se montrer à une fenêtre, couchant dans un grand placard où la femme qui le logeait l'enfermait tous les soirs avec sa presse clandestine.

Et la vie de Manilof, pendant six mois, dans les sous-sols du palais d'Hiver, guettant l'occasion, dormant, la nuit, sur sa provision de dynamite, ce qui finissait par lui donner d'intolérables maux de tête, des troubles nerveux aggravés encore par l'angoisse perpétuelle, les brusques apparitions de la police avertie vaguement qu'il se tramait quelque chose et venant tout à coup surprendre les ouvriers employés au palais. A ses rares sorties, Manilof croisait sur la place de l'Amirauté un délégué du comité révolutionnaire qui demandait tout bas en marchant :

« Est-ce fait ?

— Non, rien encore... » disait l'autre sans remuer les lèvres. Enfin, un soir de février, à la même demande dans les mêmes termes, il répondait avec le plus grand calme :

« C'est fait... »

Presque aussitôt un épouvantable fracas confirmait ses paroles et, toutes les lumières du palais s'éteignant brusquement, la place se trouvait plongée dans une obscurité complète que déchiraient des cris de douleur et d'épouvante, des sonneries de clairons, des galopades de soldats et de pompiers accourant avec des civières.

Et Sonia interrompant son récit :

« Est-ce horrible, tant de vies humaines sacrifiées, tant d'efforts, de courage, d'intelligence inutiles ?... Non, non, mauvais moyen, ces tueries en masse... Celui qu'on vise échappe toujours... Le vrai procédé, le plus humain, serait d'aller au tsar comme vous alliez au lion, bien déterminé, bien armé, se poster à une fenêtre, une portière de voiture... et quand il passerait...

— *Bé* oui !... certaine*main...* » disait Tartarin embarrassé, feignant de ne pas saisir l'allusion, et tout de suite il se lançait dans quelque discussion philosophique, humanitaire, avec un des nombreux assistants. Car Bolibine et Manilof n'étaient pas les seuls visiteurs des Wassilief. Tous les jours se montraient des figures nouvelles, des jeunes gens, hommes ou femmes, aux tournures d'étudiants pauvres, d'institutrices exaltées, blondes et roses, avec le front têtu et le féroce enfantillage de Sonia ; des illégaux, des exilés, quelques-uns même condamnés à mort, ce qui ne leur ôtait rien de leur expansion de jeunesse.

Ils riaient, causaient haut, et, la plupart parlant français. Tartarin se sentait vite à l'aise. Ils l'appelaient « l'oncle », devinaient en lui quelque chose d'enfantin, de naïf, qui leur plaisait. Peut-être abusait-il un peu de ses récits de chasse, relevant sa manche jusqu'au biceps pour montrer sur son bras la cicatrice d'un coup de griffe de panthère, ou faisant tâter sous sa barbe les trous qu'y avaient laissés les crocs d'un lion de l'Atlas ; peut-être aussi se familiarisait-il un peu trop vite avec les gens, leur prenant la taille, s'appuyant sur leur épaule, les appelant de leurs petits noms au bout de cinq minutes qu'on était ensemble :

« Ecoutez, Dmitri... Vous me connaissez, Fédor Ivanovitch... »

Pas depuis bien longtemps, en tout cas ; mais il leur allait tout de même par sa rondeur, son air aimable, confiant, si désireux de plaire. Ils lisaient des lettres devant lui, combinaient des plans, des mots de passe pour dérouter la police, tout un côté conspirateur dont s'amusait énormément l'imagination du Tarasconnais ; et, bien qu'opposé par nature aux actes de violence, il ne pouvait parfois s'empêcher de discuter leurs projets homicides, approuvait, critiquait, donnait des conseils dictés par l'expérience d'un grand chef qui a marché sur le sentier de la guerre, habitué au maniement de toutes les armes, aux luttes corps à corps avec les grands fauves.

Un jour même qu'ils parlaient en sa présence de l'assassinat d'un policier poignardé par un nihiliste au théâtre, il leur démontra que le coup avait été mal porté et leur donna une leçon de couteau :

« Comme ceci, *vé !* de bas en haut. On ne risque pas de se blesser... »

Et s'animant à sa propre mimique :

« Une supposition, *té !* que je tienne votre despote entre quatre-z'yeux, dans une chasse à l'ours. Il est là-bas où vous êtes, Fédor, moi, ici, près du guéridon, et chacun son couteau de chasse... A nous deux, monseigneur, il faut en découdre... »

Campé au milieu du salon, ramassé sur ses jambes courtes pour mieux bondir, râlant comme un bûcheron ou un geindre, il leur mimait un vrai combat terminé par son cri de triomphe quand il eut enfoncé l'arme jusqu'à la garde, de bas en haut, coquin de sort ! dans les entrailles de son adversaire.

« Voilà comme ça se joue, mes petits ! »

Mais quels remords ensuite, quelles terreurs, lorsque échappé au magnétisme de Sonia et de ses yeux bleus, à la griserie que dégageait ce bouquet de têtes folles, il se trouvait seul, en bonnet de nuit, devant ses réflexions et son verre d'eau sucrée de tous les soirs.

Différemment, de quoi se mêlait-il ? Ce tsar n'était pas son tsar, en définitive, et toutes ces histoires ne le regardaient guère... Voyez-vous qu'un de ces jours il fût coffré, extradé, livré à la justice moscovite... *Boufre !* c'est qu'ils ne badinent pas, tous ces Cosaques... Et dans l'obscurité de sa chambre d'hôtel, avec cette horrible faculté qu'augmentait la position horizontale, se développaient devant lui, comme sur un de ces « dépliants » qu'on lui donnait aux jours de l'an de son enfance, les supplices variés et formidables auxquels il était exposé : Tartarin, dans les mines de vert-de-gris, comme Boris, travaillant de l'eau jusqu'au ventre, le corps dévoré, empoisonné. Il s'échappe, se cache au milieu des forêts chargées de neige, poursuivi par les Tartares et les chiens dressés pour cette chasse à l'homme. Exténué de froid, de faim, il est repris et finalement pendu entre deux forçats, embrassé par un pope aux cheveux luisants, puant l'eau-de-vie et l'huile de phoque, pendant que là-bas, à Tarascon, dans le soleil, les fanfares d'un beau dimanche, la foule, l'ingrate et oublieuse foule, installe Costecalde rayonnant sur le fauteuil du P. C. A.

C'est dans l'angoisse d'un de ces mauvais rêves qu'il avait poussé son cri de détresse : « A moi, Bézuquet... », envoyé au pharmacien sa lettre confidentielle toute moite de la sueur du cauchemar. Mais il suffisait du petit bonjour de Sonia vers sa croisée pour l'ensorceler, le rejeter encore dans toutes les faiblesses de l'indécision.

Un soir, revenant du Kursaal à l'hôtel avec les Wassilief et Bolibine, après deux heures de musique exaltante, le malheureux oublia toute prudence, et le « Sonia, je vous aime » qu'il retenait depuis si longtemps, il le prononça en serrant le bras qui s'appuyait au sien. Elle ne s'émut pas, le fixa toute pâle sous le gaz du perron où ils s'arrêtaient : « Eh bien, méritez-moi... » dit-elle avec un joli sourire d'énigme, un sourire remontant sur les fines dents blanches. Tartarin allait répondre, s'engager par serment à quelque folie criminelle, quand le chasseur de l'hôtel s'avançant vers lui :

« Il y a du monde pour vous, là-haut... Des messieurs... On vous cherche.

— On me cherche !... *Outre !...* pourquoi faire ? » Et le numéro 1 du dépliant lui apparut : Tartarin coffré, extradé... Certes, il avait peur, mais son attitude fut héroïque. Détaché vivement de Sonia : « Fuyez, sauvez-vous... » lui dit-il d'une voix étouffée. Puis il monta, la tête droite, les yeux fiers, comme à l'échafaud, si ému cependant qu'il était obligé de se cramponner à la rampe.

En s'engageant dans le corridor, il aperçut des gens groupés au fond, devant sa porte, regardant par la serrure, cognant, appelant : « Hé ! Tartarin... »

Il fit deux pas, et la bouche sèche : « C'est moi que vous cherchez, messieurs ?

— *Té !* pardi oui, mon président !... »

Un petit vieux, alerte et sec, habillé de gris et qui semblait porter sur sa jaquette, son chapeau, ses guêtres, ses longues moustaches tombantes, toute la poussière du Tour de ville, sautait au cou du héros, frottait à ses joues satinées et douillettes le cuir desséché de l'ancien capitaine d'habillement.

« Bravida !... pas possible !... Excourbaniès aussi ?... Et là-bas, qui est-ce ?... »

Un bêlement répondit : « Cher maî-aî-aître !... » et l'élève s'avança, cognant aux murs une espèce de longue canne à pêche empaquetée dans le haut, ficelée de papier gris et de toile cirée.

« Hé ! *vé*, c'est Pascalon... Embrassons-nous, petitot... Mais qu'est-ce qu'il porte ?... Débarrasse-toi donc !...

— Le papier... ôte le papier !... » soufflait le commandant. L'enfant roula l'enveloppe d'une main prompte, et l'étendard tarasconnais se déploya aux yeux de Tartarin anéanti.

Les délégués se découvrirent.

« Mon président » — la voix de Bravida tremblait solennelle et rude — « vous avez demandé la bannière, nous vous l'apportons, *té !...* »

Le président arrondissait des yeux gros comme des pommes : « Moi, j'ai demandé ?...

— Comment ! vous n'avez pas demandé ?...

— Ah ! si, parfaite*main...* » dit Tartarin subitement éclairé par le nom de Bézuquet. Il comprit tout, devina le reste, et, s'attendrissant devant l'ingénieux mensonge du pharmacien pour le rappeler au devoir et à l'honneur, il suffoquait, bégayait dans sa barbe courte : « Ah ! mes enfants, que c'est bon ! quel bien vous me faites...

— Vive le prési*dain !...* » glapit Pascalon, brandissant l'oriflamme. Le gong d'Excourbaniès retentit, fit rouler son cri de guerre « Ha ! ha ! ha ! *fen dé brut...* » jusque dans les caves de l'hôtel. Des portes s'ouvraient, des têtes curieuses se montraient à tous les étages, puis disparaissaient épouvantées devant cet étendard, ces hommes noirs et velus qui hurlaient des mots étranges, les bras en l'air. Jamais le pacifique hôtel Jungfrau n'avait subi pareil vacarme.

« Entrons chez moi », dit Tartarin un peu gêné. Ils tâtonnaient dans la nuit de la chambre, cherchant des allumettes, quand un coup autoritaire frappé à la porte la fit s'ouvrir d'elle-même devant la face rogue, jaune et bouffie de l'hôtelier Meyer. Il allait entrer, mais s'arrêta devant cette ombre où luisaient des yeux terribles, et du seuil, les dents serrées sur son dur accent tudesque : « Tâchez de vous tenir tranquilles... ou je vous fais tous ramasser par *le* police... »

Un grognement de buffle sortit de l'ombre à ce mot brutal de « ramasser ». L'hôtelier recula d'un pas, mais jeta encore : « On sait qui vous êtes, allez ! on a l'œil sur vous, et moi je ne veux plus de monde comme ça dans ma maison !...

— Monsieur Meyer, dit Tartarin doucement, poliment, mais très ferme... faites préparer ma note... Ces messieurs et moi nous partons demain matin pour la Jungfrau. »

O sol natal, ô petite patrie dans la grande ! rien que d'entendre l'accent tarasconnais frémissant avec l'air du pays aux plis d'azur de la bannière, voilà Tartarin délivré de l'amour et de ses pièges, rendu à ses amis, à sa mission, à la gloire.

Maintenant, *zou !...*

9

« Au Chamois fidèle. »

Le lendemain, ce fut charmant, cette route à pied d'Interlaken à Grindelwald où l'on devait, en passant, prendre les guides pour la Petite Scheideck ; charmante, cette marche triomphale du P. C. A. rentré dans ses houseaux et vêtements de campagne, s'appuyant d'un côté sur l'épaule maigrelette du commandant Bravida, de l'autre au bras robuste d'Excourbaniès, fiers tous les deux d'encadrer, de soutenir leur cher président, de porter son piolet, son sac, son alpenstock, tandis que, tantôt devant, tantôt derrière ou sur les flancs, gambadait comme un jeune chien le fanatique Pascalon, sa bannière dûment empaquetée et roulée pour éviter les scènes tumultueuses de la veille.

La gaieté de ses compagnons, le sentiment du devoir accompli, la Jungfrau toute blanche, là-bas dans le ciel comme une fumée, il n'en fallait pas moins pour faire oublier au héros ce qu'il laissait derrière lui, à tout jamais peut-être, et sans un adieu. Aux dernières maisons d'Interlaken, ses paupières se gonflèrent ; et, tout en marchant, il s'épanchait à tour de rôle dans le sein d'Excourbaniès : « Ecoutez, Spiridion », ou dans celui de Bravida : « Vous me connaissez, Placide... » Car, par une ironie de la nature, ce militaire indomptable s'appelait Placide, et Spiridion ce buffle à peau rude, aux instincts matériels.

Malheureusement, la race tarasconnaise, plus galante que sentimentale, ne prend jamais les affaires du cœur au sérieux : « Qui perd une femme et quinze sous, c'est grand dommage de l'argent... » répondait le sentencieux Placide, et Spiridion pensait exactement comme lui ; quant à l'innocent Pascalon, il avait des femmes une peur horrible et rougissait jusqu'aux oreilles lorsqu'on prononçait le nom de la Petite Scheideck devant lui, croyant qu'il s'agissait d'une personne légère dans ses mœurs. Le pauvre amoureux en fut réduit à garder ses confidences et se consola tout seul, ce qui est encore le plus sûr.

Quel chagrin d'ailleurs eût pu résister aux distractions de la route à travers l'étroite, profonde et sombre vallée où ils s'engageaient le long d'une rivière sinueuse, toute blanche d'écume, grondant comme un tonnerre dans l'écho des sapinières qui l'encaissaient, en pente sur ses deux rives !

Les délégués tarasconnais, la tête en l'air, avançaient avec une sorte de terreur, d'admiration religieuse ; ainsi les compagnons de Sindbad le marin, lorsqu'ils arrivèrent devant les palétuviers, les manguiers, toute la flore géante des côtes indiennes. Ne connaissant que leurs montagnettes pelées et pétrées, ils n'auraient jamais pensé qu'il pût y avoir tant d'arbres à la fois sur des montagnes si hautes.

« Et ce n'est rien, cela... vous verrez la Jungfrau ! » disait le P. C. A., qui jouissait de leur émerveillement, se sentait grandir à leurs yeux.

En même temps, pour égayer le décor, humaniser sa note imposante, des cavalcades les croisaient sur la route, de grands landaus à fond de train avec des voiles flottant aux portières, des têtes curieuses qui se penchaient pour regarder la délégation serrée autour de son chef, et, de distance en distance, les étalages de bibelots en bois sculpté, des fillettes plantées au bord du chemin, raides sous leurs chapeaux de paille à grands rubans, dans leurs jupes bigarrées, chantant des chœurs à trois voix en offrant des bouquets de framboises et d'edelweiss. Parfois, le cor des Alpes envoyait aux montagnes sa ritournelle mélancolique, enflée, répercutée dans les gorges et diminuée lentement, à la façon d'un nuage qui fond en vapeur.

« C'est beau, on dirait les orgues... » murmurait Pascalon, les yeux mouillés, extasié comme un saint de vitrail. Excourbaniès hurlait sans se décourager et l'écho répétait à perte de son l'intonation tarasconnaise : « Ha !... ha !... ha !... *fen dé brut.* »

Mais on se lasse après deux heures de marche dans le même décor, fût-il organisé, vert sur bleu, des glaciers dans le fond, et sonore comme une horloge à musique. Le fracas des torrents, les chœurs à la tierce, les marchands d'objets au couteau, les petites bouquetières, devinrent insupportables à nos gens, l'humidité surtout, cette buée au fond de cet entonnoir, ce sol mou, fleuri de plantes d'eau, où jamais le soleil n'a pénétré.

« Il y a de quoi prendre une pleurésie », disait Bravida, retroussant le collet de sa jaquette. Puis la fatigue s'en mêla, la faim, la mauvaise humeur. On ne trouvait pas d'auberge ; et, pour s'être bourrés de framboises, Excourbaniès et Bravida commençaient à souffrir cruellement. Pascalon lui-même, cet ange, chargé non seulement de la bannière, mais du piolet, du sac, de l'alpenstock dont les autres se débarrassaient lâchement sur lui, Pascalon avait perdu sa gaieté, ses vives gambades.

A un tournant de route, comme ils venaient de franchir la Lutschine sur un de ces ponts couverts qu'on trouve dans les pays de grande neige, une formidable sonnerie de cor les accueillit.

« Ah ! *vaï*, assez !... assez !... » hurlait la délégation exaspérée.

L'homme, un géant, embusqué au bord de la route, lâcha l'énorme trompe en sapin descendant jusqu'à terre et terminée par une boîte à percussion qui donnait à cet instrument préhistorique la sonorité d'une pièce d'artillerie.

« Demandez-lui donc s'il ne connaît pas une auberge ? » dit le président à Excourbaniès qui, avec un énorme aplomb, et un tout petit dictionnaire de poche, prétendait servir d'interprète à la délégation, depuis qu'on était en Suisse allemande. Mais, avant qu'il eût tiré son dictionnaire, le joueur de cor répondait en très bon français :

« Une auberge, messieurs ?... mais parfaitement... *Le Chamois fidèle* est tout près d'ici ; permettez-moi de vous y conduire. »

Et, chemin faisant, il leur apprit qu'il avait habité Paris pendant des années, commissionnaire au coin de la rue Vivienne.

« Encore un de la Compagnie, parbleu ! » pensa Tartarin, laissant ses amis s'étonner. Le confrère de Bompard leur fut du reste fort utile, car, malgré l'enseigne en français, les gens du *Chamois fidèle* ne parlaient qu'un affreux patois allemand.

Bientôt la délégation tarasconnaise, autour d'une énorme omelette aux pommes de terre, recouvra la santé et la belle humeur essentielle aux Méridionaux comme le soleil à leur pays. On but sec, on mangea ferme. Après force toasts portés au président et à son ascension, Tartarin, que l'enseigne de l'auberge intriguait depuis son arrivée, demanda au joueur de cor, cassant une croûte dans un coin de la salle avec eux :

« Vous avez donc du chamois, par ici ?... Je croyais qu'il n'en restait plus en Suisse. »

L'homme cligna des yeux :

« Ce n'est pas qu'il y en ait beaucoup, mais on pourrait vous en faire voir tout de même.

— C'est lui en faire tirer, qu'il faudrait, *vé !*... dit Pascalon plein d'enthousiasme... jamais le président n'a manqué son coup. »

Tartarin regretta de n'avoir pas apporté sa carabine.

« Attendez donc, je vais parler au patron. »

Il se trouva justement que le patron était un ancien chasseur de chamois ; il offrit son fusil, sa poudre, ses chevrotines et même de servir de guide à ces messieurs vers un gîte qu'il connaissait.

« En avant, *zou !* » fit Tartarin, cédant à ses alpinistes heureux de faire briller l'adresse de leur chef. Un léger retard, après tout ; et la Jungfrau ne perdrait rien pour attendre !...

Sortis de l'auberge par-derrière, ils n'eurent qu'à pousser la claire-voie du verger, guère plus grand qu'un jardinet de chef de gare, et se trouvèrent dans la montagne fendue de grandes crevasses rouillées entre les sapins et les ronces.

L'aubergiste avait pris l'avance et les Tarasconnais le voyaient déjà très haut, agitant les bras, jetant des pierres, sans doute pour faire lever la bête. Ils eurent beaucoup de mal à le rejoindre par ces pentes rocailleuses et dures, surtout pour des personnes qui sortent de table et qui n'ont pas plus l'habitude de gravir que les bons alpinistes de Tarascon. Un air lourd, avec cela, une haleine orageuse qui roulait des nuages lentement le long des cimes, sur leur tête.

« *Boufre !* » geignait Bravida.

Excourbaniès grognait :

« *Outre !*

— Que vous me feriez dire... » ajoutait le doux et bêlant Pascalon.

Mais le guide leur ayant, d'un geste brusque, intimé l'ordre de se taire, de ne plus bouger : « On ne parle pas sous les armes », dit Tartarin de Tarascon, avec une sévérité dont chacun prit sa part, bien que le président seul fût armé. Ils restaient là, debout, retenant leur souffle ; tout à coup Pascalon cria :

« *Vé !* le chamois, *vé...* »

A cent mètres au-dessus d'eux, les cornes droites, la robe d'un fauve clair, les quatre pieds réunis au bord du rocher, la jolie bête se découpait comme en bois travaillé, les regardant sans aucune crainte. Tartarin épaula méthodiquement, selon son habitude ; il allait tirer, le chamois disparut.

« C'est votre faute, dit le commandant à Pascalon... Vous avez sifflé... ça lui a fait peur.

— J'ai sifflé, moi ?

— Alors c'est Spiridion...

— Ah ! *vaï !* jamais de la vie. »

On avait pourtant entendu un coup de sifflet strident, prolongé. Le président les mit tous d'accord en racontant que le chamois, à l'approche de l'ennemi, pousse un signal aigu par les narines. Ce diable de Tartarin connaissait à fond cette chasse comme toutes les autres ! Sur l'appel de leur guide, ils se mirent en route ; mais la pente devenait de plus en plus raide, les roches plus escarpées, avec des fondrières à droite et à gauche. Tartarin tenait la tête, se retournant à chaque instant pour aider les délégués, leur tendre la main ou sa carabine. « La main, la main, si ça ne vous fait rien », demandait le bon Bravida qui avait très peur des armes chargées.

Nouveau signe du guide, nouvel arrêt de la délégation, le nez en l'air.

« Je viens de sentir une goutte ! » murmura le commandant tout inquiet. En même temps, la foudre gronda et, plus forte que la foudre, la voix d'Excourbaniès : « A vous, Tartarin ! » Le chamois venait de bondir tout près d'eux, franchissant le ravin comme une lueur dorée, trop vite pour que Tartarin pût épauler, pas assez pour les empêcher d'entendre le long sifflement de ses narines.

« J'en aurai raison, coquin de sort ! » dit le président, mais les délégués protestèrent. Excourbaniès, subitement très aigre, lui demanda s'il avait juré de les exterminer.

« Cher maî... aî... aître... bêla timidement Pascalon, j'ai ouï dire que le chamois, lorsqu'on l'accule aux abîmes, se retourne contre le chasseur et devient dangereux.

— Ne l'acculons pas, alors ! » fit Bravida terrible, la casquette en bataille.

Tartarin les appela poules mouillées. Et brusquement, tandis qu'ils se disputaient, ils disparurent les uns aux yeux des autres dans une épaisse nuée tiède, qui sentait le soufre et à travers laquelle ils se cherchaient, s'appelaient.

« Hé ! Tartarin.

— Etes-vous là, Placide ?

— Maî... aî... tre !

— Du sang-froid ! du sang-froid ! »

Une vraie panique. Puis un coup de vent creva le nuage, l'emporta comme une voile arrachée flottant aux ronces, d'où sortit un éclair en zigzag avec un épouvantable coup de tonnerre sous les pieds des voyageurs. « Ma casquette !... » cria Spiridion décoiffé par la tempête, les cheveux tout droits crépitant d'étincelles électriques. Ils étaient en plein cœur de l'orage, dans la forge même de Vulcain. Bravida, le premier, s'enfuit à toute vitesse ; le reste de la délégation s'élançait derrière lui, mais un cri du P. C. A. qui pensait à tout les retint :

« Malheureux... gare à la foudre !... »

Du reste, en dehors du danger très réel qu'il leur signalait, on ne pouvait guère courir sur ces pentes abruptes, ravinées, transformées en torrents, en cascades, par toute l'eau du ciel qui tombait. Et le retour fut sinistre, à pas lents sous la folle radée, parmi les courts éclairs suivis d'explosions, avec des glissades, des chutes, des haltes forcées. Pascalon se signait, invoquait tout haut, comme à Tarascon, « sainte Marthe et sainte Hélène, sainte Marie-Madeleine », pendant qu'Excourbaniès jurait : « Coquin de sort ! » et que Bravida, l'arrière-garde, se retournait saisi d'inquiétude :

« *Qué* diable est-ce qu'on entend derrière nous ?... ça siffle, ça galope, puis ça s'arrête... » L'idée du chamois furieux, se jetant sur les chasseurs, ne lui sortait pas de l'esprit, à ce vieux guerrier. Tout bas, pour ne pas effrayer les autres, il fit part de ses craintes à Tartarin qui, bravement, prit sa place à l'arrière-garde et marcha la tête haute, trempé jusqu'aux os, avec la détermination muette que donne l'imminence d'un danger. Par exemple, rentré à l'auberge, lorsqu'il vit ses chers alpinistes à l'abri, en train de s'étriller, de s'essorer autour d'un énorme poêle en faïence, dans la chambre du premier étage où montait l'odeur du grog au vin commandé, le président s'écouta frissonner et déclara, très pâle : « Je crois bien que j'ai pris le mal... »

« Prendre le mal ! » expression de terroir sinistre dans son vague et sa brièveté, qui dit toutes les maladies, peste, choléra, vomito negro, les noires, les jaunes, les foudroyantes, dont se croit atteint le Tarasconnais à la moindre indisposition.

Tartarin avait pris le mal ! Il n'était plus question de repartir, et la délégation ne demandait que le repos. Vite, on fit bassiner le lit, on pressa le vin chaud, et, dès le second verre, le président sentit par tout son corps douillet une chaleur, un picotis de bon augure. Deux oreillers dans le dos, un « plumeau » sur les pieds, son passe-montagne serrant la tête, il éprouvait un bien-être délicieux à écouter les rugissements de la tempête, dans la bonne odeur de sapin de cette pièce rustique aux murs en bois, aux petites vitres plombées, à regarder ses chers alpinistes pressés autour du lit, le verre en main, avec les tournures hétéroclites que donnaient à leurs types gaulois, sarrasins ou romains les courtines, rideaux, tapis dont ils s'étaient affublés, tandis que leurs vêtements fumaient devant le poêle. S'oubliant lui-même, il les questionnait d'une voix dolente :

« Etes-vous bien, Placide ?... Spiridion, vous sembliez souffrir tout à l'heure ?... »

Non, Spiridion ne souffrait plus ; cela lui avait passé en voyant le président si malade. Bravida, qui accommodait la morale aux proverbes de son pays, ajouta cyniquement : « Mal de voisin réconforte et même guérit !... » Puis ils parlèrent de leur chasse, s'échauffant au souvenir de certains épisodes dangereux, ainsi quand la bête s'était retournée, furieuse ; et sans complicité de mensonge, bien ingénument, ils fabriquaient déjà la fable qu'ils raconteraient au retour.

Soudain, Pascalon, descendu pour aller chercher une nouvelle tournée de grog, apparut tout effaré, un bras nu hors du rideau à fleurs bleues qu'il ramenait contre lui d'un geste pudique à la Polyeucte. Il fut plus d'une seconde sans pouvoir articuler tout bas, l'haleine courte : « Le chamois !...

— Eh bien, le chamois ?...

— Il est en bas, à la cuisine... Il se chauffe !

— Ah ! *vaï...*

— Tu badines !...

— Si vous alliez voir, Placide ? »

Bravida hésitait. Excourbaniès descendit sur la pointe du pied, puis revint presque tout de suite, la figure bouleversée... De plus en plus fort !... le chamois buvait du vin chaud.

On lui devait bien cela, à la pauvre bête, après la course folle qu'elle avait fournie dans la montagne, tout le temps relancée ou rappelée par son maître qui, d'ordinaire, se contentait de la faire évoluer dans la salle pour montrer aux voyageurs comme elle était d'un facile dressage.

« C'est écrasant ! » dit Bravida, n'essayant plus de comprendre, tandis que Tartarin enfonçait le passe-montagne en casque à mèche sur ses yeux pour cacher aux délégués la douce hilarité qui le gagnait en rencontrant à chaque étape, avec ses trucs et ses comparses, la Suisse rassurante de Bompard.

10

L'ascension de la Jungfrau. — Vé, les bœufs ! — Les crampons Kennedy ne marchent pas, la lampe à chalumeau non plus. — Apparition d'hommes masqués au chalet du Club Alpin. — Le président dans la crevasse. — Il y laisse ses lunettes. — Sur les cimes ! — Tartarin devenu dieu.

Grande affluence, ce matin-là, à l'hôtel Bellevue, sur la Petite Scheideck. Malgré la pluie et les rafales, on avait dressé les tables dehors, à l'abri de la véranda, parmi tout un étalage d'alpenstocks, gourdes, longues-vues, coucous en bois sculpté, et les touristes pouvaient en déjeunant contempler, à gauche, à quelque deux mille mètres de profondeur, l'admirable vallée de Grindelwald ; à droite, celle de Lauterbrunnen, et en face, à une portée de fusil, semblait-il, les pentes immaculées, grandioses, de la Jungfrau, ses névés, ses glaciers, toute cette blancheur réverbérée illuminant l'air alentour, faisant les verres encore plus transparents, les nappes encore plus blanches.

Mais, depuis un moment, l'attention générale se trouvait distraite par une caravane tapageuse et barbue qui venait d'arriver à cheval, à mulet, à âne, même en chaise à porteurs, et se préparait à l'escalade par un déjeuner copieux, plein d'entrain, dont le vacarme contrastait avec les airs ennuyés, solennels, des Riz et Pruneaux très illustres réunis à la Scheideck : Lord Chipendale, le sénateur belge et sa famille, le diplomate austro-hongrois, d'autres encore. On aurait pu croire que tous ces gens barbus attablés ensemble allaient tenter l'ascension, car ils s'occupaient à tour de rôle des préparatifs de départ, se levaient, se précipitaient pour aller faire des recommandations aux guides, inspecter les provisions, et, d'un bout de la terrasse à l'autre, ils s'interpellaient de cris terribles :

« Hé ! Placide, *vé* la terrine si elle est dans le sac ! — N'oubliez pas la lampe à chalumeau, au *mouains*. »

Au départ, seulement, on vit qu'il s'agissait d'une simple conduite, et que, de toute la caravane, un seul allait monter, mais quel un !

« Enfants, y sommes-nous ? » dit le bon Tartarin d'une voix triomphante et joyeuse où ne tremblait pas l'ombre d'une inquiétude pour les dangers possibles du voyage, son dernier doute sur le truquage de la Suisse s'étant dissipé le matin même devant les deux glaciers de Grindelwald, précédés chacun d'un guichet et d'un tourniquet avec cette inscription : « Entrée du glacier : un franc cinquante. »

Il pouvait donc savourer sans regret ce départ en apothéose, la joie de se sentir regardé, envié, admiré par ces effrontées petites misses à coiffures étroites de jeunes garçons, qui se moquaient si gentiment de lui au Rigi-Kulm et, à cette heure, s'enthousiasmaient en comparant ce petit homme avec l'énorme montagne qu'il allait gravir. L'une faisait son portrait sur un album ; celle-ci tenait à honneur de toucher son alpenstock. « Tchimppegne !... tchimppegne !... » s'écria tout à coup un long, funèbre Anglais au teint briqueté s'approchant le verre et la bouteille en mains. Puis, après avoir obligé le héros à trinquer :

« Lord Chipendale, sir... Et vô ?

— Tartarin de Tarascon.

— Oh ! yes... Tarterine... Il était très joli nom pour un cheval... » dit le Lord, qui devait être quelque fort sportsman d'outre-Manche.

Le diplomate austro-hongrois vint aussi serrer la main de l'Alpiniste entre ses mitaines, se souvenant vaguement de l'avoir entrevu à quelque endroit : « Enchanté !... enchanté !... » ânonna-t-il plusieurs fois, et, ne sachant plus comment en sortir, il ajouta :

« Compliments à madame... » sa formule mondaine pour brusquer les présentations.

Mais les guides s'impatientaient, il fallait atteindre avant le soir la cabane du Club Alpin où l'on couche en première étape, il n'y avait pas une minute à perdre. Tartarin le comprit, salua d'un geste circulaire, sourit paternellement aux malicieuses misses, puis, d'une voix tonnante :

« Pascalon, la bannière ! »

Elle flotta, les Méridionaux se découvrirent, car on aime le théâtre, à Tarascon ; et sur le cri vingt fois répété : « Vive le président !... Vive Tartarin... Ah ! Ah !... *fen dé brut...* » la colonne s'ébranla, les deux guides en tête, portant le sac, les provisions, des fagots de bois, puis Pascalon tenant l'oriflamme, enfin le P. C. A. et les délégués qui devaient l'accompagner jusqu'au glacier du Guggi. Ainsi déployé en procession avec son claquement de drapeau sur ces fonds mouillés, ces crêtes dénudées ou neigeuses, le cortège évoquait vaguement le jour des morts à la campagne.

Tout à coup le commandant cria fort alarmé :

« *Vé,* les bœufs ! »

On voyait quelque bétail broutant l'herbe rase dans les ondulations de terrain. L'ancien militaire avait de ces animaux une peur nerveuse, insurmontable et, comme on ne pouvait le laisser seul, la délégation dut s'arrêter. Pascalon transmit l'étendard à l'un des guides ; puis, sur une dernière étreinte, des recommandations bien rapides, l'œil aux vaches :

« Et adieu, *qué !*

— Pas d'imprudence au *mouains...* » ils se séparèrent. Quant à proposer au président de monter avec lui, pas un n'y songea ; c'était trop haut, *boufre !* A mesure qu'on approchait, cela grandissait encore, les abîmes se creusaient, les pics se hérissaient dans un blanc chaos que l'on eût dit infranchissable. Il valait mieux regarder l'ascension de la Scheideck.

De sa vie, naturellement, le président du Club des Alpines n'avait mis les pieds sur un glacier. Rien de semblable dans les montagnettes de Tarascon embaumées et sèches comme un paquet de vétiver ; et cependant les abords du Guggi lui donnaient une sensation de déjà vu, éveillaient le souvenir de chasses en Provence, tout au bout de la Camargue, vers la mer. C'était la même herbe toujours plus courte, grillée, comme roussie au feu. Çà et là des flaques d'eau, des infiltrations trahies de roseaux grêles, puis la moraine, comme une dune mobile de sable, de coquilles brisées, d'escarbilles, et, au bout, le glacier aux vagues bleu vert, crêtées de blanc, moutonnantes comme des flots silencieux et figés. Le vent qui venait de là, sifflant et dur, avait aussi le mordant, la fraîcheur salubre des brises de mer.

« Non, merci... J'ai mes crampons... » fit Tartarin au guide lui offrant des chaussons de laine pour passer sur ses bottes... « Crampons Kennedy... perfectionnés... très commodes... » Il criait comme pour un sourd, afin de se mieux faire comprendre de Christian Inebnit, qui ne savait pas plus de français que son camarade Kaufmann ; et en même temps, assis sur la moraine, il fixait par leurs courroies des espèces de socques ferrés de trois énormes et fortes pointes. Cent fois il les avait expérimentés, ces crampons Kennedy, manœuvrés dans le jardin du baobab ; néanmoins, l'effet fut inattendu. Sous le poids du héros, les pointes s'enfoncèrent dans la glace avec tant de force que toutes les tentatives pour les retirer furent vaines. Voilà Tartarin cloué au sol, suant, jurant, faisant des bras et de l'alpenstock une télégraphie désespérée, réduit enfin à rappeler ses guides qui s'en allaient devant, persuadés qu'ils avaient affaire à un alpiniste expérimenté.

Dans l'impossibilité de le déraciner, on défit les courroies, et les crampons abandonnés dans la glace, remplacés par une paire de chaussons tricotés, le président continua sa route, non sans beaucoup de peine et de fatigue. Inhabile à tenir son bâton, il y butait des jambes, le fer patinait, l'entraînait quand il s'appuyait trop fort ; il essaya du piolet, plus dur encore à manœuvrer, la houle du glacier s'accentuant à mesure, bousculant l'un pardessus l'autre ses flots immobiles dans une apparence de tempête furieuse et pétrifiée.

Immobilité apparente, car des craquements sourds, de monstrueux borborygmes, d'énormes quartiers de glace se déplaçant avec lenteur comme les pièces truquées d'un décor, indiquaient l'intérieure vie de toute cette masse figée, ses traîtrises d'élément ; et sous les yeux de l'Alpiniste, au jeté de son pic, des crevasses se fendaient, des puits sans fond où les glaçons en débris roulaient indéfiniment. Le héros tomba à plusieurs reprises, une fois jusqu'à mi-corps, dans un de ces goulots verdâtres où ses larges épaules le retinrent au passage.

A le voir si maladroit et en même temps si tranquille et sûr de lui, riant, chantant, gesticulant comme tout à l'heure pendant le déjeuner, les guides s'imaginèrent que le champagne suisse l'avait impressionné. Pouvaient-ils supposer autre chose d'un président de Club Alpin, d'un ascensionniste renommé dont ses camarades ne parlaient qu'avec des « Ah ! » et de grands gestes ? L'ayant pris chacun sous un bras avec la fermeté respectueuse de policemen mettant en voiture un fils de famille éméché, ils tâchaient, à l'aide de monosyllabes et de gestes, d'éveiller sa raison aux dangers de la route, à la nécessité de gagner la cabane avant la nuit ; le menaçaient des crevasses, du froid, des avalanches. Et, de la pointe de leurs piolets, ils lui montraient l'énorme accumulation des glaces, les névés en mur incliné devant eux jusqu'au zénith dans une réverbération aveuglante.

Mais le bon Tartarin se moquait bien de tout cela : « Ah ! *vaï,* les crevasses... Ah ! *vaï,* les avalanches... » et il pouffait de rire en clignant de l'œil, leur envoyait des coups de coudes dans les côtes pour bien faire comprendre à ses guides qu'on ne l'abusait pas, qu'il était dans le secret de la comédie.

Les autres finissaient par s'égayer à l'entrain des chansons tarasconnaises, et, quand ils posaient une minute sur un bloc solide pour permettre au monsieur de reprendre haleine, ils *yodlaient* à la mode suisse, mais pas bien fort, de crainte des avalanches, ni bien longtemps, car l'heure s'avançait. On sentait le soir proche, au froid plus vif et surtout à la décoloration singulière de toutes ces neiges, ces glaces, amoncelées, surplombantes, qui, même sous un ciel brumeux, gardent un irisement de lumière, mais, lorsque le jour s'éteint, remonté vers les cimes fuyantes, prennent des teintes livides, spectrales, de monde lunaire. Pâleur, congélation, silence, toute la mort. Et le bon Tartarin, si chaud, si vivant, commençait pourtant à perdre sa verve, quand un cri lointain d'oiseau, le rappel d'une « perdrix des neiges » sonnant dans cette désolation, fit passer devant ses yeux une campagne brûlée et, sous le couchant couleur de braise, des chasseurs tarasconnais s'épongeant le front, assis sur leurs carniers vides, dans l'ombre fine d'un olivier. Ce souvenir le réconforta.

En même temps, Kaufmann lui montrait au-dessus d'eux quelque chose ressemblant à un fagot de bois sur la neige. « *Die Hütte.* » C'était la cabane. Il semblait qu'on dût l'atteindre en quelques enjambées, mais il fallait encore une bonne demi-heure de marche. L'un des guides alla devant pour allumer le feu. La nuit descendait maintenant, la bise piquait sur le sol cadavérique ; et Tartarin, ne se rendant plus bien compte des choses, fortement soutenu par le bras du montagnard, butait, bondissait, sans un fil sec sur la peau malgré l'abaissement de la température. Tout à coup une flamme jaillit à quelques pas, portant une bonne odeur de soupe à l'oignon.

On arrivait.

Rien de plus rudimentaire que ces haltes établies dans la montagne par les soins du Club Alpin Suisse. Une seule pièce dont un plan de bois dur incliné, servant de lit, tient presque tout l'espace, n'en laissant que fort peu pour le fourneau et la table longue clouée au parquet comme les bancs qui l'entourent. Le couvert était déjà mis, trois bols, des cuillers d'étain, la lampe à chalumeau pour le café, deux conserves de Chicago ouvertes. Tartarin trouva le dîner délicieux bien que la soupe à l'oignon empestât la fumée et que la fameuse lampe à chalumeau brevetée, qui devait parfaire son litre de café en trois minutes, n'eût jamais voulu fonctionner.

Au dessert, il chanta : c'était sa seule façon de causer avec ses guides. Il chanta des airs de son pays : *la Tarasque, les Filles d'Avignon*. Les guides répondaient par des chansons locales en patois allemand : « *Mi Vater isch en Appenzeller... aou... aou...* » Braves gens aux traits durs et frustes, taillés en pleine roche, avec de la barbe dans les creux qui semblait de la mousse, de ces yeux clairs, habitués aux grands espaces, comme en ont les matelots : et cette sensation de la mer et du large qu'il avait tout à l'heure en approchant du Guggi, Tartarin la retrouvait ici, en face de ces marins du glacier, dans cette cabane étroite, basse et fumeuse, vrai entrepont de navire, dans l'égouttement de la neige du toit qui fondait à la chaleur, et les grands coups de vent tombant en paquet d'eau, secouant tout, faisant craquer les planches, vaciller la flamme de la lampe, et s'arrêtant tout à coup sur un silence énorme, monstrueux, de fin du monde.

On achevait de dîner, quand des pas lourds sur le sol opaque, des voix s'approchèrent. Des bourrades violentes ébranlèrent la porte. Tartarin, très ému, regarda ses guides... Une attaque nocturne à ces hauteurs !... Les coups redoublèrent. « Qui va là ? » fit le héros sautant sur son piolet : mais déjà la cabane était envahie par deux Yankees gigantesques masqués de toile blanche, les vêtements trempés de sueur et de neige, puis, derrière eux, des guides, des porteurs, toute une caravane qui venait de faire l'ascension de la Jungfrau.

« Soyez les bienvenus, milords », dit le Tarasconnais avec un geste large et dispensateur, dont les milords n'avaient nul besoin pour prendre leurs aises. En un tour de main, la table fut investie, le couvert enlevé, les bols et les cuillers passés à l'eau chaude pour servir aux arrivants, selon la règle établie en tous ces chalets alpins : les bottes des milords fumaient devant le poêle, pendant qu'eux-mêmes, déchaussés, les pieds enveloppés de paille, s'étalaient devant une nouvelle soupe à l'oignon.

Le père et le fils, ces Américains ; deux géants roux, têtes de pionniers, dures et volontaires. L'un d'eux, le plus âgé, avait dans sa face boursouflée, hâlée, craquelée, des yeux dilatés, tout blancs : et bientôt, à son hésitation tâtonnante autour de la cuiller et du bol, aux soins que son fils prenait de lui, Tartarin comprit que c'était le fameux alpiniste aveugle dont on lui avait parlé à l'hôtel Bellevue et auquel il ne voulait pas croire, grimpeur fameux dans sa jeunesse, qui, malgré ses soixante ans et son infirmité, recommençait avec son fils toutes ses courses d'autrefois. Il avait déjà fait ainsi le Wetterhorn et la Jungfrau, comptait attaquer le Cervin et le Mont-Blanc, prétendant que l'air des cimes, cette aspiration froide à goût de neige, lui causait une joie indicible, tout un rappel de sa vigueur passée.

« Différemment, demandait Tartarin à l'un des porteurs, car les Yankees n'étaient pas communicatifs et ne répondaient que *yes* et *no* à toutes ses avances... différemment, puisqu'il n'y voit pas, comment s'arrange-t-il aux passages dangereux ?

— Oh ! il a le pied montagnard, puis son fils est là qui le veille, lui place les talons... Le fait est qu'il s'en tire toujours sans accident.

— D'autant que les accidents ne sont jamais bien terribles, *qué ?* » Après un sourire d'entente au porteur ahuri, le Tarasconnais persuadé de plus en plus que « tout ça c'était de la blague », s'allongea sur la planche, roulé dans sa couverture, le passe-montagne jusqu'aux yeux, et s'endormit, malgré la lumière, le train, la fumée des pipes et l'odeur de l'oignon...

« Mossié !... Mossié !... »

Un de ses guides le secouait pour le départ pendant que l'autre versait du café bouillant dans les bols. Il y eut quelques jurons, des grognements de dormeurs que Tartarin écrasait au passage pour gagner la table, puis la porte. Brusquement, il se trouva dehors, saisi de froid, ébloui par la réverbération féerique de la lune sur ces blanches nappes, ces cascades figées où l'ombre des pics, des aiguilles, des séracs, se découpait d'un noir intense. Ce n'était plus l'étincelant chaos de l'après-midi, ni le livide amoncellement des teintes grises du soir, mais une ville accidentée de ruelles sombres, de coulées mystérieuses, d'angles douteux entre des monuments de marbre et des ruines effritées, une ville morte avec de larges places désertes.

Deux heures ! En marchant bien on serait là-haut pour midi. « *Zou !* » dit le P. C. A. tout gaillard et s'élançant comme à l'assaut. Mais ses guides l'arrêtèrent : il fallait s'attacher pour ces passages périlleux.

« Ah ! *vaï,* s'attacher ?... Enfin, si ça vous amuse... »

Christian Inebnit prit la tête, laissant trois mètres de corde entre lui et Tartarin qu'une même distance séparait du second guide chargé des provisions et de la bannière. Le Tarasconnais se tenait mieux que la veille et, vraiment, il fallait que sa conviction fût faite pour qu'il ne prît pas au sérieux les difficultés de la route — si l'on peut appeler route la terrible arête de glace sur laquelle ils avançaient avec précaution, large de quelques centimètres et tellement glissante que le piolet de Christian devait y tailler des marches.

La ligne de l'arête étincelait entre deux profondeurs d'abîmes. Mais si vous croyez que Tartarin avait peur, pas plus ! A peine le petit frisson à fleur de peau du franc-maçon novice auquel on fait subir les premières épreuves. Il se posait très exactement dans les trous creusés par le guide de tête, faisait tout ce qu'il lui voyait faire, aussi tranquille que dans le jardin du baobab lorsqu'il s'exerçait autour de la margelle, au grand effroi des poissons rouges. Un moment la crête devint si étroite qu'il fallut se mettre à califourchon, et, pendant qu'ils allaient lentement, s'aidant des mains, une formidable détonation retentit à droite, au-dessous d'eux. « Avalanche ! » dit Inebnit, immobile tant que dura la répercussion des échos, nombreuse, grandiose à remplir le ciel, et terminée par un long roulement de foudre qui s'éloigne ou qui tombe en détonations perdues. Après, le silence s'étala de nouveau, couvrit tout comme un suaire.

L'arête franchie, ils s'engagèrent sur un névé de pente assez douce, mais d'une longueur interminable. Ils grimpaient depuis plus d'une heure, quand une mince ligne rose commença à marquer les cimes, là-haut, bien haut sur leurs têtes. C'était le matin qui s'annonçait. En bon Méridional ennemi de l'ombre, Tartarin entonnait son chant d'allégresse :

Grand souleù de la provenço
Gai compaire dou mistrau [1]...

1. Grand soleil de la Provence, gai compère du mistral.

Une brusque secouée de la corde par-devant et par-derrière l'arrêta net au milieu de son couplet. « Chut !... chut !... » faisait Inebnit montrant du bout de son piolet la ligne menaçante des séracs gigantesques et tumultueux, aux assises branlantes, et dont la moindre secousse pouvait déterminer l'éboulement. Mais le Tarasconnais savait à quoi s'en tenir ; ce n'est pas à lui qu'il fallait pousser de pareilles bourdes, et, d'une voix retentissante, il reprit :

Tu qu'escoulès la Duranço
Commo un flot dé vin de Crau[1].

Les guides, voyant qu'ils n'auraient pas raison de l'enragé chanteur, firent un grand détour pour s'éloigner des séracs et, bientôt, furent arrêtés par une énorme crevasse qu'éclairait en profondeur, sur les parois d'un vert glauque, le furtif et premier rayon du jour. Ce qu'on appelle un « pont de neige » la surmontait, si mince, si fragile, qu'au premier pas il s'éboula dans un tourbillon de poussière blanche, entraînant le premier guide et Tartarin suspendus à la corde que Rodolphe Kaufmann, le guide d'arrière, se trouvait seul à soutenir, cramponné de toute sa vigueur de montagnard à son piolet profondément enfoncé dans la glace. Mais s'il pouvait retenir les deux hommes sur le gouffre, la force lui manquait pour les en retirer, et il restait accroupi, les dents serrées, les muscles tendus, trop loin de la crevasse pour voir ce qui s'y passait.

D'abord abasourdi par la chute, aveuglé de neige, Tartarin s'était agité une minute des bras et des jambes en d'inconscientes détentes, comme un pantin détraqué, puis, redressé au moyen de la corde, il pendait sur l'abîme, le nez à cette paroi de glace que lissait son haleine, dans la posture d'un plombier en train de ressouder des tuyaux de descente. Il voyait au-dessus de lui pâlir le ciel, s'effacer les dernières étoiles, au-dessous s'approfondir le gouffre en d'opaques ténèbres d'où montait un souffle froid.

Tout de même, le premier étourdissement passé, il retrouva son aplomb, sa belle humeur :

« Eh ! là-haut, père Kaufmann, ne nous laissez pas moisir ici, *qué !* il y a des courants d'air, et puis cette sacrée corde nous coupe les reins. »

Kaufmann n'aurait su répondre ; desserrer les dents, c'eût été perdre sa force. Mais Inebnit criait du fond :

1. Toi qui siffles la Durance, comme un coup de vin de Crau.

« Mossié !... Mossié !... piolet... » car le sien s'était perdu dans la chute ; et le lourd instrument passé des mains de Tartarin dans celles du guide, difficilement à cause de la distance qui séparait les deux pendus, le montagnard s'en servit pour entailler la glace devant lui d'encoches où cramponner ses pieds et ses mains.

Le poids de la corde ainsi affaibli de moitié, Rodolphe Kaufmann, avec une vigueur calculée, des précautions infinies, commença à tirer vers lui le président dont la casquette tarasconnaise parut enfin au bord de la crevasse. Inebnit reprit pied à son tour, et les deux montagnards se retrouvèrent avec l'effusion aux paroles courtes qui suit les grands dangers chez ces gens d'élocution difficile ; ils étaient émus, tout tremblants de l'effort ; Tartarin dut leur passer sa gourde de kirsch pour raffermir leurs jambes. Lui paraissait dispos et calme, et tout en se secouant, battant la semelle en mesure, il fredonnait au nez des guides ébahis.

« Brav... brav... Franzose... » disait Kaufmann lui tapant sur l'épaule ; et Tartarin avec son beau rire :

« Farceur, je savais bien qu'il n'y avait pas de danger... »

De mémoire de guide, on n'avait vu un alpiniste pareil.

Ils se remirent en route, grimpant à pic une sorte de mur de glace gigantesque de six à huit cents mètres où l'on creusait les degrés à mesure, ce qui prenait beaucoup de temps. L'homme de Tarascon commençait à se sentir à bout de forces sous le brillant soleil qui réverbérait toute la blancheur du paysage, d'autant plus fatigante pour ses yeux qu'il avait laissé ses lunettes dans le gouffre. Bientôt une affreuse défaillance le saisit, ce mal des montagnes qui produit les mêmes effets que le mal de mer. Ereinté, la tête vide, les jambes molles, il manquait les pas et ses guides durent l'empoigner, chacun d'un côté, comme la veille, le soutenant, le hissant jusqu'en haut du mur de glace. Alors cent mètres à peine les séparaient du sommet de la Jungfrau ; mais, quoique la neige se fît dure et résistante, le chemin plus facile, cette dernière étape leur prit un temps interminable, la fatigue et la suffocation du P. C. A. augmentant toujours.

Tout à coup les montagnards le lâchèrent et, agitant leurs chapeaux, se mirent à *yodler* avec transport. On était arrivé. Ce point dans l'espace immaculé, cette crête blanche un peu arrondie, c'était le but, et pour le bon Tartarin la fin de la torpeur somnambulique dans laquelle il vaguait depuis une heure.

« Scheideck ! Scheideck ! » criaient les guides lui montrant tout en bas, bien loin, sur un plateau de verdure émergeant des brumes de la vallée, l'hôtel Bellevue guère plus gros qu'un dé à jouer.

De là jusque vers eux s'étalait un panorama admirable, une montée de champs de neige dorés, orangés par le soleil, ou d'un bleu profond et froid, un amoncellement de glaces bizarrement structurées en tours, en flèches, en aiguilles, arêtes, bosses gigantesques, à croire que dormait dessous le mastodonte ou le mégathérium disparus. Toutes les teintes du prisme s'y jouaient, s'y rejoignaient dans le lit de vastes glaciers roulant leurs cascades immobiles, croisées avec d'autres petits torrents figés dont l'ardeur du soleil liquéfiait les surfaces plus brillantes et plus unies. Mais à la grande hauteur, cet étincellement se calmait, une lumière flottait, écliptique et froide qui faisait frissonner Tartarin autant que la sensation de silence et de solitude de tout ce blanc désert aux replis mystérieux.

Un peu de fumée, de sourdes détonations montèrent de l'hôtel. On les avait vus, on tirait le canon en leur honneur, et la pensée qu'on le regardait, que ses alpinistes étaient là, les misses, Riz et Pruneaux illustres, avec leurs lorgnettes braquées, rappela Tartarin à la grandeur de sa mission. Il t'arracha des mains du guide, ô bannière tarasconnaise, te fit flotter deux ou trois fois ; puis, enfonçant son piolet dans la neige, s'assit sur le fer de la pioche, bannière au poing, superbe, face au public. Et, sans qu'il s'en aperçût, par une de ces répercussions spectrales fréquentes aux cimes, pris entre le soleil et les brumes qui s'élevaient derrière lui, un Tartarin gigantesque se dessina dans le ciel, élargi et trapu, la barbe hérissée hors du passe-montagne, pareil à un de ces dieux scandinaves que la légende se figure trônant au milieu des nuages.

11

En route pour Tarascon ! — Le lac de Genève. — Tartarin propose une visite au cachot de Bonnivard. — Court dialogue au milieu des roses. — Toute la bande sous les verrous. — L'infortuné Bonnivard. — Où se retrouve une certaine corde fabriquée en Avignon.

A la suite de l'ascension, le nez de Tartarin pela, bourgeonna, ses joues se craquelèrent. Il resta chambré pendant cinq jours à l'hôtel Bellevue. Cinq jours de compresses, de pommades, dont il trompait la fadeur gluante et l'ennui en faisant des parties de quadrette avec les délégués ou leur dictant un long récit détaillé, circonstancié, de son expédition, pour être lu en séance, au Club des Alpines, et publié dans *Le Forum* ; puis, lorsque la courbature générale eut disparu et qu'il ne resta plus sur le noble visage du P. C. A. que quelques ampoules, escarres, gerçures, avec une belle teinte de poterie étrusque, la délégation et son président se remirent en route pour Tarascon, via Genève.

Passons sur les épisodes du voyage, l'effarement que jeta la bande méridionale dans les wagons étroits, les paquebots, les tables d'hôte, par ses chants, ses cris, son affectuosité débordante, et sa bannière, et ses alpenstocks ; car depuis l'ascension du P. C. A., ils s'étaient tous munis de ces bâtons de montagne, où les noms d'escalades célèbres s'enroulent, marqués au feu, en vers de mirlitons.

Montreux !

Ici, les délégués, sur la proposition du maître, décidaient de faire halte un ou deux jours pour visiter les bords fameux du Léman. Chillon surtout, et son cachot légendaire dans lequel languit le grand patriote Bonnivard et qu'ont illustré Byron et Delacroix.

Au fond, Tartarin se souciait fort peu de Bonnivard, son aventure avec Guillaume Tell l'ayant éclairé sur les légendes suisses ; mais passant à Interlaken, il avait appris que Sonia venait de partir pour Montreux avec son frère dont l'état s'aggravait, et cette invention d'un pèlerinage historique lui servait de prétexte pour revoir la jeune fille et, qui sait, la décider peut-être à le suivre à Tarascon.

Bien entendu, ses compagnons croyaient de la meilleure foi du monde qu'ils venaient rendre hommage au grand citoyen genevois dont le P. C. A. leur avait raconté l'histoire ; même, avec leur goût pour les manifestations théâtrales, sitôt débarqués à Montreux, ils auraient voulu se mettre en file, déployer la bannière et marcher sur Chillon aux cris mille fois répétés de « Vive Bonnivard ! ». Le président fut obligé de les calmer. « Déjeunons d'abord, nous verrons ensuite... » Et ils emplirent l'omnibus d'une pension Müller quelconque, stationné, ainsi que beaucoup d'autres, autour du ponton de débarquement.

« *Vé* le gendarme, comme il nous regarde ! » dit Pascalon, montant le dernier avec la bannière toujours très mal commode à installer. Et Bravida inquiet : « C'est vrai... Qu'est-ce qu'il nous veut, ce gendarme, de nous examiner comme ça ?...

— Il m'a reconnu, pardi ! » fit le bon Tartarin modestement ; et il souriait de loin au soldat de la police vaudoise dont la longue capote bleue se tournait avec obstination vers l'omnibus filant entre les peupliers du rivage.

Il y avait marché, ce matin-là, à Montreux. Des rangées de petites boutiques en plein vent le long du lac, étalages de fruits, de légumes, de dentelles à bon marché et de ces bijouteries claires, chaînes, plaques, agrafes, dont s'ornent les costumes des Suissesses comme de neige travaillée ou de glace en perles. A cela se mêlait le train du petit port où s'entrechoquait toute une flottille de canots de plaisance aux couleurs vives, le transbordement des sacs et des tonneaux débarqués des grandes brigantines aux voiles en antennes, les rauques sifflements, les cloches des paquebots, et le mouvement des cafés, des brasseries, des fleuristes, des brocanteurs qui bordent le quai. Un coup de soleil là-dessus, on aurait pu se croire à la marine de quelque station méditerranéenne, entre Menton et Bordighera. Mais le soleil manquait, et les Tarasconnais regardaient ce joli pays à travers une buée d'eau qui montait du lac bleu, grimpait les rampes, les petites rues caillouteuses, rejoignait au-dessus des maisons en étage d'autres nuages noirs amoncelés entre les sombres verdures de la montagne, chargés de pluie à en crever.

« Coquin de sort ! Je ne suis pas lacustre, dit Spiridion Excourbaniès essuyant la vitre pour regarder les perspectives de glaciers, de vapeurs blanches fermant l'horizon en face...

— Moi non plus, soupira Pascalon... ce brouillard, cette eau morte... ça me donne envie de pleurer. »

Bravida se plaignait aussi, craignant pour sa goutte sciatique.

Tartarin les reprit sévèrement. N'était-ce donc rien que raconter au retour qu'ils avaient vu le cachot de Bonnivard, inscrit leurs noms sur des murailles historiques à côté des signatures de Rousseau, de Byron, Victor Hugo, George Sand, Eugène Sue. Tout à coup, au milieu de sa tirade, le président s'interrompit, changea de couleur... Il venait de voir passer une petite toque sur des cheveux blonds en torsade... Sans même arrêter l'omnibus ralenti par la montée, il s'élança, criant : « Rendez-vous à l'hôtel... » aux alpinistes stupéfaits.

« Sonia !... Sonia... ! »

Il craignait de ne pouvoir la rejoindre, tant elle se pressait, sa fine silhouette en ombre sur le murtin de la route. Elle se retourna, l'attendit : « Ah ! c'est vous... » Et sitôt le serrement de mains, elle se remit à marcher. Il prit le pas à côté d'elle, essoufflé, s'excusant de l'avoir quittée d'une façon si brusque... l'arrivée de ses amis... la nécessité de l'ascension dont sa figure portait encore les traces... Elle l'écoutait sans rien dire, sans le regarder, pressant le pas, l'œil fixe et tendu. De profil, elle lui semblait pâlie, les traits déveloutés de leur candeur enfantine, avec quelque chose de dur, de résolu, qui, jusqu'ici, n'avait existé que dans sa voix, sa volonté impérieuse ; mais toujours sa grâce juvénile, sa chevelure en or frisé.

« Et Boris, comment va-t-il ? » demanda Tartarin un peu gêné par ce silence, cette froideur qui le gagnait.

« Boris ?... » Elle tressaillit : « Ah ! oui, c'est vrai, vous ne savez pas... Eh bien, venez, venez... »

Ils suivaient une ruelle de campagne bordée de vignes en pente, jusqu'au lac, et de villas, de jardins sablés, élégants, les terrasses chargées de vigne vierge, fleuries de roses, de pétunias et de myrtes en caisses. De loin en loin ils croisaient quelque visage étranger, aux traits creusés, au regard morne, la démarche lente et malade, comme on en rencontre à Menton, à Monaco ; seulement, là-bas, la lumière dévore tout, absorbe tout, tandis que sous ce ciel nuageux et bas, la souffrance se voyait mieux, comme les fleurs paraissaient plus fraîches.

« Entrez... » dit Sonia poussant la grille sous un fronton de maçonnerie blanche marqué de caractères russes en lettres d'or.

Tartarin ne comprit pas d'abord où il se trouvait. Un petit jardin aux allées soignées, cailloutées, plein de rosiers grimpants jetés entre des arbres verts, de grands bouquets de roses jaunes et blanches remplissant l'espace étroit de leur arôme et de leur lumière. Dans ces guirlandes, cette floraison merveilleuse, quelques dalles debout ou couchées, avec des dates, des noms, celui-ci tout neuf incrusté sur la pierre :

« *Boris de Wassilief*, 22 ans. »

Il était là depuis quelques jours, mort presque aussitôt leur arrivée à Montreux ; et, dans ce cimetière des étrangers, il retrouvait un peu la patrie parmi les Russes, Polonais, Suédois enterrés sous les fleurs, poitrinaires des pays froids qu'on expédie dans cette Nice du Nord, parce que le soleil du Midi serait trop violent pour eux et la transition trop brusque.

Ils restèrent un moment immobiles et muets, devant cette blancheur de la dalle neuve sur le noir de la terre fraîchement retournée ; la jeune fille, la tête inclinée, respirait les roses foisonnantes, y calmant ses yeux rougis.

« Pauvre petite !... » dit Tartarin ému, et, prenant dans ses fortes mains rudes le bout des doigts de Sonia : « Et vous, maintenant, qu'allez-vous devenir ? »

Elle le regarda bien en face avec des yeux brillants et secs où ne tremblait plus une larme :

« Moi, je pars dans une heure.

— Vous partez ?

— Bolibine est déjà à Pétersbourg... Manilof m'attend pour passer la frontière... je rentre dans la fournaise. On entendra parler de nous. » Tout bas, elle ajouta avec un demi-sourire, plantant son regard bleu dans celui de Tartarin qui fuyait, se dérobait : « Qui m'aime me suive ! »

Ah ! *vaï*, la suivre. Cette exaltée lui faisait bien trop peur ! puis ce décor funèbre avait refroidi son amour. Il s'agissait cependant de ne pas fuir comme un pleutre. Et, la main sur le cœur, en un geste d'Abencérage, le héros commença : « Vous me connaissez, Sonia... »

Elle ne voulut pas en savoir davantage.

« Bavard !... » fit-elle avec un haussement d'épaules. Et elle s'en alla, droite et fière, entre les buissons de roses, sans se retourner une fois... Bavard !... pas un mot de plus, mais l'intonation était si méprisante que le bon Tartarin en rougit jusque sous sa barbe et s'assura qu'ils étaient bien seuls dans le jardin, que personne n'avait entendu.

Chez notre Tarasconnais, heureusement, les impressions ne duraient guère. Cinq minutes après, il remontait les terrasses de Montreux d'un pas allègre, en quête de la pension Müller où ses alpinistes devaient l'attendre pour déjeuner, et toute sa personne respirait un vrai soulagement, la joie d'en avoir fini avec cette liaison dangereuse. En marchant, il soulignait d'énergiques hochements de tête les éloquentes explications que Sonia n'avait pas voulu entendre et qu'il se donnait à lui-même mentalement : *Bé*, oui, certainement le despotisme... Il ne disait pas non... mais passer de l'idée à l'action, *boufre !*... Et puis, en voilà un métier de tirer sur les despotes ! Mais si tous les peuples opprimés s'adressaient à lui, comme les Arabes à Bombonnel lorsqu'une panthère rôde autour du douar, il n'y pourrait jamais suffire, *allons !*

Une voiture de louage venant à fond de train coupa brusquement son monologue. Il n'eut que le temps de sauter sur le trottoir.

« Prends donc garde, animal ! » Mais son cri de colère se changea aussitôt en exclamations stupéfaites : « *Quès aco !... Boudiou !...* Pas possible !... » Je vous donne en mille de deviner ce qu'il venait de voir dans ce vieux landau. La délégation, la délégation au grand complet, Bravida, Pascalon, Excourbaniès, empilés sur la banquette du fond, pâles, défaits, égarés, sortant d'une lutte, et deux gendarmes en face, le mousqueton au poing. Tous ces profils, immobiles et muets dans le cadre étroit de la portière, tenaient du mauvais rêve ; et debout, cloué comme jadis sur la glace par ses crampons Kennedy, Tartarin regardait fuir au galop ce carrosse fantastique derrière lequel s'acharnait une volée d'écoliers sortant de classe, leurs cartables sur le dos, lorsque quelqu'un cria à ses oreilles : « Et de quatre !... » En même temps, empoigné, garotté, ligoté, on le hissait à son tour dans un *locati* avec des gendarmes, dont un officier armé de sa latte gigantesque qu'il tenait toute droite entre ses jambes, la poignée touchant le haut de la voiture.

Tartarin voulait parler, s'expliquer. Evidemment il devait y avoir quelque méprise... Il dit son nom, sa patrie, se réclama de son consul, d'un marchand de miel suisse nommé Ichener qu'il avait connu en foire de Beaucaire. Puis, devant le mutisme persistant de ses gardes, il crut à un nouveau truc de la féerie de Bompard, et, s'adressant à l'officier d'un air malin : « C'est pour rire, *qué !...* ah ! *vaï*, farceur, je sais bien que c'est pour rire.

— Pas un mot, ou je vous bâillonne... » dit l'officier roulant des yeux terribles, à croire qu'il allait passer le prisonnier au fil de sa latte.

L'autre se tint coi, ne bougea plus, regardant se dérouler à la portière des bouts de lac, de hautes montagnes d'un vert humide, des hôtels aux toitures variées, aux enseignes dorées visibles d'une lieue, et, sur les pentes comme au Rigi, un va-et-vient de hottes et de bourriches : comme au Rigi encore, un petit chemin de fer cocasse, un dangereux jouet mécanique qui se cramponnait à pic jusqu'à Glion, et, pour compléter la ressemblance avec *Regina montium*, une pluie rayante et battante, un échange d'eau et de brouillards du ciel au Léman et du Léman au ciel, les nuages touchant les vagues.

La voiture roula sur un pont-levis entre des petites boutiques de chamoiseries, canifs, tire-boutons, peignes de poche, franchit une poterne basse et s'arrêta dans la cour d'un vieux donjon, mangée d'herbe, flanquée de tours rondes à poivrières, à moucharabiehs noirs soutenus par des poutrelles. Où était-il ? Tartarin le compris en entendant l'officier de gendarmerie discuter avec le concierge du château, un gros homme en bonnet grec agitant un trousseau de clefs rouillées.

« Au secret, au secret... mais je n'ai plus de place, les autres ont tout pris... A moins de le mettre dans le cachot de Bonnivard.

— Mettez-le dans le cachot de Bonnivard, c'est bien assez bon pour lui... » commanda le capitaine, et il fut fait comme il avait dit.

Ce château de Chillon, dont le P. C. A. ne cessait de parler depuis deux jours à ses chers alpinistes, et dans lequel, par une ironie de la destinée, il se trouvait brusquement incarcéré sans savoir pourquoi, est un des monuments historiques les plus visités de toute la Suisse. Après avoir servi de résidence d'été aux comtes de Savoie, puis de prison d'Etat, de dépôt d'armes et de munitions, il n'est plus aujourd'hui qu'un prétexte à excursion, comme le Rigi-Kulm ou la Tellsplatte. On y a laissé cependant un poste de gendarmerie et un « violon » pour les ivrognes et les mauvais garçons du pays ; mais ils sont si rares, dans ce paisible canton de Vaud, que le violon est toujours vide et que le concierge y renferme sa provision de bois pour l'hiver. Aussi l'arrivée de tous ces prisonniers l'avait mis de fort méchante humeur, l'idée surtout qu'il n'allait plus pouvoir faire visiter le célèbre cachot, à cette époque de l'année le plus sérieux profit de la place.

Furieux, il montrait la route à Tartarin, qui suivait, sans le courage de la moindre résistance. Quelques marches branlantes, un corridor moisi, sentant la cave, une porte épaisse comme un mur, avec des gonds énormes, et ils se trouvèrent dans un vaste souterrain voûté, au sol battu, aux lourds piliers romains où restent scellés des anneaux de fer enchaînant jadis les prisonniers d'Etat. Un demi-jour tombait avec le tremblotement, le miroitement du lac à travers d'étroites meurtrières qui ne laissaient voir qu'un peu de ciel.

« Vous voilà chez vous, dit le geôlier... Surtout, n'allez pas dans le fond, il y a les oubliettes ! »

Tartarin recula épouvanté :

« Les oubliettes, *Boudiou !...*

— Qu'est-ce que vous voulez, mon garçon !... On m'a commandé de vous mettre dans le cachot de Bonnivard... Je vous mets dans le cachot de Bonnivard... Maintenant, si vous avez des moyens, on pourra vous fournir quelques douceurs, par exemple une couverture et un matelas pour la nuit.

— D'abord, à manger ! » dit Tartarin à qui, fort heureusement, on n'avait pas ôté sa bourse.

Le concierge revint avec un pain frais, de la bière, un cervelas, dévorés avidement par le nouveau prisonnier de Chillon, à jeun depuis la veille, creusé de fatigues et d'émotions. Pendant qu'il mangeait sur son banc de pierre dans la lueur du soupirail, le geôlier l'examinait d'un œil bonasse.

« Ma foi, dit-il, je ne sais pas ce que vous avez fait ni pourquoi l'on vous traite si sévèrement...

— Eh ! coquin de sort, moi non plus, je n'en sais rien, fit Tartarin la bouche pleine.

— Ce qu'il y a de sûr, c'est que vous n'avez pas l'air d'un mauvais homme, et, certainement, vous ne voudriez pas empêcher un pauvre père de famille de gagner sa vie, n'est-ce pas ?... Eh ben, voilà !... J'ai là-haut toute une société venue pour visiter le cachot de Bonnivard... Si vous vouliez me promettre de vous tenir tranquille, de ne pas essayer de vous sauver... »

Le bon Tartarin s'y engagea par serment, et cinq minutes après, il voyait son cachot envahi par ses anciennes connaissances du Rigi-Kulm et de la Tellsplatte, l'âne bâté Schwanthaler, l'ineptissimus Astier-Réhu, le membre du Jockey-Club avec sa nièce (hum ! hum !...), tous les voyageurs du circulaire Cook. Honteux, craignant d'être reconnu, le malheureux se dissimulait derrière les piliers, reculant, se dérobant à mesure qu'approchait le groupe des touristes précédés du concierge et de son boniment débité d'une voix dolente : « C'est ici que l'infortuné Bonnivard... »

Ils avançaient lentement, retardés par les discussions des deux savants toujours en querelle, prêts à se sauter dessus, agitant l'un son pliant, l'autre son sac de voyage, en des attitudes fantastiques que le demi-jour des soupiraux allongeait sur les voûtes.

A force de reculer, Tartarin se trouva tout près du trou des oubliettes, un puits noir, ouvert au ras du sol, soufflant l'haleine des siècles passés, marécageuse et glaciale. Effrayé il s'arrêta, se pelotonna dans un coin, sa casquette sur les yeux ; mais le salpêtre humide des murailles l'impressionnait ; et tout à coup un formidable éternuement, qui fit reculer les touristes, les avertissait de sa présence.

« Tiens, Bonnivard... » s'écria l'effrontée petite Parisienne coiffée d'un chapeau Directoire, que le monsieur du Jockey-Club faisait passer pour sa nièce.

Le Tarasconnais ne se laissa pas démonter.

« C'est vraiment très gentil, *vé*, ces oubliettes !... » dit-il du ton le plus naturel du monde, comme s'il était en train, lui aussi, de visiter le cachot par plaisir, et il se mêla aux autres voyageurs qui souriaient en reconnaissant l'alpiniste du Rigi-Kulm, le boute-en-train du fameux bal.

« Hé ! mossié... ballir, dantsir !... »

La silhouette falote de la petite fée Schwanthaler se dressait devant lui, prête à partir pour une contredanse. Vraiment, il avait bien envie de danser ! Alors, ne sachant comment se débarrasser de l'enragé petit bout de femme, il lui offrit le bras, lui montra fort galamment son cachot, l'anneau où se rivait la chaîne du captif, la trace appuyée de ses pas sur les dalles autour du même pilier ; et jamais, à l'entendre parler avec tant d'aisance, la bonne dame ne se serait doutée que celui qui la promenait était aussi prisonnier d'Etat, une victime de l'injustice et de la méchanceté des hommes. Terrible, par exemple, fut le départ, quand l'infortuné Bonnivard, ayant reconduit sa danseuse jusqu'à la porte, prit congé avec un sourire d'homme du monde : « Non, merci, *vé*... Je reste encore un petit moment. » Là-dessus il salua, et le geôlier, qui le guettait, ferma et verrouilla la porte à la stupéfaction de tous.

Quel affront ! Il en suait d'angoisse, le malheureux, en écoutant les exclamations des touristes qui s'éloignaient. Par bonheur ce supplice ne se renouvela plus de la journée. Pas de visiteurs à cause du mauvais temps. Un vent terrible sous les vieux ais, des plaintes montant des oubliettes comme des victimes mal enterrées, et le clapotis du lac, criblé de pluie, battant les murailles au ras des soupiraux d'où les éclaboussures jaillissaient jusque sur le captif. Par intervalles, la cloche d'un vapeur, le claquement de ses roues, scandant les réflexions du pauvre Tartarin, pendant que le soir descendait gris et morne dans le cachot qui semblait s'agrandir.

Comment s'expliquer cette arrestation, son emprisonnement dans ce lieu sinistre ? Costecalde, peut-être... une manœuvre électorale de la dernière heure ?... Ou, encore, la police russe avertie de ses paroles imprudentes, de sa liaison avec Sonia, et demandant l'extradition ? Mais alors, pourquoi arrêter les délégués ?... Que pouvait-on reprocher à ces infortunés dont il se représentait l'effarement, le désespoir, quoiqu'ils ne fussent pas comme lui dans le cachot de Bonnivard, sous ces voûtes aux pierres serrées, traversées à l'approche de la nuit d'un passage de rats énormes, de cancrelats, de silencieuses araignées aux pattes frôleuses et difformes.

Voyez pourtant ce que peut une bonne conscience ! Malgré les rats, le froid, les araignées, le grand Tartarin trouva dans l'horreur de la prison d'Etat, hantée d'ombres martyres, le sommeil rude et sonore, bouche ouverte et poings fermés, qu'il avait dormi entre les cieux et les abîmes dans la cabane du Club Alpin. Il croyait rêver encore, au matin, en entendant son geôlier :

« Levez-vous, le préfet du district est là... Il vient vous interroger... » L'homme ajouta avec un certain respect : « Pour que le préfet se soit dérangé... il faut que vous soyez un fameux scélérat. »

Scélérat ! non, mais on peut le paraître après une nuit de cachot humide et poussiéreux, sans avoir eu le temps d'une toilette, même sommaire. Et dans l'ancienne écurie du château, transformée en gendarmerie, garnie de mousquetons en râtelier sur le crépissage des murs, quand Tartarin — après un coup d'œil rassurant à ses alpinistes assis entre les gendarmes — apparaît devant le préfet du district, il a le sentiment de sa mauvaise tenue en face de ce magistrat correct et noir, la barbe soignée, et qui l'interpelle sévèrement :

« Vous vous appelez Manilof, n'est-ce pas ?... sujet russe... incendiaire à Pétersbourg... réfugié et assassin en Suisse.

— Mais jamais de la vie... C'est une erreur, une méprise...

— Taisez-vous, ou je vous bâillonne... » interrompt le capitaine.

Le préfet correct reprend : « D'ailleurs, pour couper court à toutes vos dénégations... Connaissez-vous cette corde ? »

Sa corde, coquin de sort ! Sa corde tissée de fer, fabriquée en Avignon. Il baisse la tête, à la stupeur des délégués, et dit : « Je la connais.

— Avec cette corde, un homme a été pendu dans le canton d'Unterwald... »

Tartarin frémissant jure qu'il n'y est pour rien.

« Nous allons bien voir ! » Et l'on introduit le ténor italien, le policier que les nihilistes avaient accroché à la branche d'un chêne au Brünig, mais que des bûcherons ont sauvé miraculeusement.

Le mouchard regarde Tartarin : « Ce n'est pas lui ! », les délégués : « Ni ceux-là non plus... On s'est trompé. »

Le préfet, furieux, à Tartarin : « Mais, alors, qu'est-ce que vous faites ici ?

— C'est ce que je me demande, *vé !...* » répond le président avec l'aplomb de l'innocence.

Après une courte explication, les alpinistes de Tarascon, rendus à la liberté, s'éloignent du château de Chillon dont nul n'a ressenti plus fort qu'eux la mélancolie oppressante et romantique. Ils s'arrêtent à la pension Müller pour prendre les bagages, la bannière, payer le déjeuner de la veille qu'ils n'ont pas eu le temps de manger, puis filent vers Genève par le train. Il pleut. A travers les vitres ruisselantes se lisent des noms de stations d'aristocratique villégiature, Clarens, Vevey, Lausanne ; les chalets rouges, les jardinets d'arbustes rares passent sous un voile humide où s'égouttent les branches, les clochetons des toits, les terrasses des hôtels.

Installés dans un petit coin du long wagon suisse, deux banquettes se faisaient face, les alpinistes ont la mine défaite et déconfite, Bravida, très aigre, se plaint de douleurs et tout le temps, demande à Tartarin avec une ironie féroce : « Eh *bé !* vous l'avez vu, le cachot de Bonnivard... Vous vouliez tant le voir... Je crois que vous l'avez vu, *qué ?* » Excourbaniès, aphone pour la première fois, regarde piteusement le lac qui les escorte aux portières : « En voilà de l'eau, *Boudiou !...* après ça, je ne prends plus de bain de ma vie... »

Abruti d'une épouvante qui dure encore, Pascalon, la bannière entre ses jambes, se dissimule derrière, regardant à droite et à gauche comme un lièvre, crainte qu'on le rattrape... Et Tartarin ?... Oh ! lui, toujours digne et calme, il se délecte en lisant des journaux du Midi, un paquet de journaux expédié à la pension Müller et qui, tous, reproduisent d'après *Le Forum* le récit de son ascension, celui qu'il a dicté, mais agrandi, enjolivé d'éloges mirifiques. Tout à coup le héros pousse un cri, un cri formidable qui roule jusqu'au bout du wagon. Tous les voyageurs se sont dressés ; on croit à un tamponnement. Simplement un entrefilet du *Forum* que Tartarin lit à ses alpinistes... « Ecoutez ça : *Le bruit court que le V. P. C. A. Costecalde, à peine remis de la jaunisse qui l'alitait depuis quelques jours, va partir pour l'ascension du Mont-Blanc, monter encore plus haut que Tartarin...* Ah ! le bandit... Il veut tuer l'effet de ma Jungfrau... Eh bien, attends un peu, je vais te la souffler, ta montagne... Chamonix est à quelques heures de Genève, je ferai le Mont-Blanc avant lui ! En êtes-vous, mes enfants ? »

Bravida proteste. *Outre !* il en a assez, des aventures. « Assez et plus qu'assez... » hurle Excourbaniès tout bas, de sa voix morte.

« Et toi, Pascalon ?... » demande doucement Tartarin.

L'élève bêle sans oser lever les yeux : « Maî-aî-aître... » Celui-là aussi le reniait.

« C'est bien, dit le héros solennel et fâché, je partirai seul, j'aurai tout l'honneur... *Zou !* rendez-moi la bannière... »

12

L'hôtel Baltet à Chamonix. — Ça sent l'ail ! — De l'emploi de la corde dans les courses alpestres. — Shake hands ! *— Un élève de Schopenhauer. — A la halte des Grands-Mulets. — « Tarta-*réin, *il faut que je vous parle... »*

Le clocher de Chamonix sonnait neuf heures dans un soir frissonnant de bise et de pluie froides ; toutes les rues noires, les maisons éteintes, sauf de place en place la façade et les cours des hôtels où le gaz veillait, faisant les alentours encore plus sombres dans le vague reflet de la neige des montagnes, d'un blanc de planète sur la nuit du ciel.

A l'hôtel Baltet, un des meilleurs et des plus fréquentés du village alpin, les nombreux voyageurs et pensionnaires ayant disparu peu à peu, harassés des excursions du jour, il ne restait au grand salon qu'un pasteur anglais jouant aux dames silencieusement avec son épouse, tandis que ses innombrables demoiselles en tabliers écrus à bavettes s'activaient à copier des convocations au prochain service évangélique, et qu'assis devant la cheminée où brûlait un bon feu de bûches, un jeune Suédois, creusé, décoloré, regardait la flamme d'un air morne en buvant des grogs au kirsch et à l'eau de Seltz. De temps en temps un touriste attardé traversait le salon, guêtres trempées, caoutchouc ruisselant, allait à un grand baromètre pendu sur la muraille, le tapotait, interrogeait le mercure pour le temps du lendemain et s'allait coucher consterné. Pas un mot, pas d'autres manifestations de vie que le pétillement du feu, le grésil aux vitres et le roulement colère de l'Arve sous les arches de son pont de bois, à quelques mètres de l'hôtel.

Tout à coup le salon s'ouvrit, un portier galonné d'argent entra chargé de valises, de couvertures, avec quatre alpinistes grelottants, saisis par le subit passage de la nuit et du froid à la chaude lumière.

« *Boudiou !* Quel temps...

— A manger, *zou !*

— Bassinez les lits, *qué !* »

Ils parlaient tous ensemble du fond de leurs cache-nez, passe-montagne, casquettes à oreilles, et l'on ne savait auquel entendre, quand un petit gros qu'ils appelaient le *présidain* leur imposa silence en criant plus fort qu'eux.

« D'abord le livre des étrangers ! » commanda-t-il ; et le feuilletant d'une main gourde, il lisait à haute voix les noms des voyageurs qui, depuis huit jours, avaient traversé l'hôtel : « Docteur Schwanthaler et madame... Encore !... Astier-Réhu, de l'Académie française... » Il en déchiffra deux ou trois pages, pâlissant quand il croyait voir un nom ressemblant à celui qu'il cherchait ; puis, à la fin, le livre jeté sur la table avec un rire de triomphe, le petit homme fit une gambade gamine, extraordinaire pour son corps replet : « Il n'y est pas, *vé !* il n'est pas venu... C'est bien ici pas moins qu'il devait descendre. Enfoncé Costecalde... *lagadigadeou !...* vite à la soupe, mes enfants !... » Et le bon Tartarin, ayant salué les dames, marcha vers la salle à manger, suivi de la délégation affamée et tumultueuse.

Eh oui ! la délégation, tous, Bravida lui-même... Est-ce que c'était possible, allons !... Qu'aurait-on dit, là-bas, en les voyant revenir sans Tartarin ? Chacun d'eux le sentait bien. Et au moment de se séparer, en gare de Genève, le buffet fut témoin d'une scène pathétique, pleurs, embrassades, adieux déchirants à la bannière, à l'issue desquels adieux tout le monde s'empilait dans le landau que le P. C. A. venait de fréter pour Chamonix. Superbe route qu'ils firent les yeux fermés, pelotonnés dans leurs couvertures, remplissant la voiture de ronflements sonores, sans se préoccuper du merveilleux paysage qui, depuis Sallanches, se déroulait sous la pluie : gouffres, forêts, cascades écumantes, et, selon les mouvements de la vallée, tour à tour visible ou fuyante, la cime du Mont-Blanc au-dessus des nuées. Fatigués de ce genre de beautés naturelles, nos Tarasconnais ne songeaient qu'à réparer la mauvaise nuit passée sous les verrous de Chillon. Et, maintenant encore, au bout de la longue salle à manger déserte de l'hôtel Baltet, pendant qu'on leur servait un potage réchauffé et les reliefs de la table d'hôte, ils mangeaient gloutonnement, sans parler, préoccupés surtout d'aller vite au lit. Subitement, Spiridion Excourbaniès, qui avalait comme un somnambule, sortit de son assiette et, flairant l'air autour de lui : « *Outre !* ça sent l'ail !

— C'est vrai, que ça le sent... » dit Bravida. Et tous, ragaillardis par ce rappel de la patrie, ce fumet des plats nationaux que Tartarin n'avait plus respiré depuis longtemps, ils se retournaient sur leurs chaises avec une anxiété gourmande. Cela venait du fond de la salle, d'une petite pièce où mangeait à part un voyageur, personnage d'importance sans doute, car à tout moment la barrette du chef se montrait au guichet ouvrant sur la cuisine, pour passer à la fille de service des petits plats couverts qu'elle portait dans cette direction.

« Quelqu'un du Midi, bien sûr », murmura le doux Pascalon ; et le président, devenu blême à l'idée de Costecalde, commanda :

« Allez donc voir, Spiridion... vous nous le saurez à dire... »

Un formidable éclat de rire partit du retrait où le brave gong venait d'entrer, sur l'ordre de son chef, et d'où il ramenait par la main un long diable au grand nez, les yeux farceurs, la serviette au menton, comme le cheval gastronome :

« *Vé !* Bompard...

— *Té !* l'imposteur...

— Hé ! adieu, Gonzague... Comment *te* va ?

— Différemment, messieurs, je suis bien le vôtre... » dit le courrier serrant toutes les mains et s'asseyant à la table des Tarasconnais pour partager avec eux un plat de cèpes à l'ail préparé par la mère Baltet, laquelle, ainsi que son mari, avait horreur de la cuisine de table d'hôte.

Etait-ce le fricot national ou bien la joie de retrouver un *pays*, ce délicieux Bompard à l'imagination inépuisable ? Immédiatement la fatigue et l'envie de dormir s'envolèrent, on déboucha du champagne et, la moustache toute barbouillée de mousse, ils riaient, poussaient des cris, gesticulaient, s'étreignaient à la taille, pleins d'effusions.

« Je ne vous quitte plus, *vé !* disait Bompard... Mes Péruviens sont partis... Je suis libre...

— Libre !... Alors, demain, vous faites le Mont-Blanc avec moi ?

— Ah ! vous faites le Mont-Blanc *demeïn ?* répondit Bompard sans enthousiasme.

— Oui, je le souffle à Costecalde... Quand il viendra, *uit !*... Plus de Mont-Blanc... Vous en êtes, *qué*, Gonzague ?

— J'en suis... J'en suis... moyennant que le temps veuille... C'est que la montée n'est pas toujours commode dans cette saison.

— Ah, *vaï !* pas commode... » fit le bon Tartarin frisant ses petits yeux par un rire d'augure que Bompard, du reste, ne parut pas comprendre.

« Passons toujours prendre le café au salon... Nous consulterons le père Baltet. Il s'y connaît, lui, l'ancien guide qui a fait vingt-sept fois l'ascension. »

Les délégués eurent un cri :

« Vingt-sept fois ! *Boufre !*

— Bompard exagère toujours... » dit le P. C. A. sévèrement avec une pointe d'envie.

Au salon, ils trouvèrent la famille du pasteur toujours penchée sur les lettres de convocation, le père et la mère sommeillant devant leur partie de dames, et le long Suédois, remuant son grog à l'eau de Seltz du même geste découragé. Mais l'invasion des alpinistes tarasconnais, allumés par le champagne, donna, comme on pense, quelques distractions aux jeunes convocatrices. Jamais ces charmantes personnes n'avaient vu prendre le café avec tant de mimiques et de roulements d'yeux.

« Du sucre, Tartarin ?

— Mais non, commandant... Vous savez bien... Depuis l'Afrique !...

— C'est vrai, pardon... *Té !* voilà M. Baltet !

— Mettez-vous là, *qué*, monsieur Baltet.

— Vive M. Baltet !... ah ! ah !... *fen dé brut.* »

Entouré, pressé par tous ces gens qu'il n'avait jamais vus de sa vie, le père Baltet souriait d'un air tranquille. Robuste Savoyard, haut et large, le dos rond, la marche lente, sa face épaisse et rasée s'égayait de deux yeux finauds encore jeunes, contrastant avec sa calvitie, causée par un coup de froid à l'aube dans les neiges.

« Ces messieurs désirent faire le Mont-Blanc ? » dit-il, jaugeant les Tarasconnais d'un regard à la fois humble et ironique. Tartarin allait répondre, Bompard se jeta devant lui :

« N'est-ce pas que la saison est bien avancée ?

— Mais non, répondit l'ancien guide... Voici un monsieur suédois qui montera demain, et j'attends, à la fin de la semaine, deux messieurs américains pour monter aussi. Il y en a même un qui est aveugle.

— Je sais. Je l'ai rencontré au Guggi.

— Ah ! Monsieur est allé au Guggi ?

— Il y a huit jours, en faisant la Jungfrau... »

Il y eut un frémissement parmi les convocatrices évangéliques, toutes les plumes en arrêt, les têtes levées du côté de Tartarin qui, pour ces Anglaises, déterminées grimpeuses, expertes à tous les sports, prenait une autorité considérable. Il était monté à la Jungfrau !

« Une belle étape ! » dit le père Baltet considérant le P. C. A. avec étonnement, tandis que Pascalon, intimidé par les dames, rougissant et bégayant, murmurait :

« Maî-aî-tre, racontez-leur donc le... le... chose... la crevasse... »

Le président sourit : « Enfant !... » et, tout de même, il commença le récit de sa chute ; d'abord d'un air détaché, indifférent, puis avec des mouvements effarés, des gigotements au bout de la corde, sur l'abîme, des appels de mains tendues. Ces demoiselles frémissaient, le dévoraient de ces yeux froids des Anglaises, ces yeux qui s'ouvrent en rond.

Dans le silence qui suivit s'éleva la voix de Bompard :

« Au Chimborazo, pour franchir les crevasses, nous ne nous attachions jamais. »

Les délégués se regardèrent. Comme tarasconnade, celui-là les dépassait tous. « Oh ! *de ce* Bompard, pas moins... » murmura Pascalon avec une admiration ingénue.

Mais le père Baltet, prenant le Chimborazo au sérieux, protesta contre cet usage de ne pas s'attacher ; selon lui, pas d'ascension possible sur les glaces sans une corde, une bonne corde en chanvre de Manille. Au moins, si l'un glisse, les autres le retiennent.

« Moyennant que la corde ne casse pas, monsieur Baltet », dit Tartarin rappelant la catastrophe du mont Cervin.

Mais l'hôtelier, pesant les mots :

« Ce n'est pas la corde qui a cassé, au Cervin... C'est le guide d'arrière qui l'a coupée d'un coup de pioche... »

Comme Tartarin s'indignait :

« Faites excuse, monsieur, le guide était dans son droit... Il a compris l'impossibilité de retenir les autres et s'est détaché d'eux pour sauver sa vie, celle de son fils et du voyageur qu'ils accompagnaient... Sans sa détermination, il y aurait eu sept victimes au lieu de quatre.

Alors, une discussion commença. Tartarin trouvait que s'attacher à la file, c'était comme un engagement d'honneur de vivre ou de mourir ensemble ; et s'exaltant, très monté par la présence des dames, il appuyait son dire sur des faits, des êtres présents. « Ainsi, demain, *té*, en m'attachant avec Bompard, ce n'est pas une simple précaution que je prendrai, c'est un serment devant Dieu et devant les hommes de n'être qu'un avec mon compagnon et de mourir plutôt que de rentrer sans lui, coquin de sort !

— J'accepte le serment pour moi comme pour vous, Tarta*réin...* » cria Bompard de l'autre côté du guéridon.

Minute émouvante !

Le pasteur, électrisé, se leva et vint infliger au héros une poignée de main en coup de pompe, bien anglaise. Sa femme l'imita, puis toutes ses demoiselles, continuant le *shake hands* avec une vigueur à faire monter l'eau à un cinquième étage. Les délégués, je dois le dire, se montraient moins enthousiastes.

« Eh *bé !* moi, dit Bravida, je suis de l'avis de M. Baltet. Dans ces affaires-là, chacun y va pour sa peau, pardi ! et je comprends très bien le coup de piolet...

— Vous m'étonnez, Placide », fit Tartarin sévèrement. Et tout bas, entre cuir et chair : « Tenez-vous donc, malheureux ; l'Angleterre nous regarde... »

Le vieux brave qui, décidément, gardait un fond d'aigreur depuis l'excursion de Chillon, eut un geste signifiant : « Je m'en moque un peu, de l'Angleterre... » et peut-être se fût-il attiré quelque verte semonce du président irrité de tant de cynisme, quand le jeune homme aux airs navrés, repu de grog et de tristesse, mit son mauvais français dans la conversation. Il trouvait, lui aussi, que le guide avait eu raison de trancher la corde : délivrer de l'existence quatre malheureux encore jeunes, c'est-à-dire condamnés à vivre un certain temps, les rendre d'un geste au repos, au néant, quelle action noble et généreuse !

Tartarin se récria :

« Comment, jeune homme ! à votre âge, parler de la vie avec ce détachement, cette colère... Qu'est-ce qu'elle vous a donc fait ?

— Rien, elle m'ennuie... » Il étudiait la philosophie à Christiana et, gagné aux idées de Schopenhauer, de Hartmann, trouvait l'existence sombre, inepte, chaotique. Tout près du suicide, il avait fermé ses livres à la prière de ses parents et s'était mis à voyager, butant partout contre le même ennui, la sombre misère du monde. Tartarin et ses amis lui semblaient les seuls êtres contents de vivre qu'il eût encore rencontrés.

Le bon P. C. A. se mit à rire : « C'est la race qui veut ça, jeune homme. Nous sommes tous les mêmes à Tarascon. Le pays du Bon Dieu. Du matin au soir, on rit, on chante, et le reste du temps on danse la farandole... comme ceci... *té !* » Il se mit à battre un entrechat avec une grâce, une légèreté de gros hanneton déployant ses ailes.

Mais les délégués n'avaient pas les nerfs d'acier, l'entrain infatigable de leur chef. Excourbaniès grognait : « Le présid*ain* s'emballe... nous sommes là jusqu'à minuit. »

Bravida se levant, furieux : « Allons nous coucher, *vé !* Je n'en puis plus de ma sciatique... » Tartarin consentit, songeant à l'ascension du lendemain ; et les Tarasconnais montèrent, le bougeoir en main, le large escalier de granit conduisant aux chambres, tandis que le père Baltet allait s'occuper des provisions, retenir des mulets et des guides.

« *Té !* il neige... »

Ce fut le premier mot du bon Tartarin à son réveil en voyant les vitres couvertes de givre et la chambre inondée d'un reflet blanc ; mais lorsqu'il accrocha son petit miroir à barbe à l'espagnolette, il comprit son erreur et que le Mont-Blanc, étincelant en face de lui sous un soleil splendide, faisait toute cette clarté. Il ouvrit sa fenêtre à la brise du glacier, piquante et réconfortante, qui lui apportait toutes les sonnailles en marche des troupeaux derrière les longs mugissements de trompe des bergers. Quelque chose de fort, de pastoral, remplissait l'atmosphère, qu'il n'avait pas respiré en Suisse.

En bas, un rassemblement de guides, de porteurs, l'attendait ; le Suédois déjà hissé sur sa bête, et, mêlée aux curieux qui formaient le cercle, la famille du pasteur, toutes ces alertes demoiselles coiffées en matin, venues pour donner encore « shake hands », au héros qui avait hanté leurs rêves.

« Un temps superbe ! dépêchez-vous !... » criait l'hôtelier dont le crâne luisait au soleil comme un galet. Mais Tartarin eut beau se presser, ce n'était pas une mince besogne d'arracher au sommeil les délégués qui devaient l'accompagner jusqu'à la Pierre-Pointue, où finit le chemin de mulet. Ni prières ni raisonnements ne purent décider le commandant à sauter du lit ; son bonnet de coton jusqu'aux oreilles, le nez contre le mur, aux objurgations du président il se contentait de répondre par un cynique proverbe tarasconnais : « Qui a bon renom de se lever le matin peut dormir jusqu'à midi... » Quant à Bompard, il répétait tout le temps : « Ah ! *vaï !* le Mont-Blanc !... quelle blague... » et ne se leva que sur l'ordre formel du P. C. A.

Enfin la caravane se mit en route et traversa les petites rues de Chamonix dans un appareil fort imposant : Pascalon sur le mulet de tête, la bannière déployée, et le dernier de la file, grave comme un mandarin parmi les guides et les porteurs groupés des deux côtés de sa mule, le bon Tartarin, plus extraordinairement alpiniste que jamais, avec une paire de lunettes neuves aux verres bombés et fumés et sa fameuse corde fabriquée en Avignon, on sait à quel prix reconquise.

Très regardé, presque autant que la bannière, il jubilait sous son masque important, s'amusait du pittoresque de ces rues de village savoyard, si différent du village suisse trop propre, trop vernissé, sentant le joujou neuf, le chalet de bazar, du contraste de ces masures à peine sorties de terre, où l'étable tient toute la place, à côté des grands hôtels somptueux de cinq étages dont les enseignes rutilantes détonnaient comme la casquette galonnée d'un portier, l'habit noir et les escarpins d'un maître d'hôtel au milieu des coiffes savoyardes, des vestes de futaine, des feutres de charbonniers à larges ailes. Sur la place, des landaus dételés, des berlines de voyage à côté de charrettes de fumier ; un troupeau de porcs flânant au soleil devant le bureau de poste d'où sortait un Anglais en chapeau de toile blanche, avec un paquet de lettres et un numéro du *Times* qu'il lisait en marchant avant d'ouvrir sa correspondance. La cavalcade des Tarasconnais traversait tout cela, accompagnée par le piétinement des mulets, le cri de guerre d'Excourbaniès à qui le soleil rendait l'usage de son gong, le carillon pastoral étagé sur les pentes voisines et le fracas de la rivière en torrent jailli du glacier, toute blanche, étincelante comme si elle charriait du soleil et de la neige.

A la sortie du village, Bompard rapprocha sa mule de celle du président et lui dit, roulant des yeux extraordinaires : « Tartar*éin*, il faut que je vous parle...

— Tout à l'heure... » dit le P. C. A. engagé dans une discussion philosophique avec le jeune Suédois, dont il essayait de combattre le noir pessimisme par le merveilleux spectacle qui les entourait, ces pâturages aux grandes zones d'ombre et de lumière, ces forêts d'un vert sombre crêtées de la blancheur des névés éblouissants.

Après deux tentatives pour se rapprocher de Tartarin, Bompard y renonça de force. L'Arve franchie sur un petit pont, la caravane venait de s'engager dans un de ces étroits chemins en lacet au milieu des sapins, où les mulets, un par un, découpent de leurs sabots fantasques toutes les sinuosités des abîmes, et nos Tarasconnais n'avaient pas assez de leur attention pour se maintenir en équilibre à l'aide des « *Allons... doucemain... Outre...* » dont ils retenaient leurs bêtes.

Au chalet de la Pierre-Pointue, dans lequel Pascalon et Excourbaniès devaient attendre le retour des ascensionnistes, Tartarin, très occupé de commander le déjeuner, de veiller à l'installation des porteurs et des guides, fit encore la sourde oreille aux chuchotements de Bompard. Mais — chose étrange et qu'on ne remarqua que plus tard —, malgré le beau temps, le bon vin, cette atmosphère épurée à deux mille mètres au-dessus de la mer, le déjeuner fut mélancolique. Pendant qu'ils entendaient les guides rire et s'égayer à côté, la table des Tarasconnais restait silencieuse, livrée seulement aux bruits du service, tintements des verres, de la grosse vaisselle et des couverts sur le bois blanc. Etait-ce la présence de ce Suédois morose ou l'inquiétude visible de Gonzague, ou encore quelque pressentiment, la bande se mit en marche, triste comme un bataillon sans musique, vers le glacier des Bossons où la véritable ascension commençait.

En posant le pied sur la glace, Tartarin ne put s'empêcher de sourire au souvenir du Guggi et de ses crampons perfectionnés. Quelle différence entre le néophyte qu'il était alors et l'alpiniste de premier ordre qu'il se sentait devenu ! Solide sur ses lourdes bottes que le portier de l'hôtel lui avait ferrées le matin même de quatre gros clous, expert à se servir de son piolet, c'est à peine s'il eut besoin de la main d'un de ses guides, moins pour le soutenir que pour lui montrer le chemin. Les lunettes fumées atténuaient la réverbération du glacier qu'une récente avalanche poudrait de neige fraîche, où des petits lacs d'un vert glauque s'ouvraient çà et là, glissants et traîtres ; et très calme, assuré par expérience qu'il n'y avait pas le moindre danger, Tartarin marchait le long des crevasses aux parois chatoyantes et lisses, s'approfondissant à l'infini, passait au milieu des séracs avec l'unique préoccupation de tenir pied à l'étudiant suédois, intrépide marcheur, dont les longues guêtres à boucles d'argent s'allongeaient minces et sèches et de la même détente à côté de son alpenstock qui semblait une troisième jambe. Et leur discussion philosophique continuant en dépit des difficultés de la route, on entendait sur l'espace gelé, sonore comme la largeur d'une rivière, une bonne grosse voix familière et essoufflée : « Vous me connaissez, Otto... »

Bompard, pendant ce temps, subissait mille mésaventures. Fermement convaincu encore le matin que Tartarin n'irait jamais jusqu'au bout de sa vantardise et ne ferait pas plus le Mont-Blanc qu'il n'avait fait la Jungfrau, le malheureux courrier s'était vêtu comme à l'ordinaire, sans clouter ses bottes ni même utiliser sa fameuse invention pour ferrer les pieds des militaires, sans alpenstock non plus, les montagnards du Chimborazo ne s'en servant pas. Seulement armé de la badine qui allait bien avec son chapeau à ganse bleue et son ulster, l'approche du glacier le terrifia, car, malgré toutes ses histoires, on pense bien que « l'imposteur » n'avait jamais fait d'ascension. Il se rassura pourtant en voyant du haut de la moraine avec quelle facilité Tartarin évoluait sur la glace, et se décida à le suivre jusqu'à la halte des Grands-Mulets, où l'on devait passer la nuit. Il n'y arriva point sans peine. Au premier pas, il s'étala sur le dos, la seconde fois en avant sur les mains et sur les genoux. « Non, merci, c'est exprès... » affirmait-il aux guides essayant de le relever... « A l'américaine, *vé !*... comme au Chimborazo ! » Cette position lui paraissant commode, il la garda, s'avançant à quatre pattes, le chapeau en arrière, l'ulster balayant la glace comme une pelure d'ours gris ; très calme, avec cela, et racontant autour de lui que, dans la Cordillère des Andes, il avait grimpé ainsi une montagne de dix mille mètres. Il ne disait pas en combien de temps par exemple, et cela avait dû être long à en juger par cette étape des Grands-Mulets où il arriva une heure après Tartarin et tout dégouttant de neige boueuse, les mains gelées sous ses gants de tricot.

A côté de la cabane du Guggi, celle que la commune de Chamonix a fait construire aux Grands-Mulets est véritablement confortable. Quand Bompard entra dans la cuisine où flambait un grand feu de bois, il trouva Tartarin et le Suédois en train de sécher leurs bottes, pendant que l'aubergiste, un vieux racorni aux longs cheveux blancs tombant en mèches, étalait devant eux les trésors de son petit musée.

Sinistre, ce musée fait des souvenirs de toutes les catastrophes qui avaient eu lieu au Mont-Blanc, depuis plus de quarante ans que le vieux tenait l'auberge ; et, en les retirant de leur vitrine, il racontait leur origine lamentable... A ce morceau de drap, ces boutons de gilet, tenait la mémoire d'un savant russe précipité par l'ouragan sur le glacier de la Brenva... Ces maxillaires restaient d'un des guides de la fameuse caravane de onze voyageurs et porteurs disparus dans une tourmente de neige... Sous le jour tombant et le pâle reflet des névés contre les carreaux, l'étalage de ces reliques mortuaires, ces récits monotones avaient quelque chose de poignant, d'autant que le vieillard attendrissait sa voix tremblante aux endroits pathétiques, trouvait des larmes en dépliant un bout de voile vert d'une dame anglaise roulée par l'avalanche en 1827.

Tartarin avait beau se rassurer par les dates, se convaincre qu'à cette époque la Compagnie n'avait pas organisé les ascensions sans danger, ce *vocero* savoyard lui serrait le cœur, et il alla respirer un moment sur la porte.

La nuit était venue, engloutissant les fonds. Les Bossons ressortaient livides et tout proches, tandis que le Mont-Blanc dressait une cime encore rosée, caressée du soleil disparu. Le

Méridional se rassérénait à ce sourire de la nature, quand l'ombre de Bompard se dressa derrière lui.

« C'est vous, Gonzague... vous voyez, je prends le bon de l'air... Il m'embêtait, ce vieux, avec ses histoires...

— Tartar*éin*, dit Bompard lui serrant le bras à le broyer... J'espère qu'en voilà assez, et que vous allez vous en tenir là de cette ridicule expédition ? »

Le grand homme arrondit des yeux inquiets :

« Qu'est-ce que vous me chantez ?

Alors Bompard lui fit un tableau terrible des mille morts qui les menaçaient, les crevasses, les avalanches, coups de vent, tourbillons.

Tartarin l'interrompit :

« Ah ! *vaï*, farceur ; et la Compagnie !... Le Mont-Blanc n'est donc pas aménagé comme les autres ?

— Aménagé ?... la Compagnie ?... » dit Bompard ahuri ne se rappelant plus rien de sa tarasconnade ; et l'autre la lui répétant mot pour mot, la Suisse en société, l'affermage des montagnes, les crevasses truquées, l'ancien gérant se mit à rire.

« Comment ! vous avez cru... mais c'était une *galéjade*... Entre gens de Tarascon, pas moins, on sait bien ce que parler veut dire...

— Alors, demanda Tartarin très ému, la Jungfrau n'était pas préparée ?...

— Pas plus !

— Et si la corde avait cassé ?...

— Ah ! mon pauvre ami... »

Le héros ferma les yeux, pâle d'une épouvante rétrospective et, pendant une minute, il hésita... Ce paysage en cataclysme polaire, froid, assombri, accidenté de gouffres... ces lamentations du vieil aubergiste encore pleurantes à ses oreilles... « *Outre !* que vous me feriez dire... » Puis, tout à coup, il pensa aux *gensses* de Tarascon, à la bannière qu'il ferait flotter là-haut, il se dit qu'avec de bons guides, un compagnon à toute épreuve comme Bompard... Il avait fait la Jungfrau... pourquoi ne tenterait-il pas le Mont-Blanc ?

Et posant sa large main sur l'épaule de son ami, il commença d'une voix virile : « Ecoutez, Gonzague... »

13

La catastrophe.

Par une nuit noire, noire, sans lune, sans étoile, sans ciel, sur la blancheur tremblotante d'une immense pente de neige, lentement se déroule une longue corde où des ombres craintives et toutes petites sont attachées à la file, précédées, à cent mètres, d'une lanterne en tache rouge presque au ras du sol. Des coups de piolet sonnant dans la neige dure, le roulement des glaçons détachés dérangent seuls le silence du névé où s'amortissent les pas de la caravane, puis de minute en minute un cri, une plainte étouffée, la chute d'un corps sur la glace et, tout de suite, une grosse voix qui répond du bout de la corde : « Allez doucement de tomber, Gonzague. » Car le pauvre Bompard s'est décidé à suivre son ami Tartarin jusqu'au sommet du Mont-Blanc. Depuis deux heures du matin — il en est quatre à la montre à répétition du président — le malheureux courrier s'avance à tâtons, vrai forçat à la chaîne, traîné, poussé, vacillant et bronchant, contraint de retenir les exclamations diverses que lui arrache sa mésaventure, l'avalanche guettant de tous côtés et le moindre ébranlement, une vibration un peu forte de l'air cristallin, pouvant déterminer des tombées de neige ou de glace. Souffrir en silence, quel supplice pour un homme de Tarascon !

Mais la caravane a fait halte ; Tartarin s'informe, on entend une discussion à voix basse, des chuchotements animés : « C'est votre compagnon qui ne veut plus avancer... » répond le Suédois. L'ordre de marche est rompu, le chapelet humain se détend, revient sur lui-même, et les voilà tous au bord d'une énorme crevasse, ce que les montagnards appellent une « roture ». On a franchi les précédentes à l'aide d'une échelle mise en travers et qu'on passe sur les genoux ; ici, la crevasse est beaucoup trop large et l'autre bord se dresse en hauteur de quatre-vingts à cent pieds. Il s'agit de descendre au fond du trou qui se rétrécit, à l'aide de marches creusées au piolet, et de remonter pareillement. Mais Bompard s'y refuse avec obstination.

Penché sur le gouffre que l'ombre fait paraître insondable, il regarde s'agiter dans une buée la petite lanterne des guides préparant le chemin. Tartarin, peu rassuré lui-même, se donne du courage en exhortant son ami : « Allons, Gonzague, *zou !* » et, tout bas, il le sollicite d'honneur, invoque Tarascon, la bannière, le Club des Alpines...

« Ah ! *vaï,* le Club... Je n'en suis pas », répond l'autre cyniquement.

Alors Tartarin lui explique qu'on lui posera les pieds, que rien n'est plus facile.

« Pour vous, peut-être, mais pas pour moi...

— Pas moins, vous disiez que vous aviez l'habitude...

— *Bé* oui ! certainement, l'habitude... mais laquelle ? j'en ai tant... l'habitude de fumer, de dormir...

— De mentir, surtout, interrompt le président...

— D'exagérer, allons ! » dit Bompard sans s'émouvoir le moins du monde.

Cependant, après bien des hésitations, la menace de le laisser là tout seul le décide à descendre lentement, posément, cette terrible échelle de meunier... Remonter est plus difficile sur l'autre paroi droite et lisse comme un marbre et plus haute que la tour du roi René à Tarascon. D'en bas, la clignante lumière des guides semble un ver luisant en marche. Il faut se décider, pourtant ; la neige sous les pieds n'est pas solide, des glouglous de fonte et d'eau circulante s'agitent autour d'une large fissure qu'on devine plutôt qu'on ne la voit, au pied du mur de glace, et qui souffle son haleine froide d'abîme souterrain.

« Allez doucement de tomber, Gonzague !... »

Cette phrase, que Tartarin profère d'une intonation attendrie, presque suppliante, emprunte une signification solennelle à la position respective des ascensionnistes, cramponnés maintenant des pieds et des mains, les uns au-dessous des autres, liés par la corde et par la similitude de leurs mouvements, si bien que la chute ou la maladresse d'un seul les mettrait tous en danger. Et quel danger, coquin de sort ! Il suffit d'entendre rebondir et dégringoler les débris de glaçons avec l'écho de la chute par les crevasses et les dessous inconnus pour imaginer quelle gueule de monstre vous guette et vous happerait au moindre faux pas.

Mais qu'y a-t-il encore ? Voilà que le long Suédois qui précède justement Tartarin s'est arrêté et touche de ses talons ferrés la casquette du P. C. A. Les guides ont beau crier : « En avant !... » et le président : « Avancez donc, jeune homme... » Rien ne bouge. Dressé de son long, accroché d'une main négligente, le Suédois se penche, et le jour levant effleure sa barbe grêle, éclaire la singulière expression de ses yeux dilatés, pendant qu'il fait signe à Tartarin :

« Quelle chute, hein, si on lâchait !...

— *Outre !* je crois bien... vous nous entraîneriez tous... Montez donc !... »

L'autre continue, immobile :

« Belle occasion pour en finir avec la vie, rentrer au néant par les entrailles de la terre, rouler de crevasse en crevasse comme ceci que je détache dc mon pied... » Et il s'incline effroyablement pour suivre le quartier de glace qui rebondit et sonne sans fin dans la nuit.

« Malheureux ! prenez garde... » crie Tartarin blême d'épouvante ; et, désespérément cramponné à la paroi suintante, il reprend d'une chaude ardeur son argument de la veille en faveur de l'existence : « Elle a du bon, que diantre !... A votre âge, un beau garçon comme vous... vous ne croyez donc pas à l'amour, *qué ?* »

Non, le Suédois n'y croit pas. L'amour idéal est un mensonge des poètes ; l'autre, un besoin qu'il n'a jamais ressenti...

« *Bé* oui ! *bé* oui !... C'est vrai que les poètes sont un peu de Tarascon, ils en disent toujours plus qu'il n'y en a ; mais, pas moins, c'est gentil le *femellan*, comme on appelle les dames chez nous. Puis, on a des enfants, des jolis mignons qui vous ressemblent.

— Ah ! oui, les enfants, une source de chagrins. Depuis qu'elle m'a eu, ma mère n'a cessé de pleurer.

— Ecoutez, Otto, vous me connaissez, mon bon ami... »

Et de toute l'expansion valeureuse de son âme, Tartarin s'épuise à ranimer, à frictionner à distance cette victime de Schopenhauer et de Hartmann, deux polichinelles qu'il voudrait tenir au coin d'un bois, coquin de sort ! pour leur faire payer tout le mal qu'ils ont fait à la jeunesse...

Qu'on se représente, pendant cette discussion philosophique, la haute muraille de glace, froide, glauque, ruisselante, frôlée d'un rayon pâle, et cette brochée de corps humains plaqués dessus en échelons, avec les sinistres gargouillements qui montent des profondeurs béantes et blanchâtres, les jurons des guides, leurs menaces de se détacher et d'abandonner leurs voyageurs. A la fin, Tartarin, voyant que nul raisonnement ne peut convaincre ce fou, dissiper son vertige de mort, lui suggère l'idée de se jeter de la pointe extrême du Mont-Blanc... A la bonne heure, ça vaudrait la peine, de là-haut ? Une belle fin dans les éléments... Mais ici, au fond d'une cave... Ah ! *vaï*, quelle *foutaise !...* Il y met tant d'accent brusque à la fois et persuasif, une telle conviction, que le Suédois se laisse vaincre ; et les voilà enfin, un par un, en haut de cette terrible roture.

On se détache, on fait halte pour boire un coup et casser une croûte. Le jour est venu. Un jour froid et blême sur un cirque grandiose de pics, de flèches, dominés par le Mont-Blanc encore à quinze cents mètres. Les guides à part gesticulent et se concertent avec des hochements de tête. Sur le sol tout blanc, lourds et ramassés, le dos rond dans leur veste brune, on dirait des marmottes prêtes à remiser pour l'hiver. Bompard et Tartarin inquiets, transis, ont laissé le Suédois manger tout seul et se sont approchés au moment où le guide-chef disait d'un air grave :

« C'est qu'il fume sa pipe, il n'y a pas à dire que non.

— Qui donc fume sa pipe ? demande Tartarin.

— Le Mont-Blanc, monsieur, regardez. »

Et l'homme montre tout au bout de la haute cime, comme une aigrette, une fumée blanche qui va vers l'Italie.

« Et autrement, mon bon ami, quand le Mont-Blanc fume sa pipe, qu'est-ce que cela veut dire ?

— Ça veut dire, monsieur, qu'il fait un vent terrible au sommet, une tempête de neige qui sera sur nous avant longtemps. Et dame ! c'est dangereux.

— Revenons », dit Bompard verdissant ; et Tartarin ajoute :

« Oui, oui, certaine*main*, pas de sot amour-propre ! »

Mais le Suédois s'en mêle ; il a payé pour qu'on le mène au Mont-Blanc, rien ne l'empêchera d'y aller. Il y montera seul, si personne ne l'accompagne. « Lâches ! lâches ! » ajoute-t-il tourné vers les guides, et il leur répète l'injure de la même voix de revenant dont il s'excitait tout à l'heure au suicide.

« Vous allez bien voir si nous sommes des lâches... Qu'on s'attache et en route ! » s'écrie le guide-chef. Cette fois, c'est Bompard qui proteste énergiquement. Il en a assez, il veut qu'on le ramène. Tartarin l'appuie avec vigueur :

« Vous voyez bien que ce jeune homme est fou !... » s'écrie-t-il en montrant le Suédois déjà parti à grandes enjambées sous les floches de neige que le vent commence déjà à chasser de toutes parts. Mais rien n'arrêtera plus ces hommes que l'on a traités de lâches. Les marmottes se sont réveillées, héroïques, et Tartarin ne peut obtenir un conducteur pour le ramener avec Bompard aux Grands-Mulets. D'ailleurs, la direction est simple :

trois heures de marche en comptant un écart de vingt minutes pour tourner la grande roture si elle les effraie à passer tout seuls.

« *Outre*, oui, qu'elle nous effraie !... » fait Bompard sans pudeur aucune, et les deux caravanes se séparent.

A présent, les Tarasconnais sont seuls. Ils avancent avec précaution sur le désert de neige, attachés à la même corde, Tartarin en avant, tâtant de son piolet gravement, pénétré de la responsabilité qui lui incombe, y cherchant un réconfort.

« Courage ! du sang-froid !... Nous nous en tirerons !... » crie-t-il à chaque instant à Bompard. Ainsi l'officier, dans la bataille, chasse la peur qu'il a, en brandissant son épée et criant à ses hommes :

« En avant, s. n. de D... ! Toutes les balles ne tuent pas ! »

Enfin les voilà au bout de cette horrible crevasse. D'ici au but, ils n'ont plus d'obstacles bien graves ; mais le vent souffle, les aveugle de tourbillons neigeux. La marche devient impossible sous peine de s'égarer.

« Arrêtons-nous un moment », dit Tartarin. Un sérac de glace gigantesque leur creuse un abri à sa base ; ils s'y glissent, étendent la couverture doublée de caoutchouc du président, et débouchent la gourde de rhum, seules provisions que n'aient pas emportées les guides. Il s'ensuit alors un peu de chaleur et de bien-être, tandis que les coups de piolet, toujours plus faibles sur la hauteur, les avertissent du progrès de l'expédition. Cela résonne au cœur du P. C. A. comme un regret de n'avoir pas fait le Mont-Blanc jusqu'aux cimes.

« Qui le saura ? riposte Bompard cyniquement. Les porteurs ont conservé la bannière ; de Chamonix on croira que c'est vous.

— Vous avez raison, l'honneur de Tarascon est sauf... » conclut Tartarin d'un ton convaincu.

Mais les éléments s'acharnent, la bise en ouragan, la neige par paquets. Les deux amis se taisent, hantés d'idées sinistres, ils se rappellent l'ossuaire sous la vitrine du vieil aubergiste, ses récits lamentables, la légende de ce touriste américain qu'on a retrouvé pétrifié de froid et de faim, tenant dans sa main crispée un carnet où ses angoisses étaient écrites jusqu'à la dernière convulsion qui fit glisser le crayon et dévier la signature.

« Avez-vous un carnet, Gonzague ? »

Et l'autre, qui comprend sans explications :

« Ah ! *vaï*, un carnet... Si vous croyez que je vais me laisser mourir comme cet Américain... Vite, allons-nous-en, sortons d'ici.

— Impossible... Au premier pas nous serions emportés comme une paille, jetés dans quelque abîme.

— Mais alors, il faut appeler, l'auberge n'est pas loin... » Et Bompard à genoux, la tête hors du sérac, dans la pose d'une bête au pâturage et mugissante, hurle : « Au secours ! au secours ! à moi !

— Aux armes !... » crie à son tour Tartarin de son creux le plus sonore que la grotte répercute en tonnerre.

Bompard lui saisit le bras : « Malheureux, le sérac !... » Positivement tout le bloc a tremblé : encore un souffle et cette masse de glaçons accumulés croulerait sur leur tête. Ils restent figés, immobiles, enveloppés d'un effrayant silence bientôt traversé d'un roulement lointain qui se rapproche, grandit, envahit l'horizon, meurt enfin sous la terre de gouffre en gouffre.

« Les pauvres gens !... » murmure Tartarin pensant au Suédois et à ses guides, saisis, emportés sans doute par l'avalanche. Et Bompard hochant la tête : « Nous ne valons guère mieux qu'eux. » En effet, leur situation est sinistre, n'osant bouger dans leur grotte de glace ni se risquer dehors sous les rafales.

Pour achever de leur serrer le cœur, du fond de la vallée monte un aboiement de chien hurlant à la mort. Tout à coup, Tartarin, les yeux gonflés, les lèvres grelottantes, prend les mains de son compagnon et le regardant avec douceur :

« Pardonnez-moi, Gonzague, oui, oui, pardonnez-moi. Je vous ai rudoyé tantôt, je vous ai traité de menteur...

— Ah ! *vaï !* Qu'est-ce que ça fait ?...

— J'en avais le droit moins que personne, car j'ai menti beaucoup dans ma vie, et, à cette heure suprême, j'éprouve le besoin de m'ouvrir, de me dégonfler, d'avouer publiquement mes impostures.

— Des impostures, vous ?

— Ecoutez-moi, ami... d'abord je n'ai jamais tué de lion.

— Ça ne m'étonne pas... fait Bompard tranquillement. Mais est-ce qu'il faut se tourmenter pour si peu ?... C'est notre soleil qui veut ça, on naît avec le mensonge... *Vé !* moi... Ai-je dit une vérité depuis que je suis au monde ?... Dès que j'ouvre la bouche, mon Midi me monte comme une attaque. Les gens dont je parle, je ne les connais pas, les pays, je n'y suis jamais allé, et tout ça fait un tel tissu d'inventions que je ne m'y débrouille plus moi-même.

— C'est l'imagination, *péchère !* soupire Tartarin ; nous sommes des menteurs par imagination.

— Et ces mensonges-là n'ont jamais fait de mal à personne, tandis qu'un méchant, un envieux comme Costecalde...

— Ne parlons jamais de ce misérable ! » interrompt le P. C. A., et, pris d'un subit accès de rage : « Coquin de bon sort ! c'est tout de même un peu fichant... » Il s'arrête sur un geste terrifié de Bompard... « Ah ! oui, le sérac... » et baissant le ton, forcé de chuchoter sa colère, le pauvre Tartarin continue ses imprécations à voix basse dans une énorme et comique désarticulation de la bouche : « Un peu fichant de mourir à la fleur de l'âge par la faute d'un scélérat qui, dans ce moment, prend bien tranquillement sa demi-tasse sur le Tour de ville !... »

Mais pendant qu'il fulmine, une éclaircie s'ouvre peu à peu dans l'air. Il ne neige plus, il ne vente plus ; et des écarts bleus apparaissent déchirant le gris du ciel. Vite, en route, et, rattachés tous deux à la corde, Tartarin qui a pris la tête comme tout à l'heure, se retourne, un doigt sur la bouche :

« Et vous savez, Gonzague, tout ce que nous venons de dire reste entre nous.

— Té, pardi... »

Pleins d'ardeur, ils repartent, enfonçant jusqu'aux genoux dans la neige fraîchement tombée, qui a englouti sous sa ouate immaculée les traces de la caravane ; aussi Tartarin consulte sa boussole toutes les cinq minutes. Mais cette boussole tarasconnaise, habituée aux chauds climats, est frappée de congélation depuis son arrivée en Suisse. L'aiguille joue aux quatre coins, agitée hésitante ; et ils marchent devant eux, attendant de voir se dresser tout à coup les roches noires des Grands-Mulets dans la blancheur uniforme, silencieuse, en pics, en aiguilles, en mamelons, qui les entoure, les éblouit, les épouvante aussi, car elle peut recouvrir de dangereuses crevasses sous leurs pieds.

« Du sang-froid, Gonzague, du sang-froid !

— C'est justement de ça que je manque », répond Bompard lamentablement. Et il gémit : « Aïe de mon pied !... aïe de ma jambe !... nous sommes perdus ; jamais nous n'arriverons... »

Ils marchent depuis deux heures lorsque, vers le milieu d'une pente de neige très dure à grimper, Bompard s'écrie effaré :

« Tartar*éin*, mais ça monte !

— Eh ! je le vois parbleu bien, que ça monte, riposte le P. C. A. en train de perdre sa sérénité.

— Pas moins, à mon idée, ça devrait descendre.

— *Bé* oui ! mais que voulez-vous que j'y fasse ? Allons

toujours jusqu'en haut, peut-être que ça descendra de l'autre côté. »

Cela descendait en effet, et terriblement, par une succession de névés, de glaciers presque à pic, et tout au bout de cet étincellement de blancheurs dangereuses une cabane s'apercevait piquée sur une roche à des profondeurs qui semblaient inaccessibles. C'était un asile à atteindre avant la nuit, puisqu'on avait perdu la direction des Grands-Mulets, mais au prix de quels efforts, de quels dangers peut-être !

« Surtout ne me lâchez pas, *qué*, Gonzague...

— Ni vous non plus, Tartar*éin.* »

Ils échangent ces recommandations sans se voir, séparés par une arête derrière laquelle Tartarin a disparu, avançant l'un pour monter, l'autre pour descendre, avec lenteur et terreur. Ils ne se parlent même plus, concentrant toutes leurs forces vives, crainte d'un faux pas, d'une glissade. Tout à coup, comme il n'est plus qu'à un mètre de la crête. Bompard entend un cri terrible de son compagnon, en même temps qu'il sent la corde se tendre d'une violente et désordonnée secousse... Il veut résister, se cramponner pour retenir son compagnon sur l'abîme. Mais la corde était vieille, sans doute, car elle se rompt brusquement sous l'effort.

« *Outre !*

— *Boufre !* »

Ces deux cris se croisent, sinistres, déchirant le silence et la solitude, puis un calme effrayant, un calme de mort que rien ne trouble plus dans la vastitude des neiges immaculées.

Vers le soir, un homme ressemblant vaguement à Bompard, un spectre aux cheveux dressés, boueux, ruisselant, arrivait à l'auberge des Grands-Mulets où on le frictionnait, le réchauffait, le couchait avant qu'il eût prononcé d'autres paroles que celles-ci, entrecoupées de larmes, de poings levés au ciel. « Tartarin... perdu... cassé la corde... » Enfin on put comprendre le grand malheur qui venait d'arriver.

Pendant que le vieil aubergiste se lamentait et ajoutait un nouveau chapitre aux sinistres de la montagne en attendant que son ossuaire s'enrichît des restes de l'accident, le Suédois et ses guides, revenus de leur expédition, se mettaient à la recherche de l'infortuné Tartarin avec des cordes, des échelles, tout l'attirail d'un sauvetage, hélas ! infructueux. Bompard, resté comme ahuri, ne pouvait fournir aucun indice précis ni sur le drame ni sur l'endroit où il avait eu lieu. On trouva seulement au Dôme du Goûter un bout de corde resté dans une anfractuosité de glace.

Mais cette corde, chose singulière, était coupée aux deux bouts comme avec un instrument tranchant ; les journaux de Chambéry en donnèrent un fac-similé. Enfin, après huit jours de courses, de consciencieuses recherches, quand on eut la conviction que le pauvre présid*ain* était introuvable, perdu sans retour, les délégués désespérés prirent le chemin de Tarascon, ramenant Bompard dont le cerveau ébranlé gardait la trace d'une terrible secousse.

« Ne me parlez pas de ça, répondait-il, quand il était question du sinistre, ne m'en parlez jamais ! »

Décidément, le Mont-Blanc comptait une victime de plus, et quelle victime !

14

Epilogue.

D'endroit plus impressionnable que Tarascon, il ne s'en est jamais vu sous le soleil d'aucun pays. Parfois, en plein dimanche de fête, toute la ville dehors, les tambourins en rumeur, le Cours grouillant et tumultueux, émaillé de jupes vertes, rouges, de fichus arlésiens, et, sur de grandes affiches multicolores, l'annonce des luttes pour hommes et demi-hommes, des courses de taureaux camarguais, il suffit d'un farceur criant : « Au chien fou !... » ou bien : « Un bœuf échappé !... » et l'on court, on se bouscule, on s'effare, les portes se ferment de tous leurs verrous, les persiennes claquent comme par un orage, et voilà Tarascon désert, muet, sans un chat, sans un bruit, les cigales elles-mêmes blotties et attentives.

C'était l'aspect de ce matin-là qui n'était pourtant ni fête ni dimanche : les boutiques closes, les maisons mortes, places et placettes comme agrandies par le silence et la solitude. *Vasta silentio*, dit Tacite décrivant Rome aux funérailles de Germanicus, et la citation de sa Rome en deuil s'appliquait d'autant mieux à Tarascon qu'un service funèbre pour l'âme de Tartarin se disait en ce moment à la métropole où la population en masse pleurait son héros, son dieu, son invincible à doubles muscles resté dans les glaciers du Mont-Blanc.

Or, pendant que le glas égrenait ses lourdes notes sur les rues désertes, Mlle Tournatoire, la sœur du médecin, que son mauvais état de santé retenait toujours à la maison, morfondue dans son grand fauteuil contre la vitre, regardait dehors en écoutant les cloches. La maison des Tournatoire se trouve sur le chemin d'Avignon, presque en face celle de Tartarin, et la vue de ce logis illustre dont le locataire ne devait plus revenir, la grille pour toujours fermée du jardin, tout, jusqu'aux boîtes à cirage des petits Savoyards alignées près de la porte, gonflait le cœur de la pauvre demoiselle infirme qu'une passion secrète dévorait depuis plus de trente ans pour le héros tarasconnais. O mystères d'un cœur de vieille fille ! C'était sa joie de le guetter passer à des heures régulières, de se dire : « Où va-t-il ?... », de surveiller les modifications de sa toilette, qu'il s'habillât en alpiniste ou revêtît sa jaquette vert serpent. Maintenant, elle ne le verrait plus ; et cette consolation même lui manquait d'aller prier pour lui avec toutes les dames de la ville.

Soudain la longue tête de cheval blanc de Mlle Tournatoire se colora légèrement ; ses yeux déteints, bordés de rose, se dilatèrent d'une manière considérable pendant que sa maigre main aux rides saillantes esquissait un grand signe de croix... Lui, c'était lui, longeant les murs de l'autre côté de la chaussée... D'abord elle crut à une apparition hallucinante... Non, Tartarin lui-même, en chair et en os, seulement pâli, piteux, loqueteux, longeant les murs comme un pauvre ou comme un voleur. Mais pour expliquer sa présence furtive à Tarascon, il nous faut retourner sur le Mont-Blanc, au Dôme du Goûter, à cet instant précis où les deux amis se trouvant chacun sur un côté du Dôme, Bompard sentit le lien qui les attachait, brusquement se tendre, comme par la chute d'un corps.

En réalité, la corde s'était prise entre deux glaçons, et Tartarin, éprouvant la même secousse, crut, lui aussi, que son compagnon roulait, l'entraînait. Alors, à cette minute suprême... comment dire cela, mon Dieu ?... dans l'angoisse de la peur, tous deux, oubliant le serment solennel à l'hôtel Baltet, d'un même mouvement, d'un même geste instinctif, coupèrent la corde, Bompard avec son couteau, Tartarin d'un coup de piolet ; puis, épouvantés de leur crime, convaincus l'un et l'autre qu'ils venaient de sacrifier leur ami, ils s'enfuirent dans des directions opposées.

Quand le spectre de Bompard apparut aux Grands-Mulets, celui de Tartarin arrivait à la cantine de l'Avesailles. Comment, par quel miracle, après combien de chutes, de glissades ? Le Mont-Blanc seul aurait pu le dire, car le pauvre P. C. A. resta deux jours dans un complet abrutissement, incapable de proférer le moindre son. Dès qu'il fut en état, on le descendit à Courmayeur, qui est le Chamonix italien. A l'hôtel où il s'installa pour achever de se remettre, il n'était bruit que d'une épouvantable catastrophe arrivée au Mont-Blanc, tout à fait le pendant de l'accident du Cervin : encore un alpiniste englouti par la rupture de la corde.

Dans sa conviction qu'il s'agissait de Bompard, Tartarin, rongé de remords, n'osait plus rejoindre la délégation ni retourner au pays. D'avance il voyait sur toutes les lèvres, dans tous les yeux : « Caïn, qu'as-tu fait de ton frère ?... » Pourtant le manque d'argent, la fin de son linge, les frimas de septembre qui arrivaient et vidaient les hôtelleries, l'obligèrent à se mettre en route. Après tout, personne ne l'avait vu commettre son crime ? Rien ne l'empêcherait d'inventer n'importe quelle histoire ; et, les distractions du voyage aidant, il commençait à se remettre. Mais aux approches de Tarascon, quand il vit s'iriser sous le ciel bleu la fine découpure des Alpines, tout le ressaisit, honte, remords, crainte de la justice ; et pour éviter l'éclat d'une arrivée en pleine gare, il descendit à la dernière station avant la ville.

Ah ! sur cette belle route tarasconnaise, toute blanche et craquante de poussière, sans autre ombrage que les poteaux et les fils télégraphiques, sur cette voie triomphale où, tant de fois, il avait passé à la tête de ses alpinistes ou de ses chasseurs de casquettes, qui l'aurait reconnu, lui, le vaillant, le pimpant, sous ses hardes déchirées et malpropres, avec cet œil méfiant du routier guettant les gendarmes ? L'air brûlait malgré qu'on fût au déclin de la saison ; et la pastèque qu'il achetait à un maraîcher lui parut délicieuse à manger dans l'ombre courte du charreton, pendant que le paysan exhalait sa fureur contre les ménagères de Tarascon, toutes absentes du marché, ce matin-là, « rapport à une messe noire qu'on chantait pour quelqu'un de la ville perdu au fond d'un trou, là-bas dans les montagnes... Té ! les cloches qui sonnent... Elles s'entendent d'ici... »

Plus de doute ; c'est pour Bompard que tombait ce lugubre carillon de mort secoué par un vent tiède sur la campagne solitaire !

Quel accompagnement à la rentrée du grand homme dans sa patrie !

Une minute, quand, la porte du petit jardin brusquement ouverte et refermée, Tartarin se retrouva chez lui, qu'il vit les étroites allées bordées de buis ratissées et proprettes, le bassin, le jet d'eau, les poissons rouges s'agitant au craquement du sable sous ses pas, et le baobab géant dans son pot à réséda, un bien-être attendri, la chaleur de son gîte de lapin de choux l'enveloppa comme une sécurité après tant de dangers et d'aventures. Mais les cloches, les maudites cloches redoublèrent, la tombée des grosses notes noires lui écrasa de nouveau le cœur. Elles lui disaient sur le mode funèbre : « ...Caïn, qu'as-tu fait de ton frère ? Tartarin, qu'est devenu Bompard ? » Alors, sans le courage d'un mouvement, il s'assit sur la margelle brûlante du petit bassin et resta là, anéanti, effondré, au grand émoi des poissons rouges.

Les cloches ne sonnent plus. Le porche de la métropole, bruyant tout à l'heure, est rendu au marmottement de la pauvresse assise à gauche et à l'immobilité de ses saints de pierre. La cérémonie religieuse terminée, tout Tarascon s'est porté au Club des Alpines où, dans une séance solennelle, Bompard doit faire le récit de la catastrophe, détailler les derniers moments du P. C. A. En dehors des membres, quelques privilégiés, armée, clergé, noblesse, haut commerce, ont pris place dans la salle des conférences dont les fenêtres, larges ouvertes, permettent à la fanfare de la ville, installée en bas, sur le perron, de mêler quelques accords héroïques ou plaintifs aux discours de ces messieurs. Une foule énorme se presse autour des musiciens, se hisse sur ses pointes, les cous tendus, essayant d'attraper quelques bribes de la séance, mais les fenêtres sont trop élevées et l'on n'aurait aucune idée de ce qui se passe, sans deux ou trois petits drôles branchés dans un gros platane, et jetant de là des renseignements comme on jette des noyaux de cerises du haut de l'arbre.

« *Vé,* Costecalde, qui se force pour pleurer. Ah ! le gueusard, c'est lui qui tient le fauteuil à présent... Et le pauvre Bézuquet, comme il se mouche ! comme il a les yeux rouges !... *Té !* l'on a mis un crêpe à la bannière... Et Bompard qui vient vers la table avec les trois délégués... Il met quelque chose sur le bureau... Il parle à présent... Ça doit être bien beau ! Les voilà qui tombent tous des larmes... »

En effet, l'attendrissement devenait général à mesure que Bompard avançait dans son récit fantastique. Ah ! la mémoire lui était revenue, l'imagination aussi. Après s'être montrés, lui et son illustre compagnon, à la cime du Mont-Blanc, sans guides, car tous s'étaient refusés à les suivre, effrayés par le mauvais temps, — seuls avec la bannière déployée pendant cinq minutes sur le plus haut pic de l'Europe, il racontait maintenant, et avec quelle émotion, la descente périlleuse et la chute, Tartarin roulant au fond d'une crevasse, et lui, Bompard, s'attachant pour explorer le gouffre dans toute sa longueur, d'une corde de deux cents pieds.

« Plus de vingt fois, messieurs, que dis-je ? plus de nonante fois, j'ai sondé cet abîme de glace sans pouvoir arriver jusqu'à notre malheureux présid*ain* dont cependant je constatais le passage par ces quelques débris laissés aux anfractuosités de la glace... »

En parlant, il étalait sur le tapis de la table un fragment de maxillaire, quelques poils de barbe, un morceau de gilet, une boucle de bretelle ; on eût dit l'ossuaire des Grands-Mulets.

Devant cette exhibition, les douloureux transports de l'assemblée ne se maîtrisaient plus ; même les cœurs les plus durs, les partisans de Costecalde et les personnages les plus graves, Cambalalette le notaire, le docteur Tournatoire, tombaient effectivement des larmes grosses comme des bouchons de carafe. Les dames invitées poussaient des cris déchirants que dominaient les beuglements sanglotés d'Excourbaniès, les bêlements de Pascalon, pendant que la marche funèbre de la fanfare accompagnait d'une basse lente et lugubre.

Alors, quand il vit l'émotion, l'énervement à son comble, Bompard termina son récit avec un grand geste de pitié vers les débris en bocaux comme des pièces à conviction : « Et voilà, messieurs et chers concitoyens, tout ce que j'ai pu retrouver de notre illustre et bien-aimé président... Le reste, dans quarante ans, le glacier nous le rendra. »

Il allait expliquer, pour les personnes ignorantes, la récente découverte faite sur la marche régulière des glaciers ; mais le grincement de la petite porte du fond l'interrompit, quelqu'un entrait : Tartarin, plus pâle qu'une apparition de Home, juste en face de l'orateur.

« *Vé !* Tartarin !...

— *Té !* Gonzague !... »

Et cette race est si singulière, si facile aux histoires invraisemblables, aux mensonges audacieux et vite réfutés, que l'arrivée du grand homme dont les fragments gisaient encore sur le bureau, ne causa dans la salle qu'un médiocre étonnement.

« C'est un malentendu, *allons* », dit Tartarin soulagé, rayonnant, la main sur l'épaule de l'homme qu'il croyait avoir tué. « J'ai fait le Mont-Blanc des deux côtés. Monté d'un versant, descendu de l'autre ; et c'est ce qui a permis de croire à ma disparition. »

Il n'avouait pas qu'il avait fait le second versant sur le dos.

« Sacré Bompard ! dit Bézuquet, il nous a tout de même retournés avec son histoire... » Et l'on riait, on se serrait les mains pendant qu'au-dehors la fanfare, qu'on essayait en vain de faire taire, s'acharnait à la marche funèbre de Tartarin.

« Vé Costecalde, comme il est jaune !... » murmurait Pascalon à Bravida en lui montrant l'armurier qui se levait pour céder le fauteuil à l'ancien président dont la bonne face rayonnait. Bravida, toujours sentencieux, dit tout bas en regardant Costecalde déchu, rendu à son rang subalterne : « La fortune de l'abbé Mandaire, de curé il devint vicaire. »

Et la séance continua.

PORT-TARASCON

Dernières aventures de l'illustre Tartarin

Port-Tarascon parut directement en librairie en 1890, chez Dentu.

A Léon Allard
au subtil et profond romancier
des Fictions *et des* Vies muettes,
son frère et son ami Alphonse Daudet
offre ce livre d'humour.

C'était septembre, et c'était la Provence, à une rentrée de vendange, il y a cinq ou six ans.

Du grand break attelé de deux camarguais qui nous emportait à toute bride, le poète Mistral, l'aîné de mes fils et moi, vers la gare de Tarascon et le train rapide du P.L.M., elle nous semblait divine cette fin de jour d'une pâleur ardente, un jour mat, épuisé, fiévreux, passionné comme un beau visage de femme de là-bas.

Pas un souffle d'air malgré le train de notre course. Les roseaux d'Espagne à longues feuilles rubanées, droits et rigides au bord du chemin ; et par toutes ces routes de campagne, d'un blanc de neige, d'un blanc de rêve, où la poussière craquait immobile sous les roues, un lent défilé de charrettes chargées de raisins noirs, rien que des noirs — garçons et filles venant derrière, muets et graves, tous grands, bien découplés, la jambe longue et les yeux noirs. Grappes d'yeux noirs, et de raisins noirs, on ne voyait que cela dans les cuves, dans les hottes, sous le feutre à bords rabattus des vendangeurs, sous le fichu de tête dont les femmes gardaient les pointes entre leurs dents serrées.

Quelquefois, à l'angle d'un champ, une croix se dressait dans le blanc du ciel, ayant à chacun de ses bras une lourde grappe noire, pendue en ex-voto.

« *Vé !...* (vois !) », me jetait Mistral avec un geste attendri, un sourire de fierté presque maternelle devant ces manifestations ingénument païennes de son peuple de Provence, puis il reprenait son récit, quelque beau conte parfumé et doré des bords du Rhône, comme le Goethe provençal en sème à la volée, de ses deux mains toujours ouvertes, dont l'une est poésie et l'autre réalité.

O miracle des mots, magique concordance de l'heure, du décor et de la fière légende paysanne que le poète déroulait pour nous tout le long de l'étroit chemin, entre les champs d'oliviers et de vignes !... Qu'on était bien, que la vie m'était blanche et légère !

Tout à coup mes yeux se voilèrent, une angoisse m'étreignit le cœur. « Père, comme tu es pâle ! » me dit mon fils, et j'eus à peine la force de murmurer, en lui montrant le château du roi René, dont les quatre tours me regardaient venir du fond de la plaine : « Voilà Tarascon ! »

C'est que nous avions un terrible compte à régler, les Tarasconnais et moi. Je les savais très montés, me gardant une rancune noire de mes plaisanteries sur leur ville et sur son grand homme, l'illustre, le délicieux Tartarin. Des lettres, des menaces anonymes m'avaient souvent averti : « Si tu passes jamais par Tarascon, gare ! » D'autres brandissaient sur ma tête la vengeance du héros : « Tremblez ! le vieux lion a encore bec et ongles ! »

Un lion à bec, diable !

Plus grave encore : je tenais d'un commandant de gendarmerie de la région qu'un commis-voyageur parisien ayant, par une homonymie fâcheuse ou simple fumisterie, signé « Alphonse Daudet » sur le registre de l'hôtel, s'était vu brutalement assailli à la porte d'un café et menacé d'un plongeon dans le Rhône, selon les traditions locales :

Dé brin o dé bran
Cabussaran
Dou fenestroun
De Tarascoun
Dedins lou Rose[1].

C'est un vieux couplet de 93, qui se chante encore là-bas, souligné de sinistres commentaires sur le drame dont les tours du roi René furent témoins à cette époque.

Or, comme il ne me plaisait guère de piquer une tête du fenestron de Tarascon, j'avais toujours évité dans mes voyages du Midi de passer par cette bonne ville. Et voilà que cette fois un mauvais sort, le désir d'aller embrasser mon cher Mistral, l'impossibilité de prendre le « rapide » ailleurs que là me jetaient en plein dans la gueule du lion à bec.

Encore si je n'avais eu que Tartarin ; une rencontre d'homme à homme, un duel à la flèche empoisonnée sous les arbres du Tour de ville n'était pas pour me faire peur. Mais la colère d'un peuple, et le Rhône, ce vaste Rhône !...

Ah ! je vous réponds que tout n'est pas rose dans l'existence du romancier...

Chose étrange ! à mesure que nous approchions de la ville, les chemins se dépeuplaient, les charrettes de vendange devenaient plus rares. Bientôt nous n'eûmes plus devant nous que la route vide et blanche, et tout autour dans la campagne le large et la solitude du désert.

---

1. De gré ou de force — ils feront le saut — du fenestron — de Tarascon — dedans le Rhône.

« C'est bizarre, disait Mistral, tout bas, un peu impressionné, on se croirait un dimanche.

— Si c'était dimanche, nous entendrions les cloches... » ajouta mon fils, sur le même ton, car le silence qui enveloppait la ville et sa banlieue avait quelque chose d'opprimant. Rien, pas une cloche, pas un cri, pas même un de ces bruits de charronnage tintant si clair dans l'atmosphère vibrante du Midi.

Pourtant les premières maisons du faubourg se levaient au bout du chemin ; un moulin d'huile, l'octroi crépi à neuf. Nous arrivions.

Et notre stupeur fut grande, à peine engagés dans cette longue rue caillouteuse, de la trouver abandonnée, les portes et fenêtres closes, sans chien ni chat, enfants ni poules, ni personne, le portail enfumé du maréchal-ferrant dégarni des deux roues qui le flanquent à l'ordinaire, les grands rideaux de treillis dont les seuils tarasconnais s'abritent contre les mouches, rentrés, disparus comme les mouches elles-mêmes et l'exquise bouffée de soupe à l'ail que toutes les cuisines auraient dû exhaler à cette heure-là.

Tarascon ne sentant plus l'ail, imagine-t-on une chose pareille !

Mistral et moi, nous nous regardions épouvantés ; et, vraiment, il y avait de quoi. S'attendre aux rugissements d'un peuple en délire, et trouver le silence de mort de cette Pompéi !

En ville, où nous pouvions mettre un nom sur tous les logis, sur toutes les boutiques familières à nos yeux depuis l'enfance, cette impression de vide et d'abandon devint encore plus saisissante. Fermée, la pharmacie Bézuquet de la Placette, l'armurier Costecalde fermé pareillement, et la confiserie Rébuffat, *A la renommée des berlingots*. Disparus, les panonceaux du notaire Cambalalette, et l'enseigne sur toile peinte de Marie Joseph Spiridion Excourbaniès, fabricant de saucisson d'Arles ; car le saucisson d'Arles s'est toujours fait à Tarascon, et je signale en passant ce grand déni de justice historique.

Mais enfin qu'étaient devenus les Tarasconnais ?

Notre break roulait sur le Cours, dans l'ombre tiède des platanes espaçant leurs troncs blancs et lisses, où plus une cigale ne chantait : envolées aussi les cigales ! Et devant la maison de Tartarin, toutes ses persiennes fermées, aveugle et muette comme ses voisines, contre le mur bas du fameux jardinet, plus une caisse à cirage, plus un petit décrotteur pour vous crier : « *Cira, moussu ?* »

L'un de nous dit : « Il y a peut-être le choléra. »

A Tarascon, en effet, quand vient une épidémie, l'habitant

déménage et campe sous des tentes à bonne distance de la ville, jusqu'à ce que le mauvais air soit passé.

Sur ce mot de choléra, dont tous les Provençaux ont une peur farouche, le cocher enleva ses bêtes, et quelques minutes après nous stoppions à l'escalier de la gare, perchée tout en haut du grand viaduc qui longe et domine la ville.

Ici nous retrouvions la vie, des voix humaines, des visages. Dans l'entrecroisement des rails, les trains se succédaient sans relâche, montée, descente, haltaient avec des claquements de portières, des appels de station.

« Tarascon, cinq minutes d'arrêt..., changement de voiture pour Nîmes, Montpellier, Cette... »

Tout de suite Mistral courut au commissaire de surveillance, vieux serviteur qui n'a pas quitté sa gare depuis trente-cinq ans :

« Eh ! *bé*, maître Picard... Et les Tarasconnais ? Où sont-ils ? Qu'en avez-vous fait ? »

L'autre, tout surpris de notre étonnement :

« Comment !... Vous ne savez pas ?... D'où sortez-vous donc ?... Vous ne lisez donc rien ?... Ils lui ont pourtant fait assez de réclame, à leur île de Port-Tarascon... Eh ! oui, mon bon... Partis, les Tarasconnais... Partis coloniser, l'illustre Tartarin en tête... Et tout emporté avec eux, déménagé jusqu'à la Tarasque ! »

Il s'interrompit pour donner des ordres, s'activer le long de la voie, tandis qu'à nos pieds, dans le couchant, nous regardions monter les tours, les clochers et clochetons de la ville abandonnée, ses vieux remparts dorés par le soleil d'un superbe ton de croustade et donnant l'idée exacte d'un pâté de bécasses dont il ne resterait plus que la croûte.

« Et dites-moi, monsieur Picard », demanda Mistral au commissaire, qui revenait vers nous avec un bon sourire, pas autrement inquiet de savoir Tarascon sur les chemins... « Y a-t-il longtemps de cette émigration ?

— Six mois.

— Et l'on n'a pas de leurs nouvelles ?

— Aucune. »

Pécaïre ! Quelque temps après nous en avions, des nouvelles, détaillées, précises, assez pour me permettre de vous conter l'exode de ce vaillant petit peuple à la suite de son héros, et les formidables mésaventures qui les assaillirent.

Pascal a dit : « Il faut de l'agréable et du réel ; mais il faut que cet agréable lui-même soit pris du vrai. » J'ai tâché de me conformer à sa doctrine dans cette histoire de Port-Tarascon.

Mon récit est pris du vrai, fait avec des lettres d'émigrants, le « Mémorial » du jeune secrétaire de Tartarin, des dépositions empruntées à la *Gazette des tribunaux* ; et quand vous rencontrerez, çà ou là, quelque tarasconnade par trop extravagante, que le crique me croque si elle est de mon invention[1] !

L'auteur.

1. Allusion au procès de la « Nouvelle-France » et de la colonie de Port-Breton qui eut lieu en 1883.

LIVRE PREMIER

1

Doléances de Tarascon contre l'état de choses. — Les bœufs. — Les Pères Blancs. — Un Tarasconnais au paradis. — Siège et reddition de l'abbaye de Pampérigouste.

« Branquebalme, mon bon..., je ne suis pas content de la France !... Nos gouvernants nous font de tout. »

Proférées un soir par Tartarin devant la cheminée du cercle, avec le geste et l'accent qu'on imagine, ces paroles mémorables résument bien ce qui se pensait et disait à Tarascon-sur-Rhône deux ou trois mois avant l'émigration. Le Tarasconnais en général ne s'occupe pas de politique : indolent de nature, indifférent à tout ce qui ne l'atteint pas localement, il tient pour l'*état de choses*, comme il dit. Pas moins, depuis quelque temps, on lui reprochait un tas de choses, à l'*état de choses* !

« Nos gouvernants nous font de tout ! » disait Tartarin.

Dans ce « de tout » il y avait d'abord l'interdiction des courses de taureaux.

Vous connaissez sans doute l'histoire de ce Tarasconnais très mauvais chrétien et garnement de la pire espèce, lequel après sa mort s'étant introduit au paradis par surprise, pendant que saint Pierre avait le dos tourné, n'en voulait plus sortir, malgré les supplications du divin porte-clefs. Alors, que fit le grand saint Pierre ? Il envoya toute une volée d'anges clamer devant le ciel autant qu'ils auraient de voix : « *Té ! té !* ... les bœufs !... *té ! té !* ... les bœufs !... » qui est le cri des courses tarasconnaises. Oyant cela, le bandit change de figure : « Vous avez donc des courses, par ici, grand saint Pierre ?

— Des courses ?... Je crois bien !... Et des magnifiques, mon bon.

— Où donc çà ?... où se font-elles, ces courses ?

— Devant le paradis... Il y a du large, tu penses. »

Du coup le Tarasconnais se précipite dehors pour voir, et les portes du Ciel se referment sur lui à tout jamais.

Si je rappelle ici cette légende aussi vieille que les bancs du Tour de ville, c'est afin d'indiquer la passion des gens de Tarascon pour les courses de taureaux et la colère où les mit la suppression de ce genre d'exercice.

Après, vint l'ordre d'expulser les Pères Blancs et de fermer leur joli couvent de Pampérigouste, perché sur une collinette toute grise de thym et de lavande, installé là depuis des siècles aux portes de la ville, d'où l'on aperçoit, entre les pins, la dentelle de ses clochetons carillonnant dans les brises claires du matin avec le chant des alouettes, au crépuscule avec le cri mélancolique des courlis.

Les Tarasconnais les aimaient beaucoup, leurs Pères Blancs, doux, bons, inoffensifs, et qui savaient tirer des herbes parfumées dont la montagnette est couverte un si excellent élixir ; ils les aimaient pareillement pour leurs pâtés d'hirondelles et leurs délicieux *pains-poires* [1], qui sont des coings enveloppés d'une pâte fine et dorée, d'où le nom de Pampérigouste [2] donné à l'abbaye.

Aussi quand l'ordre officiel d'avoir à quitter leur couvent fut envoyé aux Pères et que ceux-ci refusèrent de sortir, quinze cents à deux mille Tarasconnais du commun, portefaix, décrotteurs, déchargeurs de bateaux du Rhône, ce que nous appelons la *rafataille*, vinrent s'enfermer dans Pampérigouste avec les bons moines.

La bourgeoisie tarasconnaise, les messieurs du Cercle, Tartarin en tête, pensaient bien aussi à soutenir la sainte cause. Il n'y eut pas une minute d'hésitation. Mais on ne se jette pas dans une pareille entreprise sans préparatifs d'aucune sorte. Bon pour la rafataille, d'agir ainsi étourdiment.

Avant tout, il fallait des costumes. Et ils furent commandés ; de superbes costumes renouvelés de la croisade, longues lévites noires, avec une grande croix blanche sur la poitrine, et partout, devant, derrière, des entrelacements de fémurs soutachés. La soutache surtout prit beaucoup de temps.

Quand tout fut prêt, le couvent était déjà investi. Les troupes l'entouraient d'un triple cercle, campées dans les champs et sur les pentes pierreuses de la petite colline.

---

1. *Panpéri.*
2. *Panpéri-gousto.*

Les pantalons rouges de loin semblaient dans le thym et la lavande une floraison subite de coquelicots.

On rencontrait par les chemins de continuelles patrouilles de cavaliers, la carabine le long de la cuisse, le fourreau de sabre battant le flanc du cheval, l'étui de revolver à la ceinture.

Mais ce déploiement de forces n'était pas pour arrêter l'intrépide Tartarin, qui avait résolu de passer, ainsi qu'un gros de messieurs du Cercle.

A la file indienne, rampant sur les mains et les genoux avec toutes les précautions, toutes les ruses classiques des sauvages de Fenimore, ils réussirent à se glisser à travers les lignes d'investissement, longeant les rangées des tentes endormies, tournant les sentinelles, les patrouilles, et de l'un à l'autre se signalant les passages dangereux par une imparfaite imitation de cris d'oiseaux.

Il en fallait du courage pour tenter l'aventure par ces nuits claires comme un plein jour ! Il est vrai de dire que les assiégeants avaient tout intérêt à laisser entrer le plus de monde possible.

Ce qu'on voulait, c'était affamer l'abbaye plutôt que l'emporter de vive force. Aussi les soldats détournaient-ils volontiers la tête en voyant ces ombres errantes au clair de la lune et des étoiles. Plus d'un officier, qui avait pris l'absinthe au Cercle avec l'illustre tueur de lions, le reconnut de loin malgré son déguisement et le salua d'un appel familier :

« Bonne nuit, monsieur Tartarin ! »

Une fois dans la place, Tartarin organisa la défense.

Ce diable d'homme avait lu tous les livres sur tous les sièges et blocus. Il embrigada les Tarasconnais en milice, sous les ordres du brave commandant Bravida, et, plein des souvenirs de Sébastopol et de Plevna, il leur fit remuer de la terre, beaucoup de terre, entoura l'abbaye de talus, de fossés, de fortifications de tous genres, dont le cercle petit à petit se resserrait à ne pouvoir plus respirer, en sorte que les assiégés se trouvèrent comme emmurés derrière leurs travaux de défense, ce qui faisait l'affaire des assiégeants.

Le couvent métamorphosé en place forte fut soumis à la discipline militaire. C'est ainsi qu'il en doit être, l'état de siège déclaré. Tout se faisait par roulements de tambour et sonneries de clairon.

Dès le petit jour, au réveil, le tambour grondait, par les cours, les corridors et sous les arceaux du cloître. On sonnait du matin au soir, aux prières *tara-ta*, au trésorier *tara-ta-ta*, au père hôtelier *tara-ta-ta-ta* ; des coups de clairons impérieux, secs et sonores, déchirant l'air. On claironnait pour l'angélus, pour matines et complies. C'était à faire honte à l'armée assiégeante, qui menait beaucoup moins de bruit, au large de la campagne, tandis que là-haut, au sommet de la petite colline, derrière les fins créneaux de l'abbaye-forteresse, claironnades et tambourinades mêlées aux tintements des carillons faisaient un fier ramage et jetaient aux quatre vents, en promesse de victoire, un chant allègre, mi-belliqueux et mi-sacré.

Le diantre, c'est que les assiégeants, bien tranquilles dans leurs lignes, sans se donner aucune peine, se ravitaillaient facilement et tout le jour faisaient bombance. La Provence est un pays de délices, qui produit toutes sortes de bonnes choses. Vins clairs et dorés, saucisses et saucissons d'Arles, melons exquis, pastèques savoureuses, nougats de Montélimar, tout était pour les troupes du gouvernement : il n'en entrait miette ni goutte dans l'abbaye bloquée.

Aussi, d'un côté, les soldats, qui n'avaient jamais vu pareille fête, engraissaient à crever leurs tuniques, les chevaux montraient des croupes luisantes et rebondies, tandis que de l'autre, *pécaïre !* les pauvres Tarasconnais, la rafataille surtout, levés tôt, couchés tard, surmenés, sans cesse en alerte, remuant et brouettant la terre de jour et de nuit, à la brûlure du soleil et des torches, se desséchaient et maigrissaient que c'était pitié.

De plus, les provisions des bons Pères s'épuisaient ; pâtés d'hirondelles et pains-poires tiraient à la fin.

Pourrait-on tenir encore longtemps ?

C'était la question tous les jours discutée sur les remparts et terrassements crevassés par la sécheresse.

« Et les lâches qui n'attaquent pas ! » disaient ceux de Tarascon, montrant le poing aux pantalons rouges vautrés dans l'herbe à l'ombre des pins. Mais l'idée d'attaquer eux-mêmes ne leur venait pas, tant ce brave petit peuple a le sentiment de la conservation.

Une seule fois, Excourbaniès, un violent, parla de tenter une sortie en masse, les moines devant, et de culbuter tous ces mercenaires.

Tartarin haussa ses larges épaules et ne répondit qu'un mot : « Enfant ! »

Puis, prenant par le bras le bouillant Excourbaniès, il l'entraîna au sommet de la contrescarpe, et lui montrant d'un geste immense les cordons de troupes étagés sur la colline, les sentinelles placées à tous les sentiers :

« Oui ou non, sommes-nous les assiégés ?... Est-ce nous qui devons donner l'assaut ?... »

Il y eut autour de lui un murmure approbateur :

« Evidemment... Il a raison... C'est à eux de commencer, puisqu'ils assiègent... »

Et l'on vit une fois de plus que nul ne connaissait les lois de la guerre comme Tartarin.

Il fallait pourtant prendre un parti.

Un jour, le Conseil se rassembla dans la grande salle du Chapitre, éclairée de hauts vitraux, entourée de boiseries sculptées, et le père hôtelier lut son rapport sur les ressources de la place. Tous les Pères Blancs écoutaient, silencieux, droits sur leurs *miséricordes*, demi-sièges à forme hypocrite qui permettent d'être assis en paraissant debout.

Lamentable, le rapport du père hôtelier ! Ce qu'ils avaient dévoré depuis le commencement du siège, les Tarasconnais ! Pâtés d'hirondelles, tant de cents ; pains-poires, tant de mille ; et tant de ceci, et tant de cela ! De toutes les choses qu'il énumérait et dont on était au commencement si bien pourvu, il restait si peu, si peu, qu'autant dire il n'en restait rien.

Les révérends se regardaient l'un l'autre, la mine longue, et convenaient entre eux qu'avec toutes ces réserves, étant donné l'attitude d'un ennemi qui ne voulait rien pousser à l'extrême, ils auraient pu tenir pendant des années sans manquer de rien, si l'on n'était venu à leur secours. Le père hôtelier, d'une voix monotone et navrée, continuait de lire, quand une clameur l'interrompit.

La porte de la salle ouverte avec fracas, Tartarin paraît, un Tartarin ému, tragique, le sang aux joues, la barbe bouffante sur la croix blanche de son costume. Il salue de l'épée le prieur tout droit sur sa miséricorde, puis les Pères l'un après l'autre, et, gravement :

« Monsieur le prieur, je ne peux plus tenir mes hommes... On meurt de faim... Toutes les citernes sont vides. Le moment est venu de rendre la place, ou de nous ensevelir sous ses débris. »

Ce qu'il ne disait pas, mais qui avait bien aussi son importance, c'est que, depuis quinze jours, il était privé de son chocolat du matin, qu'il le voyait en rêve, gras, fumant, huileux, accompagné d'un verre d'eau fraîche claire comme du cristal, au lieu de l'eau saumâtre des citernes, à laquelle il était réduit maintenant.

Tout de suite le Conseil fut debout, et dans une rumeur de voix parlant toutes ensemble exprima un avis unanime : « Rendre la place... Il faut rendre la place... » Seul, le père Bataillet, un homme excessif, proposa de faire sauter le couvent avec ce qu'on avait de poudre, d'y mettre le feu lui-même.

Mais on refusa de l'écouter, et la nuit venue, laissant les clefs sur les portes, moines et miliciens, suivis d'Excourbaniès, de Bravida, de Tartarin avec son gros de messieurs du Cercle, tous les défenseurs de Pampérigouste sortirent, sans tambours ni clairons cette fois, et descendirent silencieusement la colline en une procession fantomatique, sous la clarté de la lune et le bienveillant regard des sentinelles ennemies.

Cette mémorable défense de l'abbaye fit grand honneur à Tartarin ; mais l'occupation du couvent de leurs Pères Blancs par les troupes jeta au cœur des Tarasconnais une sombre rancune.

2

La pharmacie de la Placette. — Apparition d'un homme du Nord. — « Dieu le veut, monsieur le duc ! » — Un paradis au-delà des mers.

Quelque temps après la fermeture du couvent, le pharmacien Bézuquet prenait un soir le frais, devant sa porte, avec son élève Pascalon et le révérend père Bataillet.

Il faut dire que les moines dispersés avaient été recueillis par les familles tarasconnaises. Chacune avait voulu avoir son Père Blanc ; les gens aisés, les boutiquiers, ceux de la bourgeoisie, en possédaient un en particulier ; quant aux familles artisanes, elles s'associaient, se mettaient à plusieurs pour entretenir un de ces saints hommes, en participation.

Dans toutes les boutiques on voyait une cagoule blanche. Chez l'armurier Costecalde au milieu des fusils, des carabines et des couteaux de chasse, au comptoir du mercier Beaumevieille derrière les rangées de bobines de soie, partout se dressait la même apparition d'un grand oiseau blanc qui semblait un pélican familier. Et la présence des Pères était pour chaque demeure une vraie bénédiction. Bien élevés, doux, enjoués, discrets, ils n'étaient pas gênants, ne tenaient pas une grande place au foyer, et cependant y apportaient une bonté, une réserve inaccoutumée.

C'était comme si l'on avait eu le bon Dieu chez soi ; les hommes se retenaient de jurer et de dire des gros mots ; les femmes ne mentaient plus, ou guère ; les petits restaient bien sages et bien droits sur leur chaise haute.

Le matin, le soir, à l'heure de la prière, aux repas pour le bénédicité et les grâces, les grandes manches blanches s'ouvraient comme des ailes protectrices sur toute la famille rassemblée, et, avec cette bénédiction perpétuelle au-dessus de leur tête, les Tarasconnais ne pouvaient faire autrement que de vivre saints et vertueux.

Chacun était fier de son révérend, le vantait, le faisait valoir, surtout le pharmacien Bézuquet, à qui la bonne fortune était échue d'avoir chez lui le père Bataillet.

Tout feu, tout nerfs, ce R.P. Bataillet, doué d'une véritable éloquence populaire, et renommé pour sa manière de raconter paraboles et légendes ; c'était un superbe gaillard, bien découplé, le teint brûlé, des yeux de braise, une tête de cabecilla. Sous les longs plis de l'épaisse bure, il avait vraiment belle prestance, bien qu'une épaule fût un peu plus haute que l'autre, et qu'il marchât de côté.

Mais on ne s'apercevait plus de ces légers défauts, lorsqu'il descendait de chaire, après le sermon, et fendait la foule, son grand nez au vent, pressé de regagner la sacristie, tout vibrant encore, et secoué lui-même par sa propre éloquence. Les femmes, enthousiastes, coupaient au passage avec leurs ciseaux des morceaux de sa cape blanche ; on l'appelait à cause de cela le « père festonné », et sa robe était toujours tellement déchiquetée, si tôt hors d'usage, que le couvent avait grand-peine à l'en fournir.

Bézuquet était donc devant la pharmacie avec Pascalon, et en face d'eux le père Bataillet, assis sur sa chaise à la cavalière. Ils respiraient avec délices, dans une sécurité béate de repos, car en ce moment de la journée il n'y a plus de clientèle pour Bézuquet. C'est comme pendant la nuit ; les malades peuvent bien se rouler, se tortiller : le brave pharmacien ne se dérangerait pour rien au monde ; l'heure est passée d'être malade.

Il écoutait, ainsi que Pascalon, une de ces belles histoires comme savait en conter le révérend, pendant qu'au lointain de la ville on entendait passer la retraite au milieu des fredons d'un beau couchant d'été.

Tout à coup l'élève se leva, rouge, ému, et bégaya, le doigt tendu vers l'autre extrémité de la Placette :

« Voilà M. Tar... tar... tarin ! »

On sait quelle admiration personnelle et particulière professait Pascalon pour le grand homme dont la silhouette gesticulante se détachait là-bas dans les brumes lumineuses, accompagnée d'un autre personnage ganté de gris, soigné de mise, et qui semblait écouter, silencieux et raide.

Quelqu'un du Nord, cela se voyait de reste.

Dans le Midi, l'homme du Nord se reconnaît à son attitude tranquille, à la concision de son lent parler, tout aussi sûrement que le Méridional se trahit dans le Nord par son exubérance de pantomime et de débit.

Les Tarasconnais étaient habitués à voir souvent Tartarin en compagnie d'étrangers, car on ne passe pas dans leur ville sans visiter comme attraction le fameux tueur de lions, l'alpiniste illustre, le Vauban moderne à qui le siège de Pampérigouste faisait une renommée nouvelle.

De cette affluence de visiteurs résultait une ère de prospérité autrefois inconnue.

Les hôteliers faisaient fortune ; on vendait chez les libraires des biographies du grand homme ; on ne voyait aux vitrines que ses portraits en *Teur*, en ascensionniste, en costume de croisé, sous toutes les formes, et dans toutes les attitudes de son existence héroïque.

Mais cette fois ce n'était pas un visiteur ordinaire, un premier venu de passage, qui accompagnait Tartarin.

La Placette traversée, le héros, d'un geste emphatique, désigna son compagnon :

« Mon cher Bézuquet, mon révérend père, je vous présente M. le duc de Mons... »

Un duc !... *Outre !*

Il n'en était jamais venu à Tarascon. On y avait bien vu un chameau, un baobab, une peau de lion, une collection de flèches empoisonnées et d'alpenstocks d'honneur... mais un duc, jamais !

Bézuquet s'était levé, saluait, un peu intimidé de se trouver ainsi, sans avoir été prévenu, en présence d'un si grand personnage. Il bredouillait : « Monsieur le duc... Monsieur le duc... » Tartarin l'interrompit :

« Entrons, messieurs, nous avons à parler de choses graves. »

Il passa le premier, le dos rond, l'air mystérieux, dans le petit salon de la pharmacie, dont la fenêtre, donnant sur la place, servait de vitrine pour les bocaux à fœtus, les longs ténias en tricot, et les paquets de cigarettes de camphre.

La porte se referma sur eux comme sur des conspirateurs. Pascalon restait seul dans la boutique, avec l'ordre de Bézuquet de répondre aux clients et de ne laisser personne approcher du salon sous aucun prétexte.

L'élève, très intrigué, se mit à ranger sur les étagères les boîtes de jujube, les flacons de *sirupus gummi* et autres produits d'officine.

Le bruit des voix, par moments, arrivant jusqu'à lui, il distinguait surtout le creux de Tartarin proférant des mots étranges : « Polynésie... Paradis terrestre... canne à sucre, distilleries... colonie libre. » Puis un éclat du père Bataillet : « Bravo ! j'en suis. » Quant à l'homme du Nord, il parlait si bas, qu'on n'entendait rien.

Pascalon avait beau enfoncer son oreille dans la serrure... Tout à coup, la porte s'ouvrit avec fracas, poussée *manu militari* par la poigne énergique du père, et l'élève alla rouler à l'autre bout de la pharmacie. Mais, dans l'agitation générale, personne n'y fit attention.

Tartarin, debout sur le seuil, le doigt levé vers les paquets de têtes de pavots qui séchaient au plafond de la boutique, avec une mimique d'archange brandissant le glaive, s'écria :

« Dieu le veut, monsieur le duc ! Notre œuvre sera grande ! »

Il y eut une confusion de mains tendues qui se cherchaient, se mêlaient, se serraient, poignées de main énergiques comme pour sceller à tout jamais d'irrévocables engagements. Tout chaud de cette dernière effusion, Tartarin, redressé, grandi, sortit de la pharmacie avec le duc de Mons pour continuer leur tournée en ville.

Deux jours après, *Le Forum* et *Le Galoubet*, les deux organes de Tarascon, étaient pleins d'articles et de réclames sur une colossale affaire. Le titre portait en grosses lettres : COLONIE LIBRE DE PORT-TARASCON. Et des annonces stupéfiantes : « A vendre, terres à cinq francs l'hectare donnant un rendement de plusieurs mille francs par an... Fortune rapide et assurée... On demande des colons. »

Puis venait l'historique de l'île où devait s'établir la colonie projetée, île achetée au roi Négonko par le duc de Mons dans le cours de ses voyages, entourée d'ailleurs d'autres territoires qu'on pourrait acquérir plus tard pour agrandir les établissements.

Un climat *paradisiaque*, une température océanienne, très modérée malgré sa proximité de l'équateur, ne variant que de deux à trois degrés, entre 25 et 28 ; pays très fertile, boisé à miracle et merveilleusement arrosé, s'élevant rapidement a partir de la mer, ce qui permettait à chacun de choisir la hauteur convenant le mieux à son tempérament. Enfin les vivres abondaient, fruits délicieux à tous les arbres, gibiers variés dans les bois et les plaines, innombrables poissons dans les eaux. Au point de vue commerce et navigation, une rade splendide pouvant contenir toute une flotte, un port de sûreté fermé par des jetées, avec arrière-port, bassin de radoub, quais, débarcadères, phare, sémaphore, grues à vapeur, rien ne manquerait.

Les travaux étaient déjà commencés par des ouvriers chinois et canaques, sous la direction et sur les plans des plus habiles ingénieurs, des architectes les plus distingués. Les colons trouveraient en arrivant des installations confortables, et même, par d'ingénieuses combinaisons, avec cinquante francs de plus, les maisons seraient aménagées selon les besoins de chacun.

Vous pensez si les imaginations tarasconnaises se mirent à travailler à la lecture de ces merveilles. Dans toutes les familles on faisait des plans. L'un rêvait des persiennes vertes, l'autre d'un joli perron ; celui-ci voulait de la brique, celui-là du moellon.

On dessinait, on coloriait, on ajoutait un détail à un autre ; un pigeonnier serait gracieux, une girouette ne ferait pas mal.

« Oh ! papa, une véranda !

— Va pour la véranda, mes enfants ! »

Pour ce qu'il en coûtait !...

En même temps que les braves habitants de Tarascon se passaient ainsi toutes leurs fantaisies d'installations idéales, les articles du *Forum* et du *Galoubet* étaient reproduits dans tous les journaux du Midi, les villes, les campagnes inondées de prospectus à vignettes encadrés de palmiers, de cocotiers, bananiers, lataniers, toute la faune exotique ; une propagande effrénée s'étendait sur la Provence entière.

Par les routes poudreuses des banlieues de Tarascon passait au grand trot le cabriolet de Tartarin, conduisant lui-même, avec le père Bataillet assis près de lui sur le devant, serrés l'un près de l'autre pour faire un rempart de leurs corps au duc de Mons, enveloppé d'un voile vert et dévoré par les moustiques, qui l'assaillaient rageusement de tous côtés, en troupes bourdonnantes, altérés du sang de l'homme du Nord, s'acharnant à le boursoufler de leurs piqûres.

C'est qu'il en était, du Nord, celui-là ! Pas de gestes, peu de paroles, et un sang-froid !... Il ne s'emballait pas, voyait les choses comme elles sont, posément. On pouvait être tranquille.

Et sur les placettes ombragées de platanes, dans les vieux

bourgs, les cabarets mangés de mouches, dans les salles de danse, partout, c'étaient des allocutions, des sermons, des conférences.

Le duc de Mons, en termes clairs et concis, d'une simplicité de vérité toute nue, exposait les délices de Port-Tarascon et les bénéfices de l'affaire ; l'ardente parole du moine prêchait l'émigration à la façon de Pierre l'Ermite. Tartarin, poudreux de la route comme au sortir d'une bataille, jetait de sa voix sonore quelques phrases ronflantes : « Victoire, conquête, nouvelle patrie », que son geste énergique envoyait au loin, par-dessus les têtes.

D'autres fois se tenaient des réunions contradictoires, où tout se passait par demandes et réponses.

« Y a-t-il des bêtes venimeuses ?

— Pas une. Pas un serpent. Pas même de moustiques. En fait de bêtes fauves, rien du tout.

— Mais on dit que là-bas, dans l'Océanie, il y a des anthropophages ?

— Jamais de la vie ! Tous végétariens...

— Est-ce vrai que les sauvages vont tout nus ?

— Ça, c'est peut-être un peu vrai, mais pas tous. D'ailleurs nous les habillerons. »

Articles, conférences, tout eut un succès fou. Les bons s'enlevaient par cent et par mille, les émigrants affluaient, et pas seulement de Tarascon, de tout le Midi ! Il en venait même de Beaucaire. Mais, halte-là ! Tarascon les trouvait bien hardis, ces gens de Beaucaire !

Depuis des siècles, entre les deux cités voisines, séparées seulement par le Rhône, gronde une haine sourde qui menace de ne plus finir.

Si vous en cherchez les motifs, on vous répondra des deux côtés par des mots qui n'expliquent rien :

« Nous les connaissons, les Tarasconnais... », disent les gens de Beaucaire, d'un ton mystérieux.

Et ceux de Tarascon ripostent en clignant leur œil finaud. « On sait ce qu'ils valent, messieurs les Beaucairois. »

De fait, d'une ville à l'autre les communications sont nulles, et le pont qu'on a jeté entre elles ne sert absolument à rien. Personne ne le franchit jamais. Par hostilité d'abord, ensuite parce que la violence du mistral et la largeur du fleuve à cet endroit en rendent le passage très dangereux.

Mais si l'on n'acceptait pas de colons de Beaucaire, l'argent de tout le monde était parfaitement accueilli. Les fameux hectares à cinq francs (rendement de plusieurs mille francs par an) se débitaient par fournées. On recevait aussi de partout les dons en nature que les fervents de l'œuvre envoyaient pour les besoins de la colonie. *Le Forum* publiait les listes, et parmi ces dons se trouvaient les choses les plus extraordinaires :

Anonyme :	Une boîte de petites perles blanches. Un lot de numéros du *Forum.*
M. Bécoulet :	Quarante-cinq résilles en chenilles et perles pour les femmes indiennes.
Mme Dourladoure :	Six mouchoirs et six couteaux pour le presbytère.
Anonyme :	Une bannière brodée pour l'orphéon.
Anduze, de Maguelonne :	Un flamant empaillé.
Famille Margue :	Six douzaines de colliers de chiens.
Anonyme :	Une veste soutachée.
Une dame pieuse de Marseille :	Une chasuble, un orfroi de thuriféraire et un pavillon de ciboire.
La même :	Une collection de coléoptères sous verre.

Et, régulièrement, dans chaque liste, était mentionné un envoi de Mlle Tournatoire : *Costume complet pour habiller un sauvage.* C'était sa préoccupation constante, à cette bonne vieille demoiselle.

Tous ces dons bizarres, fantaisistes, où la cocasserie méridionale étalait son imagination, étaient dirigés par pleines caisses sur les docks, les grands magasins de la colonie libre, établis à Marseille. Le duc de Mons avait fixé là son centre d'opérations.

De ses bureaux, luxueusement installés, il brassait en grand les affaires, montait des sociétés de distillerie de canne à sucre ou d'exploitation du tripang, sorte de mollusque dont les Chinois sont très friands et qu'ils payent fort cher, disait le prospectus. Chaque journée de l'infatigable duc voyait éclore une idée nouvelle, poindre quelque grande machination qui le soir même se trouvait lancée.

Entre-temps, il organisait un comité d'actionnaires marseillais sous la présidence du banquier grec Kagaraspaki, et des fonds étaient versés à la banque ottomane Pamenyaïben-Kaga, maison de toute sécurité.

Tartarin passait maintenant sa vie, une vie enfiévrée, à voyager de Tarascon à Marseille et de Marseille à Tarascon. Il chauffait l'enthousiasme de ses concitoyens, continuait la propagande locale, et tout à coup filait par l'express pour aller assister à quelque conseil, quelque réunion d'actionnaires. Son admiration pour le duc grandissait chaque jour.

Il donnait à tous comme exemple le sang-froid du duc de Mons, la raison du duc de Mons :

« Pas de danger qu'il exagère, celui-là ; avec lui, pas de ces coups de mirage que Daudet nous a tant reprochés ! »

En revanche, le duc se montrait peu, toujours abrité sous sa gaze à moustiques, parlait encore moins. L'homme du Nord s'effaçait devant l'homme du Midi, le mettait sans cesse en avant et laissait à son intarissable faconde le soin des explications, des promesses, de tous les engagements. Il se contentait de dire :

« M. Tartarin connaît seul toute ma pensée. »

Et vous jugez si Tartarin était fier !

3

La « Gazette de Port-Tarascon ». — Bonnes nouvelles de la colonie. — En Polygamille. — Tarascon se prépare à lever l'ancre. — « Ne partez pas ! Au nom du ciel, ne partez pas ! »

Un matin, Tarascon s'éveilla avec cette dépêche à tous les coins de rue :

La « Farandole », grand voilier de douze cents tonneaux, vient de quitter Marseille au point du jour, emportant dans ses flancs, avec les destinées de tout un peuple, des pacotilles pour les sauvages et un chargement d'instruments aratoires. Huit cents émigrants à bord, tous tarasconnais, parmi lesquels Bompard, gouverneur provisoire de la colonie, Bézuquet, médecin-pharmacien, le révérend père Vezole, le notaire Cambalalette, cadastreur. Je les ai conduits moi-même au large. Tout va bien. Le duc rayonne. Faites imprimer.

TARTARIN DE TARASCON.

Ce télégramme, affiché dans toute la ville par les soins de Pascalon, à qui il était adressé, la remplit d'allégresse. Les rues avaient pris un air de fête, tout le monde dehors, des groupes arrêtés devant chaque affiche de la bienheureuse dépêche, dont les mots se répétaient de bouche en bouche : « Huit cents émigrants à bord... Le duc rayonne... » Et pas un Tarasconnais qui ne rayonnât comme le duc.

C'était la deuxième fournée d'émigrants qu'un mois après la première, emportée par le vapeur *Lucifer*, Tartarin, investi du beau titre et des importantes fonctions de gouverneur de Port-Tarascon, expédiait ainsi de Marseille vers la terre promise. Les deux fois, même dépêche, même enthousiasme, même rayonnement du duc. Le *Lucifer*, malheureusement, n'avait pas encore dépassé l'entrée de l'isthme de Suez. Arrêté là par un accident, son arbre de couche cassé, ce vieux vapeur acheté d'occasion devait attendre d'être rallié et secouru par la *Farandole* pour continuer sa route.

Cet accident, qui aurait pu sembler de mauvais augure, ne refroidissait en rien l'enthousiasme colonisateur des Tarasconnais. Il est vrai qu'à bord de ce premier navire ne se trouvait que la rafataille ; vous savez, les gens du commun, ceux qu'on envoie toujours en avant-garde.

Sur la *Farandole*, de la rafataille encore, mêlée de quelques cerveaux brûlés, tels que le notaire Cambalalette, cadastreur de la colonie.

Le pharmacien Bézuquet, homme paisible malgré ses formidables moustaches, aimant ses aises, craignant le chaud et le froid, peu porté aux aventures lointaines et périlleuses, avait longtemps résisté avant de consentir à s'embarquer.

Il ne fallait rien moins pour le décider que le diplôme de médecin, envié pendant toute sa vie, ce diplôme que le gouverneur de Port-Tarascon lui décernait aujourd'hui de son autorité privée.

Il en décernait bien d'autres, le gouverneur ! des diplômes, des brevets, des commissions, nommant directeurs, sous-directeurs, secrétaires, commissaires, grands de première classe et de deuxième classe, ce qui lui permettait de satisfaire le goût de ses compatriotes pour tout ce qui est titre, honneur, distinction, costume et soutache.

L'embarquement du père Vezole n'avait rien nécessité de semblable. Une si brave pâte d'homme, toujours prêt à tout, content de tout, disant : « Dieu soit loué ! » à tout ce qui arrivait. Dieu soit loué ! quand il avait dû quitter le couvent ; Dieu soit loué ! quand il s'était vu fourrer à bord de ce grand voilier, pêle-mêle avec la rafataille, les destinées de tout un peuple et les pacotilles pour sauvages.

La *Farandole* partie, il ne restait plus maintenant à Tarascon que la noblesse et la bourgeoisie. Pour ceux-ci, rien ne pressait : ils laissaient à l'avant-garde le temps d'envoyer des nouvelles de son arrivée là-bas, afin qu'on sût à quoi s'en tenir.

Tartarin, lui non plus, en sa qualité de gouverneur, d'organisateur, de dépositaire de la pensée du duc de Mons, ne pouvait quitter la France qu'avec le dernier convoi. Mais, en attendant ce jour impatiemment désiré, il déployait cette énergie, ce feu au corps que l'on a pu admirer dans toutes ses entreprises.

Sans cesse en route entre Tarascon et Marseille, insaisissable comme un météore qu'emporte une invincible force, il n'apparaissait, ici ou là, que pour repartir aussitôt.

« Vous vous fatiguez trop, Maî... aî... tre !... » bégayait Pascalon, les soirs où le grand homme arrivait à la pharmacie, le front fumant, le dos arrondi.

Mais Tartarin se redressait : « Je me reposerai là-bas. A l'œuvre, Pascalon, à l'œuvre ! »

L'élève, chargé de la garde de la pharmacie depuis le départ de Bézuquet, cumulait avec cette responsabilité de bien plus importantes fonctions.

Pour continuer la propagande si bien commencée, Tartarin publiait un journal, la *Gazette de Port-Tarascon*, que Pascalon rédigeait à lui seul de la première à la dernière ligne, d'après les indications, et sous la direction suprême du gouverneur.

Cette combinaison nuisait bien un peu aux intérêts de la pharmacie ; les articles à écrire, les épreuves à corriger, les courses à l'imprimerie ne laissaient guère de temps aux travaux d'officine : mais Port-Tarascon avant tout !

La *Gazette* donnait chaque jour au public de la métropole les nouvelles de la colonie. Elle contenait des articles sur ses ressources, ses beautés, son magnifique avenir ; on y trouvait aussi des faits divers, des variétés, des récits pour tous les goûts.

Récits de voyages à la découverte des îles, conquêtes, combats contre les sauvages, pour les esprits aventureux. Aux gentilshommes campagnards des histoires de chasse à travers les forêts, d'étonnantes parties de pêche sur des rivières extraordinairement poissonneuses, avec description des méthodes et des engins de pêche des naturels du pays.

Les gens plus paisibles, boutiquiers, braves bourgeois sédentaires, se délectaient à la lecture de quelque frais déjeuner sur l'herbe au bord d'un ruisseau à cascade, sous l'ombre de grands arbres exotiques ; ils y croyaient être, et sentaient gicler sous leurs dents le jus des fruits savoureux, mangues, ananas et bananes.

« Et pas de mouches ! » disait le journal, les mouches étant, comme on sait, le trouble-fête de toutes les parties de campagne en terre de Tarascon.

La *Gazette* publiait même un roman, *La Belle Tarasconnaise*, une fille de colon enlevée par le fils d'un roi papoua ; et les péripéties de ce drame d'amour ouvraient aux imaginations des jeunes personnes des horizons sans fin. La partie financière donnait le cours des denrées coloniales, les annonces d'émission des bons de terre et des actions de sucrerie ou de distillerie, ainsi que les noms des souscripteurs et les listes de dons en nature qui continuaient à affluer, avec l'éternel « costume pour un sauvage » de Mlle Tournatoire.

Pour suffire à de si fréquents envois, il fallait que la bonne demoiselle eût installé chez elle de véritables ateliers de confection. Du reste elle n'était pas la seule que ce prochain déménagement pour des îles inconnues et si lointaines eût jetée en d'étranges préoccupations.

Un jour, Tartarin se reposait tranquillement chez lui, dans sa petite maison, ses babouches aux pieds, douillettement enveloppé de sa robe de chambre, pas inoccupé cependant, car près de lui, sur sa table, s'éparpillaient des livres et des papiers : les relations de voyages de Bougainville, de Dumont d'Urville, des ouvrages sur la colonisation, des manuels de cultures diverses. Au milieu de ses flèches empoisonnées, avec l'ombre du baobab qui tremblotait minusculement sur les stores, il étudiait « sa colonie » et se bourrait la mémoire de renseignements puisés dans les livres. Entre-temps il signait quelque brevet, nommait un grand de première classe ou créait sur papier à tête un emploi nouveau pour satisfaire, autant que possible, le délire ambitieux de ses concitoyens.

Tandis qu'il travaillait ainsi, ouvrant de gros yeux et soufflant dans ses joues, on vint lui annoncer qu'une dame voilée de noir, et qui refusait de dire son nom, demandait à lui parler. Elle n'avait même pas voulu entrer, et attendait dans le jardin, où il courut précipitamment, en pantoufles et en robe de chambre.

Le jour finissait, le crépuscule rendait déjà les objets indistincts ; mais, malgré l'ombre tombante et l'épaisse voilette, rien qu'au feu des yeux ardents qui brillaient sous le tulle, Tartarin reconnut sa visiteuse :

« Madame Excourbaniès !

— Monsieur Tartarin, vous voyez une femme bien malheureuse. »

La voix tremblait, lourde de larmes. Le bonhomme en fut tout ému, et, l'accent paternel :

« Ma pauvre Evelina, qu'avez-vous ?... Dites... »

Tartarin appelait ainsi par leur petit nom à peu près toutes les dames de la ville, qu'il avait connues enfants, qu'il avait mariées comme officier municipal, restant pour elles un confident, un ami, presque un oncle.

Il prit le bras d'Evelina, la fit marcher en rond autour du petit bassin aux poissons rouges, pendant qu'elle lui contait son chagrin, ses inquiétudes conjugales.

Depuis qu'il était question de s'en aller coloniser au loin, Excourbaniès prenait plaisir à lui dire à propos de tout sur un ton de menace gouailleuse :

« Tu verras, tu verras, quand nous serons là-bas, en *Polygamille...* »

Elle, très jalouse, mais aussi naïve, même un peu bêtasse, prenait au sérieux cette plaisanterie.

« Est-ce vrai, cela, monsieur Tartarin, que dans cet affreux pays les hommes peuvent se marier plusieurs fois ? »

Il la rassura doucement.

« Mais non, ma chère Evelina, vous vous trompez. Tous les sauvages de nos îles sont monogames. La correction de leurs mœurs est parfaite, et, sous la direction de nos Pères Blancs, rien à craindre de ce côté-là.

— Pourtant, le nom même du pays ?... Cette *Polygamille* ?... »

Alors seulement il comprit la drôlerie de ce grand farceur d'Excourbaniès, et partit d'un joyeux éclat de rire.

« Votre mari se moque de vous, ma petite. Ce n'est pas *Polygamie* que le pays s'appelle, c'est *Polynésie*, ce qui signifie : groupe d'îles, et n'a rien pour vous alarmer. »

On en a ri longtemps dans la société tarasconnaise !

Cependant les semaines passaient et toujours pas de lettres des émigrants, rien que des dépêches communiquées de Marseille par le duc. Dépêches laconiques, expédiées à la hâte d'Aden, de Sydney, des différentes escales de la *Farandole*.

Après tout, on ne devait pas trop s'étonner, étant donné l'indolence de la race.

Pourquoi auraient-ils écrit ? Des télégrammes suffisaient bien ; ceux qu'on recevait, régulièrement publiés par la *Gazette*, n'apportaient d'ailleurs que de bonnes nouvelles :

Traversée délicieuse, mer d'huile, tous bien portants.

Il n'en fallait pas plus pour entretenir l'enthousiasme.

Un jour enfin, en tête du journal, parut la dépêche suivante expédiée toujours via Marseille :

Arrivés Port-Tarascon. — Entrée triomphale. — Amitié aux naturels venus au-devant sur la jetée. — Pavillon tarasconnais flotte sur Maison de ville. — « Te Deum » chanté dans église métropolitaine. — Tout est prêt, venez vite.

A la suite, un article dithyrambique, dicté par Tartarin, sur l'occupation de la nouvelle patrie, sur la jeune ville fondée, la visible protection de Dieu, le drapeau de la civilisation planté en terre vierge, l'avenir ouvert à tous.

Du coup, les dernières hésitations s'évanouirent. Une nouvelle émission de bons à cent francs l'hectare s'enleva comme des petits pains blancs.

Le tiers, le clergé, la noblesse, tout Tarascon voulait partir ; c'était une fièvre, une folie d'émigration répandue par la ville, et les grincheux, comme Costecalde, les tièdes ou les méfiants se montraient maintenant les plus enragés de colonisation lointaine.

Partout on activait les préparatifs du matin au soir. On clouait les caisses jusque dans les rues jonchées de paille, de foin, au milieu d'un roulement de coups de marteau.

Les hommes travaillaient en bras de chemise, tous de bonne humeur, chantant, sifflant, et l'on s'empruntait les outils de porte à porte en échangeant de gais propos. Les femmes emballaient leurs ajustements, les Pères Blancs leurs ciboires, les tout-petits leurs joujoux.

Le navire nolisé pour emporter tout le haut Tarascon, baptisé le *Tutu-panpan*, nom populaire du tambourin tarasconnais, était un grand steamer en fer commandé par le capitaine Scrapouchinat, un long-cours toulonnais. L'embarquement devait avoir lieu à Tarascon même.

Les eaux du Rhône étant belles et le navire sans grand tirant d'eau, on avait pu lui faire remonter le fleuve jusqu'à la ville, et l'amener à bord du quai, où le chargement et l'arrimage prirent un grand mois.

Pendant que les matelots rangeaient dans la cale les innombrables caisses, les futurs passagers installaient d'avance leurs cabines ; et avec quel entrain ! quelle urbanité ! chacun cherchant à se rendre serviable et agréable aux autres.

« Cette place vous va mieux ? Comment donc !

— Cette cabine vous plaît davantage ? A votre aise ! »

Et ainsi de tout.

La noblesse tarasconnaise, si morgueuse d'ordinaire, les d'Aigueboulide, les d'Escudelle, gens qui d'habitude vous regardaient du haut de leur grand nez, fraternisaient maintenant avec la bourgeoisie.

Au milieu du tohu-bohu de l'embarquement, on reçut un matin une lettre du père Vezole, le premier courrier daté de Port-Tarascon :

« Dieu soit loué ! nous sommes arrivés, disait le bon père. Nous manquons de bien des petites choses, mais Dieu soit loué tout de même !... »

Guère d'enthousiasme dans cette lettre, guère de détails non plus.

Le révérend se bornait à parler du roi Négonko, et de Likiriki, la fillette du roi, une charmante enfant à qui il avait donné une résille de perles. Il demandait ensuite qu'on envoyât quelques objets un peu plus pratiques que les dons habituels des souscripteurs. C'était tout.

Du port, de la ville, de l'installation des colons, pas un mot. Le père Bataillet grondait, furieux :

« Je le trouve mou, votre père Vezole... Ce que je vais vous le secouer en arrivant ! »

Cette lettre était en effet bien froide, venant d'un homme si bienveillant ; mais le mauvais effet qu'elle aurait pu produire se perdit dans le remue-ménage de l'installation à bord, dans le bruit assourdissant de ce déménagement de toute une ville.

Le gouverneur — on n'appelait plus Tartarin que de ce nom — passait ses journées sur le pont du *Tutu-panpan*. Les mains derrière le dos, souriant, allant de long en large, au milieu d'un encombrement de tas de choses étranges, panetières, crédences, bassinoires, qui n'avaient pas encore trouvé place dans l'arrimage de la cale, il donnait des conseils d'un ton patriarcal :

« Vous emportez trop, mes enfants. Vous trouverez tout ce qu'il vous faut là-bas. »

Ainsi lui, ses flèches, son baobab, ses poissons rouges, il laissait tout ça, se contentant d'une carabine américaine à trente-deux coups et d'une cargaison de flanelle.

Et comme il surveillait tout, comme il avait l'œil à tout, non seulement à bord mais aussi à terre, tant aux répétitions de l'orphéon qu'aux exercices de la milice sur le cours !

Cette organisation militaire des Tarasconnais, survivant au siège de Pampérigouste, avait été renforcée, en vue de la défense de la colonie et des conquêtes que l'on comptait faire pour l'agrandir ! et Tartarin, enchanté de l'attitude martiale des miliciens, leur exprimait souvent sa satisfaction, ainsi qu'à leur chef Bravida, dans des ordres du jour.

Pourtant un pli sillonnait anxieusement parfois le front du gouverneur.

Deux jours avant l'embarquement, Barafort, un pêcheur du Rhône, trouvait dans les oseraies de la rive une bouteille vide hermétiquement bouchée, dont le verre était encore assez transparent pour laisser distinguer à l'intérieur quelque chose comme un papier roulé.

Pas un pêcheur n'ignore qu'une épave de ce genre doit être remise aux mains de l'autorité, et Barafort apportait au gouverneur Tartarin la mystérieuse bouteille contenant cette lettre étrange :

Tartarin,
Tarascon,
Europe.

Cataclysme épouvantable à Port-Tarascon. Ile, ville, port, tout englouti, disparu. Bompard admirable comme toujours, et comme toujours mort victime de son dévouement. Ne partez pas, au nom du ciel ! que personne ne parte !

Cette trouvaille paraissait l'œuvre d'un farceur. Comment cette bouteille, du fond de l'Océanie, serait-elle arrivée de flot en flot directement jusqu'à Tarascon ?

Et puis ce « mort comme toujours » ne trahissait-il pas une mystification ? N'importe, ce présage troublait le triomphe de Tartarin.

4

Embarquement de la Tarasque. — Machine avant ! — Les abeilles quittent la ruche. — L'odeur de l'Inde et l'odeur de Tarascon. — Tartarin apprend le papoua. — Distractions de la traversée.

Vous parlez de pittoresque.

Si vous aviez vu le pont du *Tutu-panpan* ce matin de mai 1881, c'est là qu'il y en avait du pittoresque ! Tous les directeurs en tenue de cérémonie : Tournatoire directeur général de la santé, Costecalde directeur des cultures, Bravida général en chef de la milice, et vingt autres offrant aux yeux un mélange de costumes variés, brodés d'or et d'argent ; beaucoup portant en outre le manteau de grand de première classe, rouge, galonné d'or. Au milieu de cette foule chamarrée, la tache blanche du père Bataillet, grand aumônier de la colonie et chapelain du gouverneur.

La milice surtout étincelait. La plus grande partie des simples miliciens ayant été expédiée par les autres bateaux, il ne restait guère là que les officiers, sabre au poing, revolver à la ceinture, le buste cambré, la poitrine en avant sous le coquet dolman à aiguillettes et à brandebourgs, fiers surtout de leurs magnifiques bottes au miroitant vernis.

Parmi les uniformes et les costumes se mêlaient les toilettes des dames, de couleurs chatoyantes, claires et gaies, avec des rubans et des écharpes flottant à l'air, et, par-ci par-là, quelques coiffes tarasconnaises de servantes. Sur tout cela, sur le navire aux cuivres étincelants, aux mâts dressés vers le ciel, imaginez un beau soleil, un soleil de jour de fête, pour horizon le large Rhône, vagué comme une mer, rebroussé par le mistral, et vous aurez l'idée du *Tutu-panpan* en partance pour Port-Tarascon.

Le duc de Mons n'avait pu assister au lancement, retenu à Londres par une nouvelle émission. C'est qu'il en fallait de l'argent, pour payer bateaux, équipages, ingénieurs, tous les frais de l'émigration ! Le duc avait annoncé des fonds le matin même par dépêche. Et tous admiraient le côté pratique de l'homme du Nord.

« Quel exemple il nous donne, messieurs ! » déclamait Tartarin, ajoutant toujours : « Imitons-le... Pas d'*emballemain* ! » C'est vrai que lui-même avait l'air très calme, très simple aussi, sans le moindre *flafla*, au milieu de tous ses administrés en costume, seulement le grand cordon de l'*Ordre* en sautoir sur sa redingote.

Du pont du *Tutu-panpan*, on voyait les colons venir de loin, par groupes, apparaître à des tournants de rue, puis déboucher sur le quai, enfin reconnaissables et salués par leurs noms :

« Ah ! voilà les Roquetaillade !...

— *Té !* monsieur Branquebalme ! »

Et des cris, des bravos enthousiastes ! On fit entre autres une ovation à l'antique douairière comtesse d'Aigueboulide, quasi centenaire, quand on la vit monter lestement à bord, en mantelet de soie puce, la tête branlante, portant d'une main sa chaufferette et de l'autre sa vieille perruche empaillée.

La ville se vidait de minute en minute, les rues semblaient plus larges entre les maisons closes, les boutiques à volets fermés, et toutes les persiennes ou jalousies baissées.

Tout le monde à bord, il y eut une minute de grand recueillement, de silence solennel, bercé par le sifflement de la vapeur sous pression. Des centaines d'yeux se tournaient vers le capitaine, debout sur la dunette, prêt à donner l'ordre de déraper. Tout à coup quelqu'un cria :

« Et la Tarasque !... »

Vous n'êtes pas sans avoir entendu parler de la Tarasque, l'animal fabuleux qui a donné son nom à la ville de Tarascon. Pour rappeler son histoire brièvement, c'était, cette Tarasque, en des temps très anciens, un monstre redoutable, qui désolait l'embouchure du Rhône. Sainte Marthe, venue en Provence après la mort de Jésus, alla, vêtue de blanc, chercher la bête au milieu des marais, et l'amena en ville, liée seulement d'un ruban bleu, mais domptée, captivée par l'innocence et la piété de la sainte.

Depuis, les Tarasconnais célèbrent tous les dix ans une fête où l'on promène à travers les rues un monstre en bois et carton peint, tenant de la tortue, du serpent et du crocodile, grossière et burlesque effigie de la Tarasque d'autrefois, vénérée maintenant comme une idole, logée aux frais de l'Etat et connue dans tout le pays sous le nom de « la mère-grand ! »

Partir sans la mère-grand ne leur semblait pas possible. Quelques jeunes gens s'élancèrent et l'amenèrent au quai rapidement.

Ce fut une explosion de larmes, de cris d'enthousiasme, comme si l'âme de la ville, la patrie elle-même respirait en ce monstre de carton d'un si difficile embarquement.

Beaucoup trop grande pour trouver place à l'intérieur du navire, on attacha la Tarasque sur le pont à l'arrière ; et là, cocasse, énorme, l'air d'un monstre de féerie, avec son ventre en toile et ses écailles peintes, sa tête dressée au-dessus du bastingage, elle complétait bien l'ensemble pittoresque et bizarre du chargement, semblait une de ces chimères sculptées à la proue des naufs et chargées de présider aux destinées du voyage. On l'entourait avec respect ; quelques-uns lui parlaient, la flattaient de la main.

En voyant cette émotion, Tartarin craignit qu'elle n'éveillât dans les cœurs le regret de la patrie quittée, et, sur un signe de lui, le capitaine Scrapouchinat commanda tout à coup, d'une voix formidable :

« Machine en avant !... »

Aussitôt éclatèrent les sonneries de la fanfare, les sifflements de la vapeur, les bouillonnements de l'eau sous l'hélice, dominés par la voix d'Excourbaniès : « *Fen dé brut !...* faisons du bruit !... » Le rivage s'enfuit d'un bond ; la ville, les tours du roi René reculèrent dans le lointain, de plus en plus rapetissées, comme brouillées dans la vibrante lumière du soleil sur le Rhône.

Tous, penchés sur les bordages, tranquilles, souriants, indifférents, regardaient la patrie s'en aller, disparaître là-bas, sans plus d'émotion, maintenant qu'ils avaient avec eux la bonne Tarasque, qu'un essaim d'abeilles changeant de ruche au son des chaudrons, ou qu'un grand triangle d'étourneaux en vol vers l'Afrique.

Et, vraiment, elle les protégea, leur Tarasque. Temps divin, mer resplendissante, pas une tempête, pas un grain, jamais traversée ne fut plus favorable.

Au canal de Suez, on tira bien un peu la langue, sous le feu d'un soleil ardent, malgré la coiffure coloniale adoptée par tous à l'exemple de Tartarin : casque de liège recouvert de toile blanche et garni d'un voile de gaze verte ; mais ils ne souffrirent pas trop de cette température de fournaise, à laquelle le ciel de Provence les avait dès longtemps acclimatés.

Après Port-Saïd et Suez, après Aden, la mer Rouge franchie, le *Tutu-panpan* se lança à travers la mer des Indes, d'une marche rapide et soutenue, sous un ciel blanc, laiteux, velouté comme un de ces aïolis, une de ces crémeuses pommades d'ail que les émigrants mangeaient à tous leurs repas.

Ce qu'il s'en consommait d'ail, à bord ! On en avait emporté d'énormes provisions, et son délicieux bouquet marquait le sillage du navire, mêlant l'odeur de Tarascon à l'odeur de l'Inde.

Bientôt on longea des îles émergeant de la mer en corbeilles de fleurs étranges, où voltigeaient de magnifiques oiseaux habillés de pierreries. Les nuits calmes, transparentes, illuminées de myriades d'étoiles, semblaient traversées de vagues musiques lointaines et de danses de bayadères.

Aux Maldives, à Ceylan, à Singapour, on eût fait des escales divines, mais les Tarasconnaises, Mme Excourbaniès en tête, défendaient à leurs maris de descendre à terre.

Un féroce instinct de jalousie les mettait toutes en garde contre ce dangereux climat des Indes et ses effluves amollissantes qui flottaient jusque sur le pont du *Tutu-panpan*. Il n'y avait qu'à voir, le soir venu, le timide Pascalon s'appuyer au bastingage auprès de Mlle Clorinde des Espazettes, grande et belle jeune fille dont le charme aristocratique l'attirait.

Le bon Tartarin leur souriait de loin dans sa barbe, et d'avance prévoyait un mariage pour l'arrivée.

Du reste, depuis le commencement de la traversée, le gouverneur se montrait à tous d'une douceur, d'une indulgence, qui contrastait avec les violences et les sombreurs du capitaine Scrapouchinat, véritable tyran à son bord, s'emportant au moindre mot, parlant tout de suite de vous « faire fusiller comme un singe vert ». Tartarin, patient et raisonnable, se soumettait aux caprices du capitaine, cherchait même à l'excuser, et, pour détourner la colère de ses miliciens, leur donnait l'exemple d'une infatigable activité.

Les heures de sa matinée étaient consacrées à l'étude du papoua, sous la direction de son chapelain, le R.P. Bataillet, qui, en sa qualité d'ancien missionnaire, connaissait cette langue et bien d'autres.

Dans la journée, Tartarin réunissait tout son monde, soit sur le pont, soit dans le salon, et faisait des conférences, débitait sa science toute fraîche sur les plantations de canne à sucre et l'exploitation du tripang.

Deux fois par semaine, cours de chasse, car là-bas, dans la colonie, on allait trouver du gibier ; ce ne serait pas comme à Tarascon, où l'on était réduit à chasser des casquettes lancées en l'air.

« Vous tirez bien, enfants, mais vous tirez trop vite », disait Tartarin.

Ils avaient le sang trop chaud ; il faudrait se modérer.

Et il leur donnait d'excellents conseils, leur enseignait les temps qu'il fallait prendre selon les différentes espèces animales, en comptant méthodiquement comme au métronome.

« Pour la caille, trois temps. Un, deux, trois..., pan !... ça y est... Pour la perdrix » — et secouant sa main ouverte, il imitait le vol de l'oiseau —, « pour la perdrix, comptez deux seulement. Un, deux..., pan !... Ramassez, elle est morte. »

Ainsi passaient les heures monotones de la traversée, et chaque tour d'hélice rapprochait de la réalisation de leurs rêves tous ces braves gens qui se berçaient au long de la route de beaux projets d'avenir, voyageaient avec l'illusion de ce qui les attendait là-bas, ne parlaient qu'installation, défrichements, embellissements imaginaires à leurs futures propriétés.

Le dimanche était jour de repos, jour de fête.

Le père Bataillet disait la messe à l'arrière, en grande pompe ; et des sonneries de clairons éclataient, les tambours battaient aux champs, au moment où le prêtre levait l'hostie. Après la messe, le révérend père racontait quelqu'une de ces paraboles ardentes où il excellait, moins un sermon qu'un mystère poétique tout brûlant de foi méridionale.

Voici un de ces récits, naïf comme une histoire de saints se déroulant sur les vitraux d'une vieille église de village ; mais, pour en savourer tout le charme, il vous faut imaginer le bateau lavé de frais, tous ses cuivres reluisants, les dames en cercle, le gouverneur sur son fauteuil canné, entouré de ses directeurs en grand costume, les miliciens sur deux rangs, les matelots dans les enfléchures, et tout ce monde silencieux, attentif, les yeux tournés vers le père, debout sur les marches de l'autel. Les coups de l'hélice rythment sa voix ; sur le ciel pur, profond, la fumée du steamer s'allonge, droite et mince ; les dauphins cabriolent au ras des lames ; les oiseaux de mer, goélands, albatros, suivent en criant le sillage du navire, et le Père Blanc, avec son épaule de côté, a l'air lui-même, quand il lève et secoue ses larges manches, d'un de ces grands oiseaux battant des ailes et prêt à partir.

5

La véritable légende de l'Antéchrist
racontée par le R. P. Bataillet sur le pont du « Tutu-Panpan ».

C'est encore au paradis que je vous emmène, mes enfants, dans cette vaste antichambre bleu de roi où se tient le grand saint Pierre, son trousseau de clefs à la ceinture, toujours prêt à ouvrir sa porte aux âmes des élus, lorsqu'il s'en présente ; malheureusement, depuis des années et des années, l'humanité est devenue si méchante que les meilleurs, après la mort, s'arrêtent au purgatoire, sans aller plus haut, et que le bon saint Pierre n'a pour toute besogne qu'à passer ses clefs rouillées au papier de verre, et à chasser les toiles d'araignées tendues en travers de sa porte comme des scellés de justice. Par moment, il a l'illusion que quelqu'un frappe. Il se dit :

« Enfin... En voilà un, ce n'est pas trop tôt... »

Puis, son guichet ouvert, rien que l'immensité, l'éternel silence, les planètes immobiles ou roulant dans l'espace avec un bruit doux d'orange mûre détachée de la branche, mais pas l'ombre d'un élu.

Pensez quelle humiliation pour ce bon saint qui nous aime tant, et comme il se désole de jour et de nuit, comme il en tombe de ces larmes brûlantes, dévorantes, qui ont fini par creuser au long de ses joues deux ornières profondes pareilles à celles qu'on voit sur les routes des carrières entre Tarascon et Montmajour !

Or, une fois que saint Joseph, venu pour lui tenir compagnie, car à la longue il s'ennuyait, le pauvre porte-clefs, toujours seul dans son antichambre, une fois donc que saint Joseph lui disait pour le consoler :

« Mais, en définitive, qu'est-ce que ça peut te faire que ces gens d'en bas ne se présentent plus à ton guichet ?... Est-ce que tu n'es pas bien ici, caressé des plus douces musiques et des odeurs les plus suaves ?... »

Et tandis qu'il parlait ainsi, du fond des sept ciels ouverts en enfilade se coulait une brise tiède chargée de sons, de parfums, dont rien ne saurait vous donner l'idée, mes chers amis, pas même ce goût de citronnelle et de framboise fraîche que l'haleine de mer nous souffle depuis un moment dans la figure, de ce grand bouquet d'îles roses sous le vent.

« Hé ! fit le bon saint Pierre, je ne m'y trouve que trop bien dans ce paradis de bénédiction, mais j'y voudrais tous ces pauvres enfants avec moi... »

Et brusquement pris d'indignation :

« Ah ! les gueux, ah ! les imbéciles... Non, vois-tu, Joseph, le Seigneur est trop bon pour ces misérables... Et à sa place je sais bien ce que je ferais.

— Que ferais-tu, mon brave Pierre ?

— *Té !* pardi, un grand coup de pied dans la fourmilière et va te promener de l'humanité ! »

Saint Joseph hocha sa vieille barbe... Il le faudrait terriblement fort, tout de même, ce coup de pied qui démolirait la terre... Passe encore pour les Turcs, les infidèles, ces peuplades d'Asie qui tombent en pourriture, mais le monde chrétien, c'est calé, c'est solide, bâti par le Fils...

« Justement, reprit saint Pierre... Mais ce que le Christ a bâti, le Christ pourrait aussi bien le détruire. Je leur enverrais mon Fils divin une seconde fois à ces galériens de par là-bas, et cet Antéchrist qui serait le Christ déguisé aurait tôt fait de vous les mettre en bourtouillade ! »

Le bon saint parlait dans la colère, sans bien penser ce qu'il disait, sans se douter surtout que ses paroles seraient répétées au Divin Maître, et sa surprise fut grande quand tout à coup le Fils de l'Homme se dressa devant lui, un petit paquet sur l'épaule au bout d'un bâton de route, ordonnant de sa voix ferme et douce :

« Pierre, viens... Je t'emmène. »

A la pâleur de Jésus, à la fièvre de ses grands yeux cernés qui jetaient encore plus de feux que son auréole, Pierre comprit tout de suite, et regretta d'avoir trop parlé. Que n'aurait-il pas donné pour que cette seconde mission du Fils de Dieu sur la terre n'eût pas lieu, surtout pour n'être pas lui-même du voyage ! Il s'agitait, tout éperdu, les mains chevrotantes :

« Ah ! mon Dieu... Ah ! mon Dieu... Et mes clefs, qu'est-ce que j'en vais faire ? » — C'est vrai que pour une aussi longue route son lourd trousseau n'était pas commode. — « Et ma porte, qui me la gardera ? »

Sur quoi Jésus sourit, lisant le fond de son âme, et dit :

« Laisse les clefs sur la serrure, Pierre... Pas de risque qu'on entre jamais chez nous, tu sais bien. »

Il parlait doucement, mais on sentait tout de même quelque chose d'implacable dans son sourire et dans sa voix.

Comme il est dit aux Saintes Ecritures, des signes dans le ciel annoncèrent la venue sur terre du Fils de l'Homme, mais depuis longtemps les humains accroupis ne regardaient plus le ciel, et, distraits par leurs passions, rien ne leur signala la présence du Maître et du vieux serviteur qui l'accompagnait, d'autant que les deux voyageurs avaient emporté de la rechange et se déguisaient en tout ce qu'ils voulaient.

Pas moins, dans la première ville où ils arrivèrent, la veille justement qu'un bandit fameux nommé Sanguinarias, auteur de crimes épouvantables, devait être mis à mort, les ouvriers employés à dresser les bois de justice dans la nuit s'étonnèrent de voir travailler avec eux, au feu des torches, deux compagnons venus on ne sait d'où, l'un souple et fier comme un bâtard de prince, la barbe en fourche, des yeux de pierreries, l'autre déjà courbé, l'air bonasson et endormi, deux longues cicatrices en rigole sur ses joues fripées. Puis, au petit jour, l'échafaud debout, le peuple et les autorités en cercle pour le supplice, les deux étrangers avaient disparu, laissant toute la mécanique si étrangement ensorcelée que lorsqu'on eut étendu le condamné sur la planche, le couteau, pourtant bien aiguisé, d'un acier de bonne marque, tomba vingt fois de suite sans parvenir seulement à lui entamer la peau.

Vous voyez le tableau d'ici, les magistrats effarés, l'horripilation de la foule, le bourreau bousculant ses aides, arrachant ses cheveux trempés de sueur, Sanguinarias lui-même — il était de Beaucaire naturellement ce malandrin, et joignait à tous ses mauvais instincts un amour-propre diabolique —, Sanguinarias très vexé, tournant et retournant son cou de taureau noir dans la lunette, disant :

« Ah ! ça... mais qu'est-ce que j'ai donc ?... je ne suis donc pas fabriqué comme les autres qu'on ne peut venir à bout de moi !... »

Et à la fin des fins, les gendarmes obligés de l'emporter de force, de le rentrer dans son cachot, pendant que la canaille hurlante dansait autour de l'échafaud mis en pièces, flambant et crépitant jusqu'au ciel comme un feu de la Saint-Jean.

Dès lors en cette ville, et par toute la terre civilisée, il y eut un sort jeté sur les arrêts suprêmes de la justice. Le glaive de la loi ne coupait plus, et comme c'est la mort seule que les assassins redoutent, bientôt un débordement de crimes couvrit le monde, les rues et les chemins ne furent plus tenables pour les honnêtes gens terrifiés, tandis que dans les centrales, bondées par-dessus les toits, les coupe-jarrets s'engraissaient de bon jus de viandes, fendaient la figure de leurs gardiens à coups de sabot, leur faisaient sauter l'œil avec le pouce, ou, simplement par curiosité, s'amusaient à leur dévisser la tête pour voir ce qu'il y avait dedans.

Devant le grand dégât causé dans l'humanité rien que par le désarmement de la justice, le brave saint Pierre trouvait qu'il y en avait assez, et, le cœur gonflé de pitié, avec un bon gros rire courtisan :

« La leçon est réussie, maître, et je crois qu'ils s'en souviendront... Pas moins, si nous remontions, maintenant... C'est que, je vais vous dire, j'ai peur qu'on ait besoin de moi, là-haut. »

Le Fils de l'Homme eut son pâle sourire.

« Rappelle-toi, fit-il, le doigt levé... Ce que le Christ a bâti, le Christ seul pourra le détruire !... »

Et Pierre songeait, la tête basse :

« J'ai trop parlé, pauvres enfants, j'ai trop parlé ! »

Ils se trouvaient en ce moment sur des pentes fertiles au pied desquelles une riche cité impériale étendait à perte de vue ses dômes, ses terrasses, clochers brodés, tours et flèches de cathédrales où des croix de toutes formes, en marbre et en or, étincelaient dans le couchant paisible.

« J'espère qu'ils en ont, par ici, des couvents et des églises ! » reprit le bon vieillard, essayant de détourner la colère du Seigneur... « ça fait plaisir au moins ! »

Mais vous savez que ce que Jésus méprise sur toute chose c'est le culte hypocrite et somptueux des pharisiens, ces églises où l'on va à la messe par genre et ces couvents qui fabriquent du garus et du chocolat ; aussi pressait-il le pas sans répondre, et les moissons étant très hautes, par-dessus les blés dans la descente, du formidable destructeur de l'humanité on ne voyait qu'un paquet de hardes sautillant au bout d'un bâton de routier... Et donc, en cette ville où ils entrèrent, vivait un vieux, vieux empereur, le doyen des princes de l'Europe comme il en était le plus juste et le plus puissant, qui gardait la guerre enchaînée aux essieux de ses canons et, par force ou persuasion, empêchait les peuples de se dévorer entre eux.

Tant qu'il serait là, il y avait comme un accord tacite de chien à loup que les ouailles brouteraient tranquilles ; après, par exemple, gare là-dessous ! C'est pourquoi tout le monde y tenait, à la vie du bon empereur ; pas une mère qui ne fût prête à s'ouvrir les veines pour lui faire du sang plus vermeil et plus riche.

Puis, soudainement, tout cet amour se tourna en haine, un mot d'ordre infernal circula :

« Tuons-le..., c'est le bon tyran, le plus exécrable de tous puisqu'il ne nous laisse pas même le droit à la révolte. »

Et sous le palais impérial miné, dynamité, dans la nuit du caveau où les conjurés s'activaient, de l'eau jusqu'à la ceinture, je vous laisse à deviner quel mystérieux compagnon aux yeux étincelants menait l'œuvre de mort, fermant les cœurs à la peur, à la pitié, et, quand le coup partit, poussant le hourra suprême...

Ah ! le pauvre empereur, on ne retrouva pas gros de lui sous les décombres ! Quelques flocons de barbe roussie, une main de justice tordue par la flamme ; et tout de suite la Guerre démuselée hurla, le ciel fut noir de corbeaux assemblés au-dessus des frontières, la grande tuerie commença et ne finit plus.

Pendant que les peuples s'égorgeaient au moyen d'engins épouvantables, que de toutes parts sur l'horizon les villes prises d'assaut flambaient comme des torches, par les chemins encombrés de bétail en déroute, de charrettes sans conducteurs, le long des champs en friche, des fleuves rouges de sang, des vignes et des moissons impitoyablement massacrées, Jésus de son pas allègre, toujours le bâton sur l'épaule et sur ses talons le bon vieux saint qui essayait vainement de le fléchir, Jésus tirait vers un pays très loin où professait un docteur fameux, du nom de M. Mauve.

M. Mauve, grand guérisseur d'hommes et de bêtes, dirigeant à sa volonté toutes les forces de la nature, avait quasiment trouvé la prolongation de la vie humaine ; il y était, il s'en fallait de ça, quand, une nuit, par la maladresse d'un nouveau garçon de laboratoire, très beau, très pâle, et qu'on ne revit jamais plus, plusieurs bocaux remplis de poisons très subtils restèrent débouchés, et au matin M. Mauve, en ouvrant sa porte, tomba raide asphyxié.

Du coup la vie humaine ne fut pas prolongée, bien au contraire ; car le savant collectionnait chez lui, pour l'étude, une foule d'anciens fléaux, d'extraordinaires lèpres d'Egypte et du Moyen Age, dont les germes évadés des cornues se répandirent par le monde entier et le désolèrent. Il y eut des pluies de crapauds, empestées et ignobles, comme du temps des Hébreux ; puis des fièvres, jaune, maligne, quarte, tierce, seconde, des pestes, des typhus, un tas de maladies perdues, greffées sur de toutes récentes, d'autres aussi qu'on ne connaissait pas encore, et dans le peuple tout cela s'appelait « le mal de M. Mauve ».

Dieu vous garde de ce mal terrible, mes enfants !

Les os fondaient comme du verre, les muscles s'effilochaient. On souffrait tant qu'on ne criait plus ; les malades avant de mourir tombaient par morceaux, s'en allaient en bouillie sur les chemins, et la voirie n'avait pas assez de pelles ni de tombereaux pour les ramasser.

« Mâtin ! voilà une bonne affaire de faite !... » disait saint Pierre d'une joie faussement joyeuse où roulaient des larmes... « Et à présent, maître, si nous rentrions chez nous... Je commence à me languir. »

Jésus savait bien que ce semblant de languison cachait une grande pitié pour les humains, et lui, pourtant si bon, s'était juré de les exterminer jusqu'au dernier. Il faut dire aussi qu'ils lui en avaient tant fait !... on se lasse à la fin.

Pour lors, continuant sa route sans répondre, il marchait dans la campagne avec son vieux serviteur par un petit matin vert et rose, lorsqu'à travers les appels des coqs et toute la bramée animale qui salue le lever du jour une clameur humaine vint jusqu'à eux, un cri de femme montant à grandes ondes, par épreintes, tantôt immense à déchirer l'horizon, puis s'apaisant en une longue plainte douce, à laquelle ceux qui l'ont entendue une fois ne peuvent plus se tromper. Dans le jour qui commençait, un être arrivait au monde. Jésus, songeur, s'arrêta. S'il en naissait toujours, à quoi servait de les détruire !... Et tourné vers le chaume d'où le cri était venu, il leva sa main blanche en menace.

« Pitié !... Maître, pitié pour les tout-petits ! » sanglota le brave saint Pierre.

Le Seigneur le rassura d'un mot.

A cet enfant de lait comme à tous ceux qui naîtraient dorénavant sur la terre, il venait de faire un don de bienvenue. Pierre n'osa pas demander ce que c'était, mais moi je peux vous le dire, mes amis. Jésus leur avait donné l'expérience, à ces pauvres agneaux, et ce fut quelque chose de terrible.

Pensez que, jusqu'alors, quand un homme mourait, l'expérience de cet homme s'en allait avec lui. Mais voilà qu'après le don de Jésus il y eut sur la terre de l'expérience accumulée. Les enfants naquirent tristes, vieux, découragés ; à peine les yeux ouverts, ils découvraient le bout de tout, et l'on vit cette chose abominable : des suicides d'enfants, des tout-petits cherchant à se détruire de leurs menottes désespérées.

Et cependant ce n'était pas encore assez, la race maudite ne voulait pas s'éteindre et s'obstinait à vivre quand même.

Alors, pour en finir plus vite, le Christ enleva aux hommes et aux femmes le goût de l'amour, le sentiment de la beauté. Il n'y eut plus de joie d'aucune sorte sur la terre, plus d'effusion dans la prière ni dans la volupté. On ne cherchait plus que l'oubli de tout, on n'aspirait qu'au sommeil... Oh ! dormir..., ne plus penser, ne plus vivre...

Elle était, comme vous voyez, dans un bien triste état, la pauvre humanité, et n'en avait sans doute plus pour longtemps car l'infatigable exterminateur hâtait de plus en plus sa besogne. Il parcourait toujours le monde, en errant voyageur, le paquet au bout du bâton, son compagnon derrière lui, bien las, bien courbé, les deux sillons de larmes se creusant davantage le long de ses joues, à mesure que le Maître sur son passage déchaînait les volcans, les cyclones et les tremblements de terre.

Or, un beau matin d'Assomption, comme Jésus marchait sur la mer, glissant à la surface des flots ainsi que nous le montrent les Ecritures, il arriva au milieu des îles de l'Océanie, dans ces mêmes parages du Pacifique que nous traversons en ce moment.

D'un bouquet d'îles tout verdoyant venaient jusqu'à lui sur la brise de mer des voix de femmes et d'enfants qui chantaient des cantiques provençaux.

« *Té !* s'écria saint Pierre, on dirait des airs de Tarascon. »

Jésus se tourna à demi :

« De mauvais chrétiens, je crois, ces Tarasconnais ?

— Oh ! Maître, ils se sont bien amendés depuis les temps », s'empressa de répondre le bon saint, craignant que sur un signe de la main divine l'île dont ils approchaient ne s'engloutît sous les flots.

Cette île, vous l'avez deviné, n'était autre que Port-Tarascon, où les habitants, en l'honneur de l'Assomption, faisaient une procession solennelle.

Et quelle procession, mes enfants !

D'abord les pénitents, tous les pénitents, des bleus, des blancs, des gris, de toutes les couleurs, précédés de leurs clochettes qui mêlaient ensemble leurs notes de cristal et d'argent. Après les pénitents, les confréries de femmes, tout de blanc vêtues et couvertes de longs voiles comme les saintes du paradis. Puis venaient les vieilles bannières, si hautes que les figures de saints, aux auréoles tissées en or dans les étoffes de soie, semblaient descendre du ciel au-dessus de la foule. Le saint sacrement avançait ensuite, sous son dais de velours rouge, très lent, très lourd, surmonté de grands panaches, près duquel les enfants de chœur portaient au bout de longs bâtons dorés de grosses lanternes vertes où brûlaient de petites flammes. Et tout le peuple suivait, jeunes et vieux, chantant et priant tant qu'ils avaient de souffle.

La procession se déroulait tout autour de l'île, tantôt sur la plage, tantôt au versant des collines, tantôt sur les sommets où les grands encensoirs, balancés, laissaient de légères fumées bleues dans le soleil.

Saint Pierre ébloui murmura : « Que c'est beau !... » sans une parole de plus, car il désespérait de fléchir son compagnon, après tant de vaines tentatives : mais justement il se trompait.

Le Fils de l'Homme, touché au cœur par ces transports de foi naïve, regardait flotter les bannières de Port-Tarascon, et songeait, immobile sur la crête des vagues, regrettant pour la première fois sa mission de mort.

Soudain il leva son pâle et doux visage et, dans le silence de la mer apaisée, d'une forte voix qui remplit l'univers, il cria vers le ciel :

« Père, Père, un sursis !... »

Et ils se comprirent sans plus parler, le Père et le Fils, à travers le clair espace.

Le père Bataillet en était là de son récit. L'auditoire silencieux restait sans bouger de place, très ému, quand tout à coup, du haut de la passerelle du *Tutu-panpan*, le capitaine Scrapouchinat cria :

« L'île de Port-Tarascon est en vue, monsieur le gouverneur. Avant une heure nous serons dans la rade. »

Alors tout le monde fut debout et il y eut un grand brouhaha.

6

L'arrivée à Port-Tarascon. — Personne. — Débarquement des milices. — « Pharma... Bézu... » — Bravida prend le contact. — Terrible catastrophe. — Un pharmacien tatoué.

« Que diable est ceci ?... personne au-devant de nous... », dit Tartarin, le tumulte des premiers cris de joie apaisé.

Sans doute le navire n'avait pas encore été signalé de la terre.

Il fallait s'annoncer. Trois coups de canon roulèrent à travers deux longues îles d'un vert gras, d'un vert rhumatisme, entre lesquelles le steamer venait de s'engager.

Tous les regards étaient tournés vers le rivage le plus proche, une étroite bande de sable, large de quelques mètres seulement ; au-delà, des pentes raides toutes couvertes d'un écroulement de sombre verdure depuis les sommets jusqu'à la mer.

Quand l'écho des coups de canon eut cessé de gronder, un grand silence enveloppa de nouveau ces îles d'aspect sinistre. Toujours personne : et le plus inexplicable encore, c'est qu'on ne voyait ni port, ni fort, ni ville, ni jetées, ni bassins de radoub..., rien !

Tartarin se tourna vers Scrapouchinat qui déjà donnait des ordres pour le mouillage :

« Etes-vous bien sûr, capitaine ?... »

L'irascible long-cours répondit par une salve de jurons. S'il était sûr, coquin de sort !... il connaissait son métier peut-être, nom d'un tonnerre !... il savait conduire son navire !...

« Pascalon, allez me chercher la carte de l'île... », fit Tartarin, toujours très calme.

Il possédait heureusement une carte de la colonie, dressée à une très grande échelle, où étaient minutieusement détaillés caps, golfes, rivières, montagnes, et jusqu'à l'emplacement des principaux monuments de la ville.

Elle fut aussitôt étalée, et Tartarin, entouré de tous, se mit à l'étudier en suivant du doigt.

Bien cela ; ici, l'île de Port-Tarascon... l'autre île en face, là..., le promontoire Chose..., très bien... A gauche les récifs de coraux... parfaitement... Mais alors, quoi ? La ville, le port, les habitants, qu'est-ce que tout ça était devenu ?

Timide, bégayant un peu, Pascalon suggéra que peut-être il y avait là-dessous une farce de Bompard, si connu en Tarascon pour ses plaisanteries.

« Bompard peut-être, fit Tartarin... mais Bézuquet, un homme de toute prudence, de tout sérieux... Du reste, pour si farceur qu'on soit, on n'escamote pas une ville, un port, des bassins de carénage. »

A la longue-vue, on apercevait bien sur la côte quelque chose comme une baraque ; mais les récifs de coraux ne permettaient pas au navire d'approcher davantage, et, à cette distance, tout se perdait dans le vert-noir des feuillages.

Très perplexes, tous regardaient, déjà prêts pour le débarquement, leurs paquets à la main, la vieille douairière d'Aigueboulide elle-même portant sa petite chaufferette, et, dans la stupéfaction générale, on entendit le gouverneur en personne murmurer à demi-voix : « C'est vraiment bien extraordinaire !... » Tout à coup il se redressa :

« Capitaine, faites armer le grand canot. Commandant Bravida, sonnez à la milice. »

Pendant que le clairon ta-ra-ta-tait, que Bravida faisait l'appel, Tartarin, plein d'aisance, rassurait les dames :

« Ne craignez rien. Tout va s'expliquer, certainement... »

Et aux hommes, à ceux qui ne venaient pas à terre : « Dans une heure nous serons de retour. Attendez-nous là, que personne ne bouge. »

Ils n'avaient garde de bouger, l'entouraient, disaient comme lui : « Oui, monsieur le gouverneur... Tout va s'expliquer... certainement... » Et en ce moment Tartarin leur paraissait immense.

Dans le grand canot, il prit place avec son secrétaire Pascalon, son chapelain le père Bataillet, Bravida, Tournatoire. Excourbaniès et la milice, tous armés jusqu'aux dents, sabres, haches, revolvers et carabines, sans oublier le fameux winchester à trente-deux coups.

A mesure qu'on se rapprochait de ce silencieux rivage où rien ne remuait, on distinguait un vieil appontement en madriers et planches, tout rongé de mousse dans une eau croupie. Que ce fût là cette jetée sur laquelle les naturels venaient au-devant des passagers de la *Farandole*, voilà qui semblait incroyable. Un peu plus loin apparaissait une espèce de vieille baraque, aux fenêtres fermées de volets de fer, rouges, peints au minium, qui jetaient un reflet sanglant dans l'eau morte. Un toit de planches la recouvrait, mais crevassé, disjoint.

Sitôt débarqués, ce fut là que l'on courut. Une ruine, à l'intérieur comme au-dehors. De grands lambeaux de ciel se voyaient à travers la toiture, le plancher gondolé s'effritait en pourriture de bois, d'énormes lézards disparaissaient dans les crevasses, des bêtes noires grouillaient le long des murs, de visqueux crapauds bavaient dans les coins. Tartarin, en entrant le premier, avait failli marcher sur un serpent gros comme le bras. Partout une odeur d'humide, de moisi écœurante et fade.

A quelques débris de cloisons encore debout, on reconnaissait que la baraque avait été divisée en compartiments étroits comme des boxes d'écurie ou des cabines. Sur une de ces cloisons se lisaient en lettres d'un pied ces mots *Pharma... Bézu...* Le reste avait disparu, mangé par la moisissure ; mais pour deviner « Pharmacie Bézuquet », il ne fallait pas être grand clerc.

« Je vois ce que c'est, dit Tartarin, ce versant de l'île était malsain, et après un essai de colonisation ils sont allés s'installer de l'autre côté. »

Puis, d'une voix décidée, il donna l'ordre au commandant Bravida de partir en reconnaissance à la tête de la milice : il pousserait jusqu'en haut de la montagne ; de là, explorerait le pays et verrait certainement fumer les toits de la ville.

« Dès que vous aurez pris le contact, vous nous avertirez par une mousquetade. »

Quant à lui, il resterait en bas, au quartier général, avec son secrétaire, son chapelain et quelques autres.

Bravida et le lieutenant Excourbaniès rangèrent leurs hommes et se mirent en route. Les miliciens avancèrent en bon ordre ; mais le terrain montant, recouvert d'une mousse algueuse et glissante, rendait la marche difficile, et les rangs ne tardèrent pas à se diviser.

On traversa un petit ruisseau, sur le bord duquel restaient

quelques vestiges d'un lavoir, un battoir oublié, tout cela verdi par cette mousse dévorante, envahissante, qu'on retrouvait à chaque pas. Un peu plus loin, les traces d'une autre construction, qui semblait avoir été un blockhaus.

Le bon ordre des milices acheva de se désorganiser par la rencontre de centaines de trous très rapprochés les uns des autres, traîtreusement masqués d'une végétation de ronces et de lianes.

Plusieurs hommes s'y effondrèrent avec un grand fracas de buffleteries et d'armes, faisant fuir sous leur chute de ces gros lézards pareils à ceux de la baraque. Ces trous n'étaient pas trop profonds, rien que de légères excavations creusées en alignement.

« On dirait un ancien cimetière », observa le lieutenant Excourbaniès. Cette idée lui venait de vagues apparences de croix, faites de branches entrelacées, maintenant reverdies, retournées à la nature, et prenant des formes de ceps de vigne sauvage. En tous cas un cimetière déménagé, car il n'y restait plus trace d'ossements.

Après une pénible escalade à travers d'épais fourrés, ils arrivèrent enfin sur la hauteur. On y respirait un air plus sain, renouvelé par la brise et tout chargé des senteurs marines. Au loin s'étendait une grande lande après laquelle les terrains redescendaient insensiblement vers la mer. La ville devait être par là.

Un milicien, le doigt tendu, montra des fumées qui montaient, pendant qu'Excourbaniès criait d'un ton joyeux : « Ecoutez..., les tambourins..., la farandole ! »

Il n'y avait pas à s'y tromper, c'était bien la vibration sautillante d'un air de farandole. Port-Tarascon venait au-devant d'eux.

On voyait déjà les gens de la ville, une foule émergeant là-bas des pentes, à l'extrémité du plateau.

« Halte ! dit subitement Bravida, on dirait des sauvages. »

En tête de la bande, devant les tambourins, un grand Noir dansait, maigre, en tricot de matelot, des lunettes bleues sur les yeux, brandissant un tomahawk.

Les deux troupes arrêtées et s'observant à distance, tout à coup Bravida partit d'un éclat de rire : « C'est trop fort !... Ah ! le farceur... », et, rengainant son sabre au fourreau, il se mit à courir en avant. Ses hommes le rappelaient : « Commandant !... commandant !... »

Mais il ne les écoutait pas, courait toujours, et, croyant s'adresser à Bompard, criait au danseur en approchant : « Connu, mon bon..., trop sauvage..., trop nature... »

L'autre continuait à danser en faisant tournoyer son arme : et quand le malheureux Bravida s'aperçut qu'il avait en face de lui un véritable Canaque, il était trop tard pour éviter le terrible coup de casse-tête qui défonça son casque en liège, fit sauter sa pauvre petite cervelle et l'étendit raide.

En même temps éclatait une tempête de hurlements, de flèches et de balles. En voyant tomber leur commandant, les miliciens avaient fait feu d'instinct, puis s'étaient enfuis, sans s'apercevoir que les sauvages faisaient de même.

D'en bas Tartarin entendit la fusillade. « Ils ont pris le contact », dit-il allègrement. Mais sa joie se changea en stupeur lorsqu'il vit sa petite armée revenir en désordre, bondissant à travers bois, les uns sans chapeaux, d'autres sans souliers, jetant tous le même cri terrifiant : « Les sauvages !... les sauvages !... » Il y eut un moment de panique effroyable. Le canot prit le large et se sauva à toutes rames. Le gouverneur courait sur le rivage, clamant : « Du sang-froid !... du sang-froid !... » d'une voix blanche, d'une voix de goéland en détresse qui redoublait la peur de tous.

Le pêle-mêle du sauve-qui-peut se prolongea quelques instants sur l'étroite bande de sable ; mais comme on ne savait de quel côté fuir, on finit par se rassembler. Aucun sauvage d'ailleurs ne se montrant, on put se reconnaître, s'interroger.

« Et le commandant ?

— Mort. »

Quand Excourbaniès eut raconté la funeste méprise de Bravida, Tartarin s'écria : « Malheureux Placide !... Aussi quelle imprudence... en pays ennemi... Il ne s'éclairait donc pas !... »

Tout de suite il donna l'ordre de placer des sentinelles, qui, désignées, s'éloignèrent lentement deux par deux, bien décidées à ne pas trop s'écarter du gros de la troupe. Puis on se réunit en conseil, pendant que Tournatoire s'occupait du pansement d'un blessé qui avait reçu une flèche empoisonnée et enflait à vue d'œil d'une façon extraordinaire.

Tartarin prit la parole :

« Avant tout, éviter l'effusion du sang. » Et il proposa d'envoyer le père Bataillet, avec une palme qu'il agiterait de loin, afin de savoir un peu ce qui se passait du côté de l'ennemi et ce qu'étaient devenus les premiers occupants de l'île.

Le père Bataillet se récria : « Ah ! *Vaï*... Une palme !... J'aimerais mieux votre winchester à trente-deux coups.

— Hé ! bien, si le révérend ne veut pas y aller, j'irai, moi, reprit le gouverneur. Seulement, vous m'accompagnerez, monsieur le chapelain, car je ne sais pas assez le papoua...

— Moi non plus, je ne le sais pas.

— Comment, diable !... Mais alors qu'est-ce que vous m'apprenez depuis trois mois ?... Toutes les leçons que j'ai prises pendant la traversée, quelle langue était-ce donc ?... »

Le père Bataillet, en beau Tarasconnais qu'il était, se tira d'affaire en disant qu'il ne savait pas le papoua de par ici, mais le papoua de par là-bas.

Pendant la discussion, une nouvelle panique se produisit, des coups de fusil éclatèrent dans la direction des sentinelles, et de la profondeur du bois sortit une voix éperdue qui criait avec l'accent de Tarascon :

« Ne tirez pas..., mille noms de noms !... ne tirez pas ! »

Une minute après, bondissait des broussailles un être bizarre, hideux, couvert de tatouages vermillon et noir qui lui faisaient comme un maillot de clown de la tête aux pieds. C'était Bézuquet.

« *Té* !... Bézuquet.

— Eh ! comment va ?

— Comment se fait-il... ?

— Mais où sont les autres ?

— Et la ville, et le port, et le bassin de radoub ?

— De la ville », répondit le pharmacien en montrant la baraque en ruine, « voilà ce qui reste ; des habitants, voici — et il se désignait lui-même. Mais avant tout, jetez-moi vite quelque chose sur le corps pour cacher les abominations dont ces misérables m'ont couvert. »

De vrai, toutes les imaginations les plus immondes de sauvages en délire lui avaient été dessinées sur la peau à coups de poinçon.

Excourbaniès lui donna son manteau de grand de première classe, et, après s'être réconforté d'une lampée d'eau-de-vie, l'infortuné Bézuquet commença, avec l'accent qu'il n'avait pas perdu et l'élocution tarasconnaise :

« Si vous fûtes *douloureusement* surpris ce matin en voyant que la ville de Port-Tarascon n'existait que sur la carte, pensez si nous autres de la *Farandole* et du *Lucifer*, en arrivant...

— Pardon que je vous coupe, dit Tartarin en voyant les sentinelles, à la lisière du bois, donner des signes d'inquiétude. Je crois qu'il sera plus sage que vous fassiez votre récit à bord. Ici, les cannibales peuvent nous surprendre.

— Pas du tout... Votre fusillade les a mis en fuite... Ils ont tous quitté l'île, et j'en ai profité pour m'évader. »

Tartarin insista. Il préférait le récit de Bézuquet à bord, devant le grand Conseil réuni. La situation était trop grave.

On héla le canot, qui depuis le commencement de l'échauffourée se tenait lâchement à distance, et l'on regagna le navire, où tout le monde attendait avec angoisse le résultat de la première reconnaissance.

7

Continuez Bézuquet... — Le duc de Mons est-il ou non un imposteur ? — L'avocat Branquebalme. — « Verum enim vero », le « parce que du parce qu'est-ce ». — Un plébiscite. — Le « Tutupanpan » disparaît à l'horizon.

Sinistre, cette odyssée des premiers occupants de Port-Tarascon, racontée dans le salon du *Tutu-panpan*, devant le Conseil où siégeaient les anciens, le gouverneur, les directeurs, les grands de première et de deuxième classe, le capitaine Scrapouchinat et son état-major, tandis qu'en haut, sur le pont, les passagers, fiévreux d'impatience et de curiosité, ne percevaient que le bourdonnement soutenu de la basse-taille du pharmacien et les violentes interruptions de son auditoire.

D'abord, sitôt l'embarquement, la *Farandole* à peine sortie du port de Marseille, Bompard, gouverneur provisoire et chef de l'expédition, brusquement pris d'un mal étrange, de forme contagieuse, disait-il, s'était fait descendre à terre, passant ses pouvoirs à Bézuquet... Heureux Bompard !... On eût dit qu'il devinait tout ce qui les attendait là-bas.

A Suez, trouvé le *Lucifer* en trop mauvais état pour continuer sa route et transbordé sa cargaison sur la *Farandole* déjà bondée.

Ce qu'ils avaient souffert de la chaleur, sur ce damné navire ! Restait-on dehors, on fondait au soleil ; si l'on descendait, on étouffait, serrés les uns contre les autres.

Aussi, en arrivant à Port-Tarascon, malgré la déception de ne rien trouver du tout, ni ville, ni port, ni constructions d'aucune sorte, on avait un tel besoin de s'espacer, de se détendre, que le débarquement sur cette île déserte leur semblait un soulagement, une vraie joie. Le notaire Cambalalette, le cadastreur, les avait même égayés d'une chansonnette comique sur le cadastre océanien. Ensuite étaient venues les réflexions sérieuses.

« Nous décidâmes alors, dit Bézuquet, d'envoyer le navire à

Sydney pour en rapporter des matériaux de construction et vous faire passer la dépêche désespérée que vous avez reçue. »

De toutes parts des protestations éclatèrent.

« Une dépêche désespérée ?...

— Quelle dépêche ?...

— Nous n'avons pas reçu de dépêche... »

La voix de Tartarin domina le tumulte :

« En fait de dépêche, mon cher Bézuquet, nous n'avons eu que celle où vous racontiez la belle réception que vous avaient faite les indigènes et le *Te Deum* chanté à la cathédrale. »

Les yeux du pharmacien s'élargissaient de stupeur :

« Un *Te Deum* à la cathédrale ! quelle cathédrale ?

— Tout s'expliquera... Continuez, Ferdinand... dit Tartarin.

— Je continue... » répondit Bézuquet.

Et son récit devint de plus en plus lugubre.

Les colons s'étaient mis courageusement à l'œuvre. Possédant des instruments aratoires, ils commencèrent à défricher ; seulement le terrain était exécrable, rien ne poussait. Puis vinrent les pluies...

Un cri de l'auditoire interrompit de nouveau l'orateur :

« Il pleut donc ?

— S'il pleut !... Plus qu'à Lyon... plus qu'en Suisse... dix mois de l'année. »

Ce fut une consternation. Tous les regards se tournèrent vers les hublots, à travers lesquels on distinguait des brumes épaisses, des nuées immobiles sur le vert-noir, le vert rhumatisme de la côte.

« Continuez, Ferdinand », dit Tartarin.

Et Bézuquet continua.

Avec les pluies perpétuelles, les eaux stagnantes, les fièvres, la malaria, le cimetière fut bien vite inauguré. Aux maladies s'ajoutaient l'ennui, la languison. Les plus vaillants n'avaient même pas le courage de travailler, tellement s'amollissaient les corps dans ce climat tout détrempé.

On se nourrissait de conserves ainsi que de lézards, de serpents apportés par les Papouas campés de l'autre côté de l'île, et qui, sous prétexte de vendre le produit de leur pêche et de leur chasse, se glissaient astucieusement dans la colonie, sans que personne se méfiât d'eux.

Si bien qu'une belle nuit les sauvages envahirent le baraquement, pénétrant comme des diables par la porte, par les fenêtres, par les ouvertures du toit, s'emparèrent des armes, massacrèrent ceux qui tentaient de résister et emmenèrent les autres à leur camp.

Pendant un mois ce fut une suite ininterrompue d'horribles festins. Les prisonniers, à tour de rôle, étaient assommés à coups de casse-tête, rôtis sur des pierres brûlantes dans la terre, comme des cochons de lait, et dévorés par ces sauvages cannibales...

Le cri d'horreur poussé par tout le Conseil porta la terreur jusque sur le pont, et le gouverneur eut à peine la force de murmurer encore : « Continuez, Ferdinand. »

Le pharmacien avait vu disparaître ainsi, un par un, tous ses compagnons, le doux père Vezole, souriant et résigné, disant : « Dieu soit loué ! » jusqu'à la fin, le notaire Cambalalette, le joyeux cadastreur, trouvant la force de rire même sur le gril.

« Et les monstres m'ont obligé d'en manger, de ce pauvre Cambalalette », ajouta Bézuquet tout frémissant encore de ce souvenir.

Dans le silence qui suivit, le bilieux Costecalde, jaune, la bouche tordue de rage, se tourna vers le gouverneur :

« Pas moins, vous nous aviez dit, vous aviez écrit et fait écrire qu'il n'y avait pas d'anthropophages ! »

Et comme le gouverneur accablé baissait la tête, Bézuquet répondit :

« Pas d'anthropophages !... C'est-à-dire qu'ils le sont tous. Ils n'ont pas de plus grand régal que la chair humaine, surtout la nôtre, celle des Blancs de Tarascon, à ce point qu'après avoir mangé les vivants ils ont passé aux morts. Vous avez vu l'ancien cimetière ? Il n'y reste rien, pas un os ; ils ont tout raclé, nettoyé, torché comme les assiettes chez nous, quand la soupe est bonne ou qu'on nous sert une carbonade à l'aïoli.

— Mais vous-même, Bézuquet, demanda un grand de première classe, comment fûtes-vous épargné ? »

Le pharmacien pensait qu'à vivre dans les bocaux, à mariner dans les produits pharmaceutiques, menthe, arsenic, arnica, ipécacuana, sa chair à la longue avait pris un goût d'herbages qui ne leur allait sans doute pas, à moins qu'au contraire, justement à cause de son odeur de pharmacie, on ne l'eût gardé pour la bonne bouche.

Le récit terminé :

« Eh bien, maintenant, qu'est-ce que nous faisons ? interrogea le marquis des Espazettes.

— Quoi, qu'est-ce que vous faites ?... dit Scrapouchinat de son ton hargneux, vous n'allez toujours pas rester ici, je pense ? »

On s'écria de tous côtés :

« Ah ! non... Bien sûr que non...

—... Quoique je ne sois payé que pour vous amener, continua le capitaine, je suis prêt à rapatrier ceux qui voudront. »

En ce moment tous ses défauts de caractère lui furent pardonnés. Ils oublièrent qu'ils n'étaient pour lui que des « singes verts » bons à fusiller. On l'entoura, on le félicita, les mains se tendaient vers lui. Au milieu du bruit, la voix de Tartarin se fit tout à coup entendre, sur un ton de grande dignité :

« Vous ferez ce que vous voudrez, messieurs, quant à moi, je reste. J'ai ma mission de gouverneur, il faut que je la remplisse. »

Scrapouchinat hurlait :

« Gouverneur de quoi ? puisqu'il n'y a rien ? »

Et les autres :

« Le capitaine a raison... puisqu'il n'y a rien... »

Mais Tartarin :

« Le duc de Mons a ma parole, messieurs.

— C'est un filou, votre duc de Mons, dit Bézuquet, je m'en suis toujours douté, même avant d'en avoir la preuve.

— Où est-elle cette preuve ?

— Pas dans ma poche, toujours ! » Et d'un geste pudique le pharmacien serrait autour de son corps le manteau de grand de première classe qui abritait sa nudité tatouée. « Ce qu'il y a de sûr, c'est que Bompard agonisant m'a dit, au moment de quitter la *Farandole* : « Méfiez-vous du Belge, c'est un blagueur... » S'il avait pu parler, m'en dire davantage... mais la maladie ne lui en laissait pas la force. »

D'ailleurs, quelles meilleures preuves pouvait-on avoir que cette île même, infertile, malsaine, où le duc les avait envoyés pour défricher et coloniser, et ces fausses dépêches ?...

Un grand mouvement se fit dans le Conseil, tous parlant à la fois, approuvant Bézuquet, accablant le duc d'injurieuses épithètes : « Menteur... blagueur... sale Belge !... »

Tartarin, héroïque, leur tenait tête à tous : « Jusqu'à preuve du contraire, je réserve mon opinion sur M. de Mons...

— La nôtre est faite, d'opinion..., un voleur !...

— Il a pu être imprudent, mal éclairé lui-même...

— Ne le défendez pas, il mérite le bagne...

— Quant à moi, nommé par lui gouverneur de Port-Tarascon, je reste à Port-Tarascon...

— Restez-y seul, alors.

— Seul, soit, si vous m'abandonnez. Qu'on me laisse des outils de labour...

— Mais puisque je vous dis que rien ne vient ! lui cria Bézuquet.

— Vous vous y êtes mal pris, Ferdinand. »

Alors Scrapouchinat s'emporta, frappant du poing la table du Conseil.

« Il est fou !... Je ne sais ce qui me tient de l'emmener de force et, s'il résiste, de le fusiller comme un singe vert.

— Essayez donc, coquin de sort ! »

Bouffant de colère, le geste menaçant, le père Bataillet venait de se dresser aux côtés de Tartarin. Il y eut échange de violentes paroles, de locutions tarasconnaises telles que : *Vous manquez de sens... Vous déparlez... Vous dites des choses qui ne sont pas de dire...*

Dieu sait comment tout cela eût fini sans l'intervention de l'avocat Branquebalme, directeur de la justice.

C'était, ce Branquebalme, un avocat très disert, aux arguments émaillés de *toutes fois et quantes, d'une part, d'autre part*, aux discours cimentés à la romaine, solides comme l'aqueduc du pont du Gard. Beau prud'homme latin, nourri d'éloquence et de logique cicéroniennes, déduisant toujours par *verum enim vero* le *parce que du parce qu'est-ce*, il profita du premier moment d'accalmie pour prendre la parole et, en longues et belles périodes qui se déroulaient sans fin, émit l'avis d'un plébiscite.

Les passagers voteraient « oui » ou « non » ; d'une part ceux qui voudraient rester resteraient ; d'autre part ceux qui voudraient s'en aller s'en iraient avec le navire, après que les charpentiers du bord auraient reconstruit la grande maison et le blockhaus.

Cette motion de Branquebalme, qui mettait tout le monde d'accord, une fois adoptée, sans plus tarder on fit commencer le vote.

Une grande agitation se produisit sur le pont et dans les cabines, dès qu'on sut de quoi il s'agissait. On n'entendait que plaintes et gémissements. Ces pauvres gens avaient mis leur avoir en l'achat des fameux hectares : allaient-ils donc tout perdre, renoncer à ces terres qu'ils avaient payées, à leur espoir de colonisation ? Ces raisons d'intérêt les poussaient à rester, mais aussitôt un regard sur le sinistre paysage les jetait dans l'hésitation. La grande baraque en ruines, cette verdure noire et mouillée derrière laquelle on s'imaginait le désert et les cannibales, la perspective d'être mangés comme Cambalalette, rien de tout cela n'était encourageant, et les désirs se tournaient alors vers la terre de Provence, si imprudemment abandonnée.

La foule des émigrants remplissait le navire d'un grouillement de fourmilière dévastée. La vieille douairière d'Aigueboulide errait sur le pont, sans lâcher sa chaufferette ni sa perruche.

Au milieu de la rumeur des discussions qui précédaient le vote, on n'entendait que des imprécations contre le Belge, le sale Belge... Ah ! ce n'était plus M. le duc de Mons !... Le sale Belge... On disait cela les dents serrées, le poing tendu.

Malgré tout, sur un millier de Tarasconnais, cent cinquante votèrent pour rester avec Tartarin. Il faut dire que la plupart étaient des dignitaires et que le gouverneur avait promis de leur laisser leurs fonctions et leurs titres.

De nouvelles discussions s'élevèrent pour le partage des vivres entre les partants et les restants.

« Vous vous ravitaillerez à Sydney », disaient ceux de l'île à ceux du navire.

— Vous chasserez et vous pêcherez, répondaient les autres, qu'avez-vous besoin de tant de conserves ? »

La Tarasque donna lieu aussi à de terribles débats. Retournerait-elle à Tarascon ?... Resterait-elle à la colonie ?...

La dispute fut très ardente. Plusieurs fois Scrapouchinat menaça le père Bataillet de le faire passer par les armes.

Pour maintenir la paix, l'avocat Branquebalme dut employer de nouveau toutes les ressources de sa sagesse de Nestor et faire intervenir ses judicieux *verum enim vero*. Mais il eut beaucoup de peine à calmer les esprits, surexcités en dessous par cet hypocrite Excourbaniès qui ne cherchait qu'à entretenir la discorde.

Velu, hirsute, criard, avec sa devise de « *Fen dé brut !* ... faisons du bruit !... » le lieutenant de la milice était tellement du Midi qu'il en était nègre, et nègre pas seulement par la noirceur de la peau et les cheveux crépus, mais aussi par sa lâcheté, son désir de plaire, dansant toujours la bamboula du succès devant le plus fort, devant le capitaine Scrapouchinat entouré de son équipage quand on était à bord, devant Tartarin au milieu de la milice quand on se trouvait à terre. A chacun d'eux il expliquait différemment les raisons qui le décidaient à opter pour Port-Tarascon, disant à Scrapouchinat :

« Je reste parce que ma femme va s'accoucher, sans quoi... »

Et à Tartarin :

« Pour rien au monde je ne ferai route encore avec cet ostrogoth. »

Enfin, après bien des tiraillements, le partage se termina tant bien que mal. La Tarasque restait à ceux du navire en échange d'une caronade et d'une chaloupe.

Tartarin avait arraché, pièce à pièce, vivres, armes et caisses d'outils.

Pendant plusieurs jours il y eut un perpétuel va-et-vient de canots chargés de mille choses, fusils, conserves, boîtes de thon et de sardines, biscuits, provisions de pâtés d'hirondelles et de pains-poires.

En même temps la cognée résonnait dans les bois, où l'on faisait force abattages pour la réparation de la grande maison et du blockhaus. Les sonneries du clairon se mêlaient au bruit des haches et des marteaux. Dans le jour les miliciens en armes gardaient les travailleurs, par crainte d'une attaque des sauvages ; la nuit, ils restaient campés sur le rivage, autour des bivouacs. « Pour se rompre au service en campagne », disait Tartarin.

Quand tout fut prêt, on se quitta un peu fraîchement. Les partants jalousaient les restants : ce qui ne les empêchait pas de dire sur un petit ton moqueur : « Si ça marche, écrivez-nous, alors nous reviendrons... »

De leur côté, malgré leur apparente confiance, bien des colons auraient préféré être à bord.

L'ancre dérapée, le navire tira une salve de coups de canon, et la caronade, servie par le père Bataillet, répondit de la terre, pendant qu'Excourbaniès jouait sur sa clarinette : *Bon voyage, cher Dumollet.*

N'importe ! Quand le *Tutu-panpan* eut doublé le promontoire et définitivement disparu, bien des yeux se mouillèrent sur le rivage, et la rade de Port-Tarascon devint subitement immense.

LIVRE DEUXIÈME

1

MÉMORIAL DE PORT-TARASCON
Journal rédigé par le Secrétaire Pascalon
Où se trouve consigné tout ce qui a été dit et fait dans la colonie libre sous le gouvernement de Tartarin.

20 décembre 1881. — J'entreprends de consigner sur ce registre les principaux événements de la colonie.

J'aurai du mal, avec toute la besogne qui m'incombe déjà : directeur du Secrétariat, tant de paperasses administratives, et puis, dès que j'ai une minute, quelques vers provençaux brouillonnés à la hâte, car il ne faut pas que les fonctions officielles tuent le félibre en moi.

Enfin j'essayerai, et ce sera curieux, un jour, de lire ces débuts de l'histoire d'un grand peuple. Je n'ai parlé à personne du travail que je commence aujourd'hui, pas même au gouverneur.

A noter d'abord la bonne tournure des affaires depuis huit jours que le *Tutu-panpan* est parti. On s'installe. Le drapeau de Port-Tarascon, qui porte la Tarasque écartelée sur les couleurs françaises, flotte au sommet du blockhaus.

C'est là qu'est établi le gouvernement, c'est-à-dire notre Tartarin, les directeurs et les bureaux. Les directeurs célibataires, comme moi, M. Tournatoire, directeur de la Santé, et le père Bataillet, grand chef de l'Artillerie et de la Marine, sont logés au gouvernement, et mangent à la table de Tartarin. M. Costecalde et M. Excourbaniès, qui sont mariés, mangent et couchent en ville.

Nous appelons *en ville* la grande maison que les charpentiers du *Tutu-panpan* ont remise en état. On a fait tout autour une sorte de boulevard, auquel on a donné pompeusement le nom de Tour de ville, comme à Tarascon. L'habitude est déjà prise parmi nous.

On dit : « Nous irons en ville, ce soir... Etes-vous allé en ville, ce matin ?... Si nous allions en ville ?... » Et cela semble tout naturel.

Le blockhaus est séparé de la ville par un ruisseau que nous appelons le Petit-Rhône. De mon bureau, quand la fenêtre est ouverte, j'entends les battoirs des laveuses, toutes penchées le long de la berge, leurs chants, leurs appels en ce parler provençal si coloré, si pimpant, et je peux me croire encore au pays.

Une seule chose me gâte le séjour du gouvernement : la poudrière. On nous a laissé une grande quantité de poudre déposée dans le sous-sol avec des provisions de diverse nature, ail, conserves, liquides, réserves d'armes, d'instruments et d'outils ; le tout soigneusement cadenassé ; mais c'est égal, de penser qu'on a là, sous les pieds, une si grande quantité de matières combustibles et explosibles, la peur vous prend, surtout la nuit.

25 septembre. — Hier, Mme Excourbaniès s'est heureusement accouchée[1] d'un gros garçon, le premier citoyen inscrit sur les registres d'état civil de Port-Tarascon. Il a été baptisé en grande cérémonie à Sainte-Marthe-des-Lataniers, notre petite église provisoire construite en bambous et à toiture de larges feuilles.

J'ai eu le bonheur d'être parrain et d'avoir pour commère Mlle Clorinde des Espazettes, bien un peu grande pour moi, mais si jolie, si bravette sous les taches de lumière qui filtraient à travers le treillis de bambous et les feuilles mal jointes du toit !

Toute la ville se trouvait là. Notre bon gouverneur a prononcé de belles paroles qui nous ont tous émus, et le père Bataillet a raconté une de ses plus jolies légendes. Partout, ce jour-là, les travaux ont été suspendus, comme un jour de fête. Après le baptême, promenade sur le Tour de ville. Tout le monde était en joie ; il semblait que le nouveau-né apportât de l'espoir et du bonheur à la colonie. Le gouvernement a fait distribuer double ration de thon et de pains-poires ; et sur toutes les tables, le soir, fumait un plat d'extra. Nous autres, nous avions mis rôtir un porc sauvage tué par le marquis, le premier fusil de l'île après Tartarin.

Le dîner fini, resté seul avec mon bon maître, je le sentais si affectueux, si paternel, que je lui ai avoué mon amour pour Mlle Clorinde. Il a souri, il le connaissait et m'a promis d'intervenir, plein de paroles encourageantes.

Malheureusement, la marquise est une d'Escudelle de Lambesc,

---

1. Locution tarasconnaise. Le *Mémorial* en fourmille ; on n'a pas cru devoir y retoucher.

très fière de ses origines, et moi rien qu'un simple roturier. De bonne famille, sans doute, rien à nous reprocher, mais ayant toujours vécu bourgeois. J'ai aussi contre moi ma timidité, mon léger bégaiement. Je commence en plus à me déplumer un peu dans le haut... Il est vrai que la direction du Secrétariat à mon âge !...

Ah ! s'il n'y avait que le marquis ! Lui pardi ! pourvu qu'il chasse... Ce n'est pas comme la marquise, avec ses quartiers. Pour vous donner une idée de son orgueil, à cette personne, tout le monde, en ville, se réunit le soir dans le salon commun. C'est très gentil ; les dames font leur tricot, les hommes leur partie de whist. Mme des Espazettes, elle, trop fière, reste avec ses filles, dans leur cabine tellement étroite que, quand ces dames se changent de robe, elles ne peuvent le faire que l'une après l'autre. Eh bien, la marquise aime mieux passer ses soirées là, recevoir chez elle, offrir aux invités qui ne savent où s'asseoir des infusions de tilleul ou de camomille, plutôt que de se mêler avec tout le monde, par horreur de la rafataille. C'est pour vous dire !

Enfin, malgré tout, j'ai encore de l'espoir.

29 septembre. — Hier, le gouverneur est descendu en ville. Il m'avait promis de parler de mon affaire et de me savoir à dire quelque chose en remontant. Vous pensez si je l'attendais avec impatience ! Mais, au retour, il ne m'a ouvert la bouche de rien.

Pendant le déjeuner il était nerveux ; en causant avec son chapelain, il lui est échappé de dire : « Différemment, nous manquons un peu trop de rafataille à Port-Tarascon... »

Comme Mme des Espazettes de Lambesc a toujours ce mot méprisant de rafataille aux lèvres, j'ai pensé qu'il l'avait vue et que ma demande n'était pas accueillie, mais je n'ai pu savoir la vérité, car tout de suite le gouverneur s'est mis à parler du rapport du directeur Costecalde au sujet des cultures.

Désastreux, ce rapport. Essais infructueux : ni maïs, ni blé, ni pommes de terre, ni carottes, rien ne vient. Pas d'humus, pas de soleil, trop d'eau, un sous-sol imperméable, toutes les semences noyées. Bref, ce qu'avait annoncé Bézuquet, et plus sinistre encore !

Il faut dire que le directeur des Cultures fait peut-être exprès de pousser les choses au pire, de les présenter sous leur plus mauvais jour. Un si mauvais esprit, ce Costecalde ! toujours jaloux de la gloire de Tartarin et animé contre lui d'une haine sournoise.

Le révérend père Bataillet, qui n'y va pas par quatre chemins, demandait carrément sa destitution, mais le gouverneur lui a répondu avec sa haute raison et sa modération habituelles : « Pas d'emballement... » Puis, en sortant de table, il est entré dans le cabinet de Costecalde et lui est venu comme ça, très calme :

« Et autrement, monsieur le directeur, ces cultures ? »

L'autre a répondu sans se bouger, aigrement :

« J'ai adressé mon rapport à M. le gouverneur.

— Voyons, voyons, Costecalde, il est un peu sévère, votre rapport ! »

Costecalde devint tout jaune.

« Il est comme il est, et si ça vous fâche... »

Sa voix sonnait l'insolence, mais Tartarin se contint à cause des assistants.

« Costecalde », fit-il avec deux flammes dans ses petits yeux gris, « je vous dirai deux mots quand nous serons seuls. »

C'était terrible, j'en avais la sueur qui me coulait...

30 septembre. — C'est bien ce que je craignais, ma demande a été repoussée par les des Espazettes. Je suis de trop petite extraction. On m'autorise à venir comme autrefois, mais défense d'espérer...

Qu'espèrent-ils donc eux-mêmes ?... Ils sont seuls de nobles dans la colonie. A qui comptent-ils donner leur fille ?... Ah ! monsieur le marquis, vous en agissez bien mal avec moi.

Que faire ?... Quel parti prendre ?... Clorinde m'aime, je le sais ; mais elle est trop sage pour s'enlever avec un jeune homme et partir se marier dans quelque autre pays... Le moyen d'abord, puisque nous sommes dans une île, sans communications avec le dehors !

Encore j'aurais compris leur refus, quand je n'étais qu'élève en pharmacie. Mais aujourd'hui, avec ma position, mon avenir...

Combien d'autres s'estimeraient heureuses de ma recherche ! Sans aller bien loin, cette petite Branquebalme, bonne musicienne, qui joue le piano, qui apprend ses sœurs, en voilà une dont les parents seraient enchantés si je levais seulement un doigt !

Ah ! Clorinde, Clorinde... Finis, les jours de bonheur !... Et pour m'achever, la pluie tombe depuis ce matin, tombe sans arrêt, rayant tout, noyant tout, mettant un voile gris sur les choses.

Bézuquet n'avait pas menti. Il pleut, à Port-Tarascon, il pleut... La pluie vous entoure de partout, vous enferme comme dans un grillage serré de cage à cigales. Plus d'horizons. La pluie, rien que la pluie. Elle inonde la terre, elle crible la mer, qui mêle à la pluie tombante une pluie remontante d'éclaboussures et d'embruns...

3 octobre. — Le mot du gouverneur était juste : nous manquons un peu trop de rafataille ! Moins de quartiers de noblesse, moins de grands dignitaires, et quelques plombiers, maçons, couvreurs, charpentiers de plus, tout irait mieux dans la colonie.

Cette nuit, avec la pluie continue, ces trombes d'eau irrésistibles, le toit de la grande maison a crevé et une inondation s'est produite en ville au gouvernement.

Les bureaux se sont rejeté la responsabilité des uns aux autres. Les Cultures ont dit que l'affaire regardait le Secrétariat, le Secrétariat soutenait que c'était une question relevant de la Santé ; celle-ci a renvoyé les plaignants à la Marine parce qu'il s'agissait de travaux de charpente.

En ville, ils s'en prenaient à l'état de choses, et ne décoléraient pas.

Pendant ce temps, la fissure s'élargissait, l'eau tombait en cascade du toit, et dans toutes les cabines on ne voyait que des gens avec des parapluies ouverts, qui se chamaillaient, criaient, accusaient le gouvernement, inondés et furieux.

Heureusement que nous n'en manquons pas, de parapluies ! Dans nos pacotilles d'objets pour échanges avec les sauvages, il y en avait une grande quantité, presque autant que de colliers de chiens.

Pour en finir avec l'inondation, c'est une fille Alric, au service de Mlle Tournatoire, qui a échelé le toit et cloué dessus une feuille de zinc empruntée au magasin. Le gouverneur m'a chargé de lui écrire une lettre de félicitations.

Si je consigne ici l'incident, c'est parce que dans cette circonstance la faiblesse de la colonie m'est apparue.

Administration excellente, zélée, compliquée même, et bien française ; mais, pour coloniser, les forces manquent : plus de paperasses que de bras.

Je suis aussi frappé d'une chose, c'est que chacun de nos gros bonnets se trouve chargé de la besogne à laquelle il était le moins apte et préparé. Voilà l'armurier Costecalde qui a passé sa vie au milieu des pistolets, des lefaucheux, de tous les engins de chasse, il est directeur des Cultures. Excourbaniès n'avait pas son pareil pour fabriquer le saucisson d'Arles, eh bien, depuis l'accident de Bravida, on l'a fait directeur de la Guerre et chef des milices. Le père Bataillet a pris l'Artillerie et la Marine, parce qu'il a l'humeur belliqueuse, mais en définitive, ce qu'il sait le mieux encore, c'est dire la messe et raconter des histoires.

En ville, la même chose. Nous avons là un tas de braves gens, petits rentiers, marchands de rouennerie, épiciers, pâtissiers, qui possèdent des hectares et ne savent qu'en faire, n'ayant pas la moindre notion de culture.

Je ne vois guère que le gouverneur qui connaisse vraiment son affaire. Ah ! celui-là, il sait tout, il a tout vu, tout lu, se représente surtout les choses avec une vivacité !... Malheureusement il est trop bon et ne veut jamais croire au mal. Ainsi encore maintenant il a confiance au Belge, à ce scélérat, à cet imposteur de duc de Mons ; il espère encore le voir arriver avec des colons, des provisions, et tous les jours quand j'entre dans sa chambre, son premier mot est : « Pas de navire en vue, ce matin, Pascalon ?... »

Et dire qu'un homme aussi bienveillant, un si excellent gouverneur, a des ennemis ! Oui, des ennemis déjà. Il le sait et ne fait qu'en rire. « C'est tout naturel qu'on m'en veuille, me dit-il quelquefois, puisque je suis l'Etat de choses. »

8 octobre. — Passé la matinée à établir un tableau de recensement que je donne ici. Ce document sur l'origine de la colonie aura cela d'intéressant qu'il a été dressé par un des fondateurs, un des ouvriers de la première heure.

En regard de chaque nom, mis une petite note afin de bien connaître ceux qui sont pour ou contre le gouverneur. Ne figurent sur cette liste ni les femmes ni les enfants, parce qu'ils ne votent pas.

Colonie de Port-Tarascon

TABLEAU DE RECENSEMENT

NOMS	TITRES ET QUALITÉS	OBSERVATIONS
S.E. TARTARIN	Gouverneur, grand cordon de l'ordre.	
TESTANIERE (Pascal), dit Pascalon	Directeur du Secrétariat, grand de 2e classe.	Excellent, j'ose le dire.
R.P. BATAILLET	Directeur de l'Artillerie et de la Marine, chapelain du gouverneur, et grand de 1re classe.	Pense bien mais très exalté.

NOMS	TITRES ET QUALITÉS	OBSERVATIONS
EXCOURBANIES (Spiridion).........	Directeur de la Guerre, chef des milices et de l'orphéon, grand de 1re classe.	A surveiller.
Dr TOURNATOIRE	Directeur de la Santé, médecin en chef de la colonie, grand de 1re classe.	Excellent.
COSTECALDE (Fabius)..	Directeur des Cultures, grand de 1re classe.	Exécrable.
BRANQUEBALME (Cicéron)..........	Directeur de la Justice, grand de 1re classe.	Très bon mais ennuyeux.
TORQUEBIAU (Marius)	Sous-directeur au Secrétariat, grand de 2e classe.	Bon.
BEZUQUET (Ferdinand)........	Sous-directeur à la Santé, médecin adjoint et pharmacien de la colonie.	d°
GALOFFRE	Sacristain et garde d'artillerie.	Très bon.
RUGIMABAUD (Antonin)	Attaché au service des Cultures.	Très mauvais.
BARBAN (Sénèque)....	Attaché au service des Cultures.	d°
Marquis des ESPAZETTES........	Lieutenant de la milice.	Bon.
BAUMEVIEILLE (Dosithée).........	Colon.	d°
CAUSSEMILLE (Timothée)	d°	d°
ESCARAS	d°	d°
BARAFORT (Alphonse)	d°	Douteux.
RABINAT (marin)......	d°	Bon.
COUDOGNAN d°.......	d°	Douteux.
ROUMENGAS d°	d°	d°
DOULADOUR d°	d°	Bon.
MIEGEVILLE d°	d°	d°
MAINFORT d°.........	d°	d°
BOUSQUET d°.........	d°	d°
LAFRANQUE d°	d°	d°
TRAVERSIERE.........	d°	d°
BOUFFARTIGUE (Néron)	Pâtissier.	d°
PERTUS..............	Cafetier.	Très mauvais.
REBUFFAT	Confiseur.	Bon.
BERDOULAT (Marc)....	Tambour.	d°

NOMS	TITRES ET QUALITÉS	OBSERVATIONS
Fourcade	Clairon.	Bon.
Becoulet	d°	Mauvais.
Vezanet	Milicien.	Douteux.
Malbos	d°	Bon.
Caissargue	d°	Très mauvais.
Bouillargue	d°	d°
Habidos	d°	Bon.
Trouhias	d°	d°
Reyranglade	d°	d°
Tolozan	d°	d°
Margouty	d°	Douteux.
Prou	d°	d°
Trouche	d°	Bon.
Seve	d°	Douteux.
Sorgue	d°	Bon.
Cade	d°	Très bon.
Puech	d°	d°
Bosc	d°	d°
Jouve	d°	Bon.
Truphenus	d°	Exécrable.
Roquetaillade	d°	d°
Barbusse	d°	d°
Barbouin	d°	Mauvais.
Rougnonas	d°	Très bon.
Saucine	d°	d°
Sauze	d°	Bon.
Roure	d°	d°
Barbigal	d°	d°
Merinjane	d°	Douteux.
Ventebren	d°	Bon.
Gavot	d°	Mauvais.
Marc-Aurelle	d°	Très bon.
Coq-de-Mer	Orphéoniste.	Bon.
Ponge (aîné)	d°	d°
Gargas	d°	d°
Lapalud	d°	d°
Bezouce	d°	d°
Ponge (jeune)	d°	Mauvais
Picheral	d°	Bon.
Mezoule	Chasseur.	d°
Oustalet	d°	d°
Terron (M.-A.)	d°	d°

10 octobre. — Le marquis des Espazettes et quelques adroits tireurs, ne pouvant plus sortir à cause de la pluie, avaient imaginé d'installer des cibles en vieilles boîtes de fer-blanc, récipients de conserves de thon, de sardines ou de pains-poires, et toute la journée ils tiraient là-dessus par les fenêtres.

Nos anciens chasseurs de casquettes, maintenant que casques et casquettes sont trop difficiles à renouveler, passaient ainsi chasseurs de conserves. Excellent exercice en soi. Mais Costecalde ayant persuadé au gouverneur que cela entraînait un trop grand gaspillage de poudre, un décret vient de paraître interdisant le tir des boîtes. Les chasseurs de conserves sont furieux, la noblesse boude ; seuls Costecalde et sa bande se frottent les mains.

Mais enfin que peut-on lui reprocher, à notre pauvre gouverneur ? Ce scélérat de Belge l'a trompé comme nous. Est-ce de sa faute s'il pleut toujours, si l'on ne peut pas faire courir des bœufs à cause du mauvais temps ?

C'est comme un sort sur ces malheureuses courses, que nos Tarasconnais se réjouissaient tant de trouver ici ; on avait amené tout exprès quelques vaches et un taureau de Camargue, le Romain, fameux dans les fêtes votives du Midi.

A cause des pluies, qui ne permettaient pas de les laisser au pâturage, on tenait les bêtes dans une écurie, mais voilà que, sans qu'on sache comment — je ne serais pas étonné qu'il y ait encore du Costecalde là-dessous —, le Romain s'est échappé.

Maintenant il bat la forêt, il est devenu sauvage, un vrai bison. Et c'est lui qui met en fuite et fait courir le monde, au lieu qu'on le fasse courir.

Est-ce encore la faute de notre Tartarin ?...

2

Les courses de taureaux à Port-Tarascon. — Aventures et combats. — Arrivée du roi Négonko et de sa fille Likiriki. — Tartarin frotte son nez contre le nez du roi. — Un grand diplomate.

Jour par jour, page à page, avec la minutie des grises rayures de la pluie, avec la monotonie terne et désespérante de son embue sur la rade, le Mémorial que nous avons sous les yeux continue la chronique de la colonie ; mais, craignant de fatiguer le lecteur, nous allons résumer le journal de l'ami Pascalon.

Les rapports se tendant de plus en plus entre la ville et le gouvernement, pour essayer de rattraper sa popularité Tartarin décida d'organiser enfin les courses de taureaux, pas avec le Romain, bien entendu, qui tenait toujours le maquis, mais avec les trois vaches qui restaient.

Bien étiques, bien maigres, ces trois malheureuses Camarguaises habituées au plein air, au grand soleil, et recluses dans une humide et sombre écurie depuis leur arrivée à Port-Tarascon ! N'importe ! cela valait mieux que rien.

D'avance, sur un terrain de sable au bord de la mer où s'exerçait la milice d'habitude, une estrade avait été dressée, le cirque établi au moyen de piquets et de cordes tendues.

On profita d'une entre-lueur de beau temps, et l'Etat de choses, chamarré, entouré de ses dignitaires en grand costume, prit place sur l'estrade, pendant que colons, miliciens, leurs dames, demoiselles et servantes se tassaient autour des cordes, et que les petits couraient dans le rond en criant : « *Té !... té !...* les bœufs !... »

Oubliés en ce moment les ennuis des longs jours pluvieux, oubliés les griefs contre le Belge, le sale Belge : « *Té !... té !...* les bœufs !... » rien que ce cri les grisait tous de joie.

Soudain un roulement de tambours.

C'était le signal. Le cirque envahi se vida en un clin d'œil et une des bêtes entra dans la lice, accueillie par de frénétiques hourras.

Elle n'avait rien de terrible. Une pauvre vache efflanquée, effarée, qui regardait autour d'elle de ses gros yeux déshabitués de la lumière ; elle se planta au milieu du cirque et ne bougea plus, avec un long meuglement plaintif, son flot de rubans entre les cornes, jusqu'à ce que la foule indignée l'eût chassée de l'arène à coups de triques.

Pour la seconde vache, ce fut bien une autre affaire. Rien ne put la décider à sortir de l'écurie. On eut beau la pousser, la tirer, par la queue, par les cornes, lui piquer le museau d'une pointe de trident, impossible de lui faire passer la porte.

Alors, voyons la troisième. On la disait très méchante, celle-là, très excitée. En effet, elle entra dans le cirque au galop, creusant le sable de ses pieds fourchus, se fouettant les flancs de sa queue, distribuant les coups de tête à droite et à gauche... Enfin on allait avoir une belle course !... Pas plus ! La bête prend son élan, franchit la corde, écarte la foule de ses cornes baissées, et court tout droit se jeter dans la mer.

De l'eau jusqu'au jarret, puis jusqu'au garrot, elle avançait, avançait toujours. Bientôt on ne vit plus que ses naseaux, le croissant de ses deux cornes au-dessus de la mer. Elle resta là, jusqu'au soir, sinistre, silencieuse ; et toute la colonie, du rivage, l'injuriait, la sifflait, lui jetait des pierres, sifflets et huées dont le pauvre Etat de choses, descendu de son estrade, avait bien aussi sa part.

Les courses manquées, il fallait un dérivatif à la mauvaise humeur générale ; le meilleur fut la guerre, une expédition contre le roi Négonko. Le drôle, depuis la mort de Bravida, de Cambalalette, du père Vezole et de tant d'autres braves Tarasconnais, s'était enfui avec ses Papouas et dès lors on n'avait plus entendu parler de lui. Il habitait, disait-on, dans une île voisine, à deux ou trois lieues au large, dont on distinguait les lignes confuses par les jours clairs, mais invisible la plupart du temps derrière l'horizon embrumé de pluies continuelles. Tartarin, d'humeur pacifique, avait longtemps reculé devant une expédition, mais cette fois la politique le décida.

La chaloupe mise en état, réparée, approvisionnée, ornée à l'avant de la couleuvrine servie par le père Bataillet et son sacristain Galoffre, vingt miliciens bien armés embarquèrent sous les ordres d'Excourbaniès et du marquis des Espazettes, et un matin on prit la mer.

Leur absence dura trois jours, qui parurent bien longs à la colonie. Puis, vers la fin du troisième jour, un coup de couleuvrine entendu au large amena tout le monde sur le rivage, et l'on vit arriver la chaloupe, ses voiles dehors, l'avant relevé, d'une allure rapide, comme poussée par un vent de triomphe.

Avant même qu'elle eût atteint la plage, les cris joyeux de ceux qui la montaient, le *fen dé brut* d'Excourbaniès, annonçaient de loin le succès complet de l'expédition.

On avait tiré une vengeance éclatante des cannibales, brûlé des tas de villages, tué au dire de chacun des milliers de Papouas. Le chiffre variait, mais toujours énorme ; les récits aussi différaient ; le certain, c'est qu'on ramenait cinq ou six prisonniers de marque, parmi lesquels le roi Négonko lui-même et sa fille Likiriki, conduits au gouvernement au milieu des ovations que la foule faisait aux vainqueurs.

Les miliciens défilaient, portant, comme les soldats de Christophe Colomb au retour de la découverte du Nouveau Monde, toutes sortes d'objets étranges, plumes éclatantes, peaux de bêtes, armes et défroques de sauvages.

Mais on se pressait surtout sur le passage des prisonniers. Les bons Tarasconnais les examinaient avec une curiosité haineuse. Le père Bataillet avait fait jeter sur leur nudité moricaude quelques couvertures dont ils s'enveloppaient à demi ; et de les voir ainsi affublés, de se dire qu'ils avaient mangé le père Vezole, le notaire Cambalalette et tant d'autres, on sentait le même frémissement de répulsion que devant des boas de ménagerie digérant sous les plis de leur litière de laine.

Le roi Négonko marchait le premier, long vieux Noir à gros ventre d'enfant de lait, coiffé comme d'une calotte par une chevelure crépue et toute blanche, une pipe en terre rouge de Marseille pendue à son bras gauche par une ficelle. Près de lui la petite Likiriki, aux yeux luisants de diablotin, parée de colliers de corail et de bracelets de coquillages roses. Après eux de grands singes noirs à longs bras, grimaçant d'horribles sourires à dents pointues.

On se permit d'abord quelques plaisanteries, on disait : « Voilà de l'ouvrage pour Mlle Tournatoire », et la bonne vieille demoiselle, reprise par son idée fixe, songeait, en effet, à habiller tous ces sauvages ; mais la curiosité se tourna bientôt en fureur au souvenir des compatriotes mangés par les cannibales.

Des clameurs : « A mort !... à mort !... *zou !* ... » se firent entendre. Excourbaniès, pour se donner l'air plus militaire, avait repris le mot de Scrapouchinat et criait « qu'il fallait les fusiller tous comme des singes verts ! »

Tartarin se tourna vers lui, et du geste arrêtant ce furieux :

« Spiridion, dit-il, respectons les lois de la guerre. »

Ne vous extasiez pas trop ; cette belle parole masquait un acte politique.

Défenseur acharné du duc de Mons, au fond Tartarin gardait un doute. Si tout de même il avait eu affaire à un filou ! Le traité que de Mons disait avoir passé avec le roi Négonko pour l'achat de l'île serait alors faux comme le reste, le territoire ne leur appartiendrait pas, les bons pour hectares ne seraient que des papiers sans valeur.

Aussi le gouverneur, bien loin de songer à fusiller ses prisonniers comme « des singes verts », fit-il au roi papoua une réception solennelle.

Il savait comment s'y prendre, ayant lu tous les récits des navigateurs, connaissant par cœur Cook, Bougainville, d'Entrecasteaux.

Il s'approcha du roi et frotta son nez contre le sien. Le sauvage parut très surpris, car cet usage n'existait plus depuis longtemps chez ces peuplades. Pourtant le roi se laissa faire, croyant sans doute à quelque tradition tarasconnaise ; et les autres prisonniers, voyant cela, même la petite Likiriki qui n'avait qu'un petit nez de chat, presque pas de nez du tout, voulurent absolument exécuter la même cérémonie avec Tartarin.

Quand on se fut bien frotté le nez, il s'agit d'entrer en communication par la parole avec ces animaux. Le père Bataillet leur parla d'abord son papoua de par là-bas, mais comme ce n'était pas le papoua de par ici, naturellement ils n'y comprirent goutte. Cicéron Branquebalme, qui savait à peu près l'anglais, essaya de cette langue. Excourbaniès leur bredouilla quelques mots d'espagnol, mais sans plus de succès l'un que l'autre.

« Faisons-les toujours manger », dit alors Tartarin.

On ouvrit quelques boîtes de thon. Cette fois les sauvages comprirent, se jetèrent aussitôt sur les conserves, et les dévorèrent gloutonnement, vidant les boîtes, les nettoyant jusqu'au fond avec leurs doigts ruisselants d'huile. Puis, après de larges lampées d'eau-de-vie qu'il semblait aimer tout particulièrement, le roi, à la grande stupeur de Tartarin et des autres, entonna d'une voix rauque :

Dé brin o dè bran
Cabussaran
Dou fenestroun
De Tarascoun
Dedins lou Rose.

Cette chanson tarasconnaise éructée par ce sauvage aux lèvres lippues, aux dents noires de bétel, prenait une physionomie fantastique et féroce. Mais comment Négonko savait-il le tarasconnais ?

Après un moment de stupéfaction, on s'expliqua.

Pendant les quelques mois de voisinage avec les infortunés passagers de la *Farandole* et du *Lucifer*, les Papouas avaient appris le parler des bords du Rhône ; ils le dénaturaient bien un peu, mais, les gestes aidant, on pouvait parvenir à s'entendre.

Et l'on s'entendit.

Interrogé au sujet du duc de Mons, le roi Négonko déclara que de ce Blanc, ni de qui que ce fût de semblable, jamais de sa vie il n'avait entendu parler ;

Pareillement que l'île n'avait jamais été vendue ;

Pareillement qu'il n'y avait jamais eu de traité.

Jamais de traité !... Tartarin, sans s'émouvoir, en fit préparer un, séance tenante. L'érudit Branquebalme collabora pour beaucoup à la rédaction sévère et minutieuse de ce document. Il y mit toute sa connaissance de la loi, trouva de nombreux *attendu que...* et avec son ciment romain en fit un tout solide et compact.

Le roi Négonko cédait l'île de Port-Tarascon moyennant un baril de rhum, dix livres de tabac, deux parapluies de cotonnade et une douzaine de colliers de chiens.

Un codicille ajouté au traité autorisait Négonko, sa fille et ses compagnons à s'installer sur la côte occidentale de l'île, cette partie où l'on n'allait jamais à cause du Romain, le fameux taureau devenu bison, la seule bête dangereuse de la colonie.

Tout cela conclu en conférence secrète et enlevé en quelques heures.

Ainsi, grâce à l'habileté diplomatique de Tartarin, les bons d'hectares se trouvèrent valables, et représentèrent réellement quelque chose, ce qui ne leur était jamais arrivé.

3

Il pleut toujours. — Invasion de maladies aqueuses. — La soupe à l'ail. — Ordre du gouverneur. — L'ail va manquer ! — L'ail ne manquera pas. — Le baptême de Likiriki.

Cependant toujours la mouillure, toujours le ciel gris et l'eau qui tombait, qui tombait... Le matin, en ville, on voyait s'entrouvrir les fenêtres, des mains se tendre dehors :

« Il pleut.

— Il pleut !... »

Il pleuvait continuellement, comme dans les récits de Bézuquet.

Pauvre Bézuquet ! Malgré tant de misères endurées avec ceux de la *Farandole* et du *Lucifer*, il était resté à Port-Tarascon, n'osant retourner en terre chrétienne à cause de son tatouage. Redevenu pharmacien et aide-major de classe très infime sous les ordres de Tournatoire, l'ancien gouverneur provisoire aimait encore mieux cela que d'exhiber dans les pays civilisés sa figure monstrueuse et ses mains toutes piquetées et carminées. Seulement il se vengeait de ses malheurs en faisant à ses compagnons les prédictions les plus sinistres. S'ils se plaignaient de la pluie, de la boue, de la moisissure, il haussait les épaules :

« Attendez un peu... Vous en verrez bien d'autres ! »

Et il ne se trompait pas. De vivre ainsi toujours trempés, par là-dessus le manque de viandes fraîches, beaucoup tombèrent malades.

Les vaches étaient depuis longtemps mangées. On ne comptait plus sur les chasseurs, quoiqu'il y eût parmi eux des tireurs très adroits, tels que le marquis des Espazettes, et tous pénétrés des principes de Tartarin, deux temps pour la caille, trois temps pour la perdrix.

Le diable, c'est qu'il n'y avait ni perdrix, ni cailles, ni rien de semblable, pas même de goélands ni de mouettes, aucun oiseau de mer n'abordant jamais ce côté de l'île.

On ne rencontrait dans les excursions de chasse que quelques porcs sauvages, mais si rares ! ou des kangourous, d'un tir très difficile à cause de leurs bonds sautillants.

Tartarin ne pouvait dire au juste combien il fallait compter pour cet animal. Un jour le marquis des Espazettes l'interrogeant à ce sujet, il répondit un peu au hasard :

« Comptez six, monsieur le marquis... »

Des Espazettes compta six et n'attrapa rien qu'un gros rhume sous la pluie à torrents et indiscontinue.

« Il faudra que j'y aille moi-même », dit Tartarin ; mais il remettait toujours la partie, à cause du mauvais temps, et la venaison se faisait de plus en plus rare. Certainement les gros lézards n'étaient pas mauvais, mais à force d'en manger on prenait en horreur cette chair blanche et fade, dont le pâtissier Bouffartigue faisait des conserves, d'après les procédés des Pères Blancs.

A cette privation de viande fraîche s'ajoutait le manque d'exercice. Que faire dehors, sous cette pluie, dans les flaques de boue qui les entouraient ?

Noyé, sombré, le Tour de ville !

Quelques vaillants colons, Escarras, Douladour, Mainfort, Roquetaillade, partaient parfois malgré l'averse pour aller bêcher la terre, remuer leurs hectares, acharnés à des essais de plantations qui produisaient des choses extraordinaires : dans la chaleur humide de cette terre toujours trempée, les céleris en une nuit devenaient des arbres gigantesques, et d'un dur ! Les choux aussi prenaient un développement phénoménal, mais tout en tiges, longues comme des fûts de palmiers ; quant aux pommes de terre et aux carottes, il fallait y renoncer.

Bézuquet l'avait bien dit : rien ne venait ou tout venait trop.

A ces causes multiples de démoralisation, joignez le mal d'ennui, le souvenir de la patrie si lointaine, le regret des chauds *cagnards*[1] tarasconnais, le long des vieux remparts dorés de lumière, et ne vous étonnez pas si le nombre des malades augmentait chaque jour.

Heureusement pour eux que le directeur de la santé Tournatoire ne croyait pas à la pharmacopée, et au lieu de droguer, de *poutringuer* ses malades comme Bézuquet, leur ordonnait « une bonne petite soupe à l'ail ».

Et pas à dire : « mon bel ami ! » jamais il ne manquait son coup. Vous aviez des gens tout gonflés, sans voix ni souffle, qui demandaient déjà le prêtre et le notaire. Arrivait la petite soupe à l'ail, trois gousses dans un petit pot, trois cuillerées de bonne huile d'olive avec une rôtie dessus, et ces gens qui ne pouvaient plus parler commençaient par dire :

« *Outre !* ... ça sent bon... »

Rien que l'odeur les revenait tout de suite.

Ils prenaient une assiette, deux assiettes, et à la troisième les voilà debout, désenflés, la voix naturelle, puis le soir au salon faisant leur partie de whist. Disons aussi que c'étaient tous des Tarasconnais.

Une seule malade, et malade de marque, la très haute dame des Espazettes née de l'Escudelle de Lambesc, avait refusé le remède de Tournatoire. Bon pour la rafataille, la soupe à l'ail, mais quand on descend des croisades !... Elle ne voulait pas plus en entendre parler que du mariage de Clorinde avec Pascalon. La malheureuse dame était pourtant dans un état déplorable. Celle-là, oui, l'avait, *le mal.* Entendez par ce nom vague la maladie bizarre, aqueuse, abattue sur cette colonie de Méridionaux. Ceux qui en souffraient devenaient subitement très laids, les yeux tout suintants, le ventre et les jambes enflés ; cela faisait penser au terrible « mal de M. Mauve » dans la légende du « Fils de l'Homme ».

La pauvre marquise était donc toute *boudenfle*, pour employer une expression du Mémorial ; et chaque soir, quand le doux et désespéré Pascalon descendait en ville, il trouvait la pauvre femme au lit, sous un grand parapluie de cotonnade bleue attaché à son chevet, geignant et s'obstinant à refuser la soupe à l'ail, pendant

1. Abris contre le vent.

que la longue et douce Clorinde s'activait autour d'une cafetière de tilleul, et que le marquis, dans un coin, bourrait philosophiquement des cartouches pour sa chasse très aléatoire du lendemain.

Dans les cases voisines, l'eau s'égouttait sur les parapluies ouverts, les enfants piaillaient, ou des bruits de dispute, des éclats de discussions politiques arrivaient du salon ; et toujours le crépitement de la pluie sur les vitres, sur le toit de zinc, toujours le gargouillement des gouttières en cascades.

Entre-temps, Costecalde continuait ses sourdes menées, le jour dans son cabinet de directeur des Cultures, le soir en ville, dans le salon commun, avec ses âmes damnées Barban et Rugimabaud, qui l'aidaient à répandre les bruits les plus sinistres, celui-ci entre autres : « L'ail va manquer !... »

Et quelle consternation de penser qu'un jour prochain on serait peut-être privé de cet ail sauveur, guérisseur, de cette panacée universelle gardée dans les magasins du gouvernement, à qui Costecalde reprochait de l'accaparer.

Excourbaniès — et de quels tonitruements ! — soutenait la calomnie du directeur des Cultures. Il y a un vieux proverbe tarasconnais qui dit : « Larrons de Pise, le jour se battent entre eux, et la nuit volent ensemble. » C'était bien le cas de cet Excourbaniès à double face, qui, devant Tartarin, au gouvernement, parlait contre Costecalde, tandis qu'en ville, le soir, il faisait chorus avec les pires ennemis du gouverneur.

Tartarin, dont on sait la patience et la bonté, était loin d'ignorer ces attaques. Le soir, lorsqu'il fumait sa pipe accoudé à la fenêtre ouverte, parmi les bruits nocturnes, mêlés aux murmures du Petit-Rhône et de tous les ruisselets formés par les averses sur les pentes, il distinguait de lointaines discussions, des échos de voix furieuses, il voyait à travers l'air brouillé d'eau les lumières tremblotantes courir derrière les vitres de la grande maison ; et à l'idée que tout ce train était causé par Costecalde, sa main frémissait sur la barre d'appui, ses yeux crachaient de la flamme dans l'ombre ; mais comme, après tout, ces émotions, jointes à l'humidité de l'air, pouvaient lui faire prendre le mal, il se maîtrisait, refermait la fenêtre et allait tranquillement se coucher.

Les choses pourtant s'envenimèrent au point qu'il se décida à un grand parti, cassa aux gages Costecalde et ses deux séides, enleva même au directeur son manteau de première classe, nommant à sa place Beaumevieille, ancien horloger, pas plus fort peut-être en culture que son prédécesseur, mais à coup sûr très honnête homme, et merveilleusement secondé par Labranque, ancien fabricant de toile cirée, et Rebuffat, *A la renommée des berlingots*, qui remplaçaient comme sous-directeurs Rugimabaud et Barban.

Le décret fut affiché de très bonne heure sur la porte de la grande maison, en sorte que Costecalde, sortant le matin pour aller à son bureau, en reçut l'outrage en pleine figure. C'est alors qu'on put voir combien Tartarin avait eu raison d'agir avec cette vigueur.

Dans l'affaire d'une heure ou deux surgirent et se dirigèrent vers la Résidence une vingtaine peut-être de mécontents, tous armés jusqu'aux yeux et criant :

« A bas le gouverneur !... A mort !... Au Rhône !... *Zou ! Zou !* ... Démission ! Démission ! »

Derrière la bande suivait maître Excourbaniès, hurlant plus fort que tous les autres :

« Démission !... *Fen dé brut !* ... Démission !... »

Malheureusement il pleuvait, et à verse, ce qui les obligeait de tenir leur parapluie d'une main et leur fusil de l'autre. Du reste, le gouvernement avait pris ses mesures.

Passé le Petit-Rhône, les insurgés arrivèrent devant le blockhaus, et virent ceci :

Au premier étage, Tartarin s'encadrait dans sa fenêtre large ouverte, avec son winchester à trente-deux coups, et derrière lui ses fidèles chasseurs de casquettes ou de conserves, le marquis des Espazettes au premier rang, des tireurs qui à trois cents pas vous mettaient, en comptant quatre, leur balle dans le petit rond d'étiquette d'une boîte de pains-poires.

En bas, sous l'auvent du grand portail, le père Bataillet, penché sur sa caronade, n'attendait pour tirer que le signal du gouverneur.

Si formidable et si inattendu l'aspect de cette artillerie, mèche allumée, que les révoltés reculèrent, et qu'Excourbaniès, par un de ces brusques changements d'allures qui lui étaient habituels, se mit à danser un pas frénétique, ce qu'il appelait cyniquement la bamboula du succès, sous la fenêtre de Tartarin, rugissant tant qu'il avait de souffle :

« Vive le gouverneur !... Vive l'Etat de choses !... Faisons du bruit !... Ah ! ah ! ah ! »

Tartarin, du haut de son poste, le winchester toujours au poing, lança d'une voix vibrante :

« Rentrons chez nous, messieurs les mécontents. L'eau tombe, et je craindrais de vous retenir plus longtemps sous l'ondée.

« Dès demain, nous allons réunir notre bon peuple dans ses

comices et demander à la nation si elle veut encore de nous. Jusque-là, qu'on se tienne calme, ou gare dessous ! »

On vota dès le lendemain, et l'ancien Etat de choses fut réélu à une majorité écrasante.

Quelques jours après, comme contraste à toute cette agitation, avait lieu le baptême de la jeune Likiriki, la petite princesse papouane, la fille du roi Négonko, élevée par le révérend père Bataillet, qui avait achevé l'œuvre de conversion commencée par le père Vezole, « Dieu soit loué ! »

C'était vraiment une délicieuse petite singesse, bien roulée, bien moulée, et souple, et rebondie, cette princesse à peau jaune, parée de ses colliers de corail, de sa robe à rayures bleues confectionnée par Mlle Tournatoire.

Pour parrain le gouverneur, et pour marraine Mme Branquebalme.

On la baptisa sous les noms de Marthe Marie Tartarine. Seulement, à cause de l'épouvantable temps qu'il faisait ce jour-là, ainsi que la veille, du reste, et les jours suivants, le baptême ne put avoir lieu à Saint-Marthe des Lataniers, envahie par des torrents d'eau sous son toit de feuillage depuis longtemps effondré.

On se réunit pour la cérémonie dans le salon de la grande maison, et vous pensez quels souvenirs remués par ce baptême au cœur du tendre Pascalon, se revoyant parrain avec sa Clorinde !

A ce passage de son journal, que nous ne faisons que résumer, il y a ici une trace de larmes et ces mots tout délavés :

« Pauvre de moi et pauvre d'elle ! »

Et c'est au lendemain du baptême de Likiriki qu'eut lieu l'épouvantable catastrophe... Mais les faits deviennent trop graves : laissons la parole au Mémorial.

4

Suite du Mémorial de Pascalon

4 décembre. — Aujourd'hui, deuxième dimanche de l'avent, le sacristain Galoffre, inspecteur de la Marine, s'en venant comme tous les matins visiter la chaloupe, ne l'a plus trouvée.

L'anneau, la chaîne, tout était arraché ; le bateau, disparu.

Il a cru d'abord à quelque nouveau tour de Négonko et de sa bande, dont nous continuons à nous méfier ; mais dans le trou laissé par l'arrachement de l'anneau s'étalait, toute trempée d'eau et salie de boue, une large enveloppe à l'adresse du gouverneur.

Cette enveloppe contenait les cartes P.P.C. de Costecalde, de Barban et de Rugimabaud ; sur la carte de Barban avaient également signé et pris congé quatre miliciens : Caissargue, Bouillargue, Truphénus et Roquetaillade.

Depuis quelques jours la chaloupe se trouvait toute prête, garnie de provisions, en vue d'une nouvelle expédition projetée par le R.P. Bataillet. Les misérables ont profité de cette aubaine. Ils ont tout emporté, même la boussole, et leurs fusils par-dessus le marché.

Et dire que les trois premiers sont mariés, qu'ils laissent derrière eux des femmes et une tapée d'enfants ! Les femmes, passe encore de les abandonner ainsi, mais des enfants !

Le sentiment général de la colonie à la suite de cet événement, une grande stupeur. Tant qu'on avait la chaloupe, il restait l'espoir de gagner le continent d'île en île, on croyait la possibilité d'aller chercher du secours ; maintenant, il semble que ce soit les ponts coupés avec le restant du monde.

Le père Bataillet est entré dans une colère terrible, appelant tous les feux du Ciel sur ces bandits, voleurs, déserteurs et pis encore. Excourbaniès, lui, allait partout criant qu'on aurait dû les fusiller comme des singes verts et qu'il fallait, à titre de représailles, passer par les armes leurs femmes et leurs enfants.

Le gouverneur, seul, a gardé tout son sang-froid :

« Ne nous emballons pas, disait-il. Après tout, ce sont des Tarasconnais encore. Plaignons-les, songeons aux dangers qu'ils vont courir. Truphénus seul parmi eux a quelques notions de la voile. »

Puis, cette belle pensée lui est venue de faire des enfants abandonnés les pupilles de la colonie.

Au fond, je le crois très heureux d'être débarrassé de son ennemi mortel et de ses acolytes.

Dans la journée, Son Excellence m'a dicté l'ordre du jour suivant, qui a été affiché en ville :

ORDRE

Nous, Tartarin, gouverneur de Port-Tarascon et dépendances, grand cordon de l'Ordre, etc., etc.

Recommandons le plus grand calme à la population.

Les coupables seront poursuivis avec activité et soumis à toutes les sévérités de la loi.

Le directeur de l'Artillerie et de la Marine est chargé de l'exécution du présent décret.

En post-scriptum, pour répondre à certains mauvais bruits qui couraient depuis quelque temps, il m'a fait ajouter :

L'ail ne manquera pas.

6 décembre. — L'ordre du gouverneur a produit en ville le meilleur effet.

On aurait bien pu se faire cette réflexion : Poursuivre les coupables ? Comment ? Par où ? Avec quoi ? Mais ce n'est pas pour rien qu'un proverbe dit chez nous : « L'homme par la parole et le bœuf par les cornes. » La race tarasconnaise est si sensible aux belles phrases que personne n'a mis la parole du gouverneur en doute.

Un rayon de soleil entre deux averses est arrivé par là-dessus et voilà tout le monde ravi : sur le Tour de ville ce sont des danses et des rires. Ah ! le joli peuple, et vraiment commode à manier !

10 décembre. — Un honneur inouï m'arrive : je suis promu grand de première classe.

Trouvé le brevet ce matin à déjeuner sous mon assiette. Le gouverneur s'est montré très heureux d'avoir pu m'accorder cette haute distinction ; Branquebalme, Beaumevieille, le révérend ont paru aussi enchantés que moi-même de la nouvelle dignité qui me fait leur égal.

Le soir, descendu chez les des Espazettes, où la nouvelle était déjà connue. Le marquis m'a donné l'accolade devant Clorinde, toute rouge de plaisir. La marquise seule semblait indifférente à mes nouveaux honneurs. Pour elle, ce manteau de grand ne me relève pas encore de ma roture. Que lui faudrait-il donc ?... De première classe !... Et à mon âge !...

14 décembre. — Il se passe quelque chose d'extraordinaire au gouvernement, de si extraordinaire que j'ose à peine le confier à ce registre.

Le gouverneur a un sentiment !

Et pour qui ? Je vous le donne en mille. Pour sa petite filleule, la princesse Likiriki !

Lui, Tartarin, notre grand Tartarin, qui a refusé tant de beaux partis, ne voulant d'autre épouse que la gloire, épris d'une singesse ! Singesse de sang royal, je veux bien, régénérée par l'eau du baptême, mais restée sauvage en dessous, menteuse, gourmande, chapardeuse, et si cocasse de mœurs et d'habitudes ! des costumes en loques, toujours en haut de quelque cocotier dès qu'il ne pleut pas, s'amusant à jeter sur les crânes dénudés de nos anciens des noix dures comme des cailloux. Elle a manqué ainsi d'assommer le vénérable Miégeville.

Puis l'écart entre leurs deux âges. Tartarin a bien soixante ans ; il grisonne, il prend du corps. Elle, douze à quinze ans, au plus ; l'âge de la petite Fleurance dans la chanson de chez nous :

L'a prise si jeunette,
Ne sait se ceinturer.

Et c'est cette fillette, ce sauvageon des îles, que nous aurions pour souveraine !

Depuis longtemps, j'avais noté certains indices. Ainsi les indulgences du gouverneur pour le père, ce vieux bandit de Négonko, qu'il invitait souvent à notre table, malgré la malpropreté de ce hideux gorille, mangeant avec ses doigts, se gavant d'eau-de-vie jusqu'à rouler sous sa chaise.

Tartarin traitait tout cela de « bonne gaieté cordiale », et si la petite princesse, à l'exemple de son père, se livrait à quelque fantaisie bizarre à nous donner froid dans le dos à tous, notre bon maître souriait, la couvait d'un regard paternel qui demandait grâce pour elle et disait : « C'est une enfant... »

Tant bien, malgré ces symptômes, d'autres plus probants encore, je n'y voulais pas croire ; mais le doute ne m'est plus permis.

18 décembre. — Ce matin, au conseil, le gouverneur s'est ouvert à nous de son projet de mariage avec la petite princesse.

Il a prétexté la politique, parlé d'un mariage de convenances, des intérêts de la colonie : Port-Tarascon était isolé, perdu dans l'Océan, sans alliances. En épousant la fille d'un roi papoua, il nous amenait une flotte, une armée.

Personne dans le conseil n'a fait d'objection.

Excourbaniès, le premier, s'est élancé, trépignant d'enthousiasme : « Bravo !... Parfait !... A quand la noce ?... Ah ! ah ! ah !... » Ce soir, en ville, qui sait ce qu'il va répandre d'infamies.

Cicéron Branquebalme, par habitude, a dévidé ses implacables raisonnements sur le pour et sur le contre, « que si d'une part la colonie... il convient de dire que d'autre part... toutefois et quantes... *verum enim vero...* », et finalement il s'est rangé à l'opinion du gouverneur.

Beaumevieille et Tournatoire ont emboîté le pas derrière lui. Quant au père Bataillet, il semblait au fait de l'histoire, et n'a pas protesté.

Le comique, c'était les figures hypocrites que nous avions tous, feignant de croire aux intérêts coloniaux invoqués par Tartarin, au milieu d'un grand silence approbateur.

Tout à coup ses bons yeux se sont mouillés de larmes gaies, et il nous a dit très doucement :

« Et puis, voyez, mes amis, ce n'est pas tout ça... moi, je l'aime, cette petite. »

C'était si simple, si touchant, que nous avons eu tous le cœur retourné. « Eh ! faites donc, monsieur le gouverneur, faites donc ! » et on l'entourait, on lui serrait les mains.

20 décembre. — Le projet du gouverneur est très discuté en ville, moins sévèrement jugé cependant que je n'aurais cru. Les hommes en parlent gaiement, à la tarasconnaise, avec la pointe de malice qu'on met chez nous aux choses de l'amour.

Les femmes sont généralement plus hostiles, le groupe de Mlle Tournatoire surtout. Puisqu'il voulait se marier, pourquoi ne pas choisir dans la nation ? Beaucoup en parlant ainsi pensent à elles-mêmes ou à leurs demoiselles.

Excourbaniès, venu en ville dans la soirée, s'est mis du parti des dames et montrait les côtés faibles du mariage : ce beau-père sans tenue, ivrogne, cannibale ; puis la fiancée elle-même ayant, selon toute vraisemblance, mangé du Tarasconnais. Tartarin aurait dû plus y réfléchir.

En entendant parler ce traître, je sentais la colère qui me montait et je suis sorti du salon bien vite, tant j'avais peur de lui envoyer un emplâtre dans la figure. On a le sang vif à Tarascon, *outre !*

Quitté de là, entré chez les des Espazettes. La marquise bien faible, toujours couchée, pauvre femme, répugnant toujours la soupe à l'ail de Tournatoire, m'a dit, sitôt qu'elle m'a vu : « Eh bien, monsieur le chambellan, y aura-t-il des dames du palais près de la nouvelle reine ? »

Elle voulait rire ; mais tout de suite l'idée m'est venue qu'il y avait là quelque chose pour nous. Demoiselle d'honneur ou dame du palais, Clorinde habiterait la Résidence, on pourrait se voir à toute heure... Un tel bonheur serait-il possible !...

A mon retour, le gouverneur venait de se coucher, mais je n'ai pas voulu attendre au lendemain pour l'entretenir de mon projet, qu'il a trouvé de bonne politique. Resté très tard près de son lit à causer avec lui de ses amours et des miennes.

25 décembre. — Hier soir, veille de Noël, toute la colonie se réunissait dans le grand salon, le gouvernement, les dignitaires, et nous avons célébré notre belle fête provençale à cinq mille lieues de la patrie.

Le père Bataillet a dit la messe de minuit, puis on a posé le *cache-feu.* C'est une bûche de bois que le plus vieux de l'assistance promène autour de la salle et jette dans le feu en l'arrosant de vin blanc.

La princesse Likiriki était là, très amusée de la cérémonie, et des nougats, des coques, des estévenons, et mille friandises locales dont l'ingénieux pâtissier Bouffartigue avait paré la table.

On a chanté de vieux noëls :

Voici le roi Maure
Avec ses yeux tout trévirés ;
L'enfant Jésus pleure,
Le roi n'ose plus entrer.

Ces chants, les gâteaux, le grand feu autour duquel on faisait cercle, tout cela nous rappelait le pays, malgré le bruit d'eau qu'on entendait sur le toit et les parapluies ouverts dans le salon à cause des fissures.

A un moment, le père Bataillet a entonné sur l'harmonium la belle chanson de Frédéric Mistral, *Jean de Tarascon pris par les corsaires*, l'histoire d'un Tarasconnais tombé aux mains des Turcs, prenant le turban sans vergogne et tout près d'épouser la fille du pacha quand il entend sur le rivage chanter en provençal les matelots d'une barque tarasconnaise. Alors,

Comme l'eau jaillit sous un coup de rame — un grand flot de larmes — crève son cœur dur ; — le despatrié pense à la patrie, — et se désespère — d'être avec les Turcs.

A ce vers *Comme l'eau jaillit sous un coup de rame*, un sanglot nous a tous secoués. Le gouverneur lui-même buvait ses larmes, la tête renversée, et on voyait le grand cordon de l'Ordre qui se soulevait sur sa poitrine d'athlète.

Voilà qui va changer peut-être bien des choses, rien que cette chanson du grand Mistral.

29 décembre. — Aujourd'hui, à dix heures du matin, mariage de S.Exc. Tartarin, gouverneur de Port-Tarascon, avec la princesse royale Négonko.

Ont signé au contrat : S.M. Négonko, qui a fait une croix pour paraphe, les directeurs et les grands dignitaires de la colonie, puis la messe a été dite dans le grand salon.

Cérémonie très simple, très digne, les miliciens en armes, tout le monde en grand costume. Seul Négonko faisait tache. Son attitude comme roi et comme père a été déplorable.

Rien à dire de la princesse, très jolie dans sa robe blanche et sa parure de corail.

Le soir, grande fête, double ration de vivres, coups de canon, salves de nos tireurs de conserves, et des vivats, des chants, une joie universelle.

Et il pleut !... Et il en tombe !...

5

Apparition du duc de Mons. — L'île bombardée. — Ce n'était pas le duc de Mons. — Amenez le drapeau, coquin de sort ! — Douze heures aux Tarasconnais pour évacuer l'île sans bateau. — A la table de Tartarin, tous jurent de suivre leur gouverneur dans sa captivité.

« *Vé ! vé !* ... Un navire !... Un navire dans la rade. »

A ce cri poussé un matin par le milicien Berdoulat, en train de chercher des œufs de tortue sous une pluie battante, les colons de Port-Tarascon se montrèrent aux ouvertures de leur arche envasée, et en même temps que mille cris répercutaient le cri de Berdoulat : « Un navire, *vé ! vé !* Un navire ! » par les fenêtres, par les portes, gambadant, cabriolant comme une pantomime anglaise, la foule se précipitait sur la plage, qu'elle emplissait d'un mugissement de veaux marins.

Le gouverneur, averti, accourut aussitôt, et, tout en achevant de boutonner sa jaquette, il rayonnait sous le ciel ruisselant au milieu de son peuple en parapluies :

« Eh bien, mes enfants, quand je vous le disais qu'il reviendrait !... C'est le duc !...

— Le duc ?

— Qui voulez-vous que ce soit ? Hé ! oui, notre brave duc de Mons, qui vient ravitailler sa colonie, nous apporter les armes, les instruments et les bras de rafataille que je n'ai jamais cessé de lui réclamer. »

Il fallait voir, à ce moment, les figures effarées de ceux qui s'étaient le plus indignés contre le « sale Belge », car tous n'avaient pas l'impudence d'Excourbaniès criant et tourbillonnant sur la plage : « Vive le duc de Mons !... Ah ! ah ! ah !... Vive notre sauveur !... »

Pendant ce temps, un grand steamer, haut sur l'eau, imposant, s'avançait dans la rade. Il siffla, cracha sa vapeur, laissa tomber son ancre retentissante, mais très loin du rivage à cause des coraux, puis resta là, immobile sous la pluie et dans le silence.

Les colons commençaient à s'étonner du peu d'empressement que mettaient les gens du navire à répondre à leurs acclamations, à leurs signaux de parapluies et de chapeaux agités. Il leur semblait froid, le noble duc.

« Différemment, il n'est peut-être pas sûr que c'est nous.

— Ou bien nous en veut-il du mal qu'on a dit de lui.

— Du mal ? Moi, je n'en ai jamais dit.

— Ni moi, certes.

— Moi, pas davantage... »

Tartarin, au milieu de la confusion, ne perdit pas la tête. Il donna l'ordre d'agiter le drapeau au faîte de la Résidence et d'assurer les couleurs d'un coup de canon.

Le coup partit, les couleurs tarasconnaises ondoyèrent dans l'air.

Au même instant une effroyable détonation remplit la rade, enveloppant le navire d'un nuage de lourde fumée, tandis qu'une espèce d'oiseau noir, passant au-dessus des têtes avec un sifflement rauque, venait s'abattre sur le toit du magasin qu'il écorna.

Il y eut d'abord un moment de stupeur.

« Mais ils nous ti... tirent dessus ! » clama Pascalon.

A l'exemple du gouverneur, toute la colonie s'était jetée à plat ventre sur la rive.

« Alors, ce ne serait donc pas le duc », disait tout bas Tartarin à Cicéron Branquebalme, lequel, affalé dans la boue près de lui, crut devoir entamer une de ses discussions rigoureuses... « que si d'une part il était supposable... d'autre part on pouvait se dire aussi... »

L'arrivée d'un nouvel obus interrompit son raisonnement.

Pour le coup, le père Bataillet bondit, et d'une voix furibonde appela le sacristain Galoffre, son garde d'artillerie, disant qu'à eux deux, ils allaient riposter avec la caronade.

« Je vous le défends bien, par exemple, lui cria Tartarin. Quelle imprudence !... Tenez-le, vous autres..., empêchez-le... »

Torquebiau et Galoffre lui-même prirent le révérend chacun par un bras et le forcèrent à se coucher comme tout le monde, au moment où le troisième coup de canon partait du navire, toujours dans la direction du drapeau tarasconnais. Visiblement on en voulait aux couleurs nationales.

Tartarin le comprit ; il comprit aussi que, le drapeau disparu, les obus cesseraient de pleuvoir ; et, de toute la puissance de ses poumons, il mugit :

« Amenez le drapeau, coquin de sort ! »

Aussitôt, tous de crier comme lui :

« Amenez le drapeau !... Amenez donc le drapeau !... »

Mais personne ne l'amenait, ni colons ni miliciens ne se souciant de grimper là-haut pour cette dangereuse besogne.

Ce fut encore la fille Alric qui se dévoua.

Elle *échela* le toit et mit bas le malencontreux pavillon.

Alors seulement le steamer cessa de tirer.

Quelques instants après, deux chaloupes chargées de soldats, dont on voyait de loin étinceler les armes, se détachaient du navire et s'avançaient vers le rivage au rythme des grands avirons des vaisseaux d'Etat.

A mesure qu'elles approchaient, on pouvait distinguer les couleurs anglaises traînant à l'arrière dans le sillage d'écume.

La distance était grande, et Tartarin eut le temps de se relever, d'effacer les macules de boue restées à ses vêtements, même de se faire apporter le cordon de l'Ordre, qu'il passa à la hâte par-dessus sa jaquette vert serpent.

Il avait suffisamment tenue de gouverneur quand les deux chaloupes atterrirent.

Le premier, un officier anglais, hautain, le chapeau en bataille, sauta sur la plage, et derrière lui se rangèrent les matelots, portant tous écrit sur leur bonnet de marine *Tomahawk*, plus une compagnie de débarquement.

Tartarin, très digne, sa lippe des grands jours, attendait, ayant à sa droite le père Bataillet et à sa gauche Branquebalme.

Quant à Excourbaniès, au lieu de rester près d'eux, il s'était élancé à la rencontre des Anglais, prêt à danser devant le vainqueur une bamboula frénétique.

Mais l'officier de Sa Gracieuse Majesté, sans prendre garde à ce fantoche, marcha droit vers Tartarin et demanda en anglais :

« Quelle nation ? »

Branquebalme, qui comprenait, répondit dans la même langue :

« Tarasconnais. »

L'officier ouvrit des yeux ronds comme des assiettes à ce nom de peuple qu'il n'avait jamais vu sur aucune carte marine, et demanda plus insolemment encore :

« Que faites-vous dans cette île ? De quel droit l'occupez-vous ? »

Branquebalme, interloqué, traduisit la demande à Tartarin, qui commanda :

« Répondez que l'île est à nous, Cicéron, qu'elle nous a été cédée par le roi Négonko, et que nous avons un traité en bonne forme. »

Branquebalme n'eut pas besoin de continuer son rôle d'interprète. L'Anglais se tourna vers le gouverneur et dit en excellent français :

« Négonko ? Connais pas... Il n'y a pas de roi Négonko... »

Aussitôt Tartarin donna l'ordre de chercher partout son royal beau-père et de l'amener.

En attendant, il proposa à l'officier anglais de venir jusqu'au gouvernement, où il lui communiquerait les pièces.

L'officier accepta et suivit, laissant à la garde des chaloupes ses soldats de marine rangés l'arme au pied, la baïonnette au canon. Et quelles baïonnettes ! d'un luisant, d'un tranchant, à donner la chair de poule.

« Du calme ! mes enfants, du calme ! » murmurait Tartarin sur son passage.

Recommandation bien inutile, excepté pour le père Bataillet, qui continuait d'écumer. Mais on avait l'œil sur lui.

« Si vous ne vous tenez pas, mon révérend, je vous attache ! » lui disait Excourbaniès, fou de terreur.

Pendant ce temps on cherchait Négonko, on l'appelait de tous les côtés, vainement. Un milicien finit par le découvrir au fond du magasin, ronflant entre deux barriques, ivre d'ail, d'huile de lampe et d'alcool à brûler, dont il avait absorbé presque toute la réserve.

On l'amena dans cet état, empesté et gluant, devant le gouverneur ; mais il fut impossible d'en tirer un mot.

Alors Tartarin lut le traité à haute voix, montra la croix en signature de Sa Majesté, le sceau du gouvernement, des grands dignitaires de la colonie.

Ce document authentique prouvait les droits des Tarasconnais sur l'île, ou rien ne les prouverait.

L'officier haussa les épaules :

« Ce sauvage est un simple pickpocket, monsieur... Il vous a vendu ce qui ne lui appartenait pas. L'île est depuis longtemps une possession anglaise. »

En face de cette déclaration, à laquelle les canons du *Tomahawk* et les baïonnettes des soldats de marine donnaient une valeur considérable, Tartarin sentit toute discussion inutile, et se contenta de faire une scène terrible à son indigne beau-père :

« Vieux coquin !... Pourquoi nous as-tu dit que l'île était à toi ?... Pourquoi nous l'as-tu vendue ?... N'as-tu pas honte de t'être joué d'honnêtes gens ? »

Négonko demeurait muet, abruti, sa courte intelligence de sauvage toute volatilisée en vapeurs d'ail et d'alcool.

« Qu'on l'emporte !... » dit Tartarin aux miliciens qui l'avaient amené, et se tournant vers l'officier, resté raide, impassible, pendant cette scène de famille :

« En tout cas, monsieur, ma bonne foi est indiscutable.

— Les tribunaux anglais en décideront... » répondit l'autre du haut de sa morgue. « Dès ce moment vous êtes mon prisonnier. Quant aux habitants, il faut que dans les vingt-quatre heures ils aient évacué l'île, sinon nous les passerons par les armes.

— *Outre !* ... Passer par les armes ! s'exclama Tartarin, mais d'abord comment voulez-vous qu'ils évacuent ? nous n'avons pas de bateau. A moins qu'ils ne se sauvent à la nage... »

On finit par faire entendre raison à l'Anglais, qui consentit à prendre les colons à son bord jusqu'à Gibraltar, à condition que toutes les armes seraient rendues, même les fusils de chasse, les revolvers et le winchester à trente-deux coups.

Après quoi, il s'en retourna déjeuner sur sa frégate, laissant un poste en armes pour garder le gouverneur.

C'était aussi l'heure de se mettre à table au gouvernement, et, après avoir cherché la princesse sur tous les lataniers et cocotiers de la Résidence, comme on ne la trouvait nulle part, on s'assit, en laissant sa place vide.

Tout le monde était si ému que le père Bataillet en oublia le bénédicité.

Ils mangeaient depuis quelques instants en silence, le nez dans leurs assiettes, quand tout à coup Pascalon se dressa et, levant son verre :

« Messieurs, notre gou... verneur est pri... pri... sonnier de guerre. Jurons tous de le suivre dans sa cap... cap... cap... »

Sans attendre la fin, tous debout, les verres tendus, crièrent d'enthousiasme :

« Parfaitement !

— Feu de Dieu ! si nous le suivrons !...

— Je crois bien !... Jusque sur l'échafaud !...

— Ha ! ha ! ha !... Vive Tartarin !... » hurlait Excourbaniès.

Une heure après, à l'exception de Pascalon, tous avaient lâché le gouverneur, tous, même la petite princesse Likiriki, miraculeusement retrouvée sur le toit de la Résidence. C'est là qu'elle s'était réfugiée au premier bruit de la canonnade, sans se rendre compte des risques bien plus grands qu'elle courait là-haut, et tellement folle d'épouvante, que ses dames d'honneur n'avaient pu la décider à descendre qu'en lui montrant de loin une boîte de sardines ouverte, comme on offre une sucrerie à une perruche échappée de sa cage.

« Ma chère enfant », lui dit Tartarin d'un ton solennel quand on l'eut amenée près de lui, « je suis prisonnier de guerre. Que préférez-vous ? Venir avec moi ou bien rester dans l'île ? Je pense que les Anglais vous y laisseront, mais en ce cas vous ne me verrez plus. »

Sans hésiter, bien en face, elle répondit dans son gazouillis enfantin et clair :

« Moi rester l'île, touzou.

— C'est bien, vous êtes libre », dit Tartarin, résigné ; mais au fond le pauvre homme avait le cœur en morceaux.

Le soir, dans la solitude de la résidence, abandonné de sa femme, de ses dignitaires, n'ayant plus près de lui que Pascalon, il rêva longtemps à la fenêtre ouverte.

Au loin clignotaient les lumières de la ville ; on entendait des voix irritées, les chansons des Anglais campés sur le rivage et le fracas du Petit-Rhône grossi par les pluies.

Tartarin referma sa fenêtre avec un gros soupir et, tout en mettant son foulard de nuit, un vaste foulard à pois qu'il nouait en serre-tête, il dit à son fidèle secrétaire :

« Quand les autres m'ont renié, cela ne m'a pas trop surpris ni chagriné ; mais cette petite... vrai ! j'aurais cru qu'elle aurait plus d'attachement. »

Le bon Pascalon essaya de le consoler. Après tout, cette princesse sauvage était un colis bien étrange à ramener à Tarascon — car finalement on y rentrerait toujours à ce Tarascon —, et quand Tartarin reprendrait son existence d'autrefois, là-bas, sa femme papoua aurait pu le gêner, l'afficher...

« Rappelez-vous, mon bon maître, lorsque vous revîntes d'Algérie, votre cha... chameau, comme vous le trouviez encombrant... »

Tout de suite Pascalon s'interrompit et devint très rouge. Quelle idée d'aller parler de chameau à propos d'une princesse de sang royal ! Et pour réparer ce que cette comparaison avait d'irrévérencieux, il fit remarquer à Tartarin l'analogie de sa situation avec celle de Napoléon prisonnier des Anglais et abandonné par Marie-Louise.

« En effet », dit Tartarin très fier de ce rapprochement ; et l'identité de leurs destinées, à lui et au grand Napoléon, lui fit passer une excellente nuit.

Le lendemain, Port-Tarascon était évacué à la grande joie des colons. Leur argent perdu, les hectares illusoires, le grand coup de banque du « sale Belge » dont ils avaient été victimes, tout cela ne leur semblait rien auprès du soulagement qu'ils éprouvaient à sortir enfin de ce marécage.

On les embarqua les premiers pour éviter tout conflit avec l'Etat de choses, qu'ils rendaient maintenant responsable de leur mauvais sort.

Comme on les conduisait aux chaloupes, Tartarin se montra à sa fenêtre, mais dut s'en retirer bien vite sous les huées qui l'accueillirent et devant les poings menaçants tendus vers lui.

Bien sûr que par un jour de soleil les Tarasconnais se seraient montrés plus indulgents, mais l'embarquement se faisait sous une pluie torrentielle, les malheureux pataugeaient dans la fange, emportaient aux semelles des kilos de cette terre maudite, et les parapluies garantissaient à peine le petit bagage que chacun tenait en main.

Quand tous les colons eurent quitté l'île, ce fut le tour de Tartarin.

Depuis le matin, Pascalon s'agitait, préparant tout, réunissant en liasses les archives de la colonie.

A la dernière heure, il lui vint une idée de génie. Il demanda à

Tartarin s'il devait mettre pour se rendre à bord son manteau de première classe.

« Mets-le toujours, ça les impressionnera ! » répondit le gouverneur.

Et lui-même passa le grand cordon de l'Ordre.

En bas on entendait sonner les crosses de fusil de l'escorte, la voix dure de l'officier appelant :

« Monsieur Tartarin ! Allons, monsieur le gouverneur ! »

Avant de descendre, Tartarin jeta un dernier regard autour de lui, sur cette maison où il avait aimé, où il avait souffert, subi toutes les affres du pouvoir et de la passion.

Voyant à ce moment le chef du Secrétariat dissimuler un cahier sous son manteau, il s'informa, voulut voir, et Pascalon dut faire à son bon maître l'aveu du Mémorial.

« Eh bien, continue, mon enfant, dit doucement Tartarin en lui pinçant l'oreille, comme faisait Napoléon à ses grenadiers, tu seras mon petit Las Cases. »

La similitude de sa destinée avec celle de Napoléon le préoccupait depuis la veille. Oui, c'était bien cela... Les Anglais, Marie-Louise, Las Cases... Une vraie analogie de circonstances et de type... Et tous deux du Midi, coquin de sort !

LIVRE TROISIÈME

1

De la réception que les Anglais firent à Tartarin à bord du « Tomahawk ». — Derniers adieux à l'île de Port-Tarascon. — Conversation du gouverneur sur le tillac avec son petit Las Cases. — Costecalde est retrouvé. — La dame du commodore. — Tartarin tire sa première baleine.

La dignité d'attitude de Tartarin, lorsqu'il monta sur le pont du *Tomahawk*, impressionna fort les Anglais, saisis surtout par le grand cordon de l'Ordre, rose avec la Tarasque brodée, dont le gouverneur s'écharpait comme d'un symbole maçonnique, et aussi par le manteau rouge et noir de grand de première classe qui enveloppait Pascalon de la tête aux pieds.

Les Anglais ont en effet, par-dessus tout, le respect de la hiérarchie, du fonctionnarisme et du maboulisme (de *maboul*, en langue arabe : l'innocent, le bon toqué).

A la coupée du navire, Tartarin fut reçu par l'officier de service et conduit dans une cabine des premières avec les plus grands égards. Pascalon le suivit, bien récompensé de son dévouement, car on lui donna la chambre à côté du gouverneur, au lieu de le fourrer dans l'entrepont comme les autres Tarasconnais, entassés là en misérable troupeau d'émigrants, et pêle-mêle avec eux tout l'ancien état-major de l'île, ainsi puni de sa faiblesse et de sa lâcheté.

Entre la cabine de Tartarin et celle de son fidèle secrétaire se trouvait un petit salon garni de divans, de panoplies, de plantes exotiques, et une salle à manger où deux blocs de glace, dans des vases d'encoignure, entretenaient une perpétuelle fraîcheur.

Un maître d'hôtel, deux ou trois domestiques, étaient attachés à la personne de Son Excellence, qui acceptait ces honneurs du plus beau sang-froid, et à chaque nouvelle prévenance répondait « Parfaite*main* » d'un ton de souverain habitué à tous les respects et à toutes les sollicitudes.

Au moment où on leva l'ancre, Tartarin monta sur le pont, malgré la pluie, pour dire un dernier adieu à son île.

Elle lui apparut confusément, dans le brouillard, assez distincte cependant à travers ce voile gris pour qu'on pût entrevoir le roi Négonko et ses bandits en train de piller la ville, la Résidence, et de danser sur le rivage une farandole effrénée.

Tous les catéchumènes du père Bataillet, sitôt le missionnaire et les gendarmes partis, retournaient à leur bon instinct de nature.

Pascalon crut même reconnaître, au milieu des danses, la gracieuse silhouette de Likiriki, mais il n'en dit rien, de peur d'affliger son bon maître, qui semblait du reste fort indifférent à tout cela.

Très calme, les mains au dos, dans une historique et marmoréenne attitude, le héros tarasconnais regardait devant lui sans voir, de plus en plus préoccupé des analogies de sa destinée avec celle de Napoléon, s'étonnant de découvrir entre le grand homme et lui mille points de ressemblance, même des faiblesses communes dont il convenait très simplement.

« Ainsi, tenez », disait-il à son petit Las Cases, « Napoléon avait des colères terribles ; moi de même, surtout dans mon jeune temps... Par exemple, cette fois, au café de la Comédie, où, discutant avec Costecalde, j'envoyai d'un coup de poing sa tasse et la mienne en mille miettes...

— Bonaparte à Leoben !... remarqua timidement Pascalon.

— Tout juste, mon enfant », fit Tartarin avec un bon sourire.

Mais, en y songeant, c'est par l'imagination, leur fougueuse imagination méridionale, que l'Empereur et lui s'étaient le plus ressemblés. Napoléon l'avait grandiose, débordante, à preuve sa campagne d'Egypte, ses courses dans le désert sur un chameau — encore une similitude frappante, ce chameau —, sa campagne de Russie, son rêve de la conquête des Indes.

Et lui, Tartarin, son existence tout entière n'était-elle pas un rêve fabuleux !... les lions, les nihilistes, la Jungfrau, le gouvernement de cette île à cinq mille lieues de France ! Certes il ne contestait pas la supériorité de l'Empereur, à certains points de vue ; mais lui, du moins, n'avait pas fait verser le sang, des fleuves de sang ! ni terrifié le monde comme *l'otre...*

Cependant l'île disparaissait au loin, et Tartarin, appuyé contre le bastingage, continuait à parler à haute voix pour la galerie, pour les matelots qui enlevaient les escarbilles tombées sur le pont, pour les officiers de quart qui s'étaient rapprochés.

A la longue, il devenait ennuyeux. Pascalon lui demanda la permission d'aller à l'avant se mêler aux Tarasconnais, dont on apercevait de loin quelques groupes consternés sous la pluie, afin, disait-il, de savoir un peu ce qu'ils pensaient du gouverneur, surtout dans l'espérance de glisser à sa chère Clorinde quelques mots d'encouragement et de consolation.

Une heure plus tard, en revenant, il trouva Tartarin installé sur le divan du petit salon, à l'aise, en caleçon de flanelle et foulard de tête, comme chez lui à Tarascon, dans sa petite maison du Cours, en train de fumer pipette devant un délicieux sherry-gobbler.

D'une humeur adorable, le maître demanda : « Eh bien, qu'est-ce qu'ils vous ont dit de moi, ces braves gens ? »

Pascalon ne cacha pas qu'ils lui avaient paru tous « très montés ! »

Empilés dans l'entrepont de l'avant comme des bestiaux, mal nourris, durement traités, il rendaient le gouverneur responsable de toutes leurs déconvenues.

Mais Tartarin haussa les épaules ; il connaissait son peuple, vous pensez bien ! Tout cela sécherait au premier matin de soleil.

« Sûr qu'ils ne sont pas méchants, répondit Pascalon, mais c'est ce mauvais gueux de Costecalde qui les excite.

— Costecalde, comment ça ?... Que parlez-vous de Costecalde ? »

Tartarin s'était troublé en entendant ce nom funeste.

Pascalon lui expliqua comment leur ennemi, rencontré et recueilli en mer par le *Tomahawk* dans un canot où il mourait de faim et de soif, avait traîtreusement signalé la présence d'une colonie provençale sur territoire anglais et guidé le navire jusque dans la rade de Port-Tarascon.

Les yeux du gouverneur étincelèrent :

« Ah ! le gueux !... ah ! le forban !... »

Il se calma au récit que lui fit Pascalon des sinistres aventures de l'ancien fonctionnaire et de ses acolytes.

Truphénus noyé !... Les trois autres miliciens, en descendant à terre pour faire de l'eau, pris par les anthropophages !... Barban trouvé mort d'inanition au fond de la barque !... Quant à Rugimabaud, un requin l'avait mangé.

« Ah *vaï* ! un requin !... Dites plutôt cet infâme Costecalde.

— Mais le plus extraordinaire de tout, monsieur le gou... gouverneur, c'est que Costecalde prétend avoir rencontré en pleine mer, un jour de tempête, sous les éclairs, devinez qui ?...

— Que diable veux-tu que je devine ?

— La Tarasque... la mère-grand !

— Quelle imposture !... »

Après tout, qui sait ?... Le *Tutu-panpan* pouvait avoir fait naufrage ; ou peut-être qu'un coup de mer avait enlevé la Tarasque amarrée sur le pont...

A ce moment le steward vint présenter le menu à M. le gouverneur, qui s'attablait quelques instants après, avec son secrétaire, en face d'un excellent dîner au champagne, où figuraient de superbes tranches de saumon, un *roast-beef* rosé, cuit à miracle, et pour dessert le plus savoureux pudding. Tartarin le trouva si bon qu'il en fit porter une bonne part au père Bataillet et à Branquebalme ; quant à Pascalon, il confectionna quelques sandwichs de saumon qu'il mit de côté. Est-il besoin de dire pour qui, *pécaïre* !

Dès le deuxième jour de navigation, lorsque l'île ne fut plus en vue, comme si elle eût été au milieu de ces archipels un réservoir isolé de brouillards et de pluie, le beau temps apparut.

Chaque matin, après le déjeuner, Tartarin montait sur le pont et s'installait à une place, toujours la même, pour causer avec Pascalon.

Ainsi Napoléon, à bord du *Northumberland*, avait son poste favori, ce canon auquel il s'appuyait et qu'on appelait le canon de l'Empereur.

Le grand Tarasconnais pensait-il à cela ? Cette coïncidence était-elle voulue ? Peut-être ; mais elle ne doit le diminuer en rien à nos yeux. Est-ce que Napoléon, en se livrant à l'Angleterre, ne songeait pas à Thémistocle, et sans même le dissimuler ? « Je viens comme Thémistocle... » Et qui sait si Thémistocle lui-même, venant s'asseoir au foyer des Perses... ? L'humanité est si vieille, si encombrée, si piétinée ! On y marche toujours dans les traces de quelqu'un...

Du reste, les détails que Tartarin donnait à son petit Las Cases ne rappelaient en rien l'existence de Napoléon et lui étaient bien personnels à lui, Tartarin de Tarascon.

C'était son enfance sur le Tour de ville, ses précoces aventures en revenant du Cercle, la nuit ; tout petit, déjà le goût des armes, des chasses aux grands fauves ; et toujours ce bon sens latin qui ne l'abandonnait pas dans les plus folles escapades, cette voix intérieure qui lui disait : « Rentre de bonne heure... ne t'enrhume pas. »

C'était encore, au lointain de sa mémoire, dans une excursion au pont du Gard, une vieille, vieille gitane, lui disant, après avoir regardé les lignes de sa main : « Un jour, tu seras roi. » Vous pensez si cet horoscope fit rire tout le monde ! Il devait se réaliser pourtant.

Ici le grand homme s'interrompit :

« Je vous jette ces choses, voyez, un peu à la bousculade, comme elles me viennent, mais pour le Mémorial je crois que cela pourra vous être utile...

— Certes ! » fit Pascalon, qui buvait les paroles de son héros, tandis qu'une demi-douzaine de jeunes midships, groupés autour de Tartarin, écoutaient ses récits, bouche bée.

Mais la plus attentive était la femme du commodore, une toute jeune, dolente et délicate créole, étendue non loin de là sur une chaise longue en bambou, avec des poses abandonnées, la pâleur chaude d'un magnolia, de grands yeux noirs, doux, profonds, pensifs... Celle-là, oui, s'en abreuvait des histoires de Tartarin.

Tout fier de voir son maître si passionnément écouté, Pascalon le voulait plus glorieux encore, lui faisait raconter ses chasses au lion, son ascension de la Jungfrau, la défense de Pampérigouste.

Et le héros, bon enfant comme toujours, prêtant la main à cet innocent compérage, se livrait tout entier, se laissait feuilleter comme un livre, mais un livre à images, illustré par son expressive mimique tarasconnaise et les *pan ! pan !* de ses aventures de chasse.

La créole, frileusement pelotonnée sur sa chaise longue, tressaillait à chaque éclat de voix, et ses émotions se marquaient d'une touche fine, d'une vaporeuse montée de rose sur son teint délicat d'aquarelle.

Quand le mari, le commodore, sorte de Hudson Lowe[1] à museau de fouine méchante, venait la chercher pour la faire rentrer, elle suppliait : « Non, non... pas encore », coulant un regard vers le grand homme de Tarascon, qui n'était pas sans l'avoir remarquée non plus et, pour elle, haussait la voix avec quelque chose de plus noble dans l'attitude et dans l'accent.

Quelquefois, en regagnant leur cabine après une de ces séances, il interrogeait Pascalon d'un air négligent :

« Que vous a dit la dame du commodore ? Il me semble qu'il était question de moi, hé ?...

— Effectivement, maî... aître. Cette personne me disait qu'elle avait déjà beaucoup entendu parler de vous.

— Cela ne m'étonne pas, fit Tartarin simplement, je suis très populaire en Angleterre. »

Encore une analogie avec Napoléon.

Un matin, monté sur le pont de bonne heure, il fut très étonné de ne pas y trouver sa créole comme d'habitude. Sans doute le mauvais temps qu'il faisait ce jour-là, la température un peu vive, les embruns éclaboussant la dunette, ne lui avaient pas permis de sortir, si délicate de santé, si nerveusement impressionnable !

Le pont lui-même et l'équipage semblaient gagnés par l'agitation de la mer.

Une baleine venait d'être signalée, fait assez rare dans ces parages. Elle n'avait pas d'évents, ne lançait pas de jets d'eau ; à quoi des matelots prétendaient reconnaître une femelle, d'autres une baleine d'espèce particulière. On n'était pas d'accord.

Comme elle restait sur la route du navire, sans s'éloigner, un délégué du carré des élèves alla demander au commandant la permission de la pêcher. Il refusa, mauvais chien comme toujours,

1. Le gouverneur de Sainte-Hélène.

sous prétexte qu'on n'avait pas de temps à perdre, et donna seulement l'autorisation de tirer à la bête quelques coups de fusil.

Elle se trouvait à deux cent cinquante ou trois cents mètres environ, et tantôt se montrait, tantôt disparaissait suivant le mouvement de la mer, moutonnante et très lourde, ce qui rendait le tir difficile.

Après quelques coups de feu, dont les gabiers dans les enfléchures annonçaient les résultats, elle n'avait pas encore été touchée, car elle continuait à jouer, à cabrioler au ras de l'eau, et tout le monde regardait, même les Tarasconnais, qui grelottaient là-bas à l'avant, arrosés, trempés, bien plus exposés aux éclaboussures des coups de mer que les gentlemen de l'arrière.

Mêlé aux jeunes officiers, qui essayaient leur adresse, Tartarin jugeait les coups : « Trop loin !... trop court !...

— Si vous tiriez, maî... aître ? » bêla Pascalon.

Aussitôt, d'un geste vif de jeunesse, un midship se tourna vers Tartarin :

« Voulez-vous, monsieur le gouverneur ? »

Il offrait sa carabine ; et ce fut quelque chose, la façon dont Tartarin prit l'arme, la soupesa, l'épaula, tandis que Pascalon demandait, fier et timide :

« Combien comptez-vous pour la baleine ?

— Je n'ai pas souvent tiré ce gibier-là, répondit le héros, mais il me semble qu'on peut compter dix. »

Il visa, compta dix, tira et rendit la carabine à l'officier.

« Je crois qu'elle en a, dit le midshipman.

— Hurrah !... criaient les matelots.

— Je le savais », dit Tartarin, modeste.

Mais à ce moment des hurlements épouvantables remplirent l'air, une bousculade enragée qui fit accourir le commandant, croyant à quelque assaut de son bord par une bande de pirates. Les Tarasconnais de l'avant bondissaient, gesticulaient, vociférant tous ensemble dans le bruit du vent et des vagues.

« La Tarasque... Il a tiré sur la Tarasque... Il a tiré sur la mère-grand...

— *Outre !* que disent-ils donc ? » fit Tartarin, qui pâlissait. A dix mètres maintenant du navire, la Tarasque de Tarascon, la monstrueuse idole, dressait au-dessus des flots verts son dos squameux, sa tête chimérique au rire féroce et vermillonné, aux yeux sanglants.

Faite de bois très dur, solidement charpentée, elle tenait la lame depuis le jour où, comme on le sut plus tard, un coup de mer l'avait arrachée du pont de Scrapouchinat. Elle roulait au gré de tous les courants marins, luisante, algueuse, coquillageuse, mais sans avarie, échappée aux typhons les plus épouvantables, intacte, indestructible ; et sa première, son unique blessure était celle que Tartarin de Tarascon venait de lui faire...

Lui ! à elle !

La cicatrice toute fraîche apparaissait au milieu du front de la pauvre mère-grand !

Un officier anglais s'exclama :

« Regardez donc, lieutenant Shipp, quel drôle d'animal est-ce que cela ?

— C'est la Tarasque, jeune homme, dit Tartarin solennel. C'est l'aïeule, la grand-mère vénérable de tout bon Tarasconnais. »

L'officier resta stupéfait, et il y avait de quoi, en apprenant que ce monstre bizarre était la grand-mère de l'étrange peuplade noiraude et moustachue, recueillie sur une île sauvage à cinq mille lieues en mer.

Tartarin s'était découvert respectueusement en parlant ainsi, mais déjà la mère-grand était loin, emportée par les courants du Pacifique, où elle doit errer encore, insubmersible épave que les récits des voyageurs, sous le nom de poulpe géant, de serpent de mer, signalent tantôt ici, tantôt là, à la grande terreur des équipages baleiniers.

Aussi longtemps qu'on put la voir, le héros la suivit des yeux, sans mot dire ; quand elle ne fut plus qu'un petit point noir à l'horizon blanchissant des flots, alors seulement il murmura d'une voix faible :

« Pascalon, je vous le dis, voilà un coup de fusil qui me portera malheur ! »

Et tout le reste du jour il demeura soucieux, plein de remords et de terreur sacrée.

2

Un dîner chez le commodore. — Tartarin esquisse un pas de farandole. — Définition du Tarasconnais par le lieutenant Shipp. — En vue de Gibraltar. — La vengeance de la Tarasque.

On naviguait depuis une semaine, on approchait des côtes parfumées de l'Inde, sous le même ciel laiteux, sur la même mer huileuse et douce qu'au premier voyage, et Tartarin, par une belle après-midi de chaleur et de clarté, faisait la sieste en caleçon dans sa chambre, sa bonne grosse tête serrée dans son foulard à pois, dont les bouts, trop longs, se dressaient comme de paisibles oreilles de ruminant.

Tout à coup Pascalon se précipita dans la cabine.

« Hein !... Qu'est-ce que c'est ? qu'est-ce qu'il y a ? » demanda brusquement le grand homme en arrachant son serre-tête, car il n'aimait pas qu'on le vît ainsi.

Pascalon répondit, suffoquant, les yeux ronds, bègue plus que jamais :

« Je crois qu'elle en tient.

— Qui ?... La Tarasque ?... Hé, coquin de sort ! je ne le sais que trop.

— Non, dit Pascalon, plus bas qu'un souffle, la dame du commodore.

— *Pécaïre !* pauvre petite ! encore une !... Mais qui vous fait croire cela ? »

Pour toute réponse, Pascalon tendit un carton imprimé, par lequel lord commodore et lady William Plantagenet priaient Son Excellence le gouverneur Tartarin et M. Pascalon, directeur du Secrétariat, à dîner pour le soir même.

« Oh ! les femmes !... les femmes !... » s'écria Tartarin, car évidemment cette invitation à dîner venait de la femme du commandant ; l'idée ne pouvait être du mari, il n'avait pas une tête à invitations.

Puis, s'interrogeant avec gravité :

« Dois-je accepter, pas moins ?... Ma situation de prisonnier de guerre... »

Pascalon, qui savait ses auteurs, rappela qu'à bord du *Northumberland* Napoléon mangeait à la table de l'amiral.

« Voilà qui me décide, fit aussitôt le gouverneur.

— Seulement, ajouta Pascalon, l'Empereur se retirait avec les dames dès qu'on apportait les vins.

— Parfaitement, ceci me décide encore plus. Répondez, à la troisième personne, que nous acceptons.

— L'habit, n'est-ce pas, maître ?

— Certes. »

Pascalon aurait voulu aussi endosser son manteau de première classe, mais le maître ne fut pas de cet avis ; lui-même ne passerait pas le cordon de l'Ordre.

« Ce n'est pas le gouverneur qu'on invite, dit-il à son secrétaire, c'est Tartarin. Il y a une nuance. »

Ce diable d'homme comprenait tout.

Le dîner fut vraiment princier, servi dans une vaste salle à manger, toute reluisante, richement meublée en thuya et en érable, et pour cloisons, pour plancher, de ces jolies boiseries anglaises, si fines, si minutieuses, dont les minces lamelles semblent s'emboîter comme des joujoux.

Tartarin était assis à la place d'honneur, à la droite de lady William. Peu de monde invité, seulement le lieutenant Shipp et le docteur du bord, qui comprenaient le français. Un domestique en livrée nankin, raide, solennel, se tenait debout derrière chaque convive. Rien de riche comme le service des vins, la massive argenterie aux armes des Plantagenet, et au milieu de la table un magnifique surtout garni des orchidées les plus rares.

Pascalon, très intimidé au milieu de tout ce luxe, bégayait d'autant plus qu'il se trouvait toujours la bouche pleine au moment où on lui adressait la parole. Il admirait l'aisance tranquille de Tartarin en face de ce commodore aux babines de chat-tigre, aux yeux verts striés de sang sous des cils d'albinos. Mais le Tartarin, bon traqueur de fauves, se moquait un peu des chats-tigres, et faisait sa cour à lady Plantagenet avec autant d'empressement et de grâce que si le commodore eût été à cent lieues de là. Milady, de son côté, ne cachait pas sa sympathie pour le héros et le regardait avec des yeux tendres, des yeux extraordinaires.

« Les malheureux ! le mari va tout voir », se disait à chaque instant Pascalon.

Eh bien, non, le mari ne voyait rien, et semblait lui aussi prendre un plaisir extrême aux récits du grand Tarasconnais.

Sur un désir de lady William, Tartarin conta l'histoire de la Tarasque, sainte Marthe et son ruban bleu ; il parla de son peuple, dit la race tarasconnaise, ses traditions, son exode ; puis il exposa son gouvernement, ses projets, ses réformes, le nouveau code qu'il préparait. Un code, par exemple, c'était bien la première fois qu'il lui arrivait d'en parler, même à Pascalon ; mais sait-on jamais tout ce que roulent ces vastes cervelles de conducteurs de peuples !

Il fut profond, il fut gai, il chanta des airs du pays, Jean de Tarascon pris par les corsaires, ses amours avec la fille du sultan.

Penché vers lady William, de quel vibrant et brûlant « à mi-voix » il lui fredonnait le couplet :

On dit qu'en étant général d'armée, — la tête enramée — avec du laurier, — la fille du roi jolie et luisante, — de lui amoureuse, — un jour lui disait...

La languissante créole, si pâle d'ordinaire, en devenait toute rose.

Puis, la chanson finie, elle voulut savoir ce que c'était que la farandole, cette danse dont les Tarasconnais parlent toujours.

« Oh ! mon Dieu, c'est bien simple, vous allez voir... » fit le bon Tartarin.

Et, voulant ménager l'effet pour lui tout seul, il dit à son secrétaire :

« Restez, vous, Pascalon. »

Il s'était levé, il esquissa un pas en le rythmant sur un air de farandole, *Ra-pa-ta-plan, pa-ta-tin, pa-ta-tan...* Malheureusement le navire tanguait : il tomba, se releva, toujours de bonne humeur, et fut le premier à rire de sa mésaventure.

Malgré le *cant* et la discipline, toute la table s'esclaffait, trouvait le gouverneur délicieux.

Tout à coup les vins apparurent. Aussitôt lady William quitta la salle, et Tartarin, jetant brusquement sa serviette, se retira à son tour sans saluer, sans s'excuser, conformément à la légende napoléonienne.

Les Anglais se regardèrent avec stupeur, échangeant quelques mots à voix basse.

« Son Excellence ne boit jamais de vin... », dit Pascalon, qui crut devoir expliquer la sortie de son bon maître et prendre la parole à sa place. Il tarasconnait fort agréablement lui aussi et, tout en tenant tête aux Anglais pour boire le *claret*, il les égayait, les frictionnait de sa verve joyeuse et de sa chaude pantomime.

Puis, lorsqu'on se leva de table, se doutant bien que Tartarin était monté sur le pont rejoindre lady Plantagenet, il s'offrit insidieusement pour faire la partie du commodore, grand amateur d'échecs.

Les autres convives du dîner causaient et fumaient autour d'eux ; et à un moment, le lieutenant Shipp ayant chuchoté au docteur une drôlerie qui le fit beaucoup rire, le commodore leva la tête :

« Qu'est-ce qu'il a dit, ce Shipp ? » Le lieutenant répéta sa phrase, et l'on rit encore plus fort sans que Pascalon pût comprendre de quoi il s'agissait.

Là-haut, pendant ce temps, appuyé au fauteuil de lady William, dans le parfum de la brise mourante et l'éblouissant reflet sur la mer, sur le pont du navire, d'un soleil couchant qui suspendait à tous les cordages des gouttelettes de groseille, Tartarin racontait ses amours avec la princesse Likiriki, et leur séparation déchirante. Il savait que les femmes aiment à consoler, et que porter ses chagrins de cœur en écharpe est la meilleure façon de réussir auprès d'elles.

Oh ! la scène des adieux entre la petite et lui, chuchotée de tout près par Tartarin dans le mystère du crépuscule ! Qui n'a pas entendu cela n'a rien entendu.

Je ne vous affirmerai pas que le récit fût absolument exact, que la scène ne fût pas un rien arrangée ; mais, en tout cas, c'était comme il aurait voulu que cela fût, une Likiriki passionnée et brûlante, la pauvre princesse prise entre ses sentiments de famille et son amour conjugal, s'accrochant au héros de ses petites mains désespérées : « Emmène-moi ! emmène-moi ! »

Lui, le cœur broyé, la repoussant, s'arrachant à ses étreintes : « Non, mon enfant, il le faut. Reste avec ton vieux père, il n'a plus que toi... »

En racontant ces choses, il versait de vraies larmes et il lui semblait que les beaux yeux créoles levés vers lui se mouillaient à son récit, pendant que le soleil, lentement descendu dans la mer, laissait l'horizon noyé dans une buée violette.

Soudain des ombres s'approchèrent, et la voix du commodore, coupante, glaciale, rompit le charme :

« Il est tard, il fait trop frais pour vous, ma chère, il faut rentrer. »

Elle se leva, s'inclina légèrement :

« Bonne nuit, monsieur Tartarin ! »

Et il resta tout ému de la douceur qu'elle avait mise dans cette parole.

Pendant quelques instants encore il se promena sur le pont, entendant toujours ce « Bonne nuit, monsieur Tartarin ! » Mais le commodore avait raison, le soir fraîchissait rapidement, il prit le parti d'aller se coucher.

En passant devant le petit salon, il aperçut par la porte entrouverte Pascalon, assis à une table, la tête dans ses mains, très occupé à feuilleter un dictionnaire.

« Que faites-vous là, enfant ? »

Le fidèle secrétaire lui apprit le scandale causé par son brusque départ, les chuchotements indignés autour de la table et surtout une certaine phrase mystérieuse du lieutenant Shipp, que le commodore avait fait répéter et dont ils s'étaient tous tant égayés.

« Quoique j'entende passablement l'anglais, je n'ai pas bien saisi ce que cela voulait dire, mais j'ai retenu les mots et je suis en train de reconstituer la phrase. »

Pendant ces explications Tartarin s'était couché, bien étendu dans son lit, bien à l'aise, la tête enveloppée de son foulard, un grand verre d'eau de fleur d'oranger, et il demanda, en allumant la pipe qu'il fumait tous les soirs avant de s'endormir :

« Etes-vous venu à bout de votre traduction ?

— Oui, mon bon maître, la voici : *En somme, le type tarasconnais, c'est le Français grossi, exagéré, comme vu dans une boule de jardin.*

— Et vous dites qu'ils ont tant ri là-dessus ?

— Tous, le lieutenant, le docteur, le commodore lui-même, ils ne s'arrêtaient pas de rire. »

Tartarin haussa les épaules avec une moue de pitié.

« Il se connaît que ces Anglais n'ont pas souvent l'occasion de rire, pour s'amuser de bêtises pareilles ! Allons, bonsoir, mon enfant, va te coucher. »

Et bientôt tous deux furent partis dans les rêves où l'un retrouvait sa Clorinde, l'autre la dame du commodore, car Likiriki était déjà bien loin.

Les jours suivaient les jours, se groupaient en semaines, et le voyage continuait, une traversée charmante, délicieuse, où Tartarin, qui aimait tant à inspirer la sympathie, l'admiration, les sentait autour de lui sous les formes les plus variées.

C'est lui qui aurait pu dire comme Victor Jacquemont [1] dans sa correspondance : « Que ma fortune est bizarre avec les Anglais ! Ces hommes, qui paraissent si impassibles et qui entre eux demeurent toujours si froids, mon abandon les détend aussitôt. Ils deviennent caressants malgré eux et pour la première fois de leur vie. Je fais des bonnes gens, je fais des Français de tous les Anglais avec lesquels je reste vingt-quatre heures. »

Tout le monde, à bord, l'arrière comme l'avant du *Tomahawk*, officiers et matelots l'adoraient ; il n'était plus question de prisonnier de guerre, de procès devant les tribunaux anglais ; on devait le relâcher dès qu'on arriverait à Gibraltar.

Quant au farouche commodore, enchanté d'avoir trouvé un partenaire de la force de Pascalon, il le tenait le soir, pendant des heures, devant l'échiquier, ce qui désespérait l'infortuné soupirant de Clorinde et l'empêchait d'aller lui porter, à l'avant, des frian-

1. Célèbre voyageur français.

dises de son dîner. Car les pauvres Tarasconnais, eux, continuaient à mener leur triste vie d'émigrants, toujours parqués dans leur chiourme, et c'était la tristesse, le remords de Tartarin, lorsqu'il pérorait sur la dunette ou faisait sa cour, à l'heure mélancolique du couchant, de voir au loin, en contrebas, ses compatriotes entassés comme un vil bétail, sous la garde d'une sentinelle, détournant leurs regards de lui avec horreur, surtout depuis le jour où il avait tiré sur la Tarasque.

Ils ne lui pardonnaient pas ce crime, et lui non plus ne l'oubliait pas, ce coup de fusil qui devait lui porter malheur.

On avait passé le détroit de Malacca, la mer Rouge, doublé la pointe de Sicile ; on approchait de Gibraltar.

Un matin, la terre étant signalée, Tartarin et Pascalon préparaient leurs malles, aidés par un des domestiques, quand tout à coup ils eurent la sensation de balancement que produit un navire à l'arrêt. Le *Tomahawk* stoppait ; en même temps, on entendait s'approcher un bruit de rames.

« Regardez donc, Pascalon, dit Tartarin, c'est peut-être le pilote... »

Un canot accostait en effet, mais ce n'était pas le pilote ; il portait le pavillon français, des matelots français le montaient ; et parmi eux deux hommes habillés de noir, en chapeaux hauts de forme. L'âme de Tartarin vibra.

« Ah ! le drapeau français !... Laisse que je le regarde, mon enfant. »

Il s'élança vers le hublot, mais à ce moment la porte de la cabine s'ouvrit, laissant passer un grand flot de lumière ; et deux agents de police en bourgeois, aux façons communes et brutales, munis de mandats d'arrêt, de permis d'extradition, tout le tremblement ! posèrent leurs pattes sur le malheureux Etat de choses et sur son secrétaire.

Le gouverneur recula, blême et digne :

« Prenez garde à ce que vous faites, je suis Tartarin de Tarascon.

— C'est vous que nous cherchons, justement. »

Et les voilà tous deux emballés, sans un mot d'explication ni de réponse à leurs questions multiples, sans savoir ce qu'ils avaient fait, pourquoi on les arrêtait, où on les conduisait. Rien que la honte de passer chargés de fers, car on leur avait mis les menottes, devant les matelots et les midships, sous les rires et les huées de leurs compatriotes, qui, penchés au-dessus du bordage, applaudissaient, criaient à toute gorge : « C'est bien fait !... *zou !... zou !...* » pendant qu'on descendait les captifs dans le canot.

En ce moment Tartarin eût voulu s'engloutir au fond de la mer. De prisonnier de guerre comme Napoléon et Thémistocle, passer à l'état de vulgaire filou !

Et la dame du commodore qui regardait !

Décidément, il avait raison, la Tarasque se vengeait, elle se vengeait cruellement.

3

Suite du Mémorial de Pascalon

5 juillet. Prison de Tarascon-sur-Rhône. — Je reviens de l'instruction. Je sais enfin de quoi l'on nous accuse, le gouverneur et moi, et pourquoi, brusquement saisis sur le *Tomahawk*, harponnés en plein bonheur, en plein rêve, comme deux langoustes tirées du fond de l'eau claire, nous fûmes transbordés sur un navire français, ramenés à Marseille, les menottes aux poings, dirigés sur Tarascon et mis au secret dans la prison de la ville.

Nous sommes prévenus d'escroquerie, d'homicide par imprudence et d'infraction aux lois sur l'émigration. Ah ! pour sûr que j'ai dû l'enfreindre, la loi sur l'émigration, car c'est la première fois que j'entends son nom, seulement son nom, à cette coquine de loi.

Après deux jours d'incarcération, avec défense absolue de parler à quiconque — c'est ça qui est terrible pour des Tarasconnais —, nous fûmes conduits au palais par-devant le juge d'instruction, M. Bonaric.

Ce magistrat a commencé sa carrière à Tarascon, il y a une dizaine d'années, et me connaissait parfaitement, étant venu plus de cent fois à la pharmacie, où je lui préparais une pommade pour un eczéma chronique qu'il a dessus la joue.

Pas moins qu'il m'a demandé mes nom, prénoms, âge, profession, comme si nous ne nous étions jamais vus. J'ai dû dire tout ce que je savais de l'affaire de Port-Tarascon et parler deux heures durant, sans m'arrêter. Son greffier ne pouvait pas me suivre, tant j'allais. Puis, ni bonjour ni bonsoir : « Prévenu, vous pouvez vous retirer. »

Dans le corridor du palais de justice, trouvé mon pauvre gouverneur que je n'avais pas revu depuis le jour de notre incarcération. Il m'a paru bien changé.

Au passage, il me serra la main et me fit de sa bonne voix :

« Courage ! enfant. La vérité est comme l'huile, elle remonte toujours dessus. »

Il n'a pas pu m'en dire plus, les gendarmes l'entraînaient brutalement.

Des gendarmes, pour lui !... Tartarin dans les fers, à Tarascon !... Et cette colère, cette haine de tout un peuple !...

Je les aurai toujours dans l'oreille ces cris de fureur de la populace, ce souffle chaud de rafataille, quand la voiture cellulaire nous a ramenés à la prison, cadenassés chacun dans notre compartiment.

Je ne pouvais rien voir, mais j'entendais autour de nous une grande rumeur de foule. A un moment, la voiture s'est arrêtée sur la place du Marché ; j'ai reconnu cela à l'odeur qui me venait par les fentes, dans les petites raies de lumière blonde, et c'était comme l'haleine même de la ville, cette odeur de pommes d'amour, d'aubergines, de melon de Cavaillon, et de poivrons rouges et de gros oignons doux. De sentir toutes ces bonnes choses dont je suis privé depuis si longtemps, cela m'agourmandait.

Il y avait tant de monde que nos chevaux ne pouvaient plus avancer. Un Tarascon plein, bondé, à croire que jamais personne n'a été tué, ni noyé, ni dévoré par les anthropophages. Ne m'a-t-il pas semblé reconnaître la voix de Cambalalette, le cadastreur ! C'est une illusion, certainement, puisque Bézuquet lui-même en a mangé, de notre regretté Cambalalette. Par exemple, je suis sûr d'avoir entendu le gong d'Excourbaniès. Celui-là, il n'y a pas à s'y tromper, il dominait tous les autres cris : « A l'eau !... *Zou !* ... Au Rhône ! au Rhône !... *Fen dé brut !* A l'eau Tartarin ! »

A l'eau Tartarin !... Quelle leçon d'histoire ! Quelle page pour le Mémorial !

J'oubliais de dire que le juge Bonaric m'a rendu mon registre saisi à bord du *Tomahawk*. Il l'a trouvé intéressant, m'a même engagé à le continuer, et, à propos de certaines locutions tarasconnaises qui s'y glissent de temps en temps, il m'est venu comme ça en souriant dans ses favoris roux :

« Nous avions déjà le *Mémorial* ; vous, c'est le *Méridional de Sainte-Hélène.* »

J'ai fait semblant de rire de son jeu de mots.

Du 5 au 15 juillet. — La prison de ville, à Tarascon, est un château historique, l'ancien château du roi René, qui se voit de loin au bord du Rhône, flanqué de ses quatre tours.

Nous n'avons pas de chance avec les châteaux historiques. Déjà, en Suisse, quand notre illustre Tartarin fut pris pour un chef nihiliste et nous tous avec lui, on nous jeta dans le cachot de Bonnivard, au château de Chillon.

Ici, il est vrai, c'est moins triste ; on est en pleine lumière, ventilé par le vent du Rhône, et il ne pleut pas comme en Suisse ou à Port-Tarascon.

Mon cachot est très étroit : quatre murs de pierre crépie, un lit de fer, une table et une chaise. Le soleil y entre par un fenestron grillagé, à pic sur le Rhône.

C'est de là que, pendant la grande Révolution, les jacobins ont été précipités dans le fleuve, sur l'air fameux : *Dé brin o dé bran, cabussaran...*

Et, comme le répertoire populaire ne change pas beaucoup, on nous le chante à nous aussi, ce sinistre refrain. Je ne sais pas où ils ont logé mon pauvre gouverneur ; mais il doit entendre comme moi ces voix qui montent, le soir, des bords du Rhône, et il doit faire d'étranges réflexions.

Encore si l'on nous avait mis l'un près de l'autre !... quoique, à vrai dire, j'éprouve depuis mon arrivée un certain soulagement à être seul, à me reprendre.

L'intimité d'un grand homme est si fatigante à la longue ! Il vous parle toujours de lui et ne s'occupe jamais de ce qui vous intéresse. Ainsi, sur le *Tomahawk*, pas une minute à moi, pas un instant pour être auprès de ma Clorinde. Tant de fois je me disais : « Elle est là-bas ! » Mais je ne pouvais m'échapper. Après dîner, j'avais déjà la partie d'échecs du commodore, puis le reste du jour Tartarin ne me lâchait plus, surtout depuis que je lui avais fait l'aveu du Mémorial. « Ecrivez ceci. N'oubliez pas de dire cela... » Et des anecdotes sur lui, sur ses parents, souvent pas très intéressantes.

Songez-vous que Las Cases a fait ce métier pendant des années ! L'Empereur le réveillait à six heures du matin, l'emmenait, à pied, à cheval, en voiture, et sitôt en route : « Vous y êtes, Las Cases ?... Alors continuons... Quand j'eus signé le traité de Campo-Formio... » Le pauvre confident avait ses affaires, lui aussi, son enfant malade, sa femme restée en France, mais qu'était cela pour l'autre qui ne songeait qu'à se raconter, à s'expliquer devant l'Europe, l'Univers, la Postérité, tous les jours, tous les soirs et pendant des années ! C'est-à-dire que la vraie victime de Sainte-Hélène n'a pas été Napoléon, mais Las Cases.

Moi, maintenant, ce supplice m'est épargné. Dieu m'est témoin que je n'ai rien fait pour cela, mais on nous a mis à part et j'en profite pour penser à moi, à mon infortune, qui est grande, à ma Clorinde bien-aimée.

Me croit-elle coupable ?... Elle, non ; mais sa famille, tous ces Espazettes de l'Escudelle de Lambesc ?... Dans ce monde-là, un homme sans titre est toujours coupable. En tout cas je n'ai plus d'espoir qu'on m'accueille jamais pour mari de Clorinde, déchu que je suis de mes grandeurs ; j'irai reprendre mon emploi entre les bocaux de Bézuquet, à la pharmacie de la Placette... Et voilà la gloire !

17 juillet. — Une chose qui me fait inquiéter beaucoup, c'est que personne ne vienne me voir dans ma prison. Ils m'en veulent autant qu'à mon maître.

Ma seule distraction, tout seulet dans ma cellule, est de monter sur la table ; j'arrive ainsi au fenestron, et de là j'ai une vue merveilleuse entre les barreaux.

Le Rhône roule du soleil éparpillé parmi ses petites îles d'un vert pâle que le vent ébouriffe. Le ciel est tout rayé du vol noir des martinets ; leurs petits cris se poursuivent, passant tout contre moi ou tombant de très haut, et tout en bas se balance le pont de fil de fer, si long, si mince, qu'on s'attend toujours à le voir partir, envolé comme un chapeau.

Sur les bords du fleuve, des ruines de vieux châteaux, celui de Beaucaire avec la ville à ses pieds, ceux de Courtezon, de Vacqueiras. Derrière ces gros murs, éboulés par le temps, il se tenait autrefois des « cours d'amour », où les trouvères, les félibres d'alors, étaient aimés par des princesses et des reines qu'ils chantaient, comme Pascalon chante sa Clorinde. Mais quel changement, *pécaïre !* depuis ces époques lointaines. A présent les somptueux manoirs ne sont plus que des trous envahis de ronces ; et les félibres ont beau célébrer grandes dames et damoiselles, les damoiselles se moquent joliment d'eux.

Une vue moins attristante est celle du canal de Beaucaire avec tous ses bateaux peints en vert, en jaune, serrés en tas, et sur les quais les taches rouges des militaires que je vois se promener du haut de mon fenestron.

Ils doivent être bien contents, les gens de Beaucaire, de la mésaventure de Tarascon et de l'écroulement de notre grand homme ; car la renommée de Tartarin les offusquait, ces orgueilleux voisins d'en face.

Dans mon enfance, je me rappelle quels *esbrouffes* ils faisaient encore avec leur foire de Beaucaire. On y venait de partout — pas de Tarascon, par exemple, le pont en fil de fer est si dangereux ! C'était une affluence énorme, plus de cinq cent mille âmes au moins, ensemble sur le champ de foire !... D'année en année tout cela s'est vidé. La foire de Beaucaire existe toujours, mais personne n'y vient.

En ville on ne voit que des écriteaux : *A louer... A louer...*, et s'il arrive par hasard un voyageur, un représentant de maison de commerce, l'habitant lui fait fête, on se l'arrache, le conseil municipal va au-devant de lui, musique en tête. Finalement, Beaucaire a perdu tout renom, tandis que Tarascon devenait célèbre... Et grâce à qui, sinon à Tartarin ?

Monté sur ma table, tout à l'heure, je regardais dehors en songeant à ces choses. Le soleil disparu, la nuit venait, et tout à coup, de l'autre côté du Rhône, un grand feu s'alluma sur la tour du château de Beaucaire.

Il brûla longtemps, longtemps je le regardai, et il me sembla qu'il avait quelque chose de mystérieux, ce feu, jetant un reflet rougeâtre sur le Rhône, dans le grand silence de la nuit traversé par le vol mou des orfraies. Qu'est-ce que cela peut être ? Un signal ?

Est-ce que quelqu'un, quelque admirateur de notre grand Tartarin, voudrait le faire évader ?... C'est si extraordinaire, cette flamme allumée tout en haut d'une tour en ruines et juste en face de sa prison !

18 juillet. — En revenant aujourd'hui de l'instruction, comme la voiture cellulaire passait devant Sainte-Marthe, entendu la voix toujours impérieuse de la marquise des Espazettes qui criait avec l'accent d'ici : « Cloréïnde !... Cloréïnde !... » et une voix douce, angélique, la voix de ma bien-aimée, qui répondait : « Mamain ! »

Sans doute elle allait à l'église prier pour moi, pour l'issue du procès.

Rentré dans ma prison, très ému... Ecrit quelques vers provençaux sur l'heureux présage de cette rencontre.

Le soir, à la même heure, toujours le même feu sur la tour de Beaucaire. Il brille là-bas, dans la nuit, comme les bûchers qu'on allume pour la Saint-Jean. Evidemment, c'est un signal.

Tartarin, avec qui j'ai pu échanger deux mots à l'instruction dans le couloir du juge, a vu comme moi ces feux à travers les barreaux de sa geôle, et quand je lui ai dit ce que j'en pensais, que des amis voulaient peut-être le faire évader comme Napoléon à Sainte-Hélène, il a paru très frappé de ce rapprochement.

« Ah ! vraiment, Napoléon à Sainte-Hélène..., on a essayé de le sauver ? »

Mais, après un moment de réflexion, il m'a déclaré qu'il n'y consentirait jamais.

« Certes, ce n'est pas la descente des trois cents pieds de la tour sur une échelle de corde, secouée la nuit par le vent du Rhône, qui me ferait peur. Non, ne croyez pas cela, enfant !... Ce que je redouterais le plus, c'est que j'aurais l'air de fuir l'accusation : Tartarin de Tarascon ne s'évadera pas. »

Ah ! si tous ceux qui hurlent sur son passage : « Au Rhône ! *Zou !* au Rhône ! » avaient pu l'entendre !... Et on l'accuse d'escroquerie ! on a pu le croire complice de ce misérable duc de Mons !... Allons donc !... Est-ce que c'est possible ?...

Tout de même il ne le soutient plus, son duc, maintenant il le juge à sa véritable valeur, ce scélérat de Belge ! On le verra bien à sa belle défense, car Tartarin se défendra lui-même devant le tribunal. Pour moi, je bégaye trop pour parler publiquement : je serai défendu par Cicéron Branquebalme, et tout le monde sait quelle incomparable logique de raisonnement il sait mettre dans ses plaidoyers.

20 juillet, soir. — Ces heures que je passe chez le juge d'instruction sont bien douloureuses pour moi ! Le difficile n'est pas de me défendre, mais de le faire sans trop accabler mon pauvre maître. Il a été si imprudent, il a eu tant de confiance en ce duc de Mons ! Et puis, avec l'eczéma intermittent de M. Bonaric, on ne sait jamais si l'on doit craindre ou espérer ; la maladie tourne chez ce magistrat à l'idée fixe, furieux quand « ça se voit », bon enfant quand « ça ne se voit pas ».

Quelqu'un chez qui ça se voit, et ça se verra toujours, c'est le malheureux Bézuquet, qui vivait autrefois très bien avec son tatouage là-bas, dans les mers lointaines, mais maintenant, sous le ciel tarasconnais, se dégoûte lui-même, ne sort plus, reste terré tant qu'il peut au fond de son officine, où il combine des herbages, des omelettes, et sert les clients sous un masque de velours, comme un conjuré d'opéra-comique.

Il est à remarquer combien les hommes sont sensibles à tous

ces maux physiques, dartres, taches, eczémas ; plus peut-être que les femmes. De là sans doute la rancune de Bézuquet contre Tartarin, cause de tous ses maux.

24 juillet. — Appelé de nouveau hier devant M. Bonaric, je crois que c'est la dernière fois. Il m'a montré une bouteille trouvée dans les îles par un pêcheur du Rhône, et m'a fait lire une lettre que renfermait cette bouteille :

Tartarin. — Tarascon. — Prison de ville. — Courage ! Un ami veille de l'autre côté du pont. Il le passera quand le moment sera venu.

UNE VICTIME DU DUC DE MONS.

Le juge m'a demandé si je me rappelais avoir déjà vu cette écriture. J'ai répondu que je ne la connaissais pas ; et, comme il faut toujours dire le vrai, j'ai ajouté qu'une première fois on avait tenté ce genre de correspondance avec Tartarin : qu'avant notre départ de Tarascon une bouteille toute semblable lui était parvenue avec une lettre, sans qu'il y eût attaché d'importance, ne voyant là que l'effet d'une plaisanterie.

Le juge m'a dit : « C'est bien. » Et là-dessus, comme toujours : « Vous pouvez vous retirer. »

26 juillet. — L'instruction est terminée, on annonce le procès comme très prochain. La ville est en ébullition. Les débats commenceront vers le 1er août. D'ici là, je ne vais pas dormir. Il y a longtemps d'ailleurs que je n'ai plus guère de sommeil dans cette étroite logette brûlante comme un four. Je suis obligé de laisser le fenestron ouvert : il entre des nuées de moustiques et j'entends les rats qui grignotent dans tous les coins.

Ces jours derniers, j'ai eu plusieurs entrevues avec Cicéron Branquebalme. Il m'a parlé de Tartarin avec beaucoup d'amertume ; je sens qu'il lui en veut de ne pas lui avoir confié sa cause. Pauvre Tartarin, il n'a personne pour lui !

Il paraît qu'on a renouvelé tout le tribunal. Branquebalme m'a donné les noms des juges : président, Mouillard ; assesseurs, Beckmann et Robert du Nord. Pas d'influences à faire agir. Ces messieurs ne sont pas d'ici, me dit-on. D'ailleurs leurs noms semblent l'indiquer.

Pour je ne sais quel motif, on a disjoint de la poursuite dirigée contre nous les deux chefs d'accusation relatifs au délit d'homicide par imprudence et à l'infraction des lois sur l'émigration. Cités à comparoir : Tartarin de Tarascon, le duc de Mons — mais ça m'étonnerait bien qu'il comparaisse ! — et Pascal Testanière dit Pascalon.

31 juillet. — Nuit de fièvre et d'angoisse. C'est pour demain. Resté au lit très tard. Seulement la force d'écrire sur la muraille ce proverbe tarasconnais que j'ai entendu si souvent dire à Bravida, qui les savait tous :

Rester au lit sans dormir,
Attendre sans voir venir,
Aimer sans avoir plaisir,
Sont trois choses qui font mourir.

4

Un procès dans le Midi. — Dépositions contradictoires. — Tartarin jure devant Dieu et devant les hommes. — Les brodeurs de Tarascon. — Rugimabaud mangé par le requin. — Un témoin inattendu.

Ah ! *boufre* non, qu'ils n'étaient pas d'ici, les juges du pauvre Tartarin. Il n'y avait, pour s'en convaincre, qu'à les voir par cette flamboyante après-midi d'août où se plaidait l'affaire du gouverneur dans la grand-salle du palais de justice, pleine à faire craquer les murs.

Le mois d'août à Tarascon, je vous dirai, est le mois de la lourde chaleur. Il y fait chaud comme en Algérie, et les précautions contre l'ardeur du ciel sont les mêmes que dans nos villes d'Afrique : la retraite dans les rues avant midi, les casernes consignées, les auvents mis à toutes les boutiques. Mais le procès de Tartarin avait changé ces habitudes locales, et l'on imagine aisément la température que devait atteindre cette salle d'audience bondée de monde, avec les dames à falbalas et à panaches empilées sur les tribunes du fond.

Deux heures sonnaient au jaquemart du palais ; et par les hautes fenêtres larges ouvertes, devant lesquelles descendaient de longs rideaux jaunes formant stores, entrait, avec les battements de la lumière réverbérée, le bruit assourdissant des cigales sur les alisiers et les platanes du Cours — gros arbres à feuilles blanches, à feuilles de poussière —, les rumeurs de la foule restée dehors, les cris des marchands d'eau, comme aux arènes les jours de courses : « Qui veut boire ? L'eau est fraîche !... »

Vraiment il fallait être de Tarascon pour résister à la chaleur qu'il faisait là-dedans, une de ces chaleurs où même un condamné à mort se serait endormi pendant le prononcé de sa sentence. Aussi les plus écrasés dans la salle étaient-ils les trois juges, tous étrangers à ce brûlant Midi. Le président Mouillard, un Lyonnais, comme un Suisse de France, l'air austère, tête longue, chenue et philosophique, donnant envie de pleurer rien qu'à le regarder, puis ses deux assesseurs, Beckmann qui arrivait de Lille, et Robert du Nord, d'encore bien plus haut.

Dès le commencement des débats, ces trois messieurs étaient tombés malgré eux dans une vague torpeur, les yeux fixés sur les grands carrés de lumière découpés derrière les rideaux jaunes, et pendant l'interminable appel des témoins, au nombre de deux cent cinquante au moins, et tous à charge, ils avaient fini par s'endormir tout à fait.

Les gendarmes, qui n'étaient pas du Midi davantage et à qui l'on avait eu la cruauté de laisser leurs lourdes buffleteries, dormaient aussi.

Sans doute ce sont là de mauvaises conditions pour rendre la vraie justice. Heureusement que les magistrats avaient étudié l'affaire d'avance, sans cela ils n'y auraient jamais rien compris, n'entendant, dans leur inattentive somnolence, que le bruit des cigales et un confus bourdonnement de mouches et de voix.

Après le défilé des témoins, le substitut Bompard du Mazet commença la lecture de l'acte d'accusation.

Du plein Midi, celui-là, par exemple ! un tout petit velu, chevelu, bedonnant, une barbe en copeaux noirs, des yeux sortis comme d'un coup de pouce et tout sanglants dans un teint de vésicatoire, une voix de cuivre qui vous crachait du métal dans les oreilles ; et une mimique, et des bonds !... La gloire du parquet tarasconnais. On faisait des lieues pour l'entendre ; mais, cette fois, ce qui pimentait son réquisitoire, c'était la parenté de l'orateur avec le fameux Bompard, une des premières victimes de l'affaire de Port-Tarascon.

Jamais accusateur ne se montra plus acharné, plus passionné, moins juste, moins impartial ; c'est ce qu'on aime à Tarascon, tout ce qui vibre, tout ce qui vous monte !...

Comme il le secouait le pauvre Tartarin, assis avec son secrétaire entre deux gendarmes ! Quelle loque, sous ses crocs baveux, devenait tout ce passé de gloire !

Pascalon, éperdu, honteux, se cachait la tête dans ses mains ; mais Tartarin, lui, très calme, écoutait, le front droit, les yeux clairs, sentant sa journée finie, l'heure venue du grand déclin, sachant qu'il y a des lois naturelles de grandeur comme de pesanteur, et résigné à les subir toutes, pendant que Bompard du Mazet, de plus en plus insultant, le représentait comme un vulgaire escroc abusant d'une renommée illusoire, de lions peut-être jamais tués, d'ascensions peut-être jamais faites, s'associant à un aventurier, à un inconnu, à ce duc de Mons que la justice ne retrouvait même pas devant elle. Et il faisait Tartarin plus scélérat encore que ce duc de Mons, qui du moins n'exploitait pas ses compatriotes, tandis que lui avait spéculé sur les Tarasconnais, les avait volés, jugulés, réduits à aller aux portes, à fouiller les balayures pour y chercher leur pain. « Qu'attendre, d'ailleurs, messieurs de la Cour, qu'attendre d'un homme qui a tiré sur la Tarasque, sur la mère-grand ?... »

A cette péroraison, des sanglots patriotiques roulèrent dans les tribunes ; des hurlements leur répondaient de la rue, où la voix du substitut était arrivée, fracassant portes et fenêtres ; et lui-même, bouleversé par ses propres accents, se mit à larmoyer, à gargouiller si fort que les juges se réveillèrent en sursaut, croyant que toutes les gouttières et chéneaux du palais crevaient sous une pluie d'orage.

Bompard du Mazet avait parlé pendant cinq heures.

A ce moment, bien que la chaleur fût encore écrasante, un petit vent frais du Rhône commençait à gonfler les rideaux jaunes des fenêtres. Le président Mouillard ne se rendormit plus ; nouvellement installé dans le pays, la stupeur où le plongeait la fougue inventive des Tarasconnais suffit largement à le tenir éveillé.

Tartarin le premier donna le signal de cette naïve et délicieuse imposture qui est comme l'arôme, le bouquet de l'endroit.

A un passage de son interrogatoire, que nous croyons devoir raccourcir, il se leva brusquement et, la main tendue :

« Devant Dieu et devant les hommes, je jure que je n'ai pas écrit cette lettre. »

Il s'agissait d'une lettre envoyée par lui de Marseille à Pascalon, rédacteur de la *Gazette*, pour l'émoustiller, l'exciter à des inventions plus fertiles, plus abondantes.

Non, mille fois non, l'accusé n'avait pas écrit cela ; il se débattait, protestait. « Peut-être, je ne dis pas, le sieur de Mons, non comparant... » Et comme il sifflait entre ses lèvres dédaigneuses ce « non comparant » !

Le président alors :

« Faites passer cette lettre à l'accusé. »

Tartarin la prit, la regarda et répondit très simplement :

« C'est vrai, c'est bien mon écriture. Cette lettre est de moi, je ne m'*en* rappelais pas. »

Il y avait de quoi faire pleurer des tigres !

Un moment après, le même épisode avec Pascalon, à propos d'un article de la *Gazette* racontant la réception à l'hôtel de ville de Port-Tarascon des passagers de la *Farandole* et du *Lucifer* par les indigènes, le roi Négonko et les premiers occupants de l'île, avec une description très détaillée de l'hôtel de ville.

La lecture de cet article soulevait à chaque mot dans la salle d'inextinguibles fous rires coupés de cris d'indignation ; Pascalon lui-même se révoltait, protestait de son banc, à tour de bras : ce n'était pas de lui, jamais de la vie il n'aurait pu signer de si énormes invraisemblances.

On lui mit sous les yeux l'article imprimé, illustré d'images faites sur ses indications, signé de son nom, de plus son propre texte retrouvé à l'imprimerie Trinquelague.

« C'est écrasant ! » dit alors le malheureux Pascalon, les yeux en boule, « ça m'était complètement sorti de la tête. »

Tartarin prit la défense de son secrétaire :

« La vérité, monsieur le président, c'est que, croyant aveuglément à toutes les histoires du sieur de Mons, non comparant...

— Il a bon dos, le sieur de Mons, interrompit férocement le substitut.

— Je donnais à ce malheureux enfant, continua Tartarin, l'idée de l'article à faire en lui disant : « Brodez là-dessus. » Et il brodait.

— C'est vrai que je n'ai jamais fait que bro... broder... » bégaya timidement Pascalon.

Ah ! des brodeurs, il allait en voir, le président Mouillard, en interrogeant les témoins, tous de Tarascon, tous inventifs, démentant aujourd'hui ce qu'ils avaient affirmé la veille.

« Mais vous l'avez dit à l'instruction.

— Moi, j'ai dit ça ?... ah ! *vaï*... Je n'en ai pas ouvert la bouche.

— Mais vous avez signé.

— Signé ?... Pas plus...

— Voici votre signature.

— C'est, pardi, vrai... Eh ! bien, monsieur le président, personne de plus surpris que moi. »

Et pour tous c'était ainsi, aucun ne se rappelait. Les juges restaient effarés, hagards, devant ces contradictions, ces apparences de mauvaise foi, ne sachant pas, ces froids hommes du Nord, faire la part de l'invention et de la fantaisie des pays de lumière.

Un des plus extraordinaires fut Costecalde, racontant qu'il avait été chassé de l'île, forcé d'abandonner sa femme et ses enfants par les exactions de Tartarin le tyran. Il fallait entendre le drame de la chaloupe, les morts effrayantes et successives de ses malheureux compagnons ; Rugimabaud, qui nageait près de la barque pour se donner un peu de fraîcheur au corps, brusquement entraîné par un requin, coupé en deux.

« Ah ! le sourire de mon ami... Je le vois encore ; il me tendait les bras, j'allais à lui, tout à coup sa figure se crispe, il disparaît, et plus rien... rien qu'un rond de sang qui s'élargissait sur l'eau. » Et il faisait un grand rond devant lui avec sa main crispée, tandis que de ses yeux tombaient des larmes grosses comme des pois chiches.

En entendant le nom de Rugimabaud, les deux juges Beckmann et Robert du Nord, depuis un moment réveillés, se penchèrent vers le président, et dans l'unanime explosion de sanglots causée par le récit de Costecalde on voyait les trois toques noires dodelinant de l'une à l'autre.

Puis le président Mouillard s'adressa au témoin :

« Vous dites que Rugimabaud a été mangé sous vos yeux par un requin ? Mais le tribunal vient d'entendre comme cité à charge un certain Rugimabaud débarqué de ce matin... ; ne serait-ce pas le même que celui de la chaloupe ?...

— Mais si, parfaitement..., c'est moi, je suis le même !... » clama l'ancien sous-directeur aux Cultures.

« Tiens, Rugimabaud est ici », fit Costecalde pas plus troublé. « Je ne l'avais pas vu, c'est la première nouvelle. »

Une toque noire observa :

« Il n'aurait donc pas été mangé comme vous venez de le dire ?

— C'est que j'aurai confondu avec Truphénus...

— *Boufre !* mais je suis là, moi aussi, je n'ai pas été mangé... » protesta la voix de Truphénus.

Et Costecalde, qui commençait à s'impatienter :

« Enfin, que ce soit l'un ou l'autre, je sais toujours qu'il y en a eu un de dévoré par un requin, j'ai vu le rond. »

Là-dessus, il continua sa déposition, comme si rien ne s'était passé.

Avant qu'il quittât la barre, le président voulut savoir à combien se montait, selon lui, le nombre des victimes. Le témoin répondit :

« *Crante* mille au moins », ce qui est la façon, là-bas, de prononcer quarante mille.

Or, comme les registres de la colonie constataient qu'il n'y avait jamais eu plus de quatre cents habitants dans l'île, on se figure l'effarement du président Mouillard et de ses juges. Ils en suaient à pleins seaux, les malheureux, n'ayant jamais ouï débats pareils, dépositions aussi extravagantes. Ce n'était sur ce banc des témoins que démentis farouches, brusques interruptions ; des gens qui bondissaient, s'arrachaient les mots de la bouche, à croire que la bouche allait venir avec ; et des grincements de dents, et des rires démoniaques ! Un procès fantastique, tragicomique, où il n'était question que de Tarasconnais mangés, noyés, cuits, rôtis, bouillis, dévorés, hachés en petits morceaux, se retrouvant là tous sur le même banc, bien portants, leurs membres au complet, sans une dent de moins, pas même une éraflure.

Les deux ou trois qui manquaient encore à l'appel, on les attendait d'une minute à l'autre, ils devaient avoir eu la même veine que leurs compagnons, et c'est pour cela que le juge d'instruction Bonaric, plus au fait des mœurs de ses compatriotes, avait engagé le président à laisser de côté la question d'homicide par imprudence.

Cependant le défilé des témoins continuait, de plus en plus bruyant et cocasse.

Dans la salle, le public prenait parti, conspuait, applaudissait, riant sans peur ni vergogne au nez du président, qui menaçait à chaque instant de faire évacuer le prétoire, mais, tout ahuri lui-même par tant de vacarme et d'incohérence, ne faisait rien évacuer du tout et, les coudes sur la table, prenait à deux mains sa tête près d'éclater.

Dans une embellie relative, Robert du Nord, un grand vieux mince, aux lèvres ironiques entre deux longues floches de favoris blancs, dit en se renversant, la toque sur l'oreille :

« En somme, dans tout cela, je ne vois guère que la Tarasque qui ne soit pas revenue. »

Le substitut Bompard du Mazet se dressa brusquement, sorti de sa boîte comme un diable :

« Et mon oncle ?...

— Et Bompard ? » fit la salle en écho.

Le substitut continua de sa voix d'ophicléide :

« Je ferai remarquer au tribunal que mon oncle Bompard a été une des premières victimes. Si j'ai eu la discrétion de ne pas parler de lui dans mon réquisitoire, il n'en est pas moins vrai que celui-là du moins n'est pas revenu, qu'il ne reviendra jamais...

— Pardon, monsieur le substitut, interrompit le président, mais voici justement un M. Bompard qui me fait passer sa carte et demande à être entendu... Est-ce le vôtre ? »

C'était le sien, Bompard (Gonzague).

Ce nom, si connu de tous les Tarasconnais, souleva un immense tumulte. Public, témoins, accusés, tout le monde était debout, montait sur les bancs, se penchait, criait, cherchait à voir, haletant d'impatience et de curiosité. Devant cette agitation, le président Mouillard ordonna une suspension d'audience de quelques minutes, dont on profita pour emporter une douzaine de gendarmes évanouis, demi-morts de chaleur et d'ahurissement.

5

Bompard a passé le pont. — Histoire d'une lettre à huit cachets rouges. — Bompard en appelle à tout Tarascon, qui ne répond pas. — « Mais lisez-la donc, cette lettre, coquin de sort ! » — Menteurs du Nord et menteurs du Midi.

« C'est lui, c'est Gonzague !... *Vé ! Vé !*

— Comme il a forci !

— Qu'il est blafard !

— Il semble un *Teur* (Turc). »

Depuis si longtemps qu'ils ne l'avaient vu, nos Tarasconnais le reconnaissaient à peine, ce brave Bompard si maigre autrefois avec sa tête de palikare moustachu, ses yeux de chèvre folle ; gras maintenant, *boudenfle*, comme ils disent, mais la même moustache, les mêmes yeux délirants dans sa face élargie et bouffie.

Sans regarder ni à droite ni à gauche, il s'avança derrière l'huissier jusqu'à la barre.

Demande :

« C'est bien vous, Gonzague Bompard ?

— A dire le vrai, monsieur le président, j'en doute presque

quand je vois — geste emphatique de Bompard vers le banc des accusés —, quand je vois, dis-je, sur ce banc d'infamie notre gloire la plus pure, quand j'entends conspuer dans cette enceinte l'honneur et la probité mêmes...

— Merci, Gonzague », fit de sa place Tartarin étranglé d'émotion.

Il avait supporté sans broncher toutes les injures, mais la sympathie de son vieux camarade lui crevait le cœur, lui faisait monter les larmes comme à un enfant sur lequel on s'apitoie. Bompard reprit :

« Va, mon vaillant concitoyen, tu n'y moisiras pas sur ton sale banc, et j'apporte ici la preuve... la preuve... »

Il cherchait dans ses poches, tirait une pipe de Marseille, un couteau, un vieux silex, un briquet, un peloton de ficelle, un mètre, un baromètre, une boîte homéopathique, et posait ces objets l'un après l'autre sur la table du greffier.

« Voyons, témoin Bompard, quand vous aurez fini ! » dit le président impatienté.

Et le substitut Bompard du Mazet :

« Allons, mon oncle, dépêchons-nous. »

L'oncle se retourna vers lui :

« Ah ! oui, je t'engage, toi, après tout ce que tu t'es permis de dire à notre pauvre ami !... Attends un peu que je te déshérite, scélérat ! »

Le neveu resta froid sous cette menace, et l'oncle, toujours en quête dans ses poches, étalant devant lui toute une collection d'objets fantastiques, trouva à la fin ce qu'il cherchait : une grande enveloppe scellée de cinq cachets rouges.

« Monsieur le président, voici un document duquel il appert que le duc de Mons est le dernier des drôles, des galériens, des... » Les gros mots allaient venir. Le président l'interrompit :

« C'est bon, donnez le document. »

Il ouvrit la lettre mystérieuse et, après l'avoir lue, la communiqua à ses deux assesseurs, qui mirent leur nez dessus, l'épluchèrent soigneusement, sans rien laisser voir de leurs impressions. De vrais juges du Nord, pardi ! fermés, cadenassés.

Qu'y avait-il dans cette coquine de lettre ? Avec ces types-là, il était difficile de s'en faire une idée.

Les assistants se haussaient, se penchaient, regardant de loin, les mains en abat-jour ; on s'interrogeait jusqu'au fond des tribunes :

« *Qu'ès aco ?* qu'est-ce que, diable, ça peut être ? »

Et comme tous les incidents de l'audience gagnaient le dehors, grâce aux fenêtres et aux portes restées ouvertes, une grande rumeur montait sur le cours, des clameurs confuses, le frémissement d'une houle de mer lorsqu'il se lève jolie brise.

Pour le coup, les gendarmes ne dormaient plus, les mouches en grappes au plafond se réveillaient, elles aussi, et la fraîcheur du soir pénétrant dans la salle, avec l'épouvante des courants d'air particulière aux Tarasconnais, ceux qui étaient près des fenêtres demandaient à grands cris qu'on fermât, « qu'il y avait de quoi prendre le mal de la mort ».

Pour la centième fois le président Mouillard glapit : « Un peu de silence, ou je fais évacuer... », et l'interrogatoire continua :

D. « Témoin Bompard, comment cette lettre est-elle venue entre vos mains et à quel moment ?

R. Au départ de la *Farandole*, à Marseille, le duc, ou soi-disant duc de Mons, me remit donc mes pouvoirs de gouverneur provisoire de Port-Tarascon, et en même temps il me glissa ce pli, fermé de cinq cachets rouges bien qu'il n'y eût pas d'argent dedans. J'y trouverais, disait-il, ses dernières instructions, et il me recommandait bien de ne l'ouvrir que devant une quelconque des îles de l'Amirauté par je ne sais quel degré de latitude et de longitude. Du reste c'est marqué sur l'enveloppe, vous pouvez voir...

D. Oui, oui, je vois... Et alors ?

R. Alors, monsieur le président, voilà que je fus pris de cette maladie subite, qu'on a dû vous dire, et même contagieuse et *cangreneuse* et tout, et qu'on fut obligé de me descendre agonisant au château d'If. Une fois à terre, je me tordais de douleur, toujours la lettre dans ma poche, car j'avais oublié, au milieu de mes souffrances, de la donner à Bézuquet en lui repassant les pouvoirs.

D. Un oubli regrettable... Et ensuite ?

R. Ensuite, monsieur le président, quand je fus un peu mieux, que je pus me lever et reprendre mes habillements, pas encore bien solide — ah ! si vous aviez vu ce que je semblais !... —, un jour j'envoyai la main à la poche, par hasard... *Té !* la lettre aux cachets rouges... »

Le président, d'un ton sévère :

« Témoin Bompard, ne serait-il pas plus conforme à la vérité de dire que cette lettre, destinée à n'être décachetée qu'à quatre mille lieues de France, vous avez préféré l'ouvrir tout de suite et en plein port de Marseille pour savoir ce qu'il y avait dedans, et qu'en lisant son contenu vous avez reculé devant les responsabilités énormes qui vous incombaient ?

— Vous ne connaissez pas Bompard, monsieur le président. J'en appelle à Tarascon tout entier, ici présent. »

Un silence de tombe accueillit cet effet oratoire. Surnommé « l'Imposteur » par ses concitoyens, qui ne sont pourtant pas très scrupuleux en fait de véracité, Bompard montrait vraiment un fier toupet de les appeler en témoignage ; aussi, Tarascon interrogé ne répondit rien. Lui, sans s'émouvoir :

« Vous voyez, monsieur le juge... qui ne dit mot consent... » Et, reprenant son récit : « Pour lors, quand je retrouvai la lettre, Bézuquet, parti depuis des semaines, était trop loin pour que je la lui passe ; je me décidai donc à en prendre connaissance, et vous pensez mon horrible situation... »

Très horrible aussi était la situation de l'auditoire, qui ne savait toujours pas ce que contenait cette lettre restée sur le bureau du tribunal et dont on parlait tout le temps.

Et chacun de tendre le cou ; mais, de si loin, on ne pouvait rien voir que les grands cachets rouges, hypnotisants, de l'enveloppe, qui, de minute en minute, semblait grandir, devenait énorme.

Bompard continua :

« Que faire, je vous demande, après avoir pris communication de ces horreurs ?

« Rattraper la *Farandole* à la nage ? j'y ai songé un moment, puis j'ai douté de mes forces. Empêcher le *Tutu-panpan* de partir, en révélant à mes compatriotes ce pli abominable ; doucher leur enthousiasme de ce grand jet d'eau froide ? mais je me fusse fait lapider. Enfin, que voulez-vous, je me suis donné peur... Je n'ai pas même osé me montrer à Tarascon dans mon embarras de savoir que dire. C'est alors que je vins me cacher en face, à Beaucaire, d'où je pouvais tout voir sans être vu. J'y cumulais deux positions : celle de gardien du champ de foire et de conservateur du château. J'avais des loisirs, vous pensez. Du haut de la vieille tour, avec une bonne lunette, je regardais de l'autre côté du Rhône l'agitation de mes malheureux concitoyens qui se préparaient au départ. Et je me rongeais, je me désolais... Je leur tendais les bras ; je leur criais de loin comme s'ils avaient pu m'entendre : « Arrêtez !... Ne partez pas !... » J'ai même essayé de les prévenir par bouteille... Dites-le, Tartarin, dites à ces messieurs que j'essayai de vous prévenir.

— Je l'atteste, fit Tartarin du banc d'infamie.

— Ah ! ce que j'ai souffert, monsieur le président, quand j'ai vu le *Tutu-panpan* partir pour le pays des chimères !... Mais j'ai souffert bien plus encore quand ils sont revenus, quand j'ai su qu'en face de moi gémissait dans les fers, sur la paille comme un tas de sorbes, mon illustre compatriote Tartarin. Le savoir dans cette tour faussement accusé !...

« Différemment, vous me direz que j'aurais dû faire plus tôt la preuve de son innocence ; mais quand on s'est enfoncé dans une mauvaise route, c'est le diable pour se remettre en bon chemin. J'avais commencé par ne rien dire, c'était de plus en plus difficile de parler, sans compter la peur du pont, ce terrible pont qu'il fallait passer.

« Pas moins que je l'ai passé, ce pont du diable, je l'ai traversé ce matin par une bourrasque épouvantable, obligé de marcher à quatre pattes, comme à mon ascension du mont Blanc. Vous vous rappelez, Tartarin ?

— Si je me rappelle ! répondit Tartarin tristement, avec le regret des heures glorieuses.

— Ce qu'il tanguait, ce pont ! ce qu'il m'a fallu d'héroïsme !... Mais je n'aime pas me vanter. Finalement me voilà, et cette fois je l'apporte, la preuve, la preuve irréfutable...

— Irréfutable, croyez-vous ? » fit Mouillard de sa voix tranquille. « Qui nous garantit que cette étrange lettre, oubliée si longtemps dans votre poche, soit bien du duc de Mons ou soi-disant tel ? C'est que vous me paraissez sujets à caution, vous autres Tarasconnais ! Tout ce que j'entends de menteries depuis sept heures... »

Un sourd grognement de fauves en cage roula dans la salle, dans les tribunes, jusque sur le Tour de ville.

Tarascon n'était pas content et protestait. Gonzague Bompard, lui, se contenta de sourire ineffablement.

« En ce qui me concerne, monsieur le président, vous dire que je n'exagère pas toujours un peu lorsque je parle, qu'on pourrait faire de moi le directeur du bureau *Veritas*, je n'irai pas jusque-là ; mais, tenez, adressez-vous à celui-ci — il désignait Tartarin ; comme véracité, c'est encore ce que nous avons de mieux à Tarascon. »

Il ne fallut pas longtemps à Tartarin pour reconnaître l'écriture et la signature du sieur de Mons, écriture et signature malheureusement trop pratiquées de lui ; puis, tout debout, tourné vers le tribunal, brandissant d'une main rageuse le terrible mystère aux cinq cachets rouges :

« A mon tour, monsieur le président, armé de cette élucubration cynique, je vous adjure de reconnaître que tous les imposteurs ne sont pas du Midi. Ah ! vous nous appelez menteurs, nous autres de Tarascon. Mais nous ne sommes que des gens d'imagination et de paroles débordantes, des trouveurs, des brodeurs, des improvisateurs féconds, ivres de sève et de lumière, qui se laissent prendre eux-mêmes à leurs inventions stupéfiantes et ingénues.

« Quelle différence avec vos menteurs du Nord, sans joie ni spontanéité, qui ont toujours un but, une visée scélérate, comme le signataire de cette lettre ! Oui, certes, on peut le dire, en fait de mensonge, quand le Nord s'en mêle, le Midi ne peut pas lui tenir pied !... »

Parti sur ce thème, devant un public tarasconnais, Tartarin aurait dû enlever la salle. Mais c'était fini du pauvre grand homme et de sa popularité. Personne ne l'écoutait plus. On n'en avait qu'à cette mystérieuse missive qu'il agitait au bout de son bras.

L'infortuné voulait parler encore, on ne le lui permit pas.

De tous côtés des cris partaient :

« La lettre !... la lettre !...

— Enlevez-le, *zou !*

— Qu'il lise la lettre ! »

Cédant lui-même à la volonté de la foule, le président Mouillard prononça :

« Greffier, donnez lecture de la pièce. »

Un immense « Ah ! » de soulagement ; et, dans le silence qui suivit, rien que le bourdonnement des mouches d'août et le *cracra* des cigales qui rythmait le battement des poitrines haletantes.

Le greffier commença en nasillant :

« A monsieur Gonzague Bompard, gouverneur provisoire de la colonie de Port-Tarascon, pour être ouvert par 144° 30' longitude est, en face les îles de l'Amirauté.

Mon cher monsieur Bompard,

Il n'est si bonne plaisanterie qui ne doive prendre fin.

Virez de bord tout de suite et rentrez tranquillement chez vous avec vos Tarasconnais.

Il n'y a pas d'île, pas de traité, pas de Port-Tarascon, ni d'ares, ni d'hectares, ni de distilleries, ni de sucreries, ni de rien du tout... Seulement une excellente opération financière qui m'a valu quelques millions, à cette heure soigneusement mis à l'abri ainsi que mon auguste personne.

En définitive, une jolie tarasconnade que vos compatriotes et leur illustre chef Tartarin voudront bien me pardonner puisqu'elle les a distraits, occupés, et leur a rendu le goût de leur délicieuse petite ville, qu'ils avaient perdu.

DUC DE MONS.

Pas plus duc qu'il n'est de Mons. A peine des environs.

Cette fois, le président eut beau menacer de faire évacuer la salle, rien ne put contenir les hurlements, les rugissements, qui éclatèrent, gagnèrent la rue, le Cours, l'esplanade, remplirent toute la ville. Ah ! le Belge, le sale Belge, si on l'avait tenu, comme on le lui aurait fait, le coup du fenestron, la tête la première dans le Rhône !

Hommes, femmes, enfants, tous s'en mêlaient, et c'est au milieu de ce charivari épouvantable que le président Mouillard prononça l'acquittement de Tartarin et de Pascalon, au grand désespoir de Cicéron Branquebalme, obligé de rentrer, d'avaler son discours, ses *verum enim vero*, ses *parce que du parce qu'est-ce*, tout le ciment romain de son plaidoyer monumental.

L'audience se vidait, le public se répandait par les rues, sur le Tour de ville, places et placettes, continuant de vomir sa colère en vociférations : « Belge !... sale Belge !... Menteur du Nord !... Menteur du Nord ! »

6

Suite et fin du Mémorial de Pascalon

8 octobre. — En même temps que ma position à la pharmacie Bézuquet, j'ai reconquis l'estime de mes concitoyens et retrouvé l'existence tranquille d'autrefois, sur la Placette, entre les deux bocaux jaune et vert de la devanture, avec cette différence que Bézuquet se tient maintenant au fond de la boutique, comme si c'était lui l'élève, et fait aller le pilon dans le morceau de marbre, broyant ses drogues avec une colère ! De temps en temps il s'interrompt pour tirer une petite glace de sa poche et regarder son tatouage. Malheureux Ferdinand ! ni pommades ni cataplasmes, rien n'y fait, pas même la petite « soupe à l'ail » conseillée par le docteur Tournatoire. Il en a pour la vie, de ces infernales enluminures.

Moi, cependant, je paquette, j'étiquette, je débite l'aloès et l'« épicacoine », je fais la causette avec le client, je m'amuse de tout ce qui se raconte en ville. Les jours de marché il nous vient beaucoup de monde ; le mardi et le vendredi, la pharmacie ne désemplit pas. Depuis que les vignes vont mieux, nos paysans se sont remis à se droguer, à se poutringuer. Ils adorent cela, dans la banlieue de Tarascon ; pour eux, se purger c'est une fête.

Le reste de la semaine, on est au calme, la sonnette de la boutique tinte rarement. Je passe mon temps à regarder les inscriptions des grands flacons de verre et de faïence blanche, rangés sur les étagères : *sirupus gummi, assa fœtida*, et le ΦΑΡΜΑΚΟΠΕΙΑ inscrit en grec au-dessus du comptoir entre deux serpents.

Après tant d'agitations, tant d'aventures, ce grand repos de ma vie ne me déplaît pas. Je prépare un volume de vers provençaux, *Li Ginjourlo (Les Jujubes)*. Dans le Nord on ne connaît les jujubes que comme produit pharmaceutique ; ici ces fruits du jujubier sont de petites olives rouges, croquantes et charmantes, sur un arbre au feuillage clair. Je réunirai dans ce volume mes paysages, mes vers d'amour...

Pécaïre ! je la vois quelquefois passer, ma Clorinde, longue et souple, sautillant sur les cailloux pointus de la Placette, ce qu'elle appelait là-bas « son pas du kangourou » ; elle va à la seconde messe, son livre d'heures à la main, suivie de la femme Alric, qui *échelait* toujours les toits et qui depuis le retour à Tarascon est passée du service de Mlle Tournatoire à celui de ces dames des Espazettes. Pas une fois Clorinde ne regarde vers la pharmacie. Rentré chez Bézuquet, je n'existe plus pour elle.

La ville a repris son aspect tranquille, réinstallé. On se promène sur le Cours, sur l'esplanade ; le soir on va au Cercle, à la comédie. Tout le monde est revenu, à l'exception du père Bataillet, resté aux Philippines, pour y fonder une nouvelle communauté de Pères Blancs. Ici le couvent de Pampérigouste s'est rouvert un tout petit peu, le révérend père Vezole (Dieu soit loué !) y est rentré avec quelques autres révérends, et les cloches ont recommencé de sonner tout doucement, une par une ; nous n'en sommes pas encore au plein carillon, mais on le devine tout proche.

Qui se douterait que tant d'événements se sont passés ! Comme tout cela est déjà loin, et que la race tarasconnaise est facilement oublieuse ! Il n'y a qu'à voir nos chasseurs, le marquis des Espazettes en tête, partir tout flambants neufs le dimanche matin, avec la même ardeur, à l'*espère* d'un gibier qui n'existe pas.

Moi, le dimanche, après déjeuner, je vais rendre mes devoirs à Tartarin. Voilà bien, en haut du Cours, la maison aux persiennes vertes, les boîtes des petits décrotteurs devant la grille ; mais tout est fermé, tout est silencieux. Je pousse la porte... Je trouve le héros dans son jardin, tournant, les mains derrière le dos, autour du bassin aux poissons rouges, ou dans son cabinet au milieu des kriss et des flèches empoisonnées. Il ne les regarde seulement plus, ses chères collections. Le cadre est toujours le même, mais que l'homme a changé ! Ils ont eu beau l'acquitter, le grand homme se sent déchu, déboulonné, il a perdu son socle, et c'est ce qui le rend triste.

Nous causons. Le docteur Tournatoire vient quelquefois, il apporte sa bonne humeur et ses plaisanteries à la Purgon dans ce logis mélancolique. Branquebalme vient aussi le dimanche. Tartarin lui a confié la défense de ses intérêts. Un procès à Toulon avec le capitaine Scrapouchinat, qui réclame ses frais de rapatriement ; un autre procès avec la veuve Bravida, qui se porte partie civile pour ses enfants mineurs. Si mon pauvre cher maître perdait ces deux affaires, comment s'en tirerait-il ? Il a déjà tant dépensé dans cette lamentable aventure de Port-Tarascon !

Que ne suis-je riche !... Malheureusement ce n'est pas ce que je gagne chez Bézuquet qui me permettra de lui venir en aide.

10 octobre. — *Les Jujubes* paraîtront en Avignon chez le libraire Roumanille ; je suis bien heureux. Une autre bonne fortune : on organise une grande cavalcade en l'honneur de la Sainte-Marthe, qui vient le 19 du courant, et en l'honneur aussi de la rentrée des Tarasconnais sur la terre de France. Dourladoure et moi, du félibrige tous les deux, devons représenter la Poésie provençale sur un char allégorique.

20 octobre. — Hier dimanche la cavalcade a eu lieu. Long défilé de chars, cavaliers en costumes historiques tendant au bout de longues gaules des aumônières pour quêter. Un grand concours de foule, du monde à toutes les fenêtres ; mais, malgré tout, l'entrain, la gaieté, n'étaient pas de la fête. L'ingéniosité des organisateurs n'a pu suppléer à l'absence de notre mère-grand ; on sentait un trou, un vide, le char de la Tarasque manquait. De sourdes rancunes se réveillaient, au souvenir du malencontreux coup de fusil tiré sur elle, là-bas, dans le Pacifique ; des grognements se sont fait entendre dans le cortège en passant devant la maison de Tartarin. Comme la bande à Costecalde essayait d'exciter la foule par quelques cris, le marquis des Espazettes, en costume de templier, s'est retourné sur son cheval : « Paix là ! messieurs... » Il avait vraiment grand air, et tout de suite le désordre s'est arrêté.

La tramontane, un vent de neige, soufflait. Dourladoure et moi, nous la sentions cruellement, sous nos pourpoints Charles VI prêtés par la troupe d'opéra de passage à Tarascon en ce moment ; assis chacun en haut d'une tour — car notre char, traîné par six bœufs blancs, représentait le château du roi René en bois et carton peints —, cette coquine de bise nous transperçait, et les vers que nous récitions, nos grands luths à la main, grelottaient autant que nous. Dourladoure me disait : « *Outre !* c'est qu'on gèle ! » Et pas moyen de descendre, les échelles qui avaient servi à nous jucher là-haut ayant été retirées.

Sur le Tour de ville le supplice devint intolérable... Et, pour nous achever, j'eus l'idée — vanité de l'amour ! — de prendre par la traverse pour passer devant la maison du marquis des Espazettes.

Nous voilà engagés dans ces rues très étroites, tout juste la place pour les roues du char. L'hôtel du marquis était fermé, sombre et muet dans ses vieilles murailles de pierre noire, toutes les persiennes closes pour bien indiquer que la noblesse boudait les plaisirs de la rafataille.

Je dis quelques vers, tirés des *Jujubes*, de ma voix tremblante, en tendant mon filet de quête, mais rien ne bougea, personne ne parut. Alors je donnai l'ordre au conducteur d'avancer. Impossible, le char était pris, encanché des deux côtés. On avait beau tirer devant, tirer derrière, il se trouvait pressé entre les hautes murailles, et par les persiennes fermées nous entendions tout près de nous, à notre hauteur, des rires étouffés pendant que nous restions ridiculement perchés, transis de froid, sur nos tourelles de carton.

Décidément il ne m'a pas porté bonheur, le château du roi René ! Il a fallu dételer les bœufs, aller chercher des échelles pour nous descendre, et tout cela a pris un temps !...

23 octobre. — Qu'est-ce que c'est donc que ce mal de gloire ? On ne peut plus vivre sans elle, quand une fois on l'a connue.

J'étais chez Tartarin dimanche ; nous causions dans le jardin, marchant le long des allées sablées. Par-dessus le mur, les arbres du Cours nous envoyaient des paquets de feuilles mortes, et comme je voyais de la mélancolie dans ses yeux, je lui rappelais les heures triomphantes de sa vie. Rien ne pouvait le distraire, pas même les analogies entre son existence et celle de Napoléon.

« Ah ! *vaï*, Napoléon !... la bonne blague !... le soleil des Tropiques m'avait tapé sur la coloquinte. Ne me parlez plus de cela, je vous en prie, vous me ferez plaisir. »

Je le regardais stupéfait.

« Pas moins, la dame du commodore...

— Laisse-moi donc tranquille ! elle s'est moquée de moi tout le temps, la dame du commodore ! »

Nous avons fait quelques pas en silence.

Les cris des petits décrotteurs qui jouaient au bouchon devant la porte venaient jusqu'à nous dans les coups de vent emportant les feuilles par tourbillons.

Il m'a dit encore :

« J'y vois clair, maintenant. Les Tarasconnais m'ont ouvert les yeux ; c'est comme si l'on m'avait opéré de la cataracte. »

Il m'a paru extraordinaire.

A la porte, tout à coup, en me serrant la main :

« Tu sais, petit, on va vendre chez moi. J'ai perdu mon procès contre Scrapouchinat, contre la veuve Bravida aussi, malgré les arguments de Branquebalme... Il bâtit trop solide, ce garçon-là ; son aqueduc romain lui est tombé dessus et nous avons été écrasés sous le poids. »

Timidement, j'osai lui offrir mes petites économies. Je les aurais données de grand cœur, mais Tartarin a refusé.

« Merci, mon enfant, je pense que les armes, les curiosités, les plantes rares feront assez d'argent. Si ça ne suffit pas, je vendrai la maison. Après, je verrai. Adieu, petit... Tout ça n'est rien. »

Quelle philosophie !...

31 octobre. — Aujourd'hui j'ai eu une grande peine. Je servais à la pharmacie la femme Truphénus pour son enfant qui se plaint de lancées dans la tête, quand un grincement de roues sur la Placette m'a fait lever les yeux. J'avais reconnu les ressorts du grand carrosse de la douairière d'Aigueboulide. La vieille était dedans, sa perruche empaillée à côté d'elle, en face ma Clorinde avec une autre personne que je ne voyais pas bien, car le jour me venait contre, seulement un uniforme bleu, un képi brodé.

« Qui donc est avec ces dames ?

— Mais le petit-fils de la douairière, le vicomte Charlexis d'Aigueboulide, qui est officier de chasseurs. Vous ne savez donc pas que Mlle Clorinde et lui doivent s'épouser le mois qui vient ? »

Ça m'a donné un coup ! Je devais sembler la mort.

Et moi qui gardais encore un espoir.

« Oh ! tout à fait un mariage d'inclination, continuait ce bourreau de femme Truphénus... Mais vous savez ce que nous disons ?... *Qui se marie par amour, bonne nuit et mauvais jours.* »

J'aurais bien voulu me marier ainsi, *pécaïre !*

5 novembre. — On a vendu hier chez Tartarin. Je n'y étais pas, mais Branquebalme, venu le soir à la pharmacie, m'a raconté la scène.

Il paraît que c'était navrant. La vente n'a rien fait. On vendait devant la porte, selon l'habitude de chez nous. Rien, pas un sou, et pourtant il était venu beaucoup de monde. Ces armes de tous les pays, flèches empoisonnées, sagaies, yatagans, revolvers, winchester à trente-deux coups, rien de rien... Rien, les magnifiques peaux de lions de l'Atlas, rien l'alpenstock, son glorieux bâton de la Jungfrau, toutes ces richesses, ces curiosités, vrai musée de notre ville, vendues à des prix dérisoires... La foi perdue !

Et ce baobab dans son petit pot, qui, pendant trente ans, a fait l'admiration de la contrée ! Quand on l'a mis sur la table, quand le crieur a annoncé « *arbos gigantea*, des villages entiers peuvent tenir sous son ombrage... », il paraît qu'il y a eu un fou rire. De chez lui Tartarin les entendait, ces rires, en tournant dans son petit jardin avec deux amis. Il leur a dit sans amertume :

« Opérés de la cataracte, eux aussi, mes bons Tarasconnais. Ils y voient, maintenant ; mais ils sont cruels. »

Le plus triste, c'est que la vente n'ayant pas produit assez, il a dû céder la maison aux des Espazettes, qui la destinent au jeune ménage.

Et lui, le pauvre grand homme, où ira-t-il ? Passera-t-il le pont comme il en a vaguement parlé ? Se réfugiera-t-il à Beaucaire près de son vieil ami Bompard ?

Pendant que Branquebalme, debout au milieu de la pharmacie, me racontait ces épisodes sinistres, Bézuquet, dans le fond, apparaissant à demi par l'entrebâillement de la porte avec ses enluminures ineffaçables, a lancé dans un rire de démon papoua : « C'est bien fait !... c'est bien fait ! » Comme si c'était Tartarin qui l'eût tatoué lui-même.

7 novembre. — C'est demain dimanche que mon bon maître doit quitter la ville et passer le pont... Est-ce possible ? Tartarin de Tarascon devenu Tartarin de Beaucaire !... Voyez, rien que pour l'oreille..., quelle différence !... Et puis ce pont, ce terrible pont à passer ! Je sais bien que Tartarin a franchi d'autres obstacles !... c'est égal, ce sont là de ces choses qui se disent dans la colère, mais qui ne se font pas. Je doute encore.

Dimanche, 10 décembre. — Sept heures du soir. Je rentre navré ; à peine la force de jeter ces quelques lignes.

C'est fait, il est parti, il a passé le pont.

Nous nous étions donné rendez-vous chez lui, à trois ou quatre, Tournatoire, Branquebalme, Baumevieille, puis Malbos, un ancien de la milice, qui nous a rejoints en route.

J'avais le cœur serré devant la détresse de ces murs nus, de ce jardin dépouillé. Tartarin n'a pas même regardé autour de lui.

C'est là ce que nous avons de bon, nous autres Tarasconnais, notre mobilité. Par elle, nous sommes moins tristes que les autres peuples.

Il a donné les clés à Branquebalme :

« Vous les remettrez au marquis des Espazettes. Je ne lui en veux pas de n'être pas venu, c'est tout naturel. Comme disait Bravida :

> *Amour du seigneur,*
> *Amitié du verre,*
> *Ils ont fait de nous,*
> *Ils ne veulent plus nous voir.*

Et sc tournant vcrs moi :

« Tu en sais quelque chose, petit ! »

Cette allusion à Clorinde m'a touché. Penser à moi au milieu de ces circonstances !

Une fois sortis, sur le Cours, il faisait un vent terrible. Nous pensions tous en nous-mêmes : « Gare le pont, tout à l'heure ! »

Lui ne semblait pas le moins du monde préoccupé. A cause du mistral, on ne voyait personne en ville ; rencontré seulement la musique qui revenait de l'esplanade, les soldats, empêtrés de leurs instruments, retenant d'une main les pans de leurs capotes que le vent envolait.

Tartarin parlait lentement, en marche au milieu de nous comme pour une promenade. Il nous entretenait de lui, rien que de lui, ainsi qu'à son habitude.

« Moi, voyez-vous, j'ai le mal des gens de chez nous. Je me suis trop nourri de regardelle... »

A Tarascon nous appelons regardelle tout ce qui tente les yeux, dont nous avons envie et que la main n'atteint pas. C'est la nourriture des rêveurs, des gens d'imagination. Et Tartarin disait vrai, personne plus que lui n'a consommé de regardelle.

Comme je portais le sac, le carton à chapeau, le pardessus de mon héros, je marchais un peu derrière, je n'entendais pas tout. Des mots m'échappaient dans le vent qui redoublait à mesure qu'on approchait du Rhône. J'ai compris qu'il disait n'en vouloir à personne et parlait de son existence avec une douce philosophie.

« ... Ce gueusard de Daudet a écrit de moi que j'étais un don Quichotte dans la peau de Sancho... Il a dit vrai. Ce type de don Quichotte soufflé, douillet, empoté dans sa graisse et toujours inférieur à son rêve, est assez fréquent à Tarascon et dans sa banlieue. »

Un peu plus loin, à un tournant de traverse, nous avons vu fuir le dos d'Excourbaniès, qui, en passant devant le magasin de l'armurier Costecalde, nommé de ce matin conseiller municipal de la ville, criait à toute gorge : « Ah ! ah !... *Fen dé brut !* ... Vive Costecalde ! »

« Même à celui-là, je ne lui en veux pas, a dit Tartarin. Pourtant cet Excourbaniès représente le plus horrible côté du Midi tarasconnais. Je ne parle pas de ses cris, quoiqu'il brame vraiment plus que de raison, mais de cet épouvantable désir de plaire, d'être aimable, qui l'amène aux plus abjectes lâchetés. Il est devant Costecalde : « Au Rhône Tartarin ! » Il serait avec moi que, pour me flatter, il en crierait autant de Costecalde. A part ça, mes enfants, jolie race, la race tarasconnaise, et sans elle la France depuis longtemps serait morte de pédantisme et d'ennui. »

Nous arrivions au Rhône ; devant nous un couchant triste, quelques nuages très haut. Le vent semblait se calmer, tout de même le pont n'était pas rassurant. On s'arrêta à l'entrée et il ne nous demanda pas d'aller plus loin.

« Allons, adieu, mes enfants... »

On s'embrassa ; il commença par Baumevieille, le plus âgé, et finit par moi. Je pleurais, tout ruisselant, sans pouvoir m'essuyer, car j'avais toujours la mallette et le pardessus, et je peux dire que le grand homme a bu mes larmes.

Emu lui-même, il prit ses effets, carton d'une main, pardessus sur le bras, la mallette de l'autre main, et comme Tournatoire lui disait :

« Surtout, Tartarin, soignez-vous bien... Climat malsain, Beaucaire... Petite soupe à l'ail... n'oubliez pas. »

Il répondit en clignant de l'œil :

« N'ayez peur... Vous savez le proverbe de la vieille : *Au plus la vieille allait, — au plus elle apprenait, — et pour ce, mourir ne voulait.* Je ferai comme elle. »

Nous le vîmes s'éloigner sous les arceaux ; un peu lourd, mais à bon pas. Le pont tanguait horriblement. Deux ou trois fois il s'arrêta à cause de son chapeau qui partait. Nous lui criions de loin, sans avancer :

« Adieu, Tartarin ! »

Lui ne se retournait pas, ne disait rien, trop ému ; seulement avec le carton à chapeau il nous faisait signe aussi, par-derrière :

« Adieu... Adieu... »

Trois mois après. — Dimanche soir. — Je rouvre ce Mémorial depuis longtemps interrompu, ce vieux registre vert, que je laisserai à mes enfants, si j'en ai jamais, usé aux coins, commencé à cinq mille lieues de France, qui m'a suivi sur les mers, en prison, partout. Un peu d'espace m'y reste, j'en profite pour consigner le bruit qui courait en ville, ce matin : Tartarin a cessé de vivre !

On n'avait plus de ses nouvelles depuis trois mois. Je savais qu'il demeurait à Beaucaire, près de Bompard, qu'il l'aidait à garder le champ de foire et à conserver le château. Métiers de regardelle, en somme, ces métiers-là. Bien souvent, me languissant de mon bon maître, je m'étais proposé de l'aller voir, mais ce diable de pont me retenait toujours.

Une fois, regardant du côté du château de Beaucaire, là-haut, tout en haut, je me figurai voir quelqu'un qui braquait une lorgnette vers Tarascon. Ça avait l'air de Bompard. Il disparut, entra dans la tour et revint avec un autre, très gros, qui semblait Tartarin. Celui-ci prit la lunette, lui aussi, et la lâcha pour faire aller ses bras en signe de connaissance ; mais c'était si loin, si petit, si vague, que je n'eus pas l'émotion que j'aurais cru ressentir.

Ce matin, tout angoissé sans savoir pourquoi, je suis sorti en ville, pour ma barbe, comme tous les dimanches, et j'ai été frappé de voir le ciel voilé, roux, un de ces ciels sans lumière qui mettent en valeur les arbres, les bancs, les trottoirs, les maisons. J'en ai fait la remarque en entrant chez Marc-Aurèle, le barbier.

« Quel drôle de soleil ! Il ne chauffe pas, n'éclaire pas... Est-ce qu'il y a une éclipse ?

— Comment, monsieur Pascalon, vous ne le savez pas ?... Elle est annoncée depuis le premier du mois. »

Et en même temps qu'il me tenait par le nez avec le rasoir tout près :

« Et la nouvelle, vous la connaissez, dites ?... Il paraîtrait que notre grand homme n'est plus de ce monde.

— Quel grand homme ? »

Quand il nomma Tartarin, d'un peu plus je me coupais avec son rasoir.

« Voilà ce que c'est de se dépatrier !... Il n'a pas pu vivre sans Tarascon... »

Marc-Aurèle le barbier ne croyait pas dire si juste.

Sans Tarascon et sans la gloire, c'était sûr qu'il ne pourrait pas vivre.

Pauvre bon maître ! pauvre grand Tartarin !... Tout de même, cette coïncidence... une éclipse le jour de sa mort.

Et quel drôle de peuple que le nôtre ! Je parie bien qu'en ville la nouvelle leur a fait de la peine à tous, mais ils ont affecté de prendre la chose très à la légère.

Tout ça, parce que depuis l'affaire de Port-Tarascon, qui les a montrés si emballés, si exagérés, les Tarasconnais veulent paraître très rassis, très maîtres d'eux-mêmes, corrigés pour toujours.

Eh bien, la vérité, c'est que nous ne sommes pas corrigés le moins du monde ; seulement, au lieu de mentir en delà nous mentons en deçà.

Nous ne disons plus : « Hier aux arènes on était plus de cinquante mille, au moins. » Mais : « Aux arènes, hier, si l'on était une demi-douzaine, c'est tout le bout du monde. »

De l'exagération tout de même.

NUMA ROUMESTAN

Mœurs parisiennes

Numa Roumestan parut d'abord en feuilleton à *L'Illustration*, du 14 mai au 16 juillet 1881, puis en librairie, la même année, chez Charpentier.

A ma chère femme.

« ... Pour la seconde fois, les Latins ont conquis la Gaule... »

1

Aux arènes !

Ce dimanche-là, un dimanche de juillet chauffé à blanc, il y avait, à l'occasion du concours régional, une grande fête de jour aux arènes d'Aps-en-Provence. Toute la ville était venue : les tisserands du Chemin-Neuf, l'aristocratie du quartier de la Calade, même du monde de Beaucaire.

« Cinquante mille personnes au moins ! » disait *Le Forum* dans sa chronique du lendemain ; mais on doit tenir compte de l'enflure méridionale.

Le vrai, c'est qu'une foule énorme s'étageait, s'écrasait sur les gradins brûlés du vieil amphithéâtre, comme au beau temps des Antonins, et que la fête des comices n'était pour rien dans ce débordement de peuple. Il fallait autre chose que les courses landaises, les luttes pour hommes et *demi-hommes*, les jeux de l'*étrangle-chat* et du *saut sur l'outre*, les concours de flûtets et de tambourins, spectacles locaux plus usés que la pierre rousse des arènes, pour rester deux heures debout sur ces dalles flambantes, deux heures dans ce soleil tuant, aveuglant, à respirer de la flamme et de la poussière à odeur de poudre, à braver les ophtalmies, les insolations, les fièvres pernicieuses, tous les dangers, toutes les tortures de ce qu'on appelle là-bas une fête de jour.

Le grand attrait du concours, c'était Numa Roumestan.

Ah ! le proverbe qui dit : « Nul n'est prophète... » est certainement vrai des artistes, des poètes, dont les compatriotes sont toujours les derniers à reconnaître la supériorité, tout idéale en somme et sans effets visibles ; mais il ne saurait s'appliquer aux hommes d'Etat, aux célébrités politiques ou industrielles, à ces fortes gloires de rapport qui se monnayent en faveurs, en influences, se reflètent en bénédictions de toutes sortes sur la ville et sur l'habitant.

Voilà dix ans que Numa, le grand Numa, le député leader de toutes les droites, est prophète en terre de Provence, dix ans que, pour ce fils illustre, la ville d'Aps a les tendresses, les effusions d'une mère, et d'une mère du Midi, à manifestations, à cris, à caresses gesticulantes. Dès qu'il arrive, en été, après les vacances de la Chambre, dès qu'il apparaît en gare, les ovations commencent : les orphéons sont là, gonflant sous des chœurs héroïques leurs étendards brodés ; des portefaix, assis sur les marches, attendent que le vieux carrosse de famille, qui vient chercher le leader, ait fait trois tours de roues entre les larges platanes de l'avenue Berchère, alors ils se mettent eux-mêmes aux brancards et traînent le grand homme, au milieu des vivats et des chapeaux levés, jusqu'à la maison Portal où il descend. Cet enthousiasme est tellement passé dans la tradition, dans le cérémonial de l'arrivée, que les chevaux s'arrêtent spontanément, comme à un relais de poste, au coin de la rue où les portefaix ont l'habitude de dételer, et tous les coups de fouet ne leur feraient pas faire un pas de plus. Du premier jour, la ville change d'aspect : ce n'est plus la morne préfecture, aux longues siestes bercées par le cri strident des cigales sur les arbres brûlés du Cours. Même aux heures de soleil, les rues, l'esplanade s'animent et se peuplent de gens affairés, en chapeaux de visite, vêtements de drap noir, tout crus dans la vive lumière, découpant sur les murs blancs l'ombre épileptique de leurs gestes. Le carrosse de l'évêché, du président, secoue la chaussée ; puis des délégations du faubourg, où Roumestan est adoré pour ses convictions royalistes, des députations d'ourdisseuses s'en vont par bandes dans toute la largeur du boulevard, la tête hardie sous le ruban arlésien. Les auberges sont pleines de gens de la campagne, fermiers de Camargue ou de Crau, dont les charrettes dételées encombrent les petites places, les rues des quartiers populeux, comme aux jours de marché ; le soir, les cafés, bourrés de monde, restent ouverts bien avant dans la nuit, et les vitres du cercle des Blancs, éclairées à des heures indues, s'ébranlent sous les éclats de la voix du dieu.

Pas prophète en son pays ! Il n'y avait qu'à voir les arènes en ce bleu dimanche de juillet 1875, l'indifférence du public pour ce qui se passait dans le cirque, toutes les figures tournées du même côté, ce feu croisé de tous les regards sur le même point : l'estrade municipale, où Roumestan était assis au milieu des habits chamarrés et des soies tendues, multicolores, des ombrelles de cérémonie. Il n'y avait qu'à entendre les propos, les cris d'extase, les naïves réflexions à haute voix de ce bon populaire d'Aps, les unes en provençal, les autres dans un français barbare, frotté d'ail, toutes avec cet accent implacable comme le soleil de là-bas, qui découpe et met en valeur chaque syllabe, ne fait pas grâce d'un point sur un *i*.

« *Diou ! qu'es bèou !*... Dieu ! qu'il est beau !...

— Il a pris un peu de corps depuis l'an passé.

— Il a plus l'air imposant comme ça.

— Ne poussez pas tant... Il y en a pour tout le monde.

— Tu le vois, petit, notre Numa... Quand tu seras grand, tu pourras dire que tu l'as vu, *qué* !

— Toujours son nez bourbon... Et pas une dent qui lui manque.

— Et pas de cheveux blancs non plus...

— *Té*, pardi !... Il n'est pas déjà si vieux... Il est de 32, l'année que Louis-Philippe tomba les croix de la mission, *pécaïré*.

— Ah ! gueusard de Philippe.

— Il ne les paraît pas, ses quarante-trois ans.

— Sûr que non, qu'il ne les paraît pas... *Té !* bel astre... »

Et, d'un geste hardi, une grande fille aux yeux de braise lui envoyait, de loin, un baiser sonnant dans l'air comme un cri d'oiseau.

« Prends garde, Zette... si sa dame te voyait !

— C'est la bleue, sa dame ? »

Non, la bleue c'était sa belle-sœur, Mlle Hortense, une jolie demoiselle qui ne faisait que sortir du couvent et déjà « montait le cheval » comme un dragon. Mme Roumestan était plus posée, de meilleure tenue, mais elle avait l'air bien plus fier. Ces dames de Paris, ça s'en croit tant ! Et, dans le pittoresque effronté de leur langue à demi latine, les femmes, debout, les mains en abat-jour au-dessus des yeux, détaillaient tout haut les deux Parisiennes, leurs petits chapeaux de voyage, leurs robes collantes, sans bijoux, d'un si grand contraste avec les toilettes locales : chaînes d'or, jupes vertes, rouges, arrondies de tournures énormes. Les hommes énuméraient les services rendus par Numa à la bonne cause, sa lettre à l'empereur, son discours pour le drapeau blanc. Ah ! si on en avait eu une douzaine comme lui à la Chambre, Henri V serait sur le trône depuis longtemps.

Enivré de ces rumeurs, soulevé par cet enthousiasme ambiant, le bon Numa ne tenait pas en place. Il se renversait sur son large fauteuil, les yeux clos, la face épanouie, se jetait d'un côté sur l'autre ; puis bondissait, arpentait la tribune à grands pas, se penchait un moment vers le cirque, humait cette lumière, ces cris, et revenait à sa place, familier, bon enfant, la cravate lâche, sautait à genoux sur son siège et, le dos et les semelles à la foule, parlait à ses Parisiennes assises en arrière et au-dessus de lui, tâchait de leur communiquer sa joie.

Mme Roumestan s'ennuyait. Cela se voyait à une expression de détachement, d'indifférence sur son visage aux belles lignes d'une froideur un peu hautaine, quand l'éclair spirituel de deux yeux gris, de deux yeux de perle, des vrais yeux de Parisienne, le sourire entrouvert d'une bouche étincelante ne l'animait pas.

Ces gaietés méridionales, faites de turbulence, de familiarité, cette race verbeuse, tout en dehors, en surface, à l'opposé de sa nature si intime et sérieuse, la froissaient, peut-être, sans qu'elle s'en rendît bien compte, parce qu'elle retrouvait dans ce peuple le type multiplié, vulgarisé, de l'homme à côté de qui elle vivait depuis dix ans et qu'à ses dépens elle avait appris à connaître. Le ciel non plus ne la ravissait pas, excessif d'éclat, de chaleur réverbérée. Comment faisaient-ils, pour respirer, tous ces gens-là ? Où trouvaient-ils du souffle pour tant de cris ? Et elle se prenait à rêver tout haut d'un joli ciel parisien, gris et brouillé, d'une fraîche ondée d'avril sur les trottoirs luisants.

« Oh ! Rosalie, si l'on peut dire... »

Sa sœur et son mari s'indignaient ; sa sœur surtout, une grande jeune fille éblouissante de vie, de santé, dressée de toute sa taille pour mieux voir. Elle venait en Provence pour la première fois, et pourtant l'on eût dit que tout ce train de cris, de gestes dans un soleil italien remuait en elle une fibre secrète, un instinct engourdi, les origines méridionales que révélaient ses longs sourcils joints sur ses yeux de houri et la matité d'un teint où l'été ne mettait pas une rougeur.

« Voyons, ma chère Rosalie », faisait Roumestan, qui tenait à convaincre sa femme, « levez-vous et regardez ça... Paris vous a-t-il jamais rien montré de pareil ? »

Dans l'immense théâtre élargi en ellipse et qui découpait un grand morceau de bleu, des milliers de visages se serraient sur les gradins en étages avec le pointillement vif des regards, le reflet varié, le papillotage des toilettes de fête et des costumes pittoresques. De là, comme d'une cuve gigantesque, montaient des huées joyeuses, des éclats de voix et de fanfares volatilisés, pour ainsi dire, par l'intense lumière du soleil. A peine distincte aux étages inférieurs où poudroyaient le sable et les haleines, cette rumeur s'accentuait en montant, se dépouillait dans l'air pur. On distinguait surtout le cri des marchands de pains au lait qui promenaient de gradin en gradin leur corbeille drapée de linges blancs : « *Li pan ou la... li pan ou la !* » Et les revendeuses d'eau fraîche, balançant leurs cruches vertes et vernies, vous donnaient soif à les entendre glapir : « *L'aigo es fresco... Quau voù beùre ?...* L'eau est fraîche... Qui veut boire ?... »

Puis, tout en haut, des enfants, courant et jouant à la crête des arènes, promenaient sur ce grand brouhaha une couronne de sons aigus au niveau d'un vol de martinets, dans le royaume des oiseaux. Et sur tout cela quels admirables jeux de lumière, à mesure que — le jour s'avançant — le soleil tournait lentement dans la rondeur du vaste amphithéâtre comme sur le disque d'un cadran solaire, reculant la foule, la groupant dans la zone de l'ombre, faisant vides les places exposées à la trop vive chaleur, des espaces de dalles rousses séparées d'herbes sèches où des incendies successifs ont marqué des traces noires.

Parfois, aux étages supérieurs, une pierre se détachait du vieux monument, sous une poussée de monde, roulait d'étage en étage au milieu des cris de terreur, des bousculades, comme si tout le cirque croulait ; et c'était sur les gradins un mouvement pareil à l'assaut d'une falaise par la mer en furie, car chez cette race exubérante l'effet n'est jamais en rapport avec la cause, grossie par des visions, des perceptions disproportionnées.

Ainsi peuplée et animée, la ruine semblait revivre, perdait sa physionomie de monument à cicérone. On avait, en la regardant, la sensation que donne une strophe de Pindare récitée par un Athénien de maintenant, c'est-à-dire la langue morte redevenue vivante, n'ayant plus son aspect scolastique et froid. Ce ciel si pur, ce soleil d'argent vaporisé, ces intonations latines conservées dans l'idiomc provcnçal, çà ct là — surtout aux petites places — des attitudes à l'entrée d'une voûte, des poses immobiles que la vibration de l'air faisait antiques, presque sculpturales, le type de l'endroit, ces têtes frappées comme des médailles avec le nez court et busqué, les larges joues rases, le menton retourné de Roumestan, tout complétait l'illusion d'un spectacle romain, jusqu'au beuglement des vaches landaises en écho dans les souterrains d'où sortaient jadis les lions et les éléphants de combat. Aussi, quand sur le cirque vide et tout jaune de sable s'ouvrait l'énorme trou noir du *podium*, fermé d'une claire-voie, on s'attendait à voir bondir les fauves au lieu du pacifique et champêtre défilé de bêtes et de gens couronnés au concours.

A présent c'était le tour des mules harnachées, menées à la main, couvertes de somptueuses sparteries provençales, portant haut leurs petites têtes sèches ornées de clochettes d'argent, de pompons, de nœuds, de bouffettes et ne s'effrayant pas des grands coups de fouet coupants et clairs, en pétards, en serpenteaux, des muletiers debout sur chacune d'elles. Dans la foule, chaque village reconnaissait ses lauréats, les annonçait à voix haute :

« Voilà Cavaillon... Voilà Maussane... »

La longue file somptueuse se déroulait tout autour de l'arène qu'elle remplissait d'un cliquetis étincelant, de sonneries lumineuses, s'arrêtait devant la loge de Roumestan, accordant une minute en aubade d'honneur ses coups de fouet et ses sonnailles, puis continuait sa marche circulaire, sous la direction d'un beau cavalier, en collant clair et bottes montantes, un des messieurs du Cercle, organisateur de la fête, qui gâtait tout sans s'en douter, mêlant la province à la Provence, donnant à ce curieux spectacle local un vague aspect de cavalcade de Franconi. Du reste, à part quelques gens de campagne, personne ne regardait. On n'avait d'yeux que pour l'estrade municipale, envahie depuis un moment par une foule de personnes venant saluer Numa, des amis, des clients, d'anciens camarades de collège, fiers de leurs relations avec le grand homme et de les montrer là sur ces tréteaux, bien en vue.

Le flot se succédait sans interruption. Il y en avait des vieux, des jeunes, des gentilshommes de campagne en complet gris de la guêtre au petit chapeau, des chefs d'atelier endimanchés dans leurs redingotes marquées de plis, des *ménagers*, des fermiers de la banlieue d'Aps en vestes rondes, un pilote du Port-Saint-Louis, tortillant son gros bonnet de forçat, tous avec leur Midi marqué sur la figure, qu'ils fussent envahis jusque dans les yeux de ces barbes en palissandre que la pâleur des teints orientaux fait plus noires encore, ou bien rasés à l'ancienne France, le cou court, rougeauds et suintants comme des alcarazas en terre cuite, tous l'œil noir, flambant, hors de la tête, le geste familier et tutoyeur.

Et comme Roumestan les accueillait, sans distinction de fortune ou d'origine, avec la même effusion inépuisable ! « *Té !* Monsieur d'Espalion ! et comment va, marquis ?...

« *Hé bé !* mon vieux Cabantous, et le pilotage ?...

« Je salue de tout cœur M. le président Bédarride. »

Alors des poignées de main, des accolades, de ces bonnes tapes sur l'épaule qui doublent la valeur des mots, toujours trop froids au gré d'une sympathie méridionale. L'entretien ne durait pas longtemps, par exemple. Le leader n'écoutait que d'une oreille, le regard distrait, et tout en causant disait bonjour de la main aux nouveaux venus ; mais personne ne se fâchait de sa brusque façon d'expédier son monde avec de bonnes paroles. « Bien, bien... Je m'en charge... Faites votre demande... je l'emporterai. »

C'étaient des promesses de bureaux de tabac, de perceptions ; ce qu'on ne demandait pas, il le devinait, encourageait les ambitions timides, les provoquait. Pas médaillé, le vieux Cabantous, après vingt sauvetages ! « Envoyez-moi vos papiers... On m'adore à la Marine !... Nous réparerons cette injustice. » Sa voix sonnait, chaude et métallique, frappant, détachant les mots. On eût dit des pièces d'or toutes neuves qui roulaient. Et tous s'en allaient ravis de cette monnaie brillante, descendaient de l'estrade avec le front rayonnant de l'écolier qui emporte son prix. Le plus beau dans ce diable d'homme c'était sa prodigieuse souplesse à prendre les allures, le ton des gens à qui il parlait, et cela le plus naturellement, le plus inconsciemment du monde. Onctueux, le geste rond, la bouche en cœur avec le président Bédarride, le bras magistralement étendu comme s'il secouait sa toge à la barre ; l'air martial le chapeau casseur pour parler au colonel de Rochemaure, et vis-à-vis de Cabantous les mains dans les poches, les jambes arquées, le roulis d'épaules d'un vieux chien de mer. De temps en temps, entre deux accolades, il revenait vers ses Parisiennes, radieux, épongeant son front qui ruisselait.

« Mais, mon bon Numa », lui disait Hortense tout bas avec un joli rire, « où prendrez-vous tous les bureaux de tabac que vous leur promettez ? »

Roumestan penchait sa grosse tête crépue, un peu dégarnie dans le haut : « C'est promis, petite sœur, ce n'est pas donné. »

Et devinant un reproche dans le silence de sa femme :

« N'oubliez pas que nous sommes dans le Midi, entre compatriotes parlant la même langue... Tous ces braves garçons savent ce que vaut une promesse et n'espèrent pas leur bureau de tabac plus positivement que moi je ne compte le leur donner... Seulement ils en parlent, ça les amuse, leur imagination voyage. Pourquoi les priver de cette joie ?... Du reste, voyez-vous, entre Méridionaux les paroles n'ont jamais qu'un sens relatif... C'est une affaire de mise au point. »

Comme la phrase lui plaisait, il répéta deux ou trois fois en appuyant sur la finale : « de mise au point... de mise au point... »

« J'aime ces gens-là... » dit Hortense qui décidément s'amusait beaucoup. Mais Rosalie n'était pas convaincue. « Pourtant les mots signifient quelque chose, murmura-t-elle très sérieuse comme se parlant au plus profond d'elle-même.

— Ma chère, ça dépend des latitudes ! »

Et Roumestan assura son paradoxe d'un coup d'épaule qui lui était familier, l'« en-avant » d'un porte-balle remontant sa bricole. Le grand orateur de la droite gardait comme cela quelques habitudes de corps dont il n'avait jamais pu se défaire et qui dans un autre parti l'auraient fait passer pour un homme du commun ; mais aux sommets aristocratiques où il siégeait entre le prince d'Anhalt et le duc de la Rochetaillade, c'était signe de puissance et de forte originalité, et le faubourg Saint-Germain raffolait de ce coup d'épaule sur le large dos trapu qui portait les espérances de la monarchie française. Si Mme Roumestan avait partagé jadis les illusions du Faubourg, c'était bien fini maintenant, à en juger par le désenchantement de son regard, le petit sourire qui retroussait sa lèvre à mesure que le leader parlait, sourire plus pâle encore de mélancolie que de dédain. Mais son mari la quitta brusquement, attiré par les sons d'une étrange musique qui montait de l'arène au milieu des clameurs de la foule, debout, exaltée, criant : « Valmajour ! Valmajour ! »

Vainqueur au concours de la veille, le fameux Valmajour, premier tambourinaire de Provence, venait saluer Numa de ses plus jolis airs. Vraiment il avait belle mine ce Valmajour, planté au milieu du cirque, sa veste de cadis jaune sur l'épaule, autour des reins sa taillole d'un rouge vif tranchant sur l'empois blanc du linge. Il tenait son long et léger tambourin pendu au bras gauche par une courroie, et de la main du même bras portait à ses lèvres un petit fifre, pendant que de sa main droite il tambourinait, l'air crâne, la jambe en avant. Tout petit, ce fifre remplissait l'espace comme un branle de cigales, bien fait pour cette atmosphère limpide, cristalline, où tout vibre, tandis que le tambourin, de sa voix profonde, soutenait le chant et ses fioritures.

Au son de cette musique aigrelette et sauvage, mieux qu'à tout ce qu'on lui montrait depuis qu'il était là, Roumestan voyait se lever devant lui son enfance de gamin provençal courant les fêtes de campagne, dansant sous les platanes feuillus des places villageoises, dans la poudre blanche des grands chemins, sur la lavande des côtes brûlées. Une émotion délicieuse lui piquait les yeux ; car malgré ses quarante ans passés, la vie politique si desséchante, il gardait encore, par un bénéfice de nature, beaucoup d'imagination, cette sensibilité de surface qui trompe sur le fond vrai d'un caractère.

Et puis ce Valmajour n'était pas un tambourinaire comme les autres, un de ces vulgaires ménétriers qui ramassent des bouts de quadrilles, des refrains de cafés chantants dans les fêtes de pays, encanaillant leur instrument en voulant l'accorder au goût moderne. Fils et petit-fils de tambourinaires, il ne jouait jamais que des airs nationaux, des airs chevrotés par les grand-mères aux veillées ; et il en savait, il ne se lassait pas. Après les noëls de Saboly rythmés en menuets, en rigodons, il entonnait la *Marche des rois*, sur laquelle Turenne au grand siècle a conquis et brûlé le Palatinat. Le long des gradins où des fredons couraient tout à l'heure en vols d'abeilles, la foule électrisée marquait la mesure avec les bras, avec la tête, suivait ce rythme superbe qui passait comme un coup de mistral dans le grand silence des arènes, traversé seulement par le sifflement éperdu des hirondelles tournoyant en tous sens, là-haut, dans l'azur verdissant, inquiètes et ravies comme si elles cherchaient à travers l'espace quel invisible oiseau décochait ces notes suraiguës.

Quand Valmajour eut fini, des acclamations folles éclatèrent. Les chapeaux, les mouchoirs étaient en l'air. Roumestan appela le musicien sur l'estrade et lui sauta au cou : « Tu m'as fait pleurer, mon brave ! » Et il montrait ses yeux, de grands yeux brun doré, tout embus de larmes. Très fier de se voir au milieu des broderies et des épées de nacre officielles, l'autre acceptait ces félicitations, ces accolades sans trop d'embarras. C'était un beau garçon, la tête régulière, le front haut, barbiche et moustache d'un noir brillant sur le teint basané, un de ces fiers paysans de la vallée du Rhône qui n'ont rien de l'humilité finaude des villageois du Centre. Hortense remarqua tout de suite comme sa main restait fine dans son gant de hâle. Elle regarda le tambourin, sa baguette à bout d'ivoire, s'étonna de la légèreté de l'instrument depuis deux cents ans dans la famille, et dont la caisse de noyer, agrémentée de légères sculptures, polie, amincie, sonore, semblait comme assouplie sous la patine du temps. Elle admira surtout le galoubet, la naïve flûte rustique à trois trous des anciens tambourinaires, à laquelle Valmajour était revenu par respect pour la tradition, et dont il avait conquis le maniement à force d'adresse et de patience. Rien de plus touchant que le petit récit qu'il faisait de ses luttes, de sa victoire.

« Ce m'est vénu, disait-il en son français bizarre, ce m'est vénu de nuit en écoutant santer le rossignoou. Je me pensais dans moi-même : Comment, Valmajour, voilà l'oiso du bon Dieu que son gosier lui suffit pour toutes les roulades, et ce qu'il fait avec un trou, toi, les trois trous de ton flûtet ne le sauraient point faire ? »

Il parlait posément, d'un beau timbre confiant et doux, sans aucun sentiment de ridicule. D'ailleurs personne n'eût osé sourire devant l'enthousiasme de Numa, levant les bras, trépignant à défoncer la tribune. « Qu'il est beau !... Quel artiste ! » Et, après lui, le maire, le général, le président Bédarride, M. Roumavage, un grand fabricant de bière de Beaucaire, vice-consul du Pérou, sanglé dans un costume de carnaval tout en argent, d'autres encore, entraînés par l'autorité du leader, répétaient d'un accent convaincu : « Quel artiste ! » C'était aussi le sentiment d'Hortense, et elle l'exprimait avec sa nature expansive : « Oh ! oui, un grand artiste... », pendant que Mme Roumestan murmurait : « Mais vous allez le rendre fou, ce pauvre garçon. » Il n'y paraissait guère cependant, à l'air tranquille de Valmajour, qui ne s'émut pas même en entendant Numa lui dire brusquement :

« Viens à Paris, garçon, ta fortune est faite.

— Oh ! ma sœur ne voudrait jamais me laisser aller », répondit-il en souriant.

Sa mère était morte. Il vivait avec son père et sa sœur dans un fermage qui portait leur nom, à trois lieues d'Aps, sur le mont de Cordoue. Roumestan jura d'aller le voir avant de partir. Il parlerait aux parents, il était sûr d'enlever l'affaire.

« Je vous y aiderai, Numa », dit une petite voix derrière lui.

Valmajour salua sans un mot, tourna sur ses talons et descendit le large tapis de l'estrade, sa caisse au bras, la tête droite, avec ce léger déhanchement du Provençal, ami du rythme et de la danse. En bas des camarades l'attendaient, lui serraient les mains. Puis un cri retentit : « La farandole ! », clameur immense, doublée par l'écho des voûtes, des couloirs, d'où semblaient sortir l'ombre et la fraîcheur qui envahissaient maintenant les arènes et rétrécissaient la zone du soleil. A l'instant le cirque fut plein, mais plein à faire éclater ses barrières, d'une foule villageoise, une mêlée de fichus blancs, de jupes voyantes, de rubans de velours battant aux coiffes de dentelles, de blouses passementées, de vestes de cadis.

Sur un roulement de tambourin, cette cohue s'aligna, se défila en bandes, le jarret tendu, les mains unies. Un trille de galoubet fit onduler tout le cirque, et la farandole menée par un gars de Barbantane, le pays des danseurs fameux, se mit en marche lentement, déroulant ses anneaux, battant ses entrechats presque sur place, remplissant d'un bruit confus, d'un froissement d'étoffes et d'haleines, l'énorme baie du vomitoire où peu à peu elle s'engouffrait. Valmajour suivait d'un pas égal, solennel, repoussait en marchant son gros tambourin du genou, et jouait plus fort à mesure que le compact entassement de l'arène, à demi noyée déjà dans la cendre bleue du crépuscule, se dévidait comme une bobine d'or et de soie.

« Regardez là-haut ! » dit Roumestan tout à coup.

C'était la tête de la danse surgissant entre les arcs de voûte du premier étage, pendant que le tambourinaire et les derniers farandoleurs piétinaient encore dans le cirque. En route, la ronde s'allongeait de tous ceux que le rythme entraînait de force à la suite. Qui donc parmi ces Provençaux aurait pu résister au flûtet magique de Valmajour ? Porté, lancé par les rebondissements du tambourin, on l'entendait à la fois à tous les étages, passant les grilles et les soupiraux descellés, dominant les exclamations de la foule. Et la farandole montait, montait, arrivait aux galeries supérieures que le soleil bordait encore d'une lumière fauve. L'immense défilé des danseurs bondissants et graves découpait alors sur les hautes baies cintrées du pourtour, dans la chaude vibration de cette fin d'après-midi de juillet, une suite de fines silhouettes, animait sur la pierre antique un de ces bas-reliefs comme il en court au fronton dégradé des temples.

En bas, sur l'estrade désemplie — car on partait et la danse prenait plus de grandeur au-dessus des gradins vides —, le bon Numa demandait à sa femme, en lui jetant un petit châle de dentelle sur les épaules pour le frais du soir :

« Est-ce beau, voyons ?... Est-ce beau ?...

— Très beau », fit la Parisienne, remuée cette fois jusqu'au fond de sa nature artiste.

Et le grand homme d'Aps semblait plus fier de cette approbation que des hommages bruyants dont on l'étourdissait depuis deux heures.

2

L'envers d'un grand homme

Numa Roumestan avait vingt-deux ans quand il vint terminer à Paris son droit commencé à Aix. C'était à cette époque un bon garçon, réjoui, bruyant, tout le sang à la peau, avec de beaux yeux de batracien, dorés, à fleur de tête, et une crinière noire toute frisée qui lui mangeait la moitié du front comme un bonnet de loutre sans visière. Pas l'ombre d'une idée, d'une ambition, sous cette fourrure envahissante. Un véritable étudiant d'Aix, très fort au billard et au misti, sans pareil pour boire une bouteille de champagne à la régalade, pour chasser le chat aux flambeaux jusqu'à trois heures du matin dans les larges rues de la vieille ville aristocratique et parlementaire, mais ne s'intéressant à rien, n'ouvrant jamais un journal ni un livre, encrassé de cette sottise provinciale, qui hausse les épaules à toute chose et pare son ignorance d'un renom de gros bon sens.

Le Quartier latin l'émoustilla un peu ; il n'y avait pourtant pas de quoi. Comme tous ses compatriotes, Numa s'installait, en arrivant, au café Malmus, haute et tumultueuse baraque, développant ses trois étages de vitres, larges comme celles d'un magasin de nouveautés, au coin de la rue du Four-Saint-Germain, qu'elle remplissait du fracas de ses billards et des vociférations d'une clientèle de cannibales. Tout le Midi français s'épanouissait là, dans ses nuances diverses. Midi gascon, Midi provençal, de Bordeaux, de Toulouse, de Marseille, Midi périgourdin, auvergnat, ariégeois, ardéchois, pyrénéen, des noms en *as*, en *us*, en *ac*, éclatants, ronflants et barbares, Etcheverry, Terminarias, Bentaboulech, Laboulbène, des noms qui semblaient jaillir de la gueule d'une escopette ou partaient comme un coup de mine, dans une accentuation féroce. Et quels éclats de voix, rien que pour demander une demi-tasse, quel fracas de gros rires pareils à l'écroulement d'un tombereau de pierres, quelles barbes gigantesques, trop drues, trop noires, à reflets bleus, des barbes qui déconcertaient le rasoir, montaient jusqu'aux yeux, rejoignaient les sourcils, sortaient en frisons de bourre du nez chevalin large ouvert et des oreilles, mais ne parvenaient pas à dissimuler la jeunesse, l'innocence des bonnes faces naïves blotties sous ces végétations.

En dehors des cours qu'ils suivaient assidûment, tous ces étudiants passaient leur vie chez Malmus, se groupant par provinces, par clochers, autour de tables désignées de longue date et qui devaient garder l'accent du cru dans l'écho de leur marbre, comme les pupitres gardent les signatures au couteau des collégiens.

Peu de femmes dans cette horde. A peine deux ou trois par étage, pauvres filles que leurs amants amenaient là d'un air honteux, et qui passaient la soirée à côté d'eux devant un bock, penchées sur les grands cartons des journaux à images, muettes et dépaysées parmi cette jeunesse du Midi, élevée dans le mépris *dou fémélan*. Des maîtresses, *té !* pardi, ils savaient où en prendre, à la nuit ou à l'heure, mais jamais pour longtemps. Bullier, les *beuglants*, les soupers de la *rôtisseuse* ne les tentaient pas. Ils aimaient bien mieux rester chez Malmus, parler patois, boulotter entre le café, l'école et la table d'hôte. S'ils passaient les ponts, c'était pour aller au Théâtre-Français un soir de répertoire, car la race est classique dans le sang ; ils s'y rendaient par bandes, criant très fort dans la rue, au fond un peu intimidés, et revenaient mornes, ahuris, les yeux brouillés de poussière tragique, faire encore une partie à demi gaz, derrière les volets clos. De temps en temps, à l'occasion d'un examen, une ripaille improvisée répandait dans le café des odeurs de fricots à l'ail, de fromages de montagne puants et décomposés sur leurs papiers bleuis. Là-dessus le nouveau diplômé décrochait du râtelier sa pipe à initiales et s'en allait, notaire ou substitut dans quelque trou lointain d'outre-Loire, raconter Paris à la province, ce Paris qu'il croyait connaître et où il n'était jamais entré.

Dans ce milieu racorni, Numa fut aisément un aigle. D'abord il criait plus fort que les autres ; puis une supériorité, du moins une originalité lui vint de son goût très vif pour la musique. Deux ou trois fois par semaine il se payait un parterre à l'Opéra ou aux Italiens, en revenait la bouche pleine de récitatifs, de grands airs qu'il chantait d'une assez jolie voix de gorge rebelle à toute discipline. Quand il arrivait chez Malmus, qu'il s'avançait théâtralement au milieu des tables en roulant quelque finale italien, des hurlements de joie l'accueillaient de tous les étages, on criait : « Hé ! l'artiste !... », et comme dans les milieux bourgeois, ce mot amenait une curiosité caressante dans le regard des femmes, sur la lèvre des hommes une intention d'envieuse ironie. Cette réputation d'art le servit par la suite, au pouvoir, dans les affaires. Encore aujourd'hui, il n'y a pas à la Chambre une commission artistique, un projet d'opéra populaire, de réformes aux expositions de peinture où le nom de Roumestan ne figure en première ligne. Cela tient à ces soirées passées dans les théâtres de chant. Il y prit l'aplomb, le genre acteur, une certaine façon de se poser de trois quarts pour parler à la dame de comptoir, qui faisait dire à ses camarades émerveillés : « *Oh ! de ce Numa, pas moins !* »

A l'école il apportait la même aisance ; à demi préparé, car il était paresseux, craignait le travail et la solitude, il passait des examens assez brillants, grâce à son audace, à sa subtilité méridionale, qui savait toujours découvrir l'endroit chatouilleux d'une vanité de professeur. Puis sa physionomie, si franche, si aimable, le servait, et cette étoile de bonheur éclairait la route devant lui.

Dès qu'il fut avocat, ses parents le rappelèrent, la modeste pension qu'ils lui faisaient leur coûtant de trop dures privations. Mais la perspective d'aller s'enfermer à Aps, dans cette ville morte qui tombait en poussière sur ses ruines antiques, la vie sous la forme d'un éternel tour de ville et de quelques plaidoyers de murs mitoyens, n'avaient pas de quoi tenter l'ambition indéfinie que sentait le Provençal au fond de son goût pour le mouvement et l'intelligence de Paris. A grand-peine, il obtint encore deux ans pour préparer son doctorat, et, ces deux ans passés, au moment où l'ordre de rentrer au pays lui arrivait irrévocable, il rencontrait chez la duchesse de san Donnino, à une de ces fêtes musicales où le portaient sa jolie voix et ses relations lyriques, Sagnier, le grand Sagnier, l'avocat légitimiste, frère de la duchesse et mélomane enragé, qu'il avait séduit par sa verve, éclatant dans la monotonie mondaine, et par son enthousiasme pour Mozart. Sagnier lui offrit de le prendre comme quatrième secrétaire. Les appointements étaient nuls ; mais il entrait dans le premier cabinet d'affaires de Paris avec des relations au faubourg Saint-Germain, à la Chambre. Malheureusement, le père Roumestan s'entêtait à lui couper les vivres, tâchant de ramener, par la famine, le fils unique, l'avocat de vingt-six ans, en âge de gagner sa vie. C'est alors que le cafetier Malmus intervint.

Un type, ce Malmus, gros homme asthmatique et blafard, qui, de simple garçon de café, était devenu propriétaire d'un des plus grands établissements de Paris, par le crédit et par l'usure. Jadis, il avançait aux étudiants l'argent de leur mois, qu'il se faisait rendre au triple, dès que les galions étaient arrivés. Lisant à peine, n'écrivant pas, marquant les sous qu'il prêtait, avec des coches, dans du bois, comme il avait vu faire aux garçons boulangers de Lyon, ses compatriotes, jamais il ne s'embrouillait dans ses comptes, et, surtout, ne plaçait pas son argent mal à propos. Plus tard, devenu riche, à la tête de la maison où quinze ans durant il avait porté le tablier, il perfectionna son trafic, le mit tout entier dans le crédit, un crédit illimité qui laissait vides, à la fin de la journée, les trois comptoirs du café, mais alignait d'interminables colonnes de bocks, de cafés, de petits verres, sur les livres fantastiquement tenus, avec ces fameuses plumes à cinq becs, si en honneur dans le commerce parisien.

La combinaison du bonhomme était simple : il abandonnait à l'étudiant son argent de poche, toute sa pension, et lui faisait crédit des repas, des consommations, même, à quelques privilégiés, d'une chambre dans la maison. Pendant tout le temps des études, il ne demandait pas un sou, laissait accumuler les intérêts pour des sommes considérables ; mais cela ne se faisait pas étourdiment, sans surveillance. Malmus passait deux mois de l'année, les mois de vacances, à courir la province, s'assurant de la santé des parents, de la situation des familles. Son asthme s'essoufflait à grimper les pics cévenols, à dégringoler les combes languedociennes. On le voyait errer, podagre et mystérieux, l'œil méfiant sous ses paupières lourdes d'ancien garçon de nuit, à travers des bourgades perdues ; il restait deux jours, visitait le notaire et l'huissier, inspectait par-dessus les murs le petit domaine ou l'usine du client, puis on n'entendait plus parler de lui.

Ce qu'il apprit à Aps lui donna pleine confiance en Roumestan. Le père, ancien filateur, ruiné par des rêves de fortune et d'inventions malheureuses, vivait modestement d'une inspection d'assurances ; mais sa sœur, Mme Portal, veuve sans enfants d'un riche magistrat, devait laisser tous ses biens à son neveu. Aussi, Malmus tenait-il à le garder à Paris : « Entrez chez Sagnier... Je vous aiderai. » Le secrétaire d'un homme considérable ne pouvant habiter un garni d'étudiants, il lui meubla un appartement de garçon quai Voltaire, sur la cour, se chargea du loyer, de la pension ; et c'est ainsi que le futur leader entra en campagne, avec tous les dehors d'une existence facile, au fond terriblement besogneux, manquant de lest, d'argent de poche. L'amitié de Sagnier lui valait des relations superbes. Le Faubourg l'accueillait. Seulement ces succès mondains, les invitations, à Paris, en villégiature d'été, où il fallait arriver tenu, sanglé, ne faisaient qu'accroître ses dépenses. La tante Portal, sur ses demandes réitérées, lui venait bien un peu en aide, mais avec précaution, parcimonie, accompagnant son envoi de longues et cocasses mercuriales, de menaces bibliques contre ce Paris si ruineux. La situation n'était pas tenable.

Au bout d'un an, Numa chercha autre chose ; d'ailleurs, il fallait à Sagnier des piocheurs, des abatteurs de besogne, et celui-ci n'était pas son homme. Il y avait, dans le Méridional, une indolence invincible, et surtout l'horreur du bureau, du travail assidu et posé. Cette faculté, tout en profondeur, l'attention, lui manquait radicalement. Cela tenait à la vivacité de son imagination, au perpétuel moutonnement des idées sous son front, à cette mobilité d'esprit visible jusque dans son écriture, qui ne se ressemblait jamais. Il était tout extérieur, en voix et en gestes comme un ténor.

« Quand je ne parle pas, je ne pense pas », disait-il très

naïvement ; et c'était vrai. La parole ne jaillissait pas chez lui par la force de la pensée, elle la devançait au contraire, l'éveillait à son bruit tout machinal. Il s'étonnait lui-même, s'amusait de ces rencontres de mots, d'idées perdues dans un coin de sa mémoire et que la parole retrouvait, ramassait, mettait en faisceau d'arguments. En parlant, il se découvrait une sensibilité qu'il ne se savait pas, s'émouvait au vibrement de sa propre voix, à de certaines intonations qui lui prenaient le cœur, lui remplissaient les yeux de larmes. C'était là, certainement, des qualités d'orateur ; mais il les ignorait en lui, n'ayant guère eu chez Sagnier l'occasion de s'en servir.

Pourtant, ce stage d'un an auprès du grand avocat légitimiste fut décisif dans sa vie. Il y gagna des convictions, un parti, le goût de la politique, des velléités de fortune et de gloire. C'est la gloire qui vint la première.

Quelques mois après sa sortie de chez le patron, ce titre de secrétaire de Sagnier, qu'il portait comme ces acteurs qui s'intitulent « de la Comédie-Française » pour y avoir figuré deux fois, lui valut de défendre un petit journal légitimiste, *Le Furet*, très répandu dans le monde bien. Il le fit avec beaucoup de succès et de bonheur. Venu là sans préparation, les mains dans les poches, il parla pendant deux heures, avec une verve insolente et tant de belle humeur qu'il força les juges à l'écouter jusqu'au bout. Son accent, ce terrible grasseyement dont sa paresse l'avait toujours empêché de se défaire, donnait du mordant à son ironie. C'était une force, le rythme de cette éloquence bien méridionale, théâtrale et familière, ayant surtout la lucidité, la lumière large qu'on trouve dans les œuvres des gens de là-bas comme dans leurs paysages limpides jusqu'au fond.

Naturellement le journal fut condamné, et paya en amendes et en prison le grand succès de l'avocat. Ainsi dans certaines pièces qui croulent, menant auteur et directeur à la ruine, un acteur se taille une réputation. Le vieux Sagnier, qui était venu l'entendre, l'embrassa en pleine audience. « Laissez-vous passer grand homme, mon cher Numa », lui dit-il, un peu surpris d'avoir couvé cet œuf de gerfaut. Mais le plus étonné fut encore Roumestan, sortant de là comme d'un rêve, sa parole en écho dans ses oreilles bourdonnantes, pendant qu'il descendait tout étourdi le vaste escalier sans rampes du Palais.

Après ce succès, cette ovation, une pluie de lettres élogieuses, les sourires jaunes des confrères, l'avocat put se croire lancé, attendit patiemment les affaires dans son cabinet sur la cour, devant le maigre feu de veuve allumé par son concierge, mais rien ne vint, sauf quelques invitations à dîner de plus et un joli bronze de chez Barbedienne offert par la rédaction du *Furet*. Le nouveau grand homme se trouvait en face des mêmes difficultés, des mêmes incertitudes d'avenir. Ah ! Ces professions dites libérales, qui ne peuvent amorcer, appeler la clientèle, ont de durs commencements avant que dans le petit salon d'attente acheté à crédit, aux meubles mal rembourrés, à la pendule symbolique flanquée de candélabres dégingandés, vienne s'asseoir le défilé des clients sérieux et payants. Roumestan fut réduit à donner des leçons de droit dans le monde légitimiste et catholique ; mais ce travail lui semblait au-dessous de sa réputation, de ses succès à la Conférence, des éloges dont on enguirlandait son nom dans les journaux du parti.

Ce qui l'attristait plus encore, ce qui lui faisait sentir sa misère, c'était ce dîner qu'il lui fallait aller chercher chez Malmus, lorsqu'il n'avait pas d'invitation dehors ou que l'état de sa bourse lui défendait l'entrée des restaurants à la mode. La même dame de comptoir s'incrustait entre les mêmes bols à punch, le même poêle en faïence ronflait près du casier aux pipes, et les cris, les accents, les barbes noires de tous les Midis s'agitaient là comme jadis ; mais sa génération ayant disparu, il regardait celle-ci avec les yeux prévenus qu'a la maturité d'un homme sans position pour les vingt ans qui le chassent en arrière. Comment avait-il pu vivre au milieu de pareilles niaiseries ? Bien sûr qu'autrefois les étudiants n'étaient pas aussi bêtes. Leur admiration même, leurs frétillements de bons chiens naïfs autour de sa notoriété lui étaient insupportables. Pendant qu'il mangeait, le patron du café, très fier de son pensionnaire, venait s'asseoir près de lui sur le divan rouge fané qu'il secouait à toutes les quintes de son asthme, tandis qu'à la table voisine s'installait une grande fille maigre, la seule figure qui restât de jadis, figure osseuse, sans âge, connue au quartier sous le nom de « l'ancienne à tous » et à qui quelque bon garçon d'étudiant, aujourd'hui marié, retourné au pays, avait en s'en allant ouvert un compte chez Malmus. Broutant depuis tant d'années autour du même piquet, la pauvre créature ne savait rien du dehors, ignorait les succès de Roumestan, lui parlait sur un ton de commisération comme à un éclopé, un retardataire de la même promotion qu'elle :

« Eh ! ben, ma pauvre vieille, ça boulotte ?... Tu sais, Pompon est marié..., Laboulbène a permuté, passé substitut à Caen. »

Roumestan répondait à peine, s'étouffait à mettre les morceaux doubles et, s'en allant par les rues du quartier toutes bruyantes de brasseries, de débits de prunes, sentait l'amer d'une vie ratée et comme une impression de déchéance.

Quelques années se passèrent ainsi, pendant lesquelles son nom grandit, s'affirma, toujours sans autre profit que des réductions de chez Barbedienne, puis il fut appelé à défendre un négociant d'Avignon qui avait fait fabriquer des foulards séditieux, je ne sais quelle députation en rond autour du comte de Chambord, assez confuse dans l'impression maladroite du tissu, mais soulignée d'un imprudent *H. V.* entouré d'un écusson. Roumestan joua une bonne scène de comédie, s'indigna qu'on pût voir là-dedans la moindre allusion politique. *H. V.*, mais c'était Horace Vernet, présidant une commission de l'Institut !

Cette tarasconnade eut un succès local qui fit plus pour son avenir que toutes les réclames parisiennes, et avant tout lui gagna les sympathies actives de la tante Portal. Cela se traduisit d'abord par un envoi d'huile d'olive et de melons blancs, ensuite une foule d'autres provisions suivirent : figues, poivrons, et des canissons d'Aix, et de la poutargue des Martigues, des jujubes, des azeroles, des caroubes, fruits gamins, insignifiants, dont la vieille dame raffolait et que l'avocat laissait pourrir dans le fond d'une armoire. Quelque temps après, une lettre arriva, qui avait dans sa grosse écriture de plume d'oie la brusquerie d'accent, les cocasseries d'expression de la tante et trahissait son esprit brouillon par l'absence absolue de ponctuation, les sauts prompts d'une idée à une autre.

Numa crut pourtant démêler que la bonne femme voulait le marier avec la fille d'un conseiller à la cour d'appel de Paris, M. Le Quesnoy, dont la dame — une demoiselle Soustelle d'Aps — avait été élevée avec elle chez les sœurs de la Calade... grande fortune... la personne jolie, bravette, l'air un peu *refréjon*, mais le mariage réchaufferait tout ça. Et s'il se faisait, ce mariage, qu'est-ce qu'elle donnerait tante Portal à son Numa ? Cent mille francs en bon argent *tin-tin*, le jour des noces ?...

Sous les provincialismes du langage, il y avait là une proposition sérieuse, si sérieuse que le surlendemain Numa recevait une invitation à dîner des Le Quesnoy. Il s'y rendit, un peu ému. Le conseiller, qu'il rencontrait souvent au Palais, était un des hommes qui l'impressionnaient le plus. Grand, mince, le visage hautain, d'une pâleur morbide, l'œil aigu, fouilleur, la bouche comme scellée, le vieux magistrat, originaire de Valenciennes et qui semblait lui-même fortifié, casematé par Vauban, le gênait de toute sa froideur d'homme du Nord. La haute situation qu'il devait à ses beaux ouvrages sur le droit pénal, à sa grande fortune, à l'austérité de sa vie, situation qui aurait été plus considérable encore sans l'indépendance de ses opinions et l'isolement farouche où il s'enfermait depuis la mort d'un fils de vingt ans, toutes ces circonstances passaient devant les yeux du Méridional, pendant qu'il montait, un soir de septembre 1865, le large escalier de pierre à rampe ouvragée de l'hôtel Le Quesnoy, un des plus anciens de la place Royale.

Le grand salon où on l'introduisit, la solennité des hauts plafonds que rejoignaient les portes par la peinture légère de leurs trumeaux, les tentures droites de lampas à raies aurore et fauves, encadrant les fenêtres ouvertes sur un balcon antique et tout un angle rose des bâtiments briquetés de la place, n'étaient pas pour dissiper son impression. Mais l'accueil de Mme Le Quesnoy le mit bien vite à l'aise. Cette petite femme, au sourire triste et bon, emmitouflée et toute lourde de rhumatismes dont elle souffrait depuis qu'elle habitait Paris, gardait l'accent, les habitudes de son cher Midi, l'amour de tout ce qui le lui rappelait. Elle fit asseoir Roumestan auprès d'elle et dit en le regardant tendrement dans le demi-jour : « C'est tout le portrait d'Evelina. » Ce petit nom de tante Portal, que Numa n'était plus accoutumé à entendre, le toucha comme un souvenir d'enfance. Depuis longtemps, Mme Le Quesnoy avait envie de connaître le neveu de son amie, mais la maison était si triste, leur deuil les avait mis tellement à part du monde, de la vie. Maintenant ils se décidaient à recevoir un peu, non que leur douleur fût moins vive, mais à cause de leurs filles, de l'aînée surtout qui allait avoir vingt ans ; et se tournant vers le balcon où couraient des rires de jeunesse, elle appela : « Rosalie... Hortense... venez donc... Voilà M. Roumestan. »

Dix ans après cette soirée, il se rappelait l'apparition souriante et calme, dans le cadre de la haute fenêtre et la lumière tendre du couchant, de cette belle jeune fille rajustant sa coiffure que les jeux de la petite sœur avaient dérangée, et venant à lui les yeux clairs, le regard droit, sans le moindre embarras coquet.

Il se sentit tout de suite en confiance, en sympathie.

Une ou deux fois, pendant le dîner, au hasard de la conversation, Numa crut saisir dans l'expression du beau profil au teint pur placé près de lui un frisson hautain qui passait, sans doute cet air *refréjon*, dont parlait la tante Portal et que Rosalie tenait de sa ressemblance avec son père. Mais la petite moue de la bouche entrouverte, le froid bleu du regard s'adoucissaient bien vite dans une attention bienveillante, un charme de surprise qu'on n'essayait pas même de cacher. Née et élevée à Paris, Mlle Le Quesnoy s'était toujours senti une aversion déterminée pour le Midi, dont l'accent, les mœurs, le paysage entrevus pendant des voyages de vacances lui étaient également antipathiques. Il y avait là comme un instinct de race et un sujet de tendres querelles entre la mère et la fille.

« Jamais je n'épouserai un homme du Midi », disait Rosalie en riant, et elle s'en était fait un type bruyant, grossier et vide, de ténor d'opéra ou de placier de vins de Bordeaux à tête expressive et régulière. Roumestan se rapprochait bien un peu de cette claire vision de petite Parisienne railleuse ; mais sa parole chaude, musicale, prenant ce soir-là dans la sympathie environnante une force irrésistible, exaltait, affinait sa physionomie. Après quelques propos tenus à demi-voix entre voisins de table, ces hors-d'œuvre de la conversation qui circulent avec les marinades et le caviar, la causerie devenue générale, on parla des dernières fêtes de Compiègne et de ces chasses travesties, où les invités figuraient en seigneurs et dames Louis XV. Numa, qui connaissait les idées libérales du vieux Le Quesnoy, se lança dans une improvisation superbe, presque prophétique, montra cette Cour en figuration du cirque, écuyères et palefreniers, chevauchant sous un ciel d'orage, se ruant à la mort du cerf au milieu des éclairs et des lointains coups de foudre ; puis en pleine fête le déluge, l'hallali noyé, tout le mardi gras monarchique finissant dans un pataugeage de sang et de boue !...

Peut-être le morceau n'était-il pas tout à fait neuf, peut-être Roumestan l'avait-il essayé déjà à la Conférence. Mais jamais son entrain, son accent d'honnêteté en révolte n'avaient éveillé nulle part l'enthousiasme subitement visible dans le regard limpide et profond qu'il sentit se tourner vers lui, pendant que le doux visage de Mme Le Quesnoy s'allumait d'un rayon de malice et semblait demander à sa fille : « Eh bien, comment le trouves-tu, l'homme du Midi ? »

Rosalie était prise. Dans le retentissement de sa nature tout intérieure, elle subissait la puissance de cette voix, de ces pensées généreuses s'accordant si bien à sa jeunesse, à sa passion de liberté et de justice. Comme les femmes qui, au théâtre, identifient toujours le chanteur avec sa cavatine, l'acteur avec son rôle, elle oubliait la part qu'il fallait laisser au virtuose. Oh ! si elle avait su quel néant faisait le fond de ces phrases d'avocat, comme les galas de Compiègne le touchaient peu et qu'il n'aurait fallu qu'une invitation au timbre impérial pour le décider à se mêler à ces cavalcades, où sa vanité, ses instincts de jouisseur et de comédien se seraient satisfaits à l'aise ! Mais elle était toute au charme. La table lui semblait agrandie, transfigurés les visages las et somnolents des quelques convives, un président de chambre, un médecin de quartier ; et lorsqu'on passa dans le salon, le lustre, allumé pour la première fois depuis la mort de son frère, lui causa l'éblouissement chaud d'un vrai soleil. Le soleil c'était Roumestan. Il ranimait le majestueux logis, chassait le deuil, le noir amoncelé dans tous les coins, ces atomes de tristesse qui flottent aux vieilles demeures, allumait les facettes des grandes glaces et rendait la vie aux délicieux trumeaux évanouis depuis cent ans.

« Vous aimez la peinture, monsieur ?

— Oh ! mademoiselle, si je l'aime !... »

La vérité, c'est qu'il n'y entendait rien ; mais, là-dessus comme sur toutes choses, il avait un magasin d'idées, de phrases toujours prêtes, et pendant qu'on installait les tables de jeu, la peinture lui était un bon prétexte pour causer de tout près avec la jeune fille, en regardant les vieux décors du plafond et quelques toiles de maîtres pendues aux boiseries Louis XIII, admirablement conservées. Des deux, Rosalie était l'artiste. Grandie dans un milieu d'intelligence et de goût, la vue d'un beau tableau, d'une sculpture rare lui causait une émotion spéciale et frémissante, plutôt ressentie qu'exprimée, à cause d'une grande réserve de nature et de ces fausses admirations mondaines, qui empêchent les vraies de se montrer. A les voir ensemble pourtant, et l'assurance éloquente avec laquelle l'avocat pérorait, ses grands gestes de métier en face de l'air attentif de Rosalie, on eût dit quelque maître fameux, faisant la leçon à son disciple.

« Maman, est-ce qu'on peut entrer dans ta chambre ?... Je voudrais montrer à monsieur le panneau des chasses. »

A la table de whist, il y eut un coup d'œil furtif et interrogateur de la mère vers celui qu'elle appelait avec une indicible intonation de renoncement, d'humilité « M. Le Quesnoy » ; et sur un léger signe du conseiller, déclarant la chose convenable, elle acquiesça à son tour. Ils traversèrent un couloir tapissé de livres, et se trouvèrent dans la chambre des parents, majestueuse et centenaire comme le salon. Le panneau des chasses était au-dessus d'une petite porte finement sculptée.

« On ne peut rien voir », dit la jeune fille.

Elle éleva le flambeau à deux branches, qu'elle avait pris à une table de jeu, et, la main haute, le buste tendu, elle éclairait le panneau représentant une Diane, le croissant au front, au milieu de ses chasseresses, dans un paysage élyséen. Mais avec ce geste de canéphore, qui mettait une double flamme au-dessus de sa coiffure simple, de ses yeux clairs, avec son sourire hautain, la svelte envolée de son corps de vierge, elle était plus Diane que la déesse elle-même : Roumestan la regardait, et pris à ce charme pudique, à cette candeur de vraie jeunesse, il oubliait qui elle était, ce qu'il faisait là, ses rêves de fortune et d'ambition. Une folie lui venait de tenir dans ses bras cette taille souple, de baiser ces cheveux fins, dont l'odeur délicate l'étourdissait, d'emporter cette belle enfant, pour en faire le charme et le bonheur de toute sa vie ; et quelque chose l'avertissait que, s'il tentait cela, elle se laisserait faire, qu'elle était à lui, bien à lui, vaincue, conquise le premier jour. Flamme et vent du Midi, vous êtes irrésistibles.

3

L'envers d'un grand homme
(suite)

S'il y eut jamais deux êtres peu faits pour vivre ensemble, ce furent bien ces deux-là. Opposés d'instincts, d'éducation, de tempérament, de race, n'ayant la même pensée sur rien, c'était le Nord et le Midi en présence, et sans espoir de fusion possible. La passion vit de ces contrastes, elle en rit quand on les lui signale, se sentant la plus forte ; mais au train journalier de l'existence, au retour monotone des journées et des nuits sous le même toit, la fumée de cette ivresse qui fait l'amour se dissipe, et l'on se voit, et l'on se juge.

Dans le nouveau ménage, le réveil ne vint pas tout de suite, du moins pour Rosalie. Clairvoyante et sensée sur tout le reste, elle demeura longtemps aveugle devant Numa, sans comprendre à quel point elle lui était supérieure. Lui eut bientôt fait de se reprendre. Les fougues du Midi sont rapides en raison directe de leur violence. Puis le Méridional est tellement convaincu de l'infériorité de la femme, qu'une fois marié, sûr de son bonheur, il s'y installe en maître, en pacha, acceptant l'amour comme un hommage, et trouvant que c'est déjà bien beau ; car enfin, d'être aimé, cela prend du temps, et Numa était très occupé, avec le nouveau train de vie que nécessitaient son mariage, sa grande fortune, la haute situation au Palais du gendre de Le Quesnoy.

Les cent mille francs de la tante Portal avaient servi à payer Malmus, le tapissier, à passer l'éponge sur cette navrante et interminable vie de garçon, et la transition lui sembla douce, de l'humble *frichti* sur la banquette de velours élimé, près de l'« ancienne à tous », à la salle à manger de la rue Scribe, où il présidait, en face de son élégante petite Parisienne, les somptueux dîners qu'il offrait aux princes de la basoche et du chant. Le Provençal aimait la vie brillante, le plaisir gourmand et fastueux ; mais il l'aimait surtout chez lui, sous la main, avec cette pointe de débraillé qui permet le cigare et l'histoire salée. Rosalie accepta tout, s'accommoda de la maison ouverte, de la table mise à demeure, dix, quinze convives tous les soirs, et rien que des hommes, des habits noirs, parmi lesquels sa robe claire faisait tache, jusqu'au moment où, le café servi, les boîtes de havanes ouvertes, elle cédait la place aux discussions politiques, aux rires lippus d'une fin de dîner de garçons.

Les maîtresses de maison seules savent ce qu'un décor pareil, installé tous les jours, cache de dessous compliqués, de difficultés de service. Rosalie s'y débattait sans une plainte, tâchait de régler de son mieux ce désordre, emportée dans l'élan de son terrible grand homme qui l'agitait de toutes ses turbulences, et, de temps en temps, souriait à sa petite femme entre deux tonnerres. Elle ne regrettait qu'une chose, c'était de ne pas l'avoir assez à elle. Même au déjeuner, à ce déjeuner matinal des avocats talonné par l'heure de l'audience, il y avait toujours l'ami entre eux, ce compagnon dont l'homme du Midi ne pouvait se passer, l'éternel donneur de réplique nécessaire au jaillissement de ses idées, le bras où il s'appuyait complaisamment, auquel il confiait sa serviette trop lourde en allant au Palais.

Ah ! comme elle l'aurait accompagné volontiers au-delà des ponts, comme elle aurait été heureuse, les jours de pluie, de venir l'attendre dans leur coupé et de rentrer tous deux, bien serrés, derrière la buée tremblante des vitres. Mais elle n'osait plus le lui demander, sûre qu'il y aurait toujours un prétexte, un rendez-vous donné, dans la salle des pas perdus, à l'un des trois cents intimes dont le Méridional disait d'un air attendri :

« Il m'adore... Il se jetterait au feu pour moi... »

C'était sa façon de comprendre l'amitié. Du reste, aucun choix dans ses relations. Sa facile humeur, la vivacité de son caprice, le jetaient à la tête du premier venu et le reprenaient aussi lestement. Tous les huit jours, une toquade nouvelle, un nom qui revenait dans toutes les phrases, que Rosalie inscrivait soigneusement, à chaque repas, sur la petite carte historiée du menu, puis qui disparaissait, tout à coup, comme si la personnalité du monsieur s'était trouvée aussi fragile, aussi facilement flambée que les coloriages du petit carton.

Parmi ces amis de passage, un seul tenait bon, moins un ami qu'une habitude d'enfance, car Roumestan et Bompard étaient nés dans la même rue. Celui-ci faisait partie de la maison, et la jeune femme, dès son mariage, trouva installé chez elle, à la place d'honneur, comme un meuble de famille, ce maigre personnage à tête de palikare, au grand nez d'aigle, aux yeux en billes d'agate dans une peau gaufrée, safranée, un cuir de Cordoue tailladé de ces rides spéciales aux grimes, aux pitres, à tous les visages forcés par des contorsions continuelles. Pourtant, Bompard n'avait jamais été comédien. Un moment, il chanta dans les chœurs aux Italiens, et c'est là que Numa l'avait retrouvé. Sauf ce détail, impossible de rien préciser sur cette existence ondoyante. Il avait tout vu, fait tous les métiers, était allé partout. On ne parlait pas devant lui d'un homme célèbre, d'un événement fameux, sans qu'il affirmât : « C'est mon ami... » ou « J'y étais... j'en viens... » Et tout de suite une histoire à preuve.

En mettant ses récits bout à bout, on arrivait à des combinaisons stupéfiantes : Bompard, dans la même année, commandait une compagnie de déserteurs polonais et tcherkesses au siège de Sébastopol, dirigeait la chapelle du roi de Hollande, du dernier bien avec la sœur du roi, ce qui lui avait valu six mois de casemate à la forteresse de La Haye, mais ne l'empêchait pas, toujours à la même date, de pousser une pointe de Laghouat à Ghadamès, en plein désert africain... Tout cela, débité avec un fort accent du Midi tourné au solennel, très peu de gestes, mais des jeux de physionomie mécaniques, fatigants à regarder comme les évolutions au verre cassé dans un kaléidoscope.

Le présent de Bompard n'était pas moins obscur et mystérieux que son passé. Où vivait-il ? de quoi ? Tantôt il parlait de grandes affaires d'asphalte, d'un morceau de Paris à bitumer d'après un système économique ; puis subitement, tout à sa découverte d'un infaillible remède contre le phylloxéra, il n'attendait qu'une lettre du ministère pour toucher la prime de cent mille francs, régler sa note à la petite crémerie où il mangeait et dont il avait rendu les patrons à moitié fous avec son mirage enragé d'espérances extravagantes.

Ce Méridional en délire faisait la joie de Roumestan. Il l'emmenait toujours avec lui, s'en servait comme d'un plastron, le poussant, le chauffant, mettant sa folie en verve. Quand Numa s'arrêtait pour parler à quelqu'un sur le Boulevard, Bompard s'écartait d'un pas digne avec le geste de rallumer son cigare. On le voyait aux enterrements, aux premières, demandant tout affairé : « Avez-vous vu Roumestan ? » Il arrivait à être aussi connu que lui. A Paris, ce type de suiveur est assez fréquent, tous les gens connus traînent après eux un Bompard, qui marche dans leur ombre et s'y découpe une sorte de personnalité. Par hasard, le Bompard de Roumestan en avait une absolument à lui. Mais Rosalie ne pouvait souffrir ce comparse de son bonheur, toujours contre elle et son mari, remplissant les rares moments où ils auraient pu être seuls. Les deux amis parlaient ensemble un patois qui la mettait à part, riaient de plaisanteries locales intraduisibles. Ce qu'elle lui reprochait surtout, c'était ce besoin de mentir, ces inventions, auxquelles elle avait cru d'abord, tellement l'imposture restait étrangère à cette nature droite et franche, dont le plus grand charme était l'accord harmonieux de la parole et de la pensée, accord sensible dans la sonorité, l'assurance de sa voix de cristal.

« Je ne l'aime pas... c'est un menteur... » disait-elle d'un accent profondément indigné, qui amusait beaucoup Roumestan. Et, défendant son ami :

« Mais non, ce n'est pas un menteur..., c'est un homme d'imagination, un dormeur éveillé, qui parle ses rêves... Mon pays est plein de ces gens-là... C'est le soleil, c'est l'accent... Vois ma tante Portal... Et moi-même, à chaque instant, si je ne me surveillais pas... »

Une petite main protestait, lui fermait la bouche : « Tais-toi, tais-toi... Je ne t'aimerais plus, si tu étais de ce Midi-là. »

Il en était bien pourtant ; et malgré la tenue parisienne, le vernis mondain qui le comprimait, elle allait le voir sortir ce terrible Midi, routinier, brutal, illogique. La première fois, ce fut à propos de religion : là-dessus, comme sur tout le reste, Roumestan avait la tradition de sa province. Il était le Provençal catholique, qui ne pratique pas, ne va jamais à l'église que pour chercher sa femme à la fin de la messe, reste dans le fond près du bénitier, de l'air supérieur d'un papa à un spectacle d'ombres chinoises, ne se confesse qu'en temps de choléra, mais se ferait pendre ou martyriser pour cette foi non ressentie, qui ne modère en rien ni ses passions ni ses vices.

En se mariant, il savait que sa femme était du même culte que lui, que le curé de Saint-Paul avait eu pour eux des éloges en rapport avec les cierges, les tapis, les étalages de fleurs d'un mariage de première classe. Il n'en demanda pas plus long. Toutes les femmes qu'il connaissait, sa mère, ses cousines, la tante Portal, la duchesse de san Donnino, étaient des catholiques ferventes. Aussi fut-il très surpris, après quelques mois de mariage, de voir que Rosalie ne pratiquait pas. Il lui en fit l'observation :

« Vous n'allez donc jamais à confesse ?

— Non, mon ami, dit-elle, sans s'émouvoir... ni vous non plus, à ce que je vois.

— Oh ! moi, ce n'est pas la même chose.

— Pourquoi ? »

Elle le regardait avec des yeux si sincèrement, si lumineusement étonnés ; elle avait si peu l'air de se douter de son infériorité de femme. Il ne trouva rien à répondre, et la laissa s'expliquer. Oh ! ce n'était pas une libre-penseuse, un esprit fort. Elevée dans un excellent pensionnat de Paris, un prêtre de Saint-Laurent pour aumônier, jusqu'à dix-sept ans, jusqu'à sa sortie de pension, et même à la maison pendant quelques mois encore, elle avait continué ses pratiques religieuses à côté de sa mère, une dévote du Midi ; puis, un jour, quelque chose s'était brisé en elle, elle avait déclaré à ses parents la répulsion insurmontable que lui causait le confessionnal. La mère eût essayé de vaincre ce qu'elle croyait un caprice ; mais M. Le Quesnoy s'était interposé.

« Laissez, laissez... Cela m'a pris comme elle, au même âge qu'elle. »

Et dès lors elle n'avait plus eu à prendre avis et direction que de sa jeune conscience. Parisienne d'ailleurs, femme du monde, ayant horreur des indépendances de mauvais goût ; si Numa tenait à aller à l'église, elle l'accompagnerait comme elle avait accompagné sa mère bien longtemps, sans toutefois consentir au mensonge, à la grimace de croyances qu'elle n'avait plus.

Il l'écoutait plein de stupeur, épouvanté d'entendre de telles choses, dites par elle et avec une énergique affirmation de son être moral qui déroutait toutes les idées du Méridional sur la dépendance féminine.

« Tu ne crois donc pas en Dieu ? » fit-il de son plus beau creux d'avocat, le doigt levé solennellement vers les moulures du plafond. Elle eut un cri : « Est-ce que c'est possible ? » si spontané, si sincère, qu'il valait un acte de foi. Alors il se rejeta sur le monde, les convenances sociales, la solidarité de l'idée religieuse et monarchique. Toutes ces dames pratiquaient, la duchesse, Mme d'Escarbès ; elles recevaient leur confesseur à leur table, en soirée. Cela ferait un effet déplorable si l'on savait... Il s'arrêta, comprenant qu'il pataugeait, et la discussion en resta là. Deux ou trois dimanches de suite, il mit une grande affectation à conduire sa femme à la messe, ce qui valut à Rosalie l'aubaine d'une promenade au bras de son mari. Mais il se lassa vite du régime, prétexta des affaires et cessa toute manifestation catholique.

Ce premier malentendu ne troubla en rien le ménage. Comme si elle avait voulu se faire pardonner, la jeune femme redoubla de prévenances, de soumission ingénieuse et toujours souriante. Peut-être, moins aveugle qu'aux premiers jours, pressentait-elle confusément des choses qu'elle n'osait même pas s'avouer, mais elle était heureuse, malgré tout, parce qu'elle voulait l'être, parce qu'elle vivait dans les limbes où le changement d'existence, la révélation de leur destinée de femme jettent les jeunes mariées, encore enveloppées de ces rêves, de ces incertitudes qui sont comme les lambeaux des tulles blancs de la robe de noces. Le réveil ne pouvait tarder. Il fut pour elle affreux et brusque.

Un jour d'été — ils passaient la belle saison à Orsay dans la propriété des Le Quesnoy —, Rosalie, son père et son mari partis pour Paris comme ils faisaient chaque matin, s'aperçut qu'il lui manquait un petit modèle de la layette à laquelle elle travaillait. Une layette, mon Dieu, oui. On en vend de superbes toutes faites ; mais les vraies mères, celles qui le sont d'avance, aiment à coudre, à tailler elles-mêmes, et, à mesure que le carton s'emplit où s'entassent les parures de l'enfant, à sentir qu'elles hâtent sa venue, que chaque point les rapproche de la naissance espérée. Pour rien au monde, Rosalie n'aurait voulu se priver de cette joie, n'aurait permis qu'une autre mît la main à l'œuvre gigantesque entreprise depuis cinq mois, depuis qu'elle avait été sûre de son bonheur. Là-bas, à Orsay, sur le banc où elle travaillait dans l'ombre d'un grand catalpa, c'était un étalage de petits bonnets qu'on essayait sur le poing, de petites robes de flanelle, de brassières qui, avec leurs manches droites, figuraient la vie et les gestes gourds de la toute petite enfance... Et justement ce modèle qui manquait.

« Envoie ta femme de chambre... » disait la mère... La femme de chambre, allons donc !... Est-ce qu'elle saurait ?... « Non, non, j'y vais moi-même... Je ferai mes emplettes avant midi... Puis j'irai surprendre Numa et manger la moitié de son déjeuner. »

L'idée de ce repas de garçon avec son mari dans l'appartement de la rue Scribe à demi fermé, les rideaux enlevés, les housses sur les meubles, l'amusait comme une escapade. Elle en riait toute seule, en montant — ses courses faites — l'escalier sans tapis de la maison parisienne en été, et se disait, mettant avec précaution la clef dans la serrure pour le surprendre : « J'arrive un peu tard... Il aura déjeuné. »

Il ne restait plus, en effet, dans la salle à manger, que les débris d'un petit festin gourmand à deux couverts, et le valet de chambre en jaquette à carreaux installé devant la table, en train de vider les bouteilles et les plats. Elle ne vit rien d'abord que sa partie manquée, par sa faute. Ah ! si elle n'avait pas tant flâné dans ce magasin, devant les jolies babioles à broderie et à dentelle.

« Monsieur est sorti ? »

La lenteur du domestique à répondre, la pâleur subite de cette large face impudente, s'aplatissant entre de longs favoris, ne la frappaient pas encore. Elle n'y voyait que l'émoi du serviteur pris le nez dans son vol et sa gourmandise. Il fallut bien dire pourtant que Monsieur était encore là... et en affaires... et qu'il en aurait pour longtemps. Mais que tout cela fut long à bégayer, quelles mains tremblantes il avait, cet homme, pour débarrasser la table et mettre le couvert de sa maîtresse.

« Est-ce qu'il a déjeuné seul ?

— Oui, madame... C'est-à-dire... avec M. Bompard. »

Elle regardait une dentelle noire jetée sur une chaise. Le drôle la voyait aussi, et, leurs yeux se rencontrant sur ce même objet, ce fut comme un éclair pour elle. Brusquement, sans un mot, elle s'élança, traversa le petit salon d'attente, fut droit à la porte du cabinet, l'ouvrit grande et tomba raide. Ils ne s'étaient pas même enfermés.

Et si vous aviez vu la femme, ses quarante ans de blonde esquintée, marqués en couperose sur une tête aux lèvres minces, aux paupières fripées comme une peau de vieux gant ; sous les yeux, en balafres violettes, les cicatrices d'une vie de plaisirs, des épaules carrées, une vilaine voix. Seulement, elle était noble... La marquise d'Escarbès !... et, pour l'homme du Midi, cela tenait lieu de tout, le blason lui cachait la femme. Séparée de son mari par un procès scandaleux, brouillée avec sa famille et les grandes maisons du Faubourg, Mme d'Escarbès s'était ralliée à l'Empire, avait ouvert un salon politique, diplomatique, vaguement policier, où venaient, sans leurs femmes, les personnages les plus huppés d'alors ; puis après deux ans d'intrigues, quand elle se fut créé un parti, des influences, elle songea à faire appel. Roumestan, qui avait plaidé pour elle en première instance, ne pouvait guère refuser de la suivre. Il hésitait cependant à cause des opinions très affichées. Mais la marquise s'y prit de telle sorte et la vanité de l'avocat fut tellement flattée de cette façon de s'y prendre, que toutes ses résistances tombèrent. Maintenant, l'appel étant proche, ils se voyaient tous les jours, tantôt chez lui, tantôt chez elle, menant l'affaire en partie double et vivement.

Rosalie faillit mourir de cette horrible découverte qui l'atteignait tout à coup dans sa sensibilité douloureuse de femme à la veille d'être mère, portant deux cœurs, deux foyers de souffrance en elle. L'enfant fut tué net, la mère survécut. Mais lorsqu'après trois jours d'anéantissement, elle retrouva toute sa mémoire pour souffrir, ce fut une crise de larmes, un flot amer que rien ne pouvait arrêter ni tarir. Sans un cri, sans une plainte, quand elle avait fini de pleurer sur la trahison de l'ami, de l'époux, ses larmes redoublaient devant le berceau vide où dormaient, seuls, les trésors de la layette sous des rideaux à transparent bleu. Le pauvre Numa était presque aussi désespéré. Cette grande espérance d'un petit Roumestan, de « l'aîné », toujours paré d'un prestige dans les familles provençales, détruite, anéantie par sa faute, ce pâle visage de femme noyé dans une expression de renoncement, ce chagrin aux dents serrées, aux sanglots sourds lui fendait l'âme, si différent de ses manifestations et de la grosse sensibilité à fleur de peau qu'il montrait, assis au pied du lit de sa victime, les yeux gros, les lèvres tremblantes. « Rosalie... allons, voyons... » Il ne trouvait que cela à dire, mais que de choses dans cet « allons... voyons... » prononcé avec l'accent du Midi facilement apitoyé. On entendait là-dessous : « Ne te chagrine donc pas, ma pauvre bête... Est-ce que ça vaut la peine ? Est-ce que ça m'empêche de t'aimer ? »

C'est vrai qu'il l'aimait autant que sa légèreté lui permettait un attachement durable. Il ne rêvait personne autre qu'elle pour tenir sa maison, le soigner, le dorloter. Lui qui disait si ingénument : « J'ai besoin d'un dévouement près de moi ! » il se rendait bien compte que celui-là était le plus complet, le plus aimable qu'il pût désirer ; et l'idée de le perdre l'épouvantait. Si ce n'est pas cela de l'amour !

Hélas ! Roalie s'imaginait tout autre chose. Sa vie était brisée, l'idole à bas, la confiance pour toujours perdue. Et pourtant elle pardonna. Elle pardonna par pitié, comme une mère cède à l'enfant qui pleure, qui s'humilie ; aussi pour la dignité de leur nom, pour le nom de son père que le scandale d'une séparation aurait sali, et parce que, les siens la croyant heureuse, elle ne pouvait leur ôter cette illusion. Par exemple, ce pardon accordé si généreusement, elle l'avertit qu'il n'eût pas à y compter s'il renouvelait l'outrage. Plus jamais ! ou alors leurs deux vies séparées cruellement, radicalement, devant tous !... Ce fut signifié d'un ton, avec un regard où les fiertés de la femme prenaient leur revanche de toutes les convenances et entraves sociales.

Numa comprit, jura de ne plus recommencer, et sincèrement. Il frémissait encore d'avoir risqué son bonheur, ce repos auquel il tenait tant, pour un plaisir qui ne satisfaisait que sa vanité. Et le soulagement d'être débarrassé de sa grande dame, de cette marquise à gros os qui — le blason à part — ne parlait guère plus à ses sens que « l'ancienne à tous » du café Malmus, de n'avoir plus de lettres à écrire, de rendez-vous à fixer, l'évanouissement de toute cette friperie sentimentale et tarabiscotée qui allait si peu à son sans-gêne, l'épanouissait presque autant que la clémence de sa femme, la paix intérieure reconquise.

Heureux, il le fut comme auparavant. Il n'y eut rien de changé aux apparences de leur vie. Toujours la table mise et le même train de fêtes et de réceptions où Roumestan chantait, déclamait, faisait la roue, sans se douter que, près de lui, deux beaux yeux veillaient, large ouverts, éclaircis sous de vraies larmes. Elle le voyait maintenant son grand homme, tout en gestes, en paroles, bon et généreux par élans, mais d'une bonté courte, faite de caprice, d'ostentation et d'un coquet désir de plaire. Elle sentait le peu de fond de cette nature hésitante dans ses convictions comme dans ses haines ; par-dessus tout elle s'effrayait, pour elle et pour lui, de cette faiblesse cachée sous de grands mots et des éclats de voix, faiblesse qui l'indignait, mais en même temps la rattachait à lui, par ce besoin de protection maternelle où la femme appuie son dévouement quand l'amour est parti. Et, toujours prête à se donner, à se dévouer malgré la trahison, elle n'avait qu'une peur secrète : « Pourvu qu'il ne me décourage pas. »

Clairvoyante comme elle était, Rosalie s'aperçut vite du changement qui se faisait dans les opinions de son mari. Ses relations avec le Faubourg se refroidissaient. Le gilet nankin du vieux Sagnier, la fleur de lys de son épingle à cravate, ne lui inspiraient plus la même vénération. Il trouvait que cette grande intelligence baissait. C'était son ombre qui siégeait à la Chambre, une ombre somnolente rappelant assez bien la Légitimité et ses torpeurs séreuses, voisines de la mort... Ainsi Numa évoluait tout doucement, entrouvrait sa porte à des notabilités impérialistes, rencontrées dans le salon de Mme d'Escarbès, dont l'influence avait préparé ce virement. « Prends garde à ton grand homme... je crois qu'il mue... » disait le conseiller à sa fille, un jour que la verve gouailleuse de l'avocat s'était amusée, à table, du parti de Froshdorf, qu'il comparait au Pégase en bois de don Quichotte immobile et cloué sur place, pendant que son cavalier, les yeux bandés, s'imaginait faire une longue route en plein azur.

Elle n'eut pas à le questionner longtemps. Tout dissimulé qu'il pût être, ses mensonges — qu'il dédaignait de soutenir par des complications ou des finesses — gardaient un abandon qui le livrait tout de suite. Entrant un matin dans son cabinet, elle le surprit très absorbé dans la composition d'une lettre, pencha sa tête au niveau de la sienne :

« A qui écris-tu ? »

Il bégaya, essaya de trouver quelque chose, et, pénétré par ce regard obsédant comme une conscience, il eut un élan de franchise forcée... C'était, en style maigre et emphatique, ce style de barreau qui gesticule avec de grandes manches, une lettre à l'empereur, par laquelle il acceptait le poste de conseiller d'Etat. Cela commençait ainsi : *Vendéen du Midi, grandi dans la foi monarchique et le culte respectueux du passé, je ne crois pas forfaire à l'honneur ni à ma conscience...*

« Tu n'enverras pas ça !... » dit-elle vivement.

Il commença par s'emporter, parler de haut, brutal, en vrai bourgeois d'Aps discutant dans son ménage. De quoi se mêlait-elle, à la fin des fins ? Qu'est-ce qu'elle y entendait ? Est-ce qu'il la tourmentait, lui, sur la forme de ses chapeaux ou ses patrons de robes nouvelles ? Il tonnait, comme à l'audience, devant la tranquillité muette, presque méprisante, de Rosalie, qui laissait passer toutes ces violences, débris d'une volonté détruite d'avance, à sa merci. C'est la défaite des exubérants, ces crises qui les fatiguent et les désarment.

« Tu n'enverras pas cette lettre, reprit-elle... ce serait mentir à ta vie, à tes engagements...

— Des engagements ?... Et envers qui ?

— Envers moi... Rappelle-toi comment nous nous sommes connus, comment tu m'as pris le cœur avec tes révoltes, tes belles indignations contre la mascarade impériale. Et de tes opinions, je me souciais encore moins que d'une ligne de conduite adoptée et droite, une volonté d'homme que j'admirais en toi... »

Il se défendit. Devait-il donc se morfondre toute la vie dans un parti gelé, sans ressort, un camp abandonné sous la neige ? Ce n'était pas lui, d'ailleurs, qui allait à l'Empire, mais l'Empire qui venait vers lui. L'empereur était un excellent homme, plein d'idées, très supérieur à l'entourage... Et tous les bons prétextes des défections. Rosalie n'en acceptait aucun, et, sous la félonie de son évolution, lui en montrait la maladresse. « Tu ne vois donc pas comme ils sont inquiets tous ces gens-là, comme ils sentent le terrain miné, creusé autour d'eux. Le moindre choc, une pierre détachée, et tout croule... Dans quel bas-fond !... »

Elle précisait, donnait des détails, résumait ce qu'une silencieuse recueille et médite des propos d'après-dîner, quand les hommes, groupés à part, laissent leurs femmes, intelligentes ou non, languir dans ces conversations banales que la toilette, les médisances mondaines ne suffisent pas toujours à animer. Roumestan s'étonnait : « Drôle de petite femme ! » Où avait-elle pris tout ce qu'elle disait là ? Il n'en revenait pas qu'elle fût si forte ; et, dans un de ces vifs retours qui sont l'attrait de ces caractères à outrance, il prenait à deux mains cette tête raisonneuse, mais d'un si charmant éclat de jeunesse, et, l'enveloppant d'une pluie de baisers tendres :

« Tu as raison, cent fois raison... c'est le contraire qu'il faut écrire... »

Il allait déchirer son brouillon, seulement il y avait là une phrase de début qui lui plaisait, et qui pouvait servir encore, en la modifiant un peu comme ceci : *Vendéen du Midi, grandi dans la foi monarchique et le culte respectueux du passé, je croirais forfaire à l'honneur et à ma conscience en acceptant le poste que Votre Majesté...*

Ce refus, très poli, mais très ferme, publié par les journaux légitimistes, valut à Roumestan une situation toute nouvelle, fit de son nom le synonyme de fidélité incorruptible. « Indécousable ! » disait *Le Charivari*, dans une amusante caricature montrant la toge du grand avocat violemment disputée et tirée entre tous les partis. Quelque temps après, l'Empire s'effondrait ; et lorsque l'Assemblée de Bordeaux se réunit, Numa Roumestan eut à choisir entre trois départements du Midi qui l'avaient élu député, uniquement à cause de sa lettre. Ses premiers discours, d'une éloquence un peu soufflée, eurent bientôt fait de lui le chef de toutes les droites. Ce n'était que la petite monnaie du vieux

Sagnier qu'on avait là ; mais, par ce temps de races moyennes, les pur-sang se font rares, et le nouveau leader triompha, aux bancs de la Chambre, aussi aisément que jadis sur les divans du père Malmus.

Conseiller général de son département, idole du Midi tout entier, rehaussé encore par la magnifique situation de son beau-père passé premier président à la cour de cassation depuis la chute de l'Empire, Numa était évidemment destiné à devenir ministre un jour ou l'autre. En attendant, grand homme pour tout le monde excepté pour sa femme, il promenait sa jeune gloire entre Paris, Versailles et la Provence, aimable, familier, bon enfant, emportant son auréole en voyage, mais la laissant volontiers dans son carton à chapeau comme un claque de cérémonie.

4

Une tante du Midi — Souvenirs d'enfance

La maison Portal, qu'habite le grand homme d'Aps pendant ses séjours en Provence, compte parmi les curiosités de l'endroit. Elle figure au Guide Joanne avec le temple de Junon, les arènes, le vieux théâtre, la tour des Antonins, anciens vestiges de la domination romaine dont la ville est très fière et qu'elle époussète soigneusement. Mais du vieux logis provincial ce n'est pas la porte charretière, lourde, cintrée, bossuée d'énormes têtes de clous, ni les hautes fenêtres hérissées de grilles en broussailles, de fers de lance emphatiques, qu'on fait admirer aux étrangers ; seulement le balcon du premier étage, un étroit balcon aux noires ferrures en encorbellement au-dessus du porche. De là Roumestan parle et se montre à la foule quand il arrive ; et toute la ville pourrait en témoigner, la rude poignée de l'orateur a suffi pour donner ces courbes capricieuses, ce renflement original au balcon jadis droit comme une règle.

« *Té ! vé !...* Il a pétri le fer, notre Numa ! »

Ils vous disent cela, les yeux hors de la tête, avec un roulement d'*r* — *pétrrri le ferrr* — qui ne permet pas l'ombre d'un doute.

La race est fière en terre d'Aps, et bonne enfant ; mais d'une vivacité d'impressions, d'une intempérance de langue dont la tante Portal, vrai type de la bourgeoisie locale, peut donner et résumer l'idée. Enorme, apoplectique, tout le sang afflué aux joues tombantes, lie de vin, en contraste avec une peau d'ancienne blonde, ce qu'on voit du cou très blanc, du front où de belles coques soignées, d'un argent mat, sortent d'un bonnet à rubans mauves, le corsage agrafé de travers, mais imposant tout de même, l'air majestueux, le sourire agréable, ainsi vous apparaît d'abord Mme Portal dans le demi-jour de son salon toujours hermétiquement clos selon la mode du Midi ; vous diriez un portrait de famille, une vieille marquise de Mirabeau bien à sa place dans cet ancien logis bâti il y a cent ans par Gonzague Portal, conseiller-maître au parlement d'Aix. On trouve encore en Provence de ces physionomies de maisons et de gens d'autrefois, comme si par ces hautes portes à trumeaux le siècle dernier venait de sortir, laissant pris dans l'entrebâillure un pan de sa robe à falbalas.

Mais en causant avec la tante, si vous avez le malheur de prétendre que les protestants valent les catholiques, ou qu'Henri V n'est pas près de monter sur le trône, le vieux portrait s'élance violemment de son cadre et, les veines du cou gonflées, ses mains irritées dérangeant à poignées la belle ordonnance de ses coques lisses, prend une effroyable colère mêlée d'injures, de menaces, de malédictions, une de ces colères célèbres dans la ville et dont on cite des traits bizarres. A une soirée chez elle, le domestique renverse un plateau chargé de verres ; tante Portal crie, se monte peu à peu, arrive à coups de reproches et de lamentations au délire violent où l'indignation ne trouve plus de mots pour s'exprimer. Alors, s'étranglant avec ce qui lui reste à dire, ne pouvant frapper le maladroit serviteur qui s'est prudemment enfui, elle relève sa jupe de soie sur sa tête, s'y cache, y étouffe ses grognements et ses grimaces de fureur, sans souci de montrer aux invités ses dessous empesés et blancs de grosse dame.

Dans tout autre endroit du monde, on l'eût traitée de folle ; mais en Aps, pays de têtes bouillantes, explosibles, on se contente de trouver que Mme Portal « a le verbe haut ». C'est vrai qu'en traversant la place Cavalerie, par ces après-midi paisibles où le chant des cigales, quelques gammes de piano, animent seuls le silence claustral de la ville, on entend, trahies par les auvents de l'antique demeure, d'étranges acclamations de la dame secouant et activant son monde : « Monstre... assassin... bandit... voleur d'effets de prêtres... je te coupe un bras... je t'arrache la peau du ventre. » Des portes battent, des rampes d'escalier tremblent sous les hautes voûtes sonores, blanchies à la chaux, des fenêtres s'ouvrent avec fracas comme pour laisser passer les lambeaux arrachés des malheureux domestiques qui n'en continuent pas moins leur service, accoutumés à ces orages et sachant bien que ce sont là de simples façons de parler.

En fin de compte une excellente personne, passionnée, généreuse, avec ce besoin de plaire, de se donner, de se mettre en quatre, qui est un des côtés de la race et dont Numa avait éprouvé les bons effets. Depuis sa nomination de député, la maison de la place Cavalerie était à lui, sa tante se réservant uniquement le droit de l'habiter jusqu'à sa mort. Et quelle fête pour elle que l'arrivée de ses Parisiens, le train des aubades, des sérénades, des réceptions, des visites, dont la présence du grand homme remplissait sa vie solitaire, avide d'exubérance. Puis elle adorait sa nièce Rosalie, de tout le contraste de leurs deux natures, de tout le respect que lui imposait la fille du président Le Quesnoy, le premier magistrat de France.

Et vraiment il fallait à la jeune femme une indulgence singulière, ce culte de la famille qu'elle tenait de ses parents, pour supporter pendant deux grands mois les fantaisies, les surprises fatigantes de cette imagination en désordre, toujours surexcitée, aussi mobile que ce gros corps était paresseux. Assise dans le vestibule frais comme une cour mauresque, où se concentrait une odeur de moisi, de renfermé, Rosalie, une broderie aux doigts, en Parisienne qui ne sait pas rester inactive, écoutait, des heures durant, les confidences surprenantes de la grosse dame plongée dans un fauteuil en face d'elle, les bras ballants, les mains vides pour mieux gesticuler, ressassant à en perdre haleine la chronique de la ville entière, ses histoires avec ses bonnes, son cocher, dont elle faisait selon l'heure et son caprice des perfections ou des monstres, se passionnant toujours pour ou contre quelqu'un, et, à court de griefs, accablant son antipathie du jour des accusations les plus effroyables, les plus romanesques, d'inventions noires ou sanglantes, dont sa tête était farcie comme les *Annales de la propagation de la foi*. Heureusement Rosalie, en vivant près de son Numa, avait pris l'habitude de ces frénésies de paroles. Cela passait bien au-dessous de sa songerie. A peine se demandait-elle comment, si réservée, si discrète, elle avait pu entrer dans une pareille famille de comédiens, drapés de phrases, débordant de gestes ; et il fallait que l'histoire fût bien forte pour qu'elle l'arrêtât d'un « Oh ! ma tante... » distraitement jeté.

« Au fait, vous avez raison, ma petite. J'exagère peut-être un peu. »

Mais l'imagination tumultueuse de la tante se remettait vite à courir sur une piste aussi folle, avec une mimique expressive, tragique ou burlesque, qui plaquait tour à tour à sa large face les deux masques du théâtre antique. Elle ne se calmait que pour raconter son unique voyage à Paris et les merveilles du passage du « Somon » où elle était descendue dans un petit hôtel adopté par tous les commerçants du pays, et ne prenant air que sous l'étouffant vitrage chauffé en melonnière. Dans toutes les histoires parisiennes de la dame, ce passage apparaissait comme son centre d'évolution, l'endroit élégant, mondain par excellence.

Ces conversations fastidieuses et vides avaient, pour les pimenter, le français le plus amusant, le plus bizarre, dans lequel des poncifs, des fleurs sèches de vieilles rhétoriques se mêlaient à d'étranges provençalismes, Mme Portal détestant la langue du cru, ce patois admirable de couleur et de sonorité qui vibre comme un écho latin par-dessus la mer bleue et que parlent seuls là-bas le peuple et les paysans. Elle était de cette bourgeoisie provençale qui traduit *pécaïré* par « péchère » et s'imagine parler plus correctement. Quand le cocher Ménicle (Dominique) venait dire, à la bonne franquette : « *Voù baia de civado au chivaou*[1]... », on prenait un air majestueux pour lui répondre : « Je ne comprends pas... parlez français, mon ami. » Alors Ménicle, sur un ton d'écolier : « Je vais bayer de civade au chivau... — C'est bien... Maintenant j'ai compris. » Et l'autre s'en allait, convaincu qu'il avait parlé français. Il est vrai que, passé Valence, le peuple du Midi ne connaît guère que ce français-là.

En outre, tante Portal accrochait tous les mots, non au gré de sa fantaisie, mais selon les us d'une grammaire locale, prononçait *déligence* pour « diligence », *achéter, anédote*, un *régitre*. Une taie d'oreiller s'appelait pour elle une *coussinière*, une ombrelle était une *ombrette*, la chaufferette qu'elle tenait sous ses pieds en toute saison, une *banquette*. Elle ne pleurait pas, elle *tombait des larmes* ; et, quoique très *enlourdie*, ne mettait *pas plus de demi-heure* pour faire son tour de ville. Le tout agrémenté de ces menues apostrophes sans signification précise dont les Provençaux sèment leurs discours, de ces copeaux qu'ils mettent entre les phrases pour en atténuer, exalter ou soutenir l'accent multiple : « *aïe, ouïe, avaï, açavaï, au moins, pas moins, différemment, allons !* »...

Ce mépris de la dame du Midi pour l'idiome de sa province

1. Je vais donner de l'avoine au cheval.

s'étend aux usages, aux traditions locales, jusqu'aux costumes. De même que tante Portal ne voulait pas que son cocher parlât provençal, elle n'aurait pas souffert chez elle une servante avec le ruban, le fichu arlésiens. « Ma maison n'est pas un *mas*, ni une filature ! » disait-elle. Elle ne leur permettait pas davantage de « *portait chapo...* ». Le chapeau, en Aps, c'est le signe distinctif, hiérarchique, d'une ascendance bourgeoise ; lui seul donne le titre de Madame qu'on refuse aux personnes du commun. Il faut voir de quel air supérieur la femme d'un capitaine en retraite ou d'un employé de la mairie à huit cents francs par an, qui fait son marché elle-même, parle du haut d'une gigantesque capote à quelque richissime fermière de Crau, la tête serrée sous sa cambrésine garnie de vraies dentelles antiques. Dans la maison Portal, les dames portaient chapeau depuis plus d'un siècle. Cela rendait la tante très dédaigneuse au pauvre monde et valut une terrible scène à Roumestan quelques jours après la fête des Arènes.

C'était un vendredi matin, pendant le déjeuner. Un déjeuner du Midi, frais et gai à l'œil, rigoureusement maigre — car tante Portal était à cheval sur ses commandements —, faisant alterner sur la nappe les gros poivrons verts et les figues sanglantes, les amandes et les pastèques ouvertes en gigantesques magnolias roses, les tourtes aux anchois, et ces petits pains de pâte blanche comme on n'en trouve que là-bas, tous plats légers, entre les alcarazas d'eau fraîche et les fiasques de vin doux, tandis qu'au-dehors cigales et rayons vibraient et qu'une barre blonde glissait par un entrebâillement dans l'immense salle à manger sonore et voûtée comme un réfectoire de couvent.

Au milieu de la table, deux belles côtelettes pour Numa fumaient sur un réchaud. Bien que son nom fût béni dans les congrégations, mêlé à toutes les prières, ou peut-être à cause de cela même, le grand homme d'Aps avait une dispense de Monseigneur et faisait gras, seul de la famille, découpant de ses mains robustes la chair saignante avec sérénité, sans s'inquiéter de sa femme et de sa belle-sœur, qui s'abreuvaient, comme tante Portal, de figues et de melons d'eau. Rosalie s'y était habituée ; ce maigre orthodoxe de deux jours par semaine faisait partie de sa corvée annuelle, comme le soleil, la poussière, le mistral, les moustiques, les histoires de la tante et les offices du dimanche à Sainte-Perpétue. Mais Hortense commençait à se révolter de toutes les forces de son jeune estomac ; et il fallait l'autorité de la grande sœur pour lui fermer la bouche sur ces saillies d'enfant gâtée qui bouleversaient toutes les idées de Mme Portal à l'endroit de l'éducation, de la bonne tenue des demoiselles. La jeune fille se contentait de manger ces broutilles en roulant des yeux comiques, la narine éperdument ouverte vers la côtelette de Roumestan, et murmurant tout bas, rien que pour Rosalie :

« Comme ça tombe !... Justement j'ai monté à cheval ce matin... J'ai une faim de grande route. »

Elle gardait encore son amazone qui allait bien à sa taille longue, souple, comme le petit col garçon à sa figure mutine, irrégulière, tout animée de la course au grand air. Et sa promenade du matin l'ayant mise en goût :

« A propos, Numa... Et Valmajour, quand irons-nous le voir ?

— Qui ça, Valmajour ? » fit Roumestan, dont la cervelle fuyante avait déjà perdu le souvenir du tambourinaire... « *Té*, c'est vrai, Valmajour... Je n'y pensais plus... Quel artiste ! »

Il se montait, revoyait les arceaux des arènes virant et farandolant au rythme sourd du tambourin qui l'agitait de mémoire, lui bourdonnait au creux de l'estomac. Et, subitement décidé :

« Tante Portal, prêtez-nous donc la berline... Nous allons partir après déjeuner. »

Le sourcil de la tante se fronça sur deux gros yeux flambant comme ceux d'une idole japonaise.

« La berline... Avaï !... Et pourquoi faire ?... Au moins, tu ne vas pas mener tes dames chez ce joueur de tutu-panpan. »

Ce « tutu-panpan » rendait si bien le double instrument, fifre et tambour, que Roumestan se mit à rire. Mais Hortense prit la défense du vieux tambourin provençal avec beaucoup de vivacité. De ce qu'elle avait vu dans le Midi, cela surtout l'avait impressionnée. D'ailleurs ce ne serait pas honnête de manquer de parole à ce brave garçon. « Un grand artiste, Numa..., vous l'avez dit vous-même !

— Oui, oui, vous avez raison, sœurette... Il faut y aller. »

Tante Portal, suffoquée, ne comprenait pas qu'un homme comme son neveu, un député, se dérangeât pour des paysans, des *ménagers*, des gens qui, de père en fils, jouaient du flûtet dans les fêtes de village. Toute à son idée, elle avançait une lippe dédaigneuse, mimait les gestes du musicien, les doigts écartés sur un flûtet imaginaire, l'autre main tapant sur la table. Du joli monde à montrer à des demoiselles !... Non, il n'y avait que ce Numa... Chez les Valmajour, bonne sainte mère des anges !... Et s'exaltant, elle commençait à les charger de tous les crimes, à en faire une famille de monstres, historique et sanglante comme la famille Trestaillon, quand elle aperçut, de l'autre côté de la table,

Ménicle, qui était du pays des Valmajour et l'écoutait, de face, tous les traits écarquillés d'étonnement. Aussitôt, d'une voix terrible, elle lui commanda de *s'aller changer* bien vite, et de tenir la berline prête pour deux heures *manque un quart.* Toutes les colères de la tante finissaient de la même façon.

Hortense jeta sa serviette et courut embrasser la grosse femme sur les deux joues. Elle riait, sautait de joie : « Dépêchons-nous, Rosalie... »

Tante Portal regarda sa nièce :

« Ah ! ça, Rosalie, j'espère bien que vous n'allez pas courir les routes avec ces enfants.

— Non, non, ma tante..., je reste près de vous », répondit la jeune femme, tout en souriant de la physionomie de vieux parent que son infatigable obligeance, sa résignation aimable avaient fini par lui donner dans la maison.

A l'heure dite, Ménicle était prêt ; mais on le laissait aller devant, rendez-vous pris sur la place des Arènes, et Roumestan partait à pied avec sa belle-sœur, curieuse et fière de voir Aps, au bras du grand homme, la maison où il était né, de reprendre par les rues avec lui les traces de sa petite enfance et de sa jeunesse.

C'était l'heure de la sieste. La ville dormait, déserte et silencieuse, bercée par le mistral, soufflant en grands coups d'éventail, aérant, vivifiant l'été chaud de Provence, mais rendant la marche difficile, surtout le long du Cours où rien ne l'entravait, où il pouvait courir en tournant, encercler toute la petite cité avec des beuglements de taureau lâché. Serrée des deux mains au bras de son compagnon, Hortense s'en allait, la tête basse, éblouie et suffoquée, heureuse pourtant de se sentir entraînée, soulevée par ces rafales arrivant comme des vagues dont elles avaient les cris, les plaintes, l'éclaboussement poudreux. Parfois il fallait s'arrêter, se cramponner aux cordes tendues de loin en loin contre les remparts pour les jours de grand vent. De ces trombes où volaient des écorces et des graines de platane, de cette solitude le Cours élargi prenait un air de détresse, encore tout souillé des débris du récent marché, cosses de melon, litières, mannes vides, comme si dans le Midi le mistral seul était chargé du balayage. Roumestan voulait rejoindre vite la voiture ; mais Hortense s'acharnait à la promenade, et haletante, déroutée par cette bourrasque qui enroulait trois fois autour de son chapeau son voile de gaze bleue, collait devant sa marche son costume court de voyageuse, elle disait :

« Comme c'est drôle, les natures... ! Rosalie, elle, déteste le vent. Elle dit que ça lui éparpille les idées, l'empêche de penser. Moi, le vent m'exalte, me grise...

— C'est comme moi... » criait Numa, les yeux pleins d'eau, retenant son chapeau qui fuyait. Et tout à coup à un tournant :

« Voilà ma rue... c'est ici que je suis né... »

Le vent tombait, ou plutôt se faisait moins sentir, soufflant encore au loin, comme on entend du fond du port aux eaux calmes les détonations de la mer sur les brisants. C'était dans une rue assez large, pavée de cailloux pointus, sans trottoir, une maisonnette obscure et grise entre un couvent d'ursulines ombragé de grands platanes et un ancien hôtel d'apparence seigneuriale portant des armes incrustées et cette inscription *Hôtel de Rochemaure*. En face, un monument très vieux, sans caractère, bordé de colonnes frustes, de torses de statues, de pierres tumulaires criblées de chiffres romains, s'intitulait *Académie* en lettres dédorées au-dessus d'un portail vert. C'est là que l'illustre orateur avait vu le jour le 15 juillet 1832 ; et l'on aurait pu faire plus d'un rapprochement de son talent étriqué, classique, de sa tradition catholique et légitimiste à cette maison de petit-bourgeois besogneux flanquée d'un couvent, d'un hôtel seigneurial et regardant une académie de province.

Roumestan se sentait ému, comme chaque fois que la vie le mettait en face de sa personnalité. Depuis bien des années, trente ans peut-être, il n'était pas venu là. Il avait fallu la fantaisie de cette petite fille... L'immobilité des choses le frappait. Il reconnaissait aux murs la trace d'un arrêt de volet que de sa main d'enfant il faisait tourner chaque matin en passant. Alors les fûts de colonnes, les précieux tronçons de l'Académie jetaient aux mêmes places leurs ombres classiques ; les lauriers-roses de l'hôtel avaient cette même odeur amère, et il montrait à Hortense l'étroite fenêtre d'où la maman Roumestan lui faisait signe quand il revenait de l'école des frères : « Monte vite, le père est rentré. » Et le père n'aimait pas à attendre.

« Comment Numa, c'est sérieux ?... vous avez été élevé chez les frères ?

— Oui, sœurette, jusqu'à douze ans... à douze ans, tante Portal m'a mis à l'Assomption, le pensionnat le plus chic de la ville... mais ce sont les ignorantins qui m'ont appris à lire, là-bas, dans cette grande baraque aux volets jaunes. »

Il se rappelait en frémissant le seau plein de saumure sous la chaire, dans lequel trempaient les férules pour rendre le cuir plus cinglant, l'immense classe carrelée où l'on récitait les leçons à genoux, où pour la moindre punition on se traînait, tendant et retirant la main, jusqu'au frère droit et rigide dans sa rugueuse soutane noire relevée sous les bras par l'effort du coup, frère Boute-à-Cuire, comme on l'appelait, parce qu'il s'occupait aussi de la cuisine, et le « han ! » du cher frère, et la brûlure au bout des petits doigts pleins d'encre, que la douleur poignait d'un fourmillement de piqûres. Et comme Hortense s'indignait de la brutalité de ces punitions, Roumestan en racontait d'autres plus féroces ; quand il fallait par exemple balayer à coups de langue le carreau fraîchement arrosé, sa poussière devenue boue et souillant, mettant à vif le palais tendre des coupables.

« Mais c'est affreux... Et vous défendez ces gens-là !... Vous parlez pour eux à la Chambre !

— Ah ! mon enfant... ça, c'est la politique... » fit Roumestan sans se troubler.

Tout en causant, ils suivaient un dédale de ruelles obscures, orientales, où de vieilles femmes dormaient sur la pierre de leur porte, d'autres rues moins sombres, mais traversées dans leur largeur par le claquement de grandes bandes de calicot imprimé, balançant des enseignes : *Mercerie, draperie, chaussures* ; ils arrivaient ainsi à ce qu'on appelle à Aps la Placette, un carré d'asphalte en liquéfaction sous le soleil, entouré de magasins clos à cette heure et muets, au bord desquels, dans l'ombre courte des murs, des décrotteurs ronflaient, la tête sur leur boîte à cirer, les membres répandus comme des noyés, épaves de la tempête qui secouait la ville. Un monument inachevé décorait le milieu de la Placette. Hortense voulant savoir ce qu'attendait ce marbre blanc et veuf, Roumestan sourit, un peu gêné :

« Toute une histoire ! » dit-il en hâtant le pas.

La municipalité d'Aps lui avait voté une statue, mais les libéraux de *L'Avant-Garde* ayant blâmé très fort cette apothéose d'un vivant, ses amis n'avaient osé passer outre. La statue était toute prête, on attendait sa mort probablement pour la poser. Certes il est glorieux de penser que vos funérailles auront un lendemain civique, que l'on ne sera tombé que pour se relever en marbre ou en bronze ; mais ce socle vide, éblouissant sous le soleil, faisait à Roumestan, chaque fois qu'il passait là, l'effet d'un majestueux tombeau de famille, et il fallut la vue des arènes pour le tirer de ses idées funèbres. Le vieil amphithéâtre dépouillé de l'animation bruyante du dimanche, rendu à sa solennité de ruine inutile et grandiose, montrait à travers les grilles serrées ses larges corridors humides et froids, où le sol s'abaissait par endroits, où les pierres se descellaient sous le pas des siècles.

« Comme c'est triste ! » disait Hortense, regrettant le tambourin de Valmajour ; mais ce n'était pas triste pour Numa. Son enfance avait vécu là ses meilleures heures tout en joies et en désirs. Oh ! les dimanches de courses de taureaux, la flânerie autour des grilles avec d'autres enfants pauvres comme lui, n'ayant pas les dix sous pour prendre un billet. Dans le soleil ardent de l'après-midi, le mirage du plaisir défendu, ils regardaient le peu que leur laissaient voir les lourdes murailles, un coin de cirque, les jambes chaussées de bas éclatants des toreros, les sabots furieux de la bête, la poussière du combat s'envolant avec les cris, les rires, les bravos, les beuglements, le grondement du monument plein. L'envie d'entrer était trop forte. Alors les plus hardis guettaient le moment où la sentinelle s'éloignait ; et l'on se glissait avec un petit effort entre deux barreaux.

« Moi, je passais toujours », disait Roumestan épanoui. Toute l'histoire de sa vie se résumait bien dans ces deux mots : soit chance ou adresse, si étroite que fût la grille, le Méridional avait toujours passé.

« C'est égal, ajouta-t-il en soupirant, j'étais plus mince qu'aujourd'hui. » Et son regard allait avec une expression de regret comique du grillage serré des arcades au large gilet blanc où ses quarante ans sonnés bedonnaient ferme.

Derrière l'énorme monument, la berline attendait abritée du vent et du soleil. Il fallut réveiller Ménicle endormi sur son siège, entre deux paniers de provisions, dans sa lourde lévite bleu de roi. Mais, avant de monter, Roumestan montra de loin à sa belle-sœur une ancienne auberge, *Au Petit-Saint-Jean, messageries et roulages*, dont la maçonnerie blanche, les hangars large ouverts tenaient tout un coin de la place des Arènes, encombrée de pataches dételées et poudreuses, de charrettes rurales basculées, les brancards en l'air, sous leurs bâches grises :

« Regardez ça, sœurette, dit-il avec émotion... C'est là que je me suis embarqué pour Paris, il y a vingt et un ans... Nous n'avions pas de chemin de fer alors. On prenait la diligence jusqu'à Montélimar, puis le Rhône... Dieu ! que j'étais content et que votre grand Paris m'épouvantait... C'était le soir, je me rappelle... »

Il parlait vite, sans ordre, les souvenirs se pressant à mesure.

« ... Le soir, dix heures, en novembre... Une lune si claire... Le conducteur s'appelait Fouque, un personnage !... Pendant qu'il attelait, nous nous promenions de long en large avec Bompard... Bompard, vous savez bien... Nous étions déjà grands amis. Il était, du moins s'imaginait être élève en pharmacie, et comptait venir me rejoindre... Nous faisions des projets, des rêves de vie ensemble, à s'aider pour arriver plus tôt... En attendant, il m'encourageait, me donnait des conseils, étant plus âgé... Toute ma peur, c'était d'être ridicule... Tante Portal m'avait fait faire pour la route un grand manteau, ce qu'on appelait un raglan... J'en doutais un peu de mon raglan de tante Portal... Alors Bompard me faisait marcher devant lui... *Té !* je vois encore mon ombre à côté de moi... Et, gravement, avec cet air qu'il a, il me disait : “Tu peux aller, mon bon, tu n'es pas ridicule...” Ah ! jeunesse, jeunesse... »

Hortense, qui maintenant craignait de ne plus sortir de cette ville où le grand homme trouvait sous chaque pierre un retard éloquent, le poussait doucement vers la berline :

« Si nous montions, Numa... Nous causerions aussi bien en route... »

5

Valmajour

De la ville d'Aps au mont de Cordoue il ne faut guère plus de deux heures, surtout quand on a le vent arrière. Attelée de ses deux vieux camarguais, la berline allait toute seule, poussée par le mistral qui la secouait, l'enlevait, creusait le cuir de sa capote ou le gonflait à la manière d'une voile. Ici il ne rugissait plus comme autour des remparts, sous les voûtes des poternes ; mais libre, sans obstacle, chassant devant lui l'immense plaine ondulée où quelques *mas* perdus, une ferme isolée, toute grise dans un bouquet vert, semblaient l'éparpillement d'un village par la tempête, il passait en fumée sur le ciel, en embruns rapides sur les blés hauts, sur les champs d'oliviers dont il faisait papilloter les feuilles d'argent, et avec de grands retours qui soulevaient en flots blonds la poussière craquant sous les roues il abaissait les files de cyprès serrés, les roseaux d'Espagne aux longues feuilles bruissantes donnant l'illusion d'un ruisseau frais au bord de la route. Quand il se taisait une minute, comme à court de souffle, on sentait le poids de l'été, une chaleur africaine montant du sol, que dissipait bien vite la saine et vivifiante bourrasque étendant son allégresse au plus loin de l'horizon, vers ces petites collines grisâtres, ternes, au fond de tout paysage provençal, mais que le couchant irise de teintes féeriques.

On ne rencontrait pas grand monde. De loin en loin un fardier venant des carrières avec un chargement d'énormes pierres taillées, aveuglantes sous le soleil, une vieille paysanne de la Ville-des-Baux courbée sous un grand *couffin* d'herbes aromatiques, la cagoule d'un moine mendiant, besace au dos, rosaire aux cuisses, le crâne dur, suant et luisant comme un galet de Durance, ou bien un retour de pèlerinage, une charretée de femmes et de filles en toilette, beaux yeux noirs, chignons hardis, rubans flottants et clairs, arrivant de la Sainte-Baume ou de Notre-Dame-de-Lumière. Eh bien, le mistral donnait à tout cela, au dur labeur, aux misères, aux superstitions de pays le même entrain de santé, de belle humeur, ramassant et secouant dans ses passes les « dia ! hue ! » des charretiers, les grelots, les anneaux de verre bleu de ses bêtes, la psalmodie du moine, les cantiques aigus des pèlerines, et le refrain populaire que Roumestan, mis en verve par l'air natal, entonnait à toute gorge avec de grands gestes lyriques débordant par les deux portières :

« Beau soleil de la Provence,
Gai compère du mistral... »

Puis s'interrompant : « Hé ! Ménicle... Ménicle...

— Monsieur Numa ?

— Qu'est-ce que c'est que cette masure, là-bas, de l'autre main du Rhône ?

— Ça, monsieur Numa, c'est le *Jonjon* de la reine Jeanne...

— Ah ! oui, c'est vrai... Je me rappelle... Pauvre *Jonjon* ! Son nom est aussi démantelé que lui. »

Il faisait alors à Hortense l'historique du donjon royal ; car il savait à fond sa légende provençale... Cette tour ruinée et roussie, là-haut, datait de l'invasion sarrasine, moins vieille encore que l'abbaye dont on apercevait, tout auprès, un pan de mur à moitié croulé, percé sur le bleu d'étroites fenêtres alignées et d'un large portail en ogive. Il lui montrait le sentier, visible au flanc de la côte rocailleuse, par où les moines vers l'étang luisant comme une coupe de métal s'en venaient pêcher des carpes, des anguilles pour la table de l'abbé. Il remarquait, en passant, que dans les plus beaux sites la vie friande et recueillie des couvents s'était installée, planant, rêvant aux sommets, mais descendant lever la dîme sur tous les biens de nature et les villages environnants... Ah ! le Moyen Age de Provence, le beau temps des trouvères et des cours d'amour... Maintenant les ronces disjoignaient les dalles où les Stéphanette, les Azalaïs, avaient laissé traîner leurs robes plates ; les orfraies et les hiboux miaulaient, la nuit, où chantaient les troubadours. Mais n'est-ce pas qu'il restait encore sur tout ce clair paysage des Alpilles un bouquet d'élégance coquette, de mièvrerie italienne, comme un frisson de luth ou de viole flottant dans la pureté de l'air ?

Et Numa s'exaltant, oubliant qu'il n'avait que sa belle-sœur et la lévite bleue de Ménicle pour auditoire, s'échappait, après quelques redites de banquets régionaux ou de séances académiques, dans une de ces improvisations ingénieuses et brillantes, qui faisaient bien de lui le descendant des légers trouvères provençaux.

« Voilà Valmajour ! » dit tout à coup le cocher de tante Portal se penchant pour leur montrer la hauteur du bout de son fouet.

Ils avaient quitté le grand chemin et suivaient une montée en lacet aux flancs du mont de Cordoue, chemin étroit, glissant, à cause des touffes de lavande dont chaque tour de roue dégageait au passage le parfum brûlé. Sur un plateau, à mi-côte, au pied d'une tour ébréchée et noire, s'étageaient les toits de la ferme. C'est là que les Valmajour habitaient, de père en fils, depuis des années et des années, sur l'emplacement du vieux château dont le nom leur était resté. Et qui sait ? Peut-être ces paysans descendaient-ils des princes de Valmajour, alliés aux comtes de Provence et à la maison des Baux. Cette supposition imprudemment émise par Roumestan fut tout à fait du goût d'Hortense, qui s'expliquait ainsi les façons vraiment nobles du tambourinaire.

Comme ils en causaient dans la voiture, Ménicle sur son siège les écoutait plein de stupéfaction. Ce nom de Valmajour était très répandu dans la contrée ; il y avait les Valmajour du haut et les Valmajour du bas, selon qu'ils habitaient le vallon ou la montagne. « Ça serait donc tous des grands seigneurs !... » Mais le futé Provençal garda sa remarque pour lui. Et tandis qu'ils avançaient avec lenteur dans ce paysage dénudé et grandiose, la jeune fille, que la conversation animée de Roumestan avait jetée en plein roman historique, dans le rêve coloré du passé, apercevant là-haut une paysanne assise sur un contrefort au pied des ruines, à demi tournée, la main au-dessus des yeux pour regarder les arrivants, s'imaginait voir quelque princesse coiffée du hennin, au sommet de sa tour, dans une pose de vignette.

L'illusion cessa à peine, lorsque les voyageurs descendant de voiture se trouvèrent en face de la sœur du tambourinaire occupée à tresser des claies en osier pour les vers à soie. Elle ne se leva pas, quoique Ménicle lui eût crié de loin : « *Vé !* Audiberte, voilà des personnes pour ton frère. » Sa figure fine, régulière, allongée et verte comme une olive à l'arbre, ne marqua ni joie ni surprise, garda l'expression concentrée qui rapprochait ses épais sourcils noirs, les nouait tout droit, au-dessous du front entêté, comme d'un lien très dur. Roumestan, un peu saisi de cette réserve, se nomma : « Numa Roumestan... le député...

— Oh ! je vous connais bien... » dit-elle gravement, et, laissant son ouvrage en tas à côté d'elle : « Entrez un moment... mon frère va venir. »

Debout, la châtelaine perdait de son prestige. Très petite, tout en buste, elle marchait avec un dandinement malgracieux qui faisait tort à sa jolie tête finement relevée du petit bonnet d'Arles et du large fichu de mousseline à plis bleuâtres. On entra. Ce logis de paysans avait grand air, appuyé à une tour en ruines, gardant des armes dans la pierre au-dessus de sa porte qu'abritaient un auvent de roseaux craquant au soleil et une grande toile à carreaux tendue en portière à cause des moustiques. La salle des gardes, aux murs blancs, au plafond creusé de voussures, à la haute cheminée antique, ne recevait de lumière que de ses carreaux verdis et du treillis de toile de l'entrée.

Dans cette pénombre on distinguait le pétrin de bois noir, en forme de sarcophage, sculpté d'épis et de fleurs, et surmonté de sa panière à claire-voie, à clochetons mauresques, où le pain se tient au frais dans toutes les fermes provençales. Deux ou trois images de piété, les saintes Marie, Marthe et la Tarasque, le cuivre rouge d'une petite lampe de forme ancienne accrochée à une belle *moque* de bois blanc sculptée par un berger, de chaque côté de la cheminée la salière et la farinière, complétaient l'ornement de la vaste pièce avec une conque marine, pour rappeler les bêtes, et dont la nacre étincelait sur le manteau du foyer. La table longue s'étalait dans le sens de la salle, flanquée de bancs et d'escabeaux. Au plafond, des chapelets d'oignons pendaient, tout noirs de mouches qui bourdonnaient chaque fois qu'on soulevait la portière de l'entrée.

« Remettez-vous, monsieur, madame... vous allez faire le grand-boire avec nous. »

Le *grand-boire*, c'est le goûter des paysans provençaux. Il se sert en pleins champs, au lieu même du travail, sous un arbre quand on en trouve, dans l'ombre d'une meule, au creux d'un fossé. Mais Valmajour et son père travaillant tout près, sur leur bien, venaient le faire à la maison. Et déjà la table les attendait, deux ou trois petites assiettes creuses en terre jaune, des olives confites et une salade de romaine toute luisante d'huile. Dans la *coque* en osier où se placent la bouteille et les verres, Roumestan crut voir du vin.

« Vous avez donc encore de la vigne par ici ? » demanda-t-il d'un air aimable, essayant d'apprivoiser l'étrange petite sauvagesse. Mais, à ce mot de vigne, elle bondit, un vrai saut de chèvre piquée par un aspic, et sa voix fut tout de suite à un diapason de fureur. De la vigne ! Ah ! oui, joliment !... Il leur en restait, de la vigne !... Sur cinq, ils n'avaient pu en sauver qu'une, la plus petite, et encore il fallait la tenir sous l'eau six mois de l'an. De l'eau de la *roubine*, qui leur coûtait les yeux de la tête. Et tout ça, la faute de qui ? La faute des rouges, de ces porcs, de ces monstres de rouges et de leur république sans religion qui avait déchaîné sur le pays toutes les abominations de l'enfer.

A mesure qu'elle parlait avec cette passion, ses yeux devenaient plus noirs, d'un noir assassin, tout son joli visage convulsé et grimaçant, la bouche tordue, le nœud des sourcils serré jusqu'à faire un gros pli au milieu du front. Le plus drôle, c'est qu'elle continuait à s'activer dans sa colère, préparait le feu, le café de ses hommes, se levait, se baissait, ayant en mains le soufflet, la cafetière, ou des sarments tout enflammés qu'elle brandissait comme une torche de Furie. Puis, brusquement, elle se radoucit : « Voilà mon frère... »

Le store rustique s'écartant laissa passer dans un flot dc lumière blanche la haute taille de Valmajour suivi d'un petit vieux à la face rase, calciné, contourné et noir comme un pied de vigne malade. Le père ni le fils ne s'émurent plus qu'Audiberte des visiteurs qu'ils recevaient, et, sitôt la première reconnaissance, prirent place autour du grand-boire renforcé de toutes les victuailles tirées de la berline, devant lesquelles les yeux de Valmajour l'ancien s'allumaient de petites flammes égrillardes. Roumestan, qui n'en revenait pas du peu d'impression qu'il produisait sur ces paysans, parla tout de suite du grand succès de dimanche aux arènes. C'est cela qui avait dû faire plaisir au vieux père !...

« Sûrement, sûrement, bougonna le vieux, en piquant ses olives avec son couteau... Mais moi aussi, de mon temps, j'en ai eu des prix de tambourin. » Et dans son mauvais sourire se reconnaissait le même tournement de bouche qu'avait la colère de sa fille tout à l'heure. Très calme en ce moment, la paysanne était assise presque à terre sur la pierre du foyer, son assiette aux genoux ; car, bien que maîtresse au logis et maîtresse absolue, elle suivait l'usage provençal qui ne permet pas aux femmes de prendre place à table avec les hommes. Mais de cette position humiliée elle suivait attentivement tout ce qu'on disait, remuait la tête en entendant parler de la fête aux arènes. Elle n'aimait pas le tambourin, elle. Ah ! *nani*... Sa mère en était morte, du mauvais sang qu'elle s'était fait avec la musique du papa... Tout ça, voyez-vous, des métiers de riboteurs qui dérangeaient du travail, coûtaient plus d'argent qu'ils n'en rapportaient.

« Eh bien ! qu'il vienne à Paris, dit Roumestan... Je vous réponds que son tambourin lui en fera gagner, de l'argent... »

Devant l'incrédulité de cette innocente, il tâcha de lui expliquer ce que c'était que les caprices de Paris et combien il les payait cher. Il raconta les anciens succès du père Mathurin, le joueur de biniou, dans *La Closerie des genêts*. Et quelle différence entre le biniou breton, grossier, criard, fait pour mener des rondes d'Esquimaux au bord de la Mer Sauvage, et le tambourin de Provence, si svelte, si élégant ! C'est-à-dire que toutes les Parisiennes en perdraient la tête, voudraient danser la farandole... Hortense se montait aussi, disait son mot, pendant que le tambourinaire souriait vaguement et lissait sa moustache brune d'un geste vainqueur de beau Nicolas.

« Mais enfin, qu'est-ce que vous pensez qu'il pourrait gagner tout au juste avec sa musique ? » demanda la paysanne.

Roumestan chercha un peu... Il ne pouvait pas dire bien exactement... Dans les cent cinquante à deux cents francs...

« Par mois ? fit le père, enthousiasmé.

— Hé non, par jour !... »

Les trois paysans tressaillirent, puis se regardèrent. D'un autre que de « moussu Numa », député, membre du Conseil général, ils auraient cru à une farce, à une *galéjade*, allons ! Mais avec celui-là, l'affaire devenait sérieuse... Deux cents francs par jour !... *foutré !*... Le musicien était tout prêt, lui. La sœur, plus prudente, aurait voulu que Roumestan leur signât un papier ; et, posément, les yeux baissés, de peur que leur éclat de lucre la trahît, elle discutait d'une voix hypocrite. C'est que Valmajour était bien nécessaire à la maison, *pécaïré*. Il menait le bien, labourait, taillait la vigne, le père n'ayant plus la force. Comment faire s'il partait ?... Lui-même, tout seul à Paris, il se languirait pour sûr. Et son argent, ses deux cents francs par jour, qu'est-ce qu'il en ferait dans cette grande villasse ?... Sa voix devenait dure en parlant de cet argent dont elle n'aurait pas la garde, qu'elle ne pourrait pas enfermer au plus profond de ses tiroirs.

« Eh bien ! alors, dit Roumestan, venez à Paris avec lui.

— Et la maison ?

— Louez-la, vendez-la... Vous en rachèterez une plus belle en revenant. »

Il s'arrêta sur un regard inquiet d'Hortense, et, comme pris d'un remords de troubler le repos de ces braves gens : « Après tout, il n'y a pas que l'argent dans la vie... Vous êtes heureux comme vous êtes... »

Audiberte l'interrompit vivement : « Oh ! heureux... L'existence est bien pénible, allez ! ce n'est plus comme dans les temps. » Elle recommençait à geindre sur les vignes, la garance, le vermillon, les vers à soie, toutes les richesses du pays disparues. Il fallait trimer au soleil, travailler comme des satyres... Ils avaient bien dans l'avenir l'héritage du cousin Puyfourcat, colon en Algérie depuis trente ans, mais c'est si loin cette Algérie d'Afrique... Et tout à coup l'astucieuse petite personne, pour rallumer moussu Numa qu'elle se reprochait d'avoir un peu trop refroidi, dit à son frère félinement avec son intonation câline et chantante :

« *Qué*, Valmajour, si tu nous touchais un petit air pour faire plaisir à cette belle demoiselle ? »

Ah ! une mouche, elle ne s'était pas trompée. Au premier coup de baguette, au premier trille emperlé, Roumestan fut repris et délira. Le garçon jouait devant le *mas*, appuyé à la margelle d'un vieux puits dont la ferrure en arc, enroulée d'un figuier sauvage, encadrait merveilleusement sa taille élégante et son teint de bistre. Les bras nus, la poitrine ouverte, dans ses poudreuses hardes de travail, il avait quelque chose de plus fier et de plus noble encore qu'aux arènes, où sa grâce s'endimanchait malgré tout d'un vernis théâtral. Et les vieux airs de l'instrument rustique, poétisés du silence et de la solitude d'un beau paysage, éveillant les ruines dorées de leur songe de pierre, volaient comme des alouettes sur ces pentes majestueuses, toutes grises de lavandes ou coupées de blé, de vigne morte, de mûriers aux larges feuilles dont l'ombre commençait à s'allonger en devenant plus claire. Le vent était tombé. Le soleil au déclin flambait sur la ligne violette des

Alpilles, jetait au creux des roches un vrai mirage d'étangs de porphyre liquide, d'or en fusion, et sur tout l'horizon une vibration lumineuse, les cordes tendues d'une lyre ardente, dont le chant continu des cigales et les battements du tambourin semblaient la sonorité.

Muette et ravie, Hortense, assise sur le parapet de l'ancien donjon, accoudée à un tronçon de colonnette abritant un grenadier rabougri, écoutait et admirait, laissait voyager sa petite tête romanesque toute pleine des légendes recueillies pendant le chemin. Elle voyait le vieux castel monter de ses décombres, dresser ses tours, arrondir ses poternes, ses arceaux de cloître peuplés de belles au long corsage, au teint mat que la grande chaleur ne colorait pas. Elle-même était princesse des Baux, avec un joli nom de missel ; et le musicien qui lui donnait l'aubade, un prince aussi, le dernier des Valmajour, sous des habits de paysan. « Adonc, la chanson finie », comme il est dit dans les chroniques des cours d'amour, elle cassait au-dessus de sa tête un brin de grenadier où pendait la fleur trop lourde de pourpre vive, et le tendait pour prix de son aubade au beau musicien qui, galamment, l'accrochait aux cordelettes de son tambour.

6

Ministre !

Trois mois ont passé depuis ce voyage au mont de Cordoue.

Le parlement vient de s'ouvrir à Versailles sous un déluge de novembre qui rejoint les bassins du parc au ciel bas, étouffé de brume, enveloppe les deux Chambres de tristesse humide et d'obscurité, mais ne refroidit pas les colères politiques. La session s'annonce terrible. Des trains de députés, de sénateurs, se croisent, se succèdent, sifflent, grondent, secouent leur fumée menaçante, animés à leur manière des haines et des intrigues qu'ils convoient sous des torrents de pluie ; et, dans cette heure de wagon, dominant le bruit des roues sur le fer, les discussions continuent avec la même âpreté, la même fureur qu'à la tribune. Le plus agité, le plus bruyant de tous, c'est Roumestan. Il a déjà prononcé deux discours depuis la rentrée. Il parle dans les commissions, dans les couloirs, à la gare, à la buvette, fait trembler la toiture en vitrage des salons de photographie où se réunissent toutes les droites. On ne voit que sa silhouette remuante et lourde, sa grosse tête toujours en rumeur, la houle de ses larges épaules redoutées du ministère qu'il est en train de « tomber » selon les règles, en souple et vigoureux lutteur du Midi. Ah ! le ciel bleu, les tambourins, les cigales, tout le décor lumineux des vacances, comme il est loin, fini, démonté ! Numa n'y songe pas une minute, pris dans le tourbillon de sa double vie d'avocat et d'homme politique : car, à l'exemple de son vieux maître Sagnier, en entrant à la Chambre, il n'a pas renoncé au Palais, et tous les soirs, de six à huit heures, on se presse à la porte de son cabinet de la rue Scribe.

Vous diriez une légation, ce cabinet de Roumestan. Le premier secrétaire, bras droit du leader, son conseil, son ami, est un excellent avocat d'affaires, appelé Méjean, méridional comme tout l'entourage de Numa, mais du Midi cévenol, le Midi des pierres, qui tient plus de l'Espagne que de l'Italie et garde en ses allures, en ses paroles, la prudente réserve et le bon sens pratique de Sancho. Trapu, robuste, déjà chauve, avec le teint bilieux des grands travailleurs, Méjean fait à lui seul toute la besogne du cabinet, déblaie les dossiers, prépare les discours, cherche à mettre des faits sous les phrases sonores de son ami, de son futur beau-frère, disent les bien-informés. Les autres secrétaires, MM. de Rochemaure et de Lappara, deux jeunes stagiaires apparentés à la plus ancienne noblesse provinciale, ne sont là que pour la montre, et font chez Roumestan leur noviciat politique.

Lappara, grand beau garçon, bien jambé, teint chaud, barbe fauve, fils du vieux marquis de Lappara, chef du parti dans le Bordelais, montre bien le type de ce Midi créole, hâbleur, aventureux, friand de duels et *d'escampatives*. Cinq ans de Paris, cent mille francs « roustis » au cercle et payés avec les diamants de la mère, ont suffi pour lui donner l'accent du Boulevard, un beau ton de gratin croustillant et doré. Tout autre est le vicomte Charlexis de Rochemaure, compatriote de Numa, élevé chez les pères de l'Assomption, ayant fait son droit en province sous la surveillance de sa mère et d'un abbé, et gardant de son éducation des candeurs, des timidités de lévite en contraste avec sa royale Louis XIII, l'air à la fois d'un raffiné et d'un jocrisse.

Le grand Lappara essaye d'initier ce jeune Pourceaugnac à la vie parisienne. Il lui apprend à s'habiller, ce qui est chic et pas chic, à marcher la nuque en avant, la bouche abrutie, à s'asseoir d'une pièce, les jambes allongées, pour ne pas marquer de genoux au pantalon. Il voudrait lui faire perdre cette foi naïve aux hommes et aux choses, ce goût du grimoire qui le classe gratte-papier. Mais non, le vicomte aime sa besogne, et quand Roumestan ne l'emmène pas à la Chambre ou au Palais, comme aujourd'hui, il reste assis pendant des heures à grossoyer devant la longue table installée pour les secrétaires à côté du cabinet du patron. Le Bordelais, lui, a roulé un pouf contre la croisée, et, dans le jour qui tombe, le cigare aux dents, les jambes étendues, il regarde à travers la pluie et le gâchis fumant de l'asphalte la longue file d'équipages alignés, le fouet haut, au ras du trottoir, pour le jeudi de Mme Roumestan.

Que de monde ! Et ce n'est pas fini, il arrive encore des voitures. Lappara, qui se vante de connaître à fond la grande livrée de Paris, annonce à mesure, tout haut : « Duchesse de san Donnino... Marquis de Bellegarde... Mazette ! Les Mauconseil aussi... Ah çà, mais qu'est-ce qu'il y a donc ? » Et, se tournant vers un maigre et long personnage qui sèche devant la cheminée ses gants de tricot, son pantalon de couleur, trop mince pour la saison et relevé avec précaution sur des bottines d'étoffe : « Savez-vous quelque chose, Bompard ?

« Quelque *chase* ? *Certainemain...* »

Bompard, le mameluk de Roumestan, est comme un quatrième secrétaire qui fait le dehors, va aux nouvelles, promène dans Paris la gloire du patron. Ce métier ne l'enrichit guère, à en juger sur sa mine ; mais ce n'est pas la faute de Numa. Un repas par jour, un demi-louis de loin en loin, on n'a jamais pu faire accepter davantage à ce singulier parasite dont l'existence reste un problème pour ses plus intimes. Lui demander, par exemple, s'il sait quelque chose, douter de l'imagination de Bompard est une bonne naïveté.

« Oui, messieurs... Et quelque *chase* de très grave...

— Quoi donc ?

— On vient de tirer sur le maréchal !... »

Un instant de stupeur. Les jeunes gens se regardent, regardent Bompard, puis Lappara, rallongé dans son pouf, demande tranquillement :

« Et vos asphaltes, mon bon ? où en sont-elles ?

— Ah ! *vaï*, les asphaltes... J'ai une affaire bien meilleure... »

Sans s'étonner autrement du peu d'effet produit par l'assassinat du maréchal, le voilà racontant sa combinaison nouvelle. Oh ! une affaire superbe, et si simple. Il s'agissait de rafler les cent vingt mille francs de primes que le gouvernement suisse donne chaque année pour les tirs fédéraux. Bompard, dans sa jeunesse, tirait supérieurement les alouettes. Il n'aurait qu'à se refaire un peu la main, c'était cent vingt mille francs de rente assurés jusqu'à la fin de sa vie. Et de l'argent facile à gagner, au moins ! La Suisse, à petites journées, de canton en canton, le rifle sur l'*épole*...

Le visionnaire s'animait, décrivait, grimpait aux glaciers, descendait des vals et des torrents, secouait les avalanches devant les jeunes gens ébahis. De toutes les inventions de cette cervelle frénétique, celle-là était encore la plus extraordinaire, débitée d'un air convaincu, avec une fièvre dans le regard, un feu intérieur qui bossuait le front, le crevassait de rides profondes.

La brusque arrivée de Méjean, revenant du Palais tout essoufflé, arrêta ces divagations.

« Grande nouvelle !... dit-il en jetant sa serviette sur la table... Le ministère est à bas.

— Pas possible !

— Roumestan prend l'Instruction publique...

— Je le savais », dit Bompard.

Et, voyant leur sourire :

« *Parfaitemain*, messieurs... j'étais là-bas... j'en viens.

— Et vous ne le disiez pas ?

— A quoi bon ?... On ne me croit jamais... C'est la faute de mon *assent* », ajouta-t-il avec une candeur résignée dont le comique fut perdu dans l'émoi général.

Roumestan ministre !

« Ah ! mes enfants, quel malin que le patron », répétait le grand Lappara, s'esclaffant dans son fauteuil, les jambes au plafond... « A-t-il bien mené son affaire ! »

Rochemaure se dressa, scandalisé :

« Ne parlons pas de malice, mon cher... Roumestan est une conscience... Il va droit devant lui comme un boulet.

— D'abord, mon petit, il n'y a plus de *boulets*. Il n'y a que des obus... Ça fait ceci, l'obus. »

Du bout de sa bottine, il indiquait la trajectoire.

« Blagueur !

— Jobard !

— Messieurs... Messieurs... »

Et Méjean, à part lui, songeait à la singularité de cette nature, à ce compliqué Roumestan, qui, même vu de tout près, pouvait être jugé aussi diversement.

« Un malin, une conscience. »

Ce double courant d'opinions se retrouvait dans le public. Lui, qui le connaissait mieux, savait quel fond de légèreté et de paresse modifiait ce tempérament d'ambitieux à la fois meilleur et pire que sa réputation. Mais, était-ce bien vrai, cette nouvelle du portefeuille ? Curieux de s'en assurer, Méjean jeta dans la glace un coup d'œil à sa tenue, et, traversant le palier, passa chez Mme Roumestan.

Dès l'antichambre, où les valets de pied attendaient, des manteaux de fourrure au bras, se percevait un murmure de voix assourdies par les hauts plafonds, le luxe encombrant des tentures. D'ordinaire, Rosalie recevait dans son petit salon, meublé en jardin d'hiver, de sièges légers, de tables coquettes, avec du jour tamisé entre les feuilles luisantes des plantes vertes contre les croisées. Cela suffisait à son intimité de bourgeoise parisienne, perdue dans l'ombre de son grand homme, désintéressée de toute ambition, et passant, en dehors du petit cercle où sa supériorité était connue, pour une bonne personne sans importance. Mais aujourd'hui les deux pièces de réception étaient remplies, bruissantes ; et il arrivait du monde continuellement, le ban et l'arrière-ban des amis, les connaissances, de ces figures sur lesquelles Rosalie n'aurait pu mettre un nom.

Très simple, dans une robe à reflets violets qui dégageait bien sa taille svelte, l'harmonie élégante de tout son être, elle accueillait chacun avec le sourire égal, un peu fier, l'air *refréjon* dont parlait jadis tante Portal. Pas le moindre éblouissement de sa nouvelle fortune, un peu de surprise plutôt et d'inquiétude, mais qui ne se trahissaient en rien. Elle s'activait de groupe en groupe, pendant que le jour tombait rapidement dans ce premier étage parisien et que les domestiques apportant des lampes, allumant les candélabres, le salon prenait sa physionomie des soirs de fête avec ses riches étoffes scintillantes, ses tapis d'Orient aux couleurs de pierreries. « Ah ! monsieur Méjean... » Rosalie se dégagea une minute, vint au-devant de lui, heureuse d'une intimité retrouvée dans la cohue mondaine. Leurs deux natures s'entendaient. Ce Méridional refroidi et cette Parisienne vibrante avaient de semblables façons de juger ou de voir, équilibraient bien les défaillances et les emportements de Numa.

« Je venais m'assurer si la nouvelle était vraie... Maintenant je n'en doute plus... » fit-il en montrant les salons pleins. Elle lui passa la dépêche qu'elle avait reçue de son mari. Et tout bas : « Qu'est-ce que vous en dites ?

— C'est lourd, mais vous serez là.

— Et vous aussi... » dit-elle en lui serrant les mains et le quittant pour répondre à de nouveaux visiteurs. C'est qu'il en venait toujours, et personne ne s'en allait. On attendait le leader, on voulait tenir de sa bouche les détails de la séance, comment d'un coup d'épaule il les avait tous bousculés. Déjà, parmi les nouveaux venus, quelques-uns rapportaient des échos de la Chambre, des bribes de discours. Des mouvements se faisaient autour d'eux, un frémissement d'aise. Les femmes surtout se montraient curieuses, passionnées ; sous les grands chapeaux qui entraient en scène cet hiver-là, leurs jolis visages avaient aux pommettes ce léger feu rose, cette fièvre que l'on voit aux joueuses de Monte-Carlo autour du trente-et-quarante. Etait-ce les modes de la Fronde, les feutres à longue plume, qui les disposaient ainsi à la politique ; mais toutes ces dames y semblaient très fortes, et dans le plus pur langage parlementaire, agitant leurs petits manchons pour interrompre, toutes célébraient la gloire du leader. Du reste, ce n'était qu'un cri partout : « Quel homme ! quel homme ! »

Dans un coin, le vieux Béchut, professeur au Collège de France, très laid, tout en nez, un gros nez de savant allongé sur les livres, prenait texte du succès de Roumestan pour discuter une de ses thèses favorites : la faiblesse du monde moderne vient de la place qu'y prennent la femme et l'enfant. Ignorance et chiffons, caprice et légèreté. « Eh bien ! monsieur, la force de Roumestan est là. Il n'a pas eu d'enfant, il a su échapper à l'influence féminine... Aussi quelle ligne droite et ferme ! Pas un écart, pas une brisure. » Le grave personnage auquel il s'adressait, conseiller référendaire à la Cour des comptes, regard ingénu, petit crâne rond et ras où la pensée faisait un bruit de graine sèche dans une courge vide, se rengorgeait magistralement, approuvait avec un air de dire : « Et moi aussi, monsieur, je suis un homme supérieur... moi aussi, j'échappe à l'influence dont vous parlez. »

Voyant qu'on s'approchait pour écouter, le savant haussa le ton, cita des exemples historiques, César, Richelieu, Frédéric, Napoléon, prouva scientifiquement que la femme, sur l'étiage des êtres pensants, était à plusieurs échelons au-dessous de l'homme. « En effet, si nous examinons les tissus cellulaires... »

Quelque chose de plus curieux à examiner, c'était la physionomie des deux femmes de ces messieurs, qui les écoutaient assises l'une à côté de l'autre et buvant une tasse de thé ; car on venait de servir ce petit lunch de cinq heures qui mêle à l'excitation des causeries le cliquetis des cuillères fines sur des porcelaines du Japon, la chaude vapeur du samovar et des pâtisseries sortant du four. La plus jeune, Mme de Boë, par ses influences de famille avait fait de l'homme à la courge, son mari, noble décavé, perdu de dettes, un magistrat de la Cour des comptes ; et l'on frémissait de savoir le contrôle des deniers publics dans les mains de ce gommeux qui avait si vite dévoré la fortune de sa femme et la sienne. Mme Béchut, ancienne belle personne gardant encore de grands yeux spirituels, un visage aux traits fins dont la bouche seule, par une sorte de détirement douloureux, racontait les combats contre la vie, l'acharnement d'une ambition sans relâche ni scrupules, s'était dévouée tout entière à pousser aux premières places la médiocrité banale de son savant, avait forcé pour lui les portes de l'Institut, du Collège de France, par ses relations malheureusement trop connues. Tout un poème parisien dans le sourire que les deux femmes échangeaient par-dessus leurs tasses. Et peut-être qu'en cherchant bien tout autour parmi ces messieurs, on en aurait trouvé beaucoup d'autres à qui l'influence féminine n'avait pas nui.

Tout à coup Roumestan entra. Au milieu d'un brouhaha de bienvenue, il traversa le salon vivement, alla droit à sa femme, l'embrassa sur les deux joues avant que Rosalie eût pu se défendre de cette manifestation un peu gênante mais qui était le meilleur démenti aux assertions du physiologiste. Toutes les dames crièrent : « Bravo ! » Il y eut encore un échange de poignées de main, d'effusions, puis un silence attentif, lorsque le leader appuyé à la cheminée commença le bulletin rapide de la journée.

Le grand coup préparé depuis une semaine, les marches et contre-marches, la rage folle de la gauche au moment de la défaite, son triomphe à lui, son irruption foudroyante à la tribune, jusqu'aux intonations de sa jolie réponse au maréchal : « Ça dépend de vous, monsieur le président », il notait tout, précisait tout avec une gaieté, une chaleur communicatives. Ensuite Roumestan devenait grave, énumérait les lourdes responsabilités de son poste : l'Université à réformer, toute une jeunesse à préparer pour la réalisation des grandes espérances — le mot fut compris, salué d'un hurrah —, mais il s'entourerait d'hommes éclairés, ferait appel à toutes les bonnes volontés, tous les dévouements. Et, l'œil ému, il les cherchait dans le cercle serré autour de lui : « Appel à mon ami Béchut... à vous aussi, mon cher Boë... »

L'heure était si solennelle que personne ne se demanda en quoi l'hébétement du jeune maître des requêtes pourrait servir les réformes de l'Université. Du reste, le nombre d'individus de cette force-là, auxquels Roumestan avait demandé dans l'après-midi leur collaboration aux terribles devoirs de l'Instruction publique, était vraiment incalculable. Pour les Beaux-Arts, il se sentait plus à l'aise, et on ne lui refuserait pas sans doute... Un murmure flatteur de rires, d'interjections, l'empêcha de continuer. Il n'y avait là-dessus qu'une voix dans Paris, même chez les plus hostiles. Numa était l'homme indiqué. Enfin on allait avoir un jury, des théâtres lyriques, un art officiel. Mais le ministre coupa court aux dithyrambes et fit remarquer sur un ton familier, plaisant, que le nouveau cabinet se trouvait presque entièrement composé de Méridionaux. Sur huit ministres, le Bordelais, le Périgord, le Languedoc, la Provence, en avaient fourni six. Et s'excitant : « Ah ! le Midi monte, le Midi monte... Paris est à nous. Nous tenons tout. Il faut en prendre votre parti, messieurs. Pour la seconde fois, les Latins ont conquis la Gaule ! »

Il était bien, lui, un Latin de la conquête avec sa tête de médaille aux larges méplats sur les joues, et son teint chaud, et ses brusques allures de sans-gêne dépaysées dans ce salon si parisien. Sur les rires et les applaudissements que soulevait son mot final, il quitta la cheminée lestement en bon comédien qui sait se retirer juste après l'effet, fit signe à Méjean de le suivre et disparut par une des portes intérieures, laissant à Rosalie le soin de l'excuser. Il dînait à Versailles, chez le maréchal ; il lui restait à peine le temps de s'apprêter, de donner quelques signatures.

« Venez m'habiller », dit-il au domestique en train de mettre les trois couverts, Monsieur, Madame et Bompard, autour de la corbeille fleurie, tous les jours renouvelée, que Rosalie voulait sur la table à chaque repas. Il se sentait tout joyeux de ne pas dîner là. Le tumulte d'enthousiasme qu'il avait laissé sur ses talons s'entendait derrière la porte fermée, l'excitait à chercher encore le monde, les lumières. Et puis, le Méridional n'est pas un homme d'intérieur. Ce sont les gens du Nord, les climats pénibles qui ont inventé le « home », l'intimité du cercle de famille auquel la Provence et l'Italie préfèrent les terrasses des glaciers, le bruit et l'agitation de la rue.

Entre la salle à manger et le cabinet de l'avocat, il fallait traverser le petit salon d'attente, ordinairement plein de monde à cette heure, de gens inquiets guettant la pendule, l'œil sur des journaux à images, avec toutes les préoccupations d'un procès. Ce soir Méjean les avait congédiés, pensant bien que Numa ne pourrait donner de consultation. Quelqu'un pourtant était resté, un grand garçon, empaqueté dans des vêtements de confection, gauche comme un sous-officier en bourgeois.

« Hé ! adieu... monsieur Roumestan... comment ça va ?... En voilà du temps que je vous espère. »

Cet accent, ce teint bistré, cet air vainqueur et jeannot, Numa se souvenait bien d'avoir vu cela quelque part, mais où donc ?

« Vous *mé* connaissez plus ? fit l'autre... Valmajour, le tambourinaire !

— Ah ! oui, très bien... parfaitement. »

Il voulait passer. Mais Valmajour lui barrait la route, planté en arrêt, racontant qu'il était arrivé de l'avant-veille. « Seulement, vous savez, j'ai pas pu venir plus tôt. Quand on débarque comme ça toute une famille dans un pays qu'on connaît pas, c'est difficile de *s'estaller.*

— Toute une famille ? dit Roumestan, les yeux élargis.

— *Bé !* oui, le papa, la sœur... on a fait ce que vous disiez. »

Le prometteur eut un geste de gêne et de dépit, comme chaque fois qu'il se trouvait en face d'une de ces cartes à payer, de ces échéances, prises d'enthousiasme, dans un besoin de parler, de donner, d'être agréable... Mon Dieu ! Il ne demandait pas mieux que de servir ce brave garçon... Il verrait, chercherait le moyen... Mais il était très pressé, ce soir... Des circonstances exceptionnelles... La faveur dont le chef de l'Etat... Voyant que le paysan ne s'en allait pas : « Entrez par ici... » dit-il vivement, et ils passèrent dans le cabinet.

Pendant qu'assis à son bureau, il lisait et signait en hâte plusieurs lettres, Valmajour regardait la vaste pièce somptueusement tapissée et meublée, la bibliothèque qui en faisait le tour, surmontée de bronzes, de bustes, d'objets d'art, souvenirs de causes glorieuses, le portrait du roi signé de quelques lignes, et il se sentait impressionné par la solennité de l'endroit, la raideur des sièges sculptés, cette quantité de livres, surtout par la présence du domestique, correct, habillé de noir, allant et venant, étalant avec précaution sur les fauteuils des vêtements et du linge frais. Mais là-bas, dans la lumière chaude de la lampe, la bonne face large, le profil connu de Roumestan le rassuraient un peu. Son courrier prêt, le grand homme passa aux mains du valet de chambre, et, la jambe tendue, pour qu'on lui retirât pantalon et chaussures, il interrogeait le tambourinaire, apprenait avec terreur qu'avant de venir, les Valmajour avaient tout vendu, les mûriers, les vignes, la ferme.

« Vendu la ferme, malheureux !

— Ah ! la sœur était bien un peu effrayée... Mais le papa et moi, nous avons tenu bon... Comme *j'y* disais : “Qu'est-ce que tu veux qu'on risque puisque Numa est là-bas, puisque c'est lui qui nous fait venir ?" »

Il fallait toute son innocence pour oser parler du ministre, devant lui, avec ce sans-façon. Mais ce n'est pas cela qui saisissait le plus Roumestan. Il songeait aux nombreux ennemis que lui avait déjà causés cette incorrigible manie de promettre. Quel besoin, je vous demande, d'aller troubler la vie de ces pauvres diables ? Et les moindres détails de sa visite au mont de Cordoue lui revenaient, les résistances de la paysanne, ses phrases pour la décider. Pourquoi ? Quel démon avait-il en lui ? Il était affreux, ce paysan ! Quant à son talent, Numa ne s'en souvenait guère, ne voyant que la corvée de toute cette tribu qui lui tombait sur les bras. D'avance, il entendait les reproches de sa femme, sentait le froid d'un regard sévère. « Les mots signifient quelque chose. » Et, dans sa nouvelle position, à la source de toutes les faveurs, que d'embarras il allait se créer avec sa fatale bienveillance !

Mais cette idée qu'il était ministre, la conscience de son pouvoir, le rassurèrent presque aussitôt. Est-ce qu'à des hauteurs pareilles ces niaiseries peuvent encore préoccuper ? Souverain maître aux Beaux-Arts, tous les théâtres sous la main, ce ne serait rien pour lui d'être utile à ce malheureux. Remonté dans sa propre estime, il changea de ton avec le campagnard, et, pour l'empêcher d'être familier, lui apprit solennellement, de très haut, à quelles dignités importantes il avait été élevé depuis le matin. Le malheur, c'est qu'en ce moment il était à demi vêtu, en chaussettes de soie sur le tapis, rapetissé, la bedaine proéminente dans la flanelle blanche d'un caleçon enrubanné de rose ; et Valmajour ne semblait pas autrement ému, le mot magique de « ministre » ne se liant pas dans son esprit avec ce gros homme en bras de chemise. Il continuait à l'appeler « moussu Numa », lui parlait de sa « musique », des airs nouveaux qu'il avait appris dessus. Ah ! il n'en craignait pas un des tambourinaires de Paris maintenant !

« Attendez... vous allez voir. »

Il s'élançait pour prendre son tambourin dans l'antichambre. Mais Roumestan le retint :

« Puisque je vous dis que je suis pressé, *qué* diable !

— Va bien... va bien... Ça sera pour un autre jour... » fit le paysan de son air bonasse.

Et, voyant Méjean qui s'approchait, il crut devoir à son admiration l'histoire du flûtet à trois trous :

« Ce m'est vénu dé nuit, en écoutant çanter lé rossignoou. Dans moi-même, je me pensais : Comment ! Valmajour... »

C'était le même petit récit qu'il faisait là-bas, sur l'estrade des arènes. Devant le succès obtenu, il l'avait retenu ingénument et mot pour mot. Mais, cette fois, il le débitait avec une certaine hésitation timide, une émotion augmentant de minute en minute, à mesure qu'il voyait Roumestan se transformer devant lui sous le large plastron de linge fin aux boutons de perles, l'habit noir d'une coupe sévère que le valet de chambre lui passait.

A présent, moussu Numa lui semblait grandi. La tête, que la préoccupation de ne pas chiffonner le nœud de mousseline blanche faisait raide et solennelle, s'éclairait des reflets pâles du grand cordon de Saint-Anne autour du cou et de la large plaque d'Isabelle la Catholique en soleil sur le drap mat. Et tout à coup le paysan, saisi d'un grand respect effaré, comprenait enfin qu'il avait en face de lui un des privilégiés de la terre, cet être mystérieux, presque chimérique, le puissant manitou vers qui les vœux, les désirs, les suppliques, les prières, ne s'élèvent que sur du papier grand format, tellement haut, que les humbles ne le voient jamais, tellement superbe, qu'ils ne prononcent son nom qu'à demi-voix, avec une sorte de crainte recueillie et d'emphase ignorante : le ministre !

Il en fut si troublé, le pauvre Valmajour, que c'est à peine s'il entendit les paroles bienveillantes dont Roumestan le congédiait, l'engageant à revenir le voir, mais seulement dans une quinzaine, quand il serait installé au ministère.

« Va bien... va bien, monsieur le ministre... »

Il gagnait la porte à reculons, ébloui par l'éclat des ordres officiels et l'extraordinaire expression de Numa transfiguré. Celui-ci resta très flatté de cette timidité subite qui lui donnait une haute opinion de ce qu'il appela désormais « son air ministre », la lippe majestueuse, le geste contenu, le grave froncement des sourcils.

Quelques instants après, Son Excellence roulait vers la gare, oubliant cet incident ridicule dans le mouvement berceur du coupé aux lanternes claires qui l'emportait rapidement vers de hautes et nouvelles destinées. Il préparait déjà les effets de son premier discours, combinait des plans, sa fameuse circulaire aux recteurs, pensait à ce qu'allaient dire le pays, l'Europe, le lendemain, en apprenant sa nomination, lorsqu'à un tournant du boulevard, dans le rayon lumineux du gaz sur l'asphalte mouillée, la silhouette du tambourinaire lui apparut, plantée au bord du trottoir, sa longue caisse luttant aux jambes. Assourdi, ahuri, il attendait, pour traverser, un arrêt dans le va-et-vient des voitures, innombrables à cette heure où tout Paris se hâte de rentrer, les petites charrettes à bras filant entre les roues des fiacres, et les omnibus pleins oscillant de l'impériale, pendant que sonnent les cornets à bouquin des tramways. Dans la nuit qui venait, la buée que l'humidité de la pluie dégageait de cette fièvre, dans cette vapeur de foule en activité, le malheureux paraissait si perdu, si dépaysé, aplati sous l'écrasement des hautes parois de ces maisons à cinq étages, il ressemblait si peu au superbe Valmajour donnant avec son tambourin le branle aux cigales sur la porte de son *mas*, que Roumestan détourna les yeux, se sentit pris d'un remords qui, pendant quelques minutes, jeta comme une ombre attristée sur l'éblouissement de son triomphe.

7

Passage du Saumon

En attendant une installation plus complète qui ne pourrait se faire qu'après l'arrivée de leurs meubles en route par la petite vitesse, les Valmajour s'étaient logés dans ce fameux passage du Saumon, où descendaient de tout temps les voyageurs d'Aps et de sa banlieue, et dont la tante Portal avait gardé un si étonnant souvenir. Ils occupaient là sous les toits une chambre et un cabinet, le cabinet sans jour ni air, une sorte de serre-bois dans lequel couchaient les deux hommes, la chambre guère plus grande, mais qui leur semblait superbe avec son acajou attaqué par les tarets, sa carpette miteuse, fripée, sur le carreau dérougi, et la fenêtre mansardée découpant un morceau du ciel, aussi jaune, aussi brouillé que la longue vitrine en dos d'âne du passage. Dans cette niche ils entretenaient le souvenir du pays par une forte odeur d'ail et d'oignon roussi, cuisinant eux-mêmes sur un petit poêle leur nourriture exotique. Le père Valmajour, très gourmand, aimant la compagnie, aurait bien préféré descendre à la table d'hôte, dont le linge blanc, les huiliers et les salières de plaqué l'enthousiasmaient, se mêler à la conversation bruyante de MM. les représentants de commerce qu'ils entendaient rire, aux heures des repas, jusqu'à leur cinquième étage. Mais la petite Provençale s'y opposait formellement.

Très étonnée de ne pas trouver en arrivant la réalisation des belles promesses de Numa, les deux cents francs par soirée qui, depuis la visite des Parisiens, faisaient dans sa petite tête imaginative un écroulement de piles d'écus, épouvantée du prix exorbitant de toutes choses, elle avait été prise, dès le premier jour, de cet affolement que le peuple de Paris appelle « la peur de manquer ». Toute seule, avec des anchois et des olives, elle s'en serait tirée — comme en carême, *té* ! pardi —, mais ses hommes avaient des dents de loup, bien plus longues ici qu'au pays parce qu'il faisait moins chaud, et il lui fallait à tout instant entrouvrir la *saquette*, grande poche d'indienne cousue par elle-même, dans laquelle sonnaient les trois mille francs, produit de la vente de leur bien. A chaque louis qu'elle changeait, c'était un effort, un arrachement, comme si elle donnait les pierres de son *mas*, les ceps de la dernière vigne — sa rapacité paysanne et méfiante, cette crainte d'être volée qui l'avait décidée à vendre la ferme au lieu de la mettre en location, se doublant de l'inconnu, du noir de Paris, ce grand Paris que de sa chambre là-haut elle entendait gronder sans le voir et dont la rumeur, à ce coin tumultueux des Halles, ne s'arrêtait ni jour ni nuit, faisait s'entrechoquer continuellement sur un vieux plateau de laque les pièces de son verre d'eau d'hôtel garni.

Jamais voyageur perdu dans un bois mal hanté ne se cramponna à sa valise plus énergiquement que la Provençale ne serrait contre elle la *saquette*, quand elle traversait la rue avec sa jupe verte, sa coiffe arlésienne, sur lesquelles se retournaient les passants, quand elle entrait chez les marchands où sa démarche de cane, sa façon de donner aux objets des tas de noms baroques, d'appeler les céleris des *àpi*, les aubergines des *mérinjanes*, la faisaient, elle, Française du Midi, aussi égarée, aussi étrangère, dans la capitale de la France, que si elle fût arrivée de Stockholm ou de Nijni-Novgorod.

Très humble d'abord, mielleuse, elle avait tout à coup, devant le sourire d'un fournisseur ou la brutalité d'un autre à son marchandage effréné, des accès de fureur qui sortaient en convulsions sur sa jolie figure de vierge brune, en gestes de possédée, en vanité bavarde et tapageuse. Et alors, l'histoire du cousin Puyfourcat et de son héritage, les deux cents francs par soirée, leur protecteur Roumestan dont elle parlait, disposait comme d'une chose absolument à elle, l'appelant tantôt Numa, tantôt le *menistre*, avec une emphase plus grotesque encore que sa familiarité, tout roulait, se mêlait dans des flots de charabia, de langue d'oïl francisée, jusqu'au moment où, la méfiance reprenant le dessus, la paysanne s'arrêtait, saisie d'une crainte superstitieuse de son bavardage, muette brusquement, les lèvres serrées comme les cordons de la *saquette*.

Au bout de huit jours, elle était légendaire à cette entrée de la rue Montmartre, tout en boutiques, répandant par les portes des fournisseurs toujours ouvertes, avec des odeurs d'herbages, de viande fraîche ou de denrées coloniales, la vie et les secrets des maisons du quartier. Et c'est cela, les questions qu'on lui adressait gouailleusement le matin en lui rendant la monnaie de ses maigres achats, les allusions au début constamment retardé de son frère, à l'héritage du Bédouin, ces blessures d'amour-propre plus encore que la crainte de la misère, qui excitait Audiberte contre Numa, contre ses promesses dont elle s'était d'abord justement méfiée, en vraie fille de ce Midi où les paroles volent plus vite qu'ailleurs, à cause de la légèreté de l'air.

« Ah ! si on lui avait fait faire un papier. »

C'était devenu son idée fixe, et, tous les matins, quand Valmajour partait pour le ministère, elle avait bien soin de tâter la feuille timbrée dans la poche de son paletot.

Mais Roumestan avait d'autres papiers à signer que celui-là, d'autres préoccupations en tête que le tambourin. Il s'installait au ministère avec les tracas, la fièvre de bouleversement, les ardeurs généreuses des prises de possession. Tout lui était nouveau, les vastes pièces de l'hôtel administratif autant que les vues élargies de sa haute situation. Arriver au premier rang, « conquérir la Gaule », comme il disait, ce n'était pas là le difficile ; mais se maintenir, justifier sa chance par d'intelligentes réformes, des tentatives de progrès !... Plein de zèle, il s'informait, consultait, conférait, s'entourait littéralement de lumières. Avec Béchut, l'éminent professeur, il étudiait les vices de l'éducation universitaire, les moyens d'extirper l'esprit voltairien des lycées ; s'aidait de l'expérience de son chargé des Beaux-Arts, M. de la Calmette, vingt-neuf ans de bureau, de Cadaillac, le directeur de l'Opéra, debout sur ses trois faillites, pour refondre le Conservatoire, le Salon, l'Académie de musique, d'après de nouveaux plans.

Le malheur, c'est qu'il n'écoutait pas ces messieurs, parlait pendant des heures, et, tout à coup, regardant sa montre, se levait, les congédiait en hâte :

« Coquin de sort ! Et le Conseil que j'oubliais... Quelle existence, pas une minute à soi... Entendu, cher ami... Envoyez-moi vite votre rapport. »

Les rapports s'empilaient sur le bureau de Méjean, qui, malgré son intelligence et sa bonne volonté, n'avait pas trop de tout son temps pour la besogne courante, et laissait dormir les grandes réformes.

Comme tous les ministres arrivants, Roumestan avait amené son monde, le brillant personnel de la rue Scribe : le baron de Lappara, le vicomte de Rochemaure, qui donnaient un bouquet aristocratique au nouveau cabinet, absolument ahuris, du reste, et ignorants de toutes les questions. La première fois que Valmajour se présenta rue de Grenelle, il fut reçu par Lappara, qui s'occupait plus spécialement des Beaux-Arts, envoyant à toute heure des estafettes, dragons, cuirassiers, porter aux demoiselles des petits théâtres des invitations à souper sous de grandes enveloppes ministérielles ; quelquefois même l'enveloppe ne contenait rien, n'était qu'un prétexte à montrer, au lendemain d'un terme impayé, le rassurant cuirassier du ministère. M. le baron fit au joueur de tambourin l'accueil bon enfant, un peu hautain, d'un grand seigneur recevant un de ses tenanciers. Les jambes allongées de peur des cassures à son pantalon bleu de France, il lui parla du bout des lèvres, sans cesser de polir, de limer ses ongles.

« Bien difficile en ce moment... le ministre si occupé... Bientôt, dans quelques jours... On vous préviendra, mon brave homme. »

Et comme le musicien avouait naïvement que ça pressait un peu, que leurs ressources ne dureraient pas toujours, M. le baron, de son air le plus sérieux, en posant sa lime au bord du bureau, l'engagea à mettre un tourniquet à son tambourin...

« Un tourniquet au tambourin ? Pour quoi faire ?

— Parbleu, mon bon, pour l'utiliser comme boîte à *plaisirs* pendant la morte-saison !... »

A la visite suivante, Valmajour eut affaire au vicomte de Rochemaure. Celui-ci leva d'un dossier poudreux où elle disparaissait tout entière sa tête frisée au petit fer, se fit expliquer consciencieusement le mécanisme du flûtet, prit des notes, essaya de comprendre, et déclara, pour finir, qu'il était plus spécialement pour les cultes. Puis le malheureux paysan ne trouva plus jamais personne, tout le cabinet étant allé rejoindre le ministre dans les régions inaccessibles où Son Excellence s'abritait. Pourtant il ne perdit son calme ni son courage, ouvrit toujours devant les réponses évasives des huissiers et leurs haussements d'épaules les mêmes yeux étonnés et clairs où luisait tout au fond cette pointe demi railleuse qui est l'esprit des regards provençaux :

« Va bien... va bien... je reviendrai. »

Et il revenait. Sans ses guêtres montantes et son instrument en sautoir, on eût pu le prendre pour un employé de la maison, tellement son arrivée y était régulière, quoique plus difficile chaque matin.

Rien que la vue de la haute porte cintrée lui faisait maintenant battre le cœur. Au fond de la voûte, c'était l'ancien hôtel Augereau, avec sa vaste cour où l'on entassait déjà du bois pour l'hiver, ses deux perrons si laborieux à monter sous les regards railleurs de la valetaille. Tout augmentait son émoi, les chaînes d'argent des huissiers, les casquettes galonnées, les accessoires infinis de ce majestueux appareil qui le séparait de son protecteur. Mais il redoutait plus encore les scènes au logis, le terrible froncement de sourcils d'Audiberte, et voilà pourquoi il revenait désespérément. Enfin le concierge eut pitié de lui, lui donna le conseil, s'il voulait voir le ministre, de l'attendre à la gare Saint-Lazare, au moment du départ pour Versailles.

Il y alla, se mit en faction dans la grande salle du premier étage animée, à l'heure des trains parlementaires, d'une physionomie bien à part. Députés, sénateurs, ministres, journalistes, la gauche, la droite, tous les partis se coudoyaient là, aussi bariolés, aussi nombreux que les placards, bleus, verts, rouges, couvrant les murs, et criaient, chuchotaient, se surveillaient de groupe à groupe, l'un s'écartant pour ruminer son prochain discours, un autre, orateur de couloirs, ébranlant les vitres des éclats d'une voix que la Chambre ne devait jamais entendre. Accents du Nord et du Midi, opinions et tempéraments divers, fourmillement d'ambitions et d'intrigues, piétinante rumeur de foule fiévreuse, la politique était bien à sa place dans cette incertitude de l'attente, ce tumulte du voyage à heure fixe, qu'un coup de sifflet précipitait sur dcs perspectives de rails, de disques, de locomotives, sur un sol mouvant, plein d'accidents et de surprises.

Au bout de cinq minutes, Valmajour voyait arriver, appuyé au bras d'un secrétaire chargé de son portefeuille, Numa Roumestan, le pardessus large ouvert, la face épanouie, tel qu'il lui était apparu le premier jour sur l'estrade des arènes, et, de loin, il reconnaissait sa voix, ses bonnes paroles, ses protestations d'amitié... « Comptez-y... fiez-vous à moi... C'est comme si vous l'aviez... »

Le ministre était alors dans la lune de miel du pouvoir. En dehors des hostilités politiques, souvent moins violentes dans le parlement qu'on pourrait le croire, rivalité de beaux parleurs, querelles d'avocats défendant des causes adverses, il ne se connaissait pas d'ennemis, n'ayant pas eu le temps, en trois semaines de portefeuille, de lasser les solliciteurs. On lui faisait crédit encore. Deux ou trois à peine commençaient à s'impatienter, à le guetter au passage. A ceux-là, il jetait très haut, en hâtant le pas, un « bonjour, ami » qui allait au-devant des reproches et les réfutait en même temps, tenait familièrement les réclamations à distance, laissait les quémandeurs déçus et flattés. Une trouvaille, ce « bonjour, ami », et d'une duplicité tout instinctive.

A la vue du musicien qui venait à lui en se dandinant, son sourire écarté sur ses dents blanches, Numa eut bien envie de lancer son bonjour de défaite ; mais comment traiter d'ami ce rustre en petit chapeau de feutre, en jaquette grise d'où ses mains ressortaient brunes comme sur des photographies de village ? Il aima mieux prendre « son air ministre » et passer raide en laissant le pauvre diable stupéfait, anéanti, bousculé par la foule qui se pressait derrière le grand homme. Valmajour reparut pourtant le lendemain et les jours suivants, mais sans oser s'approcher, assis au bord d'un banc, une de ces silhouettes résignées et tristes, comme on en voit dans les gares, à têtes de soldats ou d'émigrants prêts pour tous les hasards d'un destin mauvais. Roumestan ne pouvait éviter cette muette apparition toujours en travers de son chemin. Il avait beau feindre de l'ignorer, détourner son regard, causer plus fort en passant ; le sourire de sa victime était là et y restait jusqu'au départ du train. Certes, il eût préféré une réclamation brutale, une scène de cris où fussent intervenus les sergents de ville et qui l'eût débarrassé. Il en vint, lui, le ministre, à changer de gare, à prendre quelquefois la rive gauche pour dérouter ce remords vivant. Il y a comme cela, dans les plus hautes existences, de ces riens qui comptent, la gêne d'un gravier dans une botte de sept lieues.

L'autre ne se décourageait pas.

« C'est qu'il est malade... » se disait-il, ces jours-là ; et il revenait à son poste obstinément. Au logis, la sœur l'attendait fiévreuse, guettait sa rentrée.

« Eh ! *bé*, tu l'as vu, le *menistre* ?... Il l'a signé, le papier ? »

Et ce qui l'exaspérait plus que l'éternel : « Non... *p'encore* !... » c'était le flegme de son frère laissant tomber dans un coin la caisse dont la courroie lui marquait l'épaule, un flegme d'indolence et d'insouciance aussi fréquent chez les natures méridionales que la vivacité. Alors l'étrange petite créature entrait dans ses fureurs. Qu'est-ce qu'il avait donc dans les veines ?... Est-ce que ça n'allait pas finir, allons ?... « Gare, si un coup je m'en mêle !... » Lui, très calme, laissait passer le grain, tirait de leur étui le flûtet, la baguette à bout d'ivoire, les frottait d'un morceau de laine, par crainte de l'humide, et, tout en astiquant, promettait de s'y prendre mieux le lendemain, d'essayer encore au ministère, et, si Roumestan n'était pas là, de demander à voir sa dame.

« Ah ! *vaï*, sa dame... tu sais bien qu'elle n'aime pas ta musique... Si c'était la demoiselle... celle-là, oui, par *ézemple* !... »

Et elle remuait la tête.

« La dame ou la demoiselle, tout ça se moque bien de vous... » disait le père Valmajour blotti devant un feu de mottes que sa fille couvrait de cendres économiquement et qui mettait entre eux un éternel sujet de querelle.

Au fond, par jalousie de métier, le vieux n'était pas fâché de l'insuccès de son fils. Comme toutes ces complications, ce grand désarroi de leur vie allaient à ses goûts bohèmes de ménétrier, il s'était d'abord réjoui du voyage, de l'idée de voir Paris, « le paradis des femmes et l'enfer des *chivaux* », ainsi que disent les charretiers de là-bas, avec des imaginations de houris en légers voiles, et de chevaux tordus, cabrés au milieu des flammes. En arrivant, il avait trouvé le froid, les privations, la pluie. Par crainte d'Audiberte, par respect pour le ministre, il s'était contenté de grogner en grelottant dans son coin, de glisser des mots en dessous, des clignements d'yeux ; mais la défection de Roumestan, les colères de sa fille, ouvraient pour lui aussi la voie aux récriminations. Il se vengeait de toutes les blessures d'amour-propre dont les succès du garçon le torturaient depuis dix ans, haussait les épaules en écoutant le flûtet.

« Musique, musique, bien, va... Ça ne te servira pas à grand-chose. »

Et, tout haut, il demandait si ça ne faisait pas pitié, un homme de son âge, l'avoir emmené si loin, dans cette *Sibérille*, pour le laisser crever de froid et de misère ; il invoquait le souvenir de sa pauvre sainte femme, qu'il avait d'ailleurs tuée de chagrin, « fait devenir chèvre, allons ! » selon l'expression d'Audiberte, restait des heures à geindre, la tête au foyer, rouge et grimaçant, jusqu'à ce que sa fille, fatiguée de ces lamentations, se débarrassât de lui avec deux ou trois sous pour aller boire un verre de doux chez le marchand de vin. Là, son désespoir s'apaisait tout de suite. Il faisait bon, le poêle ronflait. Le vieux pitre, réchauffé, retrouvait sa verve falote de personnage de la comédie italienne, au grand nez, à la bouche mince, sur un petit corps sec, tout de guingois. Il amusait la galerie de ses gasconnades, blaguait le tambourin de son fils qui leur valait toutes sortes d'ennuis dans l'hôtel ; car Valmajour, tenu en haleine par l'attente de son début, piochait son instrument jusqu'au milieu de la nuit, et les voisins se plaignaient des trilles suraigus de la petite flûte, du bourdonnement continuel dont le tambourin faisait frémir l'escalier, comme s'il y avait eu un tour en mouvement au cinquième étage.

« Va toujours... » disait Audiberte à son frère, quand la propriétaire de l'hôtel réclamait. Il n'aurait plus manqué que, dans ce Paris qui menait un tintamarre à ne pas fermer l'œil de la nuit, on n'eût pas le droit de travailler sa musique ! Et il la travaillait. Mais on leur donna congé ; et de quitter ce passage du Saumon, célèbre en Aps et leur rappelant la patrie, il leur sembla que l'exil s'aggravait, qu'ils remontaient un peu plus dans le Nord.

La veille de partir, Audiberte, après la course quotidienne et infructueuse du tambourinaire, fit manger ses hommes à la hâte, sans parler de tout le déjeuner, mais avec les yeux brillants, l'air déterminé d'une résolution prise. Le repas fini, elle leur laissa le soin de débarrasser la table, jeta sur ses épaules sa longue mante couleur de rouille.

« Deux mois, deux mois bientôt que nous sommes à Paris !... dit-elle les dents serrées... Il y en a assez... Je m'en vais lui parler, moi, à ce *menistre* !... »

Elle ajusta le ruban de sa terrible petite coiffe qui, sur le haut de ses cheveux en larges ondes, prenait des mouvements de casque de guerre, et violemment quitta la chambre, ses talons bien cirés retroussant à chaque pas la bure épaisse de sa robe. Le père et le fils se regardèrent avec épouvante, sans essayer de la retenir, sachant bien qu'ils ne feraient qu'exaspérer sa colère ; et ils passèrent l'après-midi en tête à tête, échangeant à peine trois paroles, pendant que la pluie ruisselait en bas sur le vitrage, l'un astiquant baguette et flûtet, l'autre cuisinant le fricot du dîner sur un feu qu'il faisait aussi ardent que possible, pour se chauffer tout son soûl une bonne fois, pendant la longue absence d'Audiberte. Enfin, son pas pressé de nabote sonna dans le corridor. Elle entra, elle rayonnait.

« Dommage que la fenêtre ne donne pas sur la rue », dit-elle en se débarrassant de son manteau qui n'avait pas une goutte de pluie... « Vous auriez pu voir en bas le bel équipage qui m'amène.

— Un équipage !... Tu badines ?

— Et des domestiques, et des galons... C'est ça qui en fait un ramage dans l'hôtel. »

Alors, au milieu de leur silence admirant, elle raconta, mima son expédition. D'abord et d'une, au lieu de demander après le ministre, qui ne l'aurait jamais reçue, elle s'était fait donner l'adresse — on a tout ce qu'on veut en parlant poliment —, l'adresse de la sœur, cette grande demoiselle qui était venue avec lui à Valmajour. Elle ne demeurait pas au ministère, mais chez ses parents, dans un quartier de petites rues mal pavées, avec des odeurs de droguerie, rappelant à Audiberte sa province. Et c'était loin, et il fallait marcher. Enfin elle trouvait la maison, sur une place où il y avait des arcades, comme autour de la Placette, en Aps. Ah ! la brave demoiselle, qu'elle l'avait bien reçue, sans fierté, quoique ça eût l'air très riche chez elle, des belles dorures plein l'appartement et des rideaux de soie rattachés comme ci comme ça de tous les côtés :

« Eh ! adieu... vous êtes donc à Paris ?... D'où vient ?... Depuis quand ? »

Puis, lorsqu'elle avait su comme Numa les faisait aller, tout de suite elle sonnait sa dame gouvernante — une dame à chapeau, elle aussi —, et toutes trois partaient pour le ministère. Il fallait voir l'empressement et les révérences jusqu'à terre de tous ces vieux bedeaux qui couraient devant elles pour leur ouvrir les portes.

« Alors, tu l'as vu, le *menistre* ? demanda timidement Valmajour, pendant qu'elle reprenait son souffle.

— Si je l'ai vu !... Et poli, je t'en réponds !... Ah ! pauvre *bédigas*, quand je te disais qu'il fallait mettre la demoiselle dans ton jeu... C'est elle qui a eu vite rangé les affaires, et sans réplique... Dans huit jours, il y aura grande fête en musique au *menistère* pour te montrer aux directeurs... Et tout de suite après, *cra-cra*, le papier et la signature. »

Le plus beau, c'est que la demoiselle venait de la reconduire jusqu'en bas, dans la voiture du ministre.

« Et qu'elle avait bien envie de monter ici... » ajouta la Provençale en clignant de l'œil vers son père et tordant son joli visage d'une grimace significative. Toute la face du vieux, sa peau craquée de figue sèche, se resserra pour dire : « Compris... motus !... » Il ne blaguait plus le tambourin. Valmajour, lui, très calme, ne saisissait pas l'allusion perfide de sa sœur. Il ne songeait qu'à ses prochains débuts, et, décrochant la caisse, il se mit à repasser tous ses airs, à envoyer en adieu d'un bout à l'autre du passage des trilles en bouquets sur des mesures redondantes.

8

Regain de jeunesse

Le ministre et sa femme achevaient de déjeuner dans leur salle à manger du premier étage, pompeuse et trop vaste, que ne parvenaient pas à dégeler l'épaisseur des tentures, les calorifères chauffant tout l'hôtel, ni le fumet d'un copieux repas. Ce matin-là, par hasard, ils étaient seuls. Sur la nappe, parmi la desserte toujours très fournie à la table du Méridional, il y avait sa boîte à cigares, la tasse de verveine qui est le thé des Provençaux, et de grands casiers alignant les fiches multicolores où étaient inscrits les sénateurs, députés, recteurs, professeurs, académiciens, gens du monde, la clientèle ordinaire et extraordinaire des soirées ministérielles — quelques cartons plus hauts que les autres, pour les invités privilégiés, imposés à la première série des « petits concerts ». Mme Roumestan les feuilletait, s'arrêtait à certains noms, surveillée du coin de l'œil par Numa qui, tout en choisissant son cigare d'après-déjeuner, guettait sur cette calme physionomie une désapprobation, un contrôle à la manière un peu hasardée dont ces premières invitations avaient été faites.

Mais Rosalie ne demandait rien. Tous ces apprêts lui étaient bien indifférents. Depuis leur installation au ministère, elle se sentait encore plus loin de son mari, séparée par des obligations incessantes, un personnel trop nombreux, une largeur d'existence qui détruisait l'intimité. A cela venait s'ajouter le regret toujours navré de n'avoir pas d'enfant, de ne pas entendre autour d'elle ces petits pas infatigables, ces bons rires craquants et sonores qui auraient enlevé à leur salle à manger ce glacial aspect d'une table d'hôtel où ils semblaient ne s'asseoir qu'en passant, avec l'impersonnalité du linge, mobilier, argenterie, tout le garni somptueux des situations publiques.

Dans le silence embarrassé de cette fin de repas arrivaient des sons étouffés, des bouffées d'harmonie scandées par des bruits de marteaux, les tentures, l'estrade que l'on clouait en bas pour le concert, pendant que les musiciens répétaient leurs morceaux. La porte s'ouvrit. Le chef de cabinet entra, des papiers à la main :

« Encore des demandes !... »

Roumestan s'emporta. Ça, non, par exemple ! ce serait le pape, il n'y avait plus une place à donner. Méjean, sans s'émouvoir, posa devant lui un paquet de lettres, cartes, billets parfumés :

« Il est bien difficile de refuser... vous avez promis...

— Moi ?... mais je n'ai parlé à personne...

— Voyez... *Mon cher ministre, je viens vous rappeler votre bonne parole...* Et celle-ci... *Le général m'a dit que vous aviez bien voulu lui offrir...* et encore... *Rappelle à M. le ministre sa promesse.*

— Je suis somnambule, allons ! » dit Roumestan stupéfait.

La vérité, c'est que, la fête à peine décidée, aux gens qu'il rencontrait à la Chambre, au Sénat, il avait dit : « Vous savez, je compte sur vous pour le 10... » Et comme il ajoutait « tout à fait intime... », on n'aurait eu garde d'oublier la flatteuse invitation.

Gêné de ce flagrant délit devant sa femme, il s'en prit à elle comme toujours en pareil cas :

« C'est ta sœur aussi, avec son tambourinaire... J'avais bien besoin de tout ce tintoin... je ne comptais inaugurer nos concerts que plus tard... mais cette petite fille était d'une impatience : "Non, non... tout de suite, tout de suite..." Et tu étais aussi pressée qu'elle... *L'azé me fiche*, si ce tambourin ne vous a pas tourné la tête !

— Oh ! non, pas à moi, dit Rosalie gaiement... Et même j'ai bien peur que cette musique exotique ne soit pas comprise des Parisiens... Il faudrait nous apporter avec elle les horizons de Provence, les costumes, les farandoles... mais avant tout... » Sa voix se fit sérieuse... « Il s'agissait de tenir un engagement pris.

— Un engagement... Un engagement, répétait Numa, on ne pourra bientôt plus dire un mot. »

Et, se tournant vers son secrétaire qui souriait :

« Pardi ! mon cher, tous les Méridionaux ne sont pas comme vous, refroidis et mesurés, avares de leurs paroles... Vous êtes un faux du Midi, vous, un renégat, un *Franciot*, comme on dit chez nous... Méridional, ça !... Un homme qui n'a jamais menti... et qui n'aime pas la verveine ! ajouta-t-il avec une indignation comique.

— Pas si *franciot* que j'en ai l'air, monsieur le ministre, répliqua Méjean, toujours très calme... A mon arrivée à Paris, il y a vingt ans, je sentais terriblement mon pays... De l'aplomb, de l'accent, des gestes... bavard et inventif comme...

— Comme Bompard... souffla Roumestan qui n'aimait pas qu'on raillât l'ami de son cœur, mais ne s'en faisait pas faute.

— Oui, ma foi, presque autant que Bompard... un instinct me

poussait à ne jamais dire un mot de vrai... Un matin, la honte m'a pris, j'ai travaillé à me corriger... L'exagération extérieure, on en vient encore à bout, en baissant la voix, en serrant les coudes. Mais le dedans, ce qui bouillonne, ce qui veut sortir... Alors j'ai pris un parti héroïque. Chaque fois que je me surprenais à côté du vrai, c'était une condamnation à ne plus parler le reste du jour... voilà comment j'ai pu réformer ma nature... Tout de même l'instinct est là, au fond de ma froideur... Quelquefois il m'arrive de m'arrêter net au milieu d'une phrase. Ce n'est pas le mot qui me manque, au contraire !... je me retiens, parce que je sens que je vais mentir.

— Terrible Midi ! Pas moyen de lui échapper... » fit le bon Numa envoyant la fumée de son cigare au plafond avec une résignation philosophique...

« Moi, c'est par la manie de promettre qu'il me tient surtout, cette rage que j'ai de me précipiter à la tête des gens, de vouloir leur bonheur malgré eux... »

L'huissier de service l'interrompit, en jetant du seuil, d'un air entendu et confidentiel : « M. Béchut est arrivé... »

Le ministre eut un élan de mauvaise humeur :

« Je déjeune... qu'on me laisse tranquille ! »

L'huissier s'excusa. M. Béchut prétendait que c'était Son Excellence... Roumestan se radoucit :

« Bien, bien, j'y vais... Qu'on attende dans mon cabinet.

— Ah ! mais non, dit Méjean... Votre cabinet est occupé... Le Conseil supérieur, vous savez bien... C'est vous qui avez fixé l'heure.

— Alors, chez M. de Lappara...

— J'y ai mis l'évêque de Tulle, observa l'huissier timidement, monsieur le ministre m'avait dit... »

C'était plein de monde partout... Des solliciteurs qu'il avait avertis en confidence de venir à cette heure-là pour être sûrs de ne pas le manquer ; et la plupart, des personnes de marque à qui l'on ne fait pas faire antichambre avec le fretin.

« Prends mon petit salon... Je vais sortir... » dit Rosalie en se levant.

Et pendant que l'huissier et le secrétaire allaient installer ou faire patienter les gens, le ministre avalait bien vite sa verveine, se brûlait en répétant : « Je suis débordé... débordé... »

« Qu'est-ce qu'il veut donc encore, ce triste Béchut ? demanda Rosalie, baissant la voix d'instinct, dans cette maison pleine, où il y avait un étranger derrière chaque porte.

— Ce qu'il veut ?... Sa direction, *té* !... C'est le requin de Dansaert... Il attend qu'on le lui jette par-dessus bord pour le dévorer. »

Elle se rapprocha de lui vivement :

« M. Dansaert quitte le ministère ?

— Tu le connais ?

— Mon père m'a souvent parlé de lui... Un compatriote, un ami d'enfance... Il le tient pour un honnête homme et un grand esprit. »

Roumestan balbutia quelques raisons... « Mauvaises tendances... voltairien... » Cela rentrait dans un plan de réformes. Et puis il était bien vieux.

« Et c'est par Béchut que tu le remplaces ?

— Oh ! je sais que le pauvre homme n'a pas le don de plaire aux dames... »

Elle eut un beau sourire de dédain :

« Pour ses impertinences, je m'en soucie autant que de ses hommages... Ce que je ne lui pardonne pas, ce sont ses grimaces cléricales, cet étalage bien-pensant... je respecte toutes les croyances... Mais s'il y a au monde une chose laide et qu'il faut haïr, Numa, c'est le mensonge, c'est l'hypocrisie. »

Malgré elle, sa voix s'élevait, chaude, éloquente ; et son visage un peu froid prenait un resplendissement d'honnêteté, de droiture, un rose éclat d'indignation généreuse.

« Chut ! chut ! » fit Roumestan, montrant la porte. Sans doute, il convenait que ce n'était pas très juste. Ce vieux Dansaert rendait de grands services. Seulement, que faire ? Il avait donné sa parole.

« Reprends-la, dit Rosalie... voyons, Numa... pour moi... je t'en prie. »

C'était un tendre commandement, appuyé par la pression d'une petite main sur son épaule. Il se sentit ému. Depuis longtemps, sa femme semblait désintéressée de sa vie, avec une muette indulgence quand il lui confiait ses projets toujours changeants. Cette prière le flattait.

« Est-ce qu'on peut vous résister, ma chère ? »

Et le baiser qu'il lui mit au bout des doigts remonta en frémissant jusque sous l'étroite manche de dentelle. Elle avait de si jolis bras... Il souffrait cependant de cette obligation de dire en face à quelqu'un une chose désagréable, et se leva avec effort.

« Je suis là !... j'écoute... » dit-elle, en le menaçant d'un gentil geste.

Il passa dans le petit salon voisin, laissant la porte entrouverte pour se donner du courage et qu'elle pût l'entendre. Oh ! le début fut net, énergique.

« Je suis au désespoir, mon cher Béchut... Ce que je voulais faire pour vous n'est pas possible... »

Des réponses du savant, on ne saisissait que l'intonation pleurarde, coupée des bruyantes aspirations de son groin de tapir. Mais, au grand étonnement de Rosalie, Roumestan ne céda pas et continua à défendre Dansaert avec une conviction surprenante chez un homme à qui les arguments venaient d'être suggérés. Certes il lui en coûtait de reprendre une parole donnée ; mais tout ne valait-il pas mieux que de commettre une injustice ? C'était la pensée de sa femme, modulée, mise en musique, avec de grands gestes émus qui faisaient du vent dans la tenture.

« Du reste », ajouta-t-il en changeant de ton brusquement, « j'entends bien vous dédommager de ce petit mécompte...

— Ah ! mon Dieu... » dit Rosalie, tout bas. Ce fut aussitôt une grêle de promesses étonnantes, la croix de commandeur pour le 1er janvier prochain, la première place vacante au Conseil supérieur, la... le... L'autre essayait de protester, pour la forme. Mais Numa :

« Laissez donc, laissez donc... C'est un acte de justice... Les hommes tels que vous sont trop rares... »

Ivre de bienveillance, balbutiant d'affectuosité, si Béchut n'était pas parti, le ministre allait positivement lui proposer son portefeuille. Sur la porte, il le rappela encore :

« Je compte sur vous dimanche, mon cher maître... J'inaugure une série de petits concerts... Entre intimes, vous savez... Le dessus du panier... »

Et revenant vers Rosalie :

« Eh bien ! qu'en dis-tu ?... J'espère que je ne lui ai rien cédé ! »

C'était si drôle qu'elle l'accueillit d'un grand éclat de rire. Quand il en sut la raison et tous les nouveaux engagements qu'il venait de prendre, il parut épouvanté.

« Allons, allons... On vous sait gré tout de même. »

Elle le quitta avec le sourire des anciens jours, toute légère de sa bonne action, heureuse aussi peut-être de sentir s'agiter en son cœur quelque chose qu'elle croyait mort depuis longtemps.

« Ange, va ! » fit Roumestan qui la regardait s'en aller, ému, les yeux tendres ; et comme Méjean rentrait l'avertir pour le Conseil :

« Voyez-vous, mon ami, quand on a le bonheur de posséder une femme pareille... le mariage, c'est le paradis sur la terre... Dépêchez-vous vite de vous marier. »

Méjean secoua la tête, sans répondre.

« Comment ! Vos affaires ne vont donc pas ?

— Je le crains bien. Mme Roumestan m'avait promis d'interroger sa sœur, et comme elle ne me parle plus de rien...

— Voulez-vous que je m'en charge ? Je m'entends à merveille, moi, avec ma petite belle-sœur. Je parie que je la décide... »

Il restait un peu de verveine dans la théière. Tout en se versant une nouvelle tasse, Roumestan s'épanchait en protestations pour son chef de cabinet. Ah ! les grandeurs ne l'avaient pas changé. Méjean était toujours son excellent, son meilleur ami. Entre Méjean et Rosalie il se sentait plus solide, plus complet...

« Ah ! mon cher, cette femme, cette femme !... Si vous saviez ce qu'elle a été bonne, pardonnante !... Quand je pense que j'ai pu... »

Il lui en coûta positivement pour retenir la confidence qui lui venait aux lèvres avec un gros soupir. « Si je ne l'aimais pas, je serais bien coupable... »

Le baron de Lappara entra très vite, l'air mystérieux :

« Mlle Bachellery est là. »

Aussitôt le visage de Numa se colora vivement. Un éclair sécha dans ses yeux l'attendrissement qui montait.

« Où est-elle ?... Chez vous ?

— J'avais déjà Mgr Lipmann... dit Lappara un peu railleur à l'idée d'une rencontre possible. Je l'ai mise en bas... dans le grand salon... La répétition est finie.

— Bien... J'y vais.

— N'oubliez pas le Conseil... » essaya de dirc Méjean. Mais Roumestan sans l'entendre s'élançait dans le petit escalier en casse-cou qui mène des appartements particuliers du ministre au rez-de-chaussée de réception.

Depuis l'histoire de Mme d'Escarbès, il s'était toujours gardé des liaisons sérieuses, affaires de cœur ou de vanité qui auraient pu détruire à jamais son ménage. Ce n'était certes pas un mari modèle ; mais le contrat criblé d'accrocs tenait encore. Rosalie, bien qu'avertie une première fois, était trop droite, trop honnête pour de jalouses surveillances, et toujours inquiète n'arrivait jamais aux preuves. A cette heure encore, s'il eût pu se douter de la place que ce nouveau caprice allait tenir dans son existence, il se fût dépêché de remonter l'escalier encore plus vite qu'il ne le descendait ; mais notre destin s'amuse toujours à nous intriguer, à venir vers nous enveloppé et masqué, doublant de mystère le charme des premières rencontres. Comment Numa se serait-il méfié de cette fillette, que de sa voiture il avait aperçue quelques jours auparavant, traversant la cour de l'hôtel, sautillant pour franchir les flaques, la jupe chiffonnée dans une main, et dressant son en-cas de l'autre avec une crânerie toute parisienne ? De grands cils recourbés au-dessus d'un nez fripon, une chevelure blonde nouée dans le dos à l'Américaine et que l'humidité de l'air frisait au bout, une jambe pleine et fine, d'aplomb sur de hauts talons qui tournaient, c'est tout ce qu'il avait vu d'elle, et le soir il demandait à Lappara sans y attacher plus d'importance :

« Parions que ça venait chez vous ce petit museau que j'ai rencontré, ce matin, dans la cour.

— Oui, monsieur le ministre, ça venait chez moi ; mais ça venait pour vous... »

Et il nomma la petite Bachellery.

« Comment ! la débutante des Bouffes... Quel âge a-t-elle donc ?... Mais c'est une enfant !... »

Les journaux en parlaient beaucoup cet hiver-là de cette Alice Bachellery que le caprice d'un maestro à la mode était allé chercher dans un petit théâtre de province, et que tout Paris voulait entendre chanter la chanson du *Petit Mitron* dont elle détaillait le refrain avec une gaminerie canaille irrésistible : *Chaud ! Chaud ! Les p'tits pains d'gruau !...* Une de ces divas comme le Boulevard en consomme à la demi-douzaine chaque saison, gloires de papier, gonflées de gaz et de réclame, faisant songer aux petits ballons roses qui n'ont qu'un jour dans le soleil et la poussière des jardins publics. Et sait-on ce que celle-là venait solliciter au ministère : la grâce de figurer sur le programme du premier concert. La petite Bachellery à l'Instruction publique !... C'était si gai, si fou, que Numa voulut le lui entendre demander à elle-même ; et, par lettre ministérielle sentant le buffle et les gants de cuirassier, lui fit savoir qu'il la recevrait le lendemain. Le lendemain, Mlle Bachellery ne vint pas.

« Elle aura changé d'idée, dit Lappara... Elle est si enfant ! »

Le ministre se piqua, n'en parla plus de deux jours, et le troisième l'envoya chercher.

Maintenant elle attendait dans le salon des fêtes, rouge et or, si imposant avec ses hautes fenêtres de plain-pied sur le jardin dépouillé, ses tentures des Gobelins et le grand Molière de marbre assis et rêvant tout au fond. Un Pleyel, quelques pupitres pour les répétitions tenaient à peine un coin de la vaste salle, dont l'aspect froid de musée désert eût impressionné toute autre que la petite Bachellery ; mais elle était si enfant ! Tentée par le grand parquet luisant et ciré, ne s'amusait-elle pas à faire des glissades d'un bout à l'autre, serrée dans ses fourrures, les bras dans son manchon trop petit, le nez en l'air sous sa toque, avec des allures de coryphée dansant le « ballet sur la glace » du *Prophète*.

Roumestan la surprit à cet exercice.

« Ah ! monsieur le ministre... »

Elle restait interdite, les cils battants, un peu essoufflée. Lui, était entré, la tête haute, la démarche grave, pour relever ce que l'entrevue pouvait avoir d'anormal, et donner une leçon à ce trottin qui faisait poser les Excellences. Mais il fut tout de suite désarmé. Comment voulez-vous ?... Elle expliquait si bien sa petite affaire, le désir ambitieux qui lui était venu tout à coup de figurer à ce concert dont on parlait tant, une occasion pour elle de se faire entendre autrement que dans l'opérette et la gaudriole qui l'excédaient. Puis, à la réflexion, le trac l'avait prise.

« Oh ! mais, un de ces tracs... Pas vrai, maman ? »

Roumestan aperçut alors une grosse dame en mantelet de velours, chapeau à plumes, qui du bout du salon s'avançait sur des révérences en trois temps. Mme Bachellery la mère, une ancienne Dugazon de cafés-concerts, à l'accent bordelais, au petit nez de sa fille noyé dans une large face d'écaillère, une de ces mamans terribles qui se montrent à côté de leurs demoiselles comme l'avenir désastreux de leur beauté. Mais Numa n'était pas en train d'études philosophiques, tout à cette grâce de jeunesse étourdie, sur un corps fait, et adorablement fait, cet argot de théâtre dans un rire ingénu — du rire de seize ans, disaient ces dames.

« Seize ans !... Mais à quel âge est-elle donc entrée au théâtre ?

— Elle y est née, monsieur le ministre... Le père, aujourd'hui retiré, était directeur des Folies-Bordelaises...

— Une enfant de la balle, quoi ! dit Alice avec mutinerie, en montrant trente-deux dents étincelantes qui s'alignèrent serrées et droites comme à la parade.

— Alice, Alice ! tu manques à Son Excellence...

— Laissez donc... C'est une enfant. »

Il la fit asseoir près de lui sur le canapé, d'un geste bienveillant, presque paternel, la complimenta sur son ambition, ses goûts de grand art, son désir d'échapper aux faciles et désastreux succès de l'opérette ; seulement il fallait du travail, beaucoup de travail, des études sérieuses.

« Oh ! pour ça, dit la fillette brandissant un rouleau de musique... Tous les jours deux heures avec la Vauters !...

— La Vauters ?... Parfait... Excellente méthode... » Il ouvrit le rouleau en connaisseur.

« Et qu'est-ce que nous chantons ?... Ah ! ah ! la valse de *Mireille*... la chanson de Magali... Mais c'est de mon pays, ça. »

En balançant la tête, les paupières allongées, il se mit à fredonner :

> « *O Magali, ma bien-aimée,*
> *Fuyons tous deux sous la ramée,*
> *Au fond du bois silencieux...* »

Elle continua :

> « *La nuit sur nous étend ses voiles*
> *Et tes beaux yeux* »

Et Roumestan à pleine voix :

> « *Vont faire pâlir les étoiles...* »

Elle l'interrompit :

« Attendez donc... Maman va nous l'accompagner. »

Et les pupitres bousculés, le piano ouvert, elle installait sa mère de force. Ah ! une petite personne décidée... Le ministre hésita une seconde, le doigt sur la page du duo. Si quelqu'un les entendait !... Bah ! depuis trois jours on répétait tous les matins dans le grand salon... Ils commencèrent.

Tous deux suivaient, debout, sur la même page de musique que Mme Bachellery accompagnait de mémoire. Leurs deux fronts rapprochés se touchaient presque, leurs souffles se frôlaient avec les caresses modulantes du rythme. Et Numa se passionnait, donnait de l'expression, tendait les bras, aux notes hautes, pour les mieux porter. Depuis quelques années, depuis son grand rôle politique, il avait plus souvent parlé que solfié ; sa voix s'était alourdie comme sa personne, mais il prenait encore un grand plaisir à chanter, surtout avec cette enfant.

Par exemple, il avait complètement oublié l'évêque de Tulle, et le Conseil supérieur se morfondant en rond autour de la grande table verte. Une ou deux fois la tête blafarde de l'huissier de service était apparue dans le cliquetis de sa chaîne d'argent pour reculer aussitôt, effarée d'avoir vu le ministre de l'Instruction publique et des Cultes chantant un duo avec une actrice des petits théâtres. Ministre, Numa ne l'était plus, mais Vincent le vannier poursuivant l'imprenable Magali dans ses transformations coquettes. Et comme elle fuyait bien, comme elle se dérobait avec sa malice enfantine, l'éclat perlé de son rire aux dents aiguës, jusqu'au moment où vaincue elle s'abandonnait, sa petite tête folle tout étourdie de la course, sur l'épaule de son ami !...

Ce fut la maman Bachellery qui rompit le charme en se retournant, sitôt le morceau fini :

« Quelle voix, monsieur le ministre, quelle voix !

— Oui... j'ai chanté dans ma jeunesse... dit-il avec une certaine fatuité.

— Mais vous chantez encore *maguenifiquement*... Hein, Bébé, quelle différence avec M. de Lappara ? »

Bébé, qui roulait son morceau, haussa légèrement les épaules comme si une vérité aussi indiscutable ne méritait pas d'autre réponse. Roumestan demanda, un peu inquiet :

« Ah ! M. de Lappara... ?

— Oui, il vient quelquefois manger la bouillabaisse ; puis, après dîner, Bébé et lui chantent leur duo. »

A ce moment, l'huissier n'entendant plus de musique se décida à rentrer, avec des précautions de dompteur dans la cage d'un fauve.

« J'y vais... j'y vais... » dit Roumestan, et s'adressant à la fillette, de son air le plus ministre, pour bien lui faire sentir la distance hiérarchique qui le séparait de son attaché :

« Je vous fais mon compliment, mademoiselle. Vous avez beaucoup de talent, beaucoup, et s'il vous plaît de chanter ici dimanche, je vous accorde bien volontiers cette faveur. »

Elle eut un cri d'enfant : « Vrai ?... oh ! que c'est gentil... » et d'un bond lui sauta au cou.

« Alice !... Alice !... Eh bien ?... »

Mais elle était déjà loin, courant à travers les salons, où elle semblait si petite dans la haute enfilade, une enfant, tout à fait une enfant.

Il resta tout ému de cette caresse, attendit une minute avant de remonter. Devant lui, dans le jardin rouillé, un rayon courait sur la pelouse, tiédissait et vivifiait l'hiver. Il se sentait pénétré jusqu'au cœur d'une douceur pareille, comme si ce corps si vif, si souple, en l'effleurant, lui avait communiqué un peu de sa chaleur printanière. « Ah ! c'est joli, la jeunesse. » Machinalement, il se regarda dans une glace ; une préoccupation lui venait qu'il n'avait plus depuis des années... Quels changements, *boun Diou* !... Très gros à cause du métier sédentaire, des voitures dont il abusait, le teint brouillé de veilles, les tempes déjà éclaircies et grises, il s'épouvanta encore de la largeur de ses joues, de cette plate distance entre le nez et l'oreille. « Si je laissais pousser ma barbe pour cacher ça... » Oui, mais elle pousserait blanche... Et il n'avait pas quarante-cinq ans. Ah ! la politique vieillit.

Il connut là, pendant une minute, l'affreuse tristesse de la femme qui se voit finie, incapable d'inspirer l'amour, quand elle peut le ressentir encore. Ses paupières rougies se gonflèrent ; et, dans ce palais de puissant, cette amertume, profondément humaine, où l'ambition n'était pour rien, avait quelque chose de plus cuisant. Mais, avec sa mobilité d'impressions, il se consola vite, en songeant à la gloire, à son talent, à sa haute situation. Est-ce que cela ne valait pas la beauté, la jeunesse, pour se faire aimer ?

« Allons donc !... »

Il se trouva très bête, chassa son chagrin d'un coup d'épaule, et monta congédier le Conseil, car il ne lui restait plus le temps de le présider.

« Qu'est-ce que vous avez donc aujourd'hui, mon cher ministre ?... vous paraissez tout rajeuni. »

Plus de dix fois dans la journée, on adressa ce compliment à sa bonne humeur très remarquée dans les couloirs de la Chambre, où il se surprenait fredonnant : *O Magali, ma bien-aimée*. Assis au banc des ministres, il écoutait avec une attention très flatteuse pour l'orateur un interminable discours sur le tarif douanier, souriait béatement, les paupières rabattues. Et les gauches, qu'effrayait sa réputation d'astuce, se disaient toutes frémissantes : « Tenons-nous bien... Roumestan prépare quelque chose. » Simplement la silhouette de la petite Bachellery que son imagination s'amusait à évoquer dans le vide du discours bourdonnant, à faire trotter devant le banc ministériel, détaillant toutes ses attractions, ses cheveux coupant le front d'une blonde effilochure, son teint d'aubépine rose, son allure fringante de fillette déjà femme.

Pourtant, vers le soir, il eut encore un accès de tristesse en revenant de Versailles avec quelques-uns de ses collègues du cabinet. Dans l'étouffement d'un wagon plein de fumeurs, on causait, sur ce ton de gaieté familière que Roumestan apportait partout avec lui, d'un certain chapeau de velours nacarat encadrant une pâleur créole à la tribune diplomatique où il avait fait une heureuse diversion aux tarifs douaniers et mis tous les nez des honorables en l'air, comme dans une classe d'écoliers quand palpite un papillon perdu au milieu d'un thème grec. Qui était-ce ? Personne ne la connaissait.

« Il faut demander ça au général », dit Numa gaiement en se tournant vers le marquis d'Espaillon d'Aubord, ministre de la Guerre, vieux roquentin acharné à l'amour... « Bon... bon... Ne vous défendez pas, elle n'a regardé que vous. »

Le général fit une grimace qui lui remonta, comme avec un ressort, sa barbiche jaune de vieux bouc jusque dans le nez.

« Il y a beau temps que les femmes ne me regardent plus... Elles n'ont d'yeux que pour ces b... là. »

Celui qu'il désignait dans ce langage débraillé, particulièrement cher à tous les soldats gentilshommes, était le jeune Lappara, assis dans un coin du wagon, le portefeuille ministériel sur ses genoux, et gardant un silence respectueux en cette compagnie de gros bonnets. Roumestan se sentit mordu, sans savoir où précisément, et riposta avec vivacité. Selon lui il y avait bien d'autres choses que les femmes préféraient à la jeunesse d'un homme.

« Elles vous disent ça.

— J'en appelle à ces messieurs. »

Tous bedonnants, avec des redingotes qui bridaient sur l'estomac, ou desséchés et maigres, chauves ou tout blancs, édentés, la bouche en désordre, atteints de quelque inconvénient de santé, ces messieurs, ministres, sous-secrétaires d'Etat, étaient de l'avis de Roumestan. La discussion s'anima dans le vacarme des roues, les vociférations du train parlementaire.

« Nos ministres se chamaillent », disaient les compartiments voisins.

Et les journalistes essayaient de saisir quelques mots à travers les cloisons.

« L'homme connu, l'homme au pouvoir, tonnait Numa, voilà ce qu'elles aiment. Se dire que celui qui est là devant elles, roulant sa tête sur leurs genoux, est un illustre, un puissant, un des leviers du monde, c'est ça qui les remue !

— Hé ! justement.

— Très bien... très bien...

— Je pense comme vous, mon cher collègue.

— Eh bien ! je vous dis, moi, que, lorsque j'étais à l'Etat-Major, simple petit lieutenant, et que je m'en allais, les dimanches de sortie, en grande tenue, avec mes vingt-cinq ans, des aiguillettes neuves, je ramassais en passant de ces regards de femme qui vous enveloppent en coup de fouet de la nuque au talon, de ces regards qu'on n'a pas pour une grosse épaulette de mon âge... Aussi, maintenant, quand je veux sentir la chaleur, la sincérité d'un de ces coups d'œil-là, une déclaration muette en pleine rue, savez-vous ce que je fais ?... Je prends un de mes aides de camp, jeune, de la dent, du plastron, et je me paie de sortir à son bras, s... n... d... D... ! »

Roumestan se tut jusqu'à Paris. Sa mélancolie du matin le reprenait, mais avec de la colère en plus, une indignation contre la sottise aveugle des femmes qui peuvent se toquer pour des niais et des bellâtres. Qu'est-ce qu'il avait de rare, ce Lappara, voyons ? Sans se mêler au débat, il caressait sa barbe blonde d'un air fat, les vêtements précis, l'encolure très ouverte. On l'aurait claqué. C'est cet air-là qu'il devait prendre pour chanter le duo de *Mireille* avec cette petite Bachellery... sa maîtresse, bien sûr... Cette idée le révoltait ; mais, en même temps, il aurait voulu savoir, se convaincre.

A peine seuls, pendant que son coupé roulait vers le ministère, il demanda brutalement, sans regarder Lappara :

« Il y a longtemps que vous connaissez ces femmes ?

— Quelles femmes, monsieur le ministre ?

— Mais ces dames Bachellery, allons ! »

Sa pensée en était pleine. Il croyait que tous y songeaient comme lui. Lappara se mit à rire.

Oh ! oui, il y avait longtemps ; c'étaient des payses à lui. La famille Bachellery, les Folies-Bordelaises, tous les bons souvenirs de ses dix-huit ans. Son cœur de lycéen avait battu pour la maman, à faire sauter tous les boutons de sa tunique.

« Et aujourd'hui il bat pour la fille ? » demanda Roumestan d'un ton léger en essuyant la vitre du bout de son gant pour regarder la rue mouillée et noire.

« Oh ! la fille, c'est une autre paire de manches... Avec son petit air comme ça, c'est une demoiselle très froide, très sérieuse... Je ne sais pas ce qu'elle vise, mais elle vise quelque chose que je ne dois pas être en situation de lui donner. »

Numa se sentit soulagé :

« Ah ! vraiment ?... Et pourtant vous y retournez ?...

— Mais oui... c'est si amusant, cet intérieur des Bachellery... Le père, l'ancien directeur, fait des couplets comiques pour les cafés-concerts. La maman les chante et les mime en fricassant des cèpes à l'huile et de la bouillabaisse comme Roubion lui-même n'en a pas. Cris, désordre, musiquette, ripaille, les Folies-Bordelaises en famille. La petite Bachellery mène le branle, tourbillonne, soupe, roulade, mais ne perd pas la tête un instant.

— Eh ! mon gaillard, vous comptez bien qu'elle la perdra un

jour ou l'autre, et à votre profit encore. » Devenu subitement très grave, le ministre ajouta : « Mauvais milieu pour vous, jeune homme. Il faut être plus sérieux que cela, que diable !... La folie bordelaise ne peut pas durer toute la vie. »

Il lui prit la main :

« Vous ne songez donc pas à vous marier, voyons ?

— Ma foi, non, monsieur le ministre... je suis très bien comme je suis... à moins d'une aubaine étonnante...

— On vous la trouvera, l'aubaine... Avec votre nom, vos relations... » Et tout à coup, s'emballant : « Que diriez-vous de Mlle Le Quesnoy ? »

Le Bordelais, malgré son audace, pâlit de joie, de saisissement.

« Oh ! monsieur le ministre, je n'aurais jamais osé...

— Pourquoi pas ?... mais si, mais si... vous savez combien je vous aime, mon cher enfant... je serais heureux de vous voir dans ma famille... je me sentirais plus complet, plus... »

Il s'arrêta net au milieu de sa phrase, qu'il reconnaissait pour l'avoir déjà dite à Méjean le matin.

« Ah ! tant pis !... c'est fait. »

Il eut son coup d'épaule et se rencoigna dans la voiture. « Après tout, Hortense est libre, elle choisira... J'aurai toujours tiré ce garçon d'un mauvais milieu. » En conscience, Roumestan était sûr que ce sentiment seul l'avait fait agir.

9

Une soirée au ministère

Le faubourg Saint-Germain avait, ce soir-là, une physionomie inaccoutumée. Des petites rues, paisibles d'ordinaire et couchées de bonne heure, s'éveillaient au roulement saccadé des omnibus déroutés de leur itinéraire ; d'autres, au contraire, faites au bruit de flot, à la rumeur ininterrompue des grandes artères parisiennes, s'ouvraient comme le lit d'un fleuve détourné, silencieuses, vides, agrandies, surveillées à leur entrée par la haute silhouette d'un garde de Paris à cheval ou l'ombre morne — en travers de l'asphalte — d'un cordon de sergents de ville, le capuchon baissé, les mains en manchon dans le caban, faisant signe aux voitures : « On ne passe pas. »

« Est-ce qu'il y a le feu ? demandait une tête effarée se penchant à la portière.

— Non, monsieur, c'est la soirée de l'Instruction publique. »

Et l'homme reprenait sa faction, tandis que le cocher s'éloignait, en jurant d'être obligé de faire un long circuit sur cette rive gauche où les rues percées au hasard ont encore un peu de la confusion du vieux Paris.

A distance, en effet, l'illumination du ministère sur ses deux façades, les feux allumés pour le froid au milieu de la chaussée, la lueur lentement circulante des files de lanternes concentrées sur un même point, enveloppaient le quartier d'un halo d'incendie avivé par la limpidité bleue, la glaciale sécheresse de l'air. Mais en approchant on se rassurait vite devant la belle ordonnance de la fête, la nappe de lumière égale et blanche remontant jusqu'en haut des maisons voisines, dont les inscriptions en lettres d'or *Mairie du VII*[e] *arrondissement... Ministère des Postes et Télégraphes* se lisaient comme en plein jour, et se vaporisaient en feux de bengale, en féerique éclairage de scène dans quelques grands arbres dépouillés et immobiles.

Parmi les passants qui s'attardaient malgré le froid et formaient à la porte de l'hôtel une haie curieuse, s'agitait une petite ombre falote à démarche de cane, serrée de la tête aux pieds dans une longue mante paysanne, qui ne laissait voir d'elle que deux yeux aigus. Elle allait, venait, courbée en deux, claquant des dents, mais ne sentant pas la gelée, dans une excitation de fièvre et d'ivresse. Tantôt elle se précipitait vers les voitures en station le long de la rue de Grenelle, qu'on voyait avancer imperceptiblement avec un bruit luxueux de gourmettes, des ébrouements de bêtes impatientes, des blancheurs nuancées aux portières derrière la buée des vitres. Tantôt elle revenait vers la porte où le privilège d'un coupe-file faisait entrer librement quelque carrosse de haut fonctionnaire. Elle écartait les gens : « Pardon... laissez-moi un peu que je regarde. » Sous le feu des ifs, sous la toile rayée des marquises, les marchepieds ouverts avec fracas laissaient se développer sur les tapis des flots de satin cassant, des légèretés de tulle et de fleurs. La petite ombre se penchait avidement, se retirant à peine assez vite pour ne pas être écrasée par d'autres voitures qui entraient.

Audiberte avait voulu se rendre compte par elle-même, voir un peu comment tout cela se passerait. Avec quel orgueil elle regardait cette foule, ces lumières, les soldats à pied et à cheval, tout ce coin de Paris sens dessus dessous pour le tambourin de

Valmajour. Car c'est en son honneur que la fête se donnait ; et elle se persuadait que ces beaux messieurs, ces belles dames n'avaient que le nom de Valmajour sur les lèvres. De la porte de la rue de Grenelle, elle courait à la rue Bellechasse, par où sortaient les voitures, s'approchait d'un groupe de gardes de Paris, de cochers en grandes houppelandes, autour d'un *brasero* flambant au milieu de la chaussée, s'étonnait d'entendre ces gens-là parler du froid, bien vif cet hiver, des pommes de terre qui gelaient dans les caves, de choses absolument indifférentes à la fête et à son frère. Surtout elle s'irritait de la lenteur de cette file indéfiniment déroulée ; elle aurait voulu voir entrer la dernière voiture, se dire : « Ça y est... On commence... Cette fois, c'est pour tout de bon. » Mais la nuit s'avançait, le froid devenait plus pénétrant, ses pieds gelaient à la faire pleurer de souffrance — c'est un peu fort de pleurer quand on a le cœur si content ! Enfin elle se décida à rentrer chez elle non sans avoir ramassé, d'un dernier regard, toutes ces splendeurs, qu'elle emporta, par les rues désertes, la nuit glaciale, dans sa pauvre tête sauvage où la fièvre d'ambition battait aux tempes, toute congestionnée de rêves, d'espérances, les yeux à jamais éblouis et comme aveuglés de cette illumination à la gloire des Valmajour.

Qu'aurait-elle dit, si elle était entrée, si elle avait vu tous ces salons blanc et or se succédant sous leurs portes en arcades, agrandis par les glaces où tombait le feu des lustres, des appliques, l'éblouissement des diamants, des aiguillettes, des ordres de toutes sortes, en palmes, en aigrettes, en brochettes, grands comme des soleils d'artifice, ou menus comme des breloques, ou retenus au cou par ces larges rubans rouges qui font penser à de sanglantes décollations !

Il y avait là, pêle-mêle avec les grands noms du Faubourg, des ministres, généraux, ambassadeurs, membres de l'Institut et du Conseil supérieur de l'Université. Jamais, aux arènes d'Aps, même au grand concours des tambourinaires à Marseille, Valmajour n'avait eu un auditoire pareil. Son nom, à vrai dire, ne tenait pas beaucoup de place dans cette fête dont il était l'occasion. Le programme, enjolivé de merveilleux encadrements à la plume de Dalys, annonçait bien : « airs variés sur le tambourin », avec le nom de Valmajour mêlé à celui de plusieurs illustrations lyriques ; mais on ne regardait pas le programme. Seuls, des gens de l'intimité, de ces gens qui sont au courant de tout, disaient au ministre, debout à l'entrée du premier salon :

« Vous avez donc un tambourinaire ? »

Et lui, distraitement :

« Oui, c'est une fantaisie de ces dames. »

Le pauvre Valmajour ne le préoccupait guère. Il y avait un autre début, bien plus sérieux pour lui, ce soir-là. Qu'allait-on dire ? Aurait-elle du succès ? L'intérêt qu'il portait à cette enfant ne l'avait-il pas illusionné sur son talent de chanteuse ? Et très pris, quoiqu'il ne voulût pas encore se l'avouer, mordu jusqu'aux os d'une passion d'homme de quarante ans, il sentait cette angoisse du père, du mari, de l'amant, du tapissier de la débutante, une de ces anxiétés douloureuses, comme on en voit rôder derrière la toile des portants, les soirs de première représentation. Cela ne l'empêchait pas d'être aimable, empressé, d'accueillir son monde à deux mains — et que de monde, *boun Diou* ! —, d'avoir des mines, des sourires, des hennissements, des piaffements, des renversements de corps, des courbettes, une effusion un peu uniforme, mais avec des nuances, cependant.

Quittant tout à coup, repoussant presque le cher invité auquel il était en train de promettre tout bas une foule de faveurs inappréciables, le ministre s'élançait au-devant d'une dame haute en couleur, à démarche autoritaire : « Ah ! madame la maréchale ! », prenait sous son bras un bras auguste étranglé dans un gant à vingt boutons, et conduisait la noble visiteuse de salon en salon, entre une double haie d'habits noirs respectueusement inclinés, jusqu'à la salle de concert, dont les honneurs étaient faits par Mme Roumestan et sa sœur. En revenant, il distribuait encore des poignées de main, de cordiales paroles : « Comptez-y... C'est fait... » ou lançait très vite son « bonjour, ami », ou bien encore, pour réchauffer la réception, mettre un courant de sympathie dans toute cette solennité mondaine, il présentait les gens entre eux, les jetait, sans les avertir, dans les bras les uns des autres : « Comment ! vous ne vous connaissez pas ?... M. le prince d'Anhalt... M. Bos, sénateur... » et ne s'apercevait pas que, leurs noms à peine prononcés, les deux hommes, après un brusque et profond coup de tête, « Monsieur, Monsieur », n'attendaient que son départ pour se tourner le dos d'un air féroce.

Comme la plupart des combattants politiques, une fois vainqueur, au pouvoir, le bon Numa s'était détendu. Sans cesser d'appartenir à l'ordre moral, le Vendéen du Midi avait perdu son beau feu pour la Cause, laissait les grandes espérances dormir, commençait à trouver que les choses n'allaient point trop mal. Pourquoi ces haines farouches entre honnêtes gens ? Il souhaitait l'apaisement, l'indulgence générale, et comptait sur la musique pour opérer une fusion entre les partis, ses « petits concerts » de quinzaine devenant un terrain neutre de jouissance artistique et de courtoisie où les plus opposés pourraient se rencontrer, s'apprécier à l'écart des passions et des tourmentes politiques. De là un singulier mélange dans les invitations ; et aussi le malaise, la gêne des invités, les colloques à voix basse vivement interrompus, ce va-et-vient silencieux d'habits noirs, la fausse attention des regards levés au plafond, considérant les cannelures dorées des panneaux, ces ornementations du Directoire, moitié Louis XVI et Empire, avec des têtes de cuivre en appliques sur le marbre à lignes droites des cheminées. On avait chaud et froid tout ensemble, à croire que la terrible gelée du dehors tamisée par les murs épais et la ouate des tentures se fût changée en froid mural. Par moments, la galopade effrénée de Rochemaure ou de Lappara en commissaires, chargés d'installer les dames, rompait cette monotonie ambulante de gens debout qui s'ennuient ; ou encore le passage à sensation de la belle Mme Hubler coiffée en plumes, son profil sec de poupée incassable, son sourire en coin, retroussé jusqu'au sourcil comme à une vitrine de coiffeur. Mais le froid reprenait bien vite.

« C'est le diable à dégourdir ces salons de l'Instruction publique... L'ombre de Frayssinous revient certainement la nuit. »

Cette réflexion à haute voix partait d'un groupe de jeunes musiciens empressés autour du directeur de l'Opéra, Cadaillac, philosophiquement assis sur une banquette en velours, le dos au socle de Molière. Très gros, à moitié sourd, avec sa moustache en brosse toute blanche, on ne retrouvait guère le souple et fringant impresario des fêtes du Nabab dans cette majestueuse idole au masque bouffi et impénétrable, dont l'œil seul racontait le Parisien blagueur, sa science féroce de la vie, son esprit en bâton d'épine ferré au bout, durci au feu de la rampe. Mais, satisfait, repu, craignant sur toute chose d'être délogé de sa direction à fin de bail, il rentrait ses ongles, parlait peu, surtout ici, se contentait de souligner ses observations sur la comédie officielle et mondaine du rire silencieux de Bas-de-Cuir.

« Boissaric, mon enfant », demandait-il tout bas à un jeune et intrigant Toulousain qui venait de faire jouer un ballet à l'Opéra après seulement dix ans de carton, ce que personne ne voulait croire, « Boissaric, toi qui sais tout, dis-moi le nom de ce solennel personnage à moustaches qui cause familièrement avec tout le monde et marche derrière son nez d'un air recueilli comme s'il allait à l'enterrement de cet accessoire... Il doit être du bâtiment, car il m'a parlé théâtre avec une certaine autorité.

— Je ne pense pas, patron... Plutôt un diplomate. Je l'entendais dire tout à l'heure au ministre de Belgique qu'ils avaient été longtemps collègues.

— Vous vous trompez, Boissaric... Ce doit être un général étranger. Il pérorait, il n'y a qu'un instant, dans un groupe de grosses épaulettes et disait très haut : "Il faut n'avoir jamais eu un grand commandement militaire..."

— Etrange ! »

Lappara, consulté au passage, se mit à rire :

« Mais c'est Bompard.

— *Quès aco* Bompard ?

— L'ami du ministre... Comment ne le connaissez-vous pas ?

— Du Midi ?

— *Té !* parbleu... »

Bompard, en effet, qui, sanglé d'un superbe habit neuf à parements de velours, les gants dans l'entrebâillure du gilet, essayait d'animer la soirée de son ami par une conversation variée et soutenue. Inconnu dans le monde officiel, où il se produisait pour la première fois, on peut dire qu'il faisait sensation en promenant d'un groupe à l'autre ses facultés inventives, ses visions fulgurantes, récits d'amours royales, aventures et combats, triomphes aux tirs fédéraux, qui donnaient à tous les visages autour de lui la même expression d'étonnement, de gêne et d'inquiétude. Il y avait là certes un élément de gaieté, mais compris seulement de quelques intimes, impuissant à distraire l'ennui qui pénétrait jusque dans la salle du concert, une pièce immense et très pittoresque avec ses deux étages de galeries et son plafond en vitrage qu'on pouvait croire à ciel ouvert.

Une décoration verte de palmiers, de bananiers à longues feuilles immobiles sous les lustres, faisait un fond de fraîcheur aux toilettes des femmes alignées et serrées sur d'innombrables rangs de chaises. C'était une houle de nuques penchées et ondulantes, d'épaules et de bras sortis des corsages comme du chiffonnage d'une fleur entrouverte, de coiffures piquées d'étoiles, les diamants mêlés à l'éclair bleu des cheveux noirs, à l'or filé des crêpelures blondes ; et des profils perdus, de santé pleine, en lignes arrondies de la taille au chignon, ou de fine maigreur, élancés de la ceinture serrée d'une petite boucle brillante au cou long, noué d'un velours. Les éventails, l'aile dépliée, nuancée, pailletée, voltigeaient, papillonnaient sur tout cela, mêlaient des parfums de white rose ou d'opoponax à la faible exhalaison des lilas blancs et des violettes naturelles.

Le malaise des visages se compliquait ici de la perspective de deux heures d'immobilité devant cette estrade où s'étalaient en demi-cercle les choristes en habit noir, en toilettes de mousseline blanche, impassibles comme sous l'appareil photographique, et cet orchestre dissimulé dans les buissons de verdure et de roses que dépassaient les manches des contrebasses pareils à des instruments de torture. Oh ! le supplice de la cangue à musique, elles le connaissaient toutes, il comptait parmi les fatigues de leur hiver et les cruelles corvées mondaines. C'est pourquoi, en cherchant bien, on n'aurait trouvé dans l'immense salle qu'un seul visage satisfait, souriant, celui de Mme Roumestan, et non pas ce sourire de danseuse des maîtresses de maison si facilement changé en expression de haineuse fatigue quand il ne se sent plus regardé, mais un visage de femme heureuse, de femme aimée, en train de recommencer la vie. O tendresse inépuisable d'un cœur honnête qui n'a battu qu'une fois ! Voilà qu'elle se reprenait à croire en son Numa, si bon, si tendre, depuis quelque temps. C'était comme un retour, l'étreinte de deux cœurs réunis après une longue absence. Sans chercher d'où pouvait venir ce regain de tendresse, elle le revoyait aimant et jeune comme un soir devant le panneau des chasses, et elle était toujours la Diane désirable, souple et fine dans sa robe de brocart blanc, ses cheveux châtains en bandeaux sur le front pur sans une pensée mauvaise, où ses trente ans en paraissaient vingt-cinq.

Hortense était bien jolie aussi, tout en bleu ; un tulle bleu qui entourait d'une nuée sa longue taille un peu penchée en avant, ombrait son visage d'une douceur brune. Mais le début de son musicien la préoccupait. Elle se demandait comment ce public raffiné goûterait cette musique locale, s'il n'aurait pas fallu, comme disait Rosalie, encadrer le tambourin d'un horizon gris d'oliviers et de collines en dentelles ; et, silencieuse, tout émue, elle comptait sur le programme les morceaux avant Valmajour, dans un demi-bruit d'éventails, de conversations à voix basse, auquel se mêlait l'accord successif des instruments.

Un battement d'archet aux pupitres, un froissement de papier sur l'estrade où les choristes se sont levés, leur partie à la main, un long regard des victimes, comme une envie de fuir, du côté de la haute porte obstruée d'habits noirs ; et le chœur de Glück envoie ses premières notes vers le vitrage là-haut, où la nuit d'hiver superpose ses nappes bleues :

Ah ! dans ce bois funeste et sombre...

C'est commencé...

Le goût de la musique s'est beaucoup répandu en France depuis quelques années. A Paris surtout, les concerts du dimanche et de la Semaine sainte, une foule de sociétés particulières ont surexcité le sentiment public, vulgarisé les œuvres classiques des grands maîtres, fait une mode de l'érudition musicale. Mais, au fond, Paris est trop vivant, trop cérébral, pour bien aimer la musique, cette grande absorbeuse qui vous tient immobile, sans voix et sans pensée, dans un réseau flottant d'harmonie, vous berce, vous hypnotise comme la mer ; et les folies qu'il fait pour elle sont celles d'un gommeux pour une fille à la mode, une passion de chic, de galerie, banale et vide jusqu'à l'ennui.

L'ennui !

C'était bien la note dominante dans ce concert de l'Instruction publique. Sous l'admiration de commande, les physionomies extasiées qui font partie de la mondanité des femmes les plus sincères, il remontait peu à peu, figeait le sourire et l'éclair des yeux, affaissait ces jolies poses languissantes d'oiseaux branchés ou buvant goutte à goutte. Une après l'autre, sur les longues files de chaises enchaînées, elles se débattaient, avec des « bravo... divin... délicieux... » pour se ranimer elles-mêmes, et succombaient à la torpeur envahissante qui se dégageait comme une brume de cette marée sonore, reculant dans un lointain d'indifférence tous les artistes qui défilaient tour à tour.

On avait là pourtant les plus fameux, les plus illustres de Paris, interprétant la musique classique avec toute la science qu'elle exige et qui ne s'acquiert, hélas ! qu'au prix des années. Voilà trente ans que la Vauters la chante, cette belle romance de Beethoven, *L'Apaisement*, et jamais avec plus de passion que ce soir ; mais il manque des cordes à l'instrument, on entend l'archet racler sur le bois, et de la grande chanteuse de jadis, de la beauté célèbre, il ne reste que des attitudes savantes, une méthode irréprochable, et cette longue main blanche qui à la dernière strophe écrase une larme au coin de l'œil élargi de khôl, une larme traduisant le sanglot que la voix ne peut plus donner.

Quel autre que Mayol, le beau Mayol, a jamais soupiré la sérénade de *Don Juan* avec cette délicatesse aérienne, cette passion qui semble d'une libellule amoureuse ? Malheureusement on ne l'entend plus ; il a beau se dresser sur la pointe des pieds, le cou tendu, filer le son jusqu'au bout en l'accompagnant d'un geste délié de fileuse qui pince sa laine entre deux doigts, rien ne sort, rien. Paris, qui a la reconnaissance de ses plaisirs passés, applaudit quand même ; mais ces voix usées, ces figures flétries et trop connues, médailles dont la circulation constante a mangé l'effigie, ne dissiperont pas le brouillard qui plane sur la fête du ministère, malgré les efforts que fait Roumestan pour la ranimer, les bravos d'enthousiasme qu'il jette à haute voix du milieu des habits noirs, les « chut ! » dont il terrifie à deux salons de distance les gens qui essayent de causer et qui circulent alors, muets comme des spectres sous le splendide éclairage, changent de place avec précaution pour se distraire, le dos rond, les bras en balancier, ou tombent anéantis sur des sièges bas, le claque ballant entre les jambes, hébétés, la figure vide.

A un moment, l'entrée en scène d'Alice Bachellery réveille et remue tout le monde. Aux deux portes de la salle il se fait une poussée curieuse pour apercevoir la petite diva en jupe courte sur l'estrade, la bouche entrouverte, ses longs cils battant comme de la surprise de voir toute cette foule. *Chaud ! chaud ! les p'tits pains d'gruau !* fredonnent les jeunes gens des clubs avec le geste canaille de sa fin de couplet. De vieux messieurs de l'Université s'approchent tout frétillants, tendant la tête du côté de leur bonne oreille pour ne pas perdre une intention de la gaudriole à la mode. Et c'est un désappointement, quand le petit mitron de sa voix aigrelette et courte entonne un grand air d'*Alceste* seriné par la Vauters qui l'encourage de la coulisse. Les figures s'allongent, les habits noirs désertent, recommencent à errer, d'autant plus librement que le ministre ne les surveille plus, parti au fond du dernier salon au bras de M. de Boë, tout étourdi d'un tel honneur.

Eternel enfantin de l'Amour ! Ayez donc vingt ans de Palais, quinze ans de tribune, soyez assez maître de vous pour garder au milieu des séances les plus secouées et des interruptions sauvages l'idée fixe et le sang-froid du goéland qui pêche en pleine tempête ; et si une fois la passion s'en mêle, vous vous trouverez faible parmi les faibles, tremblant et lâche au point de vous accrocher désespérément au bras d'un imbécile plutôt que d'entendre la moindre critique de votre idole.

« Pardon, je vous quitte... voici l'entracte... », et le ministre se précipite, rendant à son obscurité le jeune maître des requêtes qui désormais n'en sortira plus. On se pousse vers le buffet ; et les mines soulagées de tous ces malheureux à qui l'on a rendu le mouvement et la parole peuvent faire croire à Numa que sa protégée vient d'avoir un très grand succès. On le presse, on le félicite, « divin... délicieux... » mais personne ne lui parle positivement de ce qui l'intéresse, et il saisit enfin Cadaillac qui passe près de lui, marchant de côté, refoulant le flot humain de son énorme épaule en levier.

« Eh bien !... Comment l'avez-vous trouvée ?

— Qui donc ?

— La petite... » fait Numa d'un ton qu'il essaie de rendre indifférent. L'autre, bonne lame, comprend, et, sans broncher :

« Une révélation... »

L'amoureux rougit comme à vingt ans, chez Malmus, quand « l'ancienne à tous » lui faisait du pied sous la table.

« Alors, vous croyez qu'à l'Opéra... ?

— Sans doute... Mais il faut un bon montreur », dit Cadaillac avec son rire muet ; et, pendant que le ministre court féliciter Mlle Alice, le bon montreur continue dans la direction du buffet qu'on aperçoit encadré par une large glace sans tain au fond d'une salle aux boiseries brun et or. Malgré la sévérité des tentures, l'air rogue et majestueux des maîtres d'hôtel, choisis certainement parmi les ratés universitaires, la mauvaise humeur et l'ennui se dissipent ici, devant l'immense comptoir chargé de cristaux fins, de fruits, de sandwichs en pyramides, font place — l'humanité reprenant ses droits — à des attitudes convoitantes et voraces. Au moindre espace libre entre deux corsages, entre deux têtes penchées vers le morceau de saumon ou l'aile de volaille de leur petite assiette, un bras s'avance quêtant un verre, une fourchette, un petit pain, frôlant la poudre de riz des épaules, d'une manche noire ou d'un brillant et rude uniforme. On cause, on s'anime, les yeux étincellent, les rires sonnent sous l'influence des vins mousseux. Mille propos se croisent, propos interrompus, réponses à des demandes déjà oubliées. Dans un coin, des petits cris indignés : « Quelle horreur !... C'est affreux !... » autour du savant Béchut, l'ennemi des femmes, continuant à invectiver le sexe faible. Une querelle de musiciens :

« Ah ! mon cher, prenez garde... vous niez la quinte augmentée.

— C'est vrai qu'elle n'a que seize ans ?

— Seize ans de fût et quelques années de bouteille. »

« Mayol !... Allons donc, Mayol !... fini, vidé. Et dire que l'Opéra donne tous les soirs deux mille francs à ça !

— Oui, mais il prend mille francs de billets pour chauffer sa salle, et Cadaillac lui rattrape le reste à l'écarté. »

« Bordeaux... Chocolat... Champagne... »

« ... à venir s'expliquer dans le sein de la Commission. »

« ... en remontant un peu la ruche avec des coques de satin blanc. »

Ailleurs, Mlle Le Quesnoy, très entourée, recommande son tambourinaire à un correspondant étranger, tête impudente et plate de *choumacre*, le supplie de ne pas partir avant la fin, gronde Méjean qui ne la soutient pas, le traite de faux Méridional, de *franciot*, de renégat. Dans le groupe à côté, une discussion politique. Une bouche haineuse s'avance, l'écume aux dents, mâchant les mots comme des balles, pour les empoisonner :

« Tout ce que la démagogie la plus subversive...

— Marat conservateur ! » dit une voix, mais le propos se perd dans cette confuse rumeur de conversations mêlées de chocs d'assiettes, de verres, que le timbre cuivré de Roumestan domine tout à coup : « Mesdames, vite, mesdames... Vous allez manquer la sonate en *fa* ! »

Silence de mort. La longue procession des traînes déployées recommence à travers les salons, se froisse entre les chaises alignées. Les femmes ont la figure désespérée de captives qu'on réintègre après une promenade d'une heure dans le préau. Et les concertos, les symphonies se succèdent, à force de notes. Le beau Mayol recommence à filer le son insaisissable, la Vauters à tâter les cordes détendues de sa voix. Soudain un sursaut de vie, de curiosité, comme tout à l'heure à l'entrée de la petite Bachellery. C'est le tambourin de Valmajour, l'apparition du superbe paysan, son feutre mou sur l'oreille, la ceinture rouge aux reins, la veste contadine à l'épaule. Une idée d'Audiberte, un instinct de son goût de femme, de l'habiller ainsi pour plus d'effet au milieu des habits noirs. A la bonne heure, tout ceci est neuf, imprévu, ce long tambour qui se balance au bras du musicien, la petite flûte sur laquelle ses doigts s'escriment, et les jolis airs à double sonnerie dont le mouvement, enlevant et vif, moire d'un frisson de réveil le satin des belles épaules. Le public blasé s'amuse de ces aubades toutes fraîches, embaumées de romarin, de ces refrains de vieille France.

« Bravo !... Bravo !... Encore !... »

Et quand il attaque la *Marche de Turenne* sur un rythme large et vainqueur que l'orchestre accompagne en sourdine, enflant, soutenant l'instrument un peu grêle, c'est du délire. Il faut qu'il revienne deux fois, dix fois, réclamé en première ligne par Numa dont ce succès a réchauffé le zèle et qui maintenant prend à son compte « la fantaisie de ces dames ». Il raconte comment il a découvert ce génie, explique la merveille de la flûte à trois trous, donne des détails sur le vieux castel des Valmajour.

« Il s'appelle vraiment Valmajour ?

— Certainement... des princes des Baux... c'est le dernier. »

Et la légende court, se répand, s'enjolive, un vrai roman de George Sand.

« J'ai les *parcheméïns* chez moi ! » affirme Bompard d'un ton qui ne souffre pas de réplique. Mais, au milieu de cet enthousiasme mondain, plus ou moins factice, un pauvre petit cœur s'émeut, une jeune tête se grise éperdument, prend au sérieux les bravos, les légendes. Sans dire un mot, sans même applaudir, les yeux fixes, perdus, sa longue taille souple suivant d'un balancement de rêve les mesures de la marche héroïque, Hortense se retrouve là-bas, en Provence, sur la plate-forme haute dominant la campagne ensoleillée, pendant que son musicien lui sonne l'aubade comme à une dame des cours d'amour et met la fleur de grenade à son tambourin avec une grâce sauvage. Ce souvenir la remue délicieusement, et tout bas, appuyant la tête sur l'épaule de sa sœur : « Oh ! que je suis bien... » murmure-t-elle d'un accent profond et vrai que Rosalie ne remarque pas tout de suite, mais qui plus tard se précisera, la hantera comme l'annonce balbutiée d'un malheur.

« Eh ! *bé* ! mon brave Valmajour, quand je vous le disais... Quel succès !... hein ? » criait Roumestan dans le petit salon où l'on avait servi un souper debout pour les artistes. Ce succès, les autres étoiles du concert le trouvaient bien un peu exagéré. La Vauters, assise, prête à partir, attendant sa voiture, voilait son dépit d'un grand capuchon de dentelle aux pénétrants parfums, tandis que le beau Mayol debout devant le buffet, avec une mimique de dos énervée et lasse, déchiquetait une mauviette férocement, s'imaginant tenir le tambourinaire sous sa lame. La petite Bachellery n'avait pas de ces colères. Elle jouait à l'enfant au milieu d'un groupe de jeunes gommeux, riant, papillonnant, mordant à pleines dents blanches, comme un écolier tourmenté d'une faim de croissance, dans un petit pain au jambon. Elle essayait le flûtet de Valmajour.

« Voyez donc, m'sieur le ministre ! »

Puis, apercevant Cadaillac derrière Son Excellence, elle lui tendit avec une pirouette son front de petite fille à baiser.

« B'jou, m'noncle... »

C'était une parenté de fantaisie, une adoption de coulisse.

« La fausse étourdie ! » grogna le bon montreur sous sa moustache blanche, mais pas trop haut, car elle allait probablement devenir sa pensionnaire, et une pensionnaire influente.

Valmajour, l'air fat, très entouré de femmes, de journalistes, se tenait debout devant la cheminée. Le correspondant étranger l'interrogeait brutalement, non plus de ce ton patelin dont il scrutait les ministres dans les audiences particulières ; mais sans se troubler, le paysan lui répondait par le récit stéréotypé sur ses lèvres : « Ce m'est venu de nuit, en écoutant çanter le rossignoou... » Il fut interrompu par Mlle Le Quesnoy, qui lui tendait un verre et une assiette remplis à son intention.

« Bonjour, monsieur... Et moi aussi, je vous apporte le *grand-boire.* » Elle avait coupé son effet. Il lui répondit d'un léger mouvement de tête, en lui montrant la cheminée : « Va bien... va bien... posez ça là-dessus », et continua son histoire. « Ce que l'oiso du bon Dieu fait avec un trou... » Sans se décourager, Hortense attendit la fin, puis lui parla de son père, de sa sœur...

« Elle va être bien contente ?...

— Oui, ça n'a pas trop mal marché. »

Le sourire fat, il effilait sa moustache en promenant autour de lui un regard inquiet. On lui avait dit que le directeur de l'Opéra voulait lui faire des propositions. Il le guettait de loin, ayant déjà des jalousies d'acteur, s'étonnait qu'on pût s'occuper si longtemps de cette petite chanteuse de rien du tout ; et, plein de sa pensée, il ne prenait pas la peine de répondre à la belle jeune fille arrêtée devant lui, son éventail aux mains, dans cette jolie attitude demi audacieuse que donne l'habitude du monde. Mais elle l'aimait mieux ainsi, dédaigneux et froid pour tout ce qui n'était pas son art. Elle l'admirait recevant de haut les compliments dont le bombardait Cadaillac avec sa rondeur brusque :

« Mais si... mais si... je vous le dis comme je le pense... Beaucoup de talent... très original, très neuf... Je ne veux pas qu'un autre théâtre que l'Opéra en ait l'étrenne... je vais chercher une occasion de vous produire. A partir d'aujourd'hui, considérez-vous comme de la maison. »

Valmajour pensait au papier timbré qu'il avait dans la poche de sa veste ; mais l'autre, comme s'il devinait cette préoccupation, lui tendait sa main souple. « Voilà qui nous engage tous deux, mon cher... » Et montrant Mayol, la Vauters, heureusement occupés d'autre chose, car ils auraient trop ri : « Demandez à vos camarades ce que vaut la parole de Cadaillac. »

Il tourna les talons là-dessus, et revint dans le bal. Maintenant c'était un bal qui s'agitait dans les salles moins pleines, mais plus animées ; et l'admirable orchestre se vengeait de trois heures de musique classique par des suites de valses du plus pur viennois. Les hauts personnages, les gens graves partis, la place restait à la jeunesse, à ces enragés de plaisir qui dansent pour danser, pour l'étourdissement des cheveux fous, des regards noyés, des traînes enroulées autour de leurs pas. Alors même, la politique ne pouvait perdre ses droits, la fusion rêvée par Roumestan ne s'opérait guère. Des deux salons où l'on dansait, l'un était centre gauche, l'autre d'un blanc de lis sans tache, malgré les efforts d'Hortense pour lier les deux camps. Très recherchée, belle-sœur du ministre, fille du premier président, elle voyait un vol de gilets à cœur autour de sa grosse dot et de ses influences.

Lappara, fort excité, lui déclarait en dansant que Son Excellence lui avait permis... Mais la valse finissait, elle le quitta sans attendre la suite et vint vers Méjean qui ne dansait pas, lui, et ne pouvait pourtant se décider à partir :

« Quelle figure vous avez, homme grave, homme raisonnable ! »

Il la prit par la main : « Mettez-vous là, j'ai quelque chose à vous dire... Autorisé par mon ministre... » Il souriait, très ému, et, au tremblement de ses lèvres, Hortense, comprenant, se leva bien vite : « Non, non... pas ce soir... je ne peux rien écouter, je danse... »

Elle se sauva au bras de Rochemaure qui venait la prendre pour le cotillon. Très épris lui aussi ; toujours pour imiter Lappara, le bon jeune homme se risquait à prononcer un mot qui la faisait partir d'un éclat de gaieté tourbillonnant avec elle tout autour du salon ; et la figure des écharpes terminée, elle venait vers sa sœur, lui disait tout bas : « Nous voilà bien... Numa qui m'a promise à ses trois secrétaires !

— Lequel prends-tu ? »

Sa réponse fut arrêtée net par un roulement de tambourin.

« La farandole !... La farandole !... »

Une surprise du ministre à ses invités. La farandole pour finir le cotillon, le Midi à outrance, et *zou* !... Mais comment cela se danse-t-il ?... Les mains s'attirent et se joignent, les salons se mêlent, cette fois. Bompard indique gravement « comme ceci, mesdemoiselles » en battant un entrechat ; et, Hortense en tête, la farandole se déroule à travers la longue enfilade des salons, suivie de Valmajour jouant avec une gravité superbe, fier de son succès et des regards que lui vaut sa mâle et robuste tournure dans un costume original.

« Est-il beau ! dit Roumestan, est-il beau !... Un pâtre grec ! »

De salle en salle, la danse rustique, plus nombreuse et plus entraînée, poursuit et chasse l'ombre de Frayssinous. Sur les grandes tapisseries d'après Boucher et Lancret, les personnages s'agitent réveillés par des airs du vieux temps ; et les culs-nus d'amours, qui se roulent aux frises, prennent aux yeux des danseurs un mouvement de course effrénée et folle comme la leur.

Là-bas, tout au fond, Cadaillac qui s'accote au buffet, une assiette et un verre dans les mains, écoute, mange et boit, pénétré de cette chaleur de plaisir jusqu'au fond de son scepticisme :

« Rappelle-toi ceci, petit, dit-il à Boissaric... Il faut toujours rester jusqu'à la fin des bals... Les femmes sont plus jolies dans cette pâleur moite, qui n'est pas encore de la fatigue, pas plus que ce petit filet blanc aux fenêtres n'est encore le jour... Il y a dans l'air un peu de musique, de la poussière qui sent bon, une demi-ivresse qui affine les sensations et qu'il faut savourer en mangeant un chaud-froid de volaille arrosé de vin frappé... Tiens ! regarde-moi ça... »

Derrière la glace sans tain, la farandole défilait, les bras étendus, un cordon alterné de noir et de clair, assoupli par l'affaissement des toilettes et des coiffures, le froissement de deux heures de danse.

« Est-ce joli, hein ?... Et le gaillard de la fin, quel galbe !... »

Il ajouta froidement, en posant son verre : « Du reste, il ne fera pas le sou !... »

10

Nord et Midi

Entre le président Le Quesnoy et son gendre, il n'y avait jamais eu grande sympathie. Le temps, les rapports fréquents, les liens de parenté n'étaient pas parvenus à diminuer l'écart de ces deux natures, à vaincre le froid intimidant qu'éprouvait le Méridional devant ce grand silencieux à tête hautaine et pâle dont le regard bleu-gris, le regard de Rosalie moins la tendresse et l'indulgence, s'abaissait sur sa verve pour la geler. Numa, flottant et mobile, toujours débordé par sa parole, à la fois ardent et compliqué, se révoltait contre la logique, la droiture, la rigidité de son beau-père ; et, tout en lui enviant ses qualités, les mettait sur le compte de la froideur de l'homme du Nord, de l'extrême Nord que lui représentait le président.

« Après, il y a l'ours blanc... Puis, plus rien, le pôle et la mort. »

Il le flattait cependant, cherchait à le séduire avec des chatteries adroites, ses amorces à prendre le Gaulois ; mais le Gaulois, plus subtil que lui-même, ne se laissait pas envelopper. Et lorsqu'on causait politique, le dimanche, dans la salle à manger de la place Royale, lorsque Numa, attendri par la bonne chère, essayait de faire croire au vieux Le Quesnoy qu'en réalité ils étaient bien près de s'entendre, voulant tous deux la même chose — la liberté —, il fallait voir le coup de tête révolté dont le président lui secouait toutes ses mailles.

« Ah ! mais non, pas la même ! »

En quatre arguments précis et durs, il rétablissait les distances, démasquait les mots, montrait qu'il ne se laissait pas prendre à leur tartufferie. L'avocat s'en tirait en plaisantant, très vexé au fond, surtout à cause de sa femme qui, sans se mêler jamais de politique, écoutait et regardait. Alors en revenant, le soir, dans leur voiture, il s'efforçait de lui prouver que son père manquait de bon sens. Ah ! si ça n'avait pas été pour elle, il l'aurait joliment rembarré. Rosalie, pour ne pas l'irriter, évitait de prendre parti :

« Oui, c'est malheureux... vous ne vous entendez pas... » ; mais tout bas elle donnait raison au président.

Avec l'arrivée de Roumestan au ministère, le froid entre les deux hommes s'était accentué. M. Le Quesnoy refusait de se montrer aux réceptions de la rue de Grenelle, et s'en expliqua très nettement avec sa fille :

« Dis-le bien à ton mari... qu'il continue à venir chez moi et le plus souvent possible, j'en serai très heureux ; mais on ne me verra jamais au ministère. Je sais ce que ces gens-là nous préparent : je ne veux pas avoir l'apparence d'un complice. »

Du reste, la situation était sauvegardée aux yeux du monde par ce deuil de cœur qui murait les Le Quesnoy chez eux depuis si longtemps. Le ministre de l'Instruction publique eût été probablement très gêné de sentir dans ses salons ce vigoureux contradicteur devant lequel il restait un petit garçon ; il affecta cependant de paraître blessé de cette décision, s'en fit une attitude, chose toujours très précieuse à un comédien, et un prétexte pour ne plus venir que fort inexactement aux dîners du dimanche, invoquant une de ces mille excuses, commissions, réunions, banquets obligatoires, qui donnent aux maris de la politique une si vaste liberté.

Rosalie, au contraire, ne manquait pas un dimanche, arrivait de bonne heure l'après-midi, heureuse de retremper dans l'intérieur de ses parents ce goût de la famille que l'existence officielle ne lui laissait guère le loisir de satisfaire. Mme Le Quesnoy encore à vêpres, Hortense à l'église, avec sa mère, ou menée par des amis à quelque matinée musicale, elle était sûre de trouver son père dans sa bibliothèque, une longue pièce tapissée de livres du haut au bas, enfermé avec ces amis muets, ces confidents intellectuels, les seuls dont sa douleur n'eût jamais pris ombrage. Le président ne s'installait pas à lire, inspectait les rayons, s'arrêtait à une belle reliure, et, debout, sans s'en douter, lisait pendant une heure, ne s'apercevant ni du temps ni de la fatigue. Il avait un pâle sourire en voyant entrer sa fille aînée. Quelques mots échangés, car ils n'étaient bavards ni l'un ni l'autre, elle passait, elle aussi, la revue de ses auteurs aimés, choisissait, feuilletait près de lui sous le jour un peu assombri d'une grande cour du Marais où tombaient en lourdes notes, dans la tranquillité du dimanche aux quartiers commerçants, les sonneries des vêpres voisines. Parfois il lui donnait un livre entrouvert :

« Lis ça... » en soulignant avec l'ongle ; et, quand elle avait lu :

« C'est beau, n'est-ce pas ?... »

Pas de plus grand plaisir pour cette jeune femme, à qui la vie offrait ce qu'elle peut donner de brillant et de luxueux, que cette heure auprès de ce père âgé et triste, envers lequel son adoration filiale se doublait d'attaches intimes tout intellectuelles.

Elle lui devait sa rectitude de pensée, ce sentiment de justice qui la faisait si vaillante, aussi son goût artistique, l'amour de la peinture et des beaux vers ; car chez Le Quesnoy le tripotage continu du code n'avait pas ossifié l'homme.

Sa mère, Rosalie l'aimait, la vénérait, non sans un peu de révolte contre une nature trop simple, trop molle, annihilée dans sa propre maison et que la douleur, qui élève certaines âmes, avait courbée à terre aux plus vulgaires préoccupations féminines, la piété pratiquante, le ménage en petits détails. Plus jeune que son mari, elle paraissait l'aînée avec sa conversation bonne femme, qui, vieillie et attristée comme elle, cherchait des coins chauds de souvenir, des rappels de son enfance dans un domaine ensoleillé du Midi. Mais l'église la possédait surtout, et, depuis la mort de son fils, elle allait endormir son chagrin dans la fraîcheur silencieuse, le demi-jour, le demi-bruit des hautes nefs, comme dans une paix de cloître défendue du grouillement de la vie par les lourdes portes rembourrées, avec cet égoïsme dévot et lâche des désespoirs accoudés aux prie-Dieu, déliés des soucis et des devoirs.

Rosalie, déjà jeune fille au moment de leur malheur, avait été frappée de la façon différente dont ses parents le subissaient : elle, renonçant à tout, abîmée dans une religion larmoyante, lui, demandant des forces à la tâche accomplie ; et sa tendre préférence pour son père lui était venue d'un choix de sa raison. Le mariage, la vie commune avec les exagérations, les mensonges, les démences de son Méridional, lui faisaient trouver encore plus doux l'abri de la bibliothèque silencieuse qui la changeait du garni grandiose, officiel et froid, des ministères. Au milieu de la calme causerie, on entendait un bruit de porte, un frou-frou de soie, Hortense qui rentrait.

« Ah ! je savais te trouver là... »

Elle n'aimait pas à lire, celle-là. Même les romans l'ennuyaient, jamais assez romanesques pour son exaltation. Au bout de cinq minutes qu'elle était à piétiner, son chapeau sur la tête :

« Ça sent le renfermé toutes ces paperasses... tu ne trouves pas, Rosalie ? Allons, viens un peu avec moi... Père t'a assez eue. Maintenant, c'est mon tour. »

Et elle l'entraînait dans sa chambre, leur chambre, car Rosalie y avait aussi vécu jusqu'à l'âge de vingt ans.

Elle voyait là, dans une heure charmante de causeries, tous les objets qui avaient fait partie d'elle-même, son lit aux rideaux de cretonne, son pupitre, l'étagère, la bibliothèque où il restait un peu de son enfance aux titres des volumes, à la puérilité de mille riens conservés avec amour. Elle retrouvait ses pensées dans tous les coins de cette chambre de jeune fille, plus coquette et ornée que de son temps : un tapis par terre, une veilleuse en corolle au plafond, et de petites tables fragiles, à coudre, à écrire, que l'on rencontrait à chaque pas. Plus d'élégance et moins d'ordre, deux ou trois ouvrages commencés, au dos des chaises, le pupitre resté ouvert avec un envolement de papier à devise. Quand on entrait, il y avait toujours une petite minute de déroute.

« C'est le vent, disait Hortense en éclatant de rire, il sait que je l'adore, il sera venu voir si j'y étais.

— On aura laissé la fenêtre ouverte, répondait Rosalie tranquillement... Comment peux-tu vivre là-dedans ?... Je suis incapable de penser, moi, quand rien n'est en place. »

Elle se levait pour remettre droit un cadre accroché au mur, qui gênait son œil aussi juste que son esprit.

« Eh bien ! moi, tout le contraire, ça me monte... Il me semble que je suis en voyage. »

Cette différence de nature se retrouvait sur le visage des deux sœurs. Rosalie, régulière, une grande pureté de lignes, des yeux calmes et de couleur changeante comme un flot dont la source est profonde ; l'autre, des traits en désordre, d'expression spirituelle, sur un teint mat de créole. Le Nord et le Midi du père et de la mère, deux tempéraments très divers qui s'étaient unis sans se fondre, perpétuant chacun sa race. Et cela malgré la vie commune, l'éducation pareille dans un grand pensionnat où Hortense reprenait, sous les mêmes maîtres, à quelques années de distance, la tradition scolaire qui avait fait de sa sœur une femme sérieuse, attentive, toute à la minute présente, s'absorbant dans ses moindres actes, et la laissait, elle, tourmentée, chimérique, l'esprit inquiet, toujours en rumeur. Quelquefois, la voyant si agitée, Rosalie s'écriait :

« Je suis bien heureuse, moi... Je n'ai pas d'imagination.

— Moi, je n'ai que ça ! » disait Hortense ; et elle lui rappelait que, au cours de M. Baudouy chargé de leur apprendre le style et le développement de la pensée, ce qu'il appelait pompeusement « sa classe d'imagination », Rosalie n'avait aucun succès, exprimant toutes choses en quelques mots concis, tandis que, avec gros comme ça d'idées, elle-même noircissait des volumes.

« C'est le seul prix que j'aie jamais eu, le prix d'imagination. »

Elles étaient, malgré tout, tendrement unies, d'une de ces affections de grande à petite sœur, où il entre du filial et du maternel. Rosalie l'emmenait partout avec elle ; au bal, chez ses amies, dans ces courses de magasins qui affinent le goût des Parisiennes. Même après leur sortie du pensionnat, elle restait sa petite mère. Et maintenant elle s'occupait de la marier, de lui trouver le compagnon tranquille et sûr, indispensable à cette tête folle, le bras solide dont il fallait équilibrer ses élans. Méjean était tout indiqué ; mais Hortense, qui d'abord n'avait pas dit non, montrait subitement une antipathie évidente. Elles s'en expliquèrent au lendemain de cette soirée ministérielle où Rosalie avait surpris l'émotion, le trouble de sa sœur.

« Oh ! il est bon, je l'aime bien, disait Hortense... C'est un ami loyal comme on voudrait en sentir auprès de soi toute sa vie... Mais ce n'est pas le mari qu'il me faut.

— Pourquoi ?

— Tu vas rire... Il ne parle pas assez à mon imagination, voilà !... Le mariage avec lui, ça me fait l'effet d'une maison bourgeoise et rectangulaire au bout d'une allée droite comme un *i*. Et tu sais que j'aime autre chose, l'imprévu, les surprises...

— Qui alors ? M. de Lappara ?...

— Merci ! pour qu'il me préfère son tailleur.

— M. de Rochemaure ?

— Le paperassier modèle... moi qui ai le papier en horreur. »

Et l'inquiétude de Rosalie la pressant, voulant savoir, l'interrogeant de tout près : « Ce que je voudrais, dit la jeune fille, pendant que montait une flamme légère, comme d'un feu de paille, à la pâleur de son teint, ce que je voudrais... » puis, la voix changée, avec une expression comique :

« Je voudrais épouser Bompard ; oui, Bompard, voilà le mari de mes rêves... Au moins, il a de l'imagination, celui-là, des ressources contre la monotonie. »

Elle se leva, arpenta la chambre, de cette démarche un peu penchée qui la faisait paraître encore plus grande que sa taille. On ne connaissait pas Bompard. Quelle fierté, quelle dignité d'existence, et logique avec sa folie. « Numa voulait lui donner une place près de lui, il n'a pas voulu. Il a préféré vivre de sa chimère. Et l'on accuse le Midi d'être pratique, industrieux... En voilà un qui fait mentir la légende... tiens ! en ce moment — il me racontait cela, au bal, l'autre soir —, il fait éclore des œufs d'autruche... Une couveuse artificielle... Il est sûr de gagner des millions... Il est bien plus heureux que s'il les avait... Mais c'est une féerie perpétuelle que cet homme-là ! Qu'on me donne Bompard, je ne veux que Bompard.

— Allons, je ne saurai rien encore aujourd'hui... » pensait la grande sœur qui devinait quelque chose de profond sous ces badinages.

Un dimanche, Rosalie trouva en arrivant Mme Le Quesnoy qui l'attendait dans l'antichambre et lui dit d'un ton de mystère :

« Il y a quelqu'un au salon... une dame du Midi.

— Tante Portal ?

— Tu vas voir... »

Ce n'était pas Mme Portal, mais une pimpante Provençale dont la révérence rustique s'acheva dans un éclat de rire.

« Hortense ! »

La jupe au ras des souliers plats, le corsage élargi par les plis de tulle du grand fichu, le visage encadré des ondes tombantes de la chevelure que retenait la petite coiffe ornée d'un velours ciselé, brodé de papillons de jais, Hortense ressemblait bien aux *chato* qu'on voit le dimanche coqueter sur la Lice d'Arles ou cheminer deux par deux, les cils baissés, entre les colonnettes du cloître de Saint-Trophyme dont la dentelure va bien à ces carnations sarrasines, de l'ivoire d'église où tremble la clarté d'un cierge en plein jour.

« Crois-tu qu'elle est jolie ! » disait la mère, ravie devant cette personnification vivante du pays de sa jeunesse. Rosalie, au contraire, tressaillit d'une tristesse inconsciente comme si ce costume lui emportait sa sœur au loin, bien loin.

« En voilà une fantaisie !... Ça te va bien, mais je t'aime encore mieux en Parisienne... Et qui t'a si bien habillée ?

— Audiberte Valmajour. Elle sort d'ici.

— Comme elle vient souvent », dit Rosalie en passant dans leur chambre pour ôter son chapeau, « quelle amitié !... Je vais être jalouse. »

Hortense se défendait, un peu gênée. Ça faisait plaisir à leur mère, cette coiffe du Midi dans la maison.

« N'est-ce pas vrai, mère ? » cria-t-elle d'une pièce à l'autre. Puis cette pauvre fille était si dépaysée dans Paris et si intéressante avec ce dévouement aveugle au génie de son frère.

« Oh ! du génie... dit la grande sœur en secouant la tête.

— Dame ! tu as vu, l'autre soir chez vous, quel effet... partout c'est la même chose. »

Et comme Rosalie répondait qu'il fallait comprendre à leur vraie valeur ces succès mondains faits d'obligeance, de chic, du caprice d'une soirée :

« Enfin, il est à l'Opéra. »

La bande de velours s'agitait sur la petite coiffe en révolte, comme si elle eût recouvert vraiment une de ces têtes exaltées dont elle accompagne là-bas le fier profil. D'ailleurs, ces Valmajour n'étaient pas des paysans comme d'autres, mais les derniers représentants d'une noble famille déchue !...

Rosalie, debout devant la haute psyché, se retourna en riant :

« Comment ! tu crois à cette légende ?

— Mais certes ! Ils viennent directement des princes des Baux... les parchemins sont là, comme les armes à leur porte rustique. Le jour où ils voudront... »

Rosalie frémit. Derrière le paysan joueur de flûtet, il y avait le prince. Avec un prix d'imagination, cela pouvait devenir dangereux.

« Rien de tout cela n'est vrai — et elle ne riait plus cette fois —, il existe dans la banlieue d'Aps dix familles de ce nom soi-disant princier. Ceux qui t'ont dit autre chose ont menti par vanité, par...

— Mais c'est Numa, c'est ton mari... L'autre soir, au ministère, il donnait toutes sortes de détails.

— Oh ! avec lui, tu sais... Il faut mettre au point, comme il dit. »

Hortense n'écoutait plus. Elle était rentrée dans le salon, et assise au piano elle entonnait d'une voix éclatante :

« Mount' as passa ta matinado
Mourbieù, Marioun... »

C'était, sur un air grave comme du plain-chant, une ancienne chanson populaire de Provence que Numa avait apprise à sa belle-sœur et qu'il s'amusait à lui entendre chanter avec son accent parisien qui, glissant sur les articulations méridionales, faisait penser à de l'italien prononcé par une Anglaise.

« Où as-tu passé ta matinée, morbleu, Marion ?
— A la fontaine chercher de l'eau, mon Dieu, mon ami.
— Quel est celui qui te parlait, morbleu, Marion ?
— C'est une de mes camarades, mon Dieu, mon ami.
— Les femmes ne portent pas les brayes, morbleu, Marion.
— C'était sa robe entortillée, mon Dieu, mon ami.
— Les femmes ne portent pas l'épée, morbleu, Marion.
— C'est sa quenouille qui pendait, mon Dieu, mon ami.
— Les femmes ne portent pas moustaches, morbleu, Marion.
— C'était des mûres qu'elle mangeait, mon Dieu, mon ami.
— Le mois de mai ne porte pas de mûres, morbleu, Marion.
— C'était une branche de l'automne, mon Dieu, mon ami.
— Va m'en chercher une assiettée, morbleu, Marion.
— Les petits oiseaux les ont toutes mangées, mon Dieu, mon ami.
— Marion !... je te couperai la tête, morbleu, Marion...
— Et puis que ferez-vous du reste, mon Dieu, mon ami ?
— Je le jetterai par la fenêtre, morbleu, Marion,
Les chiens, les chats en feront fête... »

Elle s'interrompit pour lancer avec le geste et l'intonation de Numa, quand il se montait : « Ça, voyez-vous, mes *infants*... C'est *bo* comme du Shakespeare !...

— Oui, un tableau de mœurs, fit Rosalie en s'approchant... Le mari grossier, brutal, la femme féline et menteuse... un vrai ménage du Midi.

— Oh ! ma fille... » dit Mme Le Quesnoy sur un ton de doux reproche, le ton des anciennes querelles passées en habitude. Le tabouret de piano tourna brusquement sur sa vis et mit en face de Rosalie le bonnet de la Provençale indignée :

« C'est trop fort... qu'est-ce qu'il t'a fait, le Midi ?... Moi, je l'adore. Je ne le connaissais pas, mais ce voyage que vous m'avez fait faire m'a révélé ma vraie patrie... J'ai beau avoir été baptisée à Saint-Paul ; je suis de là-bas, moi... Une enfant de la Placette... Tu sais, maman, un de ces jours nous planterons là ces froids septentrionaux et nous irons demeurer toutes deux dans notre beau Midi où l'on chante, où l'on danse, le Midi du vent, du soleil, du mirage, de tout ce qui poétise et élargit la vie... *C'est là que je voudrais vi-i-vre...* » Ses deux mains agiles retombèrent sur le piano, dispersant la fin de son rêve dans un brouhaha de notes retentissantes.

« Et pas un mot du tambourin, pensait Rosalie, c'est grave. »

Plus grave encore qu'elle ne l'imaginait.

Du jour où Audiberte avait vu la demoiselle accrocher une fleur au tambourin de son frère, à cette minute même s'était levée dans son esprit ambitieux une vision splendide d'avenir, qui n'avait pas été étrangère à leur transplantement. L'accueil que lui fit Hortense lorsqu'elle vint se plaindre à elle, son empressement à courir vers Numa, l'affermissaient dans son espoir encore vague. Et depuis, lentement, sans s'en ouvrir à ses hommes autrement que par des demi-mots, avec sa duplicité de paysanne presque italienne, en se glissant, en rampant, elle préparait les voies. De la cuisine de la place Royale où elle commençait par attendre timidement dans un coin, au bord d'une chaise, elle se faufilait au salon, s'installait, toujours nette et bien coiffée, à une place de parente pauvre. Hortense en raffolait, la montrait à ses amis comme un joli bibelot rapporté de cette Provence dont elle parlait avec passion. Et l'autre, se faisant plus simple que nature, exagérait ses effarements de sauvage, ses colères à poings fermés contre le ciel boueux de Paris, s'exclamait d'un « *Boudiou* » très gentil dont elle soignait l'effet comme une ingénue de théâtre. Le président lui-même en souriait de ce *boudiou*. Et faire sourire le président !...

Mais c'est chez la jeune fille, seule avec elle, qu'elle mettait en jeu toutes ses câlineries. Tout à coup elle s'agenouillait à ses pieds, lui prenait les mains, s'extasiait sur les moindres grâces de sa toilette, la façon de nouer un ruban, de se coiffer, laissant échapper de ces lourds compliments en plein visage qui font plaisir quand même, tellement ils paraissent naïfs et spontanés. Oh ! quand la demoiselle était descendue de voiture devant le *mas*, elle avait cru voir la reine des anges en personne, qu'elle n'en pouvait plus parler de saisissement. Et son frère, *pécaïré*, en entendant le carrosse qui remmenait la Parisienne crier sur les pierres de la descente, il disait que c'était comme si ces pierres lui tombaient une à une sur le cœur. Elle en jouait de ce frère, et de ses fiertés, de ses inquiétudes... Des inquiétudes, pourquoi ? je vous demande un peu... Depuis la soirée du *menistre* on parlait de lui sur tous les journaux, on mettait son portrait partout. Et des invitations dans le faubourg de *Saint-Germëin*, qu'il n'y pouvait pas suffire. Des duchesses, des comtesses qui lui écrivaient sur des billets à odeur, avec des couronnes à leur papier comme sur les voitures qu'elles envoyaient pour le prendre... Eh bien ! non, il n'était pas content, le *povre* !

Tout cela, chuchoté près d'Hortense, lui communiquait un peu de la fièvre et du magnétique vouloir de la paysanne. Alors, sans la regarder, elle demandait si Valmajour n'aurait pas, peut-être, une promise qui l'attendait là-bas, au pays.

« Lui, une promise !... *Avaï*, vous le connaissez pas... Il s'en croit trop pour vouloir d'une paysanne. Les plus riches se sont mises après lui, celle des Combette, une autre encore, et des galantes, vous savez bien !... Il les a pas seulement regardées... Qui sait ce qu'il roule dans sa tête !... Oh ! ces artistes... »

Et ce mot, nouveau pour elle, prenait sur ses lèvres ignorantes une indéfinissable expression, comme du latin de la messe ou quelque formule cabalistique ramassée dans le Grand Albert. L'héritage du cousin Puyfourcat revenait très souvent aussi dans cet adroit bavardage.

Il est peu de familles du Midi, artisanes ou bourgeoises, qui n'aient leur cousin Puyfourcat, le chercheur d'aventures parti dès sa jeunesse et qui n'a plus écrit, qu'on aime à se figurer richissime. C'est le billet de loterie à longue échéance, l'échappée chimérique sur un lointain de fortune et d'espoir, auquel on finit par croire fermement. Audiberte y croyait, à l'héritage du cousin, et elle en parlait à la jeune fille, moins pour l'éblouir que pour diminuer les distances sociales qui les séparaient. A la mort de Puyfourcat, le frère rachèterait Valmajour, ferait reconstruire le château et valoir ses titres de noblesse, puisqu'ils disaient tous que les papiers existaient.

A la fin de ces causeries, prolongées quelquefois jusqu'au crépuscule, Hortense restait longtemps silencieuse, le front appuyé à la vitre, à regarder monter dans un rose couchant d'hiver les hautes tours du château reconstruit, la plate-forme toute ruisselante de lumières et d'aubades en l'honneur de la châtelaine.

« *Boudiou*, qu'il est tard !... » s'écriait la paysanne la voyant au point où elle voulait... « Et le dîner de mes hommes qui n'est pas prêt ! Je me sauve. »

Souvent Valmajour venait l'attendre en bas ; mais elle ne le laissait jamais monter. Elle le sentait si gauche et grossier, indifférent d'ailleurs à toute idée de séduction. Elle n'avait pas encore besoin de lui.

Quelqu'un qui la gênait bien aussi, mais difficile à éviter, c'était Rosalie, auprès de qui les chatteries, les fausses naïvetés ne prenaient pas. En sa présence, Audiberte, ses terribles sourcils noirs plissés au front, ne disait plus un mot ; et dans ce mutisme montait, avec une haine de race, une colère de faible, sournoise et vindicative, contre l'obstacle le plus sérieux à ses projets. Son vrai grief était celui-là ; mais elle en avouait d'autres à la petite sœur. Rosalie n'aimait pas le tambourin, puis « elle ne faisait pas sa religion... Et une femme qui ne fait pas sa religion, voyez-vous... ». Audiberte la faisait, elle, et furieusement ; elle ne manquait pas un office et communiait aux jours convenus. Cela ne l'entravait en rien, rouée, menteuse, hypocrite, violente jusqu'au crime, ne puisant dans les textes que des préceptes de vengeance et de haine. Seulement elle restait honnête, au sens féminin du mot. Avec ses vingt-huit ans, sa jolie figure, elle gardait, dans les milieux bas où ils roulaient maintenant, la chasteté sévère de son épais fichu de paysanne, serré sur un cœur qui n'avait jamais battu que d'ambition fraternelle.

« Hortense m'inquiète... Regarde-la. »

Rosalie, à qui sa mère faisait cette confidence dans un coin de salon au ministère, crut que Mme Le Quesnoy partageait ses défiances. Mais l'observation de la mère s'adressait à l'état d'Hortense, qui ne parvenait pas à guérir un gros vilain rhume. Rosalie regarda sa sœur. Toujours son teint éblouissant, sa vivacité, sa gaieté. Elle toussait un peu, mais quoi ! comme toutes les Parisiennes après la saison des bals. Le beau temps allait la remettre bien vite.

« En as-tu parlé à Jarras ? »

Jarras était un ami de Roumestan, un ancien du café Malmus. Il assurait que ce n'était rien, conseillait les eaux d'Arvillard.

« Eh bien ! il faut y aller... dit vivement Rosalie, enchantée de ce prétexte d'éloigner Hortense.

— Oui, mais ton père qui va rester seul...

— J'irai le voir tous les jours... »

Alors la pauvre mère avouait, en sanglotant, l'épouvante que lui causait ce voyage avec sa fille. Pendant toute une année, il lui avait fallu courir ainsi les villes d'eaux pour l'enfant qu'ils avaient déjà perdu. Est-ce qu'elle allait recommencer le même pèlerinage, avec le même but affreux en perspective ? L'autre aussi, ça l'avait pris à vingt ans, en pleine santé, en pleine force...

« Oh ! maman, maman... veux-tu te taire... »

Et Rosalie la grondait doucement. Hortense n'était pas malade, voyons ; le médecin le disait bien. Ce voyage serait une simple distraction. Arvillard, les Alpes dauphinoises, un pays merveilleux. Elle aurait bien voulu accompagner Hortense à sa place. Malheureusement, elle ne pouvait pas. Des raisons sérieuses...

« Oui, je comprends... ton mari, le ministère...

— Oh ! non, ce n'est pas cela. »

Et contre sa mère, dans cette intimité de cœur où elles se trouvaient rarement ensemble : « Ecoute, mais pour toi seule, car personne ne le sait, pas même Numa », elle avoua l'espoir encore bien fragile d'un grand bonheur dont elle avait désespéré, qui la rendait folle de joie et de crainte, l'espoir tout nouveau d'un enfant qui allait peut-être venir.

11

Une ville d'eaux

Arvillard-les-Bains, 2 août 76.

« C'est bien curieux, va, l'endroit d'où je t'écris. Imagine une salle carrée, très haute, dallée, stuquée, sonore, où le jour de deux grandes fenêtres est voilé de rideaux bleus jusqu'aux derniers carreaux, obscurci encore par une sorte de buée flottante, à goût de soufre, qui colle aux habits, ternit les bijoux d'or ; là-dedans, des gens assis contre les murs sur des bancs, des chaises, des tabourets, autour de petites tables, des gens qui regardent leur montre à toute minute, se lèvent, sortent pour céder la place à d'autres, laissant voir chaque fois par la porte entrouverte la foule des baigneurs, circulant dans le clair vestibule, et le tablier blanc flottant des femmes de service qui se hâtent. Pas de bruit, malgré tout ce mouvement, un continuel murmure de conversations à voix basse, de journaux déployés, de mauvaises plumes oxydées grinçant sur le papier, un recueillement d'église, baigné, rafraîchi par le grand jet d'eau minérale installé au milieu de la salle et dont l'élan se brise contre un disque métallique, s'émiette, s'éparpille en jaillissements, se pulvérise au-dessus de larges vasques superposées et ruisselantes. C'est la salle d'inhalation.

Je te dirai, ma chérie, que tout le monde n'inhale pas de la même façon. Ainsi le vieux monsieur que j'ai en face de moi en ce moment suit à la lettre les prescriptions du médecin, je les reconnais toutes. Les pieds sur un tabouret, la poitrine en avant, effaçons les coudes, et la bouche toujours ouverte pour faciliter l'aspiration. Pauvre cher homme ! comme il aspire, avec quelle confiance, quels petits yeux ronds, dévots et crédules qui semblent dire à la source :

« O source d'Arvillard, guéris-moi bien, vois comme je t'aspire, comme j'ai foi en toi... »

Puis nous avons le sceptique qui inhale sans inhaler, le dos tourné, en haussant les épaules et considérant le plafond. Puis les découragés, les vrais malades qui sentent l'inutilité et le néant de tout ça ; une pauvre dame, ma voisine, que je vois après chaque quinte porter vivement son doigt à la bouche, regarder si le gant ne s'est pas piqué au bout d'un point rouge. Et l'on trouve quand même le moyen d'être gai.

Des dames du même hôtel rapprochent leurs chaises, se groupent, brodent, potinent tout bas, commentent le *Journal des baigneurs* et la liste des étrangers. Les jeunes personnes arborent des romans anglais à couverture rouge, des prêtres lisent leur bréviaire — il y a beaucoup de prêtres à Arvillard, surtout des missionnaires, avec de grandes barbes, des figures jaunes, des voix éteintes d'avoir longtemps prêché la parole de Dieu ; quant à moi, tu sais que les romans ne sont pas mon affaire, surtout ces romans de maintenant où tout se passe comme dans la vie. Alors je fais ma correspondance à deux ou trois victimes désignées, Marie Tournier, Aurélie Dansaert, et toi, ma grande sœur que j'adore. Attendez-vous à de vrais journaux. Pense donc ! deux heures d'inhalation en quatre fois, tous les jours ! Personne ici n'inhale autant que moi, c'est-à-dire que je suis un vrai phénomène. On me regarde beaucoup à cause de cela et j'en ai quelque fierté.

Pas d'autre traitement, du reste, à part le verre d'eau minérale que je vais boire à la source matin et soir et qui doit triompher du voile obstiné que ce vilain rhume m'a laissé sur la voix. C'est la spécialité des eaux d'Arvillard ; aussi les chanteuses et les chanteurs se donnent-ils rendez-vous ici. Le beau Mayol vient de nous quitter avec des cordes vocales toutes neuves. Mlle Bachellery, tu sais, la petite diva de votre fête, se trouve si bien du traitement qu'après avoir fini les trois semaines réglementaires, elle en recommence trois autres, ce dont le *Journal des baigneurs* la loue beaucoup. Nous avons l'honneur d'habiter le même hôtel que cette jeune et illustre personne, affublée d'une tendre mère de Bordeaux qui à table d'hôte réclame des « appétits » dans la salade et parle du chapeau de cent *qrrante* francs que portait sa demoiselle au dernier Longchamp. Un couple délicieux et très admiré parmi nous. On se pâme aux gentillesses de Bébé — comme dit sa mère —, à ses rires, à ses roulades, à ses envolements de jupe courte. On se presse devant la cour sablée de l'hôtel pour lui voir faire sa partie de crocket avec les petites filles et les petits garçons — elle ne joue qu'avec les tout-petits —, courir, sauter, envoyer sa boule en vrai gamin : « Je vas vous roquer, monsieur Paul. »

Tout le monde dit : « Elle est si enfant ! » Moi, je crois que ces faux enfantillages font partie d'un rôle, comme ses jupes à larges nœuds et son catogan de postillon. Puis elle a une façon si extraordinaire d'embrasser cette grosse Bordelaise, de se pendre à son cou, de se faire bercer, gironner devant tout le monde ! Tu sais si je suis caressante, eh bien ! vrai, ça me gêne pour embrasser maman.

Une famille bien curieuse aussi, mais moins gaie, c'est le prince et la princesse d'Anhalt, mademoiselle leur fille, gouvernante, femmes de chambre et suite, qui occupent tout le premier de l'hôtel dont ils sont les personnages. Je rencontre souvent la princesse dans l'escalier, montant marche à marche au bras de son mari, un beau gaillard, éblouissant de santé sous son chapeau gansé de bleu. Elle ne va à l'établissement qu'en chaise à porteurs ; et, c'est navrant, cette tête creusée et pâle derrière la petite vitre, le père et l'enfant qui marchent à côté, l'enfant bien chétive, avec tous les traits de sa mère et peut-être aussi tout son mal. Elle s'ennuie, cette petite de huit ans, à qui il est défendu de jouer avec les autres enfants, et qui regarde tristement, du balcon, les parties de crocket et les cavalcades de l'hôtel. On la trouve de sang trop bleu pour ces ébats roturiers, ils aiment mieux la garder dans l'atmosphère lugubre de cette mère expirante, près de ce père qui promène sa malade avec une tête rogue et excédée, ou l'abandonner aux domestiques. Mais, mon Dieu, c'est donc une peste, un mal qui se gagne, la noblesse ! Ces gens-là mangent à part dans un petit salon, inhalent à part — car il y a des salles pour famille —, et te figures-tu la tristesse de ce tête-à-tête, cette femme et cette enfant dans un grand caveau silencieux.

L'autre soir, nous étions très nombreux au grand salon du rez-de-chaussée où l'on se réunit pour jouer à des petits jeux, chanter, danser même quelquefois. La maman Bachellery venait d'accompagner Bébé à une cavatine d'opéra —, nous voulons entrer à l'Opéra, nous sommes même venues à Arvillard nous « récurer la voix pour ça », selon l'élégante expression de la mère. Tout à coup la porte s'ouvre, et la princesse paraît, avec ce grand air qu'elle a, expirante, élégante, serrée dans un manteau de dentelle qui dissimule le rétrécissement terrible et significatif des épaules. L'enfant et le mari suivaient.

« Continuez, je vous en prie... » toussote la pauvre femme.

Et voilà cette bête de petite chanteuse qui va choisir dans tout son répertoire la romance la plus navrée, la plus sentimentale, *Vorrei morir*, quelque chose comme nos *Feuilles mortes* en italien, une malade qui fixe sa date mortuaire en automne, pour se faire l'illusion que toute la nature va expirer avec elle, enveloppée du premier brouillard comme d'un suaire.

Vorrei morir nella stagion dell' anno.

L'air gracieux, d'une tristesse qui prolonge la caresse des mots italiens ; et au milieu de ce grand salon, où pénétraient par les fenêtres ouvertes les odeurs, les vols légers, le rafraîchissement d'une belle nuit d'été, ce désir de vivre encore jusqu'à l'automne, cette trêve, ce sursis demandé au mal, prenaient quelque chose de poignant. Sans rien dire, la princesse s'est levée, est sortie brusquement. Dans le noir du jardin, j'ai entendu un sanglot, un long sanglot, puis une voix d'homme qui grondait, et de ces plaintes pleurées d'un enfant qui voit du chagrin à sa mère.

C'est la tristesse des villes d'eaux, ces misères de santé qu'on y rencontre, ces toux entêtées, mal assourdies par les cloisons d'hôtel, ces précautions de mouchoirs sur les bouches pour éviter l'air, ces causeries, ces confidences dont on devine le sens aux gestes douloureux montrant toujours la poitrine ou l'épaule vers la clavicule, et les démarches somnolentes, les pas traînants, l'idée fixe du mal. Maman qui connaît toutes les stations pour les maladies de poitrine, pauvre mère, dit qu'aux Eaux-Bonnes ou au Mont-Dore c'est bien autre chose qu'ici. On n'envoie à Arvillard que les convalescents comme moi ou les cas désespérés pour lesquels rien ne fait plus rien. Nous n'avons heureusement à notre hôtel des *Alpes dauphinoises* que trois malades de ce genre, la princesse, puis deux jeunes Lyonnais, le frère et la sœur, orphelins, très riches, dit-on, et qui semblent au pire ; la sœur surtout, avec ce teint blafard, resté sous l'eau, des Lyonnaises, entortillée de peignoirs et de châles tricotés, sans un bijou, un ruban, nul souci de coquetterie. Elle sent le pauvre, cette riche ; elle est perdue, le sait, se désespère et s'abandonne. Il y a au contraire dans la taille voûtée du jeune homme, étroitement pincée d'une jaquette à la mode, une terrible volonté de vivre, une incroyable résistance au mal.

« Ma sœur n'a pas de ressort... moi j'en ai ! » disait-il à table d'hôte, l'autre jour, d'une voix toute rongée qu'on n'entend pas plus que l'*ut* de la Vauters, quand elle chante. Et le fait est qu'il a furieusement du ressort. C'est le boute-en-train de l'hôtel, l'organisateur des jeux, des parties, des excursions ; il monte à cheval, en traîneau, des espèces de petits traîneaux chargés de branches sur lesquels les montagnards du pays vous font dégringoler les pentes les plus raides, valse, fait des armes, secoué de quintes affreuses qui ne l'interrompent pas un instant. Nous possédons encore une illustration médicale, le docteur Bouchereau, tu te rappelles, celui que maman était allée consulter pour notre pauvre André. Je ne sais s'il nous a reconnues, mais il ne nous salue jamais. Un vieux loup...

... Je viens d'aller boire mon demi-verre à la source. Cette source précieuse est à dix minutes du pays, en montant du côté des hauts fourneaux, dans une gorge où roule et gronde un torrent, tout mousseux d'écume, descendu du glacier qui ferme la perspective, luisant et clair entre les Alpes bleues, et qui semble, dans cette blancheur des eaux battues, fondre et délayer sans cesse sa base invisible et neigeuse. De grandes roches noires, suintant goutte à goutte parmi les fougères et les lichens, des plantations de sapins, de verdure sombre, un sol où des fragments de mica étincellent dans la poussière de charbon, voilà l'endroit. Mais ce que je ne puis te rendre, c'est le formidable bruit, le torrent jaillissant dans les pierres, le marteau à vapeur d'une scierie qu'il active, et, dans l'étroite gorge, sur une route unique, toujours encombrée, des tombereaux de houille, des bestiaux en file, des cavalcades d'excursionnistes, des buveurs qui vont ou reviennent ; j'oubliais l'apparition, au seuil des maisons misérables, de quelque horrible crétin mâle ou femelle étalant un goitre hideux, une grosse figure hébétée, la bouche ouverte et grognante. Le crétinisme est une des productions du pays. Il semble que la nature soit trop forte ici pour l'homme, que le minerai de fer, de cuivre, de soufre, l'étreigne, le torde, l'étouffe, que cette eau des cimes le glace, comme ces pauvres arbres qu'on voit pousser tout rabougris entre deux roches. Encore une de ces impressions d'arrivée dont la tristesse et l'horreur s'effacent au bout de quelques jours.

Maintenant, au lieu de les fuir, j'ai mes goitreux d'élection, un surtout, un affreux petit monstre, assis au bord de la route dans un fauteuil d'enfant de trois ans, et il en a seize, juste l'âge de Mlle Bachellery. Quand j'approche, il dodeline sa lourde tête de pierre d'où sort un cri rauque, écrasé, sans conscience et sans air, et, sitôt sa pièce blanche reçue, la lève triomphalement vers une charbonnière qui le guette d'un coin de fenêtre. C'est une fortune enviée de bien des mères, ce disgracié qui rapporte plus à lui tout seul que ses trois frères travaillant aux fourneaux de La Debout. Le père ne fait rien ; malade de la poitrine, il passe l'hiver à son foyer de pauvre, et, l'été, s'installe avec d'autres malheureux sur un banc, dans la buée tiède que fait en arrivant la source bouillonnante. La nymphe de l'endroit, tablier blanc, les mains ruisselantes, remplit à la mesure voulue les verres qu'on lui tend, pendant que dans la cour à côté, séparée de la route par un mur bas, des têtes dont on ne voit pas les corps se renversent en arrière, contorsionnées d'efforts, grimaçant au soleil, la bouche toute grande. Une illustration de l'*Enfer* du Dante : les damnés du gargarisme.

Quelquefois, en sortant de là, nous faisons le grand tour pour revenir à l'établissement, et nous descendons par le pays. Maman, que le bruit de l'hôtel fatigue, qui a peur surtout que je ne danse trop au salon, avait rêvé de louer une petite maison bourgeoise dans Arvillard, où les occasions ne manquent pas. Il y a des écriteaux à chaque porte, à chaque étage, se balançant dans les glycines entre des rideaux clairs et tentateurs. A se demander vraiment ce que les habitants deviennent pendant la saison. Campent-ils en troupeaux sur les montagnes environnantes, ou bien vont-ils vivre à l'hôtel à cinquante francs par jour ? Cela m'étonnerait, car il me semble terriblement rapace, cet aimant qu'ils ont dans l'œil quand ils regardent le baigneur — quelque chose qui luit et qui accroche. Et ce luisant-là, l'éclair brusque sur le front de mon petit goitreux, le reflet de sa pièce blanche, je le retrouve partout. Dans les lunettes du petit médecin frétillant qui m'ausculte tous les matins, dans l'œil des bonnes dames doucereuses vous invitant à visiter leurs maisons, leurs petits jardins bien commodes, remplis de trous pleins d'eau et de cuisines au rez-de-chaussée pour des appartements au troisième étage, dans l'œil des voituriers en blouses courtes, chapeaux cirés à grands rubans, qui vous font signe du haut de leurs corricolos de louage, dans le regard du petit ânier debout devant l'écurie large ouverte où remuent de longues oreilles, même dans celui des ânes, oui, dans ce grand regard d'entêtement et de douceur, cette dureté de métal que donne l'amour de l'argent, je l'ai vue, elle existe.

Du reste, elles sont affreuses leurs maisons, encaissées, tristes, sans horizon, riches en inconvénients de toute sorte qu'il n'est pas permis d'ignorer, puisqu'on vous les signale dans la maison voisine. Nous nous en tiendrons décidément à notre caravansérail des *Alpes dauphinoises*, qui chauffe au soleil sur la hauteur ses innombrables persiennes vertes dans la brique rouge, au milieu d'un parc anglais encore en bas âge, taillis, labyrinthe, allées sablées, dont il partage la jouissance avec les cinq ou six autres hôtels cossus du pays, *La Chevrette, La Laïta, Le Bréda, La Planta*. Tous ces hôtels à noms savoyards se font une concurrence féroce, s'épient, se surveillent par-dessus les massifs, et c'est à qui mènera le plus de train avec ses cloches, ses pianos, le fouet de ses postillons, les fusées de ses feux d'artifice, à qui ouvrira le plus largement ses fenêtres pour que l'animation, les rires, les chants, les danses, fassent dire aux voyageurs de vis-à-vis :

« Comme ils s'amusent là-bas ! Comme il doit y avoir du monde ! »

Mais c'est dans le *Journal des baigneurs* que se livre entre les auberges rivales la bataille la plus chaude, autour de ces listes d'arrivants que la petite feuille donne très exactement deux fois par semaine.

Quelle rage envieuse à *La Laïta*, à *La Planta*, quand on voit par exemple : *Prince et princesse d'Anhalt et leur suite... Alpes dauphinoises*. Tout pâlit devant cette ligne écrasante. Comment répondre ? Et l'on cherche, on s'ingénie ; si vous avez un *de*, un titre quelconque, on le prodigue, on l'étale. Voici trois fois que *La Chevrette* nous sert le même inspecteur des forêts sous des espèces différentes, inspecteur, marquis, chevalier des saints Maurice et Lazare. Mais les *Alpes dauphinoises* ont encore le pompon, sans que nous y soyons pour rien, dame ! Tu sais comme est maman, toujours modeste, effarouchée ; elle a bien défendu à Fanny de dire qui nous étions, parce que la position de notre père, celle de ton mari, auraient attiré autour de nous trop de curiosité et de poussière mondaine. Le journal a dit simplement : *Mmes Le Quesnoy (de Paris)... Alpes dauphinoises*, et comme les Parisiens sont rares, notre incognito n'a pas été révélé.

Nous avons une installation très simple, assez commode, deux chambres au second, toute la vallée devant nous, un cirque de montagnes noires de sapins au pied, et qui se nuancent, s'éclaircissent en montant avec des traînées de neige éternelle, des pentes arides en regard de petites cultures qui font comme des carrés de vert, de jaune, de rose, au milieu desquels les meules de foin ne paraissent pas plus grosses que des ruches d'abeilles. Mais ce bel horizon ne nous tient guère chez nous.

Le soir, on a le salon, le jour on erre dans le parc pour le traitement qui, joint à cette existence si remplie et si vide, vous prend et vous absorbe. L'heure amusante, c'est après déjeuner, quand on se groupe par petites tables pour le café, sous les grands tilleuls, à l'entrée du jardin. C'est l'heure des arrivées et des départs ; autour de la voiture qui emporte les baigneurs, on échange des adieux, des poignées de main, les gens de l'hôtel se pressent, éclairés du luisant, du fameux luisant savoyard. On embrasse des personnes qu'on connaît à peine, les mouchoirs s'agitent, les grelots tintent, puis la lourde voiture chargée et vacillante disparaît par les routes étroites, à mi-côte, emportant ces noms, ces visages qui ont fait un moment partie de la vie commune, ces inconnus d'hier, demain oubliés.

D'autres arrivent, s'installent dans leurs habitudes. J'imagine que ce doit être la monotonie des paquebots, avec un renouvellement de figures à chaque escale. Tout ce mouvement m'amuse, mais notre chère maman reste bien triste, bien absorbée, malgré le sourire qu'elle essaie quand je la regarde. Je devine que chaque détail de notre vie lui apporte un souvenir navrant, une évocation d'images lugubres. Elle en a tant vu de ces caravansérails de malades, pendant l'année où elle a suivi son agonisant de station en station, dans la plaine ou sur la montagne, sous les pins au bord de la mer, avec un espoir toujours trompé et l'éternelle résignation qu'elle était obligée de mettre à son martyre.

Vraiment, Jarras pouvait bien lui éviter ce rappel de douleurs ; car je ne suis pas malade, je ne tousse presque plus, et, en dehors de mon vilain enrouement qui me donne une voix à crier des pois verts, je ne me suis jamais si bien portée. Un appétit d'enfer, figure-toi, de ces faims terribles qui ne peuvent attendre. Hier, après un déjeuner à trente plats, au menu plus compliqué que l'alphabet chinois, je vois une femme éplucher des framboises devant sa porte. Tout de suite une fringale me prend. Deux bols, ma chère, deux bols de ces grosses framboises si fraîches, « le fruit du pays », comme dit notre garçon de table. Et voilà mon estomac !

C'est égal, ma chérie, comme c'est heureux que ni toi ni moi n'ayons pris le mal de ce pauvre frère que je n'ai guère connu et dont je retrouve ici sur d'autres visages les traits tirés, l'expression découragée qu'il a sur son portrait dans la chambre de nos parents ! Et quel original que ce médecin qui l'a soigné jadis, ce fameux Bouchereau ! L'autre jour, maman a voulu me présenter à lui, et, pour obtenir une consultation, nous avons rôdé dans le parc autour de ce grand vieux, à la physionomie brutale et dure ; mais il était très entouré par les médecins d'Arvillard, l'écoutant avec des humilités d'écolier. Alors nous l'avons attendu à la sortie de l'inhalation. Peine perdue. Notre homme s'est mis à marcher d'un pas, comme s'il voulait nous échapper. Avec maman, tu sais, on ne va guère vite, et nous l'avons encore manqué cette fois. Enfin hier matin Fanny est allée demander de notre part à sa gouvernante s'il pouvait nous recevoir. Il a fait répondre qu'il était aux eaux pour se soigner et non pour donner des consultations. En voilà un rustre ! C'est vrai que je n'ai jamais vu une pâleur pareille, de la cire ; père est un monsieur très coloré à côté de lui. Il ne vit que de lait, ne descend jamais à la salle à manger, encore moins au salon. Notre petit docteur, frétillant, celui que j'appelle *M. C'est ce qui faut*, prétend qu'il a une maladie de cœur très dangereuse, et que ce sont les eaux d'Arvillard qui depuis trois ans le font durer.

« C'est ce qui faut ! C'est ce qui faut ! »

On n'entend que cela dans le bredouillement de ce drôle de petit homme, vaniteux, bavard, qui tourbillonne le matin dans notre chambre. « Docteur, je ne dors pas... Je crois que le traitement m'agite. — C'est ce qui faut ! — Docteur, j'ai toujours sommeil... Je crois que ce sont les eaux. — C'est ce qui faut ! »

Ce qu'il faut surtout, c'est que sa tournée soit vite faite, pour qu'il puisse être avant dix heures à son cabinet de consultation, dans cette petite boîte à mouches où le monde s'entasse jusque dans l'escalier, jusque sur le trottoir, en bas des marches. Aussi il ne flâne guère, vous bâcle une ordonnance sans s'arrêter de sauter, de cabrioler, comme un baigneur qui « fait sa réaction ».

Oh ! la réaction. C'est ça encore une affaire. Moi qui ne prends ni bains ni douches, je ne fais pas de réaction ; mais je reste quelquefois un quart d'heure sous les tilleuls du parc à regarder le va-et-vient de tous ces gens marchant à grands pas réguliers, l'air absorbé, se croisant sans se dire un mot. Mon vieux monsieur de la salle d'inhalation, celui qui fait de l'œil à la source, apporte à cet exercice la même conscience ponctuelle. A l'entrée de l'allée il s'arrête, ferme son ombrelle blanche, rabaisse son collet d'habit, regarde sa montre, et en route, la jambe raide, les coudes au corps, une deux ! une deux ! jusqu'à une grande barre de lumière blonde que le manque d'un arbre jette en clairière dans l'allée. Il ne va pas plus loin, lève les bras trois fois comme s'il tendait des haltères, puis revient de la même allure, brandit de nouveaux haltères, et comme cela quinze tours de suite. J'imagine que la section des agités à Charenton doit avoir un peu de la physionomie de mon allée vers onze heures.

6 août.

C'est donc vrai, Numa vient nous voir. Oh ! que je suis contente, que je suis contente ! Ta lettre est arrivée par le courrier d'une heure, dont la distribution se fait dans le bureau de l'hôtel. Minute solennelle, décisive pour la couleur de la journée. Le bureau plein, on se range en demi-cercle autour de la grosse Mme Laugeron, très imposante dans son peignoir de flanelle bleue, pendant que de sa voix autoritaire, un peu maniérée, d'ancienne dame de compagnie elle annonce les adresses multicolores du courrier. Chacun s'avance à l'appel, et je dois te dire qu'on met un certain amour-propre à avoir un fort courrier. A quoi n'en met-on pas du reste, de l'amour-propre, dans ce perpétuel frottement de vanités et de sottises ? Quand je pense que j'en arrive à être fière de mes deux heures d'inhalation ! « M. le prince d'Anhalt... M. Vasseur... Mlle Le Quesnoy... » Déception. Ce n'est que mon journal de modes. « Mlle Le Quesnoy... » Je regarde s'il n'y a plus rien pour moi et je me sauve avec ta chère lettre, jusqu'au fond du jardin, sur un banc enfermé de grands noisetiers.

Ça, c'est mon banc, le coin où je m'isole pour rêver, faire mes romans ; car, chose étonnante, pour bien inventer, développer selon les règles de M. Baudouy, il ne me faut pas de larges horizons. Quand c'est trop grand, je me perds, je m'éparpille, va te promener. Le seul ennui de mon banc, c'est le voisinage d'une balançoire, où cette petite Bachellery passe la moitié de ses journées à se faire lancer dans l'espace par le jeune homme au ressort. Je pense qu'il en a du ressort pour la pousser ainsi pendant des heures. Et ce sont des cris de bébé, des roulades envolées : « Plus haut ! encore !... » Dieu ! que cette fille m'agace, je voudrais que la balançoire l'envoyât dans la nue et qu'elle n'en redescendît jamais.

On est si bien, si loin, sur mon banc, quand elle n'est pas là. J'y ai savouré ta lettre, dont le post-scriptum m'a fait pousser un cri de joie.

Oh ! que bénis soient Chambéry et son lycée neuf, et cette première pierre à poser, qui amène dans nos régions le ministre de l'Instruction publique. Il sera très bien ici pour préparer son discours, soit en se promenant dans l'allée de la réaction — allons, bon, un calembour maintenant —, ou sous mes noisetiers quand Mlle Bachellery ne les effarouche pas. Mon cher Numa ! Je m'entends si bien avec lui, si vivant, si gai. Comme nous allons causer ensemble de notre Rosalie et du sérieux motif qui l'empêche de voyager en ce moment... Ah ! mon Dieu, c'est un secret... Et maman qui m'a tant fait jurer... c'est elle qui est contente aussi de recevoir le cher Numa. Du coup, elle en perd toute timidité, toute modestie, et vous avait une majesté en entrant dans le bureau de l'hôtel pour retenir l'appartement de son gendre le ministre. Non, la tête de notre hôtesse oyant cette nouvelle.

« Comment ! mesdames, vous êtes... vous étiez ?...

— Nous le fûmes... nous le sommes... »

Sa large face est devenue lilas, ponceau, une palette de peintre impressionniste. Et M. Laugeron, et tout le service. Depuis notre arrivée, nous réclamions en vain un bougeoir supplémentaire ; tout à l'heure, il y en avait cinq sur la cheminée. Numa sera bien servi, je t'en réponds, et installé. On lui donne le premier étage du prince d'Anhalt, qui va se trouver libre dans trois jours. Il paraît que les eaux d'Arvillard sont funestes à la princesse ; et le petit docteur lui-même est d'avis qu'elle parte au plus vite. C'est ce qui faut, car s'il arrivait un malheur, les *Alpes dauphinoises* ne s'en relèveraient pas.

C'est pitié, la hâte qui se fait autour du départ de ces malheureux, comme on les presse, comme on les pousse, à l'aide de cette hostilité magnétique que dégagent les endroits où l'on est importun. Pauvre princesse d'Anhalt dont l'arrivée fut si fêtée ici. Pour un peu, on la reconduirait à l'extrémité du département entre deux gendarmes... L'hospitalité des villes d'eaux !...

A propos, et Bompard ? tu ne me dis pas s'il sera du voyage. Dangereux Bompard ! s'il vient, je suis capable de m'envoler avec lui sur quelque glacier. Quels développements nous trouverions à nous deux, vers les cimes !... Je ris, je suis si heureuse... Et j'inhale, et j'inhale, un peu gênée par le voisinage du terrible Bouchereau qui vient d'entrer et de s'asseoir à deux places de moi.

Qu'il a donc l'air dur, cet homme-là. Les mains sur la pomme de sa canne, son menton posé dessus, il parle tout haut, le regard droit, sans s'adresser à personne. Est-ce que je dois prendre pour moi ce qu'il dit de l'imprudence des baigneuses, de leurs robes de batiste claire, de la sottise des sorties après le dîner dans un pays où les soirées sont d'une fraîcheur mortelle ? Méchant homme ! On croirait qu'il sait que je quête ce soir à l'église d'Arvillard pour l'œuvre de la Propagation. Le père Olivieri doit raconter en chaire ses missions dans le Thibet, sa captivité, son martyre, Mlle Bachellery chanter l'*Ave Maria* de Gounod. Et je me fais une fête du retour par toutes les petites rues noires avec des lanternes, comme une vraie retraite aux flambeaux.

Si c'est une consultation que M. Bouchereau me donne là, je n'en veux pas, il est trop tard. D'abord, monsieur, j'ai carte blanche de mon petit docteur, qui est bien plus aimable que vous et m'a même permis un tour de valse au salon pour finir. Oh ! rien qu'un, par exemple. Du reste, quand je danse un peu trop, tout le monde est après moi. On ne sait pas comme je suis robuste avec ma taille de grand fuseau, et qu'une Parisienne n'est jamais malade de trop danser. « Prenez garde... Ne vous fatiguez pas... » L'une m'apporte mon châle ; celui-là ferme les croisées dans mon dos de peur que je m'enrhume. Mais le plus empressé encore, c'est le jeune homme au ressort, parce qu'il trouve que j'en ai diantrement plus que sa sœur. Ce n'est pas difficile, pauvre fille. Entre nous, je crois que ce jeune monsieur, désespéré des froideurs d'Alice Bachellery, s'est rabattu sur moi et me fait la cour... Mais, hélas ! il perd ses peines, mon cœur est pris, tout à Bompard... Eh bien ! non, ce n'est pas Bompard, et tu t'en doutes, ce n'est pas Bompard le personnage de mon roman. C'est... c'est... Ah ! tant pis, mon heure est passée. Je te le dirai un autre jour, mademoiselle *refréjon.* »

12

Une ville d'eaux
(suite)

Le matin où le *Journal des baigneurs* annonça que Son Excellence M. le ministre de l'Instruction publique, Bompard attaché, et leur suite, étaient descendus aux *Alpes dauphinoises*, le désarroi fut grand dans les hôtels d'alentour.

Justement *La Laïta* gardait depuis deux jours un évêque catholique de Genève pour le produire au bon moment, ainsi qu'un conseiller général de l'Isère, un lieutenant-juge à Tahiti, un architecte de Boston, une fournée enfin. *La Chevrette* attendait aussi un « député du Rhône et famille ». Mais le député, le lieutenant-juge, tout disparut emporté, perdu dans le sillon de flamme glorieuse qui suivait partout Numa Roumestan. On ne parlait, on ne s'occupait que de lui. Tous les prétextes servaient pour s'introduire aux *Alpes dauphinoises*, passer devant le petit salon du rez-de-chaussée sur le jardin, où le ministre mangeait entre ses dames et son attaché, le voir faire la partie de boule, chère aux Méridionaux, avec le père Olivieri des Missions, saint homme terriblement velu, qui à force de vivre chez les sauvages avait pris de leurs façons d'être, poussait des cris formidables en pointant et pour tirer brandissait les boules au-dessus de sa tête en tomahawk.

La belle figure du ministre, la rondeur de ses manières lui gagnèrent les cœurs ; et surtout sa sympathie pour les humbles. Le lendemain de son arrivée, les deux garçons qui servaient le premier étage annoncèrent à l'office que le ministre les emmenait à Paris pour son service personnel. Comme c'était de bons serviteurs, Mme Laugeron fit la grimace, mais n'en laissa rien voir à l'Excellence, dont le séjour valait tant d'honneur à son hôtel. Le préfet, le recteur, arrivaient de Grenoble, en tenue, présenter leurs hommages à Roumestan. L'abbé de la Grande-Chartreuse — il avait plaidé pour eux contre les prémontrés et leur élixir — lui envoyait en grande pompe une caisse de liqueur extrafine. Enfin le préfet de Chambéry venait prendre ses ordres pour la cérémonie de la première pierre à poser au lycée neuf, l'occasion d'un discours-manifeste et d'une révolution dans les mœurs de l'Université. Mais le ministre demandait un peu de répit ; les travaux de la session l'avaient fatigué, il voulait reprendre haleine, s'apaiser au milieu des siens, préparer à loisir ce discours de Chambéry, d'une portée si considérable. Et M. le préfet comprenait bien cela, demandant seulement d'être prévenu quarante-huit heures à l'avance, pour donner l'éclat nécessaire à la cérémonie. La pierre avait attendu deux mois, elle attendrait bien encore le bon vouloir de l'illustre orateur.

En réalité, ce qui retenait Roumestan à Arvillard, ce n'était ni le besoin de repos, ni le loisir nécessaire à cet improvisateur merveilleux sur qui le temps et la réflexion faisaient l'effet de l'humidité sur le phosphore, mais la présence d'Alice Bachellery. Après cinq mois d'un flirtage passionné, Numa n'était pas plus avancé auprès de sa « petite » que le jour de leur premier rendez-vous. Il fréquentait la maison, savourait la bouillabaisse savante de Mme Bachellery, les chansonnettes de l'ancien directeur des Folies-Bordelaises, reconnaissait ces menues faveurs par une foule de cadeaux, bouquets, envois de loges ministérielles, billets aux séances de l'Institut, de la Chambre, même les palmes d'officier d'Académie pour le chansonnier, tout cela sans avancer ses affaires. Ce n'était pourtant pas un de ces novices qui vont à la pêche à toute heure, sans avoir d'avance tâté l'eau et solidement appâté. Seulement il avait affaire à la plus subtile dorade, qui s'amusait de ses précautions, mordillait l'amorce, lui donnait parfois l'illusion de la prise, et s'échappait tout à coup d'une détente, lui laissant la bouche sèche de désir, le cœur fouetté des commotions de sa souple échine ondulée et tentante. Rien de plus énervant que ce jeu. Il ne tenait qu'à Numa de le faire cesser, en donnant à la petite ce qu'elle demandait, sa nomination de première chanteuse à l'Opéra, un traité de cinq ans, de gros appointements, des feux, la vedette, le tout stipulé sur papier timbré et non par la simple poignée de main, le « topez-là » de Cadaillac. Elle n'y croyait pas plus qu'aux « J'en réponds... c'est comme si vous l'aviez... » dont Roumestan depuis cinq mois essayait de la leurrer.

Celui-ci se trouvait entre deux exigences. « Oui, disait Cadaillac, si vous renouvelez mon bail. » Or le Cadaillac était brûlé, fini ; sa présence à la tête du premier théâtre de musique, un scandale, une tare, un héritage véreux de l'administration impériale. La presse réclamerait sûrement contre le joueur, trois fois failli, qui ne pouvait porter sa croix d'officier, et le cynique montreur, dilapidant sans vergogne les deniers publics. Fatiguée à la fin de ne pouvoir se laisser prendre, Alice cassa la ligne et se sauva, traînant l'hameçon.

Un jour, le ministre arrivant chez les Bachellery trouva la maison vide et le père qui, pour le consoler, lui chantait son dernier refrain :

Donne-moi d'quoi q't'as, t'auras d'quoi qu'j'ai.

Il s'efforça de patienter un mois, puis retourna voir le fécond chansonnier qui voulut bien lui chanter sa nouvelle :

Quand le saucisson va, tout va...

et le prévenir que ces dames, se trouvant admirablement aux eaux, avaient l'intention de doubler leur séjour. C'est alors que Roumestan s'avisa qu'on l'attendait pour cette première pierre du lycée de Chambéry, une promesse faite en l'air et qui y serait probablement restée, si Chambéry n'eût été voisin d'Arvillard où, par un hasard providentiel, Jarras, le médecin et l'ami du ministre, venait d'envoyer Mlle Le Quesnoy.

Ils se rencontrèrent, dès l'arrivée, dans le jardin de l'hôtel. Elle, très surprise de le voir, comme si le matin même elle n'avait lu l'annonce pompeuse du *Journal des baigneurs*, comme si depuis huit jours toute la vallée par les mille voix de ses forêts, de ses fontaines, ses innombrables échos, n'annonçait la venue de l'Excellence :

« Vous, ici ? »

Lui, son air ministre, imposant et gourmé :

« Je viens voir ma belle-sœur. »

Il s'étonna, du reste, de trouver encore Mlle Bachellery à Arvillard. Il la croyait partie depuis longtemps.

« Dame ! il faut bien que je me soigne, puisque Cadaillac prétend que j'ai la voix si malade. »

Là-dessus un petit salut parisien du bout des cils, et elle s'éloigna sur une roulade claire, un joli gazouillis de fauvette, qu'on entend encore longtemps après qu'on ne voit plus l'oiseau. Seulement, dès ce jour, elle changea d'allure. Ce ne fut plus l'enfant précoce, toujours à gambader par l'hôtel, à roquer M. Paul, à jouer à la balançoire, aux jeux innocents, qui ne se plaisait qu'avec les petits, désarmait les mamans les plus sévères, les ecclésiastiques les plus moroses par l'ingénuité de son rire et son exactitude aux offices. On vit paraître Alice Bachellery, la diva des Bouffes, le joli mitron déluré et viveur, s'entourant de jeunes freluquets, improvisant des fêtes, des parties, des soupers que la mère, toujours présente, ne défendait qu'à demi des interprétations mauvaises.

Chaque matin, un panier au blanc tendelet bordé d'un baldaquin de franges se rangeait au perron une heure avant que ces dames descendissent en robe claire, pendant que piaffait autour d'elles une joyeuse cavalcade, tout ce qu'il y avait de libre, de garçon aux *Alpes dauphinoises* et dans les hôtels voisins, le lieutenant-juge, l'architecte américain, et surtout le jeune homme au ressort, que la diva ne semblait plus désespérer de ses innocents enfantillages. La voiture bourrée de manteaux pour le retour, un gros panier de provisions sur le siège, on traversait le pays au grand trot, en route pour la chartreuse de Saint-Hugon, trois heures dans la montagne sur des lacets à pic, au ras des cimes noires de sapins dégringolant vers des précipices, vers des torrents tout blancs d'écume ; ou bien dans la direction de Brame-Farine, où l'on déjeune d'un fromage de montagne arrosé d'un petit clairet très raide qui fait danser les Alpes, le mont Blanc, tout le merveilleux horizon de glaces, de crêtes bleues que l'on découvre de là-haut, avec de petits lacs, fragments clairs au pied des roches comme des morceaux de ciel cassé. On descendait, *à la ramasse*, dans des traîneaux de feuillage, sans dossier, où il faut se cramponner aux branches, lancé à corps perdu sur les pentes, tiré par un montagnard qui va droit devant lui sur le velours des pâturages, le lit caillouteux des torrents secs, franchissant de la même vitesse les quartiers de roche ou le grand écart d'un ruisseau, vous laissant en bas à la fin, ébloui, moulu, suffoqué, tout le corps en branle et les yeux tourbillonnants avec la sensation de survivre au plus horrible tremblement de terre.

Et la journée n'était complète que lorsque toute la cavalcade se trempait en route d'un de ces orages de montagne, criblé d'éclairs et de grêle, qui effrayait les chevaux, dramatisait le paysage, préparait un retour à sensation, la petite Bachellery, sur le siège, en paletot d'homme, sa toque ornée d'une plume de gélinotte, tenant les guides, fouettant ferme pour se réchauffer et racontant, une fois descendue, le danger de l'excursion avec l'entrain, la voix mordante, les yeux brillants, la vive réaction de sa jeunesse contre la froide averse et un petit frisson de peur.

Si du moins elle avait éprouvé alors le besoin d'un bon

sommeil, un de ces sommeils de pierre que procurent les courses en montagne. Non, c'était jusqu'au matin dans la chambre de ces femmes un train de rires, de chansons, de flacons débouchés, des consommations qu'on montait à ces heures indues, des tables qu'on roulait pour le baccara, et sur la tête du ministre, dont l'appartement se trouvait juste au-dessous.

Plusieurs fois il s'en plaignit à Mme Laugeron, très partagée entre son désir d'être agréable à l'Excellence et la crainte de mécontenter des clientes d'un tel rapport. Et puis, a-t-on le droit d'être bien exigeant dans ces hôtels de bains toujours secoués par des départs, des arrivées en pleine nuit, les malles qu'on traîne, les grosses bottes, les bâtons ferrés des ascensionnistes, en train de s'équiper dès avant le jour, et les quintes de toux des malades, ces horribles toux déchirantes, ininterrompues, qui tiennent du râle, du sanglot, du chant d'un coq enroué ?

Ces nuits blanches, lourdes nuits de juillet que Roumestan passait en insomnies fiévreuses à tourner et retourner dans son lit des pensées importunes, pendant que sonnait clair là-haut le rire coupé de traits et d'appogiatures de sa voisine, il aurait pu les employer à son discours de Chambéry ; mais il était trop agité, trop furieux, se retenant de monter à l'étage au-dessus pour chasser au bout de ses bottes le jeune homme au ressort, l'Américain et cet infâme lieutenant-juge, déshonneur de la magistrature française aux colonies, pour saisir par le cou, son cou de tourterelle gonflé de roulades, cette méchante petite scélérate en lui disant une bonne fois :

« Aurez-vous bientôt fini de me faire souffrir comme ça ? »

Pour s'apaiser, chasser ces visions, d'autres plus vives, plus douloureuses encore, il rallumait sa bougie, appelait Bompard couché dans la pièce à côté, le confident, l'écho, toujours à l'ordre, et l'on causait de la petite. C'est pour cela qu'il l'avait amené, arraché non sans peine à l'installation de sa couveuse artificielle. Bompard s'en consolait en entretenant de son affaire le père Olivieri qui connaissait à fond l'élevage des autruches, ayant habité longtemps Cape Town. Et les récits du religieux, ses voyages, son martyre, les différentes façons dont il avait été torturé en des pays divers, ce corps robuste de boucanier, brûlé, scié, roué, carte d'échantillon des raffineries de la cruauté humaine, tout cela avec le frais éventail rêvé des plumes soyeuses et chatoyantes, intéressait autrement l'imaginatif Bompard que l'histoire de la petite Bachellery ; mais il était si bien dressé à son métier de suiveur que, même à cette heure-là, Numa le trouvait prêt à s'attendrir, à s'indigner avec lui, donnant à sa noble tête, sous les pointes d'un foulard de nuit, des expressions de colère, d'ironie, de douleur, selon qu'il s'agissait des faux cils de l'artificieuse petite, de ses seize ans qui en valaient bien vingt-quatre, ou de l'immoralité de cette mère prenant sa part de scandaleuses orgies. Enfin quand Roumestan, ayant bien déclamé, gesticulé, montré à nu la faiblesse de son cœur amoureux, éteignait sa bougie : « Essayons de dormir... Allons... », Bompard profitait de l'obscurité pour lui dire avant d'aller se coucher :

« Moi, à ta place, je sais bien ce que je ferais...

— Quoi ?

— Je renouvellerais le traité de Cadaillac.

— Jamais ! »

Et violemment il s'enfonçait dans ses couvertures pour se garantir contre le tapage du dessus.

Une après-midi, à l'heure de la musique, l'heure coquette et bavarde de la vie de bains, pendant que tous les baigneurs, pressés devant l'établissement comme sur le tillac d'un navire, allaient et venaient, tournaient en rond ou prenaient place sur les chaises serrées en trois rangs, le ministre, pour éviter Mlle Bachellery qu'il voyait arriver en éblouissante toilette bleu et rouge, escortée de son état-major, s'était jeté dans une allée déserte, et seul, assis à l'angle d'un banc, pénétré dans ses préoccupations par la mélancolie de l'heure et de cette musique lointaine, remuait machinalement du bout de son parasol les éclaboussures de feu dont le couchant jonchait l'allée, quand une ombre lente passant sur son soleil lui fit lever les yeux. C'était Bouchereau, le médecin célèbre, très pâle, bouffi, traînant les pieds. Ils se connaissaient comme à une certaine hauteur de vie tous les Parisiens se connaissent. Par hasard, Bouchereau qui n'était pas sorti depuis plusieurs jours se sentait d'humeur sociable. Il s'assit, on causa.

« Vous êtes donc malade, docteur ?

— Très malade, dit l'autre avec ses façons de sanglier... Un mal héréditaire... une hypertrophie du cœur. Ma mère en est morte, mes sœurs aussi... Seulement, moi, je durerai moins qu'elles, à cause de mon affreux métier ; j'en ai pour un an, deux ans tout au plus. »

A ce grand savant, à ce diagnostiqueur infaillible parlant de sa mort avec cette assurance tranquille, il n'y avait rien à répondre que d'inutiles banalités. Roumestan le comprit, et, silencieux, il songeait que c'était là des tristesses autrement sérieuses que les siennes. Bouchereau continua, sans le regarder, avec cet œil vague, cette suite implacable d'idées que donne au professeur l'habitude de la chaire et du cours :

« Nous autres médecins, parce que nous avons l'air comme ça, on croit que nous ne sentons rien, que nous ne soignons dans le malade que la maladie, jamais l'être humain et souffrant. Grande erreur !... J'ai vu mon maître Dupuytren, qui passait pourtant pour un dur à cuire, pleurer à chaudes larmes devant un pauvre petit diphtéritique qui disait doucement que ça l'ennuyait de mourir... Et ces appels déchirants des angoisses maternelles, ces mains passionnées qui vous pétrissent le bras : « Mon enfant ! Sauvez mon enfant ! » Et les pères qui se raidissent pour vous dire d'une voix bien mâle, avec de grosses larmes le long des joues : « Vous nous le tirerez de là, n'est-ce pas, docteur ?... » On a beau s'aguerrir, ces désespoirs vous poignent le cœur ; et c'est ça qui est bon, quand on a le cœur déjà atteint !... Quarante ans de pratique, à devenir chaque jour plus vibrant, plus sensible... Ce sont mes malades qui m'ont tué. Je meurs de la souffrance des autres.

— Mais je croyais que vous ne consultiez plus, docteur, fit le ministre qui s'émouvait.

— Oh ! non, plus jamais, pour personne. Je verrais un homme tomber là, devant moi, que je ne me pencherais même pas... Vous comprenez, c'est révoltant à la fin, ce mal que j'ai nourri de tous les maux. Je veux vivre, moi... Il n'y a que la vie. »

Il s'animait dans sa pâleur ; et sa narine, pincée d'un signe morbide, buvait l'air léger imprégné d'arômes tièdes, de fanfares vibrantes, de cris d'oiseaux. Il reprit avec un soupir navré :

« Je ne pratique plus, mais je reste toujours médecin, je conserve ce don fatal du diagnostic, cette horrible seconde vue du symptôme latent, de la souffrance qu'on veut taire, qui dans le passant à peine regardé, dans l'être qui marche, parle, agit en pleine force, me montre le moribond de demain, le cadavre inerte... Et cela aussi clairement que je vois s'avancer la syncope où je resterai, le dernier évanouissement dont rien ne me fera revenir.

— C'est effrayant, murmura Numa qui se sentait pâlir, et poltron devant la maladie et la mort comme tous les Méridionaux, ces enragés de vie, se détournait du savant redoutable, n'osait plus le regarder en face, de peur de lui laisser lire sur sa figure rubiconde l'avertissement d'une fin prochaine.

— Ah ! ce terrible diagnostic qu'ils m'envient tous, comme il m'attriste, comme il me gâte le peu de vie qui me reste... Tenez, je connais ici une pauvre femme dont le fils est mort, il y a dix, douze ans, d'une phtisie laryngée. Je l'avais vu deux fois, et, seul entre tous, je signalai la gravité du mal. Aujourd'hui je retrouve cette mère avec sa jeune fille ; et je peux dire que la présence de ces malheureuses me perd mon séjour aux eaux, me cause plus de mal que mon traitement ne me fera de bien. Elles me poursuivent, elles veulent me consulter, et moi, je m'y refuse absolument... Pas besoin d'ausculter cette enfant pour la condamner. Il me suffit de l'avoir vue l'autre jour se jeter voracement sur un bol de framboises, d'avoir regardé à l'inhalation sa main posée sur ses genoux, une main maigre où les ongles bombent, s'enlèvent au-dessus des doigts comme prêts à se détacher. Elle a la phtisie de son frère, elle mourra avant un an... Mais que d'autres le leur apprennent. J'en ai assez donné de ces coups de couteau qui se retournaient contre moi. Je ne veux plus. »

Roumestan s'était levé, très effrayé :

« Savez-vous le nom de ces dames, docteur ?

— Non. Elles m'ont envoyé leur carte, je n'ai pas même voulu la voir. Je sais seulement qu'elles sont à notre hôtel. »

Et tout à coup, regardant à l'extrémité de l'allée :

« Ah ! mon Dieu, les voilà !... Je me sauve. »

Là-bas, sur le rond-point où la musique envoyait son accord final, c'était un mouvement d'ombrelles, de toilettes gaies s'agitant entre les branches aux premiers coups de cloche des dîners sonnant alentour. D'un groupe animé, causant, les dames Le Quesnoy se détachaient, Hortense grande et svelte dans la lumière, une toilette de mousseline et de valenciennes, un chapeau garni de roses, à la main un bouquet de ces mêmes roses acheté dans le parc.

« Avec qui causiez-vous donc, Numa ? On dirait M. Bouchereau. »

Elle était devant lui, éblouissante, dans un si bon jour d'heureuse jeunesse, que la mère elle-même commençait à perdre ses terreurs, laissant se refléter sur son vieux visage un peu de cette gaieté entraînante.

« Oui, c'était Bouchereau qui me racontait ses misères... Il est bien bas, le pauvre !... »

Et Numa, la regardant, se rassurait :

« Cet homme est fou. Ce n'est pas possible, c'est sa mort qu'il promène et diagnostique partout. »

A ce moment, Bompard apparut, marchant très vite, brandissant un journal.

« Quoi donc ? demanda le ministre.

— Grande nouvelle ! Le tambourinaire a débuté... »

On entendit Hortense murmurer : « Enfin ! » et Numa qui rayonnait :

« Succès, n'est-ce pas ?

— Tu penses !... je n'ai pas lu l'article... Mais trois colonnes en tête du *Messager* !...

— Encore un que j'ai inventé ! » dit le ministre qui s'était rassis, les mains à l'entournure du gilet, « voyons, lis-nous ça. »

Mme Le Quesnoy observant que la cloche du dîner avait sonné, Hortense répliqua vivement que ce n'était que le premier coup ; et la joue sur une main, dans une jolie pose d'attente sourieuse, elle écouta.

« Est-ce à M. le ministre des Beaux-Arts, est-ce au directeur de l'Opéra, que le public parisien doit la grotesque mystification dont il a été victime hier soir ?... »

Ils tressaillirent tous, excepté Bompard qui, dans son élan de beau diseur, bercé par le ronron de sa phrase, sans comprendre ce qu'il lisait, les regardait l'un après l'autre, très surpris de leur étonnement.

« Mais va donc, dit Numa, va donc ! »

« En tout cas, c'est M. Roumestan que nous en rendons responsable. C'est lui qui nous a rapporté de sa province ce bizarre et sauvage galoubet, ce mirliton des chèvres... »

« Il y a des gens bien méchants... » interrompit la jeune fille qui pâlissait sous ses roses. Le liseur continua, les yeux arrondis des énormités qu'il voyait venir.

« ... des chèvres, à qui notre Académie de musique a dû de ressembler pour un soir à un retour de foire de Saint-Cloud. Et vraiment il en fallait un fameux, galoubet, pour croire que Paris... »

Le ministre lui arracha violemment le journal :

« Tu ne vas pas nous lire cette ineptie jusqu'au bout, je suppose... C'est bien assez de nous l'avoir apportée. »

Il parcourut l'article, d'un de ces prompts regards d'homme public, habitué aux invectives de la presse. « ... Ministre de province... joli batteur d'entrechats... le Roumestan de Valmajour... sifflé le ministère et crevé son tambourin... » Il en eut assez, cacha la méchante feuille dans la profondeur de ses poches, puis se leva en soufflant la colère qui lui gonflait le visage, et prenant le bras de Mme Le Quesnoy :

« Allons dîner, maman... Ça m'apprendra à ne plus m'emballer pour un tas de non-valeurs. »

Ils allaient de front tous les quatre, Hortense les yeux à terre, consternée.

« Il s'agit d'un artiste de grand talent », dit-elle en essayant d'affermir son timbre un peu voilé, « il ne faut pas le rendre responsable de l'injustice du public, de l'ironie des journaux. »

Roumestan s'arrêta :

« Du talent... du talent... *bé*, oui... Je ne dis pas... mais trop exotique... »

Et levant son ombrelle :

« Prenons garde au Midi, petite sœur, prenons garde au Midi... N'en abusons pas... Paris se fatiguerait. »

Il se remit en route à pas comptés, paisible et froid comme un habitant de Copenhague ; et le silence ne fut troublé que par ce craquement du gravier sous les pas, qui semble en certaines circonstances l'écrasement, l'émiettement d'une colère ou d'un rêve. Quand on fut devant l'hôtel dont l'immense salle envoyait par ses dix fenêtres le tapage affamé des cuillers au fond des assiettes, Hortense s'arrêta, et, relevant la tête :

« Alors, ce pauvre garçon... vous allez l'abandonner ?

— Que faire ?... Il n'y a pas à lutter... Puisque Paris n'en veut pas. »

Elle eut un regard d'indignation presque méprisante :

« Oh ! c'est affreux, ce que vous dites... Eh bien, moi, je suis plus fière que vous, et fidèle à mes enthousiasmes. »

Elle franchit en deux sauts le perron de l'hôtel.

« Hortense, le second coup est sonné.

— Oui, oui, je sais... je descends. »

Elle monta dans sa chambre, s'enferma, la clef en dedans, pour ne pas être dérangée. Son pupitre ouvert, un de ces coquets bibelots à l'aide desquels la Parisienne personnifie même une chambre d'auberge, elle en tira une des photographies qu'elle s'était fait faire avec le ruban et le fichu d'Arles, écrivit une ligne au bas, et signa. Pendant qu'elle mettait l'adresse, l'heure sonna au clocher d'Arvillard dans la sombreur violette du vallon, comme pour solenniser ce qu'elle osait faire.

« Six heures. »

Une vapeur montait du torrent, en blancheurs errantes et floconnantes. L'amphithéâtre de forêts, de montagnes, l'aigrette d'argent du glacier dans le soir rose, elle notait les moindres détails de cette minute silencieuse et reposée, comme on marque sur le calendrier une date entre toutes, comme on souligne dans un livre le passage qui nous a le plus ému, et songeant tout haut :

« C'est ma vie, toute ma vie que j'engage en ce moment. »

Elle en prenait à témoins la solennité du soir, la majesté de la nature, le recueillement grandiose de tout autour d'elle.

Sa vie entière qu'elle engageait ! Pauvre petite, si elle avait su combien c'était peu de chose.

A quelques jours de là, Mmes Le Quesnoy quittaient l'hôtel, le traitement d'Hortense étant fini. La mère, quoique rassurée par la bonne mine de son enfant et ce que lui disait le petit docteur du miracle opéré par la nymphe des eaux, avait hâte d'en finir avec cette existence dont les moindres détails réveillaient son ancien martyre.

« Et vous, Numa ? »

Oh ! lui, il comptait rester encore une semaine ou deux, continuer un bout de traitement et profiter du calme où le laisserait leur départ pour écrire ce fameux discours. Cela ferait un fier tapage dont elles auraient des nouvelles à Paris. Dame ! Le Quesnoy ne serait pas content.

Et tout à coup Hortense, prête à partir, si heureuse pourtant de rentrer chez elle, de revoir les chers absents que le lointain lui rendait plus chers encore, car elle avait de l'imagination jusque dans le cœur, Hortense se sentait une tristesse de quitter ce beau pays, tout ce monde de l'hôtel, des amis de trois semaines auxquels elle ne se savait pas tellement attachée. Ah ! natures aimantes, comme vous vous donnez, comme tout vous prend, et quelle douleur ensuite pour briser ces fils invisibles et sensibles. On avait été si bon pour elle, si attentionné ; et, à la dernière heure, il se pressait autour de la voiture tant de mains tendues, de visages attendris. Des jeunes filles l'embrassaient :

« Ça ne sera plus gai sans vous. »

On promettait de s'écrire, on échangeait des souvenirs, des coffrets odorants, des coupe-papier en nacre avec cette inscription : *Arvillard 1876* dans un reflet bleu des lacs. Et pendant que M. Laugeron lui glissait dans son sac une fiole de chartreuse surfine, elle voyait là-haut, derrière la vitre de sa chambre, la montagnarde qui la servait tamponner ses yeux d'un gros mouchoir lie de vin, elle entendait une voix éraillée murmurer à son oreille : « Du ressort, mademoiselle... toujours du ressort... »

Son ami le poitrinaire qui, grimpé sur l'essieu, tendait vers elle un regard d'adieu, deux yeux creusés, rongés, fiévreux, mais étincelants d'énergie, de volonté, et un peu d'émotion aussi. Oh ! les bonnes gens, les bonnes gens...

Hortense ne parlait pas de peur de pleurer.

« Adieu, adieu tous ! »

Le ministre, qui accompagnait ces dames jusqu'à la station lointaine, prenait place en face d'elles. Le fouet claque, les grelots s'ébranlent. Tout à coup Hortense crie : « Mon ombrelle ! » Elle l'avait là, il n'y a qu'un instant. Vingt personnes s'élancent. « L'ombrelle... l'ombrelle... » Dans la chambre, non, dans le salon. Les portes battent, l'hôtel est fouillé de haut en bas.

« Ne cherchez pas... Je sais où elle est. »

Toujours vive, la jeune fille saute hors de la voiture et court dans le jardin vers le berceau de noisetiers, où le matin encore elle ajoutait quelques chapitres au roman en cours dans sa petite tête bouillonnante. L'ombrelle était là, jetée en travers sur le banc, quelque chose d'elle-même resté à cette place favorite et qui lui ressemblait. Quelles heures délicieuses passées dans ce coin de claire verdure, que de confidences envolées avec les abeilles et les papillons ! Sans doute elle n'y reviendrait jamais ; et cette pensée lui serrait le cœur, la retenait. Jusqu'au grincement long de la balançoire qu'à cette heure elle trouvait charmant.

« Zut ! tu m'embêtes... »

C'était la voix de Mlle Bachellery qui, furieuse de se voir délaisser pour ce départ et se croyant seule avec sa mère, lui parlait dans son langage habituel. Hortense songeait aux câlineries filiales qui l'avaient tant de fois énervée, et riait toute seule en revenant vers la voiture, quand au détour d'une allée elle se trouva face à face avec Bouchereau. Elle s'écartait, mais il la retint par le bras.

« Vous nous quittez donc, mon enfant ?

— Mais oui, monsieur... »

Elle ne savait trop que répondre, interdite de la rencontre et de ce qu'il lui parlait pour la première fois. Alors il lui prit les deux mains dans les siennes, la tenait ainsi devant lui, les bras écartés, la considérait profondément de ses yeux aigus sous leurs sourcils blancs en broussailles. Puis ses lèvres, son étreinte, tout trembla, un flot de sang empourprant sa pâleur :

« Allons, adieu... bon voyage ! »

Et sans d'autres paroles, il l'attira, la serra contre sa poitrine avec une tendresse de grand-père et se sauva, les deux mains appuyées sur son cœur qui éclatait.

13

Le discours de Chambéry

« Non, non, je me fais hironde... e... elle
Et je m'envo... o... le à tire d'ai... ai... le... »

De sa voix aigrelette qui, ce matin, s'était levée toute limpide et de belle humeur, la petite Bachellery, serrée dans un caban de fantaisie à capuchon de soie bleue pour aller avec une petite toque entortillée d'un grand voile de gaze, chantait devant sa glace en achevant de boutonner ses gants. Sanglée pour l'excursion, sa joyeuse petite personne avait une bonne odeur de toilette fraîche et de costume neuf, strictement ordonné, en contraste avec le gâchis de la chambre d'hôtel, où les restes d'un souper traînaient sur la table au milieu des jetons, des cartes, des bougies, tout près du lit découvert et d'une grande baignoire pleine de cet éblouissant petit-lait d'Arvillard souverain pour calmer les nerfs et satiner la peau des baigneuses. En bas, l'attendaient le panier attelé, secouant ses grelots, et toute une jeune escorte caracolant devant le perron.

Comme la toilette finissait, on frappa à la porte.

« Entrez !... »

Roumestan s'avança, très ému, lui tendit une large enveloppe :

« Voici, mademoiselle... Oh ! lisez... lisez... »

C'était son engagement à l'Opéra pour cinq ans, avec les appointements voulus, la vedette, tout. Quand elle l'eut déchiffré article par article, froidement, posément, jusqu'à la signature à gros doigts de Cadaillac, alors, mais seulement alors, elle fit un pas vers le ministre, et, relevant son voile déjà serré pour la poussière du voyage, tout contre lui, son bec rose en l'air :

« Vous êtes bien bon... je vous aime... »

Il n'en fallait pas plus pour faire oublier à l'homme public tous les ennuis que cet engagement allait lui causer. Il se contint pourtant, demeura droit, froid, sourcilleux comme un roc.

« Maintenant, j'ai tenu ma parole, je me retire... je ne veux pas déranger votre partie...

— Ma partie ?... Ah ! oui, c'est vrai... Nous allons à Château-Bayard. »

Et, lui passant ses deux bras au cou, câlinement :

« Vous allez venir avec nous... Oh ! si... oh ! si... »

Elle lui frôlait la figure avec ses grands cils en pinceaux, et même lui mordillait son menton de statue, pas bien fort, du bout des quenottes.

« Avec ces jeunes gens ?... mais c'est impossible... Vous n'y songez pas ?...

— Ces jeunes gens ?... Je m'en moque pas mal de ces jeunes gens... Je les lâche... Maman va les prévenir... Oh ! ils y sont habitués... tu entends, maman ?

— J'y vas », dit Mme Bachellery qu'on apercevait dans la chambre à côté, le pied sur une chaise, s'efforçant de chausser ses bas rouges de bottines de coutil trop étroites. Elle fit au ministre sa belle révérence des Folies-Bordelaises et descendit bien vite expédier ces messieurs.

« Garde un cheval pour Bompard... Il viendra avec nous », lui cria la petite ; et Numa, touché de cette attention, savoura la joie délicieuse d'écouter, avec cette jolie fille entre ses bras, s'éloigner au pas, l'oreille basse, toute la fringante jeunesse dont les caracolades lui avaient tant de fois piétiné le cœur. Un baiser longuement appuyé sur un sourire qui promettait tout, puis elle se dégagea :

« Allez vite vous habiller... Il me tarde d'être en route. »

Quelle rumeur curieuse dans l'hôtel, quel mouvement derrière les persiennes quand on sut que le ministre était de la partie de Château-Bayard, qu'on vit son large gilet blanc, le panama ombrant sa face romaine, s'étaler dans le panier en face de la chanteuse. Après tout, comme disait le père Olivieri très aguerri par ses voyages, quel mal y avait-il à cela, est-ce que la mère ne les accompagnait pas, et le Château-Bayard, monument historique, rentrait-il oui ou non dans les attributions ministérielles ? Ne soyons donc pas si intolérants, mon Dieu, surtout avec des hommes qui donnent leur vie à la défense des bonnes doctrines et de notre sainte religion.

« Bompard ne vient pas, qu'est-ce qu'il fait donc ? » murmurait Roumestan, impatienté d'attendre là, devant l'hôtel, sous tous ces regards plongeants qui le fusillaient malgré le baldaquin de la voiture. A une croisée du premier étage, quelque chose d'extraordinaire apparut, de blanc, de rond, d'exotique, qui cria avec l'accent de l'ancien chef des Tcherkesses :

« Partez devant... Je *rejoueïndrai.* »

Comme s'ils n'attendaient que ce signal, les deux mulets, le garrot bas mais le pied solide, détalèrent en secouant leurs sonnettes voyageuses, franchirent le parc en trois sauts, traversèrent l'établissement de bains.

« Gare ! gare ! »

Les baigneurs effarés, les chaises à porteurs se rangent vivement, les filles de service, leurs grandes poches de tablier pleines de monnaie et de tickets de couleur, apparaissent à l'entrée des galeries ; les masseurs, tout nus comme des Bédouins sous leurs couvertures de laine, se montrent à mi-corps sur l'escalier des étuves, les salles d'inhalation soulèvent leurs rideaux bleus, on veut voir passer le ministre et la chanteuse ; mais ils sont déjà loin, lancés à fond de train dans le lacis descendant des petites rues noires d'Arvillard, sur les cailloux pointus, serrés, veinés de soufre et de feu, où la voiture rebondit avec des étincelles, secouant les maisons basses toutes lépreuses, faisant apparaître aux fenêtres garnies d'écriteaux, au seuil des boutiques de bâtons ferrés, de parasols, de passe-montagnes, de pierres calcaires, minerais, cristaux et autres attrape-baigneurs, des têtes qui s'inclinent, des fronts qui se découvrent à la vue du ministre. Les goitreux eux-mêmes le reconnaissent, saluent de leurs rires inconscients et rauques le grand maître de l'Université de France, tandis que ces dames, très fières, se tiennent droites et dignes en face de lui, sentant bien l'honneur qui leur est fait. Elles ne se mettent à l'aise qu'une fois hors du pays sur la belle route de Pontcharra, où les mulets soufflent au bas de la tour du Treuil que Bompard a fixée comme rendez-vous.

Les minutes se passent, pas de Bompard. On le sait bon cavalier, il s'en est vanté si souvent. On s'étonne, on s'irrite, Numa surtout, impatient d'être loin sur cette route blanche, unie, qui paraît sans fin, d'avancer dans cette journée qui s'ouvre comme une vie, pleine d'espérances et d'aventures. Enfin d'un tourbillon de poussière où halète une voix effrayée : « ho !... là... ho !... là... » jaillit la tête de Bompard, coiffée d'un de ces casques en liège couverts de toile blanche, à vague tournure de scaphandre, en usage dans l'armée indo-anglaise, et que le Méridional a emporté dans le but d'agrandir, de dramatiser son voyage, laissant croire au chapelier qu'il partait pour Bombay ou pour Calcutta.

« Arrive donc, lambin. »

Bompard hocha la tête d'un air tragique. Evidemment il s'était passé des choses au départ, et le Tcherkesse avait dû donner aux gens de l'hôtel une triste idée de son équilibre ; car de larges plaques de poussière souillaient ses manches et son dos.

« Mauvais cheval », dit-il en saluant ces dames, pendant que le panier s'ébranlait, « mauvais cheval, mais je l'ai mis au pas. »

Si bien au pas que maintenant l'étrange bête ne voulait plus avancer, piétinant et tournant sur place comme un chat malade, malgré les efforts de son cavalier. La voiture était déjà loin.

« Viens-tu, Bompard ?...

— Partez devant... Je rejoindrai... » cria-t-il encore de son plus beau creux marseillais ; puis il eut un geste désespéré et on le vit détaler du côté d'Arvillard dans une volée de sabots furieux. Tout le monde pensa : « Il aura oublié quelque chose » et on ne s'occupa plus de lui.

La route contournait les hauteurs, large route de France, espacée de noyers, ayant à gauche des forêts de châtaigniers et de pins, en terrasses, à droite des pentes immenses, déroulant à perte de vue, jusqu'au fond où les villages apparaissaient resserrés dans les creux, des champs de vigne, de blé, de maïs, des mûriers, des amandiers, et d'éblouissants tapis de genêts dont la graine éclatant à la chaleur faisait un pétillement continu, comme si le sol même grésillait tout en feu. On aurait pu le croire à la lourdeur du temps, à cet embrasement de l'atmosphère qui ne paraissait pas venir du soleil, presque invisible, reculé derrière une gaze, mais de vapeurs terrestres et brûlantes faisant trouver délicieusement fraîche la vue du Glayzin et sa cime coiffée de neiges qu'on aurait pu, semblait-il, toucher du bout des ombrelles.

Roumestan ne se souvenait pas de paysage comparable à celui-là, non, pas mêmc dans sa chèrc Provcncc ; il n'imaginait pas dc bonheur plus complet que le sien. Ni soucis ni remords. Sa femme fidèle et croyante, l'espoir de l'enfant, la prédiction de Bouchereau sur Hortense, l'effet désastreux qu'allait produire l'apparition du décret Cadaillac à l'*Officiel*, rien n'existait plus pour lui. Tout son destin tenait dans cette belle fille dont les yeux reflétaient ses yeux, ses genoux emboîtés dans les siens, et qui sous le voile azur, rosé par sa chair blonde, chantait en lui pressant les mains :

« Maintenant je me sens aimée,
Fuyons tous deux sous la ramée... »

Pendant qu'ils s'emportaient dans le vent de la course, la route dévidée rapidement élargissait son paysage à mesure, laissant voir une plaine immense en demi-cercle, des lacs, des villages, puis des montagnes nuancées à leur degré d'éloignement, la Savoie qui commençait.

« Que c'est beau ! que c'est grand ! » disait la chanteuse ; lui, répondait tout bas : « Que je vous aime ! »

A la dernière halte, Bompard rejoignit encore une fois, à pied, très piteux, menant son cheval par la bride. « Cette bête est étonnante... » fit-il sans plus, et ces dames s'informant s'il était tombé : « Non... C'est mon ancienne blessure qui s'est rouverte. » Blessé où, quand ? Il n'en avait jamais parlé ; mais, avec Bompard, il fallait s'attendre à des surprises. On le fit monter dans la voiture, son très pacifique cheval docilement attelé derrière, et l'on se dirigea vers le Château-Bayard, dont les deux tours poivrières, piètrement restaurées, se distinguaient sur un plateau.

Une servante vint au-devant d'eux, montagnarde finaude, aux ordres d'un vieux prêtre, ancien desservant des paroisses voisines, qui habite Château-Bayard, à la charge d'en laisser l'entrée libre aux touristes. Quand une visite est signalée, le prêtre, très digne, monte dans sa chambre, à moins qu'il ne s'agisse de personnages ; mais le ministre en partie fine se gardait bien de donner ses titres, et ce fut comme à de simples visiteurs que la domestique montra, avec les phrases apprises et le ton psalmodique de ces gens-là, ce qui reste de l'ancien manoir du chevalier sans peur et sans reproche, pendant que le cocher installait le déjeuner sous une tonnelle du petit jardin.

« Ici l'ancienne chapelle oü le bon chevalier matin et soir... Je prie mesdames et messieurs de considérer l'épaisseur des murailles. »

On ne considérait rien du tout. Il faisait noir, on butait contre des gravats qu'éclairait à demi le jour d'une meurtrière glissant sur un grenier à foin établi dans les poutres du plafond. Numa, le bras de sa petite sous le sien, se moquait un peu du chevalier Bayard et de « sa respectable mère, la dame Hélène des Allemans ». Cette odeur de vieilles choses les ennuyait ; et même un moment, pour tâter l'écho des voûtes de la cuisine, Mme Bachellery ayant entonné la dernière chanson de son époux, mais là, tout à fait gaillarde, *J'tiens ça d'papa..., j'tiens ça d'maman...*, personne ne se scandalisa, au contraire.

Mais dehors, le déjeuner servi sur une massive table de pierre, et quand la première faim fut apaisée, la calme splendeur de l'horizon autour d'eux, la vallée du Grésivaudan, les Bauges, les sévères contreforts de la Grande-Chartreuse, et le contraste, dans cette nature aux grandes lignes, du petit verger en terrasse où vivait ce vieux solitaire, tout à Dieu, à ses tulipiers, à ses abeilles, les pénétra peu à peu de quelque chose de grave, de doux qui ressemblait à du recueillement. Au dessert, le ministre, entrouvrant le guide pour retremper sa mémoire, parla de Bayard, « de sa pauvre dame de mère qui tendrement plorait », le jour où l'enfant partant pour Chambéry, page chez le duc de Savoie, faisait caracoler son petit roussin devant la porte du Nord, à cette place même où l'ombre de la grosse tour s'allongeait majestueuse et frêle, comme le fantôme du vieux castel évanoui.

Et Numa, se montant, leur lisait les belles paroles de Madame Hélène à son fils, au moment du départ : « Pierre, mon amy, je vous recommande que devant toutes choses aimiez, craigniez et serviez Dieu, sans aucunement l'offenser, s'il vous est possible. » Debout sur la terrasse, avec un geste large qui allait jusqu'à Chambéry : « Voilà ce qu'il faut dire aux enfants, voilà ce que tous les parents, ce que tous les maîtres... »

Il s'arrêta, se frappa le front :

« Mon discours !... C'est mon discours... Je le tiens... Superbe ! Le Château-Bayard, une légende locale... Quinze jours que je le cherche... Et le voilà !

— C'est providentiel », cria Mme Bachellery pleine d'admiration, trouvant tout de même la fin du déjeuner un peu grave... « Quel homme ! Quel homme ! »

La petite paraissait aussi très montée ; mais l'impressionnable Roumestan n'y prenait pas garde. L'orateur bouillonnait sous son front, dans sa poitrine, et tout à son idée :

« Le beau », disait-il en cherchant autour de lui, « le beau serait de dater la chose de Château-Bayard...

— Si c'est que monsieur l'avocat voudrait un petit coin pour écrire...

— Oh ! seulement quelques notes à jeter... Vous permettez, mesdames... Le temps qu'on vous serve le café... Je reviens... C'est pour pouvoir mettre ma date sans mentir. »

La servante l'installa dans une petite pièce du rez-de-chaussée très ancienne, dont la voûte arrondie en dôme garde des fragments de dorure et qu'on prétend avoir été l'oratoire de Bayard, de même que la vaste salle voisine, avec un grand lit de paysan à baldaquin et rideaux de perse, est présentée comme sa chambre à coucher.

Il faisait bon écrire entre ces épaisses murailles que la lourdeur du temps ne pénétrait pas, derrière cette porte-fenêtre entrebâillée jetant en travers de la page la lumière, les parfums du petit verger. Au début, la plume de l'orateur n'était pas assez prompte pour l'enthousiasme de l'idée ; il envoyait ses phrases, à la grosse, la tête en bas, des phrases d'avocat du Midi connues mais éloquentes, grises avec une chaleur cachée et des pétillements d'étincelles çà et là comme dans la coulée. Subitement il s'arrêta, le crâne vide de mots ou chargé de la fatigue de la route et des vapeurs du déjeuner. Alors il se promena de l'oratoire à la chambre, parlant haut, s'excitant, écoutant son pas dans la sonorité, comme celui d'un revenant illustre, et se rassit encore sans pouvoir tracer une ligne... Tout tournait autour de lui, les murs blanchis à la chaux, ce rayon de lumière hypnotisante. Il entendit un bruit d'assiettes et de rires dans le jardin, loin, très loin, et finit par s'endormir profondément, le nez sur son ébauche.

... Un violent coup de tonnerre le mit debout. Depuis combien de temps était-il là ? Un peu confus, il sortit dans le jardin désert, immobile. L'odeur des tulipiers s'écrasait dans l'air. Sous la tonnelle vide, des guêpes volaient lourdement autour de la poissure des verres de champagne et du sucre resté dans les tasses que la montagnarde desservait sans bruit, prise d'une peur nerveuse de bête à l'approche de l'orage, et se signant à chaque éclair. Elle apprit à Numa que la demoiselle se trouvant avec un grand mal de tête après déjeuner, elle l'avait menée dormir un peu dans la chambre de Bayard, en fermant « ben doucement » la porte pour ne pas déranger le monsieur qui travaillait. Les deux autres, la grosse dame et le chapeau blanc, étaient descendus dans la vallée, et pour sûr ils auraient de l'eau, car il allait en faire un... « Voyez !... »

Dans la direction qu'elle indiquait, sur la crête déchiquetée des Bauges, les cimes calcaires de la Grande-Chartreuse enveloppée d'éclairs comme un mystérieux Sinaï, le ciel s'obscurcissait d'une énorme tache d'encre qui grandissait à vue d'œil et sous laquelle toute la vallée, le remous des arbres verts, l'or des blés, les routes indiquées par de légères traînes de poussière blanche soulevée, la nappe argentée de l'Isère, prenaient une extraordinaire valeur lumineuse, un jour de réflecteur oblique et blanc, à mesure que se projetait la sombre et grondante menace. Au lointain, Roumestan aperçut le casque en toile de Bompard, étincelant comme une lentille de phare.

Il rentra, mais ne put se remettre au travail. Pour le coup, le sommeil ne paralysait pas sa plume ; il se sentait, au contraire, étrangement excité par la présence d'Alice Bachellery dans la chambre voisine. Au fait, y était-elle encore ? Il entrouvrit la porte et n'osa plus la refermer, de peur de déranger le joli sommeil de la chanteuse jetée, toute défaite, sur le lit, dans un fouillis troublant de cheveux froissés, d'étoffes ouvertes, de blanches formes entrevues.

« Allons, voyons, Numa... La chambre de Bayard, *qué* diable ! »

Il se prit positivement par le collet, comme un malfaiteur, se ramena, s'assit de force à sa table, la tête entre ses mains, bouchant ses yeux et ses oreilles, pour mieux s'absorber dans la dernière phrase qu'il répétait tout bas :

« Et, messieurs, ces recommandations suprêmes de la mère de Bayard venues jusqu'à nous dans la tant douce langue du Moyen Age, nous voudrions que l'Université de France... »

L'orage l'énervait, si lourd, engourdissant comme l'ombre de certains arbres des tropiques. Sa tête flottait, grisée d'une odeur exquise exhalée par les fleurs amères des tulipiers ou cette brassée de cheveux blonds éparse sur le lit à côté. Malheureux ministre ! Il avait beau s'accrocher à son discours, invoquer le chevalier sans peur et sans reproche, l'Instruction publique, les Cultes, le recteur de Chambéry, rien n'y fit. Il dut rentrer dans la chambre de Bayard, et, cette fois si près de la dormeuse, qu'il entendait son souffle léger, frôlait de la main l'étoffe à ramages des rideaux tombés encadrant ce sommeil provocateur, cette chair nacrée aux ombres et aux dessous roses d'une sanguine polissonne de Fragonard.

Même là, au bord de sa tentation, le ministre luttait encore, et le murmure machinal de ses lèvres marmottait les recommandations suprêmes que l'Université de France... quand un roulement brusque qui rapprochait ses saccades réveilla la chanteuse en sursaut.

« Oh ! que j'ai eu peur... tiens ! c'est vous ? »

Elle le reconnaissait en souriant, de ses yeux clairs d'enfant qui s'éveille, sans aucune gêne de son désordre ; et ils restaient saisis, immobiles, croisant la flamme silencieuse de leur désir. Mais la chambre se trouva subitement plongée dans une nuit noire par le retour des hautes persiennes que le vent fermait l'une après l'autre. On entendit battre des portes, une clef tomber, des tourbillons de feuilles et de fleurs rouler sur le sable jusqu'au seuil où soufflait la bourrasque plaintivement.

« Quel orage ! » lui dit-elle tout bas en prenant sa main brûlante et l'attirant presque sous les rideaux...

« Et Messieurs, ces recommandations suprêmes de la mère de Bayard, venues à nous dans la tant douce langue du Moyen Age... »

C'était à Chambéry, en vue du vieux château des ducs de Savoie et de ce merveilleux amphithéâtre de vertes collines et de montagnes neigeuses auquel Chateaubriand songeait devant le Taygète, que le grand maître de l'Université parlait cette fois, entouré d'habits brodés, de palmes, d'hermines, d'épaulettes à gros grains, dominant une foule immense soulevée par la puissance de sa verve, le geste de sa main robuste tenant encore la petite truelle à manche d'ivoire qui venait de cimenter la première pierre du lycée...

« Nous voudrions que l'Université de France les adressât à chacun de ses enfants : "Pierre, mon amy, je vous recommande devant toutes choses..." »

Et tandis qu'il citait ces touchantes paroles, une émotion faisait trembler sa main, sa voix, ses larges joues, au souvenir de la grande chambre odorante où, dans l'agitation d'un orage mémorable, avait été composé le discours de Chambéry.

14

Les victimes

Un matin. Dix heures. L'antichambre du ministre de l'Instruction publique, long couloir, mal éclairé, à tentures sombres et lambris de chêne, s'encombre d'une foule de solliciteurs, assis ou piétinants, plus nombreux de minute en minute, chaque nouveau venu donnant sa carte au solennel huissier à chaîne qui la prend, l'inspecte, et religieusement la pose, sans un mot, à côté de lui, sur le buvard de la petite table où il écrit dans le jour blême de la croisée toute ruisselante d'une fine pluie d'octobre.

Un des derniers arrivants a pourtant l'honneur d'émouvoir cette auguste impassibilité. C'est un gros homme hâlé, brûlé, goudronné, avec deux petites ancres d'argent en boucles d'oreilles, et une voix de phoque enroué comme il en râle dans la claire vapeur matinale des ports provençaux.

« Dites-y que c'est Cabantous le pilote... Il sait ce que c'est... Il m'attend.

— Vous n'êtes pas le seul », répond l'huissier, qui sourit discrètement de sa plaisanterie.

Cabantous n'en sent pas la finesse ; mais il rit de confiance, la bouche fendue jusqu'aux ancres, et tanguant des épaules, à travers la foule qui s'écarte de son parapluie trempé, il va prendre place sur une banquette à côté d'un autre patient presque aussi tanné que lui.

« *Té ! vé...* C'est Cabantous... Hé ! adieu... »

Le pilote s'excuse, il ne remet pas la personne.

« Valmajour, savez bien... On s'est connu là-bas, aux arènes.

— C'est tron de Dieu ! vrai... *Bé*, mon homme, tu peux dire que Paris t'a changé... »

Le tambourinaire est maintenant un monsieur aux cheveux noirs très longs, rejetés derrière l'oreille, à l'artiste, ce qui, avec son teint bistré, sa moustache bleuâtre qu'il effile continuellement, le fait ressembler à un Tzigane de la Foire aux pains d'épices. Là-dessus, une crête toujours levée de coq de village, une vanité de beau garçon et de musicien où se trahit et déborde l'exagération de son Midi d'apparence tranquille et peu bavarde. L'insuccès de l'Opéra ne l'a pas refroidi. Comme tous les acteurs en pareil cas, il l'attribue à la cabale ; et pour sa sœur et lui, ce mot prend des proportions barbares, extraordinaires, une orthographe de sanscrit, la *kkabbale*, un animal mystérieux qui tient du serpent à sonnettes et du cheval de l'Apocalypse. Et il raconte à Cabantous qu'il débute dans quelques jours à un grand café-concert du Boulevard, « un *eskating*, allons ! », où il doit figurer dans des tableaux vivants, à deux cents francs par soir.

« Deux cents francs par soir ! »

Le pilote roule des yeux...

« Et en plus, ma *biographille* qu'on criera dans les rues et mon portrait de sa grandeur nature sur tous les murs de Paris, *avé* le costume de troubadour de l'ancien temps que je mettrai le soir pour faire ma musique. »

C'est cela surtout qui le flatte, le costume. Quel dommage qu'il n'ait pas pu mettre sa casquette à créneaux et ses souliers à la poulaine, pour venir montrer au ministre l'engagement superbe, sur du bon papier cette fois, que l'on a signé sans lui. Cabantous regarde la feuille timbrée, noircie sur ses deux faces, et soupire :

« Tu es bien heureux... Moi, voilà plus d'un an que *j'espère* après ma médaille... Numa m'avait dit d'y envoyer mes papiers, j'y ai envoyé mes papiers... Puis j'ai plus entendu parler de la médaille, ni des papiers, ni de rien du tout... J'ai écrit à la Marine, ils *mé* connaissent pas, à la Marine... J'ai écrit au ministre, le ministre m'a pas répondu... Et le plus foutant, c'est qu'à présent, sans mes papiers, quand j'ai une discussion avec les capitaines marins pour le pilotage, les prud'hommes ils veulent pas écouter mes raisons. Alors, voyant ça, j'ai mis la barque à la *calanque*, et je me suis pensé : allons voir Numa. »

Il en pleurerait presque, le malheureux pilote. Valmajour le console, le rassure, promet de parler au ministre pour lui, ceci d'un ton assuré, le doigt à la moustache, comme un homme à qui l'on n'a rien à refuser. Du reste, cette attitude hautaine ne lui est pas particulière. Tous ces gens qui attendent une audience, vieux prêtres aux façons béates, en mantelet de visite, professeurs méthodiques et autoritaires, peintres gommeux, coiffés à la russe, épais sculpteurs aux doigts en spatule, ont ce même maintien triomphant. Amis particuliers du ministre, sûrs de leur affaire, tous en arrivant ont dit à l'huissier :

« Il m'attend. »

Tous ont la conviction que si Roumestan les savait là !... C'est ce qui donne à cette antichambre de l'Instruction publique une physionomie très spéciale, sans rien de ces pâleurs de fièvres, de ces tremblantes anxiétés qu'on trouve dans les salles d'attente ministérielles.

« Avec qui est-il donc ? demande tout haut Valmajour s'approchant de la petite table.

— Le directeur de l'Opéra.

— Cadaillac... va bien, je sais... C'est pour mon affaire... »

Après l'insuccès du tambourinaire à son théâtre, Cadaillac s'est refusé à le faire entendre de nouveau. Valmajour voulait plaider ; mais le ministre, qui craint les avocats et les petits journaux, a fait prier le musicien de retirer son assignation, lui garantissant une forte indemnité. C'est cette indemnité qu'on discute sans doute en ce moment, et non sans quelque animation, car le coup de clairon de Numa franchit à tout instant la double porte du cabinet qui s'ouvre enfin brutalement.

« Ce n'est pas ma protégée, c'est la vôtre. »

Le gros Cadaillac sort sur ce mot, traverse l'antichambre à pas furieux, se croisant avec l'huissier qui s'avance entre deux haies de recommandations.

« Vous n'avez qu'à donner mon nom.

— Qu'il sache seulement que je suis là.

— Dites-y que c'est Cabantous. »

L'autre n'écoute personne, marche, très grave, quelques cartes de visite à la main, et, derrière lui, la porte qu'il laisse entrouverte montre le cabinet ministériel, plein du jour de ses trois fenêtres sur le jardin, tout un panneau couvert par le manteau doublé d'hermine de M. de Fontanes peint en pied.

Avec un peu d'étonnement sur sa figure cadavérique, l'huissier revient et appelle :

« Monsieur Valmajour. »

Le musicien n'est pas étonné, lui, de passer ainsi avant tous les autres.

Depuis le matin il a son portrait affiché sur les murs de Paris. C'est un personnage à présent, et le ministre ne le ferait plus languir dans les courants d'air d'une gare. Fat, souriant, le voilà planté au milieu du somptueux cabinet où des secrétaires sont en train de mettre à bas cartons et tiroirs dans une recherche effarée. Roumestan, furieux, tonne, gronde, les mains dans ses poches :

« Mais enfin, ces papiers, *qué* diable !... On les a donc perdus, les papiers de ce pilote... Vraiment, messieurs, il y a ici un désordre... »

Il aperçoit Valmajour. « Ah ! c'est vous... » et il saute dessus d'un bond, pendant que par les portes latérales des dos de secrétaires se sauvent épouvantés, emportant des piles de cartons.

« Ah çà, est-ce que vous n'allez pas finir de me persécuter avec votre musique de chien ?... Vous n'avez pas assez d'un four ? Combien vous en faut-il ?... Maintenant vous voilà, me dit-on, sur les murs en costume mi-parti... Et qu'est-ce que c'est que cette blague qu'on vient de m'apporter ?... Ça, votre biographie !... Un tissu d'inepties et de mensonges... Vous savez bien que vous n'êtes pas plus prince que moi, que ces parchemins dont on parle n'ont jamais existé que dans votre imagination. »

D'un geste discuteur et brutal il tenait le malheureux par le milieu de sa jaquette, à poignée pleine, et le secouait tout en parlant. D'abord ce skating n'avait pas le sou. Des puffistes. On ne le paierait pas, il en serait pour la honte de ce sale coloriage sur son nom, celui de son protecteur. Les journaux allaient recommencer leurs plaisanteries, Roumestan et Valmajour, le galoubet du ministère... Et se montant au souvenir de ces injures, ses larges joues remuées d'une colère de famille, un accès de la tante Portal, plus effrayant dans le milieu solennel et administratif où les personnalités doivent disparaître devant les situations, il lui criait de toutes ses forces :

« Mais allez-vous-en donc, misérable, allez-vous-en !... On ne veut plus de vous, on en a assez de votre galoubet. »

Valmajour, hébété, se laissait faire, bégayant : « Va bien... va bien... », implorant la figure apitoyée de Méjean, le seul que la colère du maître n'eût pas mis en fuite, et le grand portrait de Fontanes qui semblait scandalisé de violences pareilles, accentuant son air ministre à mesure que Roumestan le perdait davantage. Enfin, lâché par le poignet robuste qui l'étreignait, le musicien put gagner la porte, s'enfuir éperdu, lui et ses billets de skating.

« Cabantous pilote !... » dit Numa lisant le nom que lui présentait l'huissier impassible... « Encore un Valmajour !... Ah ! mais non... J'en ai assez d'être leur dupe... Fini pour aujourd'hui... Je n'y suis plus... »

Il continuait à arpenter son cabinet, dissipant ce qui lui restait de cette grande colère dont Valmajour avait injustement porté tout le choc. Ce Cadaillac, quelle impudence ! Venir lui reprocher la petite, chez lui, en plein ministère, devant Méjean, devant Rochemaure.

« Ah ! décidément je suis trop faible... La nomination de cet homme à l'Opéra est une lourde faute. »

Son chef de cabinet partageait cet avis, mais il se serait bien gardé de le dire ; car Numa n'était plus le bon enfant d'autrefois, qui riait le premier de ses emballements, acceptait les railleries et les remontrances. Devenu le chef effectif du cabinet, grâce au discours de Chambéry et à quelques autres prouesses oratoires, l'ivresse des hauteurs, cette atmosphère de roi où les plus fortes têtes chavirent, l'avait changé, rendu nerveux, volontaire, irritable.

Une porte sous tenture s'ouvrit, Mme Roumestan parut, prête à sortir, élégamment coiffée, un ample manteau dissimulant sa taille. Et de cet air de sérénité qui depuis cinq mois éclairait son joli visage : « Est-ce que tu as Conseil aujourd'hui ?... Bonjour, monsieur Méjean.

— Mais oui... Conseil... séance... Tout !

— Moi qui voulais te demander de venir jusque chez maman... J'y déjeune... Hortense aurait été si contente.

— Tu vois, ce n'est pas possible. »

Il regarda sa montre :

« Je dois être à Versailles à midi.

— Alors je t'attends, je te conduirai à la gare. »

Il hésita une seconde, rien qu'une seconde.

« Bien... Je signe ceci, et nous partons. »

Pendant qu'il écrivait, Rosalie donnait tout bas à Méjean des nouvelles de sa sœur. Le retour de l'hiver l'impressionnait, on lui défendait de sortir. Pourquoi n'allait-il pas la voir ? Elle avait besoin de tous ses amis. Méjean eut un geste de tristesse découragée : « Oh ! moi...

— Mais si... mais si... Tout n'est pas dit pour vous. Ce n'est qu'un caprice ; je suis sûre qu'il ne tiendra pas. »

Elle voyait les choses en beau et voulait tout son monde heureux comme elle. Oh ! si heureuse, et d'un bonheur si complet qu'elle mettait une discrète superstition à n'en jamais convenir. Roumestan, lui, contait partout son aventure, aux indifférents comme aux intimes avec une fierté comique : « Nous l'appellerons l'enfant du ministère ! » et il riait aux larmes de son mot.

Vraiment pour qui connaissait son existence au-dehors, le ménage en ville impudemment installé avec réceptions et table ouverte, ce mari si empressé, si tendre, qui parlait les larmes aux yeux de sa paternité future, paraissait indéfinissable, paisible dans son mensonge, sincère dans ses effusions, déroutant les jugements de qui ne savait pas les dangereuses complications des natures méridionales.

« Je te conduis, décidément... dit-il à sa femme en montant en voiture.

— Mais si l'on t'attend... ?

— Ah ! tant pis... on m'attendra... Nous serons plus longtemps ensemble. »

Il prit le bras de Rosalie sous le sien, et se serrant contre elle comme un enfant :

« *Té*, vois-tu, il n'y a que là que je suis bien... Ta douceur m'apaise, ton sang-froid me réconforte... Ce Cadaillac m'a mis dans un état... Un homme sans conscience, sans moralité...

— Tu ne le connaissais donc pas ?

— Il mène ce théâtre, c'est une honte !...

— C'est vrai que l'engagement de cette demoiselle Bachellery... Pourquoi l'as-tu laissé faire ?... Une fille qui a tout faux, sa jeunesse, sa voix, jusqu'à ses cils. »

Numa se sentait rougir. C'était lui maintenant qui les attachait, du bout de ses gros doigts, les cils de la petite. La maman lui avait appris.

« A qui appartient-elle donc, cette rien du tout ?... *Le Messager* parlait l'autre jour de hautes influences, de protection mystérieuse...

— Je ne sais pas... A Cadaillac sans doute. »

Il se détournait pour cacher son embarras, et se rejeta tout à coup en arrière, épouvanté.

« Quoi donc ? » demanda Rosalie, regardant aussi par la portière.

L'affiche du skating, immense, de tons criards qui ressortaient sous le ciel pluvieux et grisâtre, répétait à chaque angle de rue, à chaque place libre sur un mur nu ou des planches de clôture, un troubadour gigantesque, entouré de tableaux vivants en bordure, une tache jaune, verte, bleue, avec l'ocre d'un tambourin jeté en travers. La longue palissade, qui ferme les constructions de l'Hôtel de Ville devant lesquelles leur voiture passait à l'instant, était couverte de cette réclame grossière, éclatante, qui stupéfiait même la badauderie parisienne.

« Mon bourreau ! » fit Roumestan avec une désolation comique.

Et Rosalie doucement grondeuse :

« Non... ta victime... Et si c'était la seule ! Mais une autre a pris feu à ton enthousiasme...

— Qui donc çà ?

— Hortense. »

Elle lui raconta alors ce dont elle était enfin certaine, malgré les mystères de la jeune fille, son amour pour ce paysan, ce qu'elle avait cru d'abord une fantaisie et qui l'inquiétait maintenant comme une aberration morale de sa sœur.

Le ministre s'indignait.

« Est-ce que c'est possible ?... Ce rustre, ce Jeannot !...

— Elle le voit avec son imagination, et surtout à travers tes légendes, tes inventions qu'elle n'a pas su mettre au point. Voilà pourquoi cette réclame, ce grotesque coloriage qui t'irrite me remplit de joie au contraire. Je pense que son héros va lui paraître si ridicule qu'elle n'osera plus l'aimer. Sans cela, je ne sais ce que nous deviendrions. Vois-tu le désespoir de mon père... te vois-tu, toi, beau-frère de Valmajour... ah ! Numa... pauvre faiseur de dupes involontaires... »

Il ne se défendait pas, s'irritant contre lui-même, contre son « sacré Midi » qu'il ne savait pas dompter.

« Tiens, tu devrais rester toujours comme te voilà, tout contre moi, mon cher conseil, ma sainte protection. Il n'y a que toi de bonne, d'indulgente, et qui me comprennes et qui m'aimes. »

Il tenait sa petite main gantée sous ses lèvres, et parlait avec tant de conviction que des larmes, de vraies larmes lui rougissaient les paupières. Puis, réchauffé, détendu par cette effusion, il se sentit mieux ; et lorsque, arrivés place Royale, il eut aidé sa femme à descendre avec mille précautions tendres, ce fut d'un ton joyeux, libre de tout remords, qu'il jeta à son cocher : « rue de Londres... vite ! »

Rosalie, lente dans sa démarche, entendit vaguement cette adresse et cela lui fit de la peine. Non qu'elle eût le moindre soupçon ; mais il venait de lui dire qu'il allait gare Saint-Lazare. Pourquoi ses actes ne répondaient-ils jamais à ses paroles ?...

Une autre inquiétude l'attendait dans la chambre de sa sœur, où elle sentit en entrant l'arrêt d'une discussion entre Hortense et Audiberte, qui gardait sa figure de tempête, le ruban frémissant sur ses cheveux de furie. La présence de Rosalie la retenait, c'était visible aux lèvres, aux sourcils serrés méchamment ; pourtant, la jeune femme s'informant de ses nouvelles, elle fut bien forcée de lui répondre, et parla alors fiévreusement de l'*eskating*, des belles conditions qu'on leur faisait, puis, s'étonnant de son calme, demanda presque insolente :

« Est-ce que madame ne viendra pas entendre mon frère ?... C'est quelque chose qui en vaut la peine, au moins, rien que pour le voir dans ses habillements ! »

Décrit par elle, en son dictionnaire paysan, des crevés de la toque à la pointe courbe des souliers, ce costume ridicule mit au supplice la pauvre Hortense qui n'osait plus lever les yeux sur sa sœur. Rosalie s'excusa ; l'état de sa santé ne lui permettait pas le théâtre. En outre, il y avait à Paris certains endroits de plaisir où toutes les femmes ne pouvaient aller. La paysanne l'arrêta aux premiers mots.

« Pardon... Moi, j'y vais bien et je pense que j'en vaux une autre... je n'ai jamais fait le mal, moi ; j'ai toujours rempli mes devoirs de *réligion.* »

Elle élevait la voix, sans rien de sa timidité ancienne, comme si elle eût acquis des droits dans la maison. Mais Rosalie était bien trop bonne, trop au-dessus de cette pauvre ignorante, pour l'humilier, surtout en songeant aux responsabilités de Numa. Alors, avec tout l'esprit de son cœur, toute sa délicatesse, de ces mots de vérité qui guérissent en brûlant un peu, elle essaya de lui faire comprendre que son frère n'avait pas réussi, qu'il ne réussirait jamais dans ce Paris implacable, et que plutôt que de s'acharner à une lutte humiliante, descendue dans les bas-fonds artistiques, ils feraient bien mieux de retourner au pays, de racheter leur maison, toutes choses dont on leur fournirait les moyens, et d'oublier dans leur vie laborieuse, en pleine nature, les déboires de cette malheureuse expédition.

La paysanne la laissa aller jusqu'au bout, sans une fois l'interrompre, dardant seulement sur Hortense l'ironie de ses yeux mauvais comme pour l'exciter à la réplique. Enfin, voyant que la jeune fille ne voulait rien dire encore, elle déclara froidement qu'ils ne s'en iraient pas, que son frère avait à Paris des engagements de toute sorte... de toute sorte... auxquels il lui était impossible de manquer. Là-dessus elle jeta sur son bras la lourde mante humide, restée au dos d'une chaise, fit une révérence hypocrite à Rosalie : « Bien le bonjour, madame... Et merci, au moins. » Et s'éloigna suivie d'Hortense.

Dans l'antichambre, baissant la voix à cause du service :

« Dimanche soir, *qué* ?... Dix heures et demie, sans faute. »

Et, pressante, autoritaire :

« Vous lui devez bien ça, voyons, à ce *povre* ami... Pour lui donner du cœur... D'abord, qu'est-ce que vous risquez ? C'est moi que je viens vous prendre... C'est moi que je vous ramène. »

La voyant hésiter encore, elle ajouta, presque haut, sur un diapason de menace :

« Ah çà, est-ce que vous êtes sa promise, oui ou non ?

— Je viendrai... Je viendrai... » dit la jeune fille épouvantée.

Quand elle rentra, Rosalie, qui la voyait distraite et triste, lui demanda :

« A quoi songes-tu, ma chérie ?... C'est toujours ton roman qui continue ?... Il doit être bien avancé depuis le temps ! ajouta-t-elle gaiement en lui prenant la taille.

— Oh ! oui, très avancé... »

Avec une sourde intonation de mélancolie, Hortense reprit, après un silence :

« Mais c'est ma fin que je ne vois pas. »

Elle ne l'aimait plus ; peut-être même ne l'avait-elle jamais aimé. Transformé par l'absence et ce « doux éclat » que le malheur donnait à l'Abencérage, il lui était apparu de loin comme l'homme de sa destinée. Elle avait trouvé fier d'engager son existence à celui que tout abandonnait, le succès et les protections. Mais au retour, quelle clarté impitoyable, quelle terreur de voir combien elle s'était trompée.

La première visite d'Audiberte la choqua d'abord par des façons nouvelles, trop libres, trop familières, et les regards complices avec lesquels elle l'avertissait tout bas : « Il va venir me prendre... chut !... dites rien ! » Cela lui parut bien prompt, bien hardi, surtout la pensée d'introduire ce jeune homme chez ses parents. Mais la paysanne voulait précipiter les choses. Et tout de suite Hortense comprit son erreur, à l'aspect de ce cabotin rejetant ses cheveux en arrière, d'un mouvement inspiré, cassant et déplaçant le sombrero provençal sur sa tête à caractère, toujours beau, mais avec une préoccupation visible de le paraître.

Au lieu de s'humilier un peu, de se faire pardonner l'élan généreux qu'on avait eu vers lui, il gardait l'air vainqueur et fat de la conquête, et, sans parler — car il n'aurait trop su quoi dire —, il traita la fine Parisienne comme il eût traité *celle* des Combette en pareil cas, la prit par la taille d'un geste de soldat troubadour et voulut l'attirer à lui. Elle se dégagea avec une détente répulsive de tous ses nerfs, le laissant effaré et niais, pendant qu'Audiberte intervenait vite et grondait son frère très fort. Qu'est-ce que c'était que ces manières ? C'est à Paris qu'il les avait apprises, au faubourg de *Saint-Germeïn* sans doute, auprès de ses duchesses ?

« Attends au moins qu'elle soit ta femme, allons ! »

Et à Hortense :

« Il vous aime tant... Il se calcine le sang, *pécaïré* ! »

Dès lors, quand Valmajour vint chercher sa sœur, il crut devoir prendre l'allure sombre et fatale d'une vignette de scène musicale, *la mer m'attend, le cavalier Hadjoute.* La jeune fille aurait pu en être touchée ; mais le pauvre garçon paraissait décidément trop nul. Il ne savait que lisser le poil de son feutre en racontant ses succès au noble Faubourg ou des rivalités d'acteur. Il lui parla un jour, pendant une heure, de la grossièreté du beau Mayol qui s'était abstenu de le féliciter après un concert, et il répétait tout le temps :

« C'est ça, votre Mayol !... *Bé !* il n'est pas poli, votre Mayol. »

Et toujours les attitudes surveillantes d'Audiberte, sa sévérité de gendarme de la morale, en face de ces deux amoureux à froid. Ah ! si elle avait pu deviner dans l'âme d'Hortense la terreur, le dégoût de son effroyable méprise.

« Hou ! la caponne... la caponne... » lui disait-elle quelquefois en essayant de rire avec de la colère plein les yeux, car elle trouvait que l'affaire traînait trop et croyait que la jeune fille hésitait à affronter les reproches, les répugnances de ses parents. Comme si cela eût compté pour cette libre et fière nature avec un amour vrai au cœur ; mais comment dire : « Je l'aime... », et s'armer, se monter, combattre, quand on n'aime pas ?

Pourtant elle avait promis, et chaque jour on la harcelait de nouvelles exigences ; ainsi cette « première » du skating où la paysanne voulait l'emmener à toute force, comptant sur le succès, l'entraînement des bravos pour tout enlever. Et, après une longue résistance, la pauvre petite avait fini par consentir à cette sortie du soir en cachette de sa mère avec des mensonges, des complicités humiliantes ; elle avait cédé par peur, par faiblesse, peut-être aussi dans l'espoir de ressaisir là-bas sa vision première, le mirage évanoui, de rallumer la flamme si désespérément éteinte.

15

Le skating

Où était-ce ?... Où allait-elle ?... Le fiacre avait roulé longtemps, longtemps, Audiberte assise à son côté, lui tenant les mains, la rassurant, parlant avec une chaleur de fièvre... Elle ne regardait rien, n'entendait rien ; et le grincement de cette petite voix criarde dans le train des roues n'avait pas de sens pour elle, pas plus que ces rues, ces boulevards, ces façades, ne lui apparaissaient dans leur aspect connu, mais décolorés par sa vive émotion intérieure, comme si elle les voyait d'une voiture de deuil ou de noces...

Enfin une secousse, et l'on s'arrêtait devant un large trottoir inondé d'une lumière blanche, découpant en noires ombres fourmillantes la foule attroupée. Un guichet pour les billets à l'entrée d'un large corridor, une porte battante en velours rouge, et tout de suite la salle, une salle immense, qui lui rappelait, avec sa nef et ses pourtours, le stuc de ses hautes murailles, une église anglicane où elle était allée une fois pour un mariage. Seulement ici les murs étaient couverts d'affiches, d'annonces bariolées, les chapeaux liège, les chemises sur mesure à 4 fr. 50, les réclames des magasins de confection, alternant avec les portraits du tambourinaire dont on entendait crier la biographie de cette voix de soupape des marchands de programmes, au milieu d'un tapage assourdissant où le murmure de la foule circulaire, le ronflement des toupies sur le drap des billards anglais, les appels de consommations, des bouffées d'harmonie coupées de fusillades patriotiques venues du fond de la salle, étaient dominés par un perpétuel bruit de patins à roulettes allant et venant sur un large espace asphalté, entouré de balustrades, dans une houle de gibus et de chapeaux Directoire.

Anxieuse, éperdue, tour à tour pâlissant ou rougissant sous

son voile, Hortense marchait derrière la Provençale, la suivait difficilement à travers un dédale de petites tables rondes installées en bordure avec des femmes assises deux par deux et qui buvaient, les coudes sur la table, une cigarette aux lèvres, les genoux remontés, d'un air d'ennui. De distance en distance, contre le mur, un comptoir chargé, et, derrière, une fille debout, les yeux cerclés de khôl, la bouche sanglante, des éclairs d'acier dans une tignasse noire ou rousse, éméchée sur le front. Et ce blanc, ce noir de chair peinte, ce sourire vermillonné, se retrouvaient sur toutes, comme une livrée qu'elles portaient d'apparitions nocturnes et blafardes.

Sinistre aussi la promenade lente de ces hommes qui se pressaient, insolents et brutaux, entre les tables, envoyant à droite et à gauche la fumée de leurs gros cigares, l'insulte de leur marchandage, s'approchant pour voir l'étalage de plus près. Et ce qui donnait le mieux l'impression d'un marché, c'était ce public cosmopolite et baragouinant, public d'hôtel, débarqué de la veille, venu là dans un négligé de voyage, les bonnets écossais, les jaquettes rayées, les twines encore imprégnés des brumes de la Manche, et les fourrures moscovites pressées de se dégeler, et les longues barbes noires, les airs rogues des bords de la Sprée masquant des rictus de faunes et des fringales de Tartares, et des fez ottomans sur des redingotes sans collet, des nègres en tenue, luisants comme la soie de leurs chapeaux, des petits Japonais à l'européenne, ratatinés et corrects, en gravures de tailleurs tombées dans le feu.

« *Bou Diou !* qu'il est laid... » disait tout à coup Audiberte devant un Chinois très grave, sa longue natte dans le dos de sa robe bleue ; ou bien elle s'arrêtait, et, poussant le coude de sa compagne : « *Vé, vé !* la mariée... », elle lui montrait, allongée sur deux chaises, dont l'une soutenait ses bottines blanches de satin à talons d'argent, une femme tout en blanc, le corsage ouvert, la traîne déroulée, et les fleurs d'oranger piquant dans ses cheveux la dentelle d'une courte mantille. Puis, subitement scandalisée à des mots qui l'édifiaient sur cet oranger de hasard, la Provençale ajoutait mystérieusement : « *Une* poison, vous savez bien !... » Vite, pour arracher Hortense au mauvais exemple, elle l'entraînait dans l'enceinte du milieu, où tout au fond, tenant la place du chœur dans une église, le théâtre se dressait sous d'intermittentes flammes électriques tombant de deux hublots globuleux, là-haut, dans les frises, les deux yeux à jaillissures lumineuses d'un Père éternel sur les images de sainteté.

Ici l'on se reposait du scandale tumultueux des promenoirs. Dans les stalles, des familles de petits-bourgeois, de fournisseurs du quartier. Peu de femmes. On aurait pu se croire dans une salle de spectacle quelconque, sans l'horrible vacarme ambiant que surmontait toujours avec un roulement régulier d'obsession le patinage sur l'asphalte, couvrant même les cuivres, même les tambours de l'orchestre, rendant seulement possible la mimique des tableaux vivants.

Le rideau se baissait à ce moment sur une scène patriotique, le lion de Belfort, énorme, en carton-pâte, entouré de soldats dans des poses triomphantes sur des remparts croulés, les képis au bout des fusils, suivant la mesure d'une inentendable *Marseillaise*. Ce train, ce délire, excitaient la Provençale ; les yeux lui sortaient de la tête, et tout en installant Hortense :

« Nous sommes bien, *qué* ? Mais *rélévez* donc votre voile... tremblez donc pas... vous tremblez... Il y a pas de risque *avé* moi. »

La jeune fille ne répondait rien, poursuivie de cette lente promenade outrageante, où elle s'était confondue, au milieu de tous ces masques blafards. Et voilà qu'en face d'elle, elle les retrouvait, ces horribles masques à lèvres saignantes, dans la grimace de deux clowns se disloquant en maillot, une cloche dans chaque main, carillonnant un air de *Martha* parmi leurs gambades ; vraie musique de gnome, informe et bègue, bien à sa place dans le babelisme harmonique du skating. Puis la toile tombait de nouveau, et la paysanne dix fois levée et rassise, s'agitant, ajustant sa coiffe, s'exclamait tout à coup en suivant le programme « ... Le mont de Cordoue... les cigales... Farandole... ça commence... *vé, vé !*... »

Le rideau, remontant encore une fois, laissait voir sur la toile de fond une colline lilas, où des maçonneries blanches de construction bizarre, moitié château, moitié mosquée, montaient en minarets, en terrasses, se découpaient en ogives, créneaux et moucharabiehs, avec des aloès, des palmiers de zinc au pied des tours immobiles sous l'indigo d'un ciel très cru. Dans la banlieue parisienne, parmi les villas du commerce enrichi, on voit de ces architectures bouffonnes. Malgré tout, malgré les tons criards des pentes fleuries de thym et les plantes exotiques égarées là pour le mot de Cordoue, Hortense éprouvait une émotion gênée devant ce paysage d'où se levaient ses plus riants souvenirs ; et cette casbah d'Osmanli sur ce mont de porphyre rose, ce château reconstruit lui semblait la réalisation de son rêve, mais grotesque et chargée, comme quand le rêve est près de tomber dans l'oppression du cauchemar. Au signal de l'orchestre et d'un jet électrique, de longues libellules, figurées par des filles déshabillées dans la soie collante de leur maillot vert émeraude, s'élancèrent agitant de longues ailes membranées et des crécelles grinçantes.

« Ça, des cigales !... pas plus ! » dit la Provençale indignée.

Mais déjà elles s'étaient rangées en demi-cercle, en croissant d'aigue-marine, secouant toujours leurs crécelles très distinctes maintenant, car le tapage du skating s'apaisait, et le bourdonnement circulaire s'était une minute arrêté dans un fouillis de têtes serrées, penchées, regardant sous des coiffures de toute sorte. La tristesse qui navrait Hortense s'accrut encore, quand elle écouta venir, lointain d'abord, s'enflant à mesure, le sourd ronflement du tambourin.

Elle aurait voulu fuir, ne pas voir ce qui allait entrer. Le flûtet égrenait à son tour ses notes menues ; et, secouant sous la cadence de ses pas la poussière du tapis couleur de terrain, la farandole se déroulait avec des fantaisies de costume, jupons voyants et courts, bas rouges à coins d'or, vestes pailletées, coiffures de sequins, de madras, aux formes italiennes, bretonnes ou cauchoises, d'un beau mépris parisien pour la vérité locale. Derrière, venait à pas comptés, repoussant du genou un tambourin couvert de papier d'or, le grand troubadour des affiches, en collant mi-parti, une jambe jaune chaussée de bleue, une jambe bleue chaussée de jaune, et la veste de satin à bouffettes, la toque en velours crénelé ombrageant une face restée brune en dépit du fard et dont on ne voyait bien qu'une moustache raidie de pommade hongroise.

« Oh !... » fit Audiberte, extasiée.

La farandole rangée des deux côtés de la scène devant les cigales aux grandes ailes, le troubadour, seul au milieu, salua, assuré et vainqueur, sous le regard du Père éternel qui poudrait sa veste d'un givre lumineux. L'aubade commença, rustique et grêle, dépassant à peine la rampe, y brûlant un court essor, se débattant un moment aux oriflammes du plafond, aux piliers de l'immense vaisseau, pour retomber enfin dans un silence d'ennui. Le public regardait sans comprendre. Valmajour recommença un autre morceau, accueilli dès les premières mesures par des rires, des murmures, des apostrophes. Audiberte prit la main d'Hortense :

« C'est la cabale... attention ! »

La cabale ici se résuma par quelques « Chut !... plus haut !... », des plaisanteries comme celle-ci, que criait une voix enrouée de fille à la mimique compliquée de Valmajour :

« As-tu fini, lapin savant ? »

Puis le skating reprit son train de roulettes, de billards anglais, son piétinant trafic couvrant flûtet et tambourin que le musicien s'entêtait à manœuvrer jusqu'à la fin de l'aubade. Après quoi, il salua, s'avança vers la rampe, toujours suivi par la lueur occulte qui ne le quittait pas. On vit ses lèvres remuer, esquisser quelques mots :

« Ce m'est vénu... un trou... trois trous... L'oiso du bon Dieu... »

Son geste désespéré, compris par l'orchestre, fut le signal d'un ballet où les cigales s'enlacèrent aux houris cauchoises pour des poses plastiques, des danses ondulantes et lascives, sous des feux de bengale arc-en-cielant jusqu'aux souliers pointus du troubadour qui continuait sa mimique de tambourin devant le château de ses aïeux dans une gloire d'apothéose...

Et c'était cela le roman d'Hortense ! Voilà ce que Paris en avait fait.

... Le timbre clair du vieux cartel, accroché dans sa chambre, ayant sonné une heure, elle se leva de la causeuse où elle était tombée anéantie en rentrant, regarda tout autour son doux nid de vierge, aux rassurantes tiédeurs d'un feu mourant, d'une veilleuse assoupie.

« Qu'est-ce que je fais donc là ? Pourquoi ne suis-je pas couchée ? »

Elle ne se souvenait plus, gardant seulement une courbature meurtrie de tout son être, et, dans sa tête, une rumeur qui lui battait le front. Elle fit deux pas, s'aperçut qu'elle avait encore son chapeau, son manteau, et tout lui revint. Le départ de là-bas après le rideau tombé, leur retour par le hideux marché plus allumé vers la fin, des bookmakers ivres se battant devant un comptoir, des voix cyniques chuchotant un chiffre sur son passage, puis la scène d'Audiberte à la sortie, voulant qu'elle vînt féliciter son frère, sa colère dans le fiacre, les injures que cette créature lui jetait pour s'humilier ensuite, lui baiser les mains en excuse ; tout cela confondu et dansant dans sa mémoire avec des cabrioles de clowns, des discordances de cloches, de cymbales, de crécelles, des montées de flammes multicolores autour du troubadour ridicule à qui elle avait donné son cœur. Une horreur physique la soulevait à cette idée.

« Non, non, jamais... j'aimerais mieux mourir ! »

Tout à coup elle aperçut dans la glace en face d'elle un spectre aux joues creuses, aux épaules étroites ramenées en avant d'un geste frileux. Cela lui ressemblait un peu, mais bien plus à cette princesse d'Anhalt dont sa curiosité apitoyée détaillait, à Arvillard, les tristes symptômes et qui venait de mourir à l'entrée de l'hiver.

« Tiens !... tiens !... »

Elle se pencha, s'approcha encore, se rappela l'inexplicable bonté qu'ils avaient tous là-bas pour elle, l'épouvante de sa mère, l'attendrissement du vieux Bouchereau à son départ, et comprit... Enfin elle le tenait, son dénouement... Il venait tout seul... Il y avait assez longtemps qu'elle le cherchait.

16

Aux produits du Midi

« Mademoiselle est très malade... Madame ne veut voir personne. »

La dixième fois depuis dix jours qu'Audiberte recevait la même réponse. Immobile devant cette lourde porte cintrée à heurtoir, comme on n'en trouve plus guère que sous les arcades de la place Royale, et qui refermée semblait lui interdire à tout jamais le vieux logis des Le Quesnoy :

« Va bien, dit-elle... Je ne reviens plus... C'est eux qui m'appelleront maintenant. »

Et elle partit tout agitée dans l'animation de ce quartier de commerce dont les camions chargés de ballots, de futailles, de barres de fer bruyantes et flexibles, se croisaient avec des brouettes roulant sous les porches, au fond des cours où l'on clouait des caisses d'emballage. Mais la paysanne ne s'apercevait pas de ce vacarme infernal, de cette trépidation laborieuse ébranlant jusqu'au dernier étage des maisons hautes ; il se faisait dans sa méchante tête un choc autrement retentissant de pensées brutales, des heurts terribles de sa volonté contrariée. Et elle allait, ne sentant pas la fatigue, franchissait à pied, pour économiser l'omnibus, le long parcours du Marais à la rue de l'Abbaye-Montmartre.

Tout récemment, après une fougueuse pérégrination à travers des logis de toute sorte, hôtels, appartements meublés, dont on les expulsait chaque fois à cause du tambourin, ils étaient venus s'échouer là, dans une maison neuve qu'occupait à des prix d'essuyeurs de plâtre une tourbe interlope de filles, de bohèmes, d'agents d'affaires, de ces familles d'aventuriers comme on en voit dans les ports de mer, traînant leur désœuvrement sur des balcons d'hôtel entre l'arrivée et le départ, guettant le flot dont ils attendent toujours quelque chose. Ici c'est la fortune qu'on épie. Le loyer était bien cher pour eux, maintenant surtout que, le skating en faillite, il fallait réclamer sur papier timbré les quelques représentations de Valmajour. Mais, dans cette baraque fraîche peinte, la porte ouverte à toute heure pour les différents métiers inavouables des locataires, avec les querelles, les engueulades, le tambourin ne dérangeait personne. C'était le tambourinaire qui se dérangeait. Les réclames, les affiches, le collant mi-parti et ses belles moustaches avaient fait des ravages parmi les dames du skating moins bégueules que cette pimbêche de là-bas. Il connaissait des acteurs des Batignolles, des chanteurs de café-concert, tout un joli monde qui se rencontrait dans un bouge du boulevard Rochechouart appelé le « Paillasson ».

Ce Paillasson, où le temps se passait dans une flâne crapuleuse, à tripoter des cartes, boire des bocks, ressasser des potins de petits théâtres et de basse galanterie, était l'ennemi, l'épouvante d'Audiberte, l'occasion de colères sauvages sous lesquelles les deux hommes courbaient le dos comme sous un orage des tropiques, quitte à maudire ensemble leur despote en jupon vert, parlant d'elle du ton mystérieux et haineux d'écoliers ou de domestiques : « Qu'est-ce qu'elle a dit ?... Combien elle t'a donné ?... » et s'entendant pour filer derrière ses talons. Audiberte le savait, les surveillait, s'activait dehors, impatiente de rentrer, et ce jour-là surtout, étant partie dès le matin. Elle s'arrêta une seconde en montant, et n'entendant ni tambourin ni flûtet :

« Ah ! le gueusard... il est encore à son Paillasson... »

Mais, dès l'entrée, le père accourut au-devant d'elle et arrêta l'explosion.

« Crie pas !... Il y a *de* monde pour toi... Un monsieur du *menistère*. »

Le monsieur l'attendait au salon ; car ainsi qu'il arrive dans ces habitations de pacotille faites à la mécanique, dont tous les étages se reproduisent exactement, ils avaient un salon, gaufré, crémeux, pareil à une pâtisserie d'œufs battus, un salon qui rendait la paysanne très fière. Et Méjean considérait, plein de compassion, le mobilier provençal éperdu dans cette salle d'attente de dentiste, sous la lumière crue de deux croisées sans rideau, la *coque* et la *moque*, le pétrin, la panière, fourbus par des déménagements et des voyages, secouant leur poussière rustique sur les dorures et les peintures à la colle. Le profil altier d'Audiberte, très pur, en ruban des dimanches, dépaysé lui aussi à ce cinquième parisien, acheva de l'apitoyer sur ces victimes de Roumestan ; et il entama doucement l'explication de sa visite. Le ministre, voulant éviter aux Valmajour de nouveaux mécomptes dont il se sentait jusqu'à un certain point responsable, leur envoyait cinq mille francs pour les dédommager du dérangement et les rapatrier... Il tira des billets de son portefeuille, les posa sur le vieux noyer du pétrin.

« Alors, il nous faudra partir ? demanda la paysanne, songeuse, sans bouger.

— M. le ministre désire que ce soit le plus tôt possible... Il a hâte de vous savoir chez vous, heureux comme auparavant. »

Valmajour l'ancien risqua un coup d'œil vers les billets :

« Moi, ça me paraît raisonnable... *Dé qué n'en disés ?* »

Elle n'en disait rien, attendait la suite, ce que Méjean préparait en tournant et retournant son portefeuille : « A ces cinq mille francs, nous en joindrons cinq mille que voici pour ravoir... pour ravoir... » L'émotion l'étranglait. Cruelle commission que Rosalie lui avait donnée là. Ah ! il en coûte souvent de passer pour un homme paisible et fort, on exige de vous bien plus que des autres. Il ajouta très vite : « Le portrait de Mlle Le Quesnoy.

— Enfin !... nous y voilà... Le portrait... Je savais bien, pardi ! » Elle ponctuait chaque mot d'un saut de chèvre. « Comme ça, vous croyez qu'on nous aura fait venir de l'autre bout de la France, qu'on nous aura tout promis à nous qui ne demandions rien, et puis qu'on nous mettra dehors comme des chiens qui auraient fait leurs malpropretés partout... Reprenez votre argent, monsieur... Pour sûr que nous ne partirons pas, vous pouvez y dire, et qu'on ne le leur rendra pas, le portrait... C'est un papier, ça... Je le garde dans ma *saquette*... Il ne me quitte jamais ; et je le montrerai dans Paris, avec ce qu'il y a d'écrit dessus, pour que le monde sache que tous ces Roumestan c'est qu'une famille de menteurs... de menteurs... »

Elle écumait.

« Mlle Le Quesnoy est bien malade, dit Méjean très grave.

— *Avaï !...*

— Elle va quitter Paris et probablement n'y rentrera pas... vivante. »

Audiberte ne répondit rien, mais le rire muet de ses yeux, l'implacable dénégation de son front antique, bas et têtu, sous la petite coiffe en pointe, indiquaient assez la fermeté de son refus. Une tentation passait alors à Méjean de se jeter sur elle, d'arracher la *saquette* d'indienne de sa ceinture et de se sauver avec. Il se contint pourtant, essaya quelques prières inutiles, puis frémissant de rage lui aussi : « Vous vous en repentirez », dit-il, et il sortit, au grand regret du père Valmajour.

« Avise-toi, pichote... tu nous feras arriver quelque malheur.

— Pas plus !... C'est à eux que nous en ferons des peines... Je vais consulter Guilloche. »

Guilloche, contentieux.

Derrière cette carte jaunie, piquée sur la porte en face de la leur, il y avait un de ces terribles agents d'affaires dont tout le matériel d'installation consiste en une énorme serviette en cuir, contenant des dossiers d'histoires véreuses, du papier blanc pour les dénonciations et les lettres de chantage, des croûtes de pâté, une fausse barbe et même quelquefois un marteau pour assommer les laitières, comme on l'a vu dans un procès récent. Ce type, très fréquent à Paris, ne mériterait pas une ligne de portrait si ledit Guilloche, un nom qui valait un signalement sur cette face couturée de mille petites rides symétriques, n'eût ajouté à sa profession un détail tout neuf et caractéristique. Guilloche avait l'entreprise des pensums de lycéens. Un pauvre diable de clerc s'en allait ramasser les punitions à la sortie des classes et veillait bien avant dans la nuit à copier des chants de l'*Enéide* ou les trois voix de λύω. Quand le contentieux manquait, Guilloche, qui était bachelier, s'attelait lui-même à ce travail original dont il tirait des bénéfices.

Mis au courant de l'affaire, il la déclara excellente. On assignerait le ministre, on ferait marcher les journaux ; le portrait à lui seul valait une mine d'or. Seulement, c'était du temps, des courses, des avances qu'il exigeait en espèces sonnantes, l'héritage Puyfourcat lui paraissant un pur mirage, et qui désolaient la rapacité de la paysanne déjà cruellement mise à l'épreuve, d'autant que Valmajour, très demandé dans les salons, le premier hiver, ne mettait plus les pieds au faubourg de *Saint-Germëïn...*

« Tant pis !... Je travaillerai... Je ferai des ménages, zou ! »

L'énergique petite coiffe d'Arles s'agitait dans la grande bâtisse neuve, montait, descendait l'escalier, colportant d'étage en étage son histoire *avé* le ministre, s'exaltait, piaillait, bondissait, et tout à coup mystérieuse : « *Pouis* il y a le portrait... » Le regard furtif et louche comme ces marchandes de photographies dans les passages, à qui les vieux libertins demandent des *maillots*, elle montrait la chose.

« Une jolie fille, au moins !... Et vous avez lu ce qu'il y a d'écrit en bas... »

La scène se passait dans des ménages interlopes, chez des rouleuses du skating ou du Paillasson qu'elle appelait pompeusement « Madame Malvina... Madame Héloïse... », très impressionnée par leurs robes de velours, leurs chemises bordées d'engrêlures à rubans, l'outillage de leur commerce, sans s'inquiéter autrement de ce que c'était que ce commerce. Et le portrait de la chère créature, si distinguée, si délicate, passait par ces souillures curieuses et critiquantes ; on la détaillait, on lisait en riant le naïf aveu, jusqu'au moment où la Provençale reprenant son bien serrait dessus la coulisse du sac aux écus, d'un geste furieux d'étranglement :

« Je crois qu'avec ça nous les tenons. »

Zou ! elle partait chez l'huissier ; l'huissier pour l'affaire du skating, l'huissier pour Cadaillac, l'huissier pour Roumestan. Comme si cela ne suffisait pas à son humeur batailleuse, elle avait encore des histoires avec les concierges, l'éternelle question du tambourin qui cette fois se résolvait par l'exil de Valmajour dans un de ces sous-sols de marchand de vin où des fanfares de trompes de chasse alternent avec des leçons de savate et de boxe. Désormais ce fut dans cette cave, à la clarté d'un bec de gaz payé à l'heure, en regardant les espadrilles, les gants de daim, les cors de cuivre pendus à la muraille, que le tambourinaire passa ses heures d'exercice, blême et seul comme un captif, à envoyer au ras du trottoir les variations du flûtet pareilles aux stridentes notes plaintives d'un grillon de boulanger.

Un jour, Audiberte fut invitée à passer chez le commissaire de police du quartier. Elle y courut bien vite, persuadée qu'il s'agissait du cousin Puyfourcat, entra souriante, la coiffe haute, et sortit au bout d'un quart d'heure, bouleversée de cette épouvante bien paysanne du gendarme, qui dès les premiers mots lui avait fait rendre le portrait et signer un reçu de dix mille francs par lequel elle renonçait à tout procès. Par exemple, elle refusait obstinément de partir, s'entêtait à croire au génie de son frère, gardant toujours au fond de ses yeux l'éblouissement de ce long défilé de carrosses, un soir d'hiver, dans la cour du ministère illuminé.

En rentrant, elle signifia à ses hommes plus craintifs qu'elle-même qu'ils n'eussent plus à parler de l'affaire ; mais ne toucha mot de l'argent reçu. Guilloche qui le soupçonnait, cet argent, employa tous les moyens pour en prendre sa part, et n'ayant obtenu qu'une indemnité minime, garda terriblement rancune aux Valmajour.

« Eh bien ! » dit-il un matin à Audiberte pendant qu'elle brossait sur le palier les plus beaux habits du musicien encore couché. « Eh bien, vous voilà contente... Il est mort enfin.

— Qui donc ?

— Mais Puyfourcat, le cousin... C'est sur le journal... »

Elle eut un cri, courut dans la maison, appelant, pleurant presque :

« Mon père !... Mon frère !... Vite... l'héritage ! »

Tous émus, haletant autour de l'infernal Guilloche, il déplia l'*Officiel*, leur lut très lentement ceci : « *En date du 1er octobre 1876 le tribunal de Mostaganem a, sur la requête de l'administration des domaines, ordonné la publication et affichage des successions ci-après... Popelino (Louis) journalier...* Ce n'est pas ça... *Puyfourcat (Dosithée)...*

— C'est bien lui... » dit Audiberte.

L'ancien crut devoir s'éponger les yeux :

« *Pécaïré !...* Pauvre Dosithée...

— *Puyfourcat, décédé à Mostaganem le 14 janvier 1874, né à Valmajour, commune d'Aps...* »

La paysanne impatientée demanda :

« Combien ?

— Trois francs trente-cinq *cintimes* !... » cria Guilloche d'une voix de camelot ; et leur laissant le journal pour qu'ils pussent vérifier leur déception, il se sauva avec un éclat de rire qui gagna d'étage en étage jusque dans la rue, égaya tout ce grand village de Montmartre où la légende des Valmajour circulait.

Trois francs trente-cinq, l'héritage des Puyfourcat ! Audiberte affecta d'en rire plus fort que les autres ; mais l'effroyable désir de vengeance qui couvait en elle contre les Roumestan, responsables à ses yeux de tous leurs maux, ne fit que s'accroître, cherchant une issue, un moyen, la première arme à sa portée.

La physionomie du papa était singulière dans ce désastre. Pendant que sa fille se rongeait de fatigue et de rage, que le captif s'étiolait dans son caveau, lui, fleuri, insouciant, n'ayant plus même son ancienne jalousie de métier, paraissait s'être arrangé dehors une tranquille existence à part des siens. Il décampait sitôt la dernière bouchée du déjeuner ; et quelquefois, le matin, en brossant ses effets, il tombait de ses poches une figue sèche, un berlingot, des canissons, dont le vieux expliquait tant bien que mal la provenance.

Il avait rencontré une payse dans la rue, quelqu'un de là-bas qui viendrait les voir.

Audiberte remuait la tête :

« *Avaï !* si je te suivais... »

La vérité, c'est qu'en flânant à travers Paris, il avait découvert dans le quartier Saint-Denis un grand magasin de comestibles où il était entré, amorcé par l'écriteau et par les tentations d'une devanture exotique, aux fruits colorés, aux papiers argentés et gaufrés, éclatant dans le brouillard d'une rue populeuse. L'endroit, dont il était devenu le commensal et l'ami, bien connu des Méridionaux passés Parisiens, s'intitulait :

Aux produits du Midi

Et jamais étiquette plus véridique. Là, tout était produit du Midi, depuis les patrons, M. et Mme Mèfre, deux produits du Midi gras, avec le nez busqué de Roumestan, les yeux flamboyants, l'accent, les locutions, l'accueil démonstratif de la Provence, jusqu'à leurs garçons de boutique, familiers, tutoyeurs, ne se gênant pas pour crier vers le comptoir en grasseyant : « Dis donc, Mèfre... Où tu as mis le saucissot ? » Jusqu'aux petits Mèfre, geignards et malpropres, menacés à chaque instant d'être éventrés, scalpés, mis en bouillie, trempant tout de même leurs doigts dans tous les barils ouverts ; jusqu'aux acheteurs gesticulant, bavardant pendant des heures, pour l'acquisition d'une *barquette* de deux sous, ou s'installant en rond sur des chaises à discuter les qualités du saucisson à l'ail et du saucisson au poivre, les *pas moins, au moins, allons, différemment,* tout le vocabulaire de la tante Portal échangé bruyamment, tandis qu'un « cher frère » en robe noire reteinte, ami de la maison, marchandait du poisson salé, et que les mouches, une quantité de mouches, attirées par tout le sucre de ces fruits, de ces bonbons, de ces pâtisseries presque orientales, bourdonnaient même au milieu de l'hiver, conservées dans cette chaleur cuite. Et lorsqu'un Parisien fourvoyé s'impatientait du lambinage du service, de l'indifférence distraite de ces boutiquiers continuant à faire la causette d'une banque à l'autre, tout en pesant et ficelant de travers, il fallait voir comme on vous le rembarrait dans l'accent du cru :

« *Té ! vé,* si vous êtes pressé, la porte elle est ouverte, et le tramway il passe devant, vous savez bien. »

Dans ce milieu de compatriotes, le père Valmajour fut reçu à bras ouverts. M. et Mme Mèfre se rappelaient l'avoir vu dans les temps, en foire de Beaucaire, à un concours de tambourins. Entre vieilles gens du Midi, cette foire de Beaucaire, aujourd'hui tombée, n'existant que de nom, est restée comme un lien de fraternité maçonnique. Dans nos provinces méridionales, elle était la féerie de l'année, la distraction de toutes ces existences racornies ; on s'y préparait longtemps à l'avance, et longtemps après on en causait. On la promettait en récompense à la femme, aux enfants, leur rapportant toujours, si on ne pouvait les emmener, une dentelle espagnole, un jouet qu'on trouvait au fond de la malle. La foire de Beaucaire, c'était encore, sous prétexte de commerce, quinze jours, un mois de la vie libre, exubérante, imprévue, d'un campement bohémien. On couchait çà et là chez l'habitant, dans les magasins, sur les comptoirs, en pleine rue, sous la toile tendue des charrettes, à la chaude lumière des étoiles de juillet.

Oh ! les affaires sans l'ennuyeux de la boutique, les affaires traitées en dînant, sur la porte, en bras de chemise, les baraques en file le long du *Pré*, au bord du Rhône, qui lui-même n'était qu'un mouvant champ de foire, balançant ses bateaux de toutes formes, ses *Labuts* aux voiles latines, venus d'Arles, de Marseille, de Barcelone, des îles Baléares, chargés de vins, d'anchois, de liège, d'oranges, parés d'oriflammes, de banderoles qui claquaient au vent frais, se reflétaient dans l'eau rapide. Et ces clameurs, cette foule bariolée d'Espagnols, de Sardes, de Grecs en longues tuniques et babouches brodées, d'Arméniens en bonnets fourrés, de Turcs avec leurs vestes galonnées, leurs éventails, leurs larges pantalons de toile grise, se pressant aux restaurants en plein vent, aux étalages de jouets d'enfant, de cannes, ombrelles, orfèvrerie, pastilles du sérail, casquettes. Et ce qu'on appelait « le beau dimanche », c'est-à-dire le premier dimanche de l'installation, les ripailles sur les quais, sur les bateaux, dans les trattorias célèbres, à La Vignasse, au Grand jardin, au Café Thibaut ; ceux qui ont vu cela une fois en ont gardé la nostalgie jusqu'à la fin de leur existence.

Chez les Mèfre, on se sentait à l'aise, un peu comme en foire de Beaucaire ; et, de fait, la boutique ressemblait bien dans son pittoresque désordre à un capharnaüm improvisé et forain de produits du Midi. Ici, remplis et fléchissants, les sacs de farinette en poudre d'or, les pois chiches gros et durs comme des chevrotines, les châtaignes blanquettes, toutes ridées et poussiéreuses, ressemblant à de petites faces de vieilles bûcheronnes, les jarres d'olives vertes, noires, confites, à la picholine, les estagnons d'huile rousse à goût de fruit, les barils de confitures d'Apt faites de cosses de melons, de cédrats, de figues, de coings, tout le détritus d'un marché tombé dans la mélasse. Là-haut, sur des rayons, parmi les salaisons, les conserves aux mille flacons, aux mille boîtes de fer-blanc, les friandises spéciales à chaque ville, les coques et les barquettes de Nîmes, le nougat de Montélimar, les canissons et les biscottes d'Aix, enveloppes dorées, étiquetées, paraphées.

Puis les primeurs, un déballage de verger méridional sans ombre, où les fruits dans des verdures grêles ont des facticités de pierreries, les fermes jujubes d'un beau vernis d'acajou neuf à côté des pâles azeroles, des figues de toutes variétés, des limons doux, des poivrons verts ou écarlates, des melons ballonnés, des gros oignons à pulpes de fleur, les raisins muscats aux grains allongés et transparents où tremble la chair comme le vin dans une outre, les régimes de bananes zébrées de noir et de jaune, des écroulements d'oranges, de grenades aux tons mordorés, boulets de cuivre rouge, à la mèche d'étoupe serrée dans une petite couronne en cimier. Enfin, partout, aux murs, aux plafonds, des deux côtés de la porte, dans un enchevêtrement de palmes brûlées, des chapelets d'aulx et d'oignons, les caroubes sèches, les andouilles ficelées, des grappes de maïs, un ruissellement de couleurs chaudes, tout l'été, tout le soleil méridional, en boîtes, en sacs, en jarres, rayonnant jusque sur le trottoir à travers la buée des vitres.

Le vieux allait là-dedans, la narine allumée, frétillant, très excité. Lui, qui chez ses enfants rechignait au moindre ouvrage et pour un bouton remis à son gilet s'essuyait le front pendant des heures, se vantant d'avoir fait « un travail de César », était toujours prêt ici à donner un coup de main, à mettre l'habit bas pour clouer, déballer les caisses, picorant de çà de là un berlingot, une olive, égayant le travail par ses singeries et ses histoires ; et même, une fois la semaine, le jour de la brandade, il veillait très tard au magasin pour aider à faire les envois.

Ce plat méridional entre tous, la brandade de morue, ne se trouve guère qu'aux *Produits du Midi* ; mais la vraie, blanche, pilée fin, crémeuse, une pointe d'*aïet*, telle qu'on la fabrique à Nîmes, d'où les Mèfre la font venir. Elle arrive le jeudi soir à sept heures par le « Rapide » et se distribue le vendredi matin dans Paris à tous les bons clients inscrits au grand livre de la maison. C'est sur ce journal de commerce aux pages froissées, sentant les épices et taché d'huile, qu'est écrite l'histoire de la conquête de Paris par les Méridionaux, que s'alignent en file les hautes fortunes, situations politiques, industrielles, noms célèbres d'avocats, députés, ministres, et, entre tous, celui de Numa Roumestan, le Vendéen du Midi, pilier de l'autel et du trône.

Pour cette ligne où Roumestan est inscrit, les Mèfre jetteraient au feu le livre entier. C'est lui qui représente le mieux leurs idées en religion, en politique, en tout. Comme dit Mme Mèfre, encore plus passionnée que son mari :

« Cet homme-là, voyez-vous, on damnerait son âme pour lui. »

L'on aime à se rappeler le temps où Numa déjà sur la route de la gloire ne dédaignait pas de venir faire lui-même sa provision. Et qu'il s'y entendait à choisir une pastèque à la tâte, un saucisson bien suant sous le couteau ! Puis, tant de bonté, cette belle figure imposante, toujours un compliment pour madame, une bonne parole au « cher frère », une caresse aux petits Mèfre qui l'accompagnaient jusqu'à la voiture, portant les paquets. Depuis son élévation au ministère, depuis que ces scélérats de rouges lui donnaient tellement d'occupation dans les deux Chambres, on ne le voyait plus, *pécaïré* ! mais il restait le fidèle abonné des *Produits* ; et c'était lui toujours le premier pourvu.

Un jeudi soir, vers les dix heures, tous les pots de brandade parés, ficelés, en bel ordre sur la banque, la famille Mèfre, les garçons, le vieux Valmajour, tous les produits du Midi au grand complet, suant, soufflant, se reposaient de cet air étalé des gens qui ont bien rempli une rude tâche et « faisaient trempette » avec des langues de chat, des biscottes dans du vin cuit, du sirop d'orgeat, « quelque chose de doux, allons ! » car pour le fort, les Méridionaux ne l'aiment guère. Chez le peuple comme dans les campagnes, l'ivresse d'alcool est presque inconnue. La race instinctivement en a la peur et l'horreur. Elle se sent ivre de naissance, ivre sans boire.

Et c'est bien vrai que le vent et le soleil lui distillent un terrible alcool de nature, dont tous ceux qui sont nés là-bas subissent plus ou moins les effets. Les uns ont seulement ce petit coup de trop, qui délie la langue et les gestes, fait voir la vie en bleu et des sympathies partout, allume les yeux, élargit les rues, aplanit les obstacles, double l'audace et cale les timides ; d'autres, plus frappés, comme la petite Valmajour, la tante Portal, arrivent tout de suite au délire bégayant, trépidant et aveugle. Il faut avoir vu nos fêtes votives de Provence, ces paysans debout sur les tables, hurlant, tapant de leurs gros souliers jaunes, appelant : « Garçon, *dé gazeuse* ! », tout un village ivre à rouler pour quelques bouteilles de limonade. Et ces subites prostrations des intoxiqués, ces effondrements de tout l'être succédant aux colères, aux enthousiasmes avec la brusquerie d'un coup de soleil ou d'ombre sur un ciel de mars, quel est le Méridional qui ne les a ressentis ?

Sans avoir le Midi délirant de sa fille, le père Valmajour était né avec une fière pointe ; et ce soir-là, sa trempette à l'orgeat le transportait d'une gaieté folle qui lui faisait grimacer, au milieu de la boutique, le verre en main, la bouche empoissée, toutes ses farces de vieux pitre payant l'écot sans monnaie. Les Mèfre, leurs garçons se tordaient sur les sacs de farinette.

« Oh ! de ce Valmajour, pas moins ! »

Subitement la verve du vieux tomba, son geste de pantin fut coupé en deux par l'apparition devant lui d'une coiffe provençale, toute frémissante.

« Qu'est-ce que vous faites là, mon père ? »

Mme Mèfre leva les bras vers les andouilles du plafond :

« Comment ! c'est votre demoiselle ?... vous nous l'aviez pas dit... Hé ! qu'elle est petitette !... mais bien bravette, pas moins... Remettez-vous donc, mademoiselle. »

Par une habitude de mensonge autant que pour se garder plus libre, l'ancien n'avait pas parlé de ses enfants, se donnait pour un vieux garçon vivant de ses rentes ; mais entre gens du Midi, on n'en est pas à une invention près. Toute une ribambelle de petits Valmajour se serait poussée à la suite d'Audiberte, l'accueil eût été le même, démonstratif et chaleureux. On s'empressait, on lui faisait place :

« Différemment, vous allez faire trempette, vous aussi. »

La Provençale restait interdite. Elle venait du dehors, du froid, du noir de la nuit, une nuit de décembre, où la vie fiévreuse de Paris se continuant malgré l'heure s'affolait dans l'épais brouillard déchiré en tous sens par des ombres rapides, les lanternes de couleur des omnibus, la trompe rauque des tramways ; elle arrivait du Nord, elle arrivait de l'hiver, et tout à coup, sans transition, elle se trouvait en pleine Provence italienne, dans ce magasin Mèfre resplendissant aux approches de Noël de richesses gourmandes et ensoleillées, au milieu d'accents et de parfums connus. C'était la patrie brusquement retrouvée, le retour au pays après un an d'exil, d'épreuves, de luttes lointaines chez les Barbares. Une tiédeur l'envahissait, détendait ses nerfs, à mesure qu'elle émiettait sa barquette dans un doigt de Carthagène, répondant à tout ce brave monde à l'aise et familier avec elle comme si on la connaissait depuis vingt ans. Elle se sentait rentrée dans sa vie, dans ses habitudes ; et des larmes lui en montaient aux yeux, ces yeux durs veinés de feu qui ne pleuraient jamais.

Le nom de Roumestan prononcé à son côté sécha tout à coup cette émotion. C'était Mme Mèfre qui inspectait les adresses de ses envois et recommandait bien aux garçons de ne pas se tromper, de ne pas porter la brandade de Numa rue de Grenelle, mais rue de Londres.

« Paraît que rue de Grénelle, la brandade n'est pas en odeur de *saïnteté*, remarqua l'un des produits.

— Je crois bien, dit M. Mèfre... Une dame du Nord, tout ce qu'il y a de plus Nord... Cuisine au beurre, allons !... tandis que rue de Londres, c'est le joli Midi, gaieté, chansons, et tout à l'huile... Je comprends que Numa s'y trouve mieux. »

On en parlait légèrement, de ce second ménage du ministre dans un petit pied-à-terre très commode, tout près de la gare, où il pouvait se reposer des fatigues de la Chambre, libre des réceptions et des grands tralalas. Bien sûr que l'exaltée Mme Mèfre aurait poussé de beaux cris si pareille chose se fût passée dans son ménage ; seulement, pour Numa, cela n'était que sympathique et naturel.

Il aimait le tendron ; mais est-ce que tous nos rois ne couraient pas, et Charles X, et Henri IV, le vert-galant ? Ça tenait à son nez bourbon, *té*, pardi !...

Et à cette légèreté, à ce ton de gouaillerie dont le Midi traite toutes les affaires amoureuses, se mêlait une haine de race, l'antipathie contre la femme du Nord, l'étrangère et la cuisine au beurre. On s'excitait, on détaillait des *anédotes*, les charmes de la petite Alice et ses succès au Grand-Opéra.

« J'ai connu la maman Bachellery en temps de foire de Beaucaire, disait le vieux Valmajour... Elle chantait la romance au Café Thibaut. »

Audiberte écoutait sans respirer, ne perdant pas un mot, incrustant dans sa tête nom, adresse ; et ses petits yeux brillaient d'une ivresse diabolique où le vin de Carthagène n'était pour rien.

17

La layette

Au coup léger frappé à la porte de sa chambre, Mme Roumestan tressaillit, comme prise en faute, et repoussant le tiroir délicatement contourné de sa commode Louis XV, devant lequel elle se penchait presque agenouillée, elle demanda :

« Qui est là ?... Qu'est-ce que vous voulez, Polly ?...

— Une lettre pour Madame... c'est très pressé... » répondit l'Anglaise.

Rosalie prit la lettre et referma la porte vivement. Une écriture inconnue, grossière, sur du papier de pauvre, avec le « personnel et urgent » des demandes de secours. Jamais une femme de chambre parisienne ne l'aurait dérangée pour si peu. Elle jeta cela sur la commode, remettant la lecture à plus tard, et revint vite à son tiroir qui contenait les merveilles de l'ancienne layette. Depuis huit ans, depuis le drame, elle ne l'avait pas ouvert, craignant d'y retrouver ses larmes ; ni même depuis sa grossesse, par une superstition bien maternelle, de peur de se porter malheur encore une fois, avec cette caresse précoce donnée à l'enfant qui va naître, à travers son petit trousseau.

Elle avait, cette vaillante femme, toutes les nervosités de la femme, tous ses tremblements, ses resserrements frileux de mimosa ; le monde, qui juge sans comprendre, la trouvait froide, comme les ignorants s'imaginent que les fleurs ne vivent pas. Mais maintenant, son espoir ayant six mois, il fallait bien tirer tous ces petits objets de leurs plis de deuil et d'enfermement, les visiter, les transformer peut-être ; car la mode change même pour les nouveau-nés, on ne les enrubanne pas toujours de la même manière. C'est pour ce travail tout intime que Rosalie s'était soigneusement enfermée ; et dans le grand ministère affairé, paperassant, le bourdonnement des rapports, le fiévreux va-et-vient des bureaux aux divisions, il n'y avait certainement rien d'aussi sérieux, d'aussi émouvant que cette femme à genoux devant un tiroir ouvert, le cœur battant et les mains tremblantes.

Elle leva les dentelles un peu jaunies qui préservaient avec des parfums tout ce blanc d'innocentes toilettes, les béguins, les brassières, par rang d'âge et de taille, la robe pour le baptême, la guimpe à petits plis, des bas de poupée. Elle se revit là-bas à Orsay, doucement alanguie, travaillant des heures entières à l'ombre du grand catalpa dont les calices blancs tombaient dans la corbeille à ouvrage parmi ses pelotons et ses fins ciseaux de brodeuse, toute sa pensée concentrée dans un point de couture qui lui mesurait les rêves et les heures. Que d'illusions alors, que de croyances ! Quel joyeux ramage dans les feuilles, sur sa tête ; en elle, quelle éveillée de sensations tendres et nouvelles ! En un jour, la vie lui avait repris tout, brusquement. Et son désespoir lui rentrait au cœur, la trahison du mari, la perte de l'enfant, à mesure qu'elle développait sa layette.

La vue de la première petite parure, toute prête à passer, celle que l'on prépare sur le berceau au moment de la naissance, les manches l'une dans l'autre, les bras écartés, les bonnets gonflés dans leur rondeur, la faisait éclater en larmes. Il lui semblait que son enfant avait vécu, qu'elle l'avait embrassé et connu. Un garçon, oh ! bien certainement, un garçon, et fort, et joli, et dans sa chair de lait déjà les yeux sérieux et profonds du grand-père. Il aurait huit ans aujourd'hui, de longs cheveux bouclés tombant sur un grand col ; à cet âge-là, ils appartiennent encore à la mère qui les promène, les pare, les fait travailler. Ah ! cruelle, cruelle vie...

Mais peu à peu, en tirant et maniant les menus objets noués de faveurs microscopiques, leurs broderies à fleurs, leurs dentelles neigeuses, elle s'apaisait. Eh bien, non, la vie n'est pas si méchante ; et tant qu'elle dure, il faut garder du courage. Elle avait perdu tout le sien à ce tournant funeste, s'imaginant que c'était fini pour elle de croire, d'aimer, d'être épouse et mère, qu'il ne lui restait qu'à regarder le lumineux passé s'en aller loin comme un rivage qu'on regrette. Puis, après des années mornes, sous la neige froide de son cœur le renouveau avait germé lentement, et voici qu'il refleurissait dans ce tout-petit qui allait naître, qu'elle sentait déjà vigoureux aux terribles petits coups de pied qu'il lui envoyait la nuit. Et son Numa si changé, si bon, guéri de ses brutales violences ! Il y avait bien encore en lui des faiblesses qu'elle n'aimait pas, de ces détours italiens dont il ne pouvait se défendre ; mais « ça, c'est la politique... », comme il disait. D'ailleurs, elle n'en était plus aux illusions des premiers jours ; elle savait que pour vivre heureux il faut se contenter de l'à-peu-près de toutes choses, se tailler des bonheurs pleins dans les demi-bonheurs que l'existence nous donne...

On frappa de nouveau à la porte. M. Méjean qui voulait parler à Madame.

« Bien... j'y vais... »

Elle le rejoignit dans le petit salon qu'il arpentait de long en large, très ému.

« J'ai une confession à vous faire », dit-il sur le ton de familiarité un peu brusque qu'autorisait une amitié déjà ancienne, dont il n'avait pas tenu à eux de faire un lien fraternel... « Voilà quelques jours que j'ai terminé cette misérable affaire... Je ne vous le disais pas pour garder ceci plus longtemps... »

Il lui tendit le portrait d'Hortense.

« Enfin !... Oh ! qu'elle va être heureuse, pauvre chérie... »

Elle s'attendrit devant la jolie figure de sa sœur étincelant de santé et de jeunesse sous son déguisement provençal, lut au bas du portrait l'écriture très fine et très ferme : *Je crois en vous et je vous aime, — Hortense Le Quesnoy.* Puis, songeant que le pauvre amoureux l'avait lue aussi et qu'il s'était chargé là d'une triste commission, elle lui serra la main affectueusement :

« Merci...

— Ne me remerciez pas, madame... Oui, c'était dur... Mais, depuis huit jours, je vis avec ça... *je crois en vous et je vous aime...* Par moment, je me figurais que c'était pour moi... »

Et tout bas, timidement :

« Comment va-t-elle ?

— Oh ! pas bien... Maman l'emmène dans le Midi... Maintenant, elle veut tout ce qu'on veut... Il y a comme un ressort brisé en elle.

— Changée ?... »

Rosalie eut un geste : « Ah !... »

« Au revoir, madame... » fit Méjean très vite, s'éloignant à grands pas. A la porte, il se retourna, et, carrant ses solides épaules sous la tenture à demi soulevée :

« C'est une vraie chance que je n'aie pas d'imagination... Je serais trop malheureux... »

Rosalie rentra dans sa chambre, bien attristée. Elle avait beau s'en défendre, invoquer la jeunesse de sa sœur, les paroles encourageantes de Jarras persistant à ne voir là qu'une crise à franchir, des idées noires lui venaient qui n'allaient plus avec le blanc de fête de sa layette. Elle se hâta de trier, ranger, enfermer les petites affaires dispersées, et, comme elle se relevait, aperçut la lettre restée sur la commode, la prit, la lut machinalement, s'attendant à la banale requête qu'elle recevait tous les jours de tant de mains différentes, et qui serait bien arrivée dans une de ces minutes superstitieuses où la charité semble un porte-bonheur. C'est pourquoi elle ne comprit pas tout d'abord, fut obligée de relire ces lignes écrites en pensum par la plume bègue d'un écolier, le jeune homme de Guilloche :

Si vous aimez la brandade de morue, on en mange d'excellente ce soir chez Mlle Bachellery, rue de Londres. C'est votre mari qui régale. Sonnez trois coups et entrez droit.

De ces phrases bêtes, de ce fond boueux et perfide, la vérité se leva, lui apparut, aidée par des coïncidences, des souvenirs : ce nom de Bachellery, tant de fois prononcé depuis un an, des articles énigmatiques sur son engagement, cette adresse qu'elle lui avait entendu donner à lui-même, le long séjour à Arvillard. En une seconde le doute se figea pour elle en certitude. D'ailleurs, est-ce que le passé ne lui éclairait pas ce présent de toute son horreur réelle ? Mensonge et grimace, il n'était, ne pouvait être que cela. Pourquoi cet éternel faiseur de dupes l'eût-il épargnée ? C'est elle qui avait été folle de se laisser prendre à sa voix trompeuse, à ses banales tendresses ; et des détails lui revenaient qui, dans la même seconde, la faisaient rougir et pâlir.

Cette fois ce n'était plus le désespoir à grosses larmes pures des premières déceptions ; une colère s'y mêlait contre elle-même si faible, si lâche d'avoir pu pardonner, contre lui qui l'avait trompée au mépris des promesses, des serments de la faute passée. Elle aurait voulu le convaincre, là, tout de suite ; mais il était à Versailles, à la Chambre. L'idée lui vint d'appeler Méjean, puis il lui répugna d'obliger cet honnête homme à mentir. Et réduite à étouffer toute une violence de sentiments contraires, pour ne pas crier, se livrer à la terrible crise de nerfs qu'elle sentait l'envahir, elle marchait çà et là sur le tapis, les mains — par une pose familière — à la taille lâchée de son peignoir. Tout à coup elle s'arrêta, tressaillit d'une peur folle.

Son enfant !

Il souffrait, lui aussi, et se rappelait à sa mère de toute la force d'une vie qui se débat. Ah ! mon Dieu, s'il allait mourir, celui-là, comme l'autre... au même âge de la grossesse, dans des circonstances pareilles... Le destin, que l'on dit aveugle, a parfois de ces combinaisons féroces. Et elle se raisonnait en mots entrecoupés, en tendres exclamations, « cher petit... pauvre petit... », essayait de voir les choses froidement, pour se conduire avec dignité et surtout ne pas compromettre ce seul bien qui lui restait. Elle prit même un ouvrage, cette broderie de Pénélope que garde toujours en train l'activité de la Parisienne ; car il fallait attendre le retour de Numa, s'expliquer avec lui ou plutôt saisir dans son attitude la conviction de la faute, avant l'éclat irrémédiable d'une séparation.

Oh ! ces laines brillantes, ce canevas régulier et incolore, que de confidences ils reçoivent, que de regrets, de joies, de désirs, forment l'envers compliqué, noué, plein de fils rompus, de ces ouvrages féminins aux fleurs paisiblement entrelacées.

Numa Roumestan, en arrivant de la Chambre, trouva sa femme tirant l'aiguille sous l'étroite clarté d'une seule lampe allumée ; et ce tableau tranquille, ce beau profil adouci de cheveux châtains, dans l'ombre luxueuse des tentures ouatées, où les paravents de laque, les vieux cuivres, les ivoires, les faïences, accrochaient les lueurs promeneuses et tièdes d'un feu de bois, le saisit par le contraste du brouhaha de l'Assemblée, des plafonds lumineux enveloppés d'une poussière trouble flottant au-dessus des débats comme le nuage de poudre dégagé d'un champ de manœuvre.

« Bonjour, maman... Il fait bon chez toi... »

La séance avait été chaude. Toujours cet affreux budget, la gauche pendue pendant cinq heures aux basques de ce pauvre général d'Espaillon qui ne savait pas coudre deux idées de suite, quand il ne disait pas S...n...d...D... Enfin, le cabinet s'en tirait encore cette fois ; mais c'est après les vacances du jour de l'an, quand on en serait aux Beaux-Arts, qu'il faudrait voir ça.

« Ils comptent beaucoup sur l'affaire Cadaillac pour me basculer... C'est Rougeot qui parlera... Pas commode, ce Rougeot... Il a de l'estomac !... »

Puis, avec son coup d'épaule :

« Rougeot contre Roumestan... Le Nord contre le Midi... Tant mieux. Ça va m'amuser... On se bûchera. »

Il parlait seul, tout au feu des affaires, sans s'apercevoir du mutisme de Rosalie. Il se rapprocha d'elle, tout près, assis sur un pouf, lui faisant lâcher son ouvrage, essayant de lui baiser la main.

« C'est donc bien pressé ce que tu brodes là ?... C'est pour mes étrennes ?... Moi, j'ai déjà acheté les tiennes... Devine. »

Elle se dégagea doucement, le fixa à le gêner, sans répondre. Il avait ses traits fatigués des jours de grande séance, cette détente lasse du visage, trahissant au coin des yeux et de la bouche une nature à la fois molle et violente, toutes les passions et rien pour leur résister. Les figures du Midi sont comme ses paysages, il ne faut les regarder qu'au soleil.

« Tu dînes avec moi ? demanda Rosalie.

— Mais non... On m'attend chez Durand... Un dîner ennuyeux... *Té !* Je suis déjà en retard », ajouta-t-il en se levant... « Heureusement qu'on ne s'habille pas. »

Le regard de sa femme le suivait. « Dîne avec moi, je t'en prie. » Et sa voix harmonieuse se durcissait en insistant, se faisait menaçante, implacable. Mais Roumestan n'était pas observateur... Et puis, les affaires, n'est-ce pas ? Ah ! ces existences d'homme public ne se mènent pas comme on voudrait.

« Adieu, alors... » dit-elle gravement, achevant en elle cet adieu « ... puisque c'est notre destinée. »

Elle écouta rouler le coupé sous la voûte ; ensuite, son ouvrage soigneusement plié, elle sonna.

« Tout de suite une voiture... un fiacre... Et vous, Polly, mon manteau, mon chapeau... je sors. »

Vite prête, elle inspecta du regard la chambre qu'elle quittait, où elle ne regrettait, ne laissait rien d'elle, vraie chambre de maison garnie, sous la pompe de son froid brocart jaune.

« Descendez ce grand carton dans la voiture. »

La layette, tout ce qu'elle emportait du bien commun.

A la portière du fiacre, l'Anglaise très intriguée demanda si Madame ne dînerait pas. Non, elle dînait chez son père, elle y coucherait aussi, probablement.

En route, un doute lui vint encore, plutôt un scrupule. Si rien de tout cela n'était vrai... Si cette Bachellery n'habitait pas rue de Londres... Elle donna l'adresse, sans grand espoir ; mais il lui fallait une certitude.

On l'arrêta devant un petit hôtel à deux étages, surmonté d'une terrasse en jardin d'hiver, l'ancien pied-à-terre d'un Levantin du Caire qui venait de mourir dans la ruine. L'aspect d'une petite maison, volets clos, rideaux tombés, une forte odeur de cuisine montant des sous-sols éclairés et bruyants. Rien qu'à la façon dont la porte obéit aux trois coups de timbre, tourna d'elle-même sur ses gonds, Rosalie fut renseignée. Une tapisserie persane, relevée par des torsades au milieu de l'antichambre, laissait voir l'escalier, son tapis mousseux, ses torchères, dont le gaz brûlait à toute montée. Elle entendit rire, fit deux pas et vit ceci qu'elle n'oublia plus jamais :

Au palier du premier étage, Numa se penchait sur la rampe, rouge, allumé, en bras de chemise, tenant par la taille cette fille, très excitée aussi, les cheveux dans le dos sur les fanfreluches d'un déshabillé de foulard rose. Et il criait de son accent débridé :

« Bompard, monte la brandade !... »

C'est là qu'il fallait le voir, le ministre de l'Instruction publique et des Cultes, le grand marchand de morale religieuse, le défenseur des saines doctrines, là qu'il se montrait sans masque et sans grimaces, tout son Midi dehors, à l'aise et débraillé comme en foire de Beaucaire.

« Bompard, monte la brandade !... » répéta la drôlesse, exagérant exprès l'intonation marseillaise. Bompard, c'était sans doute ce marmiton improvisé, surgissant de l'office, la serviette en sautoir, les bras arrondis autour d'un grand plat, et que fit retourner le battant sonore de la porte.

18

Le premier de l'an

« Messieurs de l'Administration centrale !...

« Messieurs de la direction des Beaux-Arts !...

« Messieurs de l'Académie de médecine !... »

A mesure que l'huissier, en grande tenue, culotte courte, épée au côté, annonçait de sa voix morne dans la solennité des pièces de réception, des files d'habits noirs traversaient l'immense salon rouge et or et venaient se ranger en demi-cercle devant le ministre adossé à la cheminée, ayant près de lui son sous-secrétaire d'Etat, M. de La Calmette, son chef de cabinet, ses attachés fringants, et quelques directeurs du ministère, Dansaert, Béchut. A chaque corps constitué présenté par son président ou son doyen, l'Excellence adressait des compliments pour les décorations, les palmes académiques accordées à quelques-uns de ses membres ; ensuite le corps constitué faisait demi-tour, cédait la place, ceux-là se retirant, d'autres arrivant à grands pas, avec des bousculades aux portes du salon ; car il était tard, une heure passée, et chacun songeait au déjeuner de famille qui l'attendait.

Dans la salle des concerts, transformée en vestiaire, des groupes s'impatientaient à regarder leurs montres, boutonner leurs gants, rajuster leurs cravates blanches sous des faces tirées, des bâillements d'ennui, de mauvaise humeur et de faim. Roumestan, lui aussi, sentait la fatigue de ce grand jour. Il avait perdu sa belle chaleur de l'année dernière à pareille époque, sa foi dans l'avenir et les réformes, laissait aller ses speeches mollement, pénétré de froid jusqu'aux moelles malgré les calorifères, l'énorme bûcher flambant ; et cette petite neige floconnante qui tourbillonnait aux vitres lui tombait sur le cœur légère et glacée comme sur la pelouse du jardin.

« Messieurs de la Comédie-Française !... »

Rasés de près, solennels, saluant ainsi qu'au Grand Siècle, ils se campaient en nobles attitudes autour de leur doyen qui d'une voix caverneuse présentait la Compagnie, parlait des efforts, des vœux de la Compagnie, la Compagnie sans épithète, sans qualificatif, comme on dit *Dieu*, comme on dit la *Bible*, comme s'il n'existait d'autre Compagnie au monde que celle-là ; et il fallait que le pauvre Roumestan fût bien affaissé pour que même cette Compagnie, dont il semblait faire partie avec son menton bleu, ses bajoues, ses poses d'une distinction convenue, ne réveillât son éloquence à grandes phrases théâtrales.

C'est que depuis huit jours, depuis le départ de Rosalie, il était comme un joueur qui a perdu son fétiche. Il avait peur, se sentait subitement inférieur à sa fortune et tout près d'en être écrasé. Les médiocres que la chance a favorisés ont de ces transes et de ces vertiges, accrus pour lui de l'effroyable scandale qui allait éclater, de ce procès en séparation que la jeune femme voulait absolument, malgré les lettres, les démarches, ses plates prières et ses serments. Pour la forme, on disait au ministère que Mme Roumestan était allée vivre près de son père à cause du prochain départ de Mme Le Quesnoy et d'Hortense ; mais personne ne s'y trompait, et sur tous ces visages défilant devant lui, à de certains sourires appuyés, à des poignées de main trop vibrantes, le malheureux voyait son aventure reflétée en pitié, en curiosité, en ironie. Il n'y avait pas jusqu'aux infimes employés, venus à la réception en jaquette et redingote, qui ne fussent au courant ; il circulait dans les bureaux des couplets où Chambéry rimait avec Bachellery et que plus d'un expéditionnaire, mécontent de sa gratification, fredonnait intérieurement en faisant une humble révérence au chef suprême.

Deux heures. Et les corps constitués se présentaient toujours, et la neige s'amoncelait, pendant que l'homme à la chaîne introduisait pêle-mêle, sans ordre hiérarchique :

« Messieurs de l'Ecole de droit !...

« Messieurs du Conservatoire de musique !...

« Messieurs les directeurs des théâtres subventionnés !... »

Cadaillac venait en tête, à l'ancienneté de ses trois faillites ; et Roumestan avait bien plus envie de tomber à coups de poing sur ce montreur cynique dont la nomination lui causait de si graves embarras, que d'écouter sa belle allocution démentie par la blague féroce du regard et de lui répondre un compliment forcé dont la moitié restait dans l'empois de sa cravate :

« Très touché, messieurs... *mn mn mn*... progrès de l'art... *mn mn mn*... ferons mieux encore... »

Et le montreur, en s'en allant :

« Il a du plomb dans l'aile, notre pauvre Numa... »

Ceux-là partis, le ministre et ses assesseurs faisaient honneur à la collation habituelle ; mais ce déjeuner, si gai l'année précédente et plein d'effusion, se ressentait de la tristesse du patron et de la mauvaise humeur des familiers qui lui en voulaient tous un peu de leur situation compromise. Ce scandaleux procès, tombant juste au milieu du débat Cadaillac, allait rendre Roumestan impossible au cabinet ; le matin même, à la réception de l'Elysée, le maréchal en avait dit deux mots dans sa brutale et laconique éloquence de vieux troupier : « Une sale affaire, mon cher ministre, une sale affaire... » Sans connaître précisément cette auguste parole, chuchotée à l'oreille dans une embrasure, ces messieurs voyaient venir leur disgrâce derrière celle de leur chef.

« O femmes ! femmes ! » grognait le savant Béchut dans son assiette. M. de La Calmette et ses trente ans de bureau se mélancolisaient en songeant à la retraite comme Tircis ; et tout bas le grand Lappara s'amusait à consterner Rochemaure : « Vicomte, il faut nous pourvoir... Nous serons ratiboisés avant huit jours. »

Sur un toast du ministre à l'année nouvelle et à ses chers collaborateurs, porté d'une voix émue où roulaient des larmes, on se sépara. Méjean, resté le dernier, fit deux ou trois tours de long en large avec son ami, sans qu'ils eussent le courage de se dire un mot ; puis il partit. Malgré tout son désir de garder près de lui ce jour-là cette nature droite qui l'intimidait comme un reproche de conscience, mais le soutenait, le rassurait, Numa ne pouvait empêcher Méjean de courir à ses visites, distributions de vœux et de cadeaux, pas plus qu'il ne pouvait interdire à son huissier d'aller se déharnacher dans sa famille de son épée et de sa culotte courte.

Quelle solitude, ce ministère ! Un dimanche d'usine, la vapeur éteinte et muette. Et, dans toutes les pièces, en bas, en haut, dans son cabinet où il essayait vainement d'écrire, dans sa chambre qu'il se prenait à remplir de sanglots, partout cette petite neige de janvier tourbillonnait aux larges fenêtres, voilait l'horizon, accentuait un silence de steppe.

O détresse des grandeurs !...

Une pendule sonna quatre heures, une autre lui répondit, d'autres encore dans le désert du vaste palais où il semblait qu'il n'y eût plus que l'heure de vivante. L'idée de rester là jusqu'au soir, en tête à tête avec son chagrin, l'épouvantait. Il aurait voulu se dégeler à un peu d'amitié, de tendresse. Tant de calorifères, de bouches de chaleur, de moitiés d'arbres en combustion ne faisaient pas un foyer. Un moment il songea à la rue de Londres... Mais il avait juré à son avoué, car les avoués marchaient déjà, de se tenir tranquille jusqu'au procès. Tout à coup un nom lui traversa l'esprit : « Et Bompard ? » Pourquoi n'était-il pas venu ?... D'ordinaire, aux matins de fête, on le voyait arriver le premier, les bras chargés de bouquets, de sacs de bonbons pour Rosalie, Hortense, Mme Le Quesnoy, aux lèvres un sourire expressif de grand-papa, de bonhomme Etrennes. Roumestan faisait, bien entendu, les frais de ces surprises ; mais l'ami Bompard avait assez d'imagination pour l'oublier, et Rosalie, malgré son antipathie, ne pouvait s'empêcher de s'attendrir, en songeant aux privations que devait s'imposer le pauvre diable pour être si généreux.

« Si j'allais le chercher, nous dînerions ensemble. »

Il en était réduit là. Il sonna, se défit de l'habit noir, de ses plaques, de ses ordres, et sortit à pied par la rue Bellechasse.

Les quais, les ponts, étaient tout blancs ; mais le Carrousel franchi, ni le sol ni l'air ne gardaient trace de la neige. Elle disparaissait sous l'encombrement roulant de la chaussée, dans le fourmillement de la foule pressée sur les trottoirs, aux devantures, autour des bureaux d'omnibus. Ce tumulte d'un soir de fête, les cris des cochers, les appels des camelots, dans la confusion lumineuse des vitrines, les feux lilas des Jablochkoff noyant le jaune clignotement du gaz et les derniers reflets du jour pâle, berçaient le chagrin de Roumestan, le fondaient à l'agitation de la rue, pendant qu'il se dirigeait vers le boulevard Poissonnière où l'ancien Tcherkesse, très sédentaire comme tous les gens d'imagination, demeurait depuis vingt ans, depuis son arrivée à Paris.

Personne ne connaissait l'intérieur de Bompard dont il parlait pourtant beaucoup ainsi que de son jardin, de son mobilier artistique pour lequel il courait toutes les ventes de l'hôtel Drouot. « Venez donc un de ces matins manger une côtelette !... » C'était sa formule d'invitation, il la prodiguait, mais quiconque la prenait au sérieux ne trouvait jamais personne, se heurtait à des consignes de portier, des sonnettes bourrées de papier ou privées de leur cordon. Pendant toute une année, Lappara et Rochemaure s'acharnèrent inutilement à pénétrer chez Bompard, à dérouter les prodigieuses inventions du Provençal défendant le mystère de son logis, jusqu'à desceller un jour les briques de l'entrée, pour pouvoir dire aux invités, en travers de la barricade :

« Désolé, mes bons... Une fuite de gaz... Tout a sauté cette nuit ! »

Après avoir monté des étages innombrables, erré dans de vastes couloirs, buté sur des marches invisibles, dérangé des sabbats de chambres de bonnes, Roumestan, essoufflé de cette ascension à laquelle ses illustres jambes d'homme arrivé n'étaient plus faites, se cogna dans un grand bassin d'ablutions pendu à la muraille.

« Qui vive ? » grasseya un accent connu.

La porte tourna lentement, alourdie par le poids d'un portemanteau où pendait toute la garde-robe d'hiver et d'été du locataire ; car la chambre était petite et Bompard n'en perdait pas un millimètre, réduit à installer son cabinet de toilette dans le corridor. Son ami le trouva couché sur un petit lit de fer, le front orné d'une coiffure écarlate, une sorte de capulet dantesque qui se hérissa d'étonnement à la vue de l'illustre visiteur.

« Pas possible !

— Est-ce que tu es malade ? demanda Roumestan.

— Malade !... Jamais.

— Alors qu'est-ce que tu fais là ?

— Tu vois, je me résume... » Il ajouta pour expliquer sa pensée : « J'ai tant de projets en tête, tant d'inventions. Par moments, je me disperse, je m'égare... Ce n'est qu'au lit que je me retrouve un peu. »

Roumestan cherchait une chaise ; mais il n'y en avait qu'une, servant de table de nuit, chargée de livres, de journaux, avec un bougeoir branlant dessus. Il s'assit au pied du lit.

« Pourquoi ne t'a-t-on plus vu ?

— Mais tu badines... Après ce qui est arrivé, je ne pouvais plus me retrouver avec ta femme. Juge un peu ! J'étais là devant elle, ma brandade à la main... Il m'a fallu un fier sang-froid pour ne pas tout lâcher.

— Rosalie n'est plus au ministère... fit Numa consterné.

— Ça ne s'est donc pas arrangé ?... tu m'étonnes. »

Il ne lui semblait pas possible que Mme Numa, une personne de tant de bon sens... Car enfin qu'est-ce que c'était que tout ça ? « Une foutaise, allons ! »

L'autre l'interrompit :

« Tu ne la connais pas... C'est une femme implacable... tout le portrait de son père... Race du Nord, mon cher... Ce n'est pas comme nous autres dont les plus grandes colères s'évaporent en gestes, en menaces, et plus rien, la main tournée... Eux gardent tout, c'est terrible. »

Il ne disait pas qu'elle avait déjà pardonné une fois. Puis, pour échapper à ces tristes préoccupations :

« Habille-toi... je t'emmène dîner... »

Pendant que Bompard procédait à sa toilette sur le palier, le ministre inspectait la mansarde éclairée d'une petite fenêtre en tabatière où glissait la neige fondante. Il était pris de pitié en face de ce dénuement, ces lambris humides, au papier blanchi, ce petit poêle piqué de rouille, sans feu malgré la saison, et se demandait, habitué au somptueux confort de son palais, comment on pouvait vivre là.

« As-tu vu le *jardeïn* ? » cria joyeusement Bompard de sa cuvette.

Le jardin, c'était le sommet défeuillé de trois platanes qu'on ne pouvait apercevoir qu'en grimpant sur l'unique chaise du logis.

« Et mon petit musée ? »

Il appelait ainsi quelques débris étiquetés sur une planche : une brique, un brûle-gueule en bois dur, une lame rouillée, un œuf d'autruche. Mais la brique venait de l'Alhambra, le couteau avait servi les vendettas d'un fameux bandit corse, le brûle-gueule portait en inscription : *pipe de forçat marocain*, enfin l'œuf durci représentait l'avortement d'un beau rêve, tout ce qui restait — avec quelques lattes et morceaux de fonte entassés dans un coin — de la couveuse Bompard et de l'élevage artificiel. Oh ! maintenant il avait mieux que cela, mon bon. Une idée merveilleuse, à millions, qu'il ne pouvait pas dire encore.

« Qu'est-ce que tu regardes ?... Ça ?... c'est mon brevet de majoral... *Bé*, oui, majoral de l'*Aïoli*. »

Cette société de l'*Aïoli* avait pour but de faire manger à l'ail une fois par mois tous les Méridionaux résidant à Paris, histoire de ne pas perdre le fumet ni l'accent de la patrie. L'organisation en était formidable : président d'honneur, présidents, vice-présidents, majoraux, questeurs, censeurs, trésoriers, tous brevetés sur papier rose à bandes d'argent avec la fleur d'ail en pompon. Ce précieux document s'étalait sur la muraille, à côté d'annonces de toutes couleurs, ventes de maisons, affiches de chemins de fer, que Bompard tenait à avoir sous les yeux « pour se monter le coco », disait-il ingénument. On y lisait : *Château à vendre, cent-*

cinquante hectares, prés, chasse, rivière, étang poissonneux... Jolie petite propriété en Touraine, vignes, luzernes, moulin sur la Cize... Voyage circulaire en Suisse, en Italie, au lac Majeur, aux îles Borromées... Cela l'exaltait comme s'il eût eu de beaux paysages accrochés au mur. Il croyait y être, il y était.

« Mâtin !... » dit Roumestan avec une nuance d'envie pour ce misérable chimérique, si heureux parmi ses loques, « tu as une fière imagination... Es-tu prêt, allons ?... Descendons... Il fait un froid noir chez toi... »

Quelques tours aux lumières au milieu de la joyeuse cohue du boulevard, et les deux amis s'installèrent dans la chaleur capiteuse et rayonnante d'un cabinet de grand restaurant, les huîtres ouvertes, le château-yquem soigneusement débouché.

« A ta santé, mon camarade... Je te la souhaite bonne et heureuse.

— *Té !* c'est vrai, dit Bompard, nous ne nous sommes pas encore embrassés. »

Ils s'étreignirent par-dessus la table, les yeux humides ; et, si tanné que fût le cuir du Tcherkesse, Roumestan se sentit tout ragaillardi. Depuis le matin, il avait envie d'embrasser quelqu'un. Puis, tant d'années qu'ils se connaissaient, trente ans de leur vie devant eux, sur cette nappe ; et dans la vapeur des plats fins, dans les paillettes des vins de luxe, ils évoquaient les jours de jeunesse, des souvenirs fraternels, des courses, des parties, revoyaient leurs figures de gamins, coupaient leurs effusions de mots patois qui les rapprochaient encore.

« *T'en souvénès, digo ?...* tu t'en souviens, dis ? »

Dans un salon à côté, on entendait un égrènement de rires clairs, de petits cris.

« Au diable les femelles, dit Roumestan, il n'y a que l'amitié. »

Et ils trinquèrent encore une fois. Mais la conversation prenait tout de même un nouveau tour.

« Et la petite ?... » demanda Bompard clignant de l'œil... « Comment va-t-elle ?

— Oh ! je ne l'ai pas revue, tu comprends.

— Sans doute... sans doute... » fit l'autre subitement très grave, avec une tête de circonstance.

Maintenant, derrière les tentures, un piano jouait des fragments de valses, des quadrilles à la mode, des mesures d'opérettes, alternativement folles ou langoureuses. Ils se taisaient pour écouter, grappillant des raisins flétris ; et Numa, dont toutes les sensations semblaient sur pivot et à deux faces, se mettait à penser à sa femme, à son enfant, au bonheur perdu, s'épanchait tout haut, les coudes sur la table.

« Onze ans d'intimité, de confiance, de tendresse... Tout cela flambé, disparu en une minute... Est-ce que c'est possible ?... Ah ! Rosalie, Rosalie... »

Personne ne saurait jamais ce qu'elle avait été pour lui ; et lui-même ne le comprenait bien que depuis son départ. L'esprit si droit, le cœur si honnête. Et des épaules, et des bras. Pas une poupée de son comme la petite. Quelque chose de plein, d'ambré, de délicat.

« Puis, vois-tu, mon camarade, il n'y a pas à dire, quand on est jeune, il faut des surprises, des aventures... Les rendez-vous à la hâte, aiguisés de la peur d'être pincé, les escaliers descendus quatre à quatre, ses frusques sur le bras, tout cela fait partie de l'amour. Mais à notre âge ce qu'on désire par-dessus tout, c'est la paix, ce que les philosophes appellent la sécurité dans le plaisir. Il n'y a que le mariage qui donne ça. »

Il se leva d'un sursaut, jeta sa serviette : « Filons, *té* !

— Nous allons ? demanda Bompard, impassible.

— Passer sous sa fenêtre, comme il y a douze ans... Voilà où il en est, mon cher, le grand maître de l'Université... »

Sous les arcades de la place Royale, dont le jardin couvert de neige formait un blanc carré entre les grilles, les deux amis se promenèrent longtemps, cherchant dans la déchiqueture des toits Louis XIII, des cheminées, des balcons, les hautes fenêtres de l'hôtel Le Quesnoy.

« Dire qu'elle est là, soupirait Roumestan, si près et que je ne puis la voir !

Bompard grelottait, les pieds dans la boue, ne comprenait pas bien cette excursion sentimentale. Pour en finir, il usa d'artifice, et, le sachant douillet, craintif du moindre malaise :

« Tu vas t'enrhumer, Numa », insinua-t-il traîtreusement.

Le Méridional eut peur et ils remontèrent en voiture.

Elle était là, dans le salon, où il l'avait vue pour la première fois et dont les meubles restaient les mêmes aux mêmes places, arrivés à cet âge où les mobiliers, comme les tempéraments, ne se renouvellent plus. A peine quelques plis fanés dans les tentures fauves, une buée sur le reflet des glaces alourdi comme celui des étangs déserts que rien ne trouble. Les visages des vieux parents penchés sous les flambeaux de jeu à deux branches, en compagnie de leurs partenaires habituels, avaient aussi quelque chose de plus affaissé. Mme Le Quesnoy, les traits gonflés et tombants, comme défibrés, le président accentuant encore sa pâleur et la révolte fière qu'il gardait dans le bleu amer de ses yeux. Assise près d'un grand fauteuil dont les coussins se creusaient d'une empreinte légère, Rosalie, sa sœur couchée, continuait tout bas la lecture qu'elle lui faisait tout à l'heure à voix haute, dans le silence du whist coupé de demi-mots, d'interjections de joueurs.

C'était un livre de sa jeunesse, un de ces poètes de nature que son père lui avait appris à aimer ; et du blanc des strophes elle voyait monter tout son passé de jeune fille, la fraîche et pénétrante impression des premières lectures.

La belle aurait pu sans souci,
Manger ses fraises loin d'ici,
Au bord d'une claire fontaine,
Avec un joyeux moissonneur,
Qui l'aurait prise sur son cœur.
Elle aurait eu bien moins de peine.

Le livre lui glissa des mains sur les genoux, les derniers vers retentissant en chanson triste au plus profond de son être, lui rappelant son malheur un instant oublié. C'est la cruauté des poètes ; ils vous bercent, vous apaisent, puis d'un mot avivent la plaie qu'ils étaient en train de guérir.

Elle se revoyait à cette place, douze ans auparavant quand Numa lui faisait sa cour à gros bouquets, et que, parée de ses vingt ans, du désir d'être belle pour lui, elle le regardait venir par cette fenêtre, comme on guette sa destinée. Il restait dans tous les coins des échos de sa voix chaude et tendre, si prompte à mentir. En cherchant bien parmi cette musique étalée au piano, on aurait retrouvé les duos qu'ils chantaient ensemble ; et tout ce qui l'entourait lui semblait complice du désastre de sa vie manquée. Elle songeait à ce qu'elle aurait pu être, cette vie, à côté d'un honnête homme, d'un loyal compagnon, non pas brillante, ambitieuse, mais l'existence simple et cachée où l'on eût porté à deux vaillamment les chagrins, les deuils jusqu'à la mort...

Elle s'absorbait si fort dans son rêve que, le whist terminé, les habitués étaient partis sans qu'elle l'eût presque remarqué, répondant machinalement au salut amical et apitoyé de chacun, ne s'apercevant pas que le président, au lieu de reconduire ses amis, comme il en avait l'habitude chaque soir, quels que fussent le temps et la saison, se promenait à grands pas dans le salon, s'arrêtait enfin devant elle à la questionner d'une voix qui la faisait tout à coup tressaillir.

« Eh bien, mon enfant, où en es-tu ? Qu'as-tu décidé ?

— Mais toujours la même chose, mon père. »

Il s'assit auprès d'elle, lui prit la main, essaya d'être persuasif :

« J'ai vu ton mari... Il consent à tout... tu vivras ici près de moi, tout le temps que ta mère et ta sœur resteront absentes ; après même, si ton ressentiment dure encore... Mais, je te le répète, ce procès est impossible. Je veux espérer que tu ne le feras pas. »

Rosalie secoua la tête.

« Vous ne connaissez pas cet homme, mon père... Il emploiera son astuce à m'envelopper, à me reprendre, à faire de moi sa dupe, une dupe volontaire, acceptant une existence avilie, sans dignité... Votre fille n'est pas de ces femmes-là... Je veux une rupture complète, irréparable, hautement annoncée au monde... »

De la table où elle rangeait les cartes et les jetons, sans se retourner, Mme Le Quesnoy intervint doucement :

« Pardonne, mon enfant, pardonne.

— Oui, c'est facile à dire quand on a un mari loyal et droit comme le tien, quand on ne connaît pas cet étouffement du mensonge et de la trahison en trame autour de soi... C'est un hypocrite, je vous dis. Il a sa morale de Chambéry et celle de la rue de Londres... Les mots et les actes toujours en désaccord... Deux paroles, deux visages... Toute la félinerie et la séduction de sa race... L'homme du Midi enfin ! »

Et, s'oubliant dans l'éclat de sa colère :

« D'ailleurs, j'avais déjà pardonné une fois... Oui, deux ans après mon mariage... Je ne vous en ai pas parlé, je n'en ai parlé à personne... J'ai été très malheureuse... Alors nous ne sommes restés ensemble qu'au prix d'un serment... Mais il ne vit que de parjures... Maintenant, c'est fini, bien fini. »

Le président n'insista plus, se leva lentement et vint à sa femme. Il y eut un chuchotement, comme un débat, surprenant entre cet homme autoritaire et l'humble créature annihilée : « Il faut lui dire... Si... si... Je veux que vous lui disiez... » Sans ajouter une parole, M. Le Quesnoy sortit, et son pas de tous les soirs, sonore, régulier, monta des arcades désertes dans la solennité du grand salon.

« Viens là... » fit la mère à sa fille d'un geste tendre... Plus près, encore plus près... Elle n'oserait jamais tout haut... Et même, si rapprochées, cœur contre cœur, elle hésitait encore : « Ecoute, c'est lui qui le veut... Il veut que je te dise que ta destinée est celle de toutes les femmes, et que ta mère n'y a pas échappé. »

Rosalie s'épouvantait de cette confidence qu'elle devinait aux premiers mots, tandis qu'une chère vieille voix brisée de larmes articulait à peine une triste, bien triste histoire de tous points semblable à la sienne, l'adultère du mari dès les premiers temps du ménage, comme si la devise de ces pauvres êtres accouplés étant « trompe-moi ou je te trompe », l'homme s'empressait de commencer pour garder son rang supérieur.

« Oh ! assez, assez, maman, tu me fais mal... »

Son père qu'elle admirait tant, qu'elle plaçait au-dessus de tout autre, le magistrat intègre et ferme !... Mais qu'était-ce donc que les hommes ? Au Nord, au Midi, tous pareils, traîtres et parjures... Elle, qui n'avait pas pleuré pour la trahison du mari, sentit un flot de larmes chaudes à cette humiliation du père... Et l'on comptait là-dessus pour la fléchir !... Non, cent fois non, elle ne pardonnerait pas. Ah ! c'était cela, le mariage. Eh bien, honte et mépris sur le mariage ! Qu'importaient la peur du scandale et les convenances du monde, puisque c'était à qui les braverait le mieux.

Sa mère l'avait prise, la serrait contre son cœur, essayant d'apaiser la révolte de cette jeune conscience blessée dans ses croyances, dans ses plus chères superstitions, et doucement elle la caressait, comme on berce :

« Si, tu pardonneras... Tu feras comme j'ai fait... C'est notre lot, vois-tu... Ah ! dans le premier moment, moi aussi, j'ai eu un grand chagrin, une belle envie de sauter par la fenêtre... Mais j'ai pensé à mon enfant, à mon pauvre petit André qui naissait à la vie, qui depuis a grandi, qui est mort en aimant, en respectant tous les siens... Toi de même tu pardonneras pour que ton enfant ait l'heureuse tranquillité que vous a faite mon courage, pour qu'il ne soit pas un de ces demi-orphelins que les parents se partagent, qu'ils élèvent dans la haine et le mépris l'un de l'autre... Tu songeras aussi que ton père et ta mère ont déjà bien souffert et que d'autres désespoirs les menacent... »

Elle s'arrêta, oppressée. Puis, avec un accent solennel :

« Ma fille, tous les chagrins s'apaisent, toutes les blessures peuvent guérir... Il n'y a qu'un malheur irréparable, c'est la mort de ce qu'on aime... »

Dans l'épuisement ému qui suivit ces derniers mots, Rosalie voyait grandir la figure de sa mère, de tout ce que perdait le père à ses yeux. Elle s'en voulait de l'avoir méconnue si longtemps sous cette apparente faiblesse faite de coups douloureux, d'abdication sublime et résignée. Aussi ce fut pour elle, rien que pour elle qu'en termes doux, presque de pardon, elle renonça à son procès de vengeance. « Seulement n'exige pas que je retourne avec lui... J'aurais trop honte... J'accompagnerai ma sœur dans le Midi. Après, plus tard, nous verrons. »

Le président rentrait. Il vit l'élan de la vieille mère jetant ses bras au cou de son enfant et comprit que leur cause était gagnée.

« Merci, ma fille... » murmura-t-il, très touché. Puis, après avoir hésité un peu, il s'approcha de Rosalie pour le bonsoir habituel. Mais le front si tendrement offert d'ordinaire se déroba, le baiser glissa dans les cheveux.

« Bonne nuit, mon père. »

Il ne dit rien, s'en alla courbant la tête, avec un frisson convulsif de ses hautes épaules. Lui qui dans sa vie avait tant accusé, tant condamné, il trouvait un juge à son tour, le premier magistrat de France !

19

Hortense Le Quesnoy

Par un de ces brusques coups de scènes, si fréquents dans la comédie parlementaire, cette séance du 8 janvier, où la fortune de Roumestan semblait devoir s'effondrer, lui valut un éclatant triomphe. Quand il monta à la tribune pour répondre à la verte satire de Rougeot sur la gestion de l'Opéra, le gâchis des Beaux-Arts, l'inanité des réformes trompetées par les gagistes du ministère sacristain, Numa venait d'apprendre que sa femme était partie, renonçant à tout procès, et cette bonne nouvelle, connue de lui seul, donna à sa réplique une assurance rayonnante. Il s'y montra hautain, familier, solennel, fit allusion aux calomnies chuchotées, au scandale attendu :

« Il n'y aura pas de scandale, messieurs !... »

Et le ton dont il dit cela désappointa vivement dans les tribunes bondées de toilettes toutes les jolies curieuses, avides d'émotions fortes, venues là pour voir dévorer le dompteur. L'interpellation Rougeot fut réduite en miettes, le Midi séduisit le Nord, la Gaule fut encore une fois conquise, et lorsque Roumestan redescendit, moulu, trempé, sans voix, il eut l'orgueil de voir son parti tout à l'heure si froid, presque hostile, ses collègues du cabinet qui l'accusaient de les compromettre, l'entourer d'acclamations, de flatteries enthousiastes. Et dans l'ivresse du succès lui revenait toujours comme une délivrance suprême le désistement de sa femme.

Il se sentait allégé, dispos, expansif, si bien qu'en rentrant à Paris l'idée lui vint de passer rue de Londres. Oh ! seulement en ami, pour rassurer cette pauvre enfant aussi inquiète que lui des suites de l'interpellation et qui supportait leur mutuel exil avec tant de courage, lui envoyant de sa naïve écriture séchée de poudre de riz de bonnes petites lettres où elle lui contait sa vie jour par jour, l'exhortait à la patience, à la prudence :

« Non, non, ne viens pas, pauvre cher... Ecris-moi, pense à moi... Je serai forte. »

Justement l'Opéra ne jouait pas ce soir-là, et pendant le court trajet de la gare à la rue de Londres, tout en serrant dans sa main la petite clef qui l'avait plus d'une fois tenté depuis quinze jours, Numa pensait :

« Comme elle va être heureuse ! »

La porte ouverte, refermée sans bruit, il se trouva tout à coup dans l'obscurité ; on n'avait pas allumé le gaz. Cette négligence donnait à la petite maison un aspect de deuil, de veuvage, qui le flatta. Le tapis de l'escalier amortissant sa montée rapide, il arriva sans que rien l'eût annoncé dans le salon tendu d'étoffes japonaises aux nuances délicieusement fausses pour l'or factice des cheveux de la petite.

« Qui est là ? demanda du divan une jolie voix irritée.

— Moi, pardi !... »

Il y eut un cri, un bond, et, dans l'indécision du crépuscule, l'éclair blanc de ses jupes rabattues, la chanteuse se dressa, épouvantée, tandis que le beau Lappara, immobile, écroulé, sans même la force de rajuster son désordre, fixait les fleurs du tapis pour ne pas regarder le patron. Rien à nier. Le divan haletait encore.

« Canailles ! » râla Roumestan, étranglé d'une de ces fureurs où la bête rugit dans l'homme avec l'envie de déchirer, de mordre, bien plus que de frapper.

Il se retrouva dehors sans savoir, emporté par la crainte de sa propre violence. A la même place, à la même heure, quelques jours avant, sa femme avait reçu comme lui ce coup de la trahison, la blessure outrageante et basse, autrement cruelle, autrement imméritée que la sienne ; mais il n'y pensa pas un instant, tout à l'indignation de l'injure personnelle. Non, jamais vilenie semblable ne s'était vue sous le soleil. Ce Lappara qu'il aimait comme un fils, cette drôlesse pour laquelle il avait compromis jusqu'à sa fortune politique.

« Canailles !... canailles ! » répétait-il tout haut dans la rue déserte, sous une pénétrante petite pluie qui le calma bien mieux que les plus beaux raisonnements.

« *Té !* mais je suis trempé... »

Il courut à la station de voitures de la rue d'Amsterdam, et, dans l'encombrement que font à ce quartier les arrivages perpétuels de la gare, se heurta au plastron raide et sanglé du général marquis d'Espaillon.

« Bravo, mon cher collègue... Je n'étais pas à la séance, mais on m'a dit que vous aviez chargé comme un b..., à fond et dans le tas ! »

Sous son parapluie qu'il tenait droit comme une latte, il avait, le vieux, un diable d'œil allumé et la barbiche en croc d'un soir de bonne fortune.

« N... d... D..., ajouta-t-il en se penchant vers l'oreille de Numa d'un ton de confidence gaillarde, vous pouvez vous vanter de connaître les femmes, vous. »

Et, comme l'autre le regardait, croyant à une ironie :

« Eh ! oui, vous savez bien, notre discussion sur l'amour... C'est vous qui aviez raison... Il n'y a pas que les godelureaux pour plaire aux belles... J'en ai une en ce moment... Jamais gobé comme ça... F... n... d... D... Pas même à vingt-cinq ans, en sortant de l'Ecole... »

Roumestan qui écoutait, la main sur la portière de son fiacre, crut sourire au vieux passionné et n'ébaucha qu'une horrible grimace. Ses théories sur les femmes se trouvaient si singulièrement bouleversées... La gloire, le génie, allons donc ! ce n'est pas là qu'elles vous regardent... Il se sentait fourbu, dégoûté, une envie de pleurer, puis de dormir pour ne plus penser, pour ne plus voir surtout le rire hébété de cette coquine, droite devant lui, dépoitraillée, toute sa chair hérissée et frissonnante du baiser interrompu. Mais dans l'agitation de nos journées, les heures se tiennent et se bousculent comme les vagues. Au lieu du bon repos qu'il comptait trouver en rentrant, un nouveau coup l'attendait au ministère, une dépêche que Méjean avait ouverte en son absence et qu'il lui tendit très ému.

Hortense meurt. Elle veut te voir. Viens vite. Veuve Portal.

Tout son effroyable égoïsme lui sortit dans un cri désolé :

« C'est un dévouement que je vais perdre là !... »

Ensuite il pensa à sa femme présente à cette agonie et qui laissait signer tante Portal. Sa rancune ne fléchissait pas, ne fléchirait probablement jamais. Si elle avait voulu pourtant, comme il eût recommencé l'existence à côté d'elle, revenu des imprudentes folies, familial, honnête, presque austère. Et ne songeant plus au mal qu'il avait fait, il lui reprochait sa dureté comme une injustice. Il passa la nuit à corriger les épreuves de son discours, s'interrompant pour écrire des brouillons de lettres furieuses ou ironiques, grondantes et sifflantes, à cette scélérate d'Alice Bachellery. Méjean veillait aussi au secrétariat, rongé de chagrin, cherchant l'oubli dans un travail acharné ; et Numa, tenté par ce voisinage, éprouvait un réel supplice de ne pouvoir lui confier sa déception. Mais il eût fallu avouer qu'il était retourné là-bas et le ridicule de son rôle.

Il n'y tint pas cependant ; et au matin, comme son chef de cabinet l'accompagnait à la gare, il lui laissa entre autres instructions le soin de donner son congé à Lappara. « Oh ! il s'y attend bien, allez... Je l'ai pris en flagrant délit de la plus noire ingratitude... Quand je pense comme j'avais été bon, jusqu'à vouloir en faire... » Il s'arrêta court. N'allait-il pas raconter à l'amoureux qu'il avait promis deux fois la main d'Hortense ? Sans plus s'expliquer, il déclara ne pas vouloir retrouver au ministère un personnage aussi tristement immoral. Du reste la duplicité du monde l'écœurait. Ingratitude, égoïsme. C'était à tout ficher là, les honneurs, les affaires, à quitter Paris pour s'en aller gardien de phare, sur un rocher sauvage, en pleine mer.

« Vous avez mal dormi, mon cher patron... fit Méjean de son air paisible.

— Non, non... c'est comme je vous le dis... Paris me donne la nausée... »

Debout sur le perron du départ, il se retournait avec un geste de dégoût vers la grande ville où la province déverse toutes ses ambitions, ses convoitises, son trop-plein bouillonnant et malpropre, et qu'elle accuse ensuite de perversité et d'infection. Il s'interrompit, pris d'un rire amer :

« Croyez-vous qu'il s'acharne après moi, celui-là !... »

A l'angle de la rue de Lyon, sur une grande muraille grise percée d'odieuses lucarnes, un piteux troubadour délavé par toutes les humidités de l'hiver et les ordures d'une maison de pauvres montrait à la hauteur d'un second étage une hideuse bouillie de bleu, de jaune, de vert, où le geste du tambourinaire se dessinait encore, prétentieux et vainqueur. Les affiches se succèdent vite dans la réclame parisienne, l'une couvrant l'autre. Mais quand elles ont ces dimensions énormes, toujours quelque bout dépasse ; et depuis quinze jours, aux quatre coins de Paris, le ministre trouvait en face de tous ses regards un bras, une jambe, un bout de toque ou de soulier à la poulaine qui le poursuivait, le menaçait, comme dans cette légende provençale où la victime hachée et dispersée crie encore sus au meurtrier de tous ses lambeaux épars. Ici elle se dressait en entier ; et le sinistre coloriage, entrevu dans le matin frileux, condamné à subir sur place toutes les souillures, avant de s'émietter, de s'effiloquer à un dernier coup de vent, résumait bien la destinée du malheureux troubadour, roulant pour jamais les bas-fonds de ce Paris qu'il ne pouvait plus quitter, menant la farandole toujours recrue des déclassés, des dépatriés et des fous, de ces affamés de gloire qu'attendent l'hôpital, la fosse commune ou la table de dissection.

Roumestan monta en wagon, transi jusqu'aux os par cette apparition et le froid de sa nuit blanche, grelottant à voir aux portières les tristes perspectives du faubourg, ces ponts de fer en travers des rues ruisselantes, ces hautes maisons, casernes de la misère, aux fenêtres innombrables garnies de loques, ces figures du matin, hâves, mornes, sordides, ces dos courbés, ces bras serrant les poitrines pour cacher ou pour réchauffer, ces auberges à toutes enseignes, cette forêt de cheminées d'usines crachant leurs fumées rabattues ; puis les premiers vergers de la banlieue noirs de terreau, le torchis des masures basses, les villas fermées au milieu de leurs jardinets rétrécis par l'hiver, aux arbustes secs comme le bois dégarni des kiosques et des treillages, plus loin des routes défoncées de flaques où défilaient des bâches inondées, un horizon couleur de rouille, des vols de corbeaux sur les champs déserts.

Il ferma les yeux devant ce navrant hiver du Nord que le sifflet du chemin de fer traversait de longs appels de détresse, mais sous ses paupières closes, ses pensées ne furent pas plus riantes. Si près de cette drôlesse, dont le lien tout en se dénouant lui serrait encore le cœur, il songeait à ce qu'il avait fait pour elle, à ce que l'entretien d'une étoile lui coûtait depuis six mois. Tout est faux dans cette vie de théâtre, surtout le succès qui ne vaut que ce qu'on l'achète. Frais de claque, billets au contrôle, dîners, réceptions, cadeaux aux reporters, la publicité sous toutes ses formes, et ces magnifiques bouquets devant lesquels l'artiste rougit, s'émeut, en chargeant ses bras, sa poitrine nue, le satin de sa robe ; et les ovations pendant les tournées, les conduites à l'hôtel, les sérénades au balcon, ces continuels excitants à la morne indifférence du public, tout cela se paie et fort cher.

Pendant six mois, il avait tenu caisse ouverte, ne marchandant jamais ses triomphes à la petite. Il assistait aux conférences avec le chef de claque, les réclamiers des journaux, la marchande de fleurs dont la chanteuse et sa mère rafistolaient trois fois les bouquets sans le lui dire, en renouvelant les rubans ; car il y avait chez ces juives de Bordeaux une crasseuse rapacité, un amour de l'expédient, qui les faisait rester à la maison des journées entières couvertes de guenilles, en camisoles sur des jupes à volants, aux pieds des vieux souliers de bal, et c'est ainsi que Numa les trouvait le plus souvent, en train de jouer aux cartes et de s'injurier comme dans une voiture de saltimbanques. Depuis longtemps on ne se gênait plus avec lui. Il savait tous les trucs, toutes les grimaces de la diva, sa grossièreté native de femme du Midi maniérée et malpropre, et qu'elle avait dix ans de plus que son âge des coulisses, et que pour fixer son éternel sourire en arc d'amour elle s'endormait chaque soir les lèvres retroussées aux coins et garnies de coralline...

Là-dessus il finit par s'endormir, lui aussi, mais pas la bouche en arc, je vous jure, les traits tirés au contraire de dégoût, de fatigue, tout le corps secoué aux heurts, aux ballottements, aux sursauts métalliques d'un train rapide lancé à toute vapeur.

Valeince !... Valeince !...

Il rouvrit les yeux, comme un enfant que sa mère appelle. Déjà le Midi commençait, le ciel se creusait d'abîmes bleus entre les nuées que chassait le vent. Un rayon chauffait la vitre et de maigres oliviers blanchissaient parmi des pins. Ce fut un apaisement dans tout l'être sensitif du Méridional, un changement de pôle pour ses idées. Il regrettait d'avoir été si dur envers Lappara. Briser ainsi l'avenir de ce pauvre garçon, désoler toute une famille, et pourquoi ? « Une foutaise, allons ! » comme disait Bompard. Il n'y avait qu'une façon de réparer cela, d'enlever à cette sortie du ministère son apparence de disgrâce : la croix. Et le ministre se mit à rire à l'idée du nom de Lappara à l'*Officiel* avec cette mention : *services exceptionnels*. C'en était bien un, après tout, que d'avoir délivré son chef de cette liaison dégradante.

Orange !... Montélimar et son nougat !... Les voix vibraient, soulignées de gestes vifs. Les garçons de buffet, marchands de journaux, gardes-barrière se précipitaient, les yeux hors de la tête.

C'était bien un autre peuple que trente lieues plus haut ; et le Rhône, le large Rhône, vagué comme une mer, étincelait sous le soleil dorant les remparts crénelés d'Avignon dont les cloches, en branle depuis Rabelais, saluaient de leurs carillons clairs le grand homme de la Provence. Numa s'attablait au buffet devant un petit pain blanc, une croustade, une bouteille de ce vin de la Nerte mûri entre les pierres, capable de donner l'accent des garrigues même à un Parisien.

Mais où l'air natal le ragaillardit le mieux, ce fut lorsqu'ayant quitté la grande ligne, à Tarascon, il prit place dans le petit chemin de fer patriarcal à une seule voie, qui pénètre en pleine Provence entre les branches de mûriers et d'oliviers, les panaches de roseaux sauvages frôlant les portières. On chantait dans tous les wagons, on s'arrêtait à chaque instant pour laisser passer un troupeau, embarquer un retardataire, prendre un paquet qu'apportait en courant un garçon de *mas*. Et c'était des saluts, des causettes des gens du train avec les fermières en coiffes d'Arles, au pas de leur porte ou savonnant sur la pierre du puits. Aux stations, des cris, des bousculades, tout un village accouru pour faire la conduite à un conscrit ou à une fille qui va à la ville en condition.

« *Té ! vé*, sans adieu, mignote... sois bien bravette au moins ! »

On pleure, on s'embrasse, sans prendre garde à l'ermite mendiant en cagoule qui marmonne son Pater appuyé à la barrière, et, furieux de ne rien recevoir, s'éloigne en remontant sa besace :

« Encore un Pater de fichu ! »

Le propos est entendu, et les larmes séchées, tout le monde rit, le frocard plus fort que les autres.

Blotti dans son coupé pour échapper aux ovations, Roumestan se délectait à toute cette belle humeur, à la vue de ces faces brunes, busquées, allumées de passion et d'ironie, de ces grands garçons aux airs farauds, de ces *chato* ambrées comme les grains allongés du muscat et qui deviendraient en vieillissant ces mères-grand, noires et desséchées par le soleil, secouant de la poussière de tombe à chacun de leurs gestes ratatinés. Et *zou* ! Et allons ! Et tous les en-avant du monde ! Il retrouvait là son peuple, sa Provence mobile et nerveuse, race de grillons bruns, toujours sur la porte et toujours chantant !

Lui-même en était bien le prototype, déjà guéri de son grand désespoir du matin, de ses dégoûts, de son amour, balayés au premier souffle du mistral qui grondait fort dans la vallée du Rhône, soulevant le train, l'empêchant d'avancer, chassant tout, les arbres courbés dans une attitude de fuite, les Alpilles reculées, le soleil secoué de brusques éclipses, tandis qu'au loin, la ville d'Aps, sous un rayon de lumière fouettée, groupait ses monuments au pied de l'antique tour des Antonins, comme un troupeau de bœufs se serre en pleine Camargue autour du plus vieux taureau pour faire tête au vent.

Et c'est au son de cette grandiose fanfare du mistral, que Numa fit son entrée en gare. Par un sentiment de délicatesse conforme au sien, la famille avait tenu son arrivée secrète, pour éviter les orphéons, bannières, députations solennelles. Seule, la tante Portal l'attendait, pompeusement installée dans le fauteuil du chef de gare, une chaufferette sous ses pieds. Dès qu'elle aperçut son neveu, le visage rose de la grosse dame, épanoui dans son repos, prit une expression désolée, se gonfla sous ses coques blanches ; et les bras tendus elle éclata en sanglots et en lamentations :

« *Aïe de nous*, quel malheur !... Une si jolie petite, *péchère !... Et si bravette !... si doucette !... qu'on se serait levé le pain de la bouche pour elle...*

— Mon Dieu ! C'est donc fini ?... » pensa Roumestan, revenu à la réalité de son voyage.

La tante interrompit tout à coup son vocero pour dire froidement, d'un ton dur, au domestique qui oubliait le chauffe-pieds : « Ménicle, la banquette ! » Puis elle reprit sur un diapason de douleur frénétique le détail des vertus de Mlle Le Quesnoy, demandant à grands cris au ciel et à ses anges pourquoi ils ne l'avaient pas prise à la place de cette enfant, secouant de ses explosions gémissantes le bras de Numa sur lequel elle s'appuyait pour gagner son vieux carrosse à petits pas de procession.

Sous les arbres dépouillés de l'avenue Berchère, dans un tourbillon de branches et d'écorces sèches que jetait le mistral en dure litière à l'illustre voyageur, les chevaux avançaient lentement ; et Ménicle, au tournant où les portefaix avaient l'habitude de dételer, fut obligé de faire claquer son fouet plusieurs fois, tellement ses bêtes semblaient surprises de cette indifférence pour le grand homme. Roumestan, lui, ne songeait qu'à l'horrible nouvelle qu'il venait d'apprendre ; et tenant les deux mains poupines de la tante qui continuait à s'éponger les yeux, il demandait doucement :

« Quand est-ce arrivé ?

— Quoi donc ?

— Quand est-elle morte, la pauvre petite ? »

Tante Portal bondit sur ses coussins empilés :

« Morte !... *Bou Diou !...* Qui t'a dit qu'elle était morte ?... »

Tout de suite elle ajouta avec un grand soupir :

« Seulement, *péchère*, elle n'en a pas pour longtemps. »

Oh ! non, pas pour bien longtemps. Maintenant elle ne se levait plus, ne quittait plus les oreillers de dentelle où sa petite tête amaigrie devenait de jour en jour méconnaissable, plaquée aux joues d'un fard brûlant, les yeux, les narines, cernés de bleu. Ses mains d'ivoire allongées sur la batiste des draps, près d'elle un petit peigne, un miroir pour lisser de temps en temps ses beaux cheveux bruns, elle restait des heures sans parler à cause de l'enrouement douloureux de sa voix, le regard perdu vers les cimes d'arbres, le ciel éblouissant du vieux jardin de la maison Portal.

Ce soir-là, son immobilité rêveuse durait depuis si longtemps, sous les flammes du couchant qui empourprait la chambre, que sa sœur s'inquiéta :

« Est-ce que tu dors ? »

Hortense secoua la tête, comme pour chasser quelque chose :

« Non, je ne dormais pas ; et pourtant je rêvais... Je rêvais que j'allais mourir. J'étais juste à la lisière de ce monde, penchée vers l'autre, oh ! penchée à tomber... Je te voyais encore, et des morceaux de ma chambre ; mais j'étais déjà de l'autre côté, et ce qui me frappait, c'était le silence de la vie, auprès de la grande rumeur que faisaient les morts, un bruit de ruche, d'ailes battantes, un grésillement de fourmilière, ce grondement que la mer laisse au fond des gros coquillages. Comme si la mort était peuplée, encombrée autrement que la vie... Et cela si intense, qu'il me semblait que mes oreilles entendaient pour la première fois, que je me découvrais un sens nouveau. »

Elle parlait lentement de sa voix rauque et sifflante. Après un silence, elle reprit avec tout ce que pouvait contenir d'entrain l'instrument brisé, désolé :

« Toujours ma tête qui voyage... Premier prix d'imagination, Hortense Le Quesnoy, de Paris ! »

On entendit un sanglot, étouffé dans un bruit de porte.

« Tu vois, dit Rosalie... c'est maman qui s'en va... tu lui fais de la peine...

— Exprès... tous les jours un peu... pour qu'elle en ait moins à la fois », répondit tout bas la jeune fille. Par les grands corridors du vieux logis provincial, le mistral galopait, gémissait sous les portes, les secouait de coups furieux. Hortense souriait :

« Entends-tu ?... Oh ! j'aime ça... Il semble qu'on est loin... dans des pays !... Pauvre chérie », ajouta-t-elle en prenant la main de sa sœur et la portant d'un geste épuisé jusqu'à sa bouche, « quel mauvais tour je t'ai joué sans le vouloir... voilà ton petit qui sera du Midi par ma faute... tu ne me le pardonneras jamais, *Franciote.* »

Dans la clameur du vent, un sifflet de locomotive vint jusqu'à elle, la fit tressaillir.

« Ah, le train de sept heures... »

Comme tous les malades, tous les captifs, elle connaissait les moindres bruits d'alentour, les mêlait à son existence immobile, ainsi que l'horizon en face d'elle, les bois de pins, la vieille tour romaine déchiquetée sur la côte. A partir de ce moment, elle fut anxieuse, agitée, guettant la porte à laquelle une bonne parut enfin...

« C'est bien... » dit Hortense vivement, et souriant à la grande sœur : « Une minute, veux-tu ?... je t'appellerai. »

Rosalie crut à une visite du prêtre apportant son latin de paroisse et ses consolations terrifiantes. Elle descendit au jardin, un enclos du Midi, sans fleurs, aux allées de buis, abrité de hauts cyprès résistants. Depuis qu'elle était garde-malade, c'est là qu'elle venait respirer, cacher ses larmes, détendre toutes les concentrations nerveuses de sa douleur. Oh ! qu'elle comprenait bien maintenant la parole de sa mère.

« Il n'y a qu'un malheur irréparable, c'est la perte de ce qu'on aime. »

Ses autres chagrins, son bonheur de femme détruit, tout disparaissait. Elle ne songeait qu'à cette chose horrible, inévitable, plus proche de jour en jour... Etait-ce l'heure, ce soleil rouge et fuyant qui laissait le jardin dans l'ombre et s'attardait aux vitres de la maison, ce vent lamentable soufflant de haut, qu'on entendait sans le sentir ? En ce moment elle subissait une tristesse, une angoisse, inexprimables. Hortense, son Hortense !... plus qu'une sœur pour elle, presque une fille, ses premières joies de maternité précoce... Les sanglots l'étouffaient, sans larmes. Elle aurait voulu crier, appeler au secours, mais qui ? Le ciel, où regardent les désespérés, était si haut, si loin, si froid, comme poli par l'ouragan. Un vol d'oiseaux voyageurs s'y hâtait, dont on n'entendait pas les cris ni les ailes au grincement de voiles. Comment une voix de terre parviendrait-elle à ces profondeurs muettes, indifférentes ?

Elle essaya pourtant, et la face tournée vers la lumière qui montait, s'échappait au faîte du vieux toit, elle pria celui qui s'est plu à se cacher, à s'abriter de nos douleurs et de nos plaintes, celui que les uns adorent de confiance, le front contre terre, que d'autres cherchent éperdus, les bras épars, que d'autres enfin menacent de leur poing en révolte, qu'ils nient pour lui pardonner ses cruautés. Et ce blasphème, cette négation, c'est encore de la prière...

On l'appelait de la maison. Elle accourut, toute frissonnante, arrivée à cette peur anxieuse où le moindre bruit retentit jusqu'au fond de l'être. D'un sourire, la malade l'attira près de son lit, n'ayant plus de force ni de voix comme si elle venait de parler longtemps.

« J'ai une grâce à te demander, ma chérie... Tu sais, cette grâce dernière qu'on accorde au condamné à mort... Pardonne à ton mari. Il a été bien méchant, indigne avec toi, mais sois indulgente, retourne auprès de lui. Fais cela pour moi, ma grande sœur, pour nos parents que ta séparation désole et qui vont avoir besoin qu'on se serre contre eux, qu'on les entoure de tendresse. Numa est si vivant, il n'y a que lui pour les remonter un peu... C'est fini, n'est-ce pas ? tu pardonnes... »

Rosalie répondit : « Je te le promets... » Que valait ce sacrifice de son orgueil, au prix du malheur irréparable ?... Debout près du lit, elle ferma les yeux une seconde, buvant ses larmes. Une main qui tremblait se posa sur la sienne. Il était là, devant elle, ému, piteux, tourmenté d'une effusion qu'il n'osait pas.

« Embrassez-vous !... » dit Hortense.

Rosalie approcha son front où Numa posait timidement les lèvres.

« Non, non... pas ça... à pleins bras, comme quand on s'aime... »

Il saisit sa femme, l'étreignit d'un long sanglot, pendant que tombait la nuit dans la grande chambre, par pitié pour celle qui les avait jetés sur le cœur l'un de l'autre. Ce fut sa dernière manifestation de vie. Elle resta dès lors absorbée, distraite, indifférente à tout ce qui se passait autour d'elle, sans répondre à ces désolations du départ, où il n'y a pas de réponse, gardant sur son jeune visage cette expression de sourde et hautaine rancune de ceux qui meurent trop tôt pour leur ardeur de vivre et à qui les désillusions n'avaient pas dit leur dernier mot.

20

Un baptême

Le grand jour, en Aps, c'est le lundi, le jour du marché.

Bien avant l'aube, les routes qui conduisent à la ville, ces grands chemins déserts d'Arles et d'Avignon où la poussière a l'aspect tranquille d'une tombée de neige, s'agitent au lent grincement des charrettes, aux caquets des poules dans leurs claires-voies, aux abois des chiens galopants, à ce ruissellement d'averse que fait le passage d'un troupeau, avec la longue roulière du berger qui se dresse portée par une houle bondissante. Et les cris des bouviers haletant après leurs bêtes, le son mat des coups de trique sur les flancs rugueux, des silhouettes équestres armées de tridents à taureaux, tout cela s'engouffre à tâtons, sous les portails dont les créneaux festonnent le ciel constellé, se répand sur le Cours qui cerne la ville endormie, reprenant à cette heure son caractère de vieille cité romaine et sarrasine, aux toits irréguliers, aux pointus moucharabiehs au-dessus d'escaliers ébréchés et branlants. Ce grouillement confus de gens et de bêtes somnolentes s'installe sans bruit entre les troncs argentés de gros platanes, déborde sur la chaussée, jusque dans les cours des maisons, remue des odeurs chaudes de litières, des arômes d'herbes et de fruits mûrs. Puis, au réveil, la ville se trouve prise de partout par un marché immense, animé, bruyant, comme si toute la Provence campagnarde, hommes et bestiaux, fruits et semailles, s'était levée, rapprochée dans une inondation nocturne.

C'est alors un merveilleux coup d'œil de richesse rustique, variant selon la saison. A des places désignées par un usage immémorial, les oranges, les grenades, les coings dorés, les sorbes, les melons verts et jaunes s'empilent aux éventaires, en tas, en meules, par milliers ; les pêches, figues, raisins, s'écrasent dans leurs paniers d'expédition, à côté des légumes en sacs. Les moutons, les petits cabris, les porcs soyeux et roses ont des airs ennuyés au bord des palissades de leurs parcs. Les bœufs accouplés sous le joug marchent devant l'acheteur ; les taureaux, les naseaux fumants, tirent sur l'anneau de fer qui les tient au mur. Et plus loin, des chevaux en quantité, des petits chevaux de

Camargue, arabes abâtardis, bondissent, mêlent leurs crinières brunes, blanches ou rousses, arrivent à leur nom « *Té !* Lucifer... *Té !* l'Estérel... » manger l'avoine dans la main des gardiens, vrais gauchos des pampas bottés jusqu'à mi-jambes. Puis les volailles deux par deux, les pattes liées et rouges, poules, pintades, gisant aux pieds de leurs marchandes alignées, avec des battements d'ailes à terre. Puis la poissonnerie, les anguilles toutes vives sur le fenouil, les truites de la Sorgue et de la Durance mêlant des écailles luisantes, des agonies couleur d'arc-en-ciel. Enfin, tout au bout, dans une sèche forêt d'hiver, les pelles de bois, fourches, râteaux, d'un blanc écorcé et neuf, se dressant entre les charrues et les herses.

De l'autre côté du Cours, contre le rempart, les voitures dételées alignent sur deux rangs leurs cerceaux, leurs bâches, leurs hautes ridelles, leurs roues poudreuses ; et dans l'espace libre, la foule s'agite, circule avec peine, se hèle, discute et marchande en divers accents, l'accent provençal, raffiné, maniéré, qui veut des tours de tête et d'épaule, une mimique hardie ; celui du Languedoc plus dur, plus lourd, d'articulation presque espagnole. De temps en temps ce remous de chapeaux de feutre, de coiffes arlésiennes ou comtadines, cette pénible circulation de tout un peuple d'acheteurs et de vendeurs s'écarte devant les appels d'une charrette retardataire, avançant au pas, à grand effort.

La ville bourgeoise paraît peu, pleine de dédain pour cet envahissement campagnard qui fait pourtant son originalité et sa fortune. Du matin au soir les paysans parcourent les rues, s'arrêtent aux boutiques, chez les bourreliers, les cordonniers, les horlogers, contemplent les jacquemarts de la maison de ville, les vitrines des magasins, éblouis par les dorures et les glaces des cafés comme les bouviers de Théocrite devant le palais des Ptolémées. Les uns sortent des pharmacies, chargés de paquets, de grandes bouteilles ; d'autres, toute une noce, entrent chez le bijoutier pour choisir, après un rusé marchandage, les boucles à longs pendants, la chaîne de cou de l'accordée. Et ces jupes rudes, ces visages hâlés et sauvages, cet affairement avide, font songer à quelque ville de Vendée prise par les chouans, au temps des grandes guerres.

Ce matin-là, le troisième lundi de février, l'animation était vive et la foule compacte comme aux plus beaux jours de l'été, dont un ciel sans nuage, doré d'un chaud soleil, pouvait donner l'illusion. On parlait, on gesticulait par groupes ; mais il s'agissait moins d'achat ou de vente que d'un événement qui suspendait le trafic, tournait tous les regards, toutes les têtes, et l'œil vaste des ruminants, et l'oreille inquiète des petits chevaux camarguais vers l'église de Sainte-Perpétue. C'est que le bruit venait de se répandre sur le marché, où il causait l'émoi d'une hausse extraordinaire, que l'on baptisait aujourd'hui même le garçon de Numa, ce petit Roumestan dont la naissance, trois semaines auparavant, avait été accueillie par des transports de joie en Aps et dans tout le Midi provençal.

Malheureusement, le baptême, retardé à cause du grand deuil de la famille, devait, pour les mêmes motifs de convenance, garder un caractère d'incognito ; et sans quelques vieilles sorcières du pays des Baux qui installent chaque lundi sur les degrés de Sainte-Perpétue un petit marché d'herbes aromatiques, de simples séchés et parfumés cueillis dans les Alpilles, la cérémonie aurait probablement passé inaperçue. En voyant le carrosse de tante Portal s'arrêter devant l'église, les vieilles revendeuses donnèrent l'éveil aux marchandes d'*aïets* qui se promènent un peu partout, d'un bout à l'autre du Cours, les bras chargés de leurs chapelets luisants. Les marchandes d'*aïets* avertirent la poissonnerie, et bientôt la petite rue qui mène à l'église déversa sur la place toute la rumeur, toute l'agitation du marché. On se pressait autour de Ménicle, droit à son siège, en grand deuil, le crêpe au bras et au chapeau, et répondant aux interrogations par un jeu muet et indifférent des épaules. Malgré tout, on s'obstinait à attendre, et, sous les bandes de calicot en travers de la rue marchande, on s'empilait, on s'étouffait, les plus hardis montés sur des bornes, tous les yeux fixés à la grand-porte qui s'ouvrit enfin.

Ce fut un « ah ! » de feu d'artifice, triomphant, modulé, puis arrêté net par la vue d'un grand vieux, vêtu de noir, bien navré, bien lugubre pour un parrain, donnant le bras à Mme Portal très fière d'avoir servi de commère au premier président, leurs deux noms accolés sur le registre paroissial, mais assombrie par son deuil récent et les tristes impressions qu'elle venait de retrouver dans cette église. Il y eut une déception de la foule à l'aspect de ce couple sévère que suivait, tout en noir aussi et ganté, le grand homme d'Aps transi par le désert et le froid de ce baptême entre quatre cierges, sans autre musique que les vagissements du petit à qui le latin du sacrement et l'eau lustrale sur son tendre petit cervelet d'oiseau déplumé avaient causé la plus désagréable impression. Mais l'apparition d'une plantureuse nourrice, large, lourde, enrubannée comme un prix des comices agricoles, et l'étincelant petit paquet de dentelles et de broderies blanches qu'elle portait en sautoir dissipèrent cette tristesse des spectateurs, soulevèrent un nouveau cri de fusée montante, une allégresse éparpillée en mille exclamations enthousiastes.

« *Lou vaqui*... le voilà... *vé ! vé !* »

Surpris, ébloui, clignant sous le soleil, Roumestan s'arrêta une minute sur le haut perron, à regarder ces faces moricaudes, ce moutonnement serré d'un troupeau noir d'où montait vers lui une tendresse folle ; et, quoique fait aux ovations, il eut là une des émotions les plus vives de son existence d'homme public, une ivresse orgueilleuse qu'ennoblissait un sentiment de paternité tout neuf et déjà très vibrant. Il allait parler, puis songea que ce n'était pas l'endroit sur ce parvis.

« Montez, nourrice... » dit-il à la paisible Bourguignonne dont les yeux de vache laitière s'ouvraient éperdument, et, pendant qu'elle s'engouffrait avec son fardeau léger dans le carrosse, il recommanda à Ménicle de rentrer vite, par la traverse. Mais une clameur immense lui répondit :

« Non, non... le grand tour... le grand tour. »

C'était le marché à faire dans toute sa longueur.

« Va pour le grand tour ! » dit Roumestan après avoir consulté du regard son beau-père à qui il eût voulu éviter ce joyeux train ; et la voiture s'ébranlant, aux craquements lourds de son antique carcasse, s'engagea dans la rue, sur le Cours, au milieu des vivats de la foule qui se montait à ses propres cris, arrivait à un délire d'enthousiasme, entravait à tout moment les chevaux et les roues. Les glaces baissées, on allait au pas, parmi ces acclamations, ces chapeaux levés, ces mouchoirs qui s'agitaient, et ces odeurs, ces haleines chaudes du marché dégagées au passage. Les femmes avançaient leurs têtes ardentes, bronzées, jusque dans la voiture, et rien que pour avoir vu le béguin du petit s'exclamaient :

« *Diou ! lou bèu drôle !*... Dieu ! le bel enfant !...

— Il semble son père, *qué* ?...

— Déjà son nez bourbon et ses bonnes manières...

— Fais-la voir, ma mie, fais-la voir ta belle face d'homme.

— Il est joli comme un œuf...

— On le boirait dans un verre d'eau...

— *Té !* mon trésor...

— Mon perdreau...

— Mon agnelet...

— Mon pintadon...

— Ma perle fine... »

Et elles l'enveloppaient, le léchaient de la flamme brune de leurs yeux. Lui, l'enfant d'un mois, n'était pas effrayé du tout. Réveillé par ce vacarme, appuyé sur le coussin aux nœuds roses, il regardait de ses yeux de chat, la pupille dilatée et fixe, avec deux gouttes de lait au coin des lèvres, et restait calme, visiblement heureux de ces apparitions de têtes aux portières, de ces clameurs grandissantes où se mêlaient bientôt les bêlement, mugissements, piaillements des bêtes prises d'une nerveuse imitation, formidable tutti de cous tendus, de bouches ouvertes, de gueules bées à la gloire de Roumestan et de sa progéniture. Alors même, et tandis que tous dans la voiture tenaient à deux mains leurs oreilles fracassées, le petit homme demeurait impassible, et son sang-froid déridait jusqu'au vieux président qui disait : « Si celui-là n'est pas né pour le forum !... »

Ils espéraient en être quittes en sortant du marché, mais la foule les suivit, s'accroissant à mesure des tisserands du Chemin-Neuf, des ourdisseuses par bandes, des portefaix de l'avenue Berchère. Les marchands accouraient au pas des boutiques, le balcon du cercle des Blancs se chargeait de monde, et bientôt les orphéons à bannières débouchaient de toutes les rues, entonnant des chœurs, des fanfares, comme à une arrivée de Numa, avec quelque chose de plus gai, d'improvisé, en dehors du festival habituel.

Dans la plus belle chambre de la maison Portal, dont les boiseries blanches, les soies flammées dataient d'un siècle, Rosalie étendue sur une chaise longue, laissant aller son regard du berceau vide à la rue déserte et ensoleillée, s'impatientait à attendre le retour de son enfant. Sur ses traits fins, exsangues, creusés de fatigue et de larmes, où se montrait pourtant comme un apaisement heureux, on pouvait lire l'histoire de son existence pendant ces derniers mois, inquiétudes, déchirements, sa rupture avec Numa, la mort de son Hortense, et à la fin la naissance de l'enfant qui emportait tout. Quand ce grand bonheur lui était venu, elle n'y comptait plus, brisée par tant de coups, se croyant incapable de donner la vie. Aux derniers jours elle s'imaginait même ne plus sentir les soubresauts impatients du petit être emprisonné ; et le berceau, la layette toute prête, elle les cachait par une crainte superstitieuse, avertissant seulement l'Anglaise qui la servait : « Si l'on vous demande des vêtements d'enfant, vous saurez où les prendre. »

S'abandonner sur un lit de torture, les yeux clos, les dents serrées, pendant de longues heures coupées toutes les cinq minutes d'un cri déchirant et qui force, subir son destin de victime dont toutes les joies doivent être chèrement payées, ce n'est rien quand l'espoir est au bout ; mais avec l'attente d'une désillusion suprême, dernière douleur où les plaintes presque animales de la femme se mêleront aux sanglots de la maternité déçue, quel épouvantable martyre ! A demi tuée, sanglante, du fond de son anéantissement elle répétait : « Il est mort... il est mort... », lorsqu'elle entendit cet essai de voix, cette respiration criée, cet appel à la lumière, de l'enfant qui naît. Elle y répondit, oh ! de quelle tendresse débordante.

« Mon petit !... »

Il vivait. On le lui apporta. C'était à elle ce petit être au souffle court, ébloui, éperdu, presque aveugle ; cette chose en chair la rattachait à l'existence, et rien que de l'appuyer contre elle, toute la fièvre de son corps se noyait dans une sensation de fraîcheur réconfortante. Plus de deuil, plus de misères ! Son enfant, son garçon, ce désir, ce regret qu'elle avait dix ans enduré, qui lui brûlait les yeux de larmes, dès qu'elle regardait les enfants des autres, ce petit qu'elle avait embrassé d'avance sur tant de mignonnes joues roses ! Il était là et lui causait un ravissement nouveau, une surprise, chaque fois que de son lit elle se penchait vers le berceau, écartait les mousselines sur le sommeil à peine entendu, les poses frileuses et recroquevillées du nouveau-né. Elle le voulait toujours près d'elle. Quand il sortait, elle s'inquiétait, comptait les minutes, mais jamais avec tant d'angoisse que ce matin du baptême.

« Quelle heure est-il ?... demandait-elle à chaque instant... Comme ils tardent !... Dieu ! que c'est long... »

Mme Le Quesnoy, restée près de sa fille, la rassurait, elle-même un peu tourmentée, car ce petit-fils, le premier, l'unique, tenait bien fort au cœur des grands-parents, éclairait leur deuil d'une espérance.

Une rumeur lointaine qui se rapprochait en grondant redoubla l'inquiétude des deux femmes.

On va voir, on écoute. Des chants, des détonations, des clameurs, des cloches en branle. Et tout à coup l'Anglaise qui regardait dehors :

« Madame, c'est le baptême !... »

C'était le baptême, ce tumulte d'émeute, ces hurlements de cannibales autour du poteau de guerre.

« Oh ! ce Midi !... ce Midi !... » répétait la jeune mère épouvantée. Elle tremblait qu'on lui étouffât son petit dans la bagarre.

Mais non. Le voici, bien vivant, superbe, remuant ses petits bras courts, les yeux tout grands, dans la longue robe de baptême dont Rosalie a brodé les festons, cousu les dentelles elle-même, la robe de l'autre ; et ce sont ses deux garçons en un, le mort et le vivant, qu'elle possède à cette heure.

« Il n'a pas fait un cri, ni tété une fois de toute la route ! » affirme tante Portal qui raconte à sa manière imagée le triomphant tour de ville, pendant que les portes battent dans le vieil hôtel redevenu la maison aux ovations, que les domestiques courent sous le porche où l'on sert de la « gazeuse » aux musiciens. Des fanfares éclatent, les vitres tremblent. Les vieux Le Quesnoy sont descendus dans le jardin loin de cette joie qui les navre ; et comme Roumestan va parler au balcon, tante Portal, l'Anglaise Polly passent vite dans le salon pour l'entendre.

« Si Madame voulait ben tenir le petit !... » demande la nounou curieuse comme une sauvage, et Rosalie est tout heureuse de rester seule, son enfant sur les genoux. De sa fenêtre elle voit étinceler les bannières dans le vent, la foule serrée, tendue à la parole de son grand homme. Des mots du discours lui arrivent par échappées ; mais elle entend surtout le timbre de cette voix prenante, émouvante, et un frisson douloureux lui passe au souvenir de tout le mal qui lui est venu de cette éloquence habile à mentir et à duper.

A présent, c'est fini ; elle se sent à l'abri des déceptions et des blessures. Elle a un enfant. Cela résume tout son bonheur, tout son rêve. Et se faisant un bouclier de la chère petite créature qu'elle serre en travers de sa poitrine, elle l'interroge tout bas, de tout près, comme si elle cherchait une réponse ou une ressemblance dans l'ébauche de cette petite figure informe, ces minces linéaments qui semblent creusés par une caresse dans de la cire et marquent déjà une bouche sensuelle, violente, un nez courbé pour l'aventure, un menton douillet et carré.

« Est-ce que tu seras un menteur, toi aussi ? Est-ce que tu passeras ta vie à trahir les autres et toi-même, à briser les cœurs naïfs qui n'auront fait d'autre mal que de te croire et de t'aimer ?... Est-ce que tu auras l'inconstance légère et cruelle, prenant la vie en virtuose, en chanteur de cavatines ? Est-ce que tu feras le trafic des mots, sans t'inquiéter de leur valeur, de leur accord avec ta pensée, pourvu qu'ils brillent et qu'ils sonnent ? »

Et la bouche en baiser sur cette petite oreille qu'entourent des cheveux follets :

« Est-ce que tu seras un Roumestan, dis ? »

Sur le balcon, l'orateur s'exaltait, arrivait aux grandes effusions dont on n'entendait que les départs accentués à la méridionale, « Mon âme... Mon sang. Morale... Religion... Patrie... » soulignés par les hurrahs de cet auditoire fait à son image, qu'il résumait dans ses qualités et dans ses vices, un Midi effervescent, mobile, tumultueux comme une mer aux flots multiples dont chacun le reflétait.

Il y eut un dernier vivat, puis on entendit la foule s'écouler lentement. Roumestan entra dans la chambre en s'épongeant le front, et grisé de son triomphe, chaud de cette inépuisable tendresse de tout un peuple, s'approcha de sa femme, l'embrassa avec une effusion sincère. Il se sentait bon pour elle, tendre comme au premier jour, sans remords comme sans rancune.

« *Bé ?...* Crois-tu qu'on le fête, monsieur ton fils ! »

A genoux devant le canapé, le grand homme d'Aps jouait avec son enfant, cherchait ces petits doigts qui s'accrochent à tout, ces petits pieds battant le vide. Rosalie le regardait, un pli au front, essayant de définir cette nature contradictoire, insaisissable. Puis vivement, comme si elle avait trouvé :

« Numa, quel est ce proverbe de chez vous que tante Portal disait l'autre jour ?...*Joie de rue*... Quoi donc ?...

— Ah ! oui... *Gau de carriero, doulou d'oustau...* Joie de rue, douleur de maison.

— C'est cela », dit-elle avec une expression profonde.

Et laissant tomber les mots un à un comme des pierres dans un abîme, elle répéta lentement, en y mettant la plainte de sa vie, ce proverbe où toute une race s'est peinte et formulée :

« Joie de rue, douleur de maison... »

Histoire de mes livres

Quand j'ai commencé cette histoire de mes livres, où l'on a pu voir de la fatuité d'auteur, mais qui me semblait à moi la vraie façon, originale et distinguée, d'écrire les Mémoires d'un homme de lettres dans la marge de son œuvre, j'y prenais — je l'avoue — beaucoup de plaisir. Aujourd'hui mon agrément est moindre. D'abord l'idée a perdu de sa saveur, utilisée par plusieurs de mes confrères, et non des moins illustres ; puis l'envahissement toujours montant du grand et du petit reportage, le tumulte et la poussière qu'il soulève autour de la pièce ou du livre, sous forme de détails anecdotiques qu'un écrivain qui n'est ni pontife ni grognon se laisse volontiers arracher. Et voilà ma besogne autohistorique devenue plus difficile ; on m'a éculé des chaussures fines que je me réservais de ne porter que de loin en loin.

Il est bien certain, par exemple, que tout ce qu'ont écrit les journaux, il y a quelques mois, à propos de la comédie tirée de *Numa Roumestan* et jouée à l'Odéon, cette curiosité et cette réclame ne m'ont guère rien laissé d'intéressant à dire pour l'histoire de mon livre et m'ont mis en danger de rabâchage. En tout cas cela m'a aidé à détruire une bonne fois la légende, propagée par des gens qui n'y croyaient pas eux-mêmes, de Gambetta caché sous Roumestan. Comme si c'était possible ; comme si, ayant voulu faire un Gambetta, personne eût pu s'y tromper, même sous le masque de Numa !

Le vrai est que pendant des années et des années, dans un minuscule cahier vert que j'ai là devant moi, plein de notes serrées et d'inextricables ratures, sous ce titre générique, *Le Midi*, j'ai résumé mon pays de naissance, climat, mœurs, tempérament, l'accent, les gestes, frénésies et ébullitions de notre soleil, et cet ingénu besoin de mentir qui vient d'un excès d'imagination, d'un délire expansif, bavard et bienveillant, si peu semblable au froid mensonge pervers et calculé qu'on rencontre dans le Nord. Ces observations, je les ai prises partout, sur moi d'abord qui me sers toujours à moi-même d'unité de mesure, sur les miens, dans ma famille et les souvenirs de ma petite enfance conservés par une étrange mémoire où chaque sensation se marque, se cliche, sitôt éprouvée.

Tout noté sur le cahier vert, depuis ces chansons de pays, ces proverbes et locutions où l'instinct d'un peuple se confesse, jusqu'aux cris des vendeuses d'eau fraîche, des marchands de berlingots et d'azeroles de nos fêtes foraines, jusqu'aux geignements de nos maladies que l'imagination grossit et répercute, presque toutes nerveuses, rhumatismales, causées par ce ciel de vent et de flamme qui vous dévore la moelle, met tout l'être en fusion comme une canne à sucre ; noté jusqu'aux crimes du Midi, explosions de passion, de violence ivre, ivre sans boire, qui déroutent, épouvantent la conscience des juges, venus d'un autre climat, éperdus au milieu de ces exagérations, de ces témoignages extravagants qu'ils ne savent pas *mettre au point*. C'est de ce cahier que j'ai tiré *Tartarin de Tarascon, Numa Roumestan*, et plus récemment *Tartarin sur les Alpes*. D'autres livres méridionaux y sont en projet, fantaisies, romans, études physiologiques : Mirabeau, marquis de Sade, Raousset-Boulbon, et *Le Malade imaginaire* que Molière a sûrement rapporté de là-bas. Et même de la grande histoire, si j'en crois cette ligne ambitieuse dans un coin du petit cahier : *Napoléon, homme du Midi. — synthétiser en lui toute la race*.

Mon Dieu, oui. Pour le jour où le roman de mœurs me fatiguerait par l'étroitesse et le convenu de son cadre, où j'éprouverais le besoin de m'espacer plus loin et plus haut, j'avais rêvé cela, donner la dominante de cette existence féerique de Napoléon, expliquer l'homme extraordinaire par ce seul mot très simple, LE MIDI, auquel toute la science de Taine n'a pas songé. Le Midi, pompeux, classique, théâtral, aimant la représentation, le costume — avec quelques taches en rigole —, les estrades, les panaches, drapeaux et fanfares dans le vent. Le Midi familial et traditionnel, tenant de l'Orient la fidélité au clan, à la tribu, le goût des plats sucrés et cet inguérissable mépris de la femme qui ne l'empêche pas d'être passionné et voluptueux jusqu'au délire. Le Midi câlin, félin, avec son éloquence emportée, lumineuse, mais sans couleur — car la couleur est du Nord —, avec ses colères courtes et terribles, piaffantes et grimaçantes, toujours un peu simulées même lorsqu'elles sont sincères — tragediante comediante —, tempêtes de Méditerranée, dix pieds d'écume sur une eau très calme. Le Midi superstitieux et idolâtre, oubliant volontiers les dieux dans l'agitation de sa vie de salamandre au bûcher, mais retrouvant ses prières d'enfance dès que menace la maladie ou le malheur. (Napoléon à genoux, priant, au soleil couché, sur le pont du *Northumberland*, entendant la messe deux fois par semaine dans la salle à manger de Sainte-Hélène.) Enfin, et par-dessus tout, la grande caractéristique de la race, l'imagination, que nul homme d'action n'eut aussi vaste, aussi frénétique que lui. (Egypte, Russie, rêve de la conquête des Indes.) Tel est le Napoléon que je voudrais raconter dans les principaux actes de sa vie publique et le menu détail de sa vie intime, en lui donnant pour comparse, pour Bompard imitant et exagérant ses gestes, ses panaches, un autre Méridional, Murat, de Cahors, le pauvre et vaillant Murat qui se fit prendre et mettre au mur, ayant voulu lui aussi tenter son petit retour de l'île d'Elbe.

Mais laissons le livre d'histoire que je n'ai pas fait, que je n'aurai peut-être jamais le temps d'écrire, pour ce roman de *Numa* déjà vieux de plusieurs années et où tant de gens de mon pays ont prétendu se reconnaître, bien que chaque personnage y soit de pièces et de morceaux. Un seul, et comme il fallait s'y attendre, le plus cocasse, le plus invraisemblable de tous, a été pris sur le vif, strictement copié d'après nature, c'est le chimérique et délirant Bompard, Méridional silencieux, comprimé, qui ne va que par explosions et dont les inventions dépassent toute mesure, parce qu'il manque aux visions de cet imaginaire la prolixité de parole ou d'écriture qui est notre soupape de sûreté. Ce type de Bompard se trouve fréquemment chez nous, mais je n'ai bien étudié que le mien, aimable et doux compagnon que je croise quelquefois sur le boulevard et à qui la publication de *Numa* n'a pas causé la moindre humeur, car avec le tas de romans en fermentation dans sa cervelle, il n'a pas le temps de lire ceux des autres.

Du tambourinaire Valmajour, quelques traits sont réels, par exemple le petit récit *Ce m'est vénu, dé nuit...*, cueilli mot par mot sur sa lèvre ingénue. J'ai dit ailleurs la burlesque et lamentable épopée de ce Draguignanais que mon cher et grand Mistral m'expédiait un jour en ces termes : « Je t'adresse Buisson, tambourinaire ; pilote-le », et l'innombrable série de fours que nous fîmes Buisson et moi, à la suite de son galoubet, dans les salons, théâtres et concerts parisiens. Mais la vraie vérité que je n'avais pu dire de son vivant, de peur de lui nuire, aujourd'hui que la mort a crevé son tambourin, *pécaïré* ! et bouché de terre noire les trois trous de son flûtet, la voici. Buisson n'était qu'un faux tambourinaire, un petit-bourgeois du Midi, clarinette ou piston de fanfare municipale, ayant pour se distraire appris et perfectionné le maniement du galoubet et de la *massette* des vieilles fêtes paysannes de Provence. Quand il arriva à Paris, le malheureux ne savait pas un air du terroir, ni aubade, ni farandole. Son répertoire se composait exactement de l'ouverture du *Cheval de bronze*, du *Carnaval de Venise*, et des *Pantéïns de Violette*, le tout brillamment exécuté, mais manquant un peu d'accent pour un tambourinaire garanti par Mistral. Je lui appris quelques noëls de Saboly, *Saint José m'a dit, Ture-lure-lure le coq chante*, puis *Les Pécheurs de Cassis, Les Filles d'Avignon*, et *La Marche des rois* que Bizet, quelques années plus tard, orchestrait si merveilleusement pour notre *Arlésienne*. Buisson, assez adroit musicien, notait les motifs à mesure, les répétait jour et nuit dans son garni de la rue Bergère, au grand émoi de ses voisins que cette musique surette et bourdonnante exaspérait. Une fois stylé, je le lâchai par la ville, où son français bizarre, son teint d'Ethiopie, d'épais sourcils noirs, aussi rejoints et drus que ses moustaches, en plus son répertoire exotique, trompèrent jusqu'aux Méridionaux de Paris, qui le crurent un vrai tambourinaire, sans que cela fît rien, hélas ! pour son succès.

Fourni tel quel par la nature, le type me semblait compliqué, surtout en figure de second plan ; je le simplifiai donc pour mon livre. Quant aux autres personnages du roman, tous, je le répète, de Roumestan à la petite Audiberte, sont faits de plusieurs modèles et, comme dit Montaigne, « un fagotage de diverses pièces ». De même pour Aps-en-Provence, la ville natale de Numa, que j'ai bâtie avec des morceaux d'Arles, de Nîmes, de Saint-Rémy, de Cavaillon, prenant à l'une ses arènes, à l'autre ses vieilles ruelles italiennes, étroites et cailloutées comme des torrents à sec, son marché du lundi sous les platanes massifs du tour-de-ville, puis un peu partout ces claires routes provençales, bordées de grands roseaux, neigées et craquantes de poussière chaude, que je courais quand j'avais vingt ans, un vieux moulin, et toujours sur le dos ma grande cape de laine. La maison où je fais naître Numa est celle de mes huit ans, rue Séguier, en face l'Académie de Nîmes ; l'école des frères terrorisée par l'illustre Boute-à-Cuire et sa férule marinée dans le vinaigre, c'est l'école de mon enfance, les souvenirs de ma plus lointaine mémoire. « Oiseaux de prime », disent les Provençaux.

Voilà les dessous et praticables, très simples comme on voit, de ce *Numa Roumestan*, qui me paraît le moins incomplet de tous mes livres, celui où je me suis le mieux donné, où j'ai mis le plus d'invention, au sens aristocratique du mot. Je l'ai écrit dans le printemps et l'été de 1880, avenue de l'Observatoire, au-dessus de ces beaux marronniers du Luxembourg, bouquets géants tout pommés de grappes blanches et roses, traversés de cris d'enfants, de sonnettes de marchands de coco, de bouffées de cuivres militaires. Sa confection m'a laissé sans fatigue, comme tout ce qui vient de source. Il parut d'abord dans *L'Illustration*, avec des dessins d'Emile Bayard, logé près de moi, de l'autre côté de l'avenue.

Plusieurs fois par semaine, le matin, j'allais m'installer dans son atelier, lui racontant mon personnage à mesure que je l'écrivais, expliquant, commentant le Midi pour ce forcené Parisien qui en était encore au Gascon que l'on menait pendre et aux chansonnettes de Levassor sur la Canebière. N'est-ce pas, Bayard, que je vous l'ai joué, mon Midi, et mimé, et chanté, et les bruits de foule aux courses de taureaux, aux luttes pour hommes et demi-hommes, et les cantiques des pénitents aux processions de la Fête-Dieu ? Et c'est bien sûr vous ou l'un de vos élèves, que j'ai mené boire du carthagène et manger des barquettes rue Turbigo, « aux produits du Midi ».

Publié chez Charpentier, sous une chère dédicace qui m'a toujours porté bonheur et devrait figurer en tête de tous mes livres, le roman eut du succès. Zola l'honorait d'une flatteuse et cordiale étude, me reprochant seulement comme trop invraisemblable l'amour d'Hortense Le Quesnoy pour le tambourinaire ; d'autres après lui m'ont fait la même critique. Et pourtant, si mon livre était à recommencer, je ne renoncerais pas à cet effet de mirage sur cette petite âme trépidante et brûlante, victime elle aussi de L'IMAGINATION. Maintenant, pourquoi poitrinaire ? Pourquoi cette mort sentimentale et romance, cette si facile amorce à l'attendrissement du lecteur ? Eh ! parce qu'on n'est pas maître de son œuvre, parce que durant sa gestation, alors que l'idée nous tente et nous hante, mille choses s'y mêlent draguées et ramassées en route au hasard de l'existence, comme des herbes aux mailles d'un filet. Pendant que je portais *Numa*, on m'avait envoyé aux eaux d'Allevard ; et là, dans les salles d'inhalation, je voyais de jeunes visages, tirés, creusés, travaillés au couteau, j'entendais de pauvres voix sans timbre, rongées, des toux rauques, suivies d'un même geste furtif du mouchoir ou du gant guettant la tache rose au coin des lèvres. De ces pâles apparitions impersonnelles, une s'est formée dans mon livre, comme malgré moi, avec le train mélancolique de la ville d'eaux, son admirable cadre pastoral, et tout cela y est resté.

Numa Baragnon, mon compatriote, ancien ministre ou presque, trompé par une similitude de prénoms, fut le premier à se reconnaître dans Roumestan. Il protesta... Jamais on n'avait dételé sa voiture !... Mais une légende, retour d'Allemagne, la maladroite réclame d'un éditeur de Dresde eut bientôt remplacé le nom de Baragnon par celui de Gambetta. Je ne reviens plus sur cette niaiserie ; j'affirme seulement que Gambetta n'y croyait pas, qu'il fut le premier à s'en amuser.

Dînant un soir chaise à chaise, chez notre éditeur, il me demandait si le « quand je ne parle pas, je ne pense pas » de Roumestan était un mot fabriqué ou entendu.

« De pure invention, mon cher Gambetta.

— Eh bien, me dit-il, ce matin au conseil des ministres, un de mes collègues, Midi de Montpellier, celui-là, nous a déclaré *qu'il ne pensait qu'en parlant...* Décidément le mot est bien de là-bas... »

Et, pour la dernière fois, j'entendis son grand beau rire.

Tous les Méridionaux ne se montrèrent pas aussi intelligents, *Numa Roumestan* me valut des lettres anonymes furibondes, presque toutes au timbre des pays chauds. Les félibres eux-mêmes s'enflammèrent. Des vers lus en séance m'appelaient renégat, malfaiteur. « On voudrait lui battre l'aubade — les baguettes tombent des mains... » disait un sonnet provençal du vieux Borelly. Et moi qui comptais sur mes compatriotes pour témoigner que je n'avais ni caricaturé ni menti. Mais non ; interrogez-les, même aujourd'hui que leur colère est tombée, le plus exalté, le plus extrême Midi de tous prendra un air raisonnable pour répondre :

« Oh ! tout cela est bien *ézagéré* !... »

SAPHO

Mœurs parisiennes

Sapho parut d'abord en feuilleton à *L'Echo de Paris*, du 16 avril au 28 mai 1884, puis en librairie, la même année, chez Charpentier.

Pour mes fils
Quand ils auront vingt ans.

« Regardez-moi, voyons... J'aime la couleur de vos yeux... Comment vous appelez-vous ?

— Jean.

— Jean tout court ?

— Jean Gaussin.

— Du Midi, j'entends ça... Quel âge ?

— Vingt et un ans.

— Artiste ?

— Non, madame.

— Ah ! tant mieux... »

Ces bouts de phrases, presque inintelligibles au milieu des cris, des rires, des airs de danse d'une fête travestie, s'échangeaient — une nuit de juin — entre un pifferaro et une femme fellah dans la serre de palmiers, de fougères arborescentes, qui faisait le fond de l'atelier de Déchelette.

Au pressant interrogatoire de l'Egyptienne, le pifferaro répondait avec l'ingénuité de son âge tendre, l'abandon, le soulagement d'un Méridional resté longtemps sans parler. Etranger à tout ce monde de peintres, de sculpteurs, perdu dès en entrant dans le bal par l'ami qui l'avait amené, il se morfondait depuis deux heures, promenant sa jolie figure de blond hâlé et doré par le soleil, les cheveux en frisons serrés et courts comme la peau de mouton de son costume ; et un succès, dont il ne se doutait guère, se levait et chuchotait autour de lui.

Des épaules de danseurs le bousculaient brusquement, des rires de rapins blaguaient la cornemuse qu'il portait tout de travers et sa défroque de montagne, lourde et gênante dans cette nuit d'été. Une Japonaise aux yeux de faubourg, des couteaux d'acier tenant son chignon remonté, fredonnait en l'agaçant : *Ah ! qu'il est beau, qu'il est beau, le postillon...* ; tandis qu'une *novio* espagnole en blanches dentelles de soie, passant au bras d'un chef apache, lui fourrait violemment sous le nez son bouquet de jasmins blancs.

Il ne comprenait rien à ces avances, se croyait extrêmement ridicule et se réfugiait dans l'ombre fraîche de la galerie vitrée, bordée d'un large divan sous les verdures. Tout de suite cette femme était venue s'asseoir près de lui.

Jeune, belle ? Il n'aurait su le dire... Du long fourreau de lainage bleu où sa taille pleine ondulait, sortaient deux bras, ronds et fins, nus jusqu'à l'épaule ; et ses petites mains chargées de bagues, ses yeux gris large ouverts et grandis par les bizarres ornements de fer lui tombant du front, composaient un ensemble harmonieux.

Une actrice sans doute. Il en venait beaucoup chez Déchelette ; et cette pensée n'était pas pour le mettre à l'aise, ce genre de personnes lui faisant très peur. Elle lui parlait de tout près, un coude au genou, la tête appuyée sur la main, avec une douceur grave, un peu lasse... « Du Midi, vraiment ?... Et des cheveux de ce blond-là !... Voilà une chose extraordinaire. »

Et elle voulait savoir depuis combien de temps il habitait Paris, si c'était très difficile cet examen pour les consulats qu'il préparait, s'il connaissait beaucoup de monde et comment il se trouvait à la soirée de Déchelette, rue de Rome, si loin de son Quartier latin.

Quand il dit le nom de l'étudiant qui l'avait amené... « La Gournerie... un parent de l'écrivain... elle connaissait sans doute... » l'expression de ce visage de femme changea, s'assombrit subitement ; mais il n'y prit pas garde, ayant l'âge où les yeux brillent sans rien voir. La Gournerie lui avait promis que son cousin serait là, qu'il le présenterait. « J'aime tant ses vers... je serais si heureux de le connaître... »

Elle eut un sourire de pitié pour sa candeur, un joli resserrement d'épaules, en même temps qu'elle écartait de sa main les feuilles légères d'un bambou et regardait dans le bal, si elle ne lui découvrirait pas son grand homme.

La fête à ce moment étincelait et roulait comme une apothéose de féerie. L'atelier, le hall plutôt, car on n'y travaillait guère, développé dans toute la hauteur de l'hôtel et n'en faisant qu'une pièce immense, recevait sur ses tentures claires, légères, estivales, ses stores de paille fine ou de gaze, ses paravents de laque, ses verreries multicolores, et sur le buisson de roses jaunes garnissant le foyer d'une haute cheminée Renaissance, l'éclairage varié et bizarre d'innombrables lanternes chinoises, persanes, mauresques, japonaises, les unes en fer ajouré, découpées d'ogives comme une porte de mosquée, d'autres en papier de couleur pareilles à des fruits, d'autres déployées en éventail, ayant des formes de fleurs, d'ibis, de serpents ; et tout à coup de grands jets électriques, rapides et bleuâtres, faisaient pâlir ces mille lumières et givraient d'un clair de lune les visages et les épaules nues, toute la fantasmagorie d'étoffes, de plumes, de paillons, de rubans qui se froissaient dans le bal, s'étageaient sur l'escalier hollandais à large rampe menant aux galeries du premier que dépassaient les manches des contrebasses et la mesure frénétique d'un bâton de chef d'orchestre.

De sa place, le jeune homme voyait cela à travers un réseau de branches vertes, de lianes fleuries qui se mêlaient au décor, l'encadraient et, par une illusion d'optique, jetaient au va-et-vient de la danse des guirlandes de glycine sur la traîne d'argent d'une robe de princesse, coiffaient d'une feuille de dracæna un minois de bergère pompadour ; et pour lui maintenant l'intérêt du spectacle se doublait du plaisir d'apprendre par son Egyptienne les noms, tous glorieux, tous connus, que cachaient ces travestis d'une variété, d'une fantaisie si amusantes.

Ce valet de chiens, son fouet court en bandoulière, c'était Jadin ; tandis qu'un peu plus loin cette soutane élimée de curé de campagne déguisait le vieil Isabey, grandi par un jeu de cartes dans ses souliers à boucles. Le père Corot souriait sous l'énorme visière d'une casquette d'invalide. On lui montrait aussi Thomas Couture en bouledogue, Jundt en argousin, Cham en oiseau des îles.

Et quelques costumes historiques et graves, un Murat empanaché, un prince Eugène, un Charles Ier, portés par de tout jeunes peintres, marquaient bien la différence entre les deux générations d'artistes ; les derniers venus, sérieux, froids, des têtes de gens de bourse vieillis de ces rides particulières que creusent les préoccupations d'argent, les autres bien plus gamins, rapins, bruyants, débridés.

Malgré ses cinquante-cinq ans et les palmes de l'Institut, le sculpteur Caoudal en hussard de baraque, les bras nus, ses biceps d'hercule, une palette de peintre battant ses longues jambes en guise de sabretache, tortillait un cavalier seul du temps de la Grande-Chaumière en face du musicien de Potter, en muezzin qui fait la fête, le turban de travers, mimant la danse du ventre et piaillant le *la Allah, il Allah* d'une voix suraiguë.

On entourait ces joyeux illustres d'un large cercle qui reposait les danseurs ; et au premier rang, Déchelette, le maître du logis, fronçait sous un haut bonnet persan ses petits yeux, son nez kalmouk, sa barbe grisonnante, heureux de la gaieté des autres et s'amusant éperdument, sans qu'il y parût.

L'ingénieur Déchelette, une figure du Paris artiste d'il y a dix ou douze ans, très bon, très riche, avec des velléités d'art et cette libre allure, ce mépris de l'opinion que donnent la vie de voyage et le célibat, avait alors l'entreprise d'une ligne ferrée de Tauris à Téhéran ; et, chaque année, pour se remettre de dix mois de fatigues, de nuits sous la tente, de galopades fiévreuses à travers sables et marais, il venait passer les grandes chaleurs dans cet hôtel de la rue de Rome, construit sur ses dessins, meublé en palais d'été, où il réunissait des gens d'esprit et de jolies filles, demandant à la civilisation de lui donner en quelques semaines l'essence de ce qu'elle a de montant et de savoureux.

« Déchelette est arrivé. » C'était la nouvelle des ateliers, sitôt qu'on avait vu se lever comme un rideau de théâtre l'immense store de coutil sur la façade vitrée de l'hôtel. Cela voulait dire que la fête commençait et qu'on allait en avoir pour deux mois de musiques et festins, danses et bombances, tranchant sur la torpeur silencieuse du quartier de l'Europe à cette époque des villégiatures et des bains de mer.

Personnellement, Déchelette n'était pour rien dans le bacchanal qui grondait chez lui nuit et jour. Ce noceur infatigable apportait au plaisir une frénésie à froid, un regard vague, souriant, comme haschisché, mais d'une tranquillité, d'une lucidité imperturbables. Très fidèle ami, donnant sans compter, il avait pour les femmes un mépris d'homme d'Orient, fait d'indulgence et de politesse ; et de celles qui venaient là, attirées par sa grande fortune et la fantaisie joyeuse du milieu, pas une ne pouvait se vanter d'avoir été sa maîtresse plus d'un jour.

« Un bon homme tout de même... » ajouta l'Egyptienne qui donnait à Gaussin ces renseignements. S'interrompant tout à coup : « Voilà votre poète...

— Où donc ?

— Devant vous... en marié de village... »

Le jeune homme eut un « Oh ! » désappointé. Son poète ! Ce gros homme, suant, luisant, étalant des grâces lourdes dans le faux col à deux pointes et le gilet fleuri de Jeannot... Les grands cris désespérés du *Livre de l'Amour* lui venaient à la mémoire, du livre qu'il ne lisait jamais sans un petit battement de fièvre ; et tout haut, machinalement, il murmurait :

Pour animer le marbre orgueilleux de ton corps
O Sapho, j'ai donné tout le sang de mes veines...

Elle se retourna vivement, avec le cliquetis de sa parure barbare : « Que dites-vous là ? »

C'étaient des vers de La Gournerie ; il s'étonnait qu'elle ne les connût pas.

« Je n'aime pas les vers... » fit-elle d'un ton bref ; et elle restait debout, le sourcil froncé, regardant la danse et froissant nerveusement les belles grappes lilas qui pendaient devant elle. Puis, avec l'effort d'une décision qui lui coûtait : « Bonsoir... » et elle disparut.

Le pauvre pifferaro resta tout saisi. « Qu'est-ce qu'elle a ?... Que lui ai-je dit ?... » Il chercha, ne trouva rien, sinon qu'il ferait bien d'aller se coucher. Il ramassa mélancoliquement sa cornemuse et rentra dans le bal, moins troublé du départ de l'Egyptienne que de toute cette foule qu'il devait traverser pour gagner la porte.

Le sentiment de son obscurité parmi tant d'illustrations le rendait plus timide encore. Maintenant on ne dansait plus ; quelques couples çà et là, acharnés aux dernières mesures d'une valse qui mourait, et parmi eux Caoudal, superbe et gigantesque, tourbillonnant la tête haute avec une petite tricoteuse, coiffe au vent, qu'il enlevait sur ses bras roux.

Par le grand vitrage du fond large ouvert, entraient des bouffées d'air matinales et blanchissantes, agitant les feuilles des palmiers, couchant les flammes des bougies comme pour les éteindre. Une lanterne en papier prit feu, des bobèches éclatèrent, et, tout autour de la salle, les domestiques installaient des petites tables rondes comme aux terrasses des cafés. On soupait toujours ainsi par quatre ou cinq chez Déchelette ; et les sympathies en ce moment se cherchaient, se groupaient.

C'étaient des cris, des appels féroces, le *Pil... ouit* du faubourg répondant au *You you you you* en crécelle des filles d'Orient, et des colloques à voix basse, et des rires voluptueux de femmes qu'on entraînait d'une caresse.

Gaussin profitait du tumulte pour se glisser vers la sortie quand son ami l'étudiant l'arrêta, ruisselant, les yeux en boule, une bouteille sous chaque bras : « Mais où étiez-vous donc ?... Je vous cherche partout... J'ai une table, des femmes, la petite Bachellery des Bouffes... En Japonaise, savez bien... Elle m'envoie vous chercher. Venez vite... » et il repartit en courant.

Le pifferaro avait soif ; puis l'ivresse du bal le tentait, et le minois de la petite actrice qui de loin lui faisait des signes. Mais une voix sérieuse et douce murmura près de son oreille : « N'y va pas... »

Celle de tout à l'heure était là, tout contre lui, l'entraînant dehors, et il la suivit sans hésiter. Pourquoi ? Ce n'était pas l'attrait de cette femme ; il l'avait à peine regardée, et l'autre là-bas qui l'appelait, dressant les couteaux d'acier de sa chevelure, lui plaisait bien davantage. Mais il obéissait à une volonté supérieure à la sienne, à la violence impétueuse d'un désir.

N'y va pas !...

Et subitement ils se trouvèrent tous deux sur le trottoir de la rue de Rome. Des fiacres attendaient dans le matin blême. Des balayeurs, des ouvriers allant au travail regardaient cette maison de fête grondante et débordante, ce couple travesti, un Mardi gras en plein été.

« Chez vous, ou chez moi ?... » demanda-t-elle. Sans bien s'expliquer pourquoi, il pensa que chez lui ce serait mieux, donna son adresse lointaine au cocher ; et pendant la route qui fut longue ils parlèrent peu. Seulement elle tenait une de ses mains entre les siennes qu'il sentait très petites et glacées ; et, sans le froid de cette étreinte nerveuse, il aurait pu croire qu'elle dormait, renversée au fond du fiacre, avec le reflet glissant du store bleu sur la figure.

On s'arrêta rue Jacob, devant un hôtel d'étudiants. Quatre étages à monter, c'était haut et dur. « Voulez-vous que je vous porte ?... » dit-il en riant, mais tout bas, à cause de la maison endormie. Elle l'enveloppa d'un lent regard, méprisant et tendre, un regard d'expérience qui le jaugeait et clairement disait : « Pauvre petit... »

Alors lui, d'un bel élan, bien de son âge et de son Midi, la prit, l'emporta comme un enfant, car il était solide et découplé avec sa peau blonde de demoiselle, et il monta le premier étage d'une haleine, heureux de ce poids que deux beaux bras, frais et nus, lui nouaient au cou.

Le second étage fut plus long, sans agrément. La femme s'abandonnait, se faisait plus lourde à mesure. Le fer de ses pendeloques, qui d'abord le caressait d'un chatouillement, entrait peu à peu et cruellement dans sa chair.

Au troisième, il râlait comme un déménageur de piano ; le souffle lui manquait, pendant qu'elle murmurait, ravie, la paupière allongée : « Oh ! m'ami, que c'est bon... qu'on est bien... » Et les dernières marches, qu'il grimpait une à une, lui semblaient d'un escalier géant dont les murs, la rampe, les étroites fenêtres tournaient en une interminable spirale. Ce n'était plus une femme qu'il portait, mais quelque chose de lourd, d'horrible, qui l'étouffait, et qu'à tout moment il était tenté de lâcher, de jeter avec colère, au risque d'un écrasement brutal.

Arrivés sur l'étroit palier : « Déjà... » dit-elle en ouvrant les yeux. Lui pensait : « Enfin !... » mais n'aurait pu le dire, très pâle, les deux mains sur sa poitrine qui éclatait.

Toute leur histoire, cette montée d'escalier dans la grise tristesse du matin.

2

Il la garda deux jours ; puis elle partit, lui laissant une impression de peau douce et de linge fin. Pas d'autre renseignement sur elle que son nom, son adresse et ceci : « Quand vous me voudrez, appelez-moi... je serai toujours prête... »

La toute petite carte, élégante, odorante, portait : FANNY LEGRAND, *6, rue de l'Arcade.*

Il la mit à sa glace entre une invitation au dernier bal des Affaires étrangères et le programme enluminé et fantaisiste de la soirée de Déchelette, ses deux seules sorties mondaines de l'année ; et le souvenir de la femme, resté quelques jours autour de la cheminée dans ce délicat et léger parfum, s'évapora en même temps que lui, sans que Gaussin, sérieux, travailleur, se méfiant par-dessus tout des entraînements de Paris, eût eu la fantaisie de renouveler cette amourette d'un soir.

L'examen ministériel aurait lieu en novembre. Il ne lui restait que trois mois pour le préparer. Après, viendrait un stage de trois ou quatre ans dans les bureaux du service consulaire ; puis il s'en irait quelque part, très loin. Cette idée d'exil ne l'effrayait pas ; car une tradition chez les Gaussin d'Armandy, vieille famille avignonnaise, voulait que l'aîné des fils suivît ce qu'on appelle la *carrière*, avec l'exemple, l'encouragement et la protection morale de ceux qui l'y avaient précédé. Pour ce provincial, Paris n'était que la première escale d'une très longue traversée, ce qui l'empêchait de nouer aucune liaison sérieuse en amour comme en amitié.

Une semaine ou deux après le bal de Déchelette, un soir que Gaussin, la lampe allumée, ses livres préparés sur la table, se mettait au travail, on frappa timidement ; et, la porte ouverte, une femme apparut en toilette élégante et claire. Il la reconnut seulement quand elle eut relevé sa voilette.

« Vous voyez, c'est moi... je reviens... »

Puis surprenant le regard inquiet, gêné, qu'il jetait sur la besogne en train : « Oh ! je ne vous dérangerai pas... je sais ce que c'est... » Elle défit son chapeau, prit une livraison du *Tour du monde*, s'installa et ne bougea plus, absorbée en apparence par sa lecture ; mais, chaque fois qu'il levait les yeux, il rencontrait son regard.

Et vraiment il lui fallait du courage pour ne pas la prendre tout de suite entre ses bras, car elle était bien tentante et d'un grand charme avec sa toute petite tête au front bas, au nez court, à la lèvre sensuelle et bonne, et la maturité souple de sa taille dans cette robe d'une correction toute parisienne, moins effrayante pour lui que sa défroque de fille d'Egypte.

Partie le lendemain de bonne heure, elle revint plusieurs fois dans la semaine, et toujours elle entrait avec la même pâleur, les mêmes mains froides et moites, la même voix serrée d'émotion.

« Oh ! je sais bien que je t'ennuie, lui disait-elle, que je te fatigue. Je devrais être plus fière... Si tu crois !... Tous les matins en m'en allant de chez toi, je jure de ne plus venir ; puis ça me reprend, le soir, comme une folie. »

Il la regardait, amusé, surpris dans son dédain de la femme, par cette persistance amoureuse. Celles qu'il avait connues jusque-là, des filles de brasserie ou de skating, quelquefois jeunes et jolies, lui laissaient toujours le dégoût de leur rire bête, de leurs mains de cuisinières, d'une grossièreté d'instincts et de propos qui lui faisait ouvrir la fenêtre derrière elles. Dans sa croyance d'innocent, il pensait toutes les filles de plaisir pareilles. Aussi s'étonnait-il de trouver en Fanny une douceur, une réserve vraiment femme, avec cette supériorité — sur les bourgeoises qu'il rencontrait en province chez sa mère — d'un frottis d'art, d'une connaissance de toutes choses, qui rendaient les causeries intéressantes et variées.

Puis elle était musicienne, s'accompagnait au piano et chantait, d'une voix de contralto un peu fatiguée, inégale, mais exercée, quelque romance de Chopin ou de Schumann, des chansons de pays, des airs berrichons, bourguignons ou picards dont elle avait tout un répertoire.

Gaussin, fou de musique, cet art de paresse et de plein air où se plaisent ceux de son pays, s'exaltait par le son aux heures de travail, en berçait son repos délicieusement. Et de Fanny, cela surtout le ravissait. Il s'étonnait qu'elle ne fût pas dans un théâtre, et apprit ainsi qu'elle avait chanté au Lyrique. « Mais pas longtemps... Je m'ennuyais trop... »

En elle effectivement rien de l'étudié, du convenu de la femme de théâtre ; pas l'ombre de vanité ni de mensonge. Seulement un certain mystère sur sa vie au-dehors, mystère gardé même aux heures de passion, et que son amant n'essayait pas de pénétrer, ne se sentant ni jaloux ni curieux, la laissant arriver à l'heure dite sans même regarder la pendule, ignorant encore la sensation de l'attente, ces grands coups à pleine poitrine qui sonnent le désir et l'impatience.

De temps en temps, l'été étant très beau cette année-là, ils s'en allaient à la découverte de tous ces jolis coins des environs de Paris dont elle savait la carte précise et détaillée. Ils se mêlaient aux départs nombreux, turbulents, des gares de banlieue, déjeunaient dans quelque cabaret à la lisière des bois ou des eaux, évitant seulement certains endroits trop courus. Un jour qu'il lui proposait d'aller aux Vaux-de-Cernay : « Non, non... pas là... il y a trop de peintres... »

Et cette antipathie des artistes, il se rappela qu'elle avait été l'initiation de leur amour. Comme il en demandait la raison : « Ce sont dit-elle, des détraqués, des compliqués qui racontent toujours plus de choses qu'il n'y en a... Ils m'ont fait beaucoup de mal... »

Lui protestait : « Pourtant, l'art, c'est beau... Rien de tel pour embellir, élargir la vie.

— Vois-tu, m'ami, ce qui est beau, c'est d'être simple et droit comme toi, d'avoir vingt ans et de bien s'aimer... »

Vingt ans ! on ne lui eût pas donné davantage, à la voir si vivante, toujours prête, riant à tout, trouvant tout bon.

Un soir, à Saint-Clair, dans la vallée de Chevreuse, ils arrivèrent la veille de la fête et ne trouvèrent pas de chambre. Il était tard, il fallait une lieue de bois dans la nuit pour rejoindre le prochain village. Enfin on leur offrit un lit de sangle, resté libre au bout d'une grange où dormaient des maçons.

« Allons-y, dit-elle en riant... ça me rappellera mon temps de misère. »

Elle avait donc connu la misère.

Ils se glissèrent à tâtons entre les lits occupés dans la grande salle crépie à la chaux, où fumait une veilleuse au fond d'une niche sur la muraille ; et toute la nuit serrés l'un contre l'autre, ils étouffaient leurs baisers et leurs rires, en entendant ronfler, geindre de fatigue ces compagnons, dont les bourgerons, les lourdes chaussures de travail traînaient tout près de la robe de soie et des fines bottes de la Parisienne.

Au petit jour, une chatière s'ouvrit au bas du large portail, un rai de lumière blanche frôla la sangle des lits, la terre battue, pendant qu'une voix enrouée criait : « Ohé ! la coterie... » Puis il se fit dans la grange redevenue obscure un remue-ménage pénible et lent, des bâillées, des étirements, de grosses toux, les tristes bruits humains d'une chambrée qui s'éveille ; et lourds, silencieux, les Limousins s'en allèrent, un par un, sans se douter qu'ils avaient dormi près d'une belle fille.

Derrière eux, elle se leva, mit sa robe à tâtons, tordit ses cheveux en hâte : « Reste là... je reviens... » Elle rentrait au bout d'un moment avec une énorme brassée de fleurs des champs inondées de rosée. « Maintenant dormons... » dit-elle en éparpillant sur le lit cette odorante fraîcheur de la flore matinale qui ravivait l'atmosphère autour d'eux. Et jamais elle ne lui avait paru si jolie qu'à cette entrée de grange, riant dans le petit jour, avec ses légers cheveux tout envolés et ses herbes folles.

Une autre fois, ils déjeunaient à Ville-d'Avray devant l'étang. Un matin d'automne enveloppait de brume l'eau calme, la rouille des bois en face d'eux ; et seuls dans le petit jardin du restaurant, ils s'embrassaient en mangeant des ablettes. Tout à coup, d'un pavillon rustique branché dans le platane au pied duquel leur table était mise, une voix forte et narquoise appela : « Dites donc, les autres, quand vous aurez fini de vous bécoter... » Et la face de lion, la moustache rousse du sculpteur Caoudal se penchait dans l'embrasure en rondins du chalet.

« J'ai bien envie de descendre déjeuner avec vous... Je m'ennuie comme un hibou dans mon arbre... »

Fanny ne répondait pas, visiblement gênée de la rencontre ; lui, au contraire, accepta bien vite, curieux de l'artiste célèbre, flatté de l'avoir à sa table.

Caoudal, très coquet dans une apparence négligée, mais où tout était calculé depuis la cravate en crêpe de chine blanc pour éclaircir un teint sabré de rides et de couperoses, jusqu'au veston serré sur la taille encore svelte et les muscles en saillie, Caoudal lui parut plus vieux qu'au bal de Déchelette.

Mais ce qui le surprit et même l'embarrassait un peu, ce fut le ton d'intimité du sculpteur avec sa maîtresse. Il l'appelait Fanny, la tutoyait. « Tu sais, lui disait-il en installant son couvert sur leur nappe, je suis veuf depuis quinze jours. Maria est partie avec Morateur. Ça m'a laissé assez tranquille les premiers temps... Mais ce matin, en entrant à l'atelier, je me suis senti faignant comme tout... Impossible de travailler... Alors j'ai lâché mon groupe et je suis venu déjeuner à la campagne. Fichue idée, quand on est seul... Un peu plus je larmoyais dans ma gibelotte... »

Puis regardant le Provençal dont la barbe follette et les cheveux bouclés avaient le ton du sauterne dans les verres :

« Est-ce beau la jeunesse !... Pas de danger qu'on le lâche, celui-là... Et ce qu'il y a de plus fort, c'est que ça se gagne... Elle a l'air aussi jeune que lui.

— Malhonnête !... » fit-elle en riant ; et son rire sonnait bien la séduction sans âge, la jeunesse de la femme qui aime et veut se faire aimer.

« Etonnante... Etonnante... » murmurait Caoudal, qui l'examinait tout en mangeant, avec un pli de tristesse et d'envie grimaçant au coin de sa bouche. « Dis donc, Fanny, te rappelles-tu un déjeuner ici... c'est loin, dam !... nous étions Ezano, Dejoie, toute la bande... tu es tombée dans l'étang. On t'a habillée en homme, avec la tunique du garde-pêche. Ça t'allait richement bien...

— Rappelle plus... » fit-elle froidement, et sans mentir ; car ces créatures changeantes et de hasard ne sont jamais qu'à l'heure présente de leur amour. Nulle mémoire de ce qui précéda, nulle crainte de ce qui peut venir.

Caoudal, au contraire, tout au passé, dévidait à coups de sauterne ses exploits de robuste jeunesse, d'amour et de beuverie, parties de campagne, bals à l'Opéra, charges d'atelier, batailles et conquêtes. Mais, en se tournant vers eux avec l'éclair remonté à ses yeux de toutes les flammes qu'il remuait, il s'aperçut qu'ils ne l'écoutaient guère, occupés à égrener des raisins aux lèvres l'un de l'autre.

« Est-ce assez rasant ce que je vous raconte là... Mais si, mais si, je vous assomme... Ah ! nom d'un chien... C'est bête d'être vieux... » Il se leva, jeta sa serviette. « Pour moi, le déjeuner, père Langlois... » cria-t-il vers le restaurant.

Il s'éloigna tristement, traînant les pieds, comme rongé d'un mal incurable. Longtemps les amoureux suivirent sa longue taille qui se voûtait sous les feuilles couleur d'or.

« Pauvre Caoudal !... c'est vrai qu'il se tasse... » murmura Fanny d'un ton de douce commisération ; et comme Gaussin s'indignait que cette Maria, une fille, un modèle, pût s'amuser des souffrances d'un Caoudal et préférer au grand artiste... qui ?... Morateur, un petit peintre sans talent, n'ayant pour lui que sa jeunesse, elle se mit à rire : « Ah ! innocent... innocent... » et lui renversant la tête à deux mains sur ses genoux, elle le humait, le respirait, dans les yeux, dans les cheveux, partout, comme un bouquet.

Le soir de ce jour-là, Jean pour la première fois coucha chez sa maîtresse qui le tourmentait à ce sujet depuis trois mois : « Mais enfin, pourquoi ne veux-tu pas ?

— Je ne sais... ça me gêne.

— Puisque je te dis que je suis libre, que je suis seule... »

Et la fatigue de la partie de campagne aidant, elle l'entraîna rue de l'Arcade, tout près de la gare. A l'entresol d'une maison bourgeoise d'apparence honnête et cossue, une vieille servante en bonnet paysan, l'air revêche, vint leur ouvrir.

« C'est Machaume... Bonjour Machaume... » dit Fanny lui sautant au cou. « Tu sais, le voilà mon aimé, mon roi... je l'amène... Vite, allume tout, fais la maison belle... »

2

Jean resta seul dans un tout petit salon aux fenêtres cintrées et basses, drapées de la même soie bleue banale qui couvrait les divans et quelques meubles laqués. Aux murs, trois ou quatre paysages égayaient et aéraient l'étoffe ; tous portaient un mot de dédicace : *A Fanny Legrand, A ma chère Fanny...*

Sur la cheminée, un marbre demi-grandeur de la Sapho de Caoudal, dont le bronze est partout, et que Gaussin dès sa petite enfance avait vu dans le cabinet de travail de son père. Et à la lueur de l'unique bougie posée près du socle, il s'aperçut de la ressemblance, affinée et comme rajeunissante, de cette œuvre d'art avec sa maîtresse. Ces lignes du profil, ce mouvement de taille sous la draperie, cette rondeur filante des bras noués autour des genoux lui étaient connus, intimes ; son œil les savourait avec le souvenir de sensations plus tendres.

Fanny, le trouvant en contemplation devant le marbre, lui dit d'un air dégagé : « Il y a quelque chose de moi, n'est-ce pas ?... le modèle de Caoudal me ressemblait... » Et tout de suite elle l'emmena dans sa chambre, où Machaume en rechignant installait deux couverts sur un guéridon ; tous les flambeaux allumés, jusqu'aux bras de l'armoire à glace, un beau feu de bois, gai comme un premier feu, flambant sous le pare-étincelles, la chambre d'une femme qui s'habille pour le bal.

« J'ai voulu souper là, dit-elle en riant... nous serons plus vite au lit. »

Jamais Jean n'avait vu d'ameublement aussi coquet. Les lampas Louis XVI, les mousselines claires des chambres de sa mère et de ses sœurs ne donnaient pas la moindre idée de ce nid ouaté, capitonné, où les boiseries se cachaient sous des satins tendres, où le lit n'était qu'un divan plus large que les autres, étalé au fond sur des fourrures blanches.

Délicieuse, cette caresse de lumière, de chaleur, de reflets bleus allongés dans les glaces biseautées, après leur course à travers champs, l'ondée qu'ils avaient reçue, la boue des chemins creux sous le jour qui tombait. Mais ce qui l'empêchait de déguster en vrai provincial ce confort de rencontre, c'était la mauvaise humeur de la servante, le regard soupçonneux dont elle le fixait, au point que Fanny la renvoya d'un mot : « Laisse-nous, Machaume... nous nous servirons... » Et comme la paysanne jetait la porte en s'en allant : « N'y fais pas attention, elle m'en veut de trop t'aimer... Elle dit que je perds ma vie... Ces gens de campagne, c'est si rapace !... Sa cuisine, par exemple, vaut mieux qu'elle... goûte-moi cette terrine de lièvre. »

Elle découpait le pâté, débouchait le champagne, oubliait de se servir pour le regarder manger, faisait à chaque geste remonter jusqu'à l'épaule les manches d'une gandoura d'Alger, de laine souple et blanche, qu'elle portait toujours à la maison. Elle lui rappelait ainsi leur première rencontre chez Déchelette ; et serrés sur le même fauteuil, mangeant dans la même assiette, ils parlaient de cette soirée.

« Oh ! moi, disait-elle, dès que je t'ai vu entrer, j'ai eu envie de toi... J'aurais voulu te prendre, t'emmener tout de suite, pour que les autres ne t'aient pas... Et toi, qu'est-ce que tu pensais, quand tu m'as vue ?... »

D'abord elle lui avait fait peur : puis il s'était senti plein de confiance, en intimité complète avec elle. « Au fait, ajouta-t-il, je ne t'ai jamais demandé... Pourquoi t'es-tu fâchée ?... Pour deux vers de La Gournerie ?... »

Elle eut le même froncement de sourcil qu'au bal, puis un geste de tête : « Des bêtises !... n'en parlons plus... » Et les bras autour de lui : « C'est que j'avais un peu peur, moi aussi... j'essayais de me sauver, de me reprendre... mais je n'ai pas pu, je ne pourrai jamais...

— Oh ! jamais.

— Tu verras. »

Il se contenta de répondre avec le sourire sceptique de son âge, sans s'arrêter à l'accent passionné, presque menaçant, dont lui fut jeté ce « tu verras... » Cette étreinte de femme était si douce, si soumise ; il croyait fermement n'avoir qu'un geste à faire pour se dégager...

Même à quoi bon se dégager ?... Il était si bien dans le dorlotement de cette chambre voluptueuse, si délicieusement étourdi par cette haleine en caresse sur ses paupières qui battaient, lourdes de sommeil, pleines de visions fuyantes, bois rouillés, prés, meules ruisselantes, toute leur journée d'amour à la campagne...

Au matin, il fut réveillé en sursaut par la voix de Machaume criant au pied du lit, sans le moindre mystère : « Il est là... il veut vous parler...

— Comment ! il veut ?... Je ne suis donc plus chez moi !... tu l'as donc laissé entrer... »

Furieuse, elle bondit, s'échappa de la chambre, à moitié nue, la batiste ouverte : « Ne bouge pas, m'ami... je reviens... » Mais il ne l'attendit pas et ne se sentit tranquille que lorsqu'il fut levé à son tour, et vêtu, ses pieds solides dans ses bottes.

Tout en ramassant ses vêtements dans la chambre hermétiquement close où la veilleuse éclairait encore le désordre du petit souper, il entendait le bruit d'un débat terrible étouffé par les tentures du salon. Une voix d'homme, irritée d'abord, puis implorante, dont les éclats s'écrasaient en sanglots, en larmoyantes faiblesses, alternait avec une autre voix qu'il ne reconnut pas tout de suite, dure et rauque, chargée de haine et de mots ignobles arrivant jusqu'à lui comme d'une dispute de brasserie de filles.

Tout ce luxe amoureux en était souillé, dégradé d'un éclaboussement de taches sur de la soie ; et la femme salie aussi, au niveau d'autres qu'il avait méprisées auparavant.

Elle rentra haletante, tordant d'un beau geste sa chevelure répandue : « Est-ce bête un homme qui pleure !... » Puis le voyant debout, habillé, elle eut un cri de rage : « Tu t'es levé !... recouche-toi... tout de suite... Je le veux... » Subitement radoucie, et l'enlaçant du geste et de la voix : « Non, non... ne pars pas... tu ne peux pas t'en aller comme ça... D'abord je suis sûre que tu ne reviendrais plus.

— Mais si... Pourquoi donc ?...

— Jure que tu n'es pas fâché, que tu viendras encore... Oh ! c'est que je te connais. »

Il jura ce qu'elle voulut, mais ne se recoucha pas malgré ses supplications et l'assurance réitérée qu'elle était chez elle, libre de sa vie, de ses actes. A la fin elle sembla se résigner à le voir partir, et l'accompagna jusqu'à la porte, n'ayant plus rien de la faunesse en délire, bien humble au contraire, cherchant à se faire pardonner.

Une longue et profonde caresse d'adieu les retint dans l'antichambre.

« Alors... quand ?... » lui demandait-elle, les yeux tout au fond des yeux. Il allait répondre, mentir sans doute, dans sa hâte d'être dehors, quand un coup de sonnette l'arrêta. Machaume sortit de sa cuisine, mais Fanny lui fit signe : « Non... n'ouvre pas... » Et ils restaient là, tous les trois, immobiles, sans parler.

On entendit une plainte étouffée, puis le froissement d'une lettre glissée sous la porte, et des pas qui descendaient lentement. « Quand je te disais que j'étais libre... tiens !... » Elle passa à son amant la lettre qu'elle venait d'ouvrir, une pauvre lettre d'amour, bien basse, bien lâche, crayonnée en hâte sur une table de café et dans laquelle le malheureux demandait grâce pour sa folie du matin, reconnaissait n'avoir aucun droit sur elle que celui qu'elle voudrait bien lui laisser, priait à deux mains jointes qu'on ne l'exilât pas sans retour, promettant d'accepter tout, résigné à tout... mais ne pas la perdre, mon Dieu ! ne pas la perdre...

« Crois-tu !... » dit-elle avec un mauvais rire ; et ce rire acheva de lui barrer le cœur qu'elle voulait conquérir. Jean la trouva cruelle. Il ne savait pas encore que la femme qui aime n'a d'entrailles que pour son amour, toutes ses forces vives de charité, de bonté, de pitié, de dévouement absorbées au profit d'un être, d'un seul.

« Tu as bien tort de te moquer... Cette lettre est horriblement belle et navrante... » et tout bas, d'une voix grave, en lui tenant les mains : « Voyons... pourquoi le chasses-tu ?...

— Je n'en veux plus... Je ne l'aime pas.

— Pourtant c'était ton amant... Il t'a fait ce luxe où tu vis, où tu as toujours vécu, qui t'est nécessaire.

— M'ami, dit-elle avec son accent de franchise, quand je ne te connaissais pas, je trouvais tout cela très bien... Maintenant c'est une fatigue, une honte ; j'en avais le cœur qui me levait... Oh ! je sais, tu vas me dire que toi ce n'est pas sérieux, que tu ne m'aimes pas... Mais ça, j'en fais mon affaire... Que tu le veuilles ou non, je te forcerai bien de m'aimer. »

Il ne répondit pas, convint d'un rendez-vous pour le lendemain, et se sauva, laissant quelques louis à Machaume, le fond de sa bourse d'étudiant, en paiement de la terrine. Pour lui, c'était fini maintenant. De quel droit troubler cette existence de femme, et que pouvait-il offrir en échange de ce qu'il lui faisait perdre ?

Il lui écrivit cela, le jour même, aussi doucement, aussi sincèrement qu'il put, mais sans lui avouer que de leur liaison, de ce caprice léger et aimable, il avait senti se dégager tout à coup quelque chose de violent, de malsain, en entendant après sa nuit d'amour ces sanglots d'amant trompé qui alternaient avec son rire à elle et ses jurons de blanchisseuse.

Dans ce grand garçon, poussé loin de Paris, en pleine garrigue provençale, il y avait un peu de la rudesse paternelle, et toutes les délicatesses, toutes les nervosités de sa mère à laquelle il ressemblait comme un portrait. Et pour le défendre contre les entraînements du plaisir s'ajoutait encore l'exemple d'un frère de son père, dont les désordres, les folies avaient à demi ruiné leur famille et mis l'honneur du nom en péril.

L'oncle Césaire ! Rien qu'avec ces deux mots et le drame intime qu'ils évoquaient, on pouvait exiger de Jean des sacrifices autrement terribles que celui de cette amourette à laquelle il n'avait jamais donné d'importance. Pourtant ce fut plus dur à rompre qu'il ne se l'imaginait.

Formellement congédiée, elle revint sans se décourager de ses refus de la voir, de la porte fermée, des consignes inexorables. « Je n'ai pas d'amour-propre... » lui écrivait-elle. Elle guettait l'heure de ses repas au restaurant, l'attendait devant le café où il lisait ses journaux. Et pas de larmes, ni de scènes. S'il était en compagnie, elle se contentait de le suivre, d'épier le moment où il restait seul.

« Veux-tu de moi, ce soir ?... Non ?... Alors ce sera pour une autre fois. » Et elle s'en allait avec la douceur résignée du forain qui reboucle sa balle, lui laissant le remords de ses duretés et l'humiliation du mensonge qu'il balbutiait à chaque rencontre. « L'examen tout proche... le temps qui manquait... Après, plus tard, si ça la tenait encore... » De fait, il comptait, sitôt reçu, prendre un mois de vacances dans le Midi et qu'elle l'oublierait pendant ce temps-là.

Malheureusement, l'examen passé, Jean tomba malade. Une angine, gagnée dans un couloir de ministère, et qui, négligée, s'envenima. Il ne connaissait personne à Paris, à part quelques étudiants de sa province, que son exigeante liaison avait éloignés et dispersés. D'ailleurs il fallait ici plus qu'un dévouement ordinaire, et dès le premier soir ce fut Fanny Legrand qui s'installa près de son lit, ne le quittant de dix jours, le soignant sans fatigue, sans peur ni dégoût, adroite comme une sœur de garde, avec des câlineries tendres qui parfois, aux heures de fièvre, le reportaient à une grosse maladie d'enfance, lui faisaient appeler sa tante Divonne, dire « merci, Divonne », quand il sentait les mains de Fanny sur la moiteur de son front.

« Ce n'est pas Divonne... c'est moi... je te veille... »

Elle le sauvait des soins mercenaires, des feux éteints maladroitement, des tisanes fabriquées dans une loge de concierge ; et Jean n'en revenait pas de ce qu'il y avait d'alerte, d'ingénieux, d'expéditif, dans ces mains d'indolence et de volupté. La nuit elle dormait deux heures sur le divan —, un divan d'hôtel du Quartier, moelleux comme la planche d'un poste de police.

« Mais, ma pauvre Fanny, tu ne vas donc jamais chez toi ?... lui demandait-il un jour... Je suis mieux à présent... Il faudrait rassurer Machaume. »

Elle se mit à rire. Beau temps qu'elle courait, Machaume, et toute la maison avec. On avait tout vendu, les meubles, la défroque, même la literie. Il lui restait la robe qu'elle avait sur le dos et un peu de linge fin, sauvé par sa bonne... Maintenant s'il la renvoyait, elle serait à la rue.

3

« Cette fois, je crois que j'ai trouvé... Rue d'Amsterdam, vis-à-vis la gare... Trois pièces, et un grand balcon... Si tu veux, nous irons voir, après ton ministère... C'est haut, cinq étages... mais tu me porteras. C'était si bon, tu te rappelles... » Et tout amusée de ce souvenir, elle se frôlait, se roulait dans son cou, cherchait l'ancienne place, sa place.

A deux, dans leur garni d'hôtel, avec les mœurs du quartier, ces traîneries par l'escalier de filles en filets et en savates, ces cloisons de papier derrière lesquelles grouillaient d'autres ménages, cette promiscuité des clés, des bougeoirs, des bottines, la vie devenait intolérable. Non pas à elle certes ; avec Jean, le toit, la cave, même l'égout, tout lui était bon pour nicher. Mais la délicatesse de l'amant s'effarouchait de certains contacts, auxquels, garçon, il ne pensait guère. Ces ménages d'une nuit le gênaient, déshonoraient le sien, lui causaient un peu la tristesse et le dégoût de la cage des singes au Jardin des plantes, grimaçant tous les gestes et les expressions de l'amour humain. Le restaurant aussi l'ennuyait, ce repas qu'il fallait aller chercher deux fois par jour au boulevard Saint-Michel, dans une grande salle encombrée d'étudiants, d'élèves des Beaux-Arts, peintres, architectes, qui sans le connaître avaient l'habitude de sa figure, depuis un an qu'il mangeait là.

Il rougissait — en poussant la porte — de tous ces yeux tournés vers Fanny, entrait avec la gêne agressive des tout jeunes gens qui accompagnent une femme ; et il craignait aussi la rencontre d'un de ses chefs du ministère ou de quelqu'un de son pays. Puis la question d'économie.

« Que c'est cher !... disait-elle chaque fois, emportant et commentant la petite note du dîner... Si nous étions chez nous, j'aurais fait marcher la maison trois jours pour ce prix-là.

— Eh bien, qui nous empêche ?... » Et l'on se mit en quête d'une installation.

C'est le piège. Tous y sont pris, les meilleurs, les plus honnêtes, par cet instinct de propreté, ce goût du « home » qu'ont mis en eux l'éducation familiale et la tiédeur du foyer.

L'appartement de la rue d'Amsterdam fut loué tout de suite et trouvé charmant, malgré ses pièces en enfilade qui ouvraient, — la cuisine et la salle sur une arrière-cour moisie où montaient d'une taverne anglaise des odeurs de rinçure et de chlore, — la chambre sur la rue en pente et bruyante, secouée jour et nuit aux cahots des fourgons, camions, fiacres, omnibus, aux sifflets d'arrivée et de départ, tout le vacarme de la gare de l'Ouest développant en face ses toitures en vitrage couleur d'eau sale. L'avantage, c'était de savoir le train à sa porte, et Saint-Cloud, Ville-d'Avray, Saint-Germain, les vertes stations des bords de la Seine presque sous leur terrasse. Car ils avaient une terrasse, large et commode, qui gardait de la munificence des anciens locataires une tente de zinc peinte en coutil rayé, ruisselante et triste sous le crépitement des pluies d'hiver, mais où l'on serait très bien l'été pour dîner au bon air, comme dans un chalet de montagne.

On s'occupa des meubles. Jean ayant fait part chez lui de son projet d'installation, tante Divonne, qui était comme l'intendante de la maison, envoya l'argent nécessaire ; et sa lettre annonçait en même temps le prochain arrivage d'une armoire, d'une commode, et d'un grand fauteuil canné, tirés de la « Chambre du vent » à l'intention du Parisien.

Cette chambre, qu'il revoyait au fond d'un couloir de Castelet, toujours inhabitée, les volets clos attachés d'une barre, la porte fermée au verrou, était condamnée, par son exposition aux coups du mistral qui la faisaient craquer comme une chambre de phare. On y entassait des vieilleries, ce que chaque génération d'habitants reléguait au passé devant les acquisitions nouvelles.

Ah ! si Divonne avait su à quelles singulières siestes servirait le fauteuil canné, et que des jupons de surah, des pantalons à manchettes empliraient les tiroirs de la commode Empire... Mais le remords de Gaussin à ce sujet se trouvait perdu dans les mille petites joies de l'installation.

C'était si amusant, après le bureau, entre chien et loup, de partir en grandes courses, serrés au bras l'un de l'autre, et de s'en aller dans quelque rue de faubourg choisir une salle à manger, — le buffet, la table et six chaises, ou des rideaux de cretonne à fleurs pour la croisée et le lit. Lui acceptait tout, les yeux fermés ; mais Fanny regardait pour deux, essayait les chaises, faisait glisser les battants de la table, montrait une expérience marchandeuse.

Elle connaissait les maisons où l'on avait à prix de fabrique une batterie de cuisine complète pour petit ménage, les quatre casseroles en fer, la cinquième émaillée pour le chocolat du matin ; jamais de cuivre, c'est trop long à nettoyer. Six couverts de métal avec la cuillère à potage et deux douzaines d'assiettes en faïence anglaise, solide et gaie, tout cela compté, préparé, emballé comme une dînette de poupée. Pour les draps, serviettes, linge de toilette et de table, elle connaissait un marchand, le représentant d'une grande fabrique de Roubaix, chez qui on payait à tant par mois ; et toujours à guetter les devantures, en quête de ces liquidations, de ces débris de naufrage que Paris amène continuellement dans l'écume de ses bords, elle découvrait au boulevard de Clichy l'occasion d'un lit superbe, presque neuf, et large à y coucher en rang les sept demoiselles de l'ogre.

Lui aussi, en revenant du bureau, essayait des acquisitions ; mais il ne s'entendait à rien, ne sachant dire non, ni s'en aller les mains vides. Entré chez un brocanteur pour acheter un huilier ancien qu'elle lui avait signalé, il rapportait en guise de l'objet déjà vendu un lustre de salon à pendeloques, bien inutile puisqu'ils n'avaient pas de salon.

« Nous le mettrons dans la véranda... » disait Fanny pour le consoler.

Et le bonheur de prendre des mesures, les discussions sur la place d'un meuble ; et les cris, les rires fous, les bras éperdus au plafond quand on s'apercevait que malgré toutes les précautions, malgré la liste très complète des achats indispensables, il y avait toujours quelque chose d'oublié.

Ainsi la râpe à sucre. Conçoit-on qu'ils allaient se mettre en ménage sans râpe à sucre !...

Puis, tout acheté et mis en place, les rideaux pendus, une mèche à la lampe neuve, quelle bonne soirée que celle de l'installation, la revue minutieuse des trois pièces avant de se coucher, et comme elle riait en l'éclairant pendant qu'il verrouillait la porte : « Encore un tour, encore... ferme bien... Soyons bien chez nous... »

Alors ce fut une vie nouvelle, délicieuse. En quittant son travail, il rentrait vite, pressé d'être arrivé, en pantoufles au coin de leur feu. Et dans le noir pataugeage de la rue, il se figurait leur chambre allumée et chaude, égayée de ses vieux meubles provinciaux que Fanny traitait par avance de débarras et qui s'étaient trouvés de fort jolies anciennes choses ; l'armoire surtout, un bijou Louis XVI, avec ses panneaux peints, représentant des fêtes provençales, des bergers en raquettes fleuries, des danses au galoubet et au tambourin. La présence, familière à ses yeux d'enfant, de ces vieilleries démodées lui rappelait la maison paternelle, consacrait son nouvel intérieur dont il était à goûter le bien-être.

Dès son coup de sonnette, Fanny arrivait, soignée, coquette, « sur le pont », comme elle disait. Sa robe de laine noire, très unie, mais taillée sur un patron de bon faiseur, une simplicité de femme qui a eu de la toilette, les manches retroussées, un grand tablier blanc ; car elle faisait elle-même leur cuisine et se contentait d'une femme de ménage pour les grosses besognes qui gercent les mains ou les déforment.

Elle s'y entendait même très bien, savait une foule de recettes, plats du Nord ou du Midi, variés comme son répertoire de chansons populaires que, le dîner fini, le tablier blanc accroché derrière la porte refermée de la cuisine, elle entonnait de sa voix de contralto, meurtrie et passionnée.

En bas la rue grondait, roulait en torrent. La pluie froide tintait sur le zinc de la véranda ; et Gaussin, les pieds au feu, étalé dans son fauteuil, regardait en face les vitres de la gare et les employés courbés à écrire sous la lumière blanche de grands réflecteurs.

Il était bien, se laissait bercer. Amoureux ? Non ; mais reconnaissant de l'amour dont on l'enveloppait, de cette tendresse toujours égale. Comment avait-il pu se priver si longtemps de ce bonheur, dans la crainte — dont il riait maintenant — d'un acoquinement, d'une entrave quelconque ? Est-ce que sa vie n'était pas plus propre que lorsqu'il allait de fille en fille, risquant sa santé ?

Aucun danger pour plus tard. Dans trois ans, quand il partirait, la brisure se ferait toute seule et sans secousse. Fanny était prévenue ; ils en parlaient ensemble, comme de la mort, d'une fatalité lointaine, mais inéluctable. Restait le grand chagrin qu'ils auraient chez lui en apprenant qu'il ne vivait pas seul, la colère de son père si rigide et si prompt.

Mais comment pourraient-ils savoir ? Jean ne voyait personne à Paris. Son père, « le consul » comme on disait là-bas, était retenu toute l'année par la surveillance du domaine très considérable qu'il faisait valoir et ses rudes batailles avec la vigne. La mère, impotente, ne pouvait faire sans aide un pas ni un geste, laissant à Divonne la direction de la maison, le soin des deux petites sœurs jumelles, Marthe et Marie, dont la double naissance en surprise avait à tout jamais emporté ses forces actives. Quant à l'oncle Césaire, le mari de Divonne, c'était un grand enfant qu'on ne laissait pas voyager seul.

Et Fanny maintenant connaissait toute la famille. Lorsqu'il recevait une lettre de Castelet, au bas de laquelle les bessonnes avaient mis quelques lignes de leur grosse écriture à petits doigts, elle la lisait par-dessus son épaule, s'attendrissait avec lui. De son existence à elle il ne savait rien, ne s'informait pas. Il avait le bel égoïsme inconscient de sa jeunesse, aucune jalousie, aucune inquiétude. Plein de sa propre vie, il la laissait déborder, pensait tout haut, se livrait, pendant que l'autre restait muette.

Ainsi les jours, les semaines s'en allaient dans une heureuse quiétude un moment troublée par une circonstance qui les émut beaucoup, mais diversement. Elle se crut enceinte et le lui apprit avec une joie telle qu'il ne put que la partager. Au fond, il avait peur. Un enfant, à son âge !... Qu'en ferait-il ?... Devait-il le reconnaître ?... Et quel gage entre cette femme et lui, quelle complication d'avenir !

Soudainement, la chaîne lui apparut, lourde, froide et scellée. La nuit, il ne dormait pas plus qu'elle ; et côte à côte dans leur grand lit, ils rêvaient, les yeux ouverts, à mille lieues l'un de l'autre.

Par bonheur, cette fausse alerte ne se renouvela plus, et ils reprirent leur train de vie paisible, exquisement close. Puis l'hiver fini, le vrai soleil enfin revenu, leur case s'embellissait encore, agrandie de la terrasse et de la tente. Le soir, ils dînaient là sous le ciel teinté de vert, que rayait le sifflement en coup d'ongle des hirondelles.

La rue envoyait ses bouffées chaudes et tous les bruits des maisons voisines ; mais le moindre souffle d'air était pour eux, et ils s'oubliaient des heures, leurs genoux enlacés, n'y voyant plus. Jean se rappelait des nuits semblables au bord du Rhône, rêvait de consulats lointains dans des pays très chauds, de ponts de navire en partance où la brise aurait cette haleine longue dont frémissait le rideau de la tente. Et lorsqu'une caresse invisible murmurait sur ses lèvres : « M'aimes-tu ?... » il revenait toujours de très loin pour répondre : « Oh ! oui, je t'aime... » Voilà ce que c'est de les prendre si jeunes ; ils ont trop de choses dans la tête.

Sur le même balcon, séparé d'eux par une grille de fer enguirlandée de fleurs grimpantes, un autre couple roucoulait, M. et Mme Hettéma, des gens mariés, très gros, dont les baisers claquaient comme des gifles. Merveilleusement appareillés, dans une conformité d'âge, de goût, de lourdes tournures, c'était touchant d'entendre ces amoureux à fin de jeunesse chanter en duo tout bas, en s'appuyant à la balustrade, de vieilles romances sentimentales...

Mais je l'entends qui soupire dans l'ombre
C'est un beau rêve, ah ! laissez-moi dormir.

Ils plaisaient à Fanny, elle aurait voulu les connaître. Quelquefois même la voisine et elle échangeaient par-dessus le fer noirci de la rampe un sourire de femmes amoureuses et heureuses ; mais les hommes comme toujours se tenaient plus raides et l'on ne se parlait pas.

Jean revenait du quai d'Orsay, une après-midi, quand il s'entendit appeler au coin de la rue Royale. Il faisait un jour admirable, une lumière chaude où Paris s'épanouissait à ce tournant du boulevard qui par un beau couchant, vers l'heure du Bois, n'a pas son pareil au monde.

« Mettez-vous là, belle jeunesse, et buvez quelque chose... ça m'amuse les yeux de vous regarder. »

Deux grands bras l'avaient happé, assis sous la tente d'un café envahissant le trottoir de ses trois rangs de tables. Il se laissait faire, flatté d'entendre autour de lui ce public de provinciaux, d'étrangers, jaquettes rayées et chapeaux ronds, chuchoter curieusement le nom de Caoudal.

Le sculpteur, attablé devant une absinthe qui allait avec sa taille militaire et sa rosette d'officier, avait auprès de lui l'ingénieur Déchelette arrivé de la veille, toujours le même, hâlé et jaune, ses pommettes en saillie remontant ses petits yeux bons, sa narine gourmande qui reniflait Paris. Dès que le jeune homme fut assis, Caoudal le montrant avec une fureur comique :

« Est-il beau, cet animal-là... Dire que j'ai eu cet âge et que je frisais comme ça... Oh ! la jeunesse, la jeunesse...

— Toujours donc ? fit Déchelette saluant d'un sourire la toquade de son ami.

— Mon cher, ne riez pas... Tout ce que j'ai, ce que je suis, les médailles, les croix, l'Institut, le tremblement, je le donnerais pour ces cheveux-là et ce teint de soleil... » Puis revenant à Gaussin avec sa brusque allure :

« Et Sapho, qu'est-ce que vous en faites ?... On ne la voit plus. »

Jean arrondissait les yeux, sans comprendre.

« Vous n'êtes donc plus avec elle ? » Et devant son ahurissement, Caoudal ajouta sur un ton d'impatience : « Sapho, voyons... Fanny Legrand... Ville-d'Avray...

— Oh ! c'est fini, il y a longtemps... »

Comment lui vint ce mensonge ? Par une sorte de honte, de malaise, à ce nom de Sapho donné à sa maîtresse ; la gêne de parler d'elle avec d'autres hommes, peut-être aussi le désir d'apprendre des choses qu'on ne lui aurait pas dites sans cela.

« Tiens ! Sapho... Elle roule encore ? » demanda Déchelette distrait, tout à l'ivresse de revoir l'escalier de la Madeleine, le marché aux fleurs, la longue enfilade des Boulevards entre deux rangs de bouquets verts.

« Vous ne vous la rappelez donc pas, chez vous, l'année dernière !... Elle était superbe dans sa tunique de fellah... Et le matin de cet automne, où je l'ai trouvée déjeunant avec ce joli garçon chez Langlois, vous auriez dit une mariée de quinze jours.

— Quel âge a-t-elle donc ?... Depuis le temps qu'on la connaît... »

Caoudal leva la tête pour chercher : « Quel âge ?... quel âge ?... Voyons, dix-sept ans en 53, quand elle me posait ma figure... nous sommes en 73. Ainsi, comptez. » Tout à coup ses yeux s'allumèrent : « Ah ! si vous l'aviez vue, il y a vingt ans... longue, fine, la bouche en arc, le front solide... Des bras, des épaules encore un peu maigres, mais cela allait bien à la brûlure de Sapho... Et la femme, la maîtresse !... Ce qu'il y avait dans cette chair à plaisir, ce qu'on tirait de cette pierre à feu, de ce clavier où ne manquait pas une note... Toute la lyre !... comme disait La Gournerie. »

Jean, très pâle, demanda : « Est-ce qu'il a été son amant, aussi celui-là ?...

— La Gournerie ?... Je crois bien, j'en ai assez souffert... Quatre ans que nous vivions ensemble comme mari et femme, quatre ans que je la couvais, que je m'épuisais pour suffire à tous ses caprices... maîtres de chant, de piano, de cheval, est-ce que je sais ?... Et quand je l'ai eu bien polie, patinée, taillée en pierre fine, sortie du ruisseau où je l'avais ramassée une nuit, devant le bal Ragache, ce bellâtre astiqueur de rimes est venu me la prendre chez moi, à la table amie où il s'asseyait tous les dimanches ! »

Il souffla très fort, comme pour chasser cette vieille rancune d'amour qui vibrait encore dans sa voix, puis il reprit, plus calme :

« D'ailleurs, sa canaillerie ne lui a pas profité... Leurs trois ans de ménage, ç'a été l'enfer. Ce poète aux airs câlins était rat, méchant, maniaque. Ils se peignaient, fallait voir !... Quand on allait chez eux, on la trouvait un bandeau sur l'œil, lui la figure sabrée de griffes... Mais le beau, c'est lorsqu'il a voulu la quitter. Elle s'accrochait comme une teigne, le suivait, crevait sa porte, l'attendait couchée en travers de son paillasson. Une nuit, en plein hiver, elle est restée cinq heures en bas de chez la Farcy où ils étaient montés toute la bande... Une pitié !... Mais le poète élégiaque demeurait implacable, jusqu'au jour où pour s'en débarrasser il a fait marcher la police. Ah ! un joli monsieur... Et comme fin finale, remerciement à cette belle fille qui lui avait donné le meilleur de sa jeunesse, de son intelligence et de sa chair, il lui a vidé sur la tête un volume de vers haineux, baveux, d'imprécations, de lamentations, *Le Livre de l'Amour*, son plus beau livre... »

Immobile, le dos tendu, Gaussin écoutait, aspirant à tout petits coups par une longue paille la boisson glacée servie devant lui. Quelque poison, bien sûr, qu'on lui avait versé là, et qui le gelait du cœur aux entrailles.

Il grelottait malgré l'heure splendide, voyait dans une reculée blafarde des ombres qui allaient et venaient, un tonneau d'arrosage arrêté devant la Madeleine, et cet entrecroisement de voitures roulant sur la terre molle silencieusement comme sur de la ouate. Plus de bruit dans Paris, plus rien que ce qui se disait à cette table. Maintenant Déchelette parlait, c'est lui qui versait le poison :

« Quelle atroce chose que ces ruptures... » Et sa voix tranquille et railleuse prenait une expression de douceur, de pitié infinie...

« On a vécu des années ensemble, dormi l'un contre l'autre, confondu ses rêves, sa sueur. On s'est tout dit, tout donné. On a pris des habitudes, des façons d'être, de parler, même des traits l'un de l'autre. On se tient de la tête aux pieds... Le collage enfin !... Puis brusquement on se quitte, on s'arrache... Comment font-ils ? Comment a-t-on ce courage ?... Moi, jamais je ne pourrais... Oui, trompé, outragé, sali de ridicule et de boue, la femme pleurerait, me dirait : “Reste...” Je ne m'en irais pas... Et voilà pourquoi, quand j'en prends une, ce n'est jamais qu'à la nuit... Pas de lendemain, comme disait la vieille France... ou alors le mariage. C'est définitif et plus propre.

— Pas de lendemain... pas de lendemain... Vous en parlez à votre aise. Il y a des femmes qu'on ne garde pas qu'une nuit... Celle-là par exemple...

— Je ne lui ai pas donné une minute de grâce... fit Déchelette avec un placide sourire que le pauvre amant trouva hideux.

— Alors c'est que vous n'étiez pas son type, sans quoi... C'est une fille, quand elle aime, elle se cramponne... Elle a le goût du ménage... Du reste, pas de chance dans ses installations. Elle se met avec Dejoie, le romancier ; il meurt... Elle passe à Ezano, il se marie... Après, est venu le beau Flamant, le graveur, l'ancien modèle — car elle a toujours eu le béguin du talent ou de la beauté —, et vous savez son épouvantable aventure...

— Quelle aventure ?... » demanda Gaussin, la voix étranglée ; et il se remit à tirer sur sa paille, en écoutant le drame d'amour, qui passionna Paris, il y a quelques années.

Le graveur était pauvre, fou de cette femme ; et de peur d'être lâché, pour lui maintenir son luxe, il fit de faux billets de banque. Découvert presque aussitôt, coffré avec sa maîtresse, il en fut quitte pour dix ans de réclusion, elle six mois de prévention à Saint-Lazare, la preuve de son innocence ayant été faite.

Et Caoudal rappelait à Déchelette — qui avait suivi le procès — comme elle était jolie sous son petit bonnet de Saint-Lazare, et crâne, pas geignarde, fidèle à son homme jusqu'au bout... Et sa réponse à ce vieux cornichon de président, et le baiser qu'elle envoyait à Flamant par-dessus les tricornes des gendarmes, en lui criant d'une voix à attendrir les pierres : « T'ennuie pas, m'ami... Les beaux jours reviendront, nous nous aimerons encore !... » Tout de même, ça l'avait un peu dégoûtée du ménage, la pauvre fille.

« Depuis, lancée dans le monde chic, elle a pris des amants au mois, à la semaine, et jamais d'artistes... Oh ! les artistes, elle en a une peur... J'étais le seul, je crois bien, qu'elle eût continué à voir... De loin en loin elle venait fumer sa cigarette à l'atelier. Puis j'ai passé des mois sans entendre parler d'elle, jusqu'au jour où je l'ai retrouvée en train de déjeuner avec ce bel enfant et lui mangeant des raisins sur la bouche. Je me suis dit : voilà ma Sapho repincée. »

Jean ne put en entendre davantage. Il se sentait mourir de tout ce poison absorbé. Après le froid de tout à l'heure, une brûlure lui tordait la poitrine, montait à sa tête bourdonnante et près d'éclater comme une tôle chauffée à blanc. Il traversa la chaussée, en chancelant sous les roues des voitures. Des cochers criaient. A qui en avaient-ils, ces imbéciles ?

En passant sur le marché de la Madeleine, il fut troublé par une odeur d'héliotrope, l'odeur préférée de sa maîtresse. Il pressa le pas pour la fuir, et furieux, déchiré, il pensait tout haut : « Ma maîtresse !... oui, une belle ordure... Sapho, Sapho... Dire que j'ai vécu un an avec ça !... » Il répétait le nom avec rage, se rappelant l'avoir vu sur les petits journaux parmi d'autres sobriquets de filles, dans le grotesque Almanach-Gotha de la galanterie : Sapho, Cora, Caro, Phryné, Jeanne de Poitiers, le Phoque...

Et avec les cinq lettres de son nom abominable, toute la vie de cette femme lui passait en fuite d'égout sous les yeux... L'atelier de Caoudal, les trépignées chez La Gournerie, les factions de nuit devant les bouges ou sur le paillasson du poète... Puis le beau graveur, les faux, la cour d'assises... et le petit bonnet du bagne qui lui allait si bien, et le baiser jeté à son faussaire : « T'ennuie pas, m'ami... » M'ami ! le même nom, la même caresse que pour lui... Quelle honte !... Ah ! il allait joliment te balayer ces saletés-là... Et toujours cette odeur d'héliotrope qui le poursuivait dans un crépuscule du même lilas pâle que la toute petite fleur.

Tout à coup, il s'aperçut qu'il était encore à arpenter le marché comme un pont de bateau. Il reprit sa course, arriva d'une traite rue d'Amsterdam, bien décidé à chasser cette femme de chez lui, à la jeter sur l'escalier sans explication, en lui crachant l'injure de son nom dans le dos. A la porte il hésita, réfléchit, fit quelques pas encore. Elle allait crier, sangloter, lâcher par la maison tout son vocabulaire du trottoir, comme là-bas, rue de l'Arcade...

Ecrire ?... oui, c'est cela, il valait mieux écrire, lui régler son compte en quatre mots, bien féroces. Il entra dans une taverne anglaise, déserte et morne sous le gaz qu'on allumait, s'assit à une table empoissée, près de l'unique consommateur, une fille à tête de mort qui dévorait du saumon fumé, sans boire. Il demanda une pinte d'ale, n'y toucha pas et commença une lettre. Mais trop de mots se pressaient dans sa tête, qui voulaient sortir à la fois, et que l'encre décomposée et grumeleuse traçait lentement à son gré.

Il déchirait deux ou trois commencements, s'en allait enfin sans écrire, quand tout bas près de lui une bouche pleine et vorace demanda timidement : « Vous ne buvez pas ?... on peut ?... » Il fit signe que oui. La fille se jeta sur la pinte et la vida d'une goulée violente qui révélait la détresse de cette malheureuse, ayant tout juste dans sa poche de quoi rassasier sa faim sans l'arroser d'un peu de bière. Une pitié lui vint, qui l'apaisa, l'éclaira subitement sur les misères d'une vie de femme ; et il se mit à juger plus humainement, à raisonner son malheur.

Après tout, elle ne lui avait pas menti ; et s'il ne savait rien de sa vie, c'est qu'il ne s'en était jamais soucié. Que lui reprochait-il ?... Son temps à Saint-Lazare ?... Mais puisqu'on l'avait acquittée, portée presque en triomphe à la sortie... Allons, quoi ? D'autres hommes avant lui ?... Est-ce qu'il ne le savait pas ?... Quelle raison de lui en vouloir davantage, parce que les noms de ces amants étaient connus, célèbres, qu'il pouvait les rencontrer, leur parler, regarder leurs portraits aux devantures ? Devait-il lui faire un crime d'avoir préféré ceux-là ?

Et tout au fond de son être, se levait une fierté mauvaise inavouable, de la partager avec ces grands artistes, de se dire qu'ils l'avaient trouvée belle. A son âge on n'est jamais sûr, on ne sait pas bien. On aime la femme, l'amour ; mais les yeux et l'expérience manquent, et le jeune amant qui vous montre un portrait de sa maîtresse, cherche un regard, une approbation qui le rassurent. La figure de Sapho lui semblait grandie, auréolée, depuis qu'il la savait chantée par La Gournerie, fixée par Caoudal dans le marbre et le bronze.

Mais brusquement repris de rage, il quittait le banc où sa méditation l'avait jeté sur un boulevard extérieur, au milieu des cris d'enfants, des commérages de femmes d'ouvriers dans la poudreuse soirée de juin ; et il se remettait à marcher, à parler tout haut, furieusement... Joli, le bronze de Sapho... du bronze de commerce, qui a traîné partout, banal comme un air d'orgue, comme ce mot de Sapho qui à force de rouler les siècles s'est encrassé de légendes immondes sur sa grâce première, et d'un nom de déesse est devenu l'étiquette d'une maladie... Quel dégoût que tout cela, mon Dieu !...

Il s'en allait ainsi, tour à tour apaisé ou furieux, à ce remous d'idées, de sentiments contraires. Le boulevard s'assombrissait, devenait désert. Une fadeur âcre traînait dans l'air chaud ; et il reconnaissait la porte du grand cimetière où il était venu l'année d'avant assister avec toute la jeunesse à l'inauguration d'un buste de Caoudal sur la tombe de Dejoie, le romancier du Quartier latin, l'auteur de *Cenderinette*. Dejoie, Caoudal ! L'étrange accent que ces noms prenaient pour lui depuis deux heures ! et comme elle lui semblait menteuse et lugubre, l'histoire de l'étudiante et de son petit ménage, maintenant qu'il en savait les tristes dessous, qu'il avait appris par Déchelette l'affreux surnom donné à ces mariages du trottoir.

Toute cette ombre, plus noire du voisinage de la mort, l'effrayait. Il revint sur ses pas, frôlant des blouses qui rôdaient, silencieuses comme des ailes de nuit, des jupes sordides à la porte de bouges dont les vitres dépolies découpaient de grandes lumières de lanterne magique où des couples passaient, s'embrassaient... Quelle heure ?... Il se sentait brisé, comme une recrue à la fin de l'étape ; et de sa douleur assourdie, tombée dans ses jambes, il ne lui restait que la courbature. Oh ! se coucher, dormir... Puis au réveil, froidement, sans colère, il dirait à la femme : « Voilà... je sais qui tu es... Ce n'est pas ta faute ni la mienne ; mais nous ne pouvons plus vivre ensemble. Séparons-nous... » Et pour se mettre à l'abri de ses poursuites, il irait embrasser sa mère et ses sœurs, secouer au vent du Rhône, au libre et vivifiant mistral, les souillures et l'effroi de son mauvais rêve.

Elle s'était couchée, lasse d'attendre, et dormait en plein sous la lampe, un livre ouvert sur le drap devant elle. Son approche ne l'éveilla pas ; et debout près du lit, il la regardait furieusement comme une femme nouvelle, une étrangère qu'il aurait trouvée là.

Belle, oh ! belle, les bras, la gorge, les épaules, d'un ambre fin, solide, sans tache ni fêlure. Mais sur ces paupières rougies — peut-être le roman qu'elle lisait, peut-être l'inquiétude, l'attente —, sur ces traits détendus dans le repos et que ne soutenait plus l'âpre désir de la femme qui veut être aimée, quelle lassitude, quels aveux ! Son âge, son histoire, ses bordées, ses caprices, ses collages, et Saint-Lazare, les coups, les larmes, les terreurs, tout se voyait, s'étalait ; et les meurtrissures violettes du plaisir et de l'insomnie, et le pli de dégoût affaissant la lèvre inférieure, usée, fatiguée comme une margelle où tout le communal est venu boire, et la bouffissure commençante qui délie les chairs pour les rides de la vieillesse.

Cette trahison du sommeil, le silence de mort enveloppant cela, c'était grand, c'était sinistre ; un champ de bataille à la nuit, avec toute l'horreur qui se montre et celle qu'on devine aux vagues mouvements de l'ombre.

Et tout à coup il vint au pauvre enfant une grosse, une étouffante envie de pleurer.

4

Ils achevaient de dîner, la fenêtre ouverte, au long sifflement des hirondelles saluant la tombée de la lumière. Jean ne parlait pas, mais il allait parler et toujours de la même cruelle chose qui le hantait, et dont il torturait Fanny, depuis la rencontre avec Caoudal. Elle, voyant ses yeux baissés, l'air faussement indifférent qu'il prenait pour de nouvelles questions, devina et le prévint :

« Ecoute, je sais ce que tu vas me dire... épargne-nous, je t'en prie... on s'épuise à la fin... puisque c'est mort, tout ça, que je n'aime que toi, qu'il n'y a plus que toi au monde...

— Si c'était mort comme tu dis, tout ce passé... » Et il la regardait au fond de ses beaux yeux d'un gris frissonnant et changeant à chaque impression. « ... tu ne garderais pas des choses qui te le rappellent... oui, là-haut dans l'armoire... »

Le gris se velouta d'un noir d'ombre :

« Tu sais donc ? »

Tout ce fatras de lettres d'amour, de portraits, ces archives galantes et glorieuses sauvées de tant de débâcles, il allait donc falloir s'en défaire !

« Au moins me croiras-tu après ? »

Et sur un sourire incrédule qui la défiait, elle courut chercher le coffret de laque dont les ferrures ciselées entre les piles délicates de son linge avaient si fort intrigué son amant depuis quelques jours.

« Brûle, déchire, c'est à toi... »

Mais il ne se pressait pas de tourner la petite clef, regardait les cerisiers à fruits de nacre rose et les vols de cigognes incrustés sur le couvercle qu'il fit sauter brusquement... Tous les formats, toutes les écritures, papiers de couleur aux en-têtes dorés, vieux billets jaunis cassés aux pliures, griffonnages au crayon sur des feuilles de carnet, des cartes de visite, en tas, sans ordre, comme en un tiroir souvent fouillé et bousculé où lui-même enfonçait maintenant ses mains tremblantes...

« Passe-les-moi. Je les brûlerai sous tes yeux. »

Elle parlait fiévreusement, accroupie devant la cheminée, une bougie allumée par terre, à côté d'elle.

« Donne... »

Mais lui : « Non... attends... » Et plus bas, comme honteux : « Je voudrais lire...

— Pourquoi ? tu vas te faire mal encore... »

Elle ne songeait qu'à sa souffrance et non à l'indélicatesse de livrer ainsi les secrets de passion, la confession sur l'oreiller de tous ces hommes qui l'avaient aimée ; et se rapprochant, toujours à genoux, elle lisait en même temps que lui, l'épiait du coin de l'œil.

Dix pages, signées La Gournerie, 1861, d'une écriture longue et féline, dans lesquelles le poète, envoyé en Algérie pour le compte rendu officiel et lyrique du voyage de l'empereur et de l'impératrice, faisait à sa maîtresse une description éblouissante des fêtes.

Alger débordant et grouillant, vraie Bagdad des Mille et Une Nuits ; toute l'Afrique accourue, entassée autour de la ville, battant ses portes à les rompre, comme un simoun. Caravanes de nègres et de chameaux chargés de gomme, tentes de poil dressées, une odeur de musc humain sur toute cette singerie qui bivouaquait au bord de la mer, dansait la nuit autour de grands feux, s'écartait chaque matin devant l'arrivée des chefs du Sud pareils à des Rois Mages avec la pompe orientale, les musiques discordantes, flûtes de roseau, petits tambours rauques, le goum entourant l'étendard du Prophète aux trois couleurs ; et derrière, menés en laisse par des nègres, les chevaux destinés en présent à l'*Emberour*, vêtus de soie, caparaçonnés d'argent, secouant à chaque pas des grelots et des broderies...

Le génie du poète rendait tout cela vivant et présent ; les mots brillaient sur la page, comme ces pierres sans monture que jugent les joailliers sur du papier. Vraiment elle pouvait être fière, la femme aux genoux de qui l'on jetait ces richesses. Fallait-il qu'elle fût aimée, puisque, malgré la curiosité de ces fêtes, le poète ne songeait qu'à elle, mourait de ne pas la voir :

« Oh ! cette nuit, j'étais avec toi sur le grand divan de la rue de l'Arcade. Tu étais nue, tu étais folle, tu criais de joie sous mes caresses, quand je me suis réveillé en sursaut roulé dans un tapis sur ma terrasse, en pleine nuit d'étoiles. Le cri du muezzin montait d'un minaret voisin en claire et limpide fusée voluptueuse plutôt que priante, et c'est toi que j'entendais encore en sortant de mon rêve... »

Quelle force mauvaise le poussait donc à continuer sa lecture malgré l'horrible jalousie qui blanchissait ses lèvres, contractait ses mains ? Doucement, câlinement, Fanny essayait de lui reprendre la lettre ; mais il la lut jusqu'au bout, et après celle-là une autre, puis une autre, les laissant tomber au fur et à mesure avec un détachement de mépris, d'indifférence, sans regarder la flamme qui s'avivait dans la cheminée aux effusions lyriques et passionnées du grand poète. Et quelquefois, dans le débordement de cet amour exagéré à la température africaine, le lyrisme de l'amant s'entachait de quelque grosse obscénité de corps de garde dont auraient été surprises et scandalisées les lectrices mondaines du *Livre de l'Amour*, d'un spiritualisme raffiné, immaculé comme la corne d'argent de la Jungfrau.

Misères du cœur ! C'est à ces passages surtout que Jean s'arrêtait, à ces souillures de la page, sans se douter des tressauts nerveux qui chaque fois agitaient sa figure. Même il eut le courage de ricaner à ce post-scriptum qui suivait le récit éblouissant d'une fête d'Aïssaouas : « Je relis ma lettre... il y a vraiment des choses pas mal ; mets-la-moi de côté, je pourrai m'en servir... »

« Un monsieur qui ne laissait rien traîner ! » fit-il en passant à un autre feuillet de la même écriture où, sur un ton glacé d'homme d'affaires, La Gournerie réclamait un recueil de chansons arabes et une paire de babouches en paille de riz. C'était la liquidation de leur amour. Ah ! il avait su s'en aller, il était fort, celui-là.

Et sans s'arrêter, Jean continuait à drainer ce marécage d'où montait une haleine chaude et malsaine. La nuit venue, il avait mis la bougie sur la table, et parcourait des billets très courts, illisiblement tracés comme au poinçon par de trop gros doigts qui à tous moments, dans une brusquerie de désir ou de colère, trouaient et déchiraient le papier. Les premiers temps d'une liaison avec Caoudal, rendez-vous, soupers, parties de campagne, puis des brouilles, de suppliants retours, des cris, des injures ignobles et basses d'ouvrier, coupées tout à coup de drôleries, de mots cocasses, de reproches sanglotés, toute la faiblesse mise à nu du grand artiste devant la rupture et l'abandon.

Le feu prenait cela, allongeait de grands jets rouges où fumaient et grésillaient la chair, le sang, les larmes d'un homme de génie ; mais qu'importait à Fanny, toute au jeune amant qu'elle surveillait, dont l'ardente fièvre la brûlait à travers leurs vêtements. Il venait de trouver un portrait à la plume signé Gavarni, avec cette dédicace : *A mon amie Fanny Legrand, dans une auberge de Dampierre, un jour qu'il pleuvait.* Une tête intelligente et douloureuse, aux yeux caves, quelque chose d'amer et de ravagé.

« Qui est-ce ?

— André Dejoie... J'y tenais à cause de la signature... »

Il eut un « Garde-le, tu es libre », si contraint, si malheureux, qu'elle prit le dessin, le jeta au feu en chiffon, pendant que lui s'abîmait dans la correspondance du romancier, une suite navrante, datée de plages d'hiver, de villes d'eaux, où l'écrivain envoyé pour sa santé se désespérait de sa détresse physique et morale, se forant le crâne pour y trouver une idée loin de Paris, et mêlait à des demandes de potions, d'ordonnances, à des inquiétudes d'argent ou de métier, envois d'épreuves, de billets renouvelés, toujours le même cri de désir et d'adoration vers ce beau corps de Sapho que les médecins lui défendaient.

Jean murmurait, enragé et candide :

« Mais qu'est-ce qu'ils avaient donc tous pour être après toi comme ça ?... »

C'était pour lui la seule signification de ces lettres désolées, confessant le désarroi d'une de ces existences glorieuses qu'envient les jeunes gens et dont rêvent les femmes romanesques... Oui, qu'avaient-ils donc tous ? Et que leur faisait-elle boire ?... Il éprouvait la souffrance atroce d'un homme qui, garrotté, verrait outrager devant lui la femme qu'il aime ; et, pourtant, il ne pouvait se décider à vider d'un coup, les yeux fermés, ce fond de boîte.

A présent, venait le tour du graveur qui, misérable, inconnu, sans autre célébrité que celle de la *Gazette des tribunaux*, ne devait sa place dans le reliquaire qu'au grand amour qu'on avait eu pour lui. Déshonorantes, ces lettres datées de Mazas, et niaises, gauches, sentimentales comme celles du troupier à sa payse. Mais on y sentait, à travers les poncifs de romance, un accent de sincérité dans la passion, un respect de la femme, un oubli de soi-même qui le distinguait des autres, ce forçat ; ainsi, quand il demandait pardon à Fanny du crime de l'avoir trop aimée, ou quand du greffe du palais de justice, tout de suite après sa condamnation, il écrivait sa joie de savoir sa maîtresse acquittée et libre. Il ne se plaignait de rien ; il avait eu près d'elle, grâce à elle, deux ans d'un bonheur si plein, si profond, que le souvenir en suffirait pour remplir sa vie, adoucir l'horreur de son sort, et il terminait par la demande d'un service :

« Tu sais que j'ai un enfant au pays, dont la mère est morte depuis longtemps ; il vit chez une vieille parente, dans un coin si perdu qu'on n'y saura jamais rien de mon affaire. L'argent qui me restait, je le leur ai envoyé, disant que je partais très loin, en voyage, et c'est sur toi que je compte, ma bonne Nini, pour t'informer de temps en temps de ce petit malheureux et m'envoyer de ses nouvelles... »

Comme preuve de l'intérêt de Fanny, suivait une lettre de remerciement et une autre, toute récente, ayant à peine six mois de date : « Oh ! tu es bonne d'être venue... Que tu étais belle, comme tu sentais bon, en face de ma veste de prisonnier dont j'avais si grand-honte !... » et Jean l'interrompait, furieux : « Tu as donc continué à le voir ?

— De loin en loin, par charité...

— Même depuis que nous sommes ensemble ?...

— Oui, une fois, une seule, au parloir... on ne les voit que là.

— Ah ! tu es une bonne fille... »

Cette idée que, malgré leur liaison, elle visitait ce faussaire, l'exaspérait plus que tout. Il était trop fier pour le dire ; mais un paquet de lettres, le dernier, noué d'une faveur bleue sur des petits caractères fins et penchés, une écriture de femme, déchaîna toute sa colère.

« Je change de tunique après la course des chars... viens dans ma loge...

— Non, non... ne lis pas ça... »

Elle sautait sur lui, arrachait et jetait au feu toute la liasse, sans qu'il eût compris d'abord, même en la voyant à ses genoux, empourprée du reflet de la flamme et de la honte de son aveu :

« J'étais jeune, c'est Caoudal... ce grand fou... Je faisais ce qu'il voulait. »

Alors seulement il comprit, devint très pâle.

« Ah ! oui... Sapho... toute la lyre... » Et la repoussant du pied, comme une bête immonde : « Laisse-moi, ne me touche pas, tu me soulèves le cœur... »

Son cri se perdit dans un effroyable grondement de tonnerre, tout proche et prolongé, en même temps qu'une lueur vive éclairait la chambre... Le feu !... Elle se dressa épouvantée, prit machinalement la carafe restée sur la table, la vida sur cet amas de papiers dont la flamme embrasait les suies du dernier hiver, puis le pot à l'eau, les cruches, et se voyant impuissante, des flammèches voletant jusqu'au milieu de la chambre, elle courut au balcon en criant : « Au feu ! au feu ! »

Les Hettéma arrivèrent les premiers, ensuite le concierge, les sergents de ville. On criait :

« Baissez la plaque !... montez sur le toit !... De l'eau, de l'eau !... non, une couverture !... »

Atterrés, ils regardaient leur intérieur envahi et souillé ; puis, l'alerte finie, le feu éteint, quand le noir attroupement en bas, sous le gaz de la rue, se fut dissipé, les voisins rassurés, rentrés chez eux, les deux amants au milieu de ce gâchis d'eau, de suie en boue, de meubles renversés et ruisselants, se sentirent écœurés et lâches, sans force pour reprendre la querelle ni faire la chambre propre autour d'eux. Quelque chose de sinistre et de bas venait d'entrer dans leur vie ; et, ce soir-là, oubliant leurs répugnances anciennes, ils allèrent coucher à l'hôtel.

Le sacrifice de Fanny ne devait servir à rien. De ces lettres disparues, brûlées, des phrases entières retenues par cœur hantaient la mémoire de l'amoureux, lui montaient au visage en coups de sang, comme certains passages de mauvais livres. Et ces anciens amants de sa maîtresse étaient presque tous des hommes célèbres. Les morts se survivaient ; les vivants, on voyait leurs portraits et leurs noms partout, on parlait d'eux devant lui, et chaque fois il éprouvait une gêne, comme d'un lien de famille douloureusement rompu.

Le mal lui affinant l'esprit et les yeux, il arrivait bientôt à retrouver chez Fanny la trace des influences premières, et les mots, les idées, les habitudes qu'elle en avait gardés. Cette façon d'avancer le pouce comme pour façonner, pétrir l'objet dont elle parlait, avec un « Tu vois ça d'ici... » appartenait au sculpteur. A Dejoie, elle avait pris la manie des queues de mots, et les chansons populaires dont il avait publié un recueil, célèbre à tous les coins de la France ; à La Gournerie, son intonation hautaine et méprisante, la sévérité de ses jugements sur la littérature moderne.

Elle s'était assimilé tout cela, superposant les disparates, par ce même phénomène de stratification qui permet de connaître l'âge et les révolutions de la terre à ses différentes couches géologiques ; et, peut-être, n'était-elle pas aussi intelligente qu'elle lui avait semblé d'abord. Mais il s'agissait bien d'intelligence ; sotte comme pas une, vulgaire et de dix ans plus vieille encore, elle l'eût tenu par la force de son passé, par cette jalousie basse qui le rongeait et dont il ne taisait plus les irritations ni les rancœurs, éclatant à tout propos contre l'un et l'autre.

Les romans de Dejoie ne se vendaient plus, toute l'édition

traînait le quai à vingt-cinq centimes. Et ce vieux fou de Caoudal s'entêtant à l'amour à son âge... « Tu sais qu'il n'a plus de dents... Je le regardais à ce déjeuner de Ville-d'Avray... Il mange comme les chèvres, sur le devant de la bouche. » Fini aussi le talent. Quel four, sa Faunesse au dernier Salon ! « Ça ne tenait pas... » Un mot qui lui venait d'elle, « Ça ne tenait pas... » et qu'elle-même gardait du sculpteur. Quand il entreprenait ainsi un de ses rivaux du temps passé, Fanny faisait chorus pour lui plaire ; et l'on aurait entendu ce gamin ignorant de l'art, de la vie, de tout, et cette fille superficielle, frottée d'un peu d'esprit à ces artistes fameux, les juger de haut, les condamner doctoralement.

Mais l'ennemi intime de Gaussin, c'était Flamant le graveur. De celui-là, il savait seulement qu'il était très beau, blond comme lui, qu'on lui disait « m'ami », qu'on allait le voir en cachette, et que lorsqu'il l'attaquait comme les autres, l'appelant « le Forçat sentimental » ou « le Joli Réclusionnaire », Fanny détournait la tête sans un mot. Bientôt il accusa sa maîtresse de garder une indulgence pour ce bandit, et elle dut s'en expliquer doucement, mais avec une certaine fermeté.

« Tu sais bien que je ne l'aime plus, Jean, puisque je t'aime... Je ne vais plus là-bas, je ne réponds pas à ses lettres ; mais tu ne me feras jamais dire du mal de l'homme qui m'a adorée jusqu'à la folie, jusqu'au crime... » A cet accent de franchise, ce qu'il y avait de meilleur en elle, Jean ne protestait pas, mais il souffrait d'une haine jalouse, aiguisée d'inquiétude, qui le ramenait parfois rue d'Amsterdam en surprise, au milieu du jour. « Si elle était allée le voir ! »

Il la trouvait toujours là, casanière, inactive dans leur petit logis comme une femme d'Orient, ou bien au piano, donnant une leçon de chant à leur grosse voisine, Mme Hettéma. On s'était lié depuis le soir du feu avec ces bonnes gens, placides et pléthoriques, vivant dans un perpétuel courant d'air, portes et fenêtres ouvertes.

Le mari, dessinateur au musée d'Artillerie, apportait de la besogne chez lui, et chaque soir de la semaine, le dimanche toute la journée, on le voyait penché sur sa large table à tréteaux, suant, soufflant, en bras de chemise, secouant ses manches pour y faire circuler l'air, de la barbe jusque dans les yeux. Près de lui, sa grosse femme en camisole s'évaporait aussi, quoiqu'elle ne fît jamais rien ; et, pour se rafraîchir le sang, ils entamaient de temps en temps un de leurs duos favoris.

L'intimité s'établit vite entre les deux ménages. Le matin, vers dix heures, la forte voix d'Hettéma criait devant la porte : « Y êtes-vous, Gaussin ? » Et leurs bureaux se trouvant du même côté, ils faisaient route ensemble. Bien lourd, bien vulgaire, de quelques degrés sociaux plus bas que son jeune compagnon, le dessinateur parlait peu, bredouillait comme s'il avait eu autant de barbe dans la bouche que sur les joues ; mais on le sentait brave homme, et le désarroi moral de Jean avait besoin de ce contact-là. Il y tenait surtout à cause de sa maîtresse vivant dans une solitude peuplée de souvenirs et de regrets plus dangereux peut-être que les relations auxquelles elle avait volontairement renoncé, et qui trouvait dans Mme Hettéma, sans cesse préoccupée de son homme, et de la surprise gourmande qu'elle lui ferait pour dîner, et de la romance nouvelle qu'elle lui chanterait au dessert, une relation honnête et saine.

Pourtant, quand l'amitié se resserra jusqu'à des invitations réciproques, un scrupule lui vint. Ces gens devaient les croire mariés, sa conscience se refusait au mensonge, et il chargea Fanny de prévenir la voisine, pour qu'il n'y eût pas de malentendu. Cela la fit beaucoup rire... Pauvre bébé ! il n'y avait que lui pour des naïvetés pareilles... « Mais ils ne l'ont pas cru une minute que nous étions mariés... Et ce qu'ils s'en moquent !... Si tu savais où il a été prendre sa femme... Tout ce que j'ai fait, moi, c'est de la Saint-Jean à côté. Il ne l'a épousée que pour l'avoir à lui tout seul, et tu vois que le passé ne le gêne guère... »

Il n'en revenait pas. Une ancienne, cette bonne mère aux yeux clairs, au petit rire d'enfant sur des traits de chair tendre, aux provincialismes traînards, et pour qui les romances n'étaient jamais assez sentimentales, ni les mots trop distingués ; et lui, l'homme, si tranquille, si sûr dans son bien-être amoureux ! Il le regardait marcher à son côté, la pipe aux dents, avec de petits souffles de béatitude, pendant que lui-même songeait toujours, se dévorait de rage impuissante.

« Ça te passera, m'ami... » lui disait doucement Fanny aux heures où l'on se dit tout ; et elle l'apaisait, tendre et charmante comme au premier jour, mais avec quelque chose d'abandonné, que Jean ne savait définir.

C'était l'allure plus libre et la façon de s'exprimer, une conscience de son pouvoir, des confidences bizarres et qu'il ne lui demandait pas sur sa vie passée, ses débauches anciennes, ses folies de curiosité. Elle ne se privait plus de fumer maintenant, roulant entre ses doigts, posant sur tous les meubles l'éternelle cigarette qui aveulit la journée des filles, et dans leurs discussions elle émettait sur la vie, l'infamie des hommes, la coquinerie des femmes, les théories les plus cyniques. Jusqu'à ses yeux, dont l'expression changeait, alourdis d'une buée d'eau dormante, où passait l'éclair d'un rire libertin.

Et l'intimité de leur tendresse se transformait aussi. D'abord réservée avec la jeunesse de son amant dont elle respectait l'illusion première, la femme ne se gênait plus après avoir vu l'effet, sur cet enfant, de son passé de débauche brusquement découvert, la fièvre de marécage dont elle lui avait allumé le sang. Et les caresses perverses si longtemps retenues, tous ces mots de délire que ses dents serrées arrêtaient au passage, elle les lâchait à présent, s'étalait, se livrait dans son plein de courtisane amoureuse et savante, dans toute la gloire horrible de Sapho.

Pudeur, réserve, à quoi bon ? Les hommes sont tous pareils, enragés de vice et de corruption, ce petit-là comme les autres. Les appâter avec ce qu'ils aiment, c'est encore le meilleur moyen de les tenir. Et ce qu'elle savait, ces dépravations du plaisir qu'on lui avait inoculées, Jean les apprenait à son tour pour les passer à d'autres. Ainsi le poison va, se propage, brûlure de corps et d'âme, semblable à ces flambeaux dont parle le poète latin, et qui couraient de main en main par le stade.

5

Dans leur chambre, à côté d'un beau portrait de Fanny par James Tissot, une épave des anciennes splendeurs de la ville, il y avait un paysage du Midi, tout noir et blanc, grossièrement rendu sous le soleil par un photographe de campagne.

Une côte rocheuse escaladée de vignes, étayée de muretins de pierre, puis en haut, derrière des files de cyprès contre le vent du nord, et s'accotant à un petit bois de pins et de myrtes aux clairs reflets, la grande maison blanche, moitié ferme et moitié château, large perron, toiture italienne, portes écussonnées, que continuaient les murailles rousses du mas provençal, les perchoirs pour les paons, la crèche aux troupeaux, la baie noire des hangars ouverts sur le luisant des charrues et des herses. La ruine d'anciens remparts, une tour énorme, déchiquetée sur un ciel sans nuage, dominait le tout, avec quelques toits et le clocher roman de Châteauneuf-des-Papes où les Gaussin d'Armandy avaient habité de tout temps.

Castelet, clos et domaine, riche de ses vignobles fameux comme ceux de la Nerte et de l'Ermitage, se transmettait de père en fils, indivis entre tous les enfants, mais toujours le cadet faisait valoir, par cette tradition familiale d'envoyer l'aîné dans les consulats. Malheureusement la nature contrecarre souvent ces projets ; et s'il y eut jamais un être incapable de gérer un domaine, de gérer n'importe quoi, c'était bien Césaire Gaussin, à qui incombait à vingt-quatre ans cette lourde responsabilité.

Libertin, coureur de tripots et de guilledoux villageois, Césaire, ou plutôt Le Fénat, le vaurien, le mauvais drôle, pour lui garder son surnom de jeunesse, accentuait ce type contradictoire qui apparaît de loin en loin dans les familles les plus austères, dont il est comme la soupape d'échappement.

En quelques années d'incurie, de dilapidations imbéciles, de bouillottes désastreuses aux cercles d'Avignon et d'Orange, le clos fut hypothéqué, les caves de réserve mises à sec, les récoltes à venir vendues d'avance ; puis un jour, à la veille d'une saisie définitive, le Fénat imita la signature de son frère, fit trois traites payables au consulat de Shang-Haï, persuadé qu'avant l'échéance il trouverait l'argent pour les retirer ; mais elles arrivèrent régulièrement à l'aîné avec une lettre éperdue avouant la ruine et les faux. Le consul accourut à Châteauneuf, remédia à cette situation désespérée, à l'aide de ses économies et de la dot de sa femme, et, voyant l'incapacité du Fénat, il renonça à la « carrière » qui s'ouvrait pourtant brillante devant lui et se fit simplement vigneron.

Un vrai Gaussin, celui-là, traditionnel jusqu'à la manie, violent et calme, à la façon des volcans éteints qui gardent des menaces et des réserves d'éruption, laborieux avec cela, très entendu à la culture. Grâce à lui, Castelet prospéra, s'agrandit de toutes les terres jusqu'au Rhône, et, comme les chances humaines vont toujours par compagnie, le petit Jean fit son apparition sous les myrtes du domaine. Pendant ce temps, le Fénat errait par la maison, anéanti sous le poids de sa faute, osant à peine lever les yeux vers son frère dont le méprisant silence l'accablait ; il ne respirait qu'aux champs, à la chasse, à la pêche, fatiguant son chagrin à d'ineptes besognes, ramassant des escargots, se taillant des cannes superbes de myrte ou de roseau, et déjeunant tout seul dehors d'une brochette de becs fins qu'il cuisait, sur un feu de souches d'oliviers, au milieu de la garrigue. Le soir, rentré pour dîner à la table fraternelle, il ne prononçait pas un mot, malgré l'indulgent sourire de sa belle-sœur, pitoyable au pauvre être et le fournissant d'argent de poche, en cachette de son mari qui tenait rigueur au Fénat, moins pour ses sottises passées que pour toutes celles à commettre ; et en effet la grande incartade réparée, l'orgueil de Gaussin l'aîné fut mis à une nouvelle épreuve.

Trois fois par semaine, venait en journée de couture, à Castelet, une jolie fille de pêcheurs, Divonne Abrieu, née dans l'oseraie au bord du Rhône, vraie plante fluviale à la tige ondulante et longue. Sous sa catalane à trois pièces enserrant sa petite tête et dont les brides rejetées laissaient admirer l'attache du cou légèrement bistré comme le visage, jusqu'aux névés délicats de la gorge et des épaules, elle faisait songer à quelque *done* des anciennes cours d'amour jadis tenues tout autour de Châteauneuf, à Courthezon, à Vacqueyras, dans ces vieux donjons dont les ruines s'effritent par les collines.

Ce souvenir historique n'était pour rien dans l'amour de Césaire, âme simple, dénuée d'idéal et de lecture ; mais, de petite taille, il aimait les femmes grandes et fut pris dès le premier jour. Il s'y entendait, le Fénat, à ces aventures villageoises ; une contredanse au bal le dimanche, un cadeau de gibier, puis à la première rencontre en pleins champs la vive attaque à la renverse, sur la lavande ou le paillis. Il se trouva que Divonne ne dansait pas, qu'elle rapporta le gibier à la cuisine, et que, solide comme un de ces peupliers de rive, blancs et flexibles, elle envoya le séducteur rouler à dix pas. Depuis, elle le tint à distance avec la pointe des ciseaux pendus à sa ceinture par un clavier d'acier, le rendit fou d'amour, si bien qu'il parla d'épouser et se confia à sa belle-sœur. Celle-ci, connaissant Divonne Abrieu depuis l'enfance, la sachant sérieuse et délicate, trouvait dans le fond de son cœur que cette mésalliance serait peut-être le salut du Fénat ; mais la fierté du consul se révoltait à l'idée d'un Gaussin d'Armandy épousant une paysanne : « Si Césaire fait cela, je ne le revois plus... » et il tint parole.

Césaire marié quitta Castelet, alla vivre au bord du Rhône chez les parents de sa femme, d'une petite rente que lui servait son frère et qu'apportait tous les mois l'indulgente belle-sœur. Le petit Jean accompagnait sa mère dans ses visites, ravi de la cabane des Abrieu, sorte de rotonde enfumée, secouée par la tramontane ou le mistral, et que soutenait une poutre unique et verticale comme un mât. La porte ouverte encadrait le petit mole où séchaient les filets, où luisait et frétillait l'argent vif et nacré des écailles ; au bas deux ou trois grosses barques houlant et criant sur leurs amarres, et le grand fleuve joyeux, large, lumineux, tout rebroussé par le vent contre ses îles en touffes d'un vert pâle. Et, tout petit, Jean prenait là son goût des lointains voyages, et de la mer qu'il n'avait pas encore vue.

Cet exil de l'oncle Césaire dura deux ou trois ans, n'aurait jamais fini peut-être sans un événement familial, la naissance des deux petites bessonnes, Marthe et Marie. La mère tomba malade à la suite de cette double couche, et Césaire et sa femme eurent la permission de venir la voir. La réconciliation des deux frères suivit, irraisonnée, instinctive, par la toute-puissance du même sang ; le ménage habita Castelet, et comme une incurable anémie, compliquée bientôt de goutte rhumatismale, immobilisait la pauvre mère, Divonne se trouva chargée de mener la maison, de surveiller la nourriture des petites, le personnel nombreux, d'aller voir Jean deux fois la semaine au lycée d'Avignon, sans compter que le soin de sa malade la réclamait à toute heure.

Femme d'ordre et de tête, elle suppléait à l'instruction qui lui manquait, par son intelligence, son âpreté paysanne, les lambeaux d'études restés dans la cervelle du Fénat dompté et discipliné. Le consul se reposait sur elle de toute la dépense de la maison, très lourde avec ses charges accrues et des revenus diminuant d'année en année, rongés au pied des vignes par le phylloxéra. Toute la plaine était atteinte, mais le clos résistait encore, et c'était la préoccupation du consul : sauver le clos à force de recherches et d'expériences.

Cette Divonne Abrieu qui restait fidèle à ses coiffes, à son clavier d'artisane et se tenait si modestement à sa place d'intendante, de dame de compagnie, garda la maison de la gêne, en ces années de crise, la malade toujours entourée des mêmes soins coûteux, les petites élevées près de leur mère, en demoiselles, la pension de Jean régulièrement payée, d'abord au lycée, puis à Aix où il faisait son droit, enfin à Paris où il était allé l'achever.

Par quels miracles d'ordre, de vigilance y arrivait-elle, tous l'ignoraient comme elle-même. Mais chaque fois que Jean songeait à Castelet, qu'il levait les yeux vers la photographie à reflets pâles, effacée de lumière, la première figure évoquée, le premier nom prononcé, c'était Divonne, la paysanne au grand cœur qu'il sentait cachée derrière la gentilhommière et la tenant debout par l'effort de sa volonté. Depuis quelques jours cependant, depuis qu'il savait ce qu'était sa maîtresse, il évitait de prononcer ce nom vénéré devant elle, comme celui de sa mère ni d'aucun des siens ; même la photographie le gênait à regarder, déplacée, égarée à cette muraille, au-dessus du lit de Sapho.

Un jour, en rentrant dîner, il fut surpris de voir trois couverts au lieu de deux, plus encore de trouver Fanny en train de jouer aux cartes avec un petit homme qu'il ne reconnut pas d'abord, mais qui en se retournant lui montra les yeux clairs de chèvre folle, le grand nez conquérant dans une face hâlée et poupine, le crâne chauve et la barbe de ligueur de l'oncle Césaire. Au cri de son neveu, il répondit sans lâcher les cartes : « Tu vois, je ne m'ennuie pas, je fais un bézigue avec ma nièce. »

Sa nièce !

Et Jean qui cachait si soigneusement sa liaison à tout le monde. Cette familiarité lui déplut, et les choses que Césaire lui débitait à voix basse, pendant que Fanny s'occupait du dîner... « Mon compliment, petit... des yeux... des bras... un morceau de roi. » Ce fut bien pis, quand à table le Fénat se mit à parler sans aucune réserve des affaires de Castelet, de ce qui l'amenait à Paris.

Le prétexte du voyage c'était de l'argent à toucher, huit mille francs qu'il avait prêtés autrefois à son ami Courbebaisse et qu'il ne comptait jamais revoir, quand une lettre du notaire lui avait appris et la mort de Courbebaisse, *pechère !* et le remboursement tout prêt de ses huit mille francs. Mais le vrai motif, car on aurait pu lui faire parvenir l'argent, « le vrai motif c'est la santé de ta mère, mon pauvre... Depuis quelque temps elle s'affaiblit beaucoup, et des fois qu'il y a, sa tête déménage, elle oublie tout, jusqu'au nom des petites. L'autre soir, ton père sortait de sa chambre, elle a demandé à Divonne qui était ce bon monsieur qui venait la voir si souvent. Personne ne s'est encore aperçu de cela que ta tante, et elle ne m'en a parlé que pour me décider à venir consulter Bouchereau sur l'état de la pauvre femme qu'il a soignée autrefois. »

« Avez-vous eu déjà des fous dans votre famille ? demanda Fanny, l'air doctoral et grave, son air La Gournerie.

— Jamais... » dit le Fénat, ajoutant avec un sourire malin, froncé jusqu'aux tempes, qu'il avait été un peu toqué dans sa jeunesse... « Mais ma folie ne déplaisait pas aux dames, et l'on n'a pas eu besoin de m'enfermer. »

Jean les regardait, navré. Au chagrin que lui causait la triste nouvelle, se joignait un oppressant malaise d'entendre cette femme parler de sa mère, de ses infirmités d'âge critique, avec le libre langage et l'expérience d'une matrone, les coudes sur la nappe, en roulant une cigarette. Et l'autre, bavard, indiscret, s'abandonnait, disait les secrets intimes de la famille.

Ah ! les vignes... fichues, les vignes !... Et le clos lui-même n'en avait plus pour longtemps ; la moitié des cépages était déjà dévorée, et l'on ne conservait le reste que par miracle, en soignant chaque grappe, chaque grain comme des enfants malades, avec des drogues qui coûtaient cher. Le terrible, c'est que le consul s'entêtait à planter toujours de nouveaux ceps que le ver attaquait, au lieu de laisser à la culture des oliviers, des capriers, toute cette bonne terre inutile couverte de pampres lépreux et roussis.

Heureusement qu'il avait, lui, Césaire, quelques hectares au bord du Rhône, qu'il soignait par l'immersion, une découverte superbe applicable seulement dans les terrains bas. Déjà une bonne récolte l'encourageait, d'un petit vin pas très chaud, « du vin de grenouille », disait le consul dédaigneusement ; mais le Fénat s'entêtait aussi, et, avec les huit mille francs de Courbebaisse, il allait acheter la Piboulette...

« Tu sais, petit, la première île sur le Rhône, en aval des Abrieu... mais ceci entre nous, il faut que personne à Castelet ne se doute de rien encore...

— Pas même Divonne, mon oncle ? » demanda Fanny en souriant...

Au nom de sa femme, les yeux du Fénat se mouillèrent :

« Oh ! Divonne, je ne fais jamais rien sans elle. Elle a foi dans mon idée d'ailleurs, et serait si heureuse que son pauvre Césaire refît la fortune de Castelet, après en avoir commencé la ruine. »

Jean frémit ; allait-il donc faire sa confession, raconter cette lamentable histoire des faux ? Mais le Provençal, tout à sa tendresse pour Divonne, s'était mis à parler d'elle, du bonheur qu'elle lui donnait. Et si belle avec ça, si magnifiquement charpentée :

« Tenez, ma nièce, vous qui êtes femme, vous devez vous y connaître. »

Il lui tendait un portrait-carte, tiré de son portefeuille, et qui ne le quittait jamais.

A l'accent filial de Jean quand il parlait de sa tante, aux conseils maternels de la paysanne écrits d'une gauche écriture, un peu tremblée, Fanny se figurait une de ces villageoises à marmotte de Seine-et-Oise, et resta saisie devant ce joli visage aux lignes pures, éclairci par l'étroite coiffe blanche, cette taille élégante et souple d'une femme de trente-cinq ans.

« Très belle en effet... dit-elle en pinçant les lèvres, d'une intonation singulière.

— Et une charpente ! » fit l'oncle qui tenait à son image.

Puis on passa sur le balcon. Après une journée chaude dont le zinc de la véranda brûlait encore, il tombait, d'un nuage perdu, une fine pluie d'arrosage qui rafraîchissait l'air, tintait gaiement sur les toits, éclaboussait les trottoirs. Paris riait sous cette ondée, et le train de la foule, des voitures, toute cette rumeur montante grisait le provincial, remuait dans sa tête vide et mobile comme un grelot, des rappels de jeunesse, et d'un séjour de trois mois qu'il avait fait, quelque trente ans auparavant, chez son ami Courbebaisse.

Quelle noce, mes enfants, quelles bordées !... Et leur entrée au Prado une nuit de mi-carême, Courbebaisse en Chicard, et sa maîtresse, la Mornas, en marchande de chansons, un déguisement qui lui avait porté chance puisqu'elle était devenue une célébrité de café-concert. Lui-même, l'oncle, remorquait un petit chiffon du quartier que l'on appelait Pellicule... Et tout ragaillardi, il riait de la bouche jusqu'aux tempes, fredonnait des airs à danser, saisissait en mesure sa nièce par la taille. A minuit, quand il les quitta pour gagner l'hôtel Cujas, le seul qu'il connût dans Paris, il chantait à pleine gorge dans l'escalier, envoyait des baisers à sa nièce qui l'éclairait, et criait à Jean :

« Tu sais, prends garde à toi !... »

Dès qu'il fut parti, Fanny dont le front gardait un pli préoccupé, passa vivement dans son cabinet de toilette et, par la porte restée entrouverte, pendant que Jean se couchait, elle commençait d'une voix presque insouciante. « Dis donc, elle est très jolie, ta tante... ça ne m'étonne plus si tu en parlais si souvent... Vous avez dû lui en faire porter à ce pauvre Fénat, une tête à ça du reste... »

Il protestait de toute son indignation... Divonne ! une seconde mère pour lui, qui, tout petit, le soignait, l'habillait... Elle l'avait sauvé d'une maladie, de la mort... non, jamais la tentation ne lui serait venue d'une infamie pareille.

« Va donc, va donc », reprenait la voix stridente de la femme, des épingles à coiffer entre les dents, « tu ne me feras pas croire qu'avec ces yeux-là et la belle charpente dont parlait cet imbécile, sa Divonne ait pu rester sans désir à côté d'un joli blond à peau de fille comme toi ?... Vois-tu, des bords du Rhône ou d'ailleurs, nous sommes toutes les mêmes... »

Elle le disait avec conviction, croyant son sexe entier facile à tout caprice et vaincu du premier désir. Lui, se défendait, mais troublé, interrogeant ses souvenirs, se demandant si jamais le frôlement d'une innocente caresse avait pu l'avertir d'un danger quelconque ; et quoique ne trouvant rien, la candeur de son affection restait atteinte, le pur camée rayé d'un coup d'ongle.

« Tiens !... regarde... la coiffe de ton pays... »

Sur ses beaux cheveux, massés en deux longs bandeaux, elle avait épinglé un fichu blanc qui imitait assez bien la catalane, le béguin à trois pièces des filles de Châteauneuf ; et, droite devant lui, dans les plis laiteux de sa batiste de nuit, les yeux brûlants, elle lui demandait :

« Est-ce que je ressemble à Divonne ? »

Oh ! non, pas du tout ; elle ne ressemblait qu'à elle-même sous ce petit bonnet rappelant l'autre, celui de Saint-Lazare, qui la rendait si jolie, disait-on, pendant qu'elle envoyait à son forçat un baiser d'adieu en plein tribunal : « T'ennuie pas, m'ami, les beaux jours reviendront... »

Et ce souvenir lui fit tant de mal que, sitôt sa maîtresse couchée, il éteignit bien vite, pour ne plus la voir.

Le lendemain de bonne heure, l'oncle arrivait en casseur, la canne haute, criant : « Ohé ! les bébés », avec l'intonation fringante et protégeante qu'avait Courbebaisse autrefois quand il venait le chercher dans les bras de Pellicule. Il paraissait encore plus excité que la veille : l'hôtel Cujas, sans doute, et surtout les huit mille francs pliés dans son portefeuille. L'argent de la Piboulette, *bé* oui, mais il avait bien le droit d'en distraire quelques louis pour offrir un déjeuner à la campagne à sa nièce !...

« Et Bouchereau ? » observa le neveu, qui ne pouvait manquer son ministère deux jours de suite. Il fut convenu qu'on déjeunerait aux Champs-Elysées et que les deux hommes iraient après à la consultation.

Ce n'était pas ce que le Fénat avait rêvé, l'arrivée à Saint-Cloud en grande remise, du champagne plein la voiture : mais le repas fut charmant tout de même sur la terrasse du restaurant ombragée d'acacias et de vernis du Japon, que traversaient les flonflons d'une répétition de jour au voisin café-concert. Césaire, très bavard, très galant, mit toutes ses grâces à l'air pour éblouir la Parisienne. Il « attrapait » les garçons, complimentait le chef de sa sauce meunière ; et Fanny riait d'un élan bête et forcé, d'une niaiserie de cabinet particulier, qui fit de la peine à Gaussin, ainsi que l'intimité s'établissant entre l'oncle et la nièce pardessus sa tête.

On eût dit des amis de vingt ans. Le Fénat, devenu sentimental avec les vins de dessert, parlait de Castelet, de Divonne et aussi de son petit Jean ; il était heureux de le savoir avec elle, une femme sérieuse qui l'empêcherait de faire des sottises. Et sur le caractère un peu ombrageux du jeune homme, la façon de le prendre, il lui donnait des conseils comme à une jeune mariée en lui tapotant les bras, la langue épaisse, l'œil éteint et mouillé.

Il se dégrisa chez Bouchereau. Deux heures d'attente au premier étage de la place Vendôme, dans ces grands salons, hauts et froids, encombrés d'une foule silencieuse et angoissée ; l'enfer de la douleur dont ils traversèrent successivement tous les cercles, passant de pièce en pièce jusqu'au cabinet de l'illustre savant.

Bouchereau, avec sa mémoire prodigieuse, se souvint très bien de Mme Gaussin, étant venu en consultation à Castelet dix ans auparavant au commencement de la maladie ; il s'en fit raconter les différentes phases, relut les ordonnances anciennes et, tout de suite, rassura les deux hommes sur les accidents cérébraux qui venaient de se produire et qu'il attribuait à l'emploi de certains médicaments. Pendant qu'immobile, ses gros sourcils baissés sur ses petits yeux aigus et fouilleurs, il écrivait une longue lettre à son confrère d'Avignon, l'oncle et le neveu écoutaient, retenant leur souffle, le grincement de cette plume qui couvrait pour eux, à elle seule, toute la rumeur du Paris luxueux ; et subitement leur apparaissait la puissance du médecin dans les temps modernes, dernier prêtre, croyance suprême, invincible superstition...

Césaire sortit de là, sérieux et refroidi :

« Je rentre à l'hôtel boucler ma malle, l'air de Paris est mauvais pour moi, vois-tu, petit... si j'y restais, je ferais des bêtises. Je prendrai ce soir le train de sept heures, excuse-moi près de ma nièce, hé ? »

Jean se garda bien de le retenir, effrayé de son enfantillage, de sa légèreté ; et le lendemain, en s'éveillant, il se félicitait de le savoir rentré, sous clé, près de Divonne, quand on le vit apparaître, la figure à l'envers, le linge en désordre :

« Bon Dieu ! mon oncle, que vous arrive-t-il ? »

Effondré dans un fauteuil, sans voix et sans gestes d'abord, mais s'animant à mesure, l'oncle avoua une rencontre du temps de Courbebaisse, le dîner trop copieux, les huit mille francs perdus la nuit dans un tripot... Plus un sou, rien !... Comment rentrer là-bas, raconter ça à Divonne ! Et l'achat de la Piboulette... Tout à coup pris d'une sorte de délire, il se mettait les mains sur les yeux, les pouces bouchant les oreilles, et hurlant, sanglotant, déchaîné, le Méridional s'invectivait, étalait son remords dans une confession générale de toute sa vie. Il était la honte et le malheur des siens ; des types tels que lui dans les familles on aurait le droit de les abattre comme des loups. Sans la générosité de son frère où serait-il ?... Au bagne avec les voleurs et les faussaires.

« Mon oncle, mon oncle !... » disait Gaussin très malheureux, essayant de l'arrêter.

Mais l'autre, volontairement aveugle et sourd, se délectait à ce témoignage public de son crime, raconté dans les moindres détails, tandis que Fanny le regardait avec une pitié mêlée d'admiration. Un passionné au moins celui-là, un brûle-tout comme elle les aimait ; et, remuée dans ses entrailles de bonne fille, elle cherchait un moyen de lui venir en aide. Mais lequel ? Elle ne voyait plus personne depuis un an, Jean n'avait aucune relation... Subitement un nom lui vint à l'esprit : Déchelette !... Il devait être à Paris en ce moment, et c'était un si bon garçon.

« Mais je le connais à peine... dit Jean.

— J'irai, moi...

— Comment ! tu veux ?...

— Pourquoi pas ? »

Leurs regards se croisèrent et se comprirent. Déchelette aussi avait été son amant, l'amant d'une nuit qu'elle se rappelait à peine. Mais lui n'en oubliait pas un ; ils étaient tous en rang dans sa tête, comme les saints d'un calendrier.

« Si cela t'ennuie... » fit-elle un peu gênée. Alors Césaire, qui, pendant ce court débat s'était interrompu de crier, très anxieux, tourna vers eux un tel regard de supplication désespérée, que Jean se résigna, consentit entre les dents...

Qu'elle leur parut longue cette heure, à tous deux, déchirés par des pensers qu'ils ne s'avouaient pas, appuyés au balcon, guettant la rentrée de la femme.

« C'est donc bien loin, ce Déchelette ?...

— Mais non, rue de Rome... à deux pas », répondait Jean furieux, et trouvant, lui aussi, que Fanny était bien longue à revenir. Il essayait de se tranquilliser avec la devise amoureuse de l'ingénieur « pas de lendemain », et la façon méprisante dont il l'avait entendu parler de Sapho, comme d'une ancienne de la vie galante ; mais sa fierté d'amant se révoltait, et il aurait presque souhaité que Déchelette la trouvât encore belle et désirable. Ah ! ce vieux toqué de Césaire avait bien besoin de rouvrir ainsi toutes ses plaies.

Enfin le mantelet de Fanny tourna l'angle de la rue. Elle rentrait, rayonnante :

« C'est fait... j'ai l'argent. »

Les huit mille francs étalés devant lui, l'oncle pleurait de joie, voulait faire un reçu, fixer les intérêts, la date du remboursement.

« Inutile, mon oncle... Je n'ai pas prononcé votre nom... C'est à moi qu'on a prêté cet argent, c'est à moi que vous le devez, et aussi longtemps qu'il vous plaira.

— Des services pareils, mon enfant, répondait Césaire transporté de reconnaissance, on les paye avec de l'amitié qui ne finit plus... » Et dans la gare, où Gaussin l'accompagnait pour être assuré cette fois de son départ, il répétait les larmes aux yeux : « Quelle femme, quel trésor !... Il faut la rendre heureuse, vois-tu... »

Jean resta très fâché de cette aventure, sentant sa chaîne, déjà si lourde, se river de plus en plus, et se confondre deux choses que sa délicatesse native avait toujours tenues séparées et distinctes : la famille et sa liaison. A présent, Césaire mettait la maîtresse au courant de ses travaux, de ses plantations, lui donnait des nouvelles de tout Castelet ; et Fanny critiquait l'obstination du consul dans l'affaire des vignes, parlait de la santé de la mère, irritait Jean d'une sollicitude ou de conseils déplacés. Jamais d'allusion au service rendu par exemple, ni à l'ancienne aventure du Fénat, à cette tare de la maison d'Armandy, que l'oncle avait livrée devant elle. Une seule fois elle s'en faisait une arme de riposte, dans les circonstances que voici :

Ils rentraient du théâtre, et montaient en voiture, sous la pluie, à une station du Boulevard. L'équipage, une de ces guimbardes qui ne roulent qu'après minuit, fut long à démarrer, l'homme endormi, la bête secouant sa musette. Pendant qu'ils attendaient à couvert dans le fiacre, un vieux cocher, en train de rajuster une mèche à son fouet, s'approcha tranquillement de la portière, son filin entre les dents, et dit à Fanny d'une voix cassée qui puait le vin :

« Bonsoir... Comment qu'ça va ?

— Tiens, c'est vous ? »

Elle eut un petit tressaut vite réprimé et, tout bas, à son amant : « Mon père !... »

Son père, ce maraudeur à la longue lévite d'ancienne livrée, souillée de boue, aux boutons de métal arrachés, et montrant sous le gaz du trottoir une face bouffie, apoplectisée d'alcool, où Gaussin croyait retrouver en vulgaire le profil régulier et sensuel de Fanny, ses larges yeux de jouisseuse ! Sans se préoccuper de l'homme qui accompagnait sa fille, et comme s'il ne l'eût pas vu, le père Legrand donnait des nouvelles de la maison. « La vieille est à Necker depuis quinze jours, elle file un mauvais coton... Va donc la voir un de ces jeudis, ça y donnera du courage... Moi, heureusement, le coffre est solide ; toujours bon fouet, bonne mèche. Seulement le commerce ne va pas fort... Si t'avais besoin d'un bon cocher au mois, ça ferait joliment mon affaire... Non ? tant pis alors, et à la revoyure... »

Ils se serrèrent les mains mollement ; le fiacre partit.

« Hein ? crois-tu... » murmurait Fanny ; et tout de suite elle se mit à lui parler longuement de sa famille, ce qu'elle avait toujours évité... « c'était si laid, si bas... » mais on se connaissait mieux maintenant ; on n'avait plus rien à se cacher. Elle était née au Moulin-aux-Anglais, dans la banlieue, de ce père, ancien dragon, qui faisait le service des voitures de Paris à Châtillon, et d'une servante d'auberge, entre deux tournées de comptoir. Elle n'avait pas connu sa mère, morte en couches ; seulement les patrons du relais, braves gens, obligèrent le père à reconnaître sa petite et à payer les mois de nourrice. Il n'osa pas refuser, car il devait gros dans la maison, et quand Fanny eut quatre ans il l'emmenait sur sa voiture comme un petit chien, nichée en haut, sous la bâche, amusée de rouler ainsi par les chemins, de voir la lumière des lanternes courir des deux côtés, fumer et haleter le dos des bêtes, de s'endormir au noir, à la bise, en entendant sonner les grelots.

Mais le père Legrand se fatigua vite de cette pose à la paternité ; si peu que ça coûtât, il fallait la nourrir, l'habiller, cette morveuse. Puis elle le gênait pour un mariage avec la veuve d'un maraîcher dont il guignait les cloches à melon, les choux en carrés alignés sur son itinéraire. Elle eut alors la sensation très nette que son père voulait la perdre ; c'était son idée fixe d'ivrogne, se débarrasser de l'enfant à toute force, et si la veuve elle-même, la brave mère Machaume, n'avait pris la fillette sous sa protection...

« Au fait tu l'as connue, Machaume, dit Fanny.

— Comment ! cette servante que j'ai vue chez toi...

— C'était ma belle-mère... Elle avait été si bonne pour moi quand j'étais petite ; je la prenais pour l'arracher à son gueux de mari qui, après lui avoir mangé tout son bien, la rouait de coups, l'obligeait à servir une gaupe avec laquelle il vivait... Ah ! la pauvre Machaume, elle sait ce que coûte un bel homme... Eh bien ! quand elle m'a eu quittée, malgré tout ce que j'ai pu lui dire, elle est courue se remettre avec lui et, maintenant, la voilà à l'hospice. Comme il se laisse aller sans elle, le vieux gredin ! était-il sale ! quelle mine de rouleur ! il n'y a que son fouet... as-tu vu comme il le tenait droit ?... Même saoul à tomber, il le porte devant lui comme un cierge, le serre dans sa chambre ; il n'a jamais eu que ça de propre... Bon fouet, bonne mèche, c'est son mot. »

Elle en parlait inconsciemment, ainsi que d'un étranger, sans dégoût ni honte ; et Jean s'épouvantait à l'entendre. Ce père !... cette mère !... en face de la figure sévère du consul et de l'angélique sourire de Mme Gaussin !... Et comprenant tout à coup ce qu'il y avait dans le silence de son amant, quelle révolte contre ce gâchis social dont il s'éclaboussait auprès d'elle : « Après tout, dit Fanny sur un ton philosophe, c'est un peu ça dans toutes les familles, on n'en est pas responsable... moi, j'ai mon père Legrand ; toi, tu as ton oncle Césaire. »

6

Mon cher enfant, je t'écris encore toute tremblante du gros tourment que nous venons d'avoir ; nos bessonnes disparues, parties de Castelet pendant tout un jour, une nuit et la matinée du lendemain !...

C'est dimanche, à l'heure du déjeuner, qu'on s'est aperçu que les petites manquaient. Je les avais faites belles pour la messe de huit heures où le consul devait les conduire, puis je ne m'en étais plus occupée, retenue auprès de ta mère plus nerveuse que d'habitude, comme sentant le malheur qui rôdait autour de nous. Tu sais qu'elle a toujours eu ça depuis sa maladie, de prévoir ce qui doit arriver ; et moins elle peut manger, plus sa tête travaille.

Ta mère dans sa chambre heureusement, tu nous vois tous à la salle, attendant les petites ; on les appelle par le clos, le berger souffle avec sa grosse coquille à ramener les brebis, puis Césaire d'un côté, moi d'un autre, Rousseline, Tardive, nous voilà tous à galoper dans Castelet et, chaque fois, en nous rencontrant : « Eh bien ? — Rien vu. » A la fin on n'osait plus demander ; le cœur battant, on allait au puits, au bas des hautes fenêtres du grenier... Quelle journée !... et il me fallait monter à tout moment près de ta mère, sourire d'un air tranquille, expliquer l'absence des petites en disant que je les avais envoyées passer le dimanche chez leur tante de Villamuris. Elle avait paru le croire ; mais tard dans la soirée, pendant que je la veillais, guettant derrière la vitre les lumières qui couraient dans la plaine et sur le Rhône à la recherche des enfants, je l'entendis qui pleurait doucement dans son lit : et comme je l'interrogeais : « Je pleure pour quelque chose que l'on me cache, mais que j'ai deviné tout de même... », me répondit-elle de cette voix de petite fille qui lui est revenue à force de souffrance ; et sans plus nous parler, nous nous inquiétions toutes deux, à part dans notre chagrin...

Enfin, mon cher enfant, pour ne pas faire durer cette pénible histoire, le lundi matin nos petites nous furent ramenées par les ouvriers que ton oncle occupe dans l'île et qui les avaient trouvées sur un tas de sarments, pâles de froid et de faim après cette nuit en plein air, au milieu de l'eau. Et voici ce qu'elles nous ont conté dans l'innocence de leurs petits cœurs. Depuis longtemps l'idée les tourmentait de faire comme leurs patronnes Marthe et Marie dont elles avaient lu l'histoire, de s'en aller dans un bateau sans voiles, ni rames, ni provisions d'aucune sorte, répandre l'Evangile sur le premier rivage où les pousserait le souffle de Dieu. Dimanche donc après la messe, détachant une barque à la pêcherie et s'agenouillant au fond comme les saintes femmes, tandis que le courant les emportait, elles s'en sont allées doucement échouer dans les roseaux de la Piboulette, malgré les grandes eaux de la saison les coups de vent, les révouluns... *Oui, le bon Dieu les gardait et c'est lui qui nous les a rendues, les jolies ! ayant un peu fripé leurs guimpes du dimanche et gâté la dorure de leurs paroissiens. On n'a pas eu la force de les gronder, seulement de grands baisers à bras ouverts : mais nous sommes tous restés malades de la peur que nous avons eue.*

La plus frappée, c'est ta mère qui, sans que nous lui ayons encore rien raconté, a senti, comme elle dit, passer la mort sur Castelet, et garde, elle si tranquille, si gaie d'ordinaire, une tristesse que rien ne peut guérir, malgré que ton père, moi, tout le monde nous nous serrions tendrement autour d'elle... Et si je te disais, mon Jean, que c'est de toi, surtout qu'elle languit et s'inquiète. Elle n'ose pas l'avouer devant le père qui veut qu'on te laisse à ton travail, mais tu n'es pas venu après ton examen comme tu l'avais promis. Fais-nous la surprise pour les fêtes de Noël ; que notre malade reprenne son bon sourire. Si tu savais, quand on ne les a plus, ses vieux, comme on regrette de ne pas leur avoir donné plus de temps... »

Debout près de la fenêtre où filtrait un jour paresseux d'hiver sous le brouillard, Jean lisait cette lettre, en savourait le bouquet sauvage, les chers souvenirs de tendresse et de soleil.

« Qu'est-ce que c'est ?... fais voir... »

Fanny venait de s'éveiller à la jaune lueur du rideau écarté et, toute bouffie de sommeil, allongeait machinalement la main vers le paquet de maryland à demeure sur la table de nuit. Il hésita, sachant la jalousie qu'exaspérait en sa maîtresse le nom seul de Divonne ; mais comment dissimuler le billet dont elle reconnaissait la provenance et le format ?

D'abord l'escapade des fillettes l'émut gentiment, tandis que, les bras et la gorge à l'air, dressée sur l'oreiller dans le flot de ses cheveux bruns, elle lisait tout en roulant une cigarette ; mais la fin l'irrita jusqu'à la fureur, et chiffonnant et jetant la lettre par la chambre : « Je t'en collerai, moi, des saintes femmes !... Tout ça des inventions pour te faire partir... Son beau neveu lui manque à cette... »

Il voulut l'arrêter, empêcher le mot ordurier qu'elle lança et bien d'autres à la file. Jamais elle ne s'était encore emportée aussi grossièrement devant lui, dans ce débordement de colère fangeuse, d'égout crevé lâchant sa vase et sa puanteur. Tout l'argot de son passé de fille et de voyou gonflait son cou, détendait sa lèvre.

Pas malin de voir ce qu'ils voulaient tous là-bas... Césaire avait parlé, et l'on combinait ça en famille, de rompre leur liaison, de l'attirer au pays avec la belle charpente de la Divonne pour amorce.

« D'abord, tu sais, si tu pars, moi je lui écris à ton cocu... Je l'avertis... ah mais !... » En parlant, elle se ramassait haineusement sur le lit, blême, la face creuse, les traits grandis, comme une bête méchante prête à bondir.

Et Gaussin se rappelait l'avoir vue ainsi rue de l'Arcade ; mais c'était contre lui maintenant, cette haine rugie qui lui donnait la tentation de tomber sur sa maîtresse et de la battre, car en ces amours de chair où l'estime et le respect de l'être aimé sont néant, la brutalité surgit toujours dans la colère ou les caresses. Il eut peur de lui-même, s'échappa pour son bureau, et tout en marchant il s'indignait contre cette vie qu'il s'était faite. Ça lui apprendrait à se livrer à une pareille femme !... Que d'infamies, que d'horreurs !... Ses sœurs, sa mère, il y en avait eu pour tout le monde... Quoi ! pas même le droit d'aller voir les siens. Mais dans quel bagne s'était-il donc enfermé ? Et toute l'histoire de leur liaison lui apparaissant, il voyait comment les beaux bras nus de l'Egyptienne, noués à son cou le soir du bal, s'étaient cramponnés despotes et forts, l'isolant de ses amis, de sa famille. Maintenant, sa résolution était prise. Le soir même et, coûte que coûte, il partirait pour Castelet.

Quelques affaires expédiées, son congé obtenu au ministère, il revint chez lui de bonne heure, s'attendant à une scène terrible, prêt à tout, même à la rupture. Mais le bonjour bien doux que Fanny lui dit tout de suite, ses yeux gros, ses joues comme amollies de larmes, lui laissèrent à peine le courage d'une volonté.

« Je pars ce soir... fit-il en se raidissant.

— Tu as raison, m'ami... Va voir ta mère, et surtout... » Elle se rapprochait câlinement... « Oublie comme j'ai été méchante, je t'aime trop, c'est ma folie... »

Tout le restant du jour, faisant la malle avec de coquettes sollicitudes, ramenée à la douceur des premiers temps, elle garda cette attitude repentie, peut-être dans l'espoir de le retenir. Pourtant, pas une fois elle ne lui demanda : « Reste... » et lorsqu'à la dernière minute, tout espoir perdu devant les apprêts définitifs, elle se frôlait, se serrait contre son amant, tâchant de l'imprégner d'elle pour toute la durée de la route et de l'absence, son adieu, son baiser ne murmurèrent que ceci : « Dis, Jean, tu ne m'en veux pas ?... »

Oh ! l'ivresse, au matin, de s'éveiller dans sa petite chambre d'enfant, le cœur encore chaud des étreintes familiales, des belles effusions de l'arrivée, de retrouver à la même place, sur la moustiquaire de son lit étroit, la même barre lumineuse qu'y cherchaient ses réveils passés, d'entendre les cris des paons sur leurs perchoirs, grincer la poulie du puits, le culbutement à pattes pressées du troupeau, et lorsqu'il eut fait claquer ses volets à la muraille, de revoir cette belle lumière chaude qui entrait par nappes, en tombée d'écluse, et ce merveilleux horizon de vignes en pente, de cyprès, d'oliviers et de miroitants bois de pins, se perdant jusqu'au Rhône sous un ciel profond et pur, sans un duvet de brume malgré l'heure matinale, un ciel vert, balayé toute la nuit par le mistral qui remplissait encore l'immense vallée de son souffle allègre et fort.

Jean comparait ce réveil à ceux de là-bas sous un ciel boueux comme son amour, et se sentait heureux et libre. Il descendit. La maison blanche de soleil dormait encore, tous ses volets fermés comme des yeux ; et il fut heureux d'un moment de solitude pour se reprendre, dans cette convalescence morale qu'il sentait commencer pour lui.

Il fit quelques pas sur la terrasse, prit une allée montante du parc, ce qu'on appelait le parc, un bois de pins et de myrtes jetés au hasard dans la côte rude de Castelet, coupée de sentiers inégaux tout glissants d'aiguilles sèches. Son chien Miracle, bien vieux et boitant, était sorti de sa niche, et le suivait silencieusement dans ses talons ; ils avaient si souvent fait ensemble cette promenade du matin !

A l'entrée des vignes, dont les grands cyprès de clôture inclinaient leurs cimes pointues, le chien hésita ; il savait combien le sol en épaisse couche de sable — un nouveau remède au phylloxéra que le consul était en train d'essayer — serait difficile à ses vieilles pattes, ainsi que les gradins d'étai de la terrasse. La joie de suivre son maître le décida pourtant ; et c'étaient à chaque obstacle de douloureux efforts, des petits cris peureux, des arrêts et des maladresses de crabe sur un rocher. Jean ne le regardait pas, tout occupé de ce nouveau plant d'alicante, dont son père l'avait longtemps entretenu la veille. Les souches paraissaient d'une belle venue sur le sable uni et luisant. Enfin le pauvre homme allait être payé de ses peines entêtées ; le clos de Castelet pourrait revivre, quand la Nerte, l'Ermitage, tous les grands crus du Midi étaient morts !

Une petite coiffe blanche se dressa tout à coup devant lui. C'était Divonne, la première levée à la maison ; elle avait une serpette dans la main, autre chose aussi qu'elle jeta, et ses joues si mates d'ordinaire s'allumaient d'une rougeur vive : — C'est toi, Jean ?... tu m'as fait peur... J'ai cru que c'était ton père... » Puis se remettant, elle l'embrassa : « As-tu bien dormi ?

— Très bien, tante, mais pourquoi craigniez-vous l'arrivée de mon père ?...

— Pourquoi ?... »

Elle ramassa le pied de vigne qu'elle venait d'arracher :

« Le consul t'a dit, n'est-ce pas, que cette fois il était sûr de réussir... Eh bien, té ! voilà la bête... »

Jean regardait une petite mousse jaunâtre incrustée dans le bois, l'imperceptible moisissure qui de proche en proche a ruiné des provinces entières ; et c'était une ironie de la nature, dans cette splendide matinée, sous le soleil vivifiant, que cet infiniment petit, destructeur et indestructible.

« C'est le commencement... Dans trois mois tout le clos sera dévoré, et ton père recommencera encore, car il y a mis son orgueil. Ce seront de nouveaux plants, de nouveaux remèdes, jusqu'au jour... »

Un geste désolé acheva et souligna sa phrase.

« Vraiment ! nous en sommes là ?

— Oh ! tu connais le consul... Il ne dit jamais rien, me donne le mois comme toujours ; mais je le vois préoccupé. Il court à Avignon, à Orange. C'est de l'argent qu'il cherche...

— Et Césaire ? ses immersions ? » demanda le jeune homme consterné.

Grâce à Dieu, par là tout allait bien. Ils avaient eu cinquante pièces de petit vin à la dernière récolte ; et cet an apporterait le double. Devant ce succès le consul avait cédé à son frère toutes les vignes de la plaine, restées jusqu'ici en jachères, en alignements de bois morts comme un cimetière de campagne ; et maintenant elles étaient sous l'eau pour trois mois...

Et fière de l'œuvre de son homme, de son Fénat, la Provençale montrait à Jean, du lieu élevé où ils se trouvaient, de grands étangs, des *clairs*, maintenus par des bourrelets de chaux, comme sur les salines.

« Dans deux ans ce cépage donnera ; dans deux ans aussi la Piboulette, et encore l'île de Lamotte que ton oncle a achetée sans le dire... Alors nous serons riches... mais il faut tenir jusque-là, et que chacun y mette du sien et se sacrifie. »

Elle en parlait gaiement, du sacrifice, en femme qu'il n'étonne plus, et avec un si facile entraînement que Jean, traversé d'une idée subite, lui répondit sur le même ton : « On se sacrifiera, Divonne... »

Le jour même, il écrivit à Fanny que ses parents ne pouvaient lui continuer sa pension, qu'il serait réduit aux appointements ministériels et que, dans ces conditions, la vie à deux devenait impossible. C'était rompre plus tôt qu'il n'avait pensé, trois ou quatre ans avant le départ prévu ; mais il comptait que sa maîtresse accepterait ces raisons graves, qu'elle aurait pitié de lui et de sa peine, l'aiderait dans cet accomplissement douloureux d'un devoir.

Etait-ce bien un sacrifice ? Ne fut-il pas au contraire soulagé d'en finir avec une existence qui lui semblait odieuse et malsaine, depuis surtout qu'il était rendu à la nature, à la famille, aux affections simples et droites ?... Sa lettre écrite sans lutte ni souffrance, il compta, pour le défendre contre une réponse qu'il prévoyait furieuse, pleine de menaces et d'extravagances, sur la tendresse honnête et fidèle des braves cœurs qui l'entouraient, l'exemple de ce père droit et fier entre tous, sur le sourire candide des petites saintes femmes, et aussi sur ces grands horizons paisibles, aux saines émanations de montagnes, ce ciel en hauteur, ce fleuve rapide et entraînant ; car en songeant à sa passion, à toutes les vilenies dont elle était faite, il lui semblait sortir d'une fièvre pernicieuse comme on en gagne à la buée des terrains marécageux.

Cinq ou six jours se passèrent dans le silence du grand coup porté. Matin et soir, Jean allait à la poste et revenait les mains vides, singulièrement troublé. Que faisait-elle ? Qu'avait-elle décidé, et, en tout cas, pourquoi ne pas répondre ? Il ne pensait qu'à cela. Et la nuit, tout le monde dormant à Castelet avec le bruit berceur du vent par les longs corridors, ils en causaient, Césaire et lui, dans sa petite chambre.

« Elle est dans le cas d'arriver !... » disait l'oncle ; et son inquiétude se doublait de ceci, qu'il avait dû mettre sous l'enveloppe de la rupture deux billets, à six mois et à un an, réglant sa dette avec les intérêts. Comment les payerait-il ces billets ? Comment expliquer à Divonne ?... Il frissonnait rien que d'y penser et faisait peine à son neveu, quand, le nez allongé et secouant sa pipe, la veillée finie, il lui disait tristement : « Allons, bonsoir... de toute manière c'est très bien ce que tu as fait là. »

Enfin elle arriva cette réponse, et dès les premières lignes : « Mon homme chéri, je ne t'ai pas écrit plus tôt, parce que je tenais à te prouver autrement que par des paroles à quel point je te comprends et je t'aime... » Jean s'arrêta, surpris comme un homme qui entend une symphonie à la place de la chamade qu'il redoutait. Il tourna vite la dernière page, où il lut « ... rester jusqu'à la mort ton chien qui t'aime, que tu peux battre, et qui te caresse passionnément... »

Elle n'avait donc pas reçu sa lettre ! Mais, reprise ligne à ligne et les larmes aux yeux, celle-ci était bien une réponse, disait bien que Fanny s'attendait depuis longtemps à cette mauvaise nouvelle, à la détresse de Castelet amenant l'inévitable séparation. Tout de suite elle s'était mise en quête d'une occupation pour ne plus rester à sa charge, et elle avait trouvé la gérance d'un hôtel meublé, avenue du Bois-de-Boulogne, au compte d'une dame très riche. Cent francs par mois, nourrie, logée et la liberté des dimanches...

« Tu entends, mon homme, tout un jour par semaine pour nous aimer ; car tu voudras bien encore, dis ? Tu me récompenseras du grand effort que je fais de travailler pour la première fois de ma vie, de cet esclavage de nuit et de jour que j'accepte, avec des humiliations que tu ne peux te figurer et qui seront bien lourdes à ma folie d'indépendance... Mais j'éprouve un contentement extraordinaire à souffrir par amour de toi. Je te dois tant, tu m'as fait comprendre tant de bonnes et honnêtes choses dont personne ne m'avait jamais parlé !... Ah ! si nous nous étions rencontrés plus tôt !... Mais tu ne marchais pas encore, que déjà je roulais dans les bras des hommes. Pas un de ceux-là, toujours, ne pourra se vanter de m'avoir inspiré une résolution pareille pour le garder encore un petit peu... Maintenant, reviens quand tu voudras, l'appartement est libre. J'ai ramassé toutes mes affaires ; c'était ça le plus dur, secouer les tiroirs et les souvenirs. Tu ne trouveras que mon portrait qui ne te coûtera rien, lui ; seulement les bons regards que je mendie en sa faveur. Ah ! m'ami, m'ami... Enfin, si tu me gardes mon dimanche et ma petite place dans ton cou... ma place, tu sais... » Et des tendresses, des câlineries, une voluptueuse lècherie de mère chatte, de ces mots de passion qui faisaient l'amant frôler son visage au papier satiné, comme si la caresse s'en dégageait humaine et tiède.

« Elle ne parle pas de mes billets ? demanda timidement l'oncle Césaire.

— Elle vous les renvoie... Vous la rembourserez quand vous serez riche... »

L'oncle eut un soupir soulagé, les tempes froncées de contentement, et avec une gravité prudhommesque, sa forte intonation méridionale :

« *Té* ! veux-tu que je te dise... Cette femme-là, c'est une sainte. »

Puis, passant à un autre ordre d'idées, par cette mobilité, ce manque de logique et de mémoire, une des cocasseries de sa nature : « Et quelle passion, mon bon, quel feu ! J'en ai la bouche sèche, comme quand Courbebaisse me lisait la correspondance de la Mornas... »

Une fois encore, Jean dut subir le premier voyage à Paris, l'hôtel Cujas, Pellicule ; mais il n'entendait pas, accoudé à la fenêtre ouverte sur la nuit apaisée, baignée d'une lune pleine, tellement brillante que les coqs s'y trompaient et la saluaient comme le jour levant.

Ainsi donc c'était vrai, cette rédemption par l'amour dont parlent les poètes ; et il éprouvait une fierté à songer que tous ces grands, ces illustres que Fanny avait aimés avant lui, loin de la régénérer, la dépravaient davantage, tandis que lui, par la seule force de son honnêteté, la tirerait peut-être du vice pour toujours.

Il lui était reconnaissant d'avoir trouvé ce moyen terme, cette demi-rupture où elle prendrait les nouvelles habitudes de travail si difficiles à sa nature indolente ; et sur un ton paternel, de vieux monsieur, il lui écrivit le lendemain pour encourager sa réforme, s'inquiéter du genre d'hôtel qu'elle gérait, du monde qui venait là ; car il se méfiait de son indulgence et de sa facilité à dire en se résignant : « Qu'est-ce que tu veux ? c'est comme ça... »

Courrier par courrier, avec une docilité de petite fille, Fanny lui fit le tableau de son hôtel, vraie maison de famille habitée par des étrangers. Au premier, des Péruviens, père et mère, enfants et domestiques nombreux ; au second, des Russes et un riche Hollandais, marchand de corail. Les chambres du troisième logeaient deux écuyers de l'Hippodrome, chic anglais, très comme il faut, et le plus intéressant petit ménage, Mlle Minna Vogel, cithariste de Stuttgart, avec son frère Léo, un pauvre petit poitrinaire, obligé d'interrompre ses études de clarinette au Conservatoire de Paris, et que la grande sœur était venue soigner, sans autre ressource que le produit de quelques concerts pour payer l'hôtel et la pension.

« Tout ce qu'on peut imaginer de plus touchant et de plus honorable, comme tu vois, mon homme chéri. Moi-même, je passe pour veuve et l'on me montre toutes sortes d'égards. Je ne souffrirais pas d'abord qu'il en fût autrement ; il faut que ta femme soit respectée. Quand je dis « ta femme », comprends-moi bien. Je sais que tu t'en iras un jour, que je te perdrai, mais après il n'y en aura plus d'autre ; à jamais je resterai tienne, conservant le goût de tes caresses et les bons instincts que tu as réveillés en moi... C'est bien drôle, n'est-ce pas, Sapho vertueuse !... Oui, vertueuse, quand tu ne seras plus là ; mais pour toi je me garde telle que tu m'as aimée, délirante et brûlante... je t'adore... »

Subitement, Jean fut pris d'une grande tristesse ennuyée. Ces retours de l'enfant prodigue, après les joies de l'arrivée, l'orgie de veau gras et d'effusions tendres, souffrent toujours des hantises de la vie nomade, du regret des glands amers et du paresseux troupeau à conduire. C'est un désenchantement qui tombe des choses et des êtres, tout à coup dépouillés et décolorés. Les matins de l'hiver provençal n'avaient plus pour lui leur salubre allégresse, ni d'attrait la chasse aux belles loutres mordorées, le long des berges, ni le tir aux macreuses dans le *naye-chien* du vieil Abrieu. Jean trouvait le vent dur, l'eau rêche, et bien monotones les promenades dans les vignes inondées avec l'oncle expliquant son système de vannes, martelières, rigoles d'amenée.

Le village qu'il revoyait les premiers jours à travers ses courses joyeuses de gamin, baraques anciennes, quelques-unes abandonnées, sentait la mort et la désolation d'un village italien ; et quand il allait à la poste, il lui fallait subir, sur la pierre branlante de chaque porte, le rabâchage de tous ces vieux, tordus comme des plein-vent, les bras passés dans des morceaux de bas tricotés, de ces vieilles au menton de buis jaune sous leurs coiffes serrées, aux petits yeux luisants et frétillants comme il en brille aux lézardes des vieux murs.

Toujours les mêmes lamentations sur la mort des vignes, la fin de la garance, la maladie des mûriers, les sept plaies d'Egypte ruinant ce beau pays de Provence ; et pour les éviter, quelquefois il revenait par les ruelles en pente qui longent les anciens murs d'enceinte du château des Papes, ruelles désertes encombrées de broussailles, de ces grandes herbes de Saint-Roch pour guérir les dartres, bien à leur place dans ce coin Moyen Age, ombré de l'énorme ruine déchiquetée en haut du chemin.

Alors il rencontrait le curé Malassagne venant de dire sa messe et descendant à grands pas furieux, le rabat de travers, sa soutane relevée à deux mains, à cause des ronces et des teignes. Le prêtre s'arrêtait, tonnait contre l'impiété des paysans, l'infamie du conseil municipal ; il jetait sa malédiction sur les champs, les bêtes et les hommes, des malandrins qui ne venaient plus à l'office, qui enterraient leurs morts sans sacrements, se soignaient par le magnétisme, le spiritisme, pour s'épargner le prêtre et le médecin :

« Oui, monsieur, le spiritisme !... voilà où ils en arrivent, nos paysans du Comtat... Et vous ne voulez pas que les vignes soient malades !... »

Jean, qui avait la lettre de Fanny tout ouverte et embrasée dans sa poche, écoutait, le regard absent, échappait le plus vite possible à l'homélie du prêtre, et rentrait à Castelet s'abriter dans un creux de roche, ce que les Provençaux appellent un « cagnard », garanti du vent qui souffle tout autour et concentrant le soleil réverbéré dans la pierre.

Il choisissait le plus perdu, le plus sauvage, envahi par les ronces et les chênes kermès, s'y terrait pour lire sa lettre ; et peu à peu de la fine odeur qu'elle exhalait, de la caresse des mots, des images évoquées, lui venait une griserie sensuelle qui activait son pouls, l'hallucinait jusqu'à faire disparaître comme un décor inutile le fleuve, les îles en bouquets, les villages au creux des Alpilles, toute la courbe de l'immense vallée où la bourrasque chassait, roulait en flots la poudre du soleil. Il était là-bas, dans leur chambre, devant la gare aux toits gris, en proie aux caresses folles, à ces désirs furieux qui les cramponnaient l'un à l'autre avec des crispations de noyés...

Tout à coup, des pas dans le sentier, des rires clairs : « Il est là !... » Ses sœurs apparaissaient, petites jambes nues dans la lavande, conduites par le vieux Miracle, tout fier d'avoir dépisté son maître et remuant la queue victorieusement ; mais Jean le renvoyait d'un coup de pied et rebutait les offres de jouer à cache-cache ou à courir qu'on lui faisait d'un air timide. Il les aimait pourtant, ses petites bessonnes raffolant du grand frère toujours si loin ; il s'était fait enfant pour elles dès l'arrivée, s'amusait du contraste de ces jolies créatures nées en même temps et dissemblables. L'une longue, brune, les cheveux crépelés, à la fois mystique et volontaire ; c'est elle qui avait eu l'idée de la barque, exaltée par les lectures du curé Malassagne, et cette petite Marie l'Egyptienne avait entraîné la blonde Marthe, un peu molle et douce, ressemblant à sa mère et à son frère.

Mais quelle gêne odieuse, pendant qu'il était à remuer ses souvenirs, que ces innocentes câlineries d'enfants se frottant au parfum coquet que mettait sur lui la lettre de sa maîtresse. « Non, laissez-moi... il faut que je travaille... » Et il rentrait avec l'intention de s'enfermer chez lui, quand la voix de son père l'appelait au passage.

« C'est toi, Jean... écoute donc... »

L'heure du courrier apportait de nouveaux sujets de morosité à cet homme déjà sombre de nature, gardant de l'Orient des habitudes de solennité silencieuse, coupée de brusques souvenirs..., « quand j'étais consul à Hong-Kong », qui partaient en éclats de souches au grand feu. Pendant qu'il écoutait son père lire et discuter ses journaux du matin, Jean regardait sur la cheminée la Sapho de Caoudal, les bras aux genoux, sa lyre à côté d'elle, TOUTE LA LYRE, un bronze acheté il y avait vingt ans, lors des embellissements de Castelet ; et ce bronze du commerce, qui l'écœurait aux vitrines parisiennes, lui donnait ici dans son isolement une émotion amoureuse, l'envie de baiser ces épaules, de délier ces bras froids et polis, de se faire dire : « Sapho pour toi, mais rien que pour toi ! »

L'image tentatrice se levait quand il sortait, marchait avec lui, doublait le bruit de son pas dans le grand escalier pompeux. C'était le nom de Sapho que rythmait le balancier de la vieille horloge, que chuchotait le vent par les grands corridors dallés et froids de la demeure estivale, son nom qu'il retrouvait dans tous les livres de cette bibliothèque de campagne, vieux bouquins à tranches rouges conservant entre la brochure des miettes de ses goûters d'enfant. Et cet obsédant souvenir de sa maîtresse le poursuivait jusque dans la chambre maternelle, où Divonne coiffait la malade, relevait ses beaux cheveux blancs sur ce visage resté paisible et rose malgré des tortures variées et perpétuelles.

« Ah ! voilà notre Jean », disait la mère. Mais avec son cou nu, sa petite coiffe, ses manches retroussées pour cette toilette dont elle seule avait la charge, sa tante lui rappelait d'autres réveils, évoquait la maîtresse encore, sautant du lit dans le nuage de sa première cigarette. Il s'en voulait d'idées pareilles, dans cette chambre surtout ! Que faire cependant pour y échapper ?

« Notre enfant n'est plus le même, ma sœur, disait Mme Gaussin tristement... Qu'est-ce qu'il a ? » Et elles cherchaient ensemble. Divonne torturait son entendement ingénu, elle aurait voulu questionner le jeune homme ; mais il semblait la fuir maintenant, éviter d'être seul avec elle.

Une fois, l'ayant guetté, elle vint le surprendre au cagnard dans la fièvre de ses lettres et de ses mauvais rêves. Il se levait, l'œil sombre... Elle le retint, s'assit près de lui sur la pierre chaude : « Tu ne m'aimes donc plus ?... je ne suis donc plus ta Divonne à qui tu disais toutes tes peines ?

— Mais si, mais si... » bégayait-il, troublé par sa façon tendre, et détournant les yeux pour qu'elle ne pût y retrouver quelque chose de ce qu'il venait de lire, appels d'amour, cris éperdus, le délire de la passion à distance. « Qu'as-tu ?... pourquoi es-tu triste ? » murmurait Divonne avec des câlineries de voix et de mains comme on en a pour les enfants. C'était un peu son petit, il restait pour elle à dix ans, l'âge des petits hommes qu'on émancipe.

Lui, déjà brûlant de sa lecture, s'exaltait au charme troublant de ce beau corps si près du sien, de cette bouche fraîche au sang avivé par le grand air qui dérangeait les cheveux, les envolait au-dessus du front en délicats frisons à la mode parisienne. Et les leçons de Sapho : « Toutes les femmes sont les mêmes... en face de l'homme elles n'ont qu'une idée en tête... », lui faisaient trouver provocants l'heureux sourire de la paysanne, son geste pour le retenir au tendre interrogatoire.

Tout à coup, il sentit monter le vertige d'une tentation mauvaise ; et l'effort qu'il faisait pour y résister le secoua d'un frisson convulsif. Divonne s'effrayait de le voir si pâle, les dents claquantes. « Ah ! le pauvre... il a la fièvre... » D'un geste de tendresse irréfléchi elle dénouait le grand fichu qui entourait sa taille pour le lui mettre au cou ; mais brusquement saisie, enveloppée, elle sentit la brûlure d'une caresse folle sur sa nuque, ses épaules, toute la chair étincelante qui venait de jaillir au soleil. Elle n'eut pas le temps de crier ni de se défendre, peut-être même pas le sentiment juste de ce qui venait de se passer. « Ah ! je suis fou... je suis fou... » Il se sauvait, déjà loin dans la garrigue dont les pierres roulaient sinistrement sous ses pieds.

A déjeuner, ce jour-là, Jean annonça qu'il partirait le soir même, rappelé par un ordre du ministre. — « Partir, déjà !... tu avais dit... tu ne fais que d'arriver... » Et des cris, des supplications. Mais il ne pouvait plus rester avec eux, puisque entre toutes ses tendresses intervenait l'influence agitante et corruptrice de Sapho. D'ailleurs, ne leur avait-il pas fait le plus grand sacrifice en renonçant à la vie à deux ? La rupture complète s'achèverait un peu plus tard ; et il reviendrait alors aimer sans honte, ni gêne, embrasser tous ces braves gens.

Il était nuit, la maison couchée, éteinte, quand Césaire revint de conduire son neveu au train d'Avignon. L'avoine donnée au cheval, après avoir scruté le ciel — ce regard aux présages du temps, des hommes qui vivent de la terre —, il allait rentrer quand il vit une forme blanche sur un banc de la terrasse. « C'est toi, Divonne ?

— Oui, je t'attendais... »

Très occupée tout le jour, séparée de son Fénat qu'elle adorait, ils avaient le soir de ces rendez-vous pour causer, faire un tour de promenade ensemble. Etait-ce la courte scène entre elle et Jean, comprise en y pensant, et plus qu'elle n'eût voulu, ou l'émotion d'avoir vu pleurer la pauvre mère tout le jour silencieusement ? Elle avait la voix altérée, une inquiétude d'esprit extraordinaire chez cette calme personne de devoir. « Sais-tu quelque chose ? Pourquoi nous a-t-il quittés si vivement ?... » Elle ne croyait pas à cette histoire de ministère, soupçonnant plutôt quelque attache mauvaise qui tirait l'enfant loin de sa famille. Tant de dangers, de si fatales rencontres dans ce Paris de perdition !

Césaire, qui ne savait rien lui cacher, avoua qu'il y avait en effet une femme dans la vie de Jean, mais une bonne créature incapable de le détourner des siens ; et il parla de son dévouement, des lettres touchantes qu'elle écrivait, vanta surtout la résolution courageuse qu'elle avait prise de travailler, ce qui sembla tout naturel à la paysanne : « Car enfin, il faut travailler pour vivre.

— Pas ce genre de femmes-là... dit Césaire.

— C'est donc une rien du tout avec qui Jean vivait !... Et tu es allé là-dedans ?...

— Je te jure, Divonne, que depuis qu'elle le connaît il n'y a pas de femme plus chaste, plus honnête... L'amour l'a réhabilitée. »

Mais c'étaient des mots trop longs, Divonne ne comprenait pas. Pour elle, cette dame rentrait dans ce rebut qu'elle appelait « les mauvaises femmes », et la pensée que son Jean était la proie d'une créature pareille l'indignait. Si le consul se doutait de cela !...

Césaire essayait de la calmer, assurait par tous les plis de sa bonne face un peu grivoise qu'à l'âge du garçon on ne pouvait se passer de femme. « *Té*, pardi ! qu'il se marie, dit-elle avec une conviction attendrissante.

— Enfin ils ne sont déjà plus ensemble, c'est toujours ça... »

Elle alors, d'un ton grave : « Ecoute, Césaire... tu sais comme on dit chez nous : Le malheur dure toujours plus que celui qui l'amène... Si c'est vraiment comme tu racontes, si Jean a tiré cette femme de la boue, il s'est peut-être bien sali à cette triste besogne. Possible qu'il l'ait rendue meilleure et plus honnête, mais qui sait si le mauvais qui était en elle n'a pas gâté notre enfant jusqu'au cœur ! »

Ils revenaient vers la terrasse. Nuit paisible et limpide sur toute la vallée silencieuse où rien ne vivait que la lumière glissante de la lune, le fleuve houleux, les *clairs* en flaques d'argent. On respirait le calme, l'éloignement de tout, le grand repos d'un sommeil sans rêves. Soudain le train montant déroula au bord du Rhône sa rumeur sourde à toute vapeur.

« Oh ! ce Paris », fit Divonne, montrant le poing vers l'ennemi que la province charge de toutes ses colères... « ce Paris !... ce qu'on lui donne et ce qu'il nous renvoie ! »

7

Il faisait un froid brumeux, une après-midi sombre à quatre heures, même sur cette large avenue des Champs-Elysées où se hâtaient les voitures dans un roulement sourd et ouaté. C'est à peine si Jean put lire au fond d'un jardinet dont la grille était ouverte, ces lettres dorées, très hautes, au-dessus de l'entresol d'une maison à l'aspect luxueux et tranquille de cottage : *Apparte-*

ments meublés, pension de famille. Un coupé attendait au ras du trottoir.

La porte du bureau poussée, Jean la vit tout de suite, celle qu'il cherchait, assise dans le jour de la fenêtre, feuilletant un gros livre de comptes en face d'une autre femme, élégante et grande, un mouchoir aux mains et un petit sac de boursicotière.

« Vous désirez, monsieur ?... » Fanny le reconnut, se leva, saisie, et passant devant la dame : « C'est le petit... » dit-elle tout bas. L'autre examina Gaussin des pieds à la tête avec le beau sang-froid connaisseur que donne l'expérience, et très haut, sans se gêner : « Embrassez-vous, mes enfants... Je ne vous regarde pas. » Puis elle se mit à la place de Fanny, continua à vérifier ses chiffres.

Ils s'étaient pris les mains, se chuchotaient des phrases bêtes : « Comment ça va ? — Pas mal, merci... — Alors tu es parti hier au soir ?... » Mais l'altération de leurs voix donnait aux mots leur vraie signification. Et assis sur le divan, se remettant un peu : « Tu n'as pas reconnu ma patronne ?... disait Fanny à voix basse... tu l'as déjà vue pourtant... au bal de Déchelette, en mariée espagnole... Un peu défraîchie, la mariée.

— Alors, c'est... ?

— Rosario Sanchès, la femme à de Potter. »

Cette Rosario, Rosa, de son nom de fête écrit sur toutes les glaces des restaurants de nuit et toujours souligné de quelque ordure, était une ancienne « dame des chars » à l'Hippodrome, célèbre dans le monde de la noce par son dévergondage cynique, ses coups de gueule et de cravache très recherchés des hommes de cercle, qu'elle menait comme ses chevaux.

Espagnole d'Oran, elle avait été plus belle que jolie et tirait encore aux lumières un certain effet de ses yeux noirs bistrés, de ses sourcils rejoints en barre ; mais ici, même dans ce faux jour, elle avait bien ses cinquante ans, marqués sur une face plate, dure, à la peau soulevée et jaune comme un limon de son pays. Intime de Fanny Legrand pendant des années, elle l'avait chaperonnée dans la galanterie, et rien que son nom épouvantait l'amoureux.

Fanny, qui comprit le tremblement de son bras, essaya de s'excuser. A qui s'adresser pour trouver un emploi ? On était bien embarrassé. D'ailleurs Rosa maintenant se tenait tranquille ; riche, très riche, vivant dans son hôtel avenue de Villiers ou à sa villa d'Enghien, recevant quelques anciens amis, mais un seul amant, toujours le même, son musicien.

« De Potter ? demanda Jean... je le croyais marié.

— Oui... marié, des enfants, il paraît même que sa femme est jolie... ça ne l'a pas empêché de revenir à l'ancienne... et si tu voyais comme elle lui parle, comme elle le traite... Ah ! il est bien mordu, celui-là... » Elle lui serrait la main avec un tendre reproche. La dame à ce moment interrompit sa lecture et s'adressa à son sac qui sautait au bout de la cordelière :

« Mais reste donc tranquille, voyons !... » Puis à la gérante sur un ton de commandement : « Donne-moi vite un bout de sucre pour Bichito. »

Fanny se leva, apporta le sucre qu'elle approchait de l'ouverture du ridicule avec des petites flatteries, des mots enfantins... « Regarde la jolie bête... » dit-elle à son amant, en lui montrant, tout entouré de ouate, une sorte de gros lézard difforme et grenu, crêté, dentelé, la tête en capuchon sur une chair grelottante et gélatineuse ; un caméléon envoyé d'Algérie à Rosa, qui le préservait de l'hiver parisien à force de soins et de chaleur. Elle l'adorait comme jamais elle n'avait aimé aucun homme ; et Jean démêlait bien aux mamours flagorneurs de Fanny la place que l'horrible bête tenait dans la maison.

La dame ferma le livre, prête à partir. « Pas trop mal pour une seconde quinzaine... Seulement veille à la bougie. »

Elle jeta son regard de patronne autour du petit salon, tenu, rangé, au meuble de velours frappé, souffla un peu de poussière sur le yucca du guéridon, constata un accroc dans la guipure des croisées ; après quoi, elle dit aux jeunes gens avec un œil entendu : « Vous savez, mes petits, pas de bêtises... la maison est très convenable... » et rejoignant la voiture qui l'attendait à la porte, elle s'en alla faire son tour de bois.

« Crois-tu que c'est sciant !... dit Fanny. Je les ai sur le dos, elle ou sa mère, deux fois la semaine... La mère est encore plus terrible, plus pingre... Il faut que je t'aime, va, pour durer dans cette baraque... Enfin te voilà, je t'ai encore !... J'ai eu si peur... » Et elle l'enlaça debout, longuement, lèvres contre lèvres, s'assurant bien au tressaillement du baiser qu'il était encore tout à elle. Mais on allait et venait dans le couloir, il fallait se méfier. Quand on eut apporté la lampe, elle s'assit à sa place habituelle, un petit ouvrage aux doigts ; lui, tout près comme en visite...

« Suis-je changée, hein ?... Est-ce assez peu moi ?... »

Elle souriait en montrant son crochet manié avec une gaucherie de petite fille. Toujours elle avait détesté ces travaux d'aiguille ; un livre, son piano, sa cigarette, ou les manches retroussées pour la confection d'un petit plat, elle ne s'occupait jamais autrement. Mais ici, que faire ? Le piano du salon, elle ne pouvait y songer de tout le jour, obligée de se tenir au bureau... Des romans ? Elle savait bien d'autres histoires que celles qu'ils racontaient. A défaut de la cigarette prohibée, elle avait pris cette dentelle qui lui occupait les doigts et la laissait libre de penser, comprenant à cette heure le goût des femmes pour ces menus travaux qu'elle méprisait jadis.

Et tandis qu'elle rattrapait son fil avec des maladresses encore, une attention d'inexpérience, Jean la regardait, toute reposée dans sa robe simple, son petit col droit, les cheveux bien à plat sur la rondeur antique de sa tête, et l'air si honnête, si raisonnable. Dehors, dans un décor luxueux, roulait continuellement le train des filles à la mode, haut perchées sur leurs phaétons, redescendant vers le Paris bruyant des Boulevards ; et Fanny ne semblait pas avoir un regret pour ce vice étalé et triomphant, dont elle aurait pu prendre sa part, qu'elle avait dédaigné pour lui. Pourvu qu'il consentît à la voir de temps en temps, elle acceptait très bien sa vie de servitude, y trouvait même des côtés amusants.

Tous les pensionnaires l'adoraient. Les femmes, étrangères, sans aucun goût, la consultaient pour leurs achats de toilette ; elle donnait des leçons de chant le matin à l'aînée des petites Péruviennes, et pour le livre à lire, la pièce à voir, elle conseillait ces messieurs qui la traitaient avec toutes sortes d'égards, de prévenances, un surtout, le Hollandais du second. « Il s'assied là où tu es, reste en contemplation jusqu'à ce que je lui dise : « Kuyper, vous m'ennuyez. » Alors il répond : « *Pien* » et il s'en va... C'est lui qui m'a donné cette petite broche en corail... Tu sais, ça vaut cent sous ; je l'ai acceptée pour avoir la paix. »

Un garçon entrait, apportait un plateau chargé qu'il posait sur un bout du guéridon en reculant un peu la plante verte. « C'est là que je mange toute seule, une heure avant la table d'hôte. » Elle indiqua deux plats du menu assez long et copieux. La gérante n'avait droit qu'à deux plats et au potage. « Faut-il qu'elle soit chienne, cette Rosario !... Du reste, j'aime mieux manger là ; je n'ai pas besoin de parler et je relis tes lettres qui me tiennent compagnie. »

Elle s'interrompit encore pour atteindre une nappe, des serviettes ; à tout moment on la dérangeait, un ordre à donner, une armoire à ouvrir, une réclamation à satisfaire. Jean comprit qu'il la gênerait en restant davantage ; puis on installait son dîner, et c'était si piètre, cette petite soupière d'une portion qui fumait sur la table, leur donnant à tous deux la même pensée, le même regret de leurs anciens tête-à-tête !

« A dimanche... à dimanche... » murmura-t-elle tout bas, en le renvoyant. Et comme ils ne pouvaient s'embrasser à cause du service, des pensionnaires qui descendaient, elle lui avait pris la main, l'appuyait contre son cœur longuement pour y faire entrer la caresse.

Tout le soir, la nuit, il pensa à elle, souffrant de sa servitude humiliée devant cette gueuse et son gros lézard ; puis le Hollandais le troublait aussi, et jusqu'au dimanche il ne vécut pas. En réalité cette demi-rupture qui devait préparer sans secousse la fin de leur liaison fut pour celle-ci le coup de serpe de l'émondeur dont se ravive l'arbre fatigué. Ils s'écrivirent, presque chaque jour, de ces billets de tendresse comme en griffonne l'impatience des amoureux ; ou bien c'était, au sortir du ministère, une causerie douce dans le bureau pendant l'heure du travail à l'aiguille.

Elle avait dit à l'hôtel en parlant de lui : « Un de mes parents... » et sous le couvert de cette vague appellation il put venir quelquefois passer la soirée au salon, à mille lieues de Paris. Il connut la famille péruvienne avec ses innombrables demoiselles, fagotées de couleurs criardes, rangées autour du salon, de vrais aras au perchoir ; il entendit la cithare de Mlle Minna Vogel, enguirlandée comme une perche à houblon, et vit son frère, malade, aphone, suivant de la tête avec passion le rythme de la musique et promenant ses doigts sur une clarinette imaginaire, la seule dont il eût permission de jouer. Il fit le whist du Hollandais de Fanny, un gros balourd, chauve, d'aspect sordide, qui avait navigué par tous les océans du monde, et quand on lui demandait quelques renseignements sur l'Australie où il venait de passer des mois, répondait avec un roulement d'yeux : « Devinez combien les pommes de terre à Melbourne ?... » n'ayant été frappé que de ce fait unique, la cherté des pommes de terre dans tous les pays où il allait.

Fanny était l'âme de ces réunions, causait, chantait, jouait la Parisienne informée et mondaine ; et ce qu'il restait dans ses façons de la bohème ou de l'atelier échappait à ces exotiques, ou leur semblait le suprême genre. Elle les éblouissait de ses relations avec les personnalités fameuses des arts ou de la littérature, donnait à la dame russe qui raffolait des œuvres de Dejoie, des renseignements sur la façon d'écrire du romancier, le nombre de tasses de café qu'il absorbait en une nuit, le chiffre exact et dérisoire dont les éditeurs de *Cenderinette* avaient payé le chef-d'œuvre qui faisait leur fortune. Et les succès de sa maîtresse rendaient Gaussin si fier qu'il oubliait d'être jaloux, aurait volontiers certifié sa parole, si quelqu'un l'eût mise en doute.

Pendant qu'il l'admirait dans ce paisible salon éclairé de lampes à abat-jour, servant le thé, accompagnant les mélodies des jeunes filles, leur donnant des conseils de grande sœur, il y avait pour lui un montant singulier à se la figurer tout autre, quand elle arrivait chez lui le dimanche matin, trempée, grelottante, et que sans même s'approcher du feu qui flambait en son honneur, elle se déshabillait à la hâte, et se glissait dans le grand lit, contre l'amant. Alors quelles étreintes, quelles caresses longues où se vengeaient les contraintes de toute la semaine, cette privation l'un de l'autre qui gardait le désir vivifiant à leur amour.

Les heures passaient, s'embrouillaient ; on ne bougeait plus du lit jusqu'au soir. Rien ne les tentait que là ; nul plaisir, personne à voir, pas même les Hettéma qui, par économie, s'étaient décidés à vivre à la campagne. Le petit déjeuner préparé, à côté d'eux, ils entendaient, anéantis, la rumeur du dimanche parisien pataugeant dans la rue, le sifflet des trains, le roulement des fiacres chargés ; et la pluie en larges gouttes sur le zinc du balcon, avec les battements précipités de leurs poitrines, rythmaient cette absence de la vie, sans notion de l'heure, jusqu'au crépuscule.

Le gaz, qu'on allumait en face, glissait alors un pâle rayon sur la tenture ; il fallait se lever, Fanny devant être rentrée à sept heures. Dans le demi-jour de la chambre, tous ses ennuis, tous ses écœurements lui revenaient plus lourds, plus cruels, en remettant ses bottines encore humides de la course à pied, ses jupons, sa robe de la gérance, l'uniforme noir des femmes pauvres.

Et ce qui gonflait son chagrin c'étaient ces choses aimées autour d'elle, les meubles, le petit cabinet de toilette des beaux jours... Elle s'arrachait : « Allons !... » et pour rester plus longtemps ensemble, Jean la reconduisait ; ils remontaient serrés et lents l'avenue des Champs-Elysées dont la double rangée de lampadaires, avec l'Arc de Triomphe en haut, écarté d'ombre, et deux ou trois étoiles piquant un bout de ciel, figuraient un fond de diorama. Au coin de la rue Pergolèse, tout près de la pension, elle relevait sa voilette pour un dernier baiser, et le laissait désorienté, dégoûté de son intérieur où il rentrait le plus tard possible, maudissant la misère, en voulant presque à ceux de Castelet du sacrifice qu'il s'imposait pour eux.

Ils traînèrent deux ou trois mois cette existence devenue vers la fin absolument insupportable, Jean ayant été obligé de restreindre ses visites à l'hôtel à cause d'un bavardage de domestique, et Fanny de plus en plus exaspérée par l'avarice de la mère et de la fille Sanchès. Elle pensait silencieusement à reprendre leur petit ménage et sentait son amant à bout de forces lui aussi, mais elle eût voulu qu'il parlât le premier.

Un dimanche d'avril, Fanny arriva plus parée que d'ordinaire, en chapeau rond, en robe de printemps bien simple — on n'était pas riche —, mais tendue aux grâces de son corps.

« Lève-toi vite, nous allons déjeuner à la campagne...

— A la campagne !...

— Oui, à Enghien, chez Rosa... Elle nous invite tous les deux... » Il dit non d'abord, mais elle insista. Jamais Rosa ne pardonnerait un refus. « Tu peux bien consentir pour moi... J'en fais assez, il me semble. »

C'était au bord du lac d'Enghien, devant une immense pelouse descendant jusqu'à un petit port où se balançaient quelques yoles et gondoles, un grand chalet, merveilleusement orné et meublé, et dont les plafonds, les panneaux en miroirs reflétaient l'étincellement de l'eau, les superbes charmilles d'un parc déjà frissonnant de verdures hâtives et de lilas en fleur. Les livrées correctes, les allées où ne traînait pas une brindille, faisaient honneur à la double surveillance de Rosario et de la vieille Pilar.

On était à table quand ils arrivèrent, une fausse indication les ayant égarés une heure autour du lac, par des ruelles entre de grands murs de jardins. Jean acheva de se décontenancer, au froid accueil de la maîtresse de la maison, furieuse qu'on l'eût fait attendre, et à l'aspect extraordinaire des vieilles parques auxquelles Rosa le présentait de sa voix de charretier. Trois « élégantes », comme se désignent entre elles les grandes cocottes, trois antiques roulures comptant parmi les gloires du second Empire, aux noms aussi fameux que celui d'un grand poète ou d'un général à victoires, Wilkie Cob, Sombreuse, Clara Desfous.

Elégantes, certes elles l'étaient toujours, attifées à la mode nouvelle, aux couleurs du printemps, délicieusement chiffonnées de la collerette aux bottines ; mais si fanées, fardées, retapées ! Sombreuse sans cils, les yeux morts, la lèvre détendue, tâtonnant autour de son assiette, de sa fourchette, de son verre ; la Desfous énorme, couperosée, une boule d'eau chaude aux pieds, étalant sur la nappe ses pauvres doigts goutteux et tordus, aux bagues étincelantes, aussi difficiles, compliquées à entrer et à sortir que les anneaux d'une question romaine. Et Cob toute mince, avec une taille jeunette qui faisait plus hideuse sa tête décharnée de clown malade sous une crinière d'étoupe jaune. Celle-là, ruinée, saisie, était allée tenter un dernier coup à Monte-Carlo et en revenait sans un sou, enragée d'amour pour un beau croupier qui n'avait pas voulu d'elle ; Rosa, l'ayant recueillie, la nourrissait, s'en faisait gloire.

Toutes ces femmes connaissaient Fanny, la saluaient d'un bonjour protecteur : « Comment va, petite ? » Le fait est qu'avec sa robe à trois francs le mètre, sans un bijou que la broche rouge de Kuyper, elle avait l'air d'une recrue parmi ces épouvantables chevronnées de la galanterie, que ce cadre de luxe, toute la lumière reflétée du lac et du ciel, entrant mêlée d'odeurs printanières par les battants de la salle à manger, faisait plus spectrales encore.

Il y avait aussi la vieille mère Pilar, « le *chinge* », comme elle s'appelait elle-même dans son charabia franco-espagnol, vraie macaque à peau déteinte et râpeuse, d'une malice féroce sur des traits grimaçants, coiffée en garçon, les cheveux gris au ras de l'oreille, et sur sa robe de vieux satin noir un grand col bleu de maître timonier.

« Et puis M. Bichito... » dit Rosa, achevant de présenter ses convives et montrant à Gaussin un tampon d'ouate rose où le caméléon grelottait sur la nappe.

« Eh bien, et moi, on ne me présente pas ? » réclama sur un ton de jovialité forcée un grand garçon à moustaches grisonnantes, de tenue correcte, même un peu raide, dans son veston clair et son col montant.

« C'est vrai... Et Tatave ? » dirent les femmes en riant. La maîtresse de maison lâcha son nom avec négligence.

Tatave, c'était de Potter, le savant musicien, l'auteur acclamé de *Claudia*, de *Savonarole* ; et Jean, qui n'avait fait que l'entrevoir chez Déchelette, s'étonnait de trouver au grand artiste des allures si peu géniales, ce masque en bois dur et régulier, ces yeux déteints scellant une passion folle, incurable, qui depuis des années l'accrochait à cette gueuse, lui faisait quitter femme et enfants, pour rester commensal de cette maison où il engloutissait une partie de sa grande fortune, ses gains de théâtre, et où on le traitait plus mal qu'un domestique. Il fallait voir l'air excédé de Rosa dès qu'il racontait quelque chose, de quel ton méprisant elle lui imposait silence ; et renchérissant sur sa fille, Pilar ne manquait jamais d'ajouter d'un accent convaincu :

« *Foute*-nous la paix, mon garçon. »

Jean l'avait pour voisine, cette Pilar, et ces vieilles babines qui grondaient en mangeant avec un ruminement de bête, ce coup d'œil inquisiteur dans son assiette, mettaient au supplice le jeune homme déjà gêné par le ton de patronne de Rosa, plaisantant Fanny sur les soirées musicales de l'hôtel et la jobarderie de ces pauvres rastaquouères qui prenaient la gérante pour une femme du monde tombée dans le malheur. L'ancienne dame des chars, bouffie de graisse malsaine, des cabochons de dix mille francs à chaque oreille, semblait envier à son amie le renouveau de jeunesse et de beauté que lui communiquait cet amant jeune et beau ; et Fanny ne se fâchait pas, amusait au contraire la table, raillait en rapin les pensionnaires, le Péruvien qui lui avouait, en roulant des yeux blancs, son désir de connaître une *grande coucoute*, et la cour silencieuse, à souffle de phoque, du Hollandais haletant derrière sa chaise : « *Tevinez* combien les pommes de terre à Batavia. »

Gaussin ne riait guère, lui ; Pilar non plus, occupée à surveiller l'argenterie de sa fille, ou s'élançant d'un geste brusque, visant sur le couvert devant elle ou la manche de son voisin une mouche qu'elle présentait en baragouinant des mots de tendresse, « mange, *mi alma* ; mange, *mi corazon* », à la hideuse petite bête échouée sur la nappe, flétrie, plissée, informe comme les doigts de la Desfous.

Quelquefois, toutes les mouches en déroute, elle en apercevait une contre le dressoir ou la vitre de la porte, se levait, et la raflait triomphalement. Ce manège souvent répété impatienta sa fille, décidément très nerveuse, ce matin-là :

« Ne te lève donc pas à toute minute, c'est fatigant. »

Avec la même voix descendue de deux tons dans le charabia, la mère répondit : « Vous dévorez, *bos otros*... pourquoi tu veux pas qu'il mange, *loui ?*

— Sors de table, ou tiens-toi tranquille... tu nous embêtes... »

La vieille se rebiffa, et toutes deux commencèrent à s'injurier en dévotes espagnoles, mêlant le démon et l'enfer à des invectives de trottoir :

« *Hija del demonio.*

— *Cuerno de satanas.*

— *Puta !...*

— *Mi madre !* »

Jean les regardait épouvanté, tandis que les autres convives, habitués à ces scènes de famille, continuaient de manger tranquillement. De Potter seul intervint par égard pour l'étranger :

« Ne vous disputez donc pas, voyons. »

Mais Rosa, furieuse, se retourna contre lui : « De quoi te mêles-tu, toi ?... en voilà des manières !... Est-ce que je ne suis pas libre de parler... Va donc voir un peu chez ta femme, si j'y suis !... J'en ai assez de tes yeux de merlan frit, et des trois cheveux qui te restent... Va les porter à ta dinde, il n'est que temps !... » De Potter souriait, un peu pâle :

« Et il faut vivre avec ça !... murmurait-il dans sa moustache.

— Ça vaut bien ça... hurla-t-elle, tout le corps en avant sur la table... Et tu sais, la porte est ouverte... file... hop !

— Voyons, Rosa... » supplièrent les pauvres yeux ternes. Et la mère Pilar, se remettant à manger, dit avec un flegme si comique : « *Foute*-nous la paix, mon garçon... » que tout le monde éclata de rire, même Rosa, même de Potter qui embrassait sa maîtresse encore toute grondante et, pour achever de gagner sa grâce, attrapait une mouche et la donnait délicatement, par les ailes, à Bichito.

Et c'était de Potter, le compositeur glorieux, la fierté de l'école française ! Comment cette femme le retenait-elle, par quel sortilège, vieillie de vices, grossière, avec cette mère qui doublait son infamie, la montrait telle qu'elle serait vingt ans plus tard, comme vue dans une boule étamée ?...

On servit le café au bord du lac, sous une petite grotte en rocaille, revêtue à l'intérieur de soies claires que moirait le mouvement de l'eau voisine, un de ces délicieux nids à baisers inventés par les contes du dix-huitième siècle, avec une glace au plafond qui reflétait les attitudes des vieilles parques répandues sur le large divan dans une pâmoison digérante, et Rosa, les joues allumées sous le fard, s'étirant les bras à la renverse contre son musicien :

« Oh ! mon Tatave... mon Tatave !... »

Mais cette chaleur de tendresse s'évapora avec celle de la chartreuse, et l'idée d'une promenade en bateau étant venue à l'une de ces dames, elle envoya de Potter préparer le canot.

« Le canot, tu entends, pas la norvégienne.

— Si je disais à Désiré.

— Désiré déjeune...

— C'est que le canot est plein d'eau ; il faut écoper, c'est tout un travail...

— Jean ira avec vous, de Potter... » dit Fanny qui voyait venir encore une scène.

Assis en face l'un de l'autre, les jambes écartées, chacun sur un banc du bateau, ils l'égouttaient activement, sans se parler, sans se regarder, comme hypnotisés par le rythme de l'eau jaillie des deux écopes. Autour d'eux l'ombre d'un grand catalpa tombait en fraîcheur odorante et se découpait sur le lac resplendissant de lumière.

« Y a-t-il longtemps que vous êtes avec Fanny ?... demanda tout à coup le musicien s'arrêtant dans sa besogne.

— Deux ans... répondit Gaussin un peu surpris.

— Seulement deux ans !... Alors ce que vous voyez aujourd'hui pourra peut-être vous servir. Moi, voilà vingt ans que je vis avec Rosa, vingt ans que revenant d'Italie après mes trois années de Prix de Rome, je suis entré à l'Hippodrome, un soir, et que je l'ai vue debout dans son petit char au tournant de la piste, m'arrivant dessus, le fouet en l'air, avec son casque à huit fers de lance, et sa cotte d'écailles d'or, lui serrant la taille jusqu'à mi-cuisse. Ah ! si l'on m'avait dit... »

Et se remettant à vider le bateau, il racontait comment chez lui on n'avait fait que rire d'abord de cette liaison ; puis, la chose devenant sérieuse, de combien d'efforts, de prières, de sacrifices, ses parents auraient payé une rupture. Deux ou trois fois la fille était partie à force d'argent, mais lui la rejoignait toujours. « Essayons du voyage... » avait dit la mère. Il voyagea, revint et la reprit. Alors il s'était laissé marier ; jolie fille, riche dot, la promesse de l'Institut dans la corbeille de noce... Et trois mois après il lâchait le nouveau ménage pour l'ancien... « Ah ! jeune homme, jeune homme... »

Il débitait sa vie d'une voix sèche, sans qu'un muscle animât son masque, raide comme le col empesé qui le tenait si droit. Et des barques passaient chargées d'étudiants et de filles, débordantes de chansons, de rires de jeunesse et d'ivresse ; combien parmi ces inconscients auraient dû s'arrêter, prendre leur part de l'effroyable leçon !...

Dans le kiosque, pendant ce temps, comme si c'était un mot donné de travailler à leur rupture, les vieilles élégantes prêchaient la raison à Fanny Legrand... « Joli, son petit, mais pas le sou... à quoi ça la mènerait-il ?...

— Enfin, puisque je l'aime !... »

Et Rosa levant les épaules : « Laissez-la donc... elle va encore rater son Hollandais, comme je l'ai vue rater toutes ses belles affaires... Après son histoire avec Flamant, elle avait pourtant essayé de devenir pratique, mais la voilà plus folle que jamais...

— *Ay ! vellaca...* » grogna maman Pilar.

L'Anglaise à tête de clown intervint avec l'horrible accent qui si longtemps avait fait son succès :

« C'était très bien d'aimer l'amour, petite... c'était très bonne, l'amour, vous savez... mais vous devez aimer l'argent aussi... moi maintenant, si j'étais riche toujours, est-ce que mon croupier il dirait je suis laide, croyez-vous ?... Elle eut un bond de fureur, lui haussant la voix à l'aigu. « Oh ! c'était pourtant terrible, cette chose... Avoir été célèbre au monde, universelle, connue comme un monument, comme un boulevard... si connue que vous n'avez pas un misérable cocher, quand vous disez “Wilkie Cob” tout de suite il savait où c'était... Avoir eu des princes pour mes pieds dessus, et des rois, si je crachais, ils disaient c'était joli, le crachement !... Et voilà maintenant ce sale voyou qui voulait pas de moi sur cette motive de ma laideur ; et je avais pas de quoi seulement me le payer pour une nuit. »

Et se montant à cette idée qu'on avait pu la trouver laide elle ouvrit sa robe brusquement :

« Le figure, *yes*, je sacrifiais ; mais ça, le gorge, les épaules... Est-ce blanc ? Est-ce dur ?... »

Elle étalait avec impudeur sa chair de sorcière, restée miraculeusement jeune après trente ans de fournaise, et que la tête surmontait, flétrie et macabre depuis la ligne du cou.

« Mesdames le bateau est prêt !... » cria de Potter ; et l'Anglaise, agrafant sa robe sur ce qui lui restait de jeunesse, murmura dans un navrement comique :

« Jé pouvais pourtant pas aller toute *nioue* sur les places !... »

Dans ce décor de Lancret, où la blancheur coquette des villas éclatait parmi la verdure nouvelle, avec ces terrasses, ces pelouses encadrant le petit lac tout écaillé de soleil, quel embarquement que celui de toute cette vieille Cythère éclopée ; l'aveugle Sombreuse et le vieux clown et Desfous la paralytique, laissant dans le sillon de l'eau le parfum musqué de leur maquillage !

Jean tenait les rames, le dos courbé, honteux et désolé qu'on pût le voir et lui attribuer quelque basse fonction de cette sinistre barque allégorique. Heureusement qu'il avait en face de lui, pour rafraîchir son cœur et ses yeux, Fanny Legrand assise à l'arrière, près de la barre que tenait de Potter, Fanny dont le sourire ne lui avait jamais paru si jeune, sans doute par comparaison.

« Chante-nous quelque chose, petite... » demanda la Desfous que le printemps amollissait. De sa voix expressive et profonde, Fanny commençait la barcarolle de *Claudia* que le musicien, remué par ce rappel de son premier grand succès, suivait en imitant à bouche fermée le dessin de l'orchestre, cette ondulation qui fait courir sur la mélodie comme une rivière d'eau dansante. A cette heure, dans ce décor, c'était délicieux. D'une terrasse voisine on cria bravo ; et le Provençal, ramenant en mesure les avirons, avait soif de cette musique divine aux lèvres de sa maîtresse, une tentation de mettre sa bouche à même la source, et de boire dans le soleil, la tête renversée, toujours.

Tout à coup Rosa, furieuse, interrompit la cantilène dont le mariage de voix l'irritait : « Hé là-bas, la musique, quand vous aurez fini de vous roucouler dans la figure... Si vous croyez qu'elle nous amuse votre romance d'enterre-morts... En voilà assez... d'abord il est tard, il faut que Fanny rentre à la boîte... »

Et d'un geste furibond montrant le plus prochain débarcadère :

« Aborde là... dit-elle à son amant, ils seront plus près de la gare... »

C'était brutal comme congé ; mais l'ancienne dame des chars avait habitué son monde à ces façons de faire, et personne n'osa protester. Le couple jeté au rivage avec quelques mots de froide politesse au jeune homme, des ordres à Fanny d'une voix sifflante, la barque s'éloigna chargée de cris, d'un train de dispute que termina un insultant éclat de rire apporté aux deux amants par la sonorité de l'eau.

« Tu entends, tu entends, disait Fanny blême de rage, c'est de nous qu'elle se moque... »

Et, toutes ses humiliations, toutes ses rancœurs lui remontant à cette dernière injure, elle les énumérait en regagnant la gare, avouait même des choses qu'elle avait toujours cachées. Rosa ne cherchait qu'à l'éloigner de lui, qu'à faciliter des occasions de le tromper. « Tout ce qu'elle m'a dit pour me faire prendre ce Hollandais... Encore tout à l'heure elles s'y sont mises toutes... Je t'aime trop, tu comprends, ça la gêne pour ses vices, car elle les a tous, les plus bas, les plus monstrueux. Et c'est parce que je ne veux plus... »

Elle s'arrêta, le vit très pâle, les lèvres tremblantes, comme au soir où il remuait le fumier aux lettres.

« Oh ! ne crains rien, dit-elle... ton amour m'a guérie de toutes ces horreurs... Elle et son caméléon qui empeste, ils me dégoûtent tous les deux.

— Je ne veux plus que tu restes là, fit l'amant affolé de jalousies malsaines... Il y a trop de saletés dans le pain que tu gagnes ; tu vas revenir avec moi, nous nous en tirerons toujours. »

Elle l'attendait, ce cri, l'appelait depuis longtemps. Cependant elle résista, objectant qu'en ménage, avec les trois cents francs du ministère, la vie serait bien difficile, qu'il faudrait peut-être se séparer encore... « Et j'ai tant souffert en quittant notre pauvre maison !... »

Des bancs s'espaçaient sous les acacias qui bordent la route avec les fils du télégraphe chargés d'hirondelles ; pour mieux causer, ils s'assirent, très émus tous deux et les bras noués :

« Trois cents francs par mois, disait Jean, mais comment font les Hettéma qui n'en ont que deux cent cinquante ?...

— Ils vivent à la campagne, à Chaville toute l'année.

— Eh bien, faisons comme eux, je ne tiens pas à Paris.

— Vrai ?... tu veux bien ?... ah ! m'ami, m'ami !... »

Du monde passait sur la route, une galopade d'ânes emportant un lendemain de noces. Ils ne pouvaient pas s'embrasser, et restaient immobiles, serrés l'un à l'autre, rêvant d'un bonheur rajeuni dans des soirs d'été qui auraient cette douceur champêtre, ce calme tiède qu'égayaient au loin les coups de carabine, les ritournelles d'orgue d'une fête de banlieue.

8

Ils s'installèrent à Chaville, entre le haut et le bas pays, le long de cette vieille route forestière qu'on appelle le Pavé des gardes, dans un ancien rendez-vous de chasse, à la porte du bois : trois pièces guère plus grandes que celles de Paris, toujours leur mobilier de petit ménage, le fauteuil canné, l'armoire peinte, et pour orner l'affreux papier vert de leur chambre, rien que le portrait de Fanny, car la photographie de Castelet avait eu son cadre cassé pendant le déménagement et se pâlissait dans les combles.

On n'en parlait plus guère, de ce pauvre Castelet, depuis que l'oncle et la nièce avaient interrompu leur correspondance. « Un joli lâcheur... » disait-elle, se rappelant la facilité du Fénat à protéger la première rupture. Les petites, seules, entretenaient leur frère de nouvelles, mais Divonne n'écrivait plus. Peut-être gardait-elle encore rancune à son neveu ; ou devinait-elle que la mauvaise femme était revenue pour décacheter et commenter ses pauvres lettres maternelles à gros caractères paysans.

Par moments, ils auraient pu se croire encore rue d'Amsterdam, quand ils se réveillaient avec la romance des Hettéma redevenus leurs voisins et le sifflement des trains qui se croisaient continuellement de l'autre côté du chemin, visibles à travers les branches d'un grand parc. Mais, au licu du vitragc blafard de la gare de l'Ouest, de ses fenêtres sans rideaux montrant des silhouettes penchées de bureaucrates, et du fracas ronflant sur la rue en pente, ils savouraient l'espace silencieux et vert au-delà de leur petit verger entouré d'autres jardins, de maisonnettes dans des bouquets d'arbres, dégringolant jusqu'au bas de la côte.

Le matin, avant de partir, Jean déjeunait dans leur petite salle à manger, la croisée ouverte sur cette large route pavée, mangée d'herbe, bordée de haies d'épine blanche aux parfums amers. C'est par là qu'il allait à la gare en dix minutes, longeant le parc bruissant et gazouillant ; et, quand il revenait, cette rumeur s'apaisait à mesure que l'ombre sortait des taillis sur la mousse du chemin vert empourpré de couchant, et que les appels des coucous à tous les coins du bois traversaient des trilles de rossignols dans les lierres.

Mais voici que la première installation faite et la surprise passée de cet apaisement des choses autour de lui, l'amant se reprenait à ses tourments de jalousie stérile et explorante. La brouille de sa maîtresse avec Rosa, le départ de l'hôtel avaient amené entre les deux femmes une explication à double entente monstrueuse, ravivant ses soupçons, ses plus troublantes inquiétudes ; et lorsqu'il s'en allait, qu'il apercevait du wagon leur maison basse, en rez-de-chaussée surmonté d'une lucarne ronde, son regard fouillait la muraille. Il se disait : « Qui sait ? » et cela le poursuivait jusque dans les paperasses de son bureau.

Au retour, il lui faisait rendre compte de sa journée, de ses moindres actes, de ses préoccupations, le plus souvent indifférentes, qu'il surprenait d'un « à quoi penses-tu ?... tout de suite... », craignant toujours qu'elle regrettât quelque chose ou quelqu'un de cet horrible passé, confessé par elle chaque fois avec la même indéconcertable franchise.

Au moins, lorsqu'ils ne se voyaient que le dimanche, avides l'un de l'autre, il ne prenait pas le temps de ces perquisitions morales, outrageantes et minutieuses. Mais rapprochés, avec la continuité de la vie à deux, ils se torturaient jusque dans leurs caresses, dans leurs plus intimes étreintes, agités de la sourde colère, du douloureux sentiment de l'irréparable ; lui, s'épuisant à vouloir procurer à cette blasée d'amour une commotion qu'elle ignorât encore, elle prête au martyre pour donner une joie, qui n'eût pas été à dix autres, n'y parvenant pas et pleurant de rage impuissante.

Puis une détente se fit en eux ; peut-être la satiété des sens dans le tiède enveloppement de la nature, ou plus simplement le voisinage des Hettéma. C'est que, de tous les ménages campés sur la banlieue parisienne, pas un peut-être ne goûta jamais comme celui-là les libertés campagnardes, la joie de s'en aller vêtus de loques, coiffés de chapeaux d'écorce, madame sans corset, monsieur dans des espadrilles ; de porter en sortant de table des croûtes aux canards, des épluchures aux lapins, puis sarcler, ratisser, greffer, arroser.

Oh ! l'arrosage...

Les Hettéma s'y mettaient sitôt que le mari rentré échangeait son costume de bureau contre une veste de Robinson ; après dîner, ils s'y reprenaient encore, et la nuit venue depuis longtemps, dans le noir du petit jardin d'où montait une buée fraîche de terre mouillée, on entendait le grincement de la pompe, les heurts des grands arrosoirs, et d'énormes souffles errant à toutes les plates-bandes avec un ruissellement qui semblait tomber du front des travailleurs dans leurs pommes d'arrosage, puis de temps en temps un cri de triomphe :

« J'en ai mis trente-deux aux pois gourmands !...

— Et moi quatorze aux balsamines !... »

Des gens qui ne se contentaient pas d'être heureux, mais se regardaient l'être, dégustaient leur bonheur à vous en faire venir l'eau à la bouche ; l'homme surtout, par la façon irrésistible dont il racontait les joies de l'hivernage à deux :

« Ce n'est rien maintenant, mais vous verrez en décembre !... On rentre crotté, mouillé, avec tous les embêtements de Paris sur le dos ; on trouve bon feu, bonne lampe, la soupe qui embaume et, sous la table, une paire de sabots remplis de paille. Non, voyez-vous, quand on s'est fourré une platée de choux et de saucisses, un quartier de gruyère tenu au frais sous le linge, quand on a versé là-dessus un litre de ginglard qui n'a pas passé par Bercy, libre de baptême et d'entrée, ce que c'est bon de tirer son fauteuil au coin du feu, d'allumer une pipe, en buvant son café arrosé d'un caramel à l'eau-de-vie, et de piquer un chien en face l'un de l'autre, pendant que le verglas dégouline sur les vitres... Oh ! un tout petit chien, le temps de laisser passer le gros de la digestion... Après on dessine un moment, la femme dessert, fait son petit train-train, la couverture, le moine, et quand elle est couchée, la place chaude, on tombe dans le tas, et ça vous fait par tout le corps une chaleur comme si l'on entrait tout entier dans la paille de ses sabots... »

Il en devenait presque éloquent de matérialité, ce géant velu, à lourde mâchoire, si timide à l'ordinaire qu'il ne pouvait pas dire deux mots sans rougir et sans bégayer.

Cette timidité folle, d'un contraste comique avec cette barbe noire et cette envergure de colosse, avait fait son mariage et la tranquillité de sa vie. A vingt-cinq ans, débordant de vigueur et de santé, Hettéma ignorait l'amour et la femme, quand un jour, à Nevers, après un repas de corps, des camarades l'entraînèrent à moitié gris dans une maison de filles et l'obligèrent à faire son choix. Il sortit de là bouleversé, revint, choisit la même, toujours, paya ses dettes, l'emmena, et s'effrayant à l'idée qu'on pourrait la lui prendre, qu'il faudrait recommencer une nouvelle conquête, il finit par l'épouser.

« Un ménage légitime, mon cher... » disait Fanny dans un rire de triomphe à Jean qui l'écoutait terrifié... « Et, de tous ceux que j'ai connus, c'est encore le plus propre, le plus honnête ! »

Elle l'affirmait dans la sincérité de son ignorance, les ménages légitimes où elle avait pu pénétrer ne méritant sans doute pas d'autre jugement ; et toutes ses notions de la vie étaient aussi fausses et sincères que celle-là.

D'un calmant voisinage ces Hettéma, l'humeur toujours égale, capables même de services pas trop dérangeants, ayant surtout l'horreur des scènes, des querelles où il faut prendre parti, et en général de tout ce qui peut troubler une heureuse digestion. La femme essayait d'initier Fanny à l'élevage des poules et des lapins, aux joies salubres de l'arrosage, mais inutilement.

La maîtresse de Gaussin, faubourienne passée par les ateliers, n'aimait la campagne qu'en échappées, en parties, comme un endroit où l'on peut crier, se rouler, se perdre avec son amant. Elle détestait l'effort, le travail ; et ses six mois de gérance ayant épuisé pour longtemps ses facultés actives, elle s'amollissait dans une torpeur vague, une griserie de bien-être et de plein air qui lui ôtait presque la force de s'habiller, de se coiffer, ou même d'ouvrir son piano.

Le soin de leur intérieur laissé tout entier à une ménagère du pays, quand, le soir venu, elle résumait sa journée pour la raconter à Jean, elle ne trouvait rien qu'une visite à Olympe, des potins par-dessus la clôture, et des cigarettes, des tas de cigarettes dont les débris salissaient le marbre devant la cheminée. Déjà six heures !... A peine le temps de passer une robe, de piquer une fleur à son corsage pour aller au-devant de lui par le chemin vert...

Mais avec les brouillards, les pluies d'automne, la nuit qui tombait de bonne heure, elle eut plus d'un prétexte pour ne pas sortir ; et souvent il la surprenait au retour dans une de ces gandouras de laine blanche à grands plis qu'elle mettait le matin, les cheveux relevés comme quand il était parti. Il la trouvait charmante ainsi, la nuque restée jeune, sa chair tentante et soignée qu'il sentait toute prête, sans entraves. Pourtant cet aveulissement le choquait, l'effrayait comme un danger.

Lui-même, après un grand effort de travail pour augmenter un peu leurs ressources sans recourir à Castelet, des veillées passées sur des plans, des reproductions de pièces d'artillerie, de caissons, de fusils nouveau modèle qu'il dessinait au compte d'Hettéma, se sentit envahi tout à coup par cette influence dissolvante de la campagne et de la solitude à laquelle se laissent prendre les plus forts, les plus actifs, et dont sa première enfance dans un coin perdu de nature avait mis en lui le germe engourdissant.

Et la matérialité de leurs gros voisins aidant, se communiquant à eux dans de perpétuelles allées et venues d'une maison à l'autre, avec un peu de leur abaissement moral et de leur appétit monstrueux, Gaussin et sa maîtresse en vinrent eux aussi à discuter gravement la question des repas et l'heure du coucher. Césaire ayant envoyé une pièce de son vin de grenouille, ils passèrent tout un dimanche à le mettre en bouteilles, la porte de leur petit caveau ouverte sur le dernier soleil de l'année, un ciel bleu où couraient des nuées roses, d'un rose de bruyère des bois. L'heure n'était pas loin des sabots remplis de paille chaude, ni du petit somme à deux, de chaque côté d'un feu de souches. Heureusement il leur arriva une distraction.

Il la trouva un soir très émue. Olympe venait de lui raconter l'histoire d'un pauvre petit enfant, élevé au Morvan par une grand-mère. Le père et la mère à Paris, marchands de bois, n'écrivaient plus, ne payaient plus depuis des mois. La grand-mère morte subitement, des mariniers avaient ramené le mioche par le canal de l'Yonne pour le remettre à ses parents ; mais, plus personne. Le chantier fermé, la mère partie avec un amant, le père ivrogne, failli, disparu... Ils vont bien les ménages légitimes !... Et voilà le pauvre petit, six ans, un amour, sans pain ni vêtements, à la rue.

Elle s'émouvait jusqu'aux larmes, puis tout à coup :

« Si nous le prenions... veux-tu ?

— Quelle folie !

— Pourquoi ?... » Et, de bien près, le câlinant : « Tu sais comme j'ai désiré un enfant de toi ; on élèverait celui-là, on l'instruirait. Ces petits qu'on ramasse, au bout d'un temps on les aime comme s'ils étaient à vous... »

Elle invoquait aussi la distraction que ce serait pour elle, seule tout le jour à s'abêtir en remuant des tas de vilaines idées. Un enfant, c'est une sauvegarde. Puis, le voyant effrayé de la dépense : « Mais ce n'est rien, la dépense... Songe donc, à six ans !... on l'habillera avec tes vieux effets... Olympe, qui s'y entend, m'assurait que nous ne nous en apercevrions même pas.

— Que ne le prend-elle alors ! » dit Jean avec la mauvaise humeur de l'homme qui se sent vaincu par sa propre faiblesse. Il essaya pourtant de résister, à l'aide de l'argument décisif : « Et quand je ne serai plus là ?... » Il en parlait rarement de ce départ pour ne pas attrister Fanny, mais y pensait, s'en rassurait contre les dangers du ménage et les tristes confidences de de Potter. « Quelle complication que cet enfant, quelle charge pour toi dans l'avenir !... »

Les yeux de Fanny se voilèrent :

« Tu te trompes, m'ami, ce serait quelqu'un à qui parler de toi, une consolation, une responsabilité aussi qui me donnerait la force de travailler, de reprendre goût à l'existence... »

Il réfléchit une minute, la vit toute seule, dans la maison vide :

« Où est-il, ce petit ?

— Au Bas-Meudon, chez un marinier qui l'a recueilli pour quelques jours... Après, c'est l'hospice, l'assistance.

— Eh bien, va le chercher, puisque tu y tiens... »

Elle lui sauta au cou, et d'une joie d'enfant tout le soir, fit de la musique, chanta, heureuse, exubérante, transfigurée. Le lendemain, en wagon, Jean parla de leur décision au gros Hettéma qui paraissait instruit de l'affaire, mais désireux de ne pas s'en mêler. Enfoncé dans son coin et dans la lecture du *Petit Journal*, il bégayait du fond de sa barbe :

« Oui, je sais... ce sont ces dames... ça ne me regarde pas... » Et montrant sa tête au-dessus de la feuille dépliée : « Votre femme me paraît très romanesque », dit-il.

Romanesque ou non, elle était le soir consternée, à genoux, une assiette de soupe à la main, essayant d'apprivoiser le petit gars morvandiau, qui debout, dans une pose de recul, la tête basse, une tête énorme aux cheveux de chanvre, refusait énergiquement de parler, de manger, même de montrer sa figure et répétait d'une forte voix étranglée et monotone :

« Voir Ménine, voir Ménine.

— Ménine, c'est sa grand-mère, je pense... Depuis deux heures, je n'ai pas pu en tirer autre chose. »

Jean s'y mit aussi à vouloir lui faire avaler sa soupe, mais sans succès. Et ils restaient là, agenouillés tous deux à sa hauteur, tenant l'un l'assiette, l'autre la cuiller, comme devant un agneau malade, à répéter des encouragements, des mots de tendresse pour le décider.

« Mettons-nous à table, peut-être nous l'intimidons ; il mangera si nous ne le regardons plus... »

Mais il continua à se tenir immobile, ahuri, répétant sa plainte de petit sauvage, « voir Ménine », qui leur déchirait le cœur, jusqu'à ce qu'il se fût endormi, debout contre le buffet, et si profondément qu'ils purent le déshabiller, le coucher dans la lourde *berce* campagnarde empruntée à un voisin, sans qu'il ouvrît l'œil une seconde.

« Vois comme il est beau... » disait Fanny très fière de son acquisition ; et elle forçait Gaussin à admirer ce front têtu, ces traits fins et délicats sous leur hâle paysan, cette perfection de petit corps aux reins râblés, aux bras pleins, aux jambes de petit faune, longues et nerveuses, déjà duvetées dans le bas. Elle s'oubliait à contempler cette beauté d'enfant.

« Couvre-le donc, il va avoir froid... » dit Jean dont la voix la fit tressaillir, comme tirée d'un rêve ; et tandis qu'elle le bordait tendrement, le petit avait de longs soupirs sanglotés, une houle de désespoir malgré le sommeil.

La nuit, il se mit à parler tout seul :

« *Guerlaude mé, ménine...*

— Qu'est-ce qu'il dit ?... écoute... »

Il voulait être *guerlaudé* ; mais que signifiait ce mot patois ? Jean, à tout hasard, allongea le bras et se mit à remuer la lourde couchette ; à mesure l'enfant se calmait et il se rendormit en tenant dans sa grosse petite main rugueuse, la main qu'il croyait être celle de sa « ménine », morte depuis quinze jours.

Ce fut comme un chat sauvage dans la maison, qui griffait, mordait, mangeait à part des autres, avec des grondements quand on s'approchait de son écuelle ; les quelques mots qu'on en tirait étaient d'un langage barbare de bûcherons morvandiaux, que jamais sans les Hettéma, du même pays que lui, personne n'aurait pu comprendre. Pourtant, à force de bons soins, de douceur, on parvint à l'apprivoiser un peu, « *un pso* », comme il disait. Il consentit à changer les guenilles dans lesquelles on l'avait amené contre les vêtements chauds et propres dont l'approche, les premiers jours, le faisait « *querrier* » de fureur, en vrai chacal qu'on voudrait affubler d'un manteau de levrette. Il apprit à manger à table, l'usage de la fourchette et de la cuiller, et à répondre, quand on lui demandait son nom, qu'au pays « *i li dision Josaph* ».

Quant à lui donner les moindres notions élémentaires, il n'y fallait pas songer encore. Elevé en plein bois, sous une hutte de charbonnage, la rumeur d'une nature bruissante et fourmillante hantait sa caboche dure de petit sylvain, comme le bruit de la mer la spirale d'un coquillage ; et nul moyen d'y faire entrer autre chose, ni de le garder à la maison, même par les temps les plus durs. Dans la pluie, la neige, quand les arbres dénudés se dressaient en coraux de givre, il s'échappait, battait les buissons, fouillait les terriers avec d'adroites cruautés de furet chasseur, et lorsqu'il rentrait, rabattu par la faim, il y avait toujours dans sa veste de futaine mise en loques, dans la poche de sa petite culotte crottée jusqu'au ventre, quelque bête engourdie ou morte, oiseau, taupe, mulot, ou, à défaut, des betteraves, des pommes de terre arrachées dans les champs.

Rien ne pouvait vaincre ces instincts braconniers et chapardeurs, compliqués d'une manie paysanne, d'enfouir toutes sortes de menus objets luisants, boutons de cuivre, perles de jais, papier de plomb du chocolat, que Josaph ramassait en fermant la main, emportait vers des cachettes de pie voleuse. Tout ce butin prenait pour lui un nom vague et générique, la denrée, qu'il prononçait *denraie* ; et ni raisonnements ni taloches n'auraient pu l'empêcher de faire sa *denraie* aux dépens de tout et de tous.

Les Hettéma seuls y mettaient bon ordre, le dessinateur gardant à portée de sa main, sur sa table autour de laquelle rôdait le petit sauvage attiré par les compas, les crayons de couleur, un fouet à chien qu'il lui faisait claquer aux jambes. Mais ni Jean ni Fanny n'eussent usé de menaces pareilles, quoique le petit se montrât, vis-à-vis d'eux, sournois, méfiant, inapprivoisable même aux gâteries tendres, comme si la *ménine*, en mourant, l'eût privé de toute expansion affective. Fanny, « parce qu'elle puait bon », parvenait encore à le garder un moment sur ses genoux, tandis que pour Gaussin, cependant très doux avec lui, c'était toujours la bête fauve de l'arrivée, le regard méfiant, les griffes tendues.

Cette répulsion invincible et presque instinctive de l'enfant, la malice curieuse de ses petits yeux bleus aux cils d'albinos, et surtout l'aveugle et subite tendresse de Fanny pour cet étranger tout à coup tombé dans leur vie, troublaient l'amant d'un soupçon nouveau. C'était peut-être un enfant à elle, élevé en nourrice ou chez sa belle-mère ; et la mort de Machaume apprise vers cette époque semblait une coïncidence pour justifier son tourment. Parfois, la nuit, quand il tenait cette petite main cramponnée à la sienne — car l'enfant dans le vague du sommeil et du rêve croyait toujours la tendre à *ménine* —, il l'interrogeait de tout son trouble intérieur et inavoué : « D'où viens-tu ? Qui es-tu ? » espérant deviner, communiqué par la chaleur du petit être, le mystère de sa naissance.

Mais son inquiétude tomba, sur un mot du père Legrand qui venait demander qu'on l'aidât à payer un entourage à sa défunte et criait à sa fille en apercevant la *berce* de Josaph :

« Tiens ! un gosse !... tu dois être contente !... Toi qui n'as jamais pu en décrocher un. »

Gaussin fut si heureux, qu'il paya l'entourage, sans demander à voir les devis, et retint le père Legrand à déjeuner.

Employé dans les tramways de Paris à Versailles, injecté de vin et d'apoplexie, mais toujours vert et de belle mine sous son chapeau de cuir bouilli entouré pour la circonstance d'une lourde ganse de crêpe qui en faisait un vrai chapeau de croque-mort, le vieux cocher parut enchanté de l'accueil du monsieur de sa fille, et revint de temps en temps manger la soupe avec eux. Ses cheveux blancs de polichinelle sur sa face rase et tuméfiée, ses airs de pochard majestueux, le respect qu'il portait à son fouet, le posant, le calant dans un coin sûr avec des précautions de nourrice, impressionnaient beaucoup l'enfant ; et tout de suite le vieux et lui furent en grande intimité. Un jour qu'ils achevaient de dîner tous ensemble, les Hettéma vinrent les surprendre :

« Ah ! pardon, vous êtes en famille... » fit la femme en minaudant, et le mot frappa Jean au visage, humiliant comme un soufflet.

Sa famille !... Cet enfant trouvé qui ronflait la tête sur la nappe, ce vieux forban ramolli, la pipe en coin de bouche, la voix poisseuse, expliquant pour la centième fois que deux sous de fouet lui duraient six mois et que, depuis vingt ans, il n'avait pas changé de manche !... Sa famille, allons donc !... pas plus qu'elle n'était sa femme, cette Fanny Legrand, vieillie et fatiguée, avachie sur ses coudes dans la fumée des cigarettes... Avant un an, tout cela disparaîtrait de sa vie, avec le vague de rencontres de voyage, de convives de table d'hôte.

Mais à d'autres moments cette idée de départ qu'il invoquait comme excuse à sa faiblesse, dès qu'il se sentait déchoir, tiré en bas, cette idée, au lieu de le rassurer, de le soulager, lui faisait sentir les liens multiples serrés autour de lui, quel déchirement ce serait que ce départ, non pas une rupture, mais dix ruptures, et qu'il lui en coûterait de lâcher cette petite main d'enfant qui la nuit s'abandonnait dans la sienne. Jusqu'à La Balue, le loriot sifflant et chantant dans sa cage trop petite qu'on devait toujours lui changer et où il courbait le dos comme le vieux cardinal dans sa prison de fer ; oui, La Balue lui-même avait pris un petit coin de son cœur, et ce serait une souffrance que l'ôter de là.

Elle approchait pourtant, cette inévitable séparation ; et le splendide mois de juin, qui mettait la nature en fête, serait probablement le dernier qu'ils passeraient ensemble. Est-ce cela qui la rendait nerveuse, irritable, ou l'éducation de Josaph entreprise d'une ardeur subite, au grand ennui du petit Morvandiau qui restait des heures devant ses lettres, sans les voir ni les prononcer, le front fermé d'une barre comme les battants d'une cour de ferme ? De jour en jour, ce caractère de femme s'exaltait en violences et en pleurs dans des scènes sans cesse renouvelées, bien que Gaussin s'appliquât à l'indulgence ; mais elle était si injurieuse, il montait de sa colère une telle vase de rancune et de haine contre la jeunesse de son amant, son éducation, sa famille, l'écart que la vie allait agrandir entre leurs deux destinées, elle s'entendait si bien à le piquer aux points sensibles, qu'il finissait par s'emporter aussi et répondre.

Seulement sa colère à lui gardait une réserve, une pitié d'homme bien élevé, des coups qu'il ne portait pas, comme trop douloureux et faciles, tandis qu'elle, se lâchait dans ses fureurs de fille, sans responsabilité, ni pudeur, faisait arme de tout, épiant sur le visage de sa victime avec une joie cruelle la contraction de souffrance qu'elle occasionnait, puis tout à coup tombant dans ses bras et implorant son pardon.

La physionomie des Hettéma, témoins de ces querelles éclatant presque toujours à table, au moment assis et installé de découvrir la soupière ou de mettre le couteau dans le rôti, était à peindre. Ils échangeaient par-dessus la table servie un regard de comique effarement. Pourrait-on manger, ou le gigot allait-il voler par le jardin avec le plat, la sauce et l'étuvée de haricots ?

« Surtout pas de scène !... » disaient-ils à chaque fois qu'il était question de se réunir ; et c'est le mot dont ils accueillaient une offre de déjeuner ensemble en forêt, que Fanny leur jetait un dimanche par-dessus le mur... Oh, non ! on ne se disputerait pas aujourd'hui, il faisait trop beau !... Et elle courut habiller l'enfant, remplir les paniers.

Tout était prêt, on partait, quand le facteur apporta une lettre chargée dont la signature retint Gaussin en arrière. Il rejoignit la bande à l'entrée du bois, et tout bas à Fanny :

« C'est de l'oncle... Il est ravi... Une récolte superbe, vendue sur pied... Il renvoie les huit mille francs de Déchelette, avec bien des compliments et remerciements à sa nièce.

— Oui, sa nièce !... à la mode de Gascogne... Vieille carotte, va... » dit Fanny qui ne conservait guère d'illusions sur les oncles du Midi ; puis, toute joyeuse :

« Il va falloir placer cet argent... »

Il la regarda stupéfait, l'ayant toujours connue très scrupuleuse sur les questions de probité monnayée...

« Placer ?... mais ce n'est pas à toi...

— Tiens, au fait, je ne t'ai pas dit... » Elle rougit, avec ce regard qui se ternissait à la moindre altération de la vérité... Ce bon enfant de Déchelette ayant appris ce qu'ils faisaient pour Joseph, lui avait écrit que cet argent les aiderait à élever le petit. « Puis tu sais, si ça t'ennuie, on les lui rendra, ses huit mille francs ; il est à Paris... »

La voix des Hettéma, qui discrètement avait pris l'avance, retentit sous les arbres :

« A droite, ou à gauche ?

— A droite, à droite... aux Etangs !... » cria Fanny, puis, tournée vers son amant : « Voyons, tu ne vas pas recommencer à te dévorer pour des bêtises... nous sommes un vieux ménage, que diable !... »

Elle connaissait cette pâleur tremblée de ses lèvres, ce coup d'œil au petit, l'interrogeant des pieds à la tête ; mais cette fois ce ne fut qu'une velléité de violence jalouse. Il en arrivait maintenant aux lâchetés de l'habitude, aux concessions pour la paix. « Quel besoin de me torturer, d'aller au fond des choses ?... Si cet enfant est à elle, quoi de plus simple qu'elle l'ait pris, en me cachant la vérité, après toutes les scènes, les interrogatoires que je lui ai fait subir !... Vaut-il pas mieux accepter ce qui est et passer tranquillement les quelques mois qui nous restent ?... »

Et par les chemins vallonnés du bois il s'en allait portant leur déjeuner de cantine dans son lourd panier drapé de blanc, résigné, las, le dos rond d'un vieux jardinier, tandis que devant lui la mère et l'enfant marchaient ensemble, Josaph endimanché et gauche dans un complet de La Belle Jardinière qui l'empêchait de courir, elle, en peignoir clair, tête et cou nus sous un parasol japonais, la taille épaissie, la marche veule, et dans ses beaux cheveux en torsades, une grande mèche blanche qu'elle ne se donnait plus la peine de cacher.

En avant et plus bas, se tassait dans la pente de l'allée le couple Hettéma, coiffé de gigantesques chapeaux de paille pareils à ceux des cavaliers touaregs, vêtu de flanelle rouge, chargé de victuailles, d'engins de pêche, filets, balances à écrevisses, et la femme, pour alléger son mari, portant vaillamment en sautoir sur sa poitrine de colosse le cor de chasse sans lequel il n'y avait pas de promenade en forêt possible pour le dessinateur. En marchant, le ménage chantait :

J'aime entendre la rame
Le soir battre les flots ;
J'aime le cerf qui brame...

Le répertoire d'Olympe était inépuisable de ces sentimentalités de la rue ; et quand on se figurait où elle les avait ramassées, dans quelle demi-ombre honteuse de persiennes closes, à combien d'hommes elle les avait chantées, la sérénité du mari accompagnant à la tierce prenait une extraordinaire grandeur. Le mot du grenadier à Waterloo : « Ils sont trop... » devait être celui de la philosophique indifférence de cet homme.

Pendant que Gaussin rêveur regardait l'énorme couple s'enfoncer dans un creux de vallon où lui-même s'engageait à sa suite, un grincement de roues montait l'allée avec une volée de fous rires, de voix enfantines ; et tout à coup parut à quelques pas de lui, un chargement de fillettes, rubans et cheveux flottants dans une charrette anglaise traînée par un petit âne, qu'une jeune fille, guère plus âgée que les autres, tirait par la bride sur ce chemin difficile.

Il était aisé de voir que Jean faisait partie de la bande dont les tournures hétéroclites, la grosse dame surtout, ceinturée d'un cor de chasse, avaient animé le petit monde d'une gaieté inextinguible ; aussi la jeune fille essaya-t-elle d'imposer silence aux enfants une minute. Mais ce nouveau chapeau touareg déchaîna plus fort leur folie moqueuse, et en passant devant l'homme qui se rangeait pour laisser de la place à la petite charrette, un joli sourire un peu gêné lui demandait grâce et s'étonnait naïvement de trouver au vieux jardinier une figure si douce et si jeune.

Il salua timidement, rougit sans trop savoir de quelle honte ; et l'attelage s'arrêtant en haut de la côte à une croiserie de chemins, avec un ramage de petites voix qui lisaient tout haut les noms du poteau indicateur à demi effacés par les pluies... *Route des Etangs, Chêne du Grand Veneur, Fausses Reposes, Chemin de Vélizy...*, Jean se retourna pour voir disparaître dans l'allée verte étoilée de soleil et tapissée de mousse, où les roues filaient sur du velours, ce tourbillon de blonde jeunesse, cette charretée de bonheur aux couleurs du printemps, aux rires en fusées sous les branches.

La trompe d'Hettéma, furieuse, le tira brusquement de son rêve. Ils étaient installés au bord de l'étang, en train de déballer les provisions ; et de loin on voyait, reflétées par l'eau claire, la nappe blanche sur l'herbe rase et les vareuses de flanelle rouge éclatant dans la verdure comme des vestes de piqueur.

« Arrivez donc... c'est vous qui avez le homard », criait le gros homme ; et la voix nerveuse de Fanny :

« C'est la petite Bouchereau qui t'a arrêté en route ?... »

Jean tressaillit à ce nom de Bouchereau qui le ramenait à Castelet, près du lit de sa mère malade.

« Mais oui », dit le dessinateur lui prenant le panier des mains... « La grande, celle qui conduisait, c'est la nièce du médecin... Une fille de son frère qu'il a prise chez lui. Ils habitent Vélizy pendant l'été... Elle est jolie.

— Oh ! jolie... l'air effronté, surtout... » Et Fanny, coupant le pain, épiait son amant, inquiète de ses yeux distraits.

Mme Hettéma, très grave, déballant le jambon, blâmait fort cette façon de laisser des jeunes filles courir les bois en liberté. « Vous me direz que c'est le genre anglais, et que celle-ci a été élevée à Londres..., mais c'est égal, ça n'est vraiment pas convenable.

— Non, mais très commode pour les aventures !

— Oh ! Fanny...

— Pardon, j'oubliais... Monsieur croit aux innocentes...

— Voyons, si l'on déjeunait... » fit Hettéma qui commençait à s'effrayer. Mais il fallait qu'elle lâchât tout ce qu'elle savait des jeunes filles du monde. Elle avait de belles histoires là-dessus..., les couvents, les pensionnats, c'était du propre... Elles sortaient de là épuisées, flétries, avec le dégoût de l'homme ; pas même capables de faire des enfants. « Et c'est alors qu'on vous les donne, tas de jobards... Une ingénue !... Comme s'il y avait des ingénues ; comme si du monde ou pas du monde, toutes les filles ne savaient pas, de naissance, de quoi il retourne... Moi, d'abord, à douze ans, je n'avais plus rien à apprendre... vous non plus, n'est-ce pas, Olympe ?

— ... turellement... » dit Mme Hettéma avec un haussement d'épaules ; mais le sort du déjeuner la préoccupait surtout, en entendant Gaussin qui se montait, déclarer qu'il y avait jeunes filles et jeunes filles, et qu'on trouverait encore dans les familles...

« Ah ! oui, la famille, ripostait sa maîtresse d'un air de mépris, parlons-en... ; surtout de la tienne.

— Tais-toi... Je te défends...

— Bourgeois !

— Drôlesse !... Heureusement ça va finir... Je n'en ai plus pour longtemps à vivre avec toi...

— Va, va, file, c'est moi qui serai contente... »

Ils s'injuriaient en pleine figure, devant la curiosité mauvaise de l'enfant à plat ventre dans l'herbe, quand une effroyable sonnerie de trompe, centuplée en écho par l'étang, les masses étagées du bois, couvrit tout à coup leur querelle.

« En avez-vous assez ?... En voulez-vous encore ? » et rouge, le cou gonflé, le gros Hettéma, n'ayant trouvé que ce moyen de les faire taire, attendait, l'embouchure aux lèvres, le pavillon menaçant.

9

D'habitude leurs fâcheries ne duraient guère, fondues à un peu de musique, aux câlines effusions de Fanny ; mais, cette fois, il lui en voulut sérieusement, et plusieurs jours de suite garda le même pli au front, le même silence de rancune, s'installant à dessiner sitôt les repas, se refusant à toute sortie avec elle.

C'était comme une honte subite de l'abjection où il vivait, la crainte de rencontrer encore la petite charrette montant l'allée et ce limpide sourire de jeunesse auquel il songeait constamment. Puis, avec un brouillement de rêve qui s'en va, de décor qui se casse pour les changements à vue d'une féerie, l'apparition devint confuse, se perdit dans son lointain de bois, et Jean ne la revit plus. Seulement il lui resta un fond de tristesse dont Fanny crut savoir la cause, et résolut d'avoir raison.

« C'est fait », lui dit-elle un jour toute joyeuse... « J'ai vu Déchelette... Je lui ai rendu l'argent... Il trouve, comme toi, que c'est plus convenable ainsi ; je me demande pourquoi, par exemple... Enfin, ça y est... Plus tard, quand je serai seule, il pensera au petit... Es-tu content ?... M'en veux-tu toujours ? »

Et elle lui raconta sa visite rue de Rome, son étonnement de trouver au lieu du caravansérail bruyant et fou, traversé de bandes en délire, une maison bourgeoise paisible, gardée d'une consigne très sévère. Plus de galas, plus de bals masqués ; et l'explication de ce changement, dans ces mots à la craie que quelque parasite éconduit et furieux avait écrits sur la petite entrée de l'atelier : *Fermé pour cause de collage.*

« Et c'est la vérité, mon cher... Déchelette en arrivant s'est toqué d'une fille de skating, Alice Doré ; il l'a prise avec lui depuis un mois, en ménage, absolument en ménage... Une petite femme bien gentille, bien douce, un joli mouton... Ils ne font guère de bruit à eux deux... j'ai promis que nous irions les voir ; ça nous changera un peu du cor de chasse et des barcarolles... C'est égal, dis donc, le philosophe avec ses théories... Pas de lendemain, pas de collage... Ah ! je l'ai joliment blagué ! »

Jean se laissa conduire chez Déchelette qu'il n'avait pas revu depuis leur rencontre à la Madeleine. On l'eût bien surpris alors, en lui disant qu'il en arriverait à fréquenter sans dégoût ce cynique et dédaigneux amant de sa maîtresse, à devenir presque son ami. Dès la première visite, lui-même s'étonnait de se sentir si à l'aise, charmé par la douceur de cet homme au bon rire d'enfant dans sa barbe de cosaque, et d'une sérénité d'humeur que n'altéraient pas les cruelles crises de foie qui plombaient son teint, le tour de ses yeux.

Et comme on comprenait bien la tendresse qu'il inspirait à cette Alice Doré, aux longues mains molles et blanches, à l'insignifiante beauté blonde, que relevait l'éclat de sa chair de Flamande, aussi dorée que son nom ; de l'or dans les cheveux, dans les prunelles, frangeant les cils, pailletant la peau jusque sous les ongles.

Ramassée par Déchelette sur l'asphalte du skating, parmi les grossièretés, les brutalités de la traite, les tourbillons de fumée que l'homme crache, avec un chiffre, dans le maquillage de la fille, la politesse de celui-ci l'avait attendrie et surprise. Elle se retrouva femme, de pauvre bétail à plaisir qu'elle était, et quand il voulut la renvoyer au matin, conformément à ses principes, avec un bon déjeuner et quelques louis, elle eut le cœur si gros, lui demanda si doucement, si désirément « garde-moi encore... » qu'il ne se sentit pas le courage de refuser. Depuis, moitié respect humain, moitié lassitude, il tenait sa porte close sur cette lune de miel de hasard, qu'il passait au frais et au calme de son palais d'été si bien aménagé pour le confortable ; et ils vivaient ainsi très heureux, elle de ces égards tendres qu'elle n'avait jamais connus, lui du bonheur qu'il donnait à ce pauvre être et de sa reconnaissance naïve, subissant aussi sans qu'il s'en rendît compte, et pour la première fois, le charme pénétrant d'une intimité de femme, le mystérieux sortilège de la vie à deux, dans une conformité de bonté et de douceur.

Pour Gaussin, l'atelier de la rue de Rome fut une diversion au milieu bas et mesquin où traînait sa vie de petit employé en faux ménage ; il aimait la conversation de ce savant aux goûts d'artiste, de ce philosophe en robe persane, légère et lâche comme sa doctrine, ces récits de voyages que Déchelette esquissait avec le moins de mots possible, et si bien à leur place parmi les tentures orientales, les bouddhas dorés, les chimères de bronze, le luxe exotique de ce hall immense où le jour tombait d'un haut vitrage, vraie lumière de fond de parc, remuée par le feuillage grêle des bambous, les palmes découpées des fougères arborescentes, et les énormes feuilles des strilligias mêlées à des philodendrons aux minces flexibilités de plantes d'eau, cherchant l'ombre et l'humide.

Le dimanche surtout, avec cette large baie sur une rue déserte du Paris d'été, le frisson des feuilles, l'odeur de terre fraîche au pied des plantes, c'était la campagne et le sous-bois presque autant qu'à Chaville, moins la promiscuité et la trompe des Hettéma. Il ne venait jamais de monde ; une fois pourtant Gaussin et sa maîtresse, arrivant pour dîner, entendirent dès l'entrée l'animation de plusieurs voix. Le jour baissait, on prenait le raki dans la serre, et la discussion semblait vive :

« Et moi je trouve que cinq ans de Mazas, le nom perdu, la vie détruite, c'est assez payer cher un coup de passion et de folie... Je signerai votre pétition, Déchelette.

— C'est Caoudal... », dit Fanny tout bas, en tressaillant.

Quelqu'un répondait avec la sécheresse cassante d'un refus : « Moi, je ne signe rien, n'acceptant aucune solidarité avec ce drôle...

— La Gournerie, maintenant... » Et Fanny, serrée contre son amant, murmurait : « Allons-nous-en, si ça t'ennuie de les voir...

— Pourquoi donc ? mais pas du tout... » En réalité, il ne se rendait pas bien compte de l'impression qu'il aurait à se trouver en face de ces hommes, mais il ne voulait pas reculer devant l'épreuve, désireux peut-être de savoir le degré actuel de cette jalousie qui avait fait son misérable amour.

« Allons ! » dit-il, et ils se montrèrent dans une lumière rose de fin de jour, éclairant les crânes chauves, les barbes grisonnantes des amis de Déchelette jetés sur les divans bas, autour d'une table d'Orient en escabeau où tremblait, dans cinq ou six verres, la liqueur anisée et laiteuse qu'Alice était en train de verser. Les femmes s'embrassèrent : « Vous connaissez ces messieurs, Gaussin ? » demanda Déchelette, au mouvement berceur de son fauteuil à bascule.

S'il les connaissait !... Deux au moins lui étaient familiers à force d'avoir dévisagé pendant des heures leurs portraits aux vitrines de célébrités. Comme ils l'avaient fait souffrir, quelle haine il s'était sentie contre eux, une haine de succession, une rage à sauter dessus, à leur manger la figure, lorsqu'il les rencontrait dans la rue !... Mais Fanny disait bien que cela lui passerait ; maintenant c'était pour lui des visages de connaissance, presque des parents, des oncles lointains qu'il retrouvait.

« Toujours beau, le petit !... » dit Caoudal, allongé de toute sa taille géante et tenant un écran au-dessus de ses paupières pour les garantir du vitrage. « Et Fanny, voyons ?... » Il se leva sur le coude, cligna ses yeux d'expert : « La figure tient encore ; mais la taille, tu fais bien de la ficeler... enfin, console-toi, ma fille, La Gournerie est encore plus gros que toi. »

Le poète pinça dédaigneusement ses lèvres minces. Assis à la turque sur une pile de coussins — depuis son voyage en Algérie il prétendait ne pouvoir se tenir autrement —, énorme, empâté, n'ayant plus d'intelligent que son front solide sous une forêt blanche, et son dur regard de négrier, il affectait avec Fanny une réserve mondaine, une politesse exagérée, comme pour donner une leçon à Caoudal.

Deux paysagistes à têtes hâlées et rustiques complétaient la réunion ; eux aussi connaissaient la maîtresse de Jean, et le plus jeune lui dit dans un serrement de main :

« Déchelette nous a conté l'histoire de l'enfant, c'est très gentil ce que vous avez fait là, ma chère.

— Oui, fit Caoudal à Gaussin, oui, très chic, l'adoption... Pas province du tout. »

Elle semblait embarrassée de ces éloges, quand on buta contre un meuble dans l'atelier obscur, et une voix demanda :

« Personne ? »

Déchelette dit :

« Voilà Ezano. »

Celui-là, Jean ne l'avait jamais vu ; mais il savait quelle place ce bohème, ce fantaisiste, aujourd'hui rangé, marié, chef de division aux Beaux-Arts, avait tenue dans l'existence de Fanny Legrand, et il se souvenait d'un paquet de lettres passionnées et charmantes. Un petit homme s'avança, creusé, desséché, la démarche raide, qui donnait la main de loin, tenait les gens à distance par une habitude d'estrade, de figuration administrative. Il parut très surpris de voir Fanny, surtout de la retrouver belle après tant d'années :

« Tiens !... Sapho... » et une rougeur furtive égaya ses pommettes.

Ce nom de Sapho qui la rendait au passé, la rapprochait de tous ses anciens, causa une certaine gêne.

« Et M. d'Armandy qui nous l'a amenée... » fit Déchelette vivement pour prévenir le nouveau venu. Ezano salua ; on se mit à causer. Fanny, rassurée de voir comme son amant prenait les choses, et fière de lui, de sa beauté, de sa jeunesse, devant des artistes, des connaisseurs, se montra très gaie, très en verve. Tout à sa passion présente, à peine se souvenait-elle de ses liaisons avec ces hommes ; des années de cohabitation pourtant, de vie en commun où l'empreinte se fait d'habitudes, de manies, gagnées à un contact et lui survivant, jusqu'à cette façon de rouler les cigarettes qu'elle tenait d'Ezano comme sa préférence du Job et du Maryland.

Jean constatait sans le moindre trouble ce petit détail qui l'eût exaspéré jadis, éprouvant à se trouver aussi calme, la joie d'un prisonnier qui a limé sa chaîne, et sent que le moindre effort lui suffira pour l'évasion.

« Hein ! ma pauvre Fanny », disait Caoudal d'un ton blagueur en lui montrant les autres... « quel déchet !... sont-ils vieux, sont-ils raplatis !... il n'y a que nous deux, vois-tu, qui tenions le coup. »

Fanny se mit à rire : « Ah ! pardon, colonel — on l'appelait quelquefois ainsi à cause de ses moustaches —, ce n'est pas tout à fait la même chose... je suis d'une autre promotion...

— Caoudal oublie toujours qu'il est un ancêtre », dit La Gournerie ; et sur un mouvement du sculpteur qu'il savait toucher au vif : « Médaillé de 1840, cria-t-il de sa voix stridente, c'est une date, mon bon !... »

Il restait entre ces deux anciens amis un ton agressif, une sourde antipathie qui ne les avait jamais séparés, mais éclatait dans leurs regards, leurs moindres paroles, et cela depuis vingt ans, du jour où le poète enlevait sa maîtresse au sculpteur. Fanny ne comptait plus pour eux, ils avaient l'un et l'autre couru d'autres joies, d'autres déboires, mais la rancune subsistait, creusée plus profonde avec les années.

« Regardez-nous donc tous les deux, et dites franchement si c'est moi qui suis l'ancêtre !... » Serré dans le veston qui faisait saillir ses muscles, Caoudal se campait debout, la poitrine cambrée, secouant sa crinière flamboyante où ne se voyait pas un poil blanc :

« Médaillé de 1840... cinquante-huit ans dans trois mois... Et puis, qu'est-ce que ça prouve ?... Est-ce l'âge qui fait les vieux ?... Il n'y a qu'à la Comédie-Française et au Conservatoire que les hommes bafouillent à la soixantaine, en branlant la tête, et petonnent, le dos rond, les jambes molles, avec des accidents séniles. A soixante ans, sacrebleu ! on marche plus droit qu'à trente, parce qu'on se surveille ; et la femme vous gobe encore pourvu que le cœur reste jeune, et chauffe, et remonte toute la carcasse...

— Crois-tu ? » fit La Gournerie qui regardait Fanny en ricanant. Et Déchelette, avec son bon sourire.

« Pourtant tu dis toujours qu'il n'y a que la jeunesse, tu en rabâches...

— C'est ma petite Cousinard qui m'a fait changer d'idée... Cousinard, mon nouveau modèle... Dix-huit ans, des ronds, des fossettes partout, un Clodion... Et si bon enfant, si peuple, du Paris de la Halle où sa mère vend de la volaille... Elle vous a de ces mots bêtes à l'embrasser, de ces mots... L'autre jour, dans l'atelier, elle trouve un roman de Dejoie, regarde le titre : *Thérèse*, et le rejette avec sa jolie moue : « Si ça s'était appelé "Pauv' Thérèse", je l'aurais lu toute la nuit !... » J'en suis fou, je vous dis.

— Du coup te voilà en ménage ?... Et dans six mois encore une rupture, des larmes comme le poing, le dégoût du travail, des colères à tout tuer... » Le front de Caoudal s'assombrit :

« C'est vrai que rien ne dure... On se prend, on se quitte...

— Alors pourquoi se prendre ?

— Eh bien, et toi ?... Crois-tu donc que tu en as pour la vie avec ta Flamande !...

— Oh ! nous autres, nous ne sommes pas en ménage... pas vrai, Alice ?

— Certainement », répondit d'une voix douce et distraite la jeune femme montée sur une chaise, en train de cueillir des glycines et des verdures pour un bouquet de table. Déchelette continua :

« Il n'y aura pas de rupture entre nous, à peine une quitterie... Nous avons fait un bail dc dcux mois à passer ensemble ; le dernier jour on se séparera sans désespoir et sans surprise... Moi je retournerai à Ispahan — je viens de retenir mon sleeping —, et Alice rentrera dans son petit appartement de la rue Labruyère qu'elle a toujours gardé.

— Troisième au-dessus de l'entresol, tout ce qu'il y a de plus commode pour se fiche par la fenêtre ! »

En disant cela, la jeune femme souriait, rousse et lumineuse dans le jour tombant, sa lourde grappe de fleurs mauves à la main ; mais l'accent de sa parole était si profond, si grave, que personne ne répondit. Le vent fraîchissait, les maisons d'en face semblaient plus hautes.

« Allons nous mettre à table, cria le colonel... Et disons des choses folâtres...

— Oui, c'est cela, *gaudeamus igitur*... amusons-nous pendant que nous sommes jeunes, n'est-ce pas, Caoudal ?... » dit La Gournerie avec un rire qui sonnait faux.

Jean, quelques jours après, passait de nouveau rue de Rome, il trouvait l'atelier fermé, le grand rideau de coutil descendu sur la vitre, un silence morne des caves jusqu'à la toiture en terrasse. Déchelette était parti, à l'heure indiquée, le bail fini. Et lui pensait : « C'est beau de faire ce qu'on veut dans l'existence, de gouverner sa raison et son cœur... Aurai-je jamais ce courage ?... »

Une main se posa sur son épaule :

« Bonjour, Gaussin !... »

Déchelette, l'air fatigué, plus jaune et plus froncé que d'habitude, lui expliqua qu'il ne partait pas encore, retenu à Paris par quelques affaires, et qu'il habitait le Grand-Hôtel, l'atelier lui faisant horreur depuis cette histoire épouvantable...

« Quoi donc ?

— C'est vrai, vous ne savez pas... Alice est morte... Elle s'est tuée... Attendez-moi, que je regarde si j'ai des lettres... »

Il revint presque aussitôt, et tout en faisant sauter des bandes de journaux d'un doigt nerveux, il parlait sourdement, comme un somnambule, sans regarder Gaussin qui marchait près de lui :

« Oui, tuée, jetée par la fenêtre, comme elle l'avait dit le soir où vous étiez là... Qu'est-ce que vous voulez ?... moi, je ne savais pas, je ne pouvais pas me douter... Le jour où je devais partir, elle me dit d'un air tranquille : « Emmène-moi, Déchelette... ne me laisse pas seule... je ne pourrai plus vivre sans toi... » Ça me faisait rire. Me voyez-vous avec une femme, là-bas, chez ces Kurdes... Le désert, les fièvres, les nuits de bivouac... A dîner, elle me répétait encore : « Je ne te gênerai pas, tu verras comme je serai gentille... » Puis, voyant qu'elle me faisait de la peine, elle n'a plus insisté... Après, nous sommes allés aux Variétés dans une baignoire... tout cela convenu d'avance... Elle paraissait contente, me tenait la main tout le temps et murmurait : « Je suis bien... » Comme je partais dans la nuit, je la ramenai chez elle en voiture, mais nous étions tristes tous deux, sans parler. Elle ne me dit même pas merci pour un petit paquet que je lui glissai dans la poche, de quoi vivre tranquille un an ou deux. Arrivés rue Labruyère, elle me demande de monter... Je ne voulais pas. « Je t'en prie... jusqu'à la porte seulement. » Mais là je tins bon, je n'entrai pas. Ma place était retenue, mon sac fait, puis j'avais trop dit que je partirais... En descendant, le cœur un peu gros, j'entendais qu'elle me criait quelque chose comme « ... plus vite que toi... » mais je ne compris qu'en bas, dans la rue... Oh !... »

Il s'arrêta, les yeux à terre, devant l'horrible vision que le trottoir lui présentait maintenant à chaque pas, cette masse inerte et noire qui râlait...

« Elle est morte deux heures après, sans un mot, sans une plainte, me fixant de ses prunelles d'or. Souffrait-elle ? M'a-t-elle reconnu ? Nous l'avions couchée sur son lit, tout habillée, une grande mantille de dentelle enveloppant la tête d'un côté, pour cacher la blessure du crâne. Très pâle, avec un peu de sang sur la tempe, elle était encore jolie, si douce... Mais comme je me penchais pour essuyer cette goutte de sang qui revenait toujours, inépuisable — son regard m'a semblé prendre une expression indignée et terrible... Une malédiction muette que la pauvre fille me jetait... Aussi qu'est-ce que ça me faisait de rester quelque temps encore ou de l'emmener avec moi, prête à tout, si peu gênante ?... Non, l'orgueil, l'entêtement d'une parole dite... Eh bien, je n'ai pas cédé, et elle est morte, morte de moi qui l'aimais pourtant... »

Il se montait, parlait tout haut, suivi de l'étonnement des gens qu'il coudoyait en descendant la rue d'Amsterdam ; et Gaussin, passant devant son ancien logis dont il apercevait le balcon, la véranda, faisait un retour vers Fanny et leur propre histoire, se sentait pris d'un frisson, pendant que Déchelette continuait :

« Je l'ai conduite à Montparnasse, sans amis, sans famille...

J'ai voulu être seul à m'occuper d'elle... Et depuis, je suis là, pensant toujours à la même chose, ne pouvant me décider à partir avec cette idée obsédante, et fuyant ma maison où j'ai passé deux mois si heureux à côté d'elle... Je vis dehors, je cours, j'essaye de me distraire, d'échapper à cet œil de morte qui m'accuse sous un filet de sang... »

Et s'arrêtant, buté à ce remords, avec deux grosses larmes qui glissaient sur son petit nez camard, si bon, si épris de la vie, il disait :

« Voyons, mon ami ; je ne suis pourtant pas méchant... C'est un peu fort tout de même que j'aie fait ça... »

Jean essayait de le consoler, rejetant tout sur un hasard, un mauvais sort ; mais Déchelette répétait en secouant la tête, les dents serrées :

« Non, non... Je ne me pardonnerai jamais... Je voudrais me punir... »

Ce désir d'une expiation ne cessa de le hanter, il en parlait à tous ses amis, à Gaussin qu'il venait prendre à la sortie du bureau.

« Allez-vous-en donc, Déchelette... Voyagez, travaillez, ça vous distraira... » lui répétaient Caoudal et les autres, un peu inquiets de son idée fixe, de cet acharnement à leur faire répéter qu'il n'était pas méchant. Enfin un soir, soit qu'il eût voulu revoir l'atelier avant de partir, ou qu'un projet très arrêté d'en finir avec sa peine l'y eût amené, il rentra chez lui et au matin des ouvriers descendant des faubourgs à leur travail le ramassèrent, le crâne en deux, sur le trottoir devant sa porte, mort du même suicide que la femme, avec les mêmes affres, le même fracassement d'un désespoir jeté à la rue.

Dans l'atelier en demi-jour, une foule se pressait, d'artistes, de modèles, de femmes de théâtre, tous les danseurs, tous les soupeurs des dernières fêtes. C'était un bruit piétiné, chuchoté, une rumeur de chapelle sous la flamme courte des cierges. On regardait à travers les lianes, les feuillages, le corps exposé dans une étoffe de soie ramagée de fleurs d'or, coiffé en turban pour la hideuse plaie de la tête, et tout de son long étendu, les mains blanches en avant qui disaient l'abandon, le déliement suprême, sur le divan bas ombragé de glycines où Gaussin et sa maîtresse s'étaient connus la nuit du bal.

10

On en meurt donc quelquefois de ces ruptures !... Maintenant, quand ils se disputaient, Jean n'osait plus parler de son départ, il ne criait plus, exaspéré : « Heureusement, ça va finir. » Elle n'aurait eu qu'à répondre : « C'est bien, va-t'en... moi, je me tuerai, je ferai comme l'autre... » Et cette menace qu'il croyait comprendre dans la mélancolie de ses regards et des airs qu'elle chantait, dans la songerie de ses silences, le troublait jusqu'à l'épouvante.

Cependant il avait passé l'examen de classement qui termine, pour les attachés consulaires, le stage ministériel ; reçu dans un bon rang, on allait le désigner pour un des premiers postes libres, ce n'était plus qu'une affaire de semaines, de jours !... Et autour d'eux, dans cette fin de saison aux soleils de plus en plus brefs, tout se hâtait aussi vers les changements de l'hiver. Un matin, Fanny, ouvrant la fenêtre devant le premier brouillard, s'écriait :

« Tiens, les hirondelles sont parties... »

L'une après l'autre, les maisons bourgeoises du pays fermaient leurs persiennes ; sur la route de Versailles, des voitures de déménagement se succédaient, de grands omnibus de campagne chargés de paquets, avec des panaches de plantes vertes sur la plate-forme, pendant que les feuilles s'en allaient par tourbillons, roulaient comme les nuages en fuite sous le ciel bas, et que les meules montaient dans les champs dégarnis. Derrière le verger, dépouillé, rapetissé par le manque de verdure, les chalets fermés, les séchoirs des blanchisseries aux toits rouges se massaient en paysage triste, et, de l'autre côté de la maison, la voie ferrée mise à nu déroulait tout le long des bois en grisaille sa noire ligne voyageuse.

Quelle cruauté de la laisser là toute seule dans cette tristesse des choses ! Il sentait son cœur défaillir d'avance ; jamais il n'aurait le courage de l'adieu. C'était bien là-dessus qu'elle comptait, l'attendant à cette minute suprême, et jusque-là tranquille, ne parlant de rien, fidèle à sa promesse de ne pas mettre d'entraves à ce départ de tout temps prévu et consenti. Un jour, il rentra avec cette nouvelle :

« Je suis nommé...

— Ah !... et où donc ?... »

Elle questionnait, l'air indifférent, mais les lèvres et les yeux décolorés, une telle crispation sur tout le visage qu'il ne la fit pas plus longtemps attendre : « Non, non... pas encore... J'ai cédé mon tour à Hédouin... ça nous donne au moins six mois. »

Ce fut un débordement de larmes, de rires, de baisers fous qui balbutiaient : « Merci, merci... Quelle bonne vie je vais te faire maintenant !... C'était ça, vois-tu, qui me rendait méchante, cette idée de départ... » Elle allait s'y préparer mieux, s'y résigner petit à petit. Et puis, dans six mois, ce ne serait plus l'automne, avec le contrecoup de ces histoires de mort.

Elle tint parole. Plus de nerfs, plus de querelles ; et même, pour éviter les ennuis causés par l'enfant, elle se décidait à le mettre en pension à Versailles. Il ne sortait que le dimanche, et si ce nouveau régime ne modifiait pas encore sa nature rebelle et sauvage, du moins il lui apprenait l'hypocrisie. On vivait au calme, les dîners avec les Hettéma savourés sans orage, et le piano rouvert pour les partitions favorites. Mais au fond, Jean restait plus troublé, plus perplexe que jamais, se demandant où le mènerait sa faiblesse, songeant parfois à renoncer aux consulats, à passer dans le service des bureaux. C'était Paris, le bail du ménage indéfiniment renouvelé ; mais tout le rêve de sa jeunesse à bas, et le désespoir des siens, la brouille certaine avec son père qui ne lui pardonnerait pas cet abandon, surtout lorsqu'il en saurait les causes.

Et pour qui ?... Pour une créature vieillie, fanée, qu'il n'aimait plus, il en avait eu la preuve en face de ses amants... Quel maléfice tenait donc dans cette vie à deux ?

Comme il montait en wagon, un matin, aux derniers jours d'octobre, un regard de jeune fille levé vers le sien lui rappela tout à coup sa rencontre du bois, cette grâce radieuse de femme-enfant, dont le souvenir l'avait poursuivi pendant des mois. Elle portait la même robe claire que le soleil tachait si joliment sous les branches, mais recouverte d'un grand manteau de voyage ; et dans le wagon, des livres, un petit sac, un bouquet de grands roseaux et des dernières fleurs disaient le retour vers Paris, la fin de la villégiature. Elle aussi l'avait reconnu, d'un demi-sourire frissonnant sur la limpidité d'eau de source de ses yeux ; et ce fut, pendant une seconde, l'entente inexprimée de la même pensée chez ces deux êtres.

« Comment va votre mère, M. d'Armandy ? » demanda tout à

coup le vieux Bouchereau que Jean ébloui n'avait pas vu d'abord dans son coin, enfoui et lisant, sa pâle figure inclinée.

Jean donna des nouvelles, très touché qu'on se souvînt des siens et de lui, bien plus ému encore, quand la jeune fille s'informa des deux petites bessonnes qui avaient écrit à son oncle une si gentille lettre pour le remercier des soins donnés à leur mère... Elle les connaissait !... Cela le remplit de joie ; puis comme il était, paraît-il, d'une sensibilité extraordinaire ce matin-là, il devint triste aussitôt, en apprenant qu'ils rentraient à Paris, que Bouchereau allait prendre son cours de semestre à l'Ecole de médecine. Il n'aurait plus la chance de la revoir... Et les champs filant aux portières, splendides tout à l'heure, lui semblaient lugubres, éclairés d'une lumière d'éclipse.

Le train siffla longuement ; on arrivait. Il salua, les perdit, mais à la sortie de la gare ils se retrouvèrent, et Bouchereau dans le tumulte de la presse l'avertit qu'à partir du jeudi suivant il restait chez lui, place Vendôme... si le cœur lui disait d'une tasse de thé... Elle donnait le bras à son oncle, et il sembla à Jean que c'était elle qui l'invitait, sans rien dire.

Après avoir décidé plusieurs fois qu'il irait chez Bouchereau, puis qu'il n'irait pas — car à quoi bon se donner des regrets inutiles ? — il prévint pourtant chez lui qu'il y aurait bientôt une grande soirée au ministère à laquelle il lui faudrait assister. Fanny visitait son habit, lui faisait repasser des cravates blanches ; et brusquement, le jeudi soir, il n'eut plus la moindre envie de sortir. Mais sa maîtresse le raisonnait sur la nécessité de cette corvée, se reprochant de l'avoir trop absorbé, gardé pour elle en égoïste, et elle le décidait, achevait de l'habiller avec des jeux tendres, retouchait le nœud de sa cravate, le pli de ses cheveux, riait parce que ses doigts sentaient la cigarette qu'elle reprenait et posait sur la cheminée à toute minute, et que cela ferait faire la grimace aux danseuses. Et de la voir très gaie et très bonne, il avait le remords de son mensonge, serait volontiers resté près d'elle au coin du feu, si Fanny ne l'eût forcé : « Je veux... il le faut », tendrement poussé dehors dans la nuit du chemin.

Il était tard quand il rentra ; elle dormait, et la lampe allumée sur ce sommeil de fatigue lui rappela une rentrée pareille, trois ans passés déjà, après les révélations terribles qu'on venait de lui faire. Comme il s'était montré lâche alors ! Par quelle aberration ce qui devait briser sa chaîne l'avait-il rivé plus solidement ?... Une nausée lui monta aux lèvres, de dégoût. La chambre, le lit, la femme lui faisaient également horreur ; il prit la lumière, l'emporta dans la pièce à côté, doucement. Il désirait tant être seul pour songer à ce qui lui arrivait... oh ! rien, presque rien...

Il aimait.

Il y a dans certains mots que nous employons ordinairement un ressort caché qui tout à coup les ouvre jusqu'au fond, nous les explique dans leur intimité exceptionnelle ; puis le mot se replie, reprend sa forme banale et roule insignifiant, usé par l'habitude et le machinal. L'amour est un de ces mots-là ; ceux pour qui sa clarté s'est une fois traduite entière comprendront l'angoisse délicieuse où vivait Jean depuis une heure, sans bien se rendre compte d'abord de ce qu'il éprouvait.

Là-bas, place Vendôme, dans ce coin de salon où ils étaient restés longtemps à causer ensemble, il ne sentait rien qu'un grand bien-être, un charme doux qui l'enveloppait. Ce n'est qu'une fois dehors, la porte retombée sur lui, qu'il avait été saisi d'une allégresse folle, puis d'une défaillance à croire que toutes ses veines s'ouvraient : « Qu'est-ce que j'ai, mon Dieu ?... » Et le Paris qu'il traversait pour revenir lui paraissait tout nouveau, féerique, élargi, radieux. Oui, à cette heure où les bêtes de nuit sont lâchées et circulent, où la vase des égouts remonte, s'étale, grouille sous le gaz jaune, lui, l'amant de Sapho, curieux de toutes les débauches, le Paris que peut voir la jeune fille revenant du bal avec des airs de valse plein la tête qu'elle redit aux étoiles sous les blancheurs de sa parure, ce Paris chaste baigné de lune claire où s'éclosent les âmes vierges, c'est ce Paris qu'il avait vu !... Et tout à coup, comme il montait le large escalier de la gare, si près du retour vers le mauvais gîte, il se surprenait à dire tout haut : « Mais je l'aime... je l'aime... » et c'est ainsi qu'il l'avait appris.

« Tu es là, Jean ?... Que fais-tu donc ? »

Fanny s'éveille en sursaut, effrayée de ne pas le sentir à côté d'elle. Il faut venir l'embrasser, mentir, raconter le bal du ministère, dire s'il y avait de jolies toilettes et avec qui il a dansé ; mais pour échapper à cette inquisition, surtout aux caresses qu'il redoute, tout imprégné du souvenir de l'autre, il invente un travail pressé, les dessins d'Hettéma.

« Il n'y a plus de feu ; tu vas avoir froid.

— Non, non...

— Au moins laisse la porte ouverte, que je voie ta lampe... »

Il doit jouer son mensonge jusqu'au bout, installer la table, les épures ; puis assis, immobile, retenant son souffle, il songe, il se rappelle, et, pour fixer son rêve, le raconte à Césaire dans une longue lettre, pendant que le vent de nuit remue les branches qui craquent sans un froissement de feuilles, que les trains se succèdent en grondant et que La Balue, troublé par la lumière, s'agite dans sa petite cage, sautille d'un perchoir à l'autre avec des cris hésitants.

Il dit tout, la rencontre dans les bois, le wagon, son émotion singulière à l'entrée de ces salons qu'il avait vus si lugubres et tragiques le jour de la consultation, des chuchotements furtifs dans les portes, de tristes regards échangés de chaise à chaise, et qui, ce soir, s'ouvraient animés et bruyants en une longue enfilade lumineuse. Bouchereau lui-même n'avait plus sa physionomie dure, cet œil noir, fouilleur et déconcertant sous ses gros sourcils d'étoupe, mais une expression reposée et paternelle de bonhomme qui consent à ce que l'on s'amuse chez lui.

« Tout à coup elle est venue vers moi et je n'ai plus rien vu... Mon ami, elle s'appelle Irène, elle est jolie, l'air bon, les cheveux de ce brun doré des Anglaises, une bouche d'enfant toujours prête à rire... Oh ! pas ce rire sans gaieté, qui agace chez tant de femmes ; une vraie expansion de jeunesse et de bonheur... Elle est née à Londres ; mais son père était français et elle n'a pas d'accent du tout, seulement une adorable façon de prononcer certains mots, de dire « unclé » qui chaque fois met une caresse dans les yeux du vieux Bouchereau. Il l'a prise avec lui pour soulager la famille de son frère qui est nombreuse, et remplacer la sœur d'Irène, l'aînée, mariée depuis deux ans à son chef de clinique. Mais elle, voilà, les médecins ne lui vont guère... Comme elle m'a amusé avec la bêtise de ce jeune savant exigeant de sa fiancée, sur toute chose, un engagement formel et solennel de léguer leurs deux corps à la Société d'anthropologie !... Elle, c'est un oiseau voyageur. Elle aime les bateaux, la mer ; la vue d'un beaupré tourné au large lui prend le cœur... Elle me disait tout cela librement, en camarade, bien *miss* d'allures, malgré sa grâce parisienne, et je l'écoutais ravi de sa voix, de son rire, de la conformité de nos goûts, d'une certitude intime que le bonheur de ma vie était là, à côté de ma main, et que je n'avais qu'à le saisir, l'emporter loin, bien loin, où m'enverrait la carrière aventureuse... »

« Viens donc te coucher, m'ami... »

Il tressaute, s'arrête, cache instinctivement la lettre qu'il est en train d'écrire : « Tout à l'heure... Dors, dors... »

Il lui parle avec colère et, le dos tendu, écoute le sommeil revenir dans cette respiration de femme, car ils sont très près l'un de l'autre, et si loin !

« ... Quoi qu'il arrive, ce sera la délivrance que cette rencontre et cet amour. Tu connais ma vie ; tu as compris, sans que nous en parlions jamais, qu'elle est la même qu'autrefois, que je n'ai pas pu m'affranchir. Mais ce que tu ne sais pas, c'est que j'étais prêt à sacrifier fortune, avenir, tout, à cette habitude fatale où je m'enlisais un peu plus chaque jour. Maintenant, j'ai trouvé le ressort, le point d'appui qui me manquait ; et pour ne plus laisser de recours à ma faiblesse, je me suis juré de ne retourner là-bas que libre et séparé... A demain l'évasion... »

Ce ne fut ni le lendemain ni le jour suivant. Il fallait un moyen pour s'évader, un prétexte, le dénouement d'une querelle où l'on crie : « Je m'en vais », pour ne plus revenir ; et Fanny se montrait douce et gaie comme aux premiers temps illusionnés du ménage.

Ecrire « c'est fini » sans plus d'explications ?... Mais cette violente ne se résignerait pas ainsi, le relancerait, s'acharnerait jusqu'à la porte de son hôtel, de son bureau. Non, mieux vaudrait l'attaquer de face, la convaincre de l'irrévocable, du définitif de cette rupture, et sans colère comme sans pitié, lui en énumérer les causes.

Mais avec ces réflexions, une peur lui revint du suicide d'Alice Doré. Il y avait devant chez eux, de l'autre côté du pavé, une ruelle en pente conduisant à la voie et fermée d'une barrière ; les voisins prenaient par là, les jours de presse, pour suivre les rails jusqu'à la gare. Et l'imagination du Méridional voyait, après leur scène de rupture, sa maîtresse s'échapper sur la route, joindre la traverse, se jeter sous les roues du train qui l'emportait. Cette crainte l'obsédait au point que la seule pensée de cette barrière battante, entre deux murs chargés de lierre, lui faisait reculer l'explication.

Encore s'il avait eu là un ami, quelqu'un pour la garder, l'assister à cette première crise ; mais, terrés dans leur collage comme des marmottes, ils ne connaissaient personne, et ce n'était pas les Hettéma, ces monstrueux égoïstes luisants et noyés de graisse, bestialisés encore par l'approche de leur hivernage d'Esquimaux, que la malheureuse aurait pu appeler au secours de son désespoir et de son abandon.

Il fallait rompre, pourtant, et rompre vite. Malgré sa promesse à lui-même, Jean était retourné deux ou trois fois place Vendôme, de plus en plus épris ; et quoi qu'il n'eût rien dit encore, l'accueil à bras ouverts du vieux Bouchereau, l'attitude d'Irène où se mêlaient dans la réserve une tendresse, une indulgence, et comme l'attente émue de la déclaration, tout l'avertissait de ne plus tarder. Puis le supplice de mentir, les prétextes qu'il inventait pour Fanny, et l'espèce de sacrilège d'aller des baisers de Sapho à la cour discrète, balbutiante...

11

Au milieu de ces alternatives, il trouvait au ministère, sur sa table, la carte d'un monsieur venu déjà deux fois dans la matinée, disait l'huissier avec un certain respect de la nomenclature suivante :

C. GAUSSIN D'ARMANDY

Président des Submersionnistes de la Vallée du Rhône,
Membre du Comité central d'étude et de vigilance,
Délégué départemental, etc., etc.

L'oncle Césaire à Paris !... Le Fénat délégué, membre d'un comité de vigilance !... Sa stupeur durait encore, quand l'oncle parut, toujours brun comme une pomme de pin, ses yeux fous, son rire au coin des tempes, sa barbe du temps de la Ligue, mais au lieu de l'éternelle veste de futaine à côtes, une redingote en drap neuf bridant sur le ventre et donnant au petit homme une majesté vraiment présidentielle.

Ce qui l'amenait à Paris ? L'achat d'une machine élévatoire pour l'immersion de ses nouvelles vignes — il prononçait le mot « élévatoire » avec une conviction qui le grandissait à ses propres yeux —, puis la commande de son buste que ses collègues lui demandaient pour orner la salle du conseil.

« Tu as vu, ajouta-t-il d'un air modeste, ils m'ont nommé président... Mon idée de submersion bouleverse le Midi... Et dire que c'est moi, le Fénat, qui suis en train de sauver les vins de France !... Il n'y a que les toqués, vois-tu. »

Mais le but principal de son voyage, c'était la rupture avec Fanny. Comprenant que l'affaire traînait en longueur, il venait donner un coup de main. « Je m'y connais, tu penses... Quand Courbebaisse a lâché la sienne pour se marier... » Avant d'attaquer son histoire, il s'arrêta et, déboutonnant sa redingote, il en tira un petit portefeuille rondement tendu :

« D'abord, débarrasse-moi de ceci... *Bé* oui ! l'argent... la libération du territoire... » Il se trompa au geste de son neveu, comprit qu'il refusait par discrétion : « Prends donc ! prends donc !... C'est ma fierté de pouvoir rendre au fils un peu de ce que le père a fait pour moi... D'ailleurs, Divonne le veut ainsi. Elle est au courant de l'affaire, et si contente que tu penses à te marier, à secouer ton vieux crampon ! »

Dans la bouche de Césaire, après le service que sa maîtresse lui avait rendu, Jean trouva « vieux crampon » un peu injuste, et c'est avec une pointe d'amertume qu'il répondit :

« Reprenez votre portefeuille, mon oncle... vous savez mieux que personne combien ces questions sont indifférentes à Fanny.

— Oui, c'était une bonne fille... » dit l'oncle en oraison funèbre, et il ajouta, clignant sa patte d'oie :

« Garde toujours l'argent... Avec les tentations de Paris, je l'aime mieux entre tes mains que dans les miennes ; et puis il en faut pour les ruptures comme pour les duels... »

Il se leva là-dessus, déclarant qu'il mourait de faim et que cette grosse question se discuterait mieux, la fourchette à la main, en déjeunant. Toujours la légèreté gouailleuse du Méridional à traiter les affaires de femme.

« Entre nous, petit... » Ils étaient attablés dans un restaurant de la rue de Bourgogne, et l'oncle s'épanouissait, la serviette au menton, tandis que Jean grignotait du bout des dents, l'estomac serré. « ... Je trouve que tu prends la chose trop au tragique. Je sais bien que le premier coup est dur, l'explication ennuyeuse ; mais, si cela te coûte trop, ne dis rien, fais comme Courbebaisse. Jusqu'au matin du mariage, la Mornas a tout ignoré. Le soir, en sortant de chez sa future, il allait chercher la chanteuse à son beuglant, et la reconduisait chez elle. Tu me diras que ça n'est pas très régulier ni bien loyal non plus. Mais quand on n'aime pas les scènes, et avec des femmes terribles comme Paola Mornas !... Il y avait près de dix ans que ce grand beau garçon tremblait devant cette petite moricaude. Pour le décrochage, il fallait ruser, manœuvrer... » Et voici comment il s'y était pris.

La veille du mariage, un 15 août, le jour de la fête, Césaire proposa à la petite d'aller pêcher une friture dans l'Yvette.

Courbebaisse devait venir les rejoindre pour dîner ; et l'on s'en retournerait tous trois le lendemain soir, quand Paris aurait évaporé son odeur de poussière, de carcasses de fusées et d'huile à lampions. Ça va. Les voilà tous deux étendus dans l'herbe au bord de cette petite rivière qui frétille et luit entre ses berges basses, fait les prairies si vertes et les saules si feuillus. Après la pêche, le bain. Ce n'était pas la première fois qu'il leur arrivait de nager ensemble, Paola et lui, en bons garçons, en camarades ; mais ce jour-là, cette petite Mornas, les bras, les jambes nues, son corps de maugrabine fait au moule, que la mouillure du costume plaquait de partout... peut-être aussi l'idée que Courbebaisse lui avait donné carte blanche... Ah ! la mâtine... Elle se retourna, le regarda dans les yeux, durement.

« Vous savez, Césaire, n'y revenez plus. »

Il n'insista pas, de peur de gâter son affaire, et se dit : « Ce sera pour après dîner. »

Très gai, le dîner, sur le balcon en bois de l'auberge, entre les deux drapeaux que le patron avait arborés en l'honneur du Quinze Août. Il faisait chaud, les foins sentaient bon, et l'on entendait les tambours, les pétards, la musique de l'orphéon qui courait les rues.

« Est-il embêtant, ce Courbebaisse, de n'arriver que demain, disait la Mornas, qui s'étirait les bras avec un coup de champagne dans les yeux..., j'ai envie de m'amuser, moi, ce soir.

— Et moi, donc ! »

Il était venu s'appuyer à côté d'elle sur la rampe du balcon, encore brûlante du soleil de la journée, et sournoisement, en sondeur, il passait le bras autour de sa taille : « Oh ! Paola... Paola... » Cette fois, au lieu de se fâcher, la chanteuse se mit à rire, mais si fort, de si bon cœur qu'il finit par en faire autant. Même tentative repoussée de la même façon, le soir, en rentrant de la fête où ils avaient dansé, tiré des macarons ; et comme leurs chambres étaient voisines, elle lui chantait à travers la cloison : *T'es trop p'tit, t'es trop p'tit...*, avec toutes sortes de comparaisons désobligeantes entre lui et Courbebaisse. Il se tenait pour ne pas lui répondre, l'appeler la veuve Mornas ; mais c'était encore trop tôt. Le lendemain, par exemple, en s'installant devant un bon déjeuner, pendant que Paola s'impatientait et s'inquiétait, à la fin, de ne pas voir arriver son homme, ce fut avec une certaine satisfaction qu'il tira sa montre et dit solennellement :

« Midi, c'est fait...

— Quoi donc ?

— Il est marié.

— Qui ?

— Courbebaisse. »

Vlan !

« Ah ! mon ami, quelle gifle... Dans toutes mes aventures galantes je n'ai jamais rien reçu de pareil. Et, tout de suite, la voilà qui veut partir... Mais, pas de train avant quatre heures... Et pendant ce temps l'infidèle brûlait les rails du P.-L.-M. vers l'Italie avec sa femme. Alors, dans sa rage, elle repique, m'abîme de coups et de griffes — cette chance !... moi qui nous avais enfermés à clef ; — puis elle s'en prend à la vaisselle et tombe enfin dans une crise de nerfs épouvantable. A cinq, on la porte sur son lit, on la maintient, tandis que tout éraflé, comme si je sortais d'un buisson de ronces, je cours pour trouver le médecin d'Orsay... Dans ces affaires-là, c'est comme sur le terrain, il faudrait toujours avoir un médecin avec soi. Me vois-tu, par les routes, à jeun, et un soleil !... Il faisait nuit quand je le ramenai... Tout à coup, en approchant de l'auberge, une rumeur de foule, un rassemblement sous les fenêtres... Ah ! mon Dieu, elle s'est suicidée ? Elle a tué quelqu'un ? Avec la Mornas c'était plus vraisemblable... Je me précipite, et qu'est-ce que je vois ?... Le balcon chargé de lanternes vénitiennes et la chanteuse debout, consolée et superbe, enroulée dans un des drapeaux et gueulant *La Marseillaise*, en pleine fête impériale, au-dessus du peuple qui acclamait.

« Et voilà, mon petit, comment s'est terminée la liaison de Courbebaisse ; je ne te dirai pas que tout a été fini d'une fois. Après dix ans de fers, il faut toujours compter un peu de surveillance. Mais enfin, le plus fort s'était passé sur moi ; et j'en recevrai bien autant de la tienne, si tu veux.

« Ah ! mon oncle, ce n'est pas le même genre de femme.

— Va donc », dit Césaire décachetant une boîte de cigares qu'il approchait de son oreille pour s'assurer s'ils étaient secs, « tu n'es pas le premier qui la quitte...

— C'est pourtant vrai... »

Et Jean se rattrapait avec bonheur à ce mot qui l'eût navré quelques mois auparavant. Au fond, l'oncle et son histoire comique le rassuraient un peu, mais ce qu'il n'admettait pas, c'était le mensonge en partie double pendant des mois, cette hypocrisie, ce partage, il ne pourrait jamais s'y résoudre et n'avait que trop attendu.

« Alors, comment veux-tu faire ?... »

Pendant que le jeune homme se débattait dans ces incertitudes, le membre du conseil de vigilance lissait sa barbe, essayait des sourires, des effets, des ports de tête, puis d'un air négligent :

« C'est loin d'ici qu'il demeure ?

— Qui donc ?

— Mais cet artiste, ce Caoudal dont tu m'as parlé pour mon buste... On pourrait aller voir ses prix, pendant qu'on est ensemble... »

Caoudal, bien que célèbre, grand mangeur d'argent, occupait toujours rue d'Assas l'atelier de ses premiers succès. Césaire, tout en allant, s'informait de sa valeur artistique ; il y mettrait le prix, certainement, mais ces messieurs du comité tenaient à une œuvre de premier ordre.

« Oh ! ne craignez rien, mon oncle, si Caoudal veut bien s'en charger... » Et il lui énumérait les titres du sculpteur, membre de l'Institut, commandeur de la Légion d'honneur et d'une foule d'ordres étrangers. Le Fénat ouvrait de grands yeux.

« Et vous êtes amis ?

— Très amis.

— Ce Paris, pas moins !... comme on y fait de belles connaissances. »

Gaussin aurait eu pourtant quelque honte à avouer que Caoudal était un ancien amant de Fanny, et qu'elle les avait mis en relation. Mais on eût dit que Césaire y pensait :

« C'est lui l'auteur de cette Sapho que nous avons à Castelet ?... Alors il connaît ta maîtresse, et pourrait t'aider peut-être à la rupture. L'Institut, la Légion d'honneur, ça impressionne toujours une femme... »

Jean ne répondit pas, songeant aussi peut-être à utiliser l'influence du premier amant.

Et l'oncle continuait d'un bon rire :

« A propos, tu sais, le bronze n'est plus chez ton père... Quand Divonne a su, quand j'ai eu le malheur de lui dire que ça représentait ta maîtresse, elle n'a plus voulu qu'il fût là... Avec les manies du consul, ses difficultés au moindre changement, ce n'était pas commode, surtout sans laisser soupçonner le motif... Oh ! les femmes... Elle a si bien manœuvré qu'à cette heure M. Thiers préside sur la cheminée de ton père, et la pauvre Sapho se ronge de poussière dans la chambre du vent, avec les vieux chenets et les meubles hors d'usage ; même qu'elle a reçu un atout dans le transport, le chignon cassé et sa lyre qui ne tient plus. La rancune de Divonne, sans doute, qui lui aura porté malheur. »

Ils arrivaient rue d'Assas. Devant l'aspect modeste et travailleur de cette cité d'artistes, ces ateliers aux portes de remises numérotées, s'ouvrant de chaque côté d'une longue cour que terminent les bâtiments vulgaires d'une école communale aux perpétuelles mélopées de lecture, le président des submersionnistes eut de nouveaux doutes sur le talent d'un homme aussi médiocrement logé ; mais sitôt entré chez Caoudal, il sut à quoi s'en tenir :

« Pas pour cent mille francs, pas pour un million !... » hurlait le sculpteur au premier mot de Gaussin ; et soulevant à mesure son grand corps du divan où il s'allongeait dans le désordre et l'abandon de l'atelier : « Un buste !... Ah bien oui... mais regardez donc là-bas cet écrasement de plâtre en mille miettes... ma figure du prochain Salon que je viens de démolir à coups de maillet... Voilà le cas que j'en fais, de la sculpture, et si tentante que soit la binette de monsieur...

— Gaussin d'Armandy... président... »

L'oncle rassemblait tous ses titres, mais il y en avait trop. Caoudal l'interrompit, et tourné vers le jeune homme :

« Vous me regardez, Gaussin... Vous me trouvez vieilli ?... »

C'est vrai qu'il avait bien son âge dans ce jour tombé d'en haut sur les balafres, les creux et meurtrissures de sa tête viveuse et surmenée, sa crinière de lion montrant des râpes de vieux tapis, ses bajoues pendantes et flasques, et sa moustache aux tons de métal dédoré qu'il ne se donnait plus la peine de friser ni de teindre... A quoi bon ?... Cousinard le petit modèle venait de partir. « Oui, mon cher, avec mon mouleur, un sauvage, une brute, mais vingt ans !... »

L'intonation rageuse et ironique, il arpentait l'atelier, bousculant d'un coup de botte l'escabeau qui le gênait au passage. Tout à coup, arrêté devant le miroir enguirlandé de cuivre au-dessus du divan, il se regardait avec une affreuse grimace : « Suis-je assez laid, assez démoli, en voilà des cordes, des fanons de vieille vache !... » Il prenait son cou à poignée, puis dans un accent lamentable et comique, une prévoyance de vieux beau qui se pleure : « Et dire que je regretterai ça, l'an prochain !... »

L'oncle restait effaré. Cet académicien qui se tirait la langue racontait ses basses amours ! Il y avait donc des toqués partout, même à l'Institut ; et son admiration pour le grand homme s'amoindrissait de la sympathie qu'il ressentait pour ses faiblesses.

« Comment va Fanny ?... Etes-vous toujours à Chaville ?... fit Caoudal subitement apaisé et venant s'asseoir à côté de Gaussin dont il tapotait familièrement l'épaule.

— Ah ! la pauvre Fanny, nous n'avons plus longtemps à vivre ensemble...

— Vous partez ?

— Oui, bientôt... et je me marie avant... Il faut que je la quitte. »

Le sculpteur eut un rire féroce :

« Bravo ! Je suis content... Venge-nous, mon petit, venge-nous de ces coquines-là. Lâche-les, trompe-les, et qu'elles pleurent, les misérables ! Tu ne leur feras jamais autant de mal qu'elles en ont fait aux autres. »

L'oncle Césaire triomphait :

« Tu vois, monsieur ne prend pas les choses aussi tragiquement que toi... Comprenez-vous cet innocent... ce qui le retient de s'en aller, c'est la peur qu'elle se tue ! »

Jean avoua très simplement l'impression que lui avait faite le suicide d'Alice Doré.

« Mais ce n'est pas la même chose, dit Caoudal vivement... Celle-là, c'était une triste, une molle aux mains tombantes... une pauvre poupée qui manquait de son... Déchelette a eu tort de croire qu'elle mourait pour lui... Un suicide par fatigue et ennui de vivre. Tandis que Sapho... Ah ! ouiche, se tuer... Elle aime bien trop l'amour et brûlera jusqu'au bout, jusqu'aux bobèches. Elle est de la race des jeunes premiers qui ne changent jamais de rôle, et finissent sans dents, sans cils, dans leur peau de jeunes premiers... Regardez-moi donc... Est-ce que je me tue ?... J'ai beau avoir du chagrin, je sais bien que, celle-là partie, j'en prendrai une autre, qu'il m'en faudra toujours... Votre maîtresse fera comme moi, comme elle a déjà fait... Seulement, elle n'est plus jeune, et ce sera plus difficile. »

L'oncle continuait à triompher : « Te voilà rassuré, hein ? »

Jean ne disait rien, mais ses scrupules étaient vaincus et sa résolution bien prise. Ils partaient, quand le sculpteur les rappela pour leur montrer une photographie ramassée sur la poussière de sa table et qu'il essuyait d'un revers de manche. « Tenez, la voilà !... Est-elle jolie, la coquine... à se mettre à genoux devant... Ces jambes, cette gorge ! » Et c'était terrible le contraste de ces yeux ardents, de cette voix passionnée avec le tremblement sénile des gros doigts en spatule où grelottait l'image souriante, aux charmes capitonnés de fossettes, de Cousinard le petit modèle.

12

« C'est toi ?... Comme tu viens de bonne heure !... »

Elle arrivait du fond du jardin, sa robe pleine de pommes tombées, et montait le perron très vite, un peu inquiète de la mine à la fois gênée et volontaire de son amant.

« Qu'y a-t-il donc ?

— Rien, rien... c'est ce temps, ce soleil... J'ai voulu profiter du dernier beau jour pour faire un tour en forêt, nous deux... Veux-tu ? »

Elle eut son cri d'enfant de la rue, qui lui revenait chaque fois qu'elle était contente : « Oh ! veine... » Plus d'un mois qu'ils n'étaient sortis, bloqués par les pluies, les bourrasques de novembre. On ne s'amusait pas toujours à la campagne : autant vivre dans l'arche avec les bestiaux de Noé... Elle avait quelques recommandations à faire à la cuisine, à cause des Hettéma qui venaient dîner ; et pendant qu'il l'attendait dehors, sur le Pavé des Gardes, Jean regardait la petite maison réchauffée de cette lumière douce d'arrière-été, la rue de campagne aux larges dalles moussues, avec cet adieu de nos yeux, étreignant et doué de mémoire, aux endroits que nous allons quitter.

La fenêtre de la salle, grande ouverte, laissait échapper les vocalises du loriot, alternant avec les ordres de Fanny à la femme de service : « Surtout n'oubliez pas, pour six heures et demie... Vous servirez d'abord la pintade... Ah ! que je vous donne du linge... » Sa voix sonnait, claire, heureuse, parmi des grésillements de cuisine et les petits cris de l'oiseau s'égosillant au soleil. Et lui qui savait que leur ménage n'avait plus que deux heures à vivre, ces préparatifs de fête lui serraient le cœur.

Il eut envie de rentrer, de tout lui dire, là, d'un coup ; mais il eut peur de ses cris, de la scène épouvantable que le voisinage entendrait, d'un scandale à ameuter le haut et le bas Chaville. Il savait que déchaînée, rien ne comptait plus pour elle, et s'en tint à son idée de la conduire en forêt.

« Voilà... j'y suis... »

Légère, elle prit son bras, l'avertissant de parler bas et de marcher vite en passant devant chez leurs voisins, dans la crainte qu'Olympe voulût les accompagner et gêner leur bonne partie.

Elle ne fut tranquille que le Pavé franchi et la voûte du chemin de fer, lorsqu'ils eurent tourné à gauche dans le bois.

Il faisait un temps doux, rayonnant, un soleil tamisé d'une brume argentée et flottante, qui baignait toute l'atmosphère, s'accrochait aux taillis où quelques arbres, entre leurs feuilles dorées tenant encore, gardaient des nids de pies, des paquets de gui vert à de grandes hauteurs. On entendait un cri d'oiseau, continu, en bruit de lime, et ces coups de bec sur le bois qui répondent au bûcheron dans les coupes.

Ils allaient lentement, marquant leurs pas sur la terre amollie par les pluies de l'automne. Elle avait chaud d'être venue si vite, les joues allumées, les yeux brillants, s'arrêta pour enlever la grande mantille de blonde, un cadeau de Rosa, dont elle s'était garanti la tête en sortant, le reste fragile et coûteux des splendeurs passées. La robe qu'elle portait, une pauvre robe en soie noire, craquée sous les bras, à la taille, il la lui connaissait depuis trois ans ; et quand elle la relevait, en passant devant lui, à cause de quelque flaque, il voyait les talons de ses bottines qui se tournaient.

Comme elle avait pris gaiement cette demi-misère, sans regret ni plainte, occupée de lui, de son bien-être, jamais plus heureuse que lorsqu'elle le frôlait, les deux mains croisées sur son bras. Et Jean se demandait en la regardant toute rajeunie de ce renouveau de soleil et d'amour, quelle poussée de sève il y avait dans une créature pareille, quelle merveilleuse faculté d'oubli et de pardon, pour garder tant de gaieté, d'insouciance, après une vie de passions, de traverses et de larmes, tout cela marqué sur son visage, mais s'effaçant au moindre épanouissement de gaieté.

« C'est un cèpe, je te dis que c'est un cèpe... »

Elle entrait sous bois, enfonçait jusqu'aux genoux dans les feuilles mortes, revenait toute décoiffée et fripée par les ronces, et lui montrait ce petit réseau sur le pied du champignon qui distingue le vrai cèpe du faux : « Tu vois, il a le tulle !... » Et elle triomphait.

Lui n'écoutait pas, distrait, s'interrogeant : « Est-ce le moment ?... Faut-il ?... » Mais le courage lui manquait, elle riait trop, ou l'endroit n'était pas favorable ; et il l'entraînait toujours plus loin, comme un assassin qui médite son coup.

Il allait se décider, quand, au tournant d'une allée, quelqu'un apparut et les dérangea, le garde de ce peuplement, Hochecorne, qu'ils rencontraient quelquefois. Pauvre diable qui avait successivement perdu, dans la petite maison forestière que l'Etat lui allouait au bord de l'étang, deux enfants, puis sa femme, et toujours des mêmes fièvres pernicieuses. Dès le premier décès, le médecin déclarait le logement insalubre, trop près de l'eau et de ses émanations ; et malgré les certificats, les apostilles, on l'avait laissé là deux ans, trois ans, le temps de voir mourir tous les siens, à l'exception d'une petite fille avec qui il venait enfin de s'installer dans un logis neuf à l'entrée du bois.

Hochecorne, face de Breton têtu, aux yeux clairs et courageux, au front fuyant sous sa casquette d'uniforme, vrai type de fidélité, de superstition à toutes les consignes, avait la bricole de son fusil sur une épaule, sur l'autre la tête endormie de son enfant, qu'il portait.

« Comment va-t-elle ? » demanda Fanny souriant à cette fillette de quatre ans, pâlie et diminuée par la fièvre, qui s'éveillait, ouvrait de grands yeux cerclés de rose. Le garde soupira :

« Pas bien... J'ai beau la mener partout avec moi... voilà qu'elle ne mange plus, qu'elle n'a de goût à rien ; faut croire que c'était trop tard quand on a changé d'air et qu'elle avait déjà pris le mal... Elle est si légère, voyez, madame, on dirait une feuille... Un de ces jours elle va fiche le camp comme les autres... Bon Dieu !... »

Ce « bon Dieu ! » tout bas, dans la moustache, c'était toute sa révolte contre la cruauté des bureaux et des paperassiers.

« Elle tremble, on dirait qu'elle a froid.

— C'est la fièvre, madame.

— Attendez, nous allons la réchauffer... » Elle prit la mantille qui pendait sur son bras, en entoura la petite : « Si, si, laissez donc... ce sera son voile de mariée, plus tard... »

Le père eut un sourire navré, et remuant la menotte de l'enfant qui se rendormait, blême dans tout ce blanc comme une petite morte, il lui faisait dire merci à la dame, puis s'éloignait avec un « bon Dieu ! » perdu dans le craquement des branches sous ses pieds.

Fanny n'était plus gaie, serrée contre lui de toute cette tendresse craintive de la femme que son émotion, tristesse ou joie, rapproche de celui qu'elle aime. Jean se disait : « Quelle bonne fille... », mais sans faiblir dans ses décisions, s'y affermissant au contraire, car sur la pente de l'allée où ils entraient se levait l'image d'Irène, le souvenir du rayonnant sourire rencontré là et qui l'avait pris tout de suite, avant même qu'il en connût le charme profond, la source intime de douceur intelligente. Il songea qu'il avait attendu jusqu'au dernier moment, que c'était aujourd'hui jeudi... « Allons, il le faut... » et visant un rond-point à quelque distance, il se le donna comme dernière limite.

Une éclaircie dans une coupe de bois, des arbres couchés au milieu de copeaux, de sanglants débris d'écorce, et des fagots, des trous de charbonnage... Un peu plus bas on voyait l'étang d'où montait une buée blanche, et sur le bord la petite maison abandonnée, au toit tombant, aux fenêtres cassées, ouvertes, le lazaret des Hochecorne. Après, les bois remontaient vers Vélizy, un grand coteau de toisons rousses, de haute futaie serrée et triste... Il s'arrêta brusquement :

« Si l'on se reposait un peu ? »

Ils s'assirent sur une longue charpente jetée à terre, un ancien chêne dont se comptaient les branches aux blessures de la hache. L'endroit était tiède, égayé d'une pâle réverbération lumineuse, et d'un parfum de violettes perdues.

« Comme il fait bon !... » dit-elle, alanguie sur son épaule et cherchant la place d'un baiser dans son cou. Il se recula un peu, lui prit la main. Alors, devant l'expression subitement durcie de son visage, elle s'effraya :

« Quoi donc ? Qu'y a-t-il ?

— Une mauvaise nouvelle, ma pauvre amie... Hédouin, tu sais, celui qui est parti à ma place... » Il parlait péniblement, avec une voix rauque dont le son l'étonnait lui-même, mais qui se raffermissait vers la fin de l'histoire préparée d'avance... Hédouin tombé malade en arrivant à son poste, et lui, désigné d'office pour aller le remplacer... Il avait trouvé cela plus facile à dire, moins cruel que la vérité. Elle l'écouta jusqu'au bout sans l'interrompre, la face d'une pâleur grise, l'œil fixe. « Quand pars-tu ? demanda-t-elle, en retirant sa main.

— Mais ce soir... cette nuit... » Et la voix fausse et dolente, il ajouta : « Je compte passer vingt-quatre heures à Castelet, puis m'embarquer à Marseille...

— Assez, ne mens plus, cria-t-elle dans une explosion farouche qui la mit debout, ne mens plus, tu ne sais pas !... Le vrai, c'est que tu te maries... Il y a assez longtemps que ta famille te travaille... Ils ont tellement peur que je te retienne, que je t'empêche d'aller chercher le typhus ou la fièvre jaune... Enfin les voilà satisfaits... La demoiselle à ton goût, il faut croire... Et quand je pense aux nœuds de cravate que je te faisais, le jeudi !... Etais-je assez bête, hein ? »

Elle riait d'un rire douloureux, atroce, qui tordait sa bouche, montrait l'écart que faisait sur le côté la cassure toute récente sans doute, car il ne l'avait pas vue encore, d'une de ses belles dents nacrées dont elle était si fière ; et cela, cette dent manquante dans cette figure terreuse, creusée, bouleversée, fit à Gaussin une peine horrible.

« Ecoute-moi », dit-il la reprenant, l'asseyant de force contre lui... « Eh bien, oui, je me marie... Mon père y tenait, tu sais bien ; mais qu'est-ce que cela peut te faire puisque je dois partir ?... »

Elle se dégagea, voulant garder sa colère :

« Et c'est pour m'apprendre ça, que tu m'as fait faire une lieue à travers bois... Tu t'es dit : Au moins on ne l'entendra pas, si elle crie... Non, tu vois... pas un éclat, pas une larme. D'abord, j'en ai plein le dos du joli garçon que tu es... tu peux t'en aller, ce n'est pas moi qui te ferai revenir... Sauve-toi donc dans les Iles avec ta femme, ta petite, comme on dit chez toi... Elle doit être propre, la petite... laide comme un gorille, ou alors enceinte à pleine ceinture... Car tu es aussi jobard que ceux qui te l'ont choisie. »

Elle ne se retenait plus, lancée dans un débordement d'injures, d'infamies, jusqu'à ne pouvoir bégayer à la fin que des mots « lâche... menteur... lâche... » sous son nez, en provocation, comme on montre le poing.

C'était au tour de Jean de l'écouter sans rien dire, sans aucun effort pour l'arrêter. Il l'aimait mieux ainsi, insultante, ignoble, la vraie fille du père Legrand ; la séparation serait moins cruelle... En eut-elle conscience ? Mais elle se tut tout à coup, tomba, la tête et le buste en avant, dans les genoux de son amant, avec un grand sanglot qui la secouait toute, et d'où sortait une plainte entrecoupée : « Pardon, grâce... je t'aime, je n'ai que toi... Mon amour, ma vie, ne fais pas ça... ne me laisse pas... qu'est-ce que tu veux que je devienne ? »

L'émotion le gagnait... Oh ! voilà ce qu'il avait redouté... Les larmes montaient d'elle à lui, et il renversait la tête en arrière pour les garder dans ses yeux débordants, essayant de l'apaiser par des mots bêtes, et toujours cet argument raisonnable : « Mais puisque je devais partir... »

Elle se redressa avec ce cri qui dévoilait tout son espoir :

« Eh ! tu ne serais pas parti. Je t'aurais dit : Attends, laisse-toi aimer encore... Crois-tu que cela se retrouve deux fois d'être aimé comme je t'aime ?... Tu as le temps de te marier, tu es si jeune... moi, bientôt, je serai finie... je ne pourrai plus, et alors nous nous quitterons naturellement. »

Il voulut se lever ; il eut ce courage, et de lui dire que tout ce qu'elle faisait était inutile ; mais s'accrochant à lui, se traînant agenouillée dans la boue restée à ce creux de vallon, elle le forçait à reprendre sa place, et devant lui, dans ses jambes, avec le souffle de ses lèvres, la voluptueuse étreinte de ses yeux, et des caresses enfantines, les mains à plat sur cette figure qui se raidissait, les doigts dans ses cheveux, dans sa bouche, elle essayait de tisonner les cendres froides de leur amour, lui redisait tout bas les délices passées, les réveils sans force, l'enlacement anéanti de leurs après-midi du dimanche. Tout cela n'était rien auprès de ce qu'elle lui donnerait encore ; elle savait d'autres baisers, d'autres ivresses, elle en inventerait pour lui...

Et pendant qu'elle lui chuchotait de ces mots comme les hommes en entendent à la porte des bouges, elle avait de grosses larmes ruisselant sur une expression d'agonie et de terreur, se débattait, criait d'une voix de rêve : « Oh ! que ça ne soit pas... dis que ce n'est pas vrai que tu me quittes... » Et des sanglots encore, des gémissements, des appels au secours, comme si elle lui voyait un couteau dans les mains.

Le bourreau n'était guère plus vaillant que la victime. Sa colère, il ne la craignait pas plus que ses caresses ; mais il restait sans défense contre ce désespoir, cette bramée qui remplissait le bois, allait s'éteindre sur l'eau morte et fiévreuse où descendait un triste soleil rouge... Il pensait bien souffrir, mais pas à cette acuité ; et il lui fallait tout l'éblouissement du nouvel amour pour résister à la relever des deux mains, lui dire : « Je reste, tais-toi, je reste... »

Depuis combien de temps s'épuisaient-ils ainsi tous deux ?... Le soleil n'était plus qu'une barre toujours plus étroite au couchant ; l'étang se teignait d'un gris d'ardoise, et l'on eût dit que sa vapeur malsaine envahissait la lande et le bois, les coteaux en face. Dans l'ombre qui les gagnait, il ne voyait plus que cette figure pâle, levée vers lui, cette bouche ouverte, clamant d'une intarissable plainte. Un peu après, la nuit venue, les cris s'apaisèrent. Maintenant, c'était un bruit de larmes à flots, sans fin, une de ces longues pluies installées sur le grand fracas de l'orage, et de temps en temps un « Oh !... » profond et sourd comme devant quelque chose d'horrible qu'elle chassait et revoyait toujours.

Puis, plus rien. C'est fini, la bête est morte... Une bise froide se lève, froisse les branches, apportant l'écho d'une heure lointaine.

« Allons, viens, ne reste pas là. »

Il la soulève doucement, la sent molle dans ses mains, obéissante comme un enfant et convulsionnée de gros soupirs. Il semble qu'elle garde une peur, un respect de l'homme qui vient de se montrer si fort. Elle marche à côté de lui, de son pas, mais timidement, sans lui donner le bras, et à les voir ainsi, chancelants et mornes, par les allées où les guide le reflet jaune du terrain, on dirait un couple de paysans, qui rentre harassé d'une longue fatigue en plein air.

A la lisière, une lueur apparaît, la porte ouverte d'Hochecorne, éclairant la silhouette arrêtée de deux hommes : « Est-ce vous, Gaussin ? » demande la voix d'Hettéma qui s'approche avec le garde. Ils commençaient à être inquiets de ne pas les voir revenir, et de ces gémissements qu'on entendait à travers bois. Hochecorne allait prendre son fusil, se mettre à leur recherche...

« Bonsoir, monsieur, madame... C'est la petite qui est contente de son châle... A fallu que je la couche avec... »

Leur dernière action en commun, cette charité de tout à l'heure, leurs mains une dernière fois liées autour de ce petit corps moribond.

« Adieu, adieu, père Hochecorne. » Et ils se hâtent tous trois vers la maison, Hettéma toujours très intrigué de ces clameurs qui remplissaient le bois. « Ça montait, descendait, on aurait dit une bête qu'on égorge... Mais comment n'avez-vous rien entendu ? »

Ni l'un ni l'autre ne répondent.

Au coin du Pavé des Gardes, Jean hésite.

« Reste dîner... » lui dit-elle tout bas, suppliante... « Ton train est passé... tu prendras celui de neuf heures. »

Il rentre avec eux. Que peut-il craindre ? On ne recommence pas deux fois une scène pareille, et c'est bien le moins qu'il lui donne cette petite consolation.

La salle est chaude, la lampe éclaire bien, et le bruit de leurs pas dans la traverse a prévenu la servante, qui apporte la soupe sur la table.

« Enfin, vous voilà !... » dit Olympe déjà installée, la serviette remontée sous ses bras courts. Elle découvre la soupière et s'arrête tout à coup avec un cri : « Mon Dieu, ma chère !... »

Hâve, de dix ans plus vieille, les paupières gonflées et sanglantes, de la boue sur sa robe, jusque dans ses cheveux, le désordre effaré d'une pierreuse qui sort d'une chasse de police, c'est Fanny. Elle respire un moment, ses pauvres yeux brûlés clignotent à la lumière, et peu à peu la chaleur de la petite maison, cette table gaiement servie provoquent le souvenir des bons jours, un nouveau rappel de larmes où se distinguent ces mots :

« Il me quitte... Il se marie. »

Hettéma, sa femme, la paysanne qui les sert se regardent, regardent Gaussin. « Enfin, dînons toujours », dit le gros homme qu'on sent furieux ; et le bruit des cuillerées voraces se mêle à un ruissellement d'eau dans la chambre voisine, où Fanny est en train d'éponger son visage. Quand elle revient toute bleuie de poudre, en blanc peignoir de laine, les Hettéma l'épient avec angoisse, s'attendant à quelque nouvelle explosion, et sont très étonnés de la voir, sans un mot, se jeter sur les plats gloutonnement, comme un naufragé, combler le creusement de son chagrin et le gouffre de ses cris de tout ce qu'elle trouve à portée, le pain, les choux, une aile de pintade, des pommes. Elle mange, elle mange...

On cause d'abord d'un air contraint, puis plus librement, et comme avec les Hettéma ce n'est que de choses bien plates et matérielles, la façon d'accommoder les crêpes aux confitures, ou si le crin vaut mieux que la plume pour dormir, on arrive sans encombre au café, que le gros ménage agrémente d'un petit caramel savouré lentement, les coudes sur la table.

C'est plaisir de voir le bon regard confiant et tranquille qu'échangent ces lourds compagnons de crèche et de litière. Ils n'ont pas envie de se quitter, ceux-là. Jean surprend ce regard et, dans l'intimité de la salle pleine de souvenirs, d'habitudes tapies à tous les coins, une torpeur de fatigue, de digestion, de bien-être l'envahit. Fanny qui le surveille a rapproché doucement sa chaise, coulé ses jambes, glissé son bras sous le sien.

« Ecoute, dit-il brusquement... Neuf heures... vite, adieu... Je t'écrirai. »

Il est debout, dehors, la rue franchie, tâte dans l'ombre pour ouvrir la barrière du passage. Deux bras l'étreignent à plein corps : « Embrasse-moi au moins... »

Il se sent pris sous le peignoir ouvert où elle est nue, pénétré de cette odeur, de cette chaleur de chair de femme, bouleversé de ce baiser d'adieu qui lui laisse dans la bouche un goût de fièvre et de larmes ; et elle, tout bas, le sentant faible : « Encore une nuit, plus qu'une... »

Un signal sur la voie... C'est le train !...

Comment eut-il la force de se dégager, de bondir jusqu'à la gare dont les fanaux luisaient à travers les branches défeuillées ? Il s'en étonnait encore, tout haletant dans un coin de wagon, guettant par la portière les fenêtres allumées de la maisonnette, une forme blanche contre la barrière... « Adieu ! adieu !... » Et ce cri rassurait la terreur silencieuse qu'il venait d'avoir à ce tournant des rails, en apercevant sa maîtresse à la place occupée par son rêve de mort.

La tête dehors, il voyait fuir et diminuer et rouler dans le pelotonnement des terrains leur petit pavillon, dont la lueur n'était plus qu'une étoile égarée. Tout à coup il sentit une joie, un soulagement énormes. Comme on respirait, que c'était beau toute cette vallée de Meudon et ces grands coteaux noirs dégageant au loin un triangle étincelant d'innombrables lumières, égrenées vers la Seine en cordons réguliers ! Irène l'attendait là, et il allait à elle de toute la vitesse du train, de tout son désir d'amoureux, de tout son élan vers l'honnête et jeune vie...

Paris !... Il arrêtait une voiture pour se faire conduire place Vendôme. Mais, sous le gaz, il aperçut ses vêtements, ses souliers couverts de boue, une boue lourde, épaisse, tout son passé qui le tenait encore pesamment et salement. « Oh ! non, pas ce soir... » Et il rentra à son ancien hôtel, rue Jacob, où le Fénat lui avait retenu une chambre près de la sienne.

13

Le lendemain, Césaire, qui s'était chargé de la commission délicate d'aller à Chaville reprendre les effets, les livres de son neveu, consommer la rupture par le déménagement, revint fort tard, alors que Gaussin commençait à se fatiguer de toutes sortes de suppositions folles ou sinistres. Enfin un fiacre à galerie, lourd comme un corbillard, tourna le coin de la rue Jacob, chargé de caisses ficelées et d'une énorme malle qu'il reconnut pour la sienne, et l'oncle rentra mystérieux et navré :

« J'ai été long, pour ramasser le tout en une fois et n'être pas obligé d'y revenir... » Puis, montrant les colis que deux garçons rangeaient par la chambre : « Ici le linge, les vêtements, là tes papiers, tes livres... Il ne manque que tes lettres ; elle m'a supplié de les lui laisser encore pour les relire, avoir quelque chose de toi... J'ai pensé que ça n'offrait pas de danger... C'est une si bonne fille... »

Il souffla longuement, assis sur la malle, et s'épongeant le front avec son mouchoir de soie écrue, large comme une serviette. Jean n'osait demander des détails, dans quelles dispositions il l'avait trouvée ; l'autre n'en donnait pas, de peur de l'attrister. Et ils remplirent ce silence, difficile, gros de choses inexprimées, par des remarques sur le temps changé brusquement depuis la veille, tourné au froid, sur l'aspect lamentable de cette banlieue de Paris déserte et dénudée, plantée de cheminées d'usines et de ces énormes cylindres de fonte, réservoirs des maraîchers. Puis au bout d'un moment :

« Elle ne vous a rien donné pour moi, mon oncle ?

— Non... tu peux être tranquille... Elle ne t'embêtera pas, elle a pris son parti avec beaucoup de résolution et de dignité... »

Pourquoi Jean vit-il dans ce peu de mots une intention de blâme, un reproche de sa rigueur ?

« C'est égal, corvée pour corvée, reprenait l'oncle, j'aimais mieux encore les griffes de la Mornas que le désespoir de cette malheureuse.

— Elle a beaucoup pleuré ?

— Ah ! mon ami... Et si bien, d'un tel cœur, que je sanglotais moi-même en face d'elle sans la force de... » Il s'ébroua, secoua son émotion d'un coup de tête de vieille chèvre : « Enfin, que veux-tu ? ce n'est pas ta faute... tu ne pouvais passer toute ta vie là... Les choses sont très convenablement faites, tu lui laisses de l'argent, un mobilier... Et maintenant, vogue les amours ! Tâche de nous mener ton mariage rondement... Des affaires trop sérieuses pour moi, par exemple... Il faudra que le consul s'en mêle... Moi, je suis pour les liquidations de la main gauche... » Et brusquement repris d'un accès mélancolique, le front à la vitre, regardant le ciel bas qui ruisselait entre les toits :

« C'est égal, le monde devient triste... De mon temps on se séparait plus gaiement que ça. »

Le Fénat parti, suivi de sa machine élévatoire, Jean, privé de cette bonne humeur remuante et bavarde, eut une longue semaine à passer, une impression de vide et de solitude, tout le noir désorientement d'un veuvage. En pareil cas, même sans le regret d'une passion, on cherche son double, il vous manque ; car l'existence à deux, la cohabitation de la table et du lit, créent un tissu de liens invisibles et subtils, dont la solidité ne se révèle qu'à la douleur, à l'effort de la brisure. L'influence du contact et de l'habitude est si miraculeusement pénétrante que deux êtres vivant de la même vie en arrivent à se ressembler.

Ses cinq ans de Sapho n'avaient pu le pétrir encore à ce point ; mais son corps gardait pourtant les marques de la chaîne, en subissait le lourd entraînement. Et de même que plusieurs fois, ses pas l'auraient tout seuls dirigé vers Chaville au sortir de son bureau, il lui arrivait le matin de chercher à côté de lui sur l'oreiller les cheveux noirs en nappes lourdes, démordus de leur peigne, où tombait son premier baiser.

Les soirées surtout lui semblaient interminables, dans cette chambre d'hôtel qui lui rappelait les premiers temps de leur liaison, la présence d'une autre maîtresse délicate et silencieuse, dont la petite carte embaumait la glace d'un parfum d'alcôve et du mystère de son nom : Fanny Legrand. Alors il s'en allait se fatiguer, marcher, s'étourdir aux flonflons et aux lumières de quelque petit théâtre, jusqu'au moment où le vieux Bouchereau lui donnait le droit de passer trois soirées par semaine auprès de sa fiancée.

On s'était enfin entendu. Irène l'aimait, *Unclé* voulait bien ; ce serait pour les premiers jours d'avril, à la fin du cours. Trois mois d'hiver à se voir, à s'apprendre, se désirer, faire la paraphrase aimante et charmante du premier regard qui lie les âmes et du premier aveu qui les trouble.

Le soir des accordailles, en rentrant chez lui sans la moindre envie de dormir, Jean éprouva le désir de faire sa chambre ordonnée et laborieuse, par cet instinct naturel de mettre notre vie en rapport avec nos idées. Il installa sa table et ses livres non encore déficelés, tassés au fond d'une de ces caisses faites à la hâte, les codes entre une pile de mouchoirs et une vareuse de jardin. De l'entrebâillement d'un dictionnaire de droit commercial, le plus fréquemment feuilleté, tombait alors une lettre sans enveloppe, à l'écriture de la maîtresse.

Fanny l'avait confiée au hasard de travaux futurs, se méfiant de l'attendrissement trop court de Césaire, pensant qu'elle arriverait plus sûrement ainsi. Il se défendait d'abord de l'ouvrir, mais cédait aux premiers mots bien doux, bien raisonnables, dont l'agitation se sentait seulement au tremblé de la plume, à l'inégale conduite des lignes. Elle ne demandait qu'une grâce, une seule, qu'il revînt de temps à autre. Elle ne dirait rien, ne reprocherait rien, ni le mariage ni cette séparation qu'elle savait absolue et définitive. Mais le voir !...

« Songe que c'est pour moi un coup terrible et si inattendu, si brusque... Je suis comme après une mort ou un incendie, ne sachant à quoi me prendre. Je pleure, j'attends, je regarde la place de mon bonheur. Il n'y aurait que toi pour m'acclimater à cette situation nouvelle... C'est une charité, viens me voir, que je ne me sente pas si seule... J'ai peur de moi... »

Ces plaintes, ce suppliant appel couraient tout le long de la lettre, se reprenaient chaque fois au même mot : « Viens, viens... » il pouvait se croire dans la clairière au milieu des bois avec Fanny à ses pieds, et sous la cendre violette du soir, cette pauvre figure levée vers lui, toute fripée et molle de larmes, cette bouche ouverte qui s'emplissait d'ombre à crier. C'est cela qui le poursuivit toute la nuit, cela qui troubla son sommeil, et non l'heureuse ivresse qu'il avait rapportée de là-bas. C'est cette figure vieillie, flétrie, qu'il revoyait, malgré tous ses efforts pour mettre entre lui et elle le visage aux purs contours, à la pulpe d'œillet en fleur, que l'aveu de l'amour teintait de petites flammes roses sous les yeux.

Cette lettre avait huit jours de date ; huit jours que la malheureuse attendait un mot, ou une visite, l'encouragement à la résignation qu'elle demandait. Mais comment n'avait-elle pas récrit depuis ? Peut-être était-elle malade ; et d'anciennes craintes lui revenaient. Il pensa qu'Hettéma pourrait lui donner des nouvelles, et, confiant dans la régularité de ses habitudes, alla l'attendre devant le Comité d'artillerie.

Le dernier coup de dix heures sonnait à Saint-Thomas d'Aquin lorsque le gros homme tourna le coin de la petite place, le collet retroussé, la pipe aux dents, qu'il tenait à deux mains pour se chauffer les doigts. Jean le regardait venir de loin, très ému de tout ce qu'il lui rappelait ; mais Hettéma l'accueillit d'un mouvement d'humeur à peine contraint. « Vous voilà !... Je ne sais pas si nous vous avons maudit cette semaine !... nous qui sommes allés à la campagne pour vivre au calme... »

Et sur la porte, en finissant sa pipe, il lui raconta que le dimanche précédent ils avaient invité Fanny à dîner chez eux avec l'enfant dont c'était le jour de sortie, histoire de la distraire un peu de ses vilaines idées. En effet, on avait mangé assez gaiement, même elle leur chantait un morceau de musique au dessert ; puis on se séparait vers dix heures, et ils s'apprêtaient à se mettre au lit délicieusement, quand tout à coup on frappe aux volets et la voix du petit Joseph appelle effarée :

« Venez vite, maman veut s'empoisonner... » Hettéma se précipite, arrive à temps pour lui arracher de force le flacon de laudanum. Il avait fallu se battre, la prendre à bras le corps, la maintenir et se défendre contre les coups de tête, les coups de peigne dont elle lui abîmait la figure. Dans la lutte, la fiole se brisait, le laudanum répandu partout, et il n'en avait pas été autre chose que des vêtements tachés et empestés de poison. « Mais vous comprenez bien que des scènes pareilles, tout ce drame de faits divers, pour des gens tranquilles... Aussi c'est fini, j'ai donné congé, le mois prochain je déménage... » Il remit sa pipe dans l'étui, et avec un adieu bien paisible disparut sous les arcades basses d'une petite cour, laissant Gaussin tout bouleversé de ce qu'il venait d'entendre.

Il se représentait la scène dans cette chambre qui avait été leur chambre, l'effroi du petit appelant au secours, la lutte brutale avec le gros homme, et il croyait sentir le goût opiacé, l'amertume somnolente du laudanum répandu. L'épouvante lui en resta tout le jour, aggravée de l'isolement où elle allait se trouver. Les Hettéma partis, qui lui retiendrait la main à la nouvelle tentative ?

Une lettre vint le rassurer un peu. Fanny le remerciait de n'être pas si dur qu'il voulait le paraître, puisqu'il prenait encore quelque intérêt à la pauvre abandonnée : « On t'a dit, n'est-ce pas ?... J'ai voulu mourir... c'était de me sentir si seule !... J'ai essayé, je n'ai pas pu, on m'a arrêtée, ma main tremblait peut-être... la peur de souffrir, de devenir laide... Oh ! cette petite Doré, comment a-t-elle eu le courage ?... Après la première honte de m'être manquée, ç'a été une joie de penser que je pourrais t'écrire, t'aimer de loin, te voir encore ; car je ne perds pas l'espoir que tu viendras une fois, comme on vient chez une amie malheureuse, dans une maison en deuil, par pitié, seulement par pitié. »

Dès lors il arriva de Chaville tous les deux ou trois jours une capricieuse correspondance, longue, courte, un journal de douleur qu'il n'eut pas la force de renvoyer et qui agrandit dans ce cœur tendre la place à vif d'une pitié sans amour, non plus pour la maîtresse, mais pour l'être humain souffrant à cause de lui.

Un jour c'était le départ de ses voisins, ces témoins de son bonheur passé qui lui emportaient tant de souvenirs. A présent elle n'avait plus pour les lui rappeler que les meubles, les murs de leur petite maison, et la femme de service, pauvre bête sauvage, aussi peu intéressée aux choses que le loriot, tout frileux de l'hiver, tristement ébouriffé dans un coin de sa cage.

Un autre jour, un pâle rayon égayant la vitre, elle se réveillait toute joyeuse dans cette persuasion : il viendra aujourd'hui !... Pourquoi ?... rien, une idée... Tout de suite elle se mettait à faire la maison belle, et la femme coquette avec sa robe des dimanches et la coiffure qu'il aimait ; puis jusqu'au soir, jusqu'à la dernière goutte de lumière, elle comptait les trains à la fenêtre de la salle, l'écoutait venir par le Pavé des Gardes... Fallait-il être folle !

Quelquefois rien qu'une ligne : « Il pleut, il fait noir... je suis seule et je te pleure... » Ou bien elle se contentait de mettre sous enveloppe une pauvre fleur toute trempée et raide de frimas, la dernière de leur petit jardin. Mieux que toutes les plaintes, cette fleur ramassée sous la neige, disait l'hiver, la solitude, l'abandon ; il voyait la place, au bout de l'allée, et contre les plates-bandes, une jupe de femme mouillée jusqu'à l'ourlet, allant et revenant dans une solitaire promenade.

Cette pitié qui lui angoissait le cœur le faisait vivre encore avec Fanny, malgré la rupture. Il y songeait, se la figurait à toute heure ; mais par une singulière défaillance de sa mémoire, quoiqu'il n'y eût guère plus de cinq ou six semaines depuis leur séparation, et que les moindres détails de leur intérieur lui fussent encore présents, la cage de La Balue en face d'un coucou en bois gagné à une fête de campagne, jusqu'aux branches du noisetier qui battaient au moindre vent la vitre de leur cabinet de toilette, la femme elle-même ne lui apparaissait plus distinctement. Il la voyait dans un reculement de brume avec un seul détail de sa figure, accentué et pénible, la bouche déformée, le sourire troué par cette dent qui manquait.

Ainsi vieillie, qu'allait-elle devenir, la pauvre créature contre qui il avait dormi si longtemps ? L'argent fini qu'il lui avait laissé, où irait-elle, jusque vers quel bas-fond ? Et tout à coup se dressait dans son souvenir, la triste raccrocheuse, rencontrée le soir dans une taverne anglaise, mourant de soif devant sa tranche de saumon fumé. Elle deviendrait cela, celle dont il avait si longtemps accepté les soins, la tendresse passionnée et fidèle. Et cette idée le désespérait... Cependant, que faire ? Parce qu'il avait eu le malheur de rencontrer cette femme, de vivre quelque temps avec elle, était-il condamné à la garder toujours, à lui sacrifier son bonheur ? Pourquoi lui et pas les autres ? Au nom de quelle justice ?

Tout en s'interdisant de la revoir, il lui écrivait ; et ses lettres à dessein positives et sèches laissaient deviner son émotion sous des conseils de sagesse et d'apaisement. Il l'engageait à retirer Joseph de pension, à le reprendre pour s'occuper, se distraire ; mais Fanny refusait. A quoi bon mettre cet enfant en présence de sa douleur, de son découragement ? C'était bien assez du dimanche où le petit rôdait de chaise en chaise, errait de la salle au jardin, devinant qu'un grand malheur avait attristé la maison, et n'osant plus demander des nouvelles de « papa Jean » depuis qu'on lui avait dit avec des sanglots qu'il était parti, qu'il ne reviendrait plus :

« Tous mes papas s'en vont, alors ! »

Et ce mot du petit abandonné, tombant d'une lettre navrante, restait lourd sur le cœur de Gaussin. Bientôt, cette pensée de la savoir à Chaville devint une oppression telle, qu'il lui conseilla de rentrer dans Paris, de voir du monde. Avec sa triste expérience des hommes et des ruptures, Fanny ne vit dans cette offre qu'un affreux égoïsme, l'envie de se débarrasser d'elle à jamais, par un de ces brusques béguins dont elle était familière ; et elle s'en expliqua avec sincérité :

« Tu sais ce que je t'ai dit autrefois... Je resterai ta femme malgré tout, ta femme aimante et fidèle. Notre petite maison m'enveloppe de toi, et je ne voudrais la quitter pour rien au monde... Que ferais-je à Paris ? J'ai le dégoût de mon passé qui t'éloigne ; et puis, songe à quoi tu nous exposes... Tu te crois donc bien fort ? Viens, alors, méchant... une fois, rien qu'une... »

Il n'y alla pas ; mais, un dimanche, l'après-midi, seul et travaillant, il entendit frapper deux petits coups à sa porte. Il tressaillit, reconnut sa façon vive de s'annoncer comme autrefois. Craignant de trouver en bas quelque consigne, elle était montée d'une haleine, sans rien demander. Il s'approcha, les pas enfoncés dans le tapis, entendant son souffle par la feuillure :

« Jean, es-tu là ?... »

Oh ! cette voix humble et brisée... Encore une fois, pas bien fort : « Jean !... » puis une plainte soupirée, le froissement d'une lettre, et la caresse et l'adieu d'un baiser jeté.

L'escalier descendu marche à marche, lentement, comme si elle attendait un rappel, Jean, seulement alors, ramassa la lettre et l'ouvrit. On avait enterré le matin la petite Hochecorne à l'hospice des Enfants-Malades. Elle était venue avec le père et quelques personnes de Chaville, et n'avait pu se défendre de monter pour le voir ou laisser ces lignes écrites d'avance. « ... Quand je te le disais !... si j'habitais Paris, on ne verrait que moi dans ton escalier... Adieu, m'ami, je rentre chez nous... »

Et en lisant, les yeux brouillés de larmes, il se rappelait la même scène rue de l'Arcade, la douleur de l'amant congédié, la lettre glissée sous la porte, et le rire sans cœur de Fanny. Elle l'aimait donc plus qu'il n'aimait Irène ! Ou bien est-ce que l'homme, plus mêlé que la femme au combat des affaires et de la vie, n'a pas comme elle l'exclusivisme de l'amour, l'oubli et l'indifférence de tout ce qui n'est pas sa passion, absorbante et unique ?

Cette torture, ce mal de pitié dont il souffrait, ne s'apaisait qu'auprès d'Irène. Ici seulement l'angoisse se desserrait, fondait sous le doux rayon bleu de ses regards. Il ne lui restait plus qu'une grande lassitude, une tentation de mettre la tête sur son épaule et de rester là, sans parler, sans bouger, à l'abri.

« Qu'avez-vous ? lui disait-elle... Est-ce que vous n'êtes pas heureux ? »

Si, bien heureux. Mais pourquoi son bonheur était-il fait de tant de tristesses et de larmes ? Et par moments il aurait voulu tout lui dire, comme à une amie intelligente et bonne ; sans songer, pauvre fou, au trouble que de pareilles confidences agitent dans les âmes toutes neuves, aux inguérissables blessures qu'elles peuvent faire à la confiance d'une affection. Ah ! s'il avait pu l'emporter, fuir avec elle ! il sentait que ce serait la fin des tourments ; mais le vieux Bouchereau ne voulait pas faire grâce d'une heure sur le temps fixé : « Je suis vieux, je suis malade... Je ne verrai plus mon enfant, ne me privez pas de ces derniers jours... »

Sous son air dur, c'était le meilleur des hommes que ce grand homme. Condamné sans rémission par la maladie de cœur dont il suivait et constatait lui-même les progrès, il en parlait avec un sang-froid admirable, continuait ses cours en suffoquant, auscultait des malades moins atteints que lui. Une seule faiblesse dans ce vaste esprit, et marquant bien l'origine paysanne du Tourangeau : son respect pour les titres, la noblesse. Et le souvenir des petites tourelles de Castelet, le vieux nom d'Armandy n'avaient pas été étrangers à sa facilité d'agréer Jean comme mari de sa nièce.

Le mariage se ferait à la gentilhommière, ce qui éviterait de déplacer la pauvre maman qui envoyait tous les huit jours à sa future fille une bonne lettre bien tendre, dictée à Divonne ou à l'une des petites de Béthanie. Et c'était une joie douce pour lui de parler avec Irène de ses gens, de retrouver Castelet place Vendôme, toutes ses affections serrées autour de sa chère fiancée.

Seulement il s'effrayait de se sentir si vieux, si las en face d'elle, de la voir prendre un plaisir d'enfant à des choses qui ne l'amusaient plus, à des joies de la vie commune, déjà escomptées par lui. Ainsi la liste à dresser de tout ce qu'il leur faudrait emporter au consulat, meubles, étoffes à choisir, liste au milieu de laquelle il s'arrêtait un soir, la plume hésitante, épouvanté du retour qu'il faisait vers son installation de la rue d'Amsterdam, et du recommencement inévitable de tant de jolis bonheurs usés, finis par ces cinq ans auprès d'une femme, dans un travestissement de mariage et de ménage.

14

« Oui, mon cher, mort cette nuit dans les bras de Rosa... Je viens de le porter chez l'empailleur. »

De Potter, le musicien, que Jean rencontrait sortant d'un magasin de la rue du Bac, s'accrochait à lui avec un besoin d'effusion qui n'allait guère à ses traits impassibles et durs d'homme d'affaires et lui racontait le martyre du pauvre Bichito tué par l'hiver parisien, ratatiné de froid malgré les tampons d'ouate, la mèche d'esprit-de-vin allumée depuis deux mois sous sa petite niche, comme on fait aux enfants venus avant terme. Rien n'avait pu l'empêcher de grelotter, et la nuit d'avant, pendant qu'ils étaient tous autour de lui, un dernier frisson le secouant de la tête à la queue, il était mort en bon chrétien, grâce aux flots d'eau bénite que sur sa peau grenue, où la vie s'évanouissait en moires changeantes, en mouvements de prisme, maman Pilar répandait en disant, les yeux au ciel : *Dios loui pardonne !*

« J'en ris, mais j'ai le cœur gros tout de même ; surtout quand je pense au chagrin de ma pauvre Rosa que j'ai laissée en larmes... Heureusement Fanny était près d'elle...

— Fanny ?...

— Oui, voilà des temps que nous ne l'avions vue... Elle est arrivée ce matin juste au milieu du drame, et cette bonne fille est restée consoler son amie. » Il ajouta, sans s'apercevoir de l'impression causée par ses paroles : « C'est donc fini ? Vous n'êtes plus ensemble ?... Vous rappelez-vous notre conversation au lac d'Enghien ? Au moins, vous profitez des leçons qu'on vous donne... » Et il perçait une pointe d'envie dans son approbation.

Gaussin, le front plissé, éprouvait un véritable malaise à songer que Fanny était retournée chez Rosario ; mais il s'en voulait de cette faiblesse, n'ayant plus après tout ni droit ni responsabilité sur cette existence.

Devant une maison de la rue de Beaune, une très ancienne rue du Paris aristocratique d'autrefois où ils venaient de s'engager, de Potter s'arrêta. C'est là qu'il demeurait ou qu'il était censé demeurer pour les convenances, pour le monde, car réellement son temps se passait avenue de Villiers ou à Enghien, et il ne faisait que des apparitions au domicile conjugal, pour empêcher que sa femme et son enfant n'eussent l'air trop abandonnés.

Jean suivait sa route, esquissant déjà un adieu, mais l'autre lui retint la main dans ses longues mains dures de briseur de clavier et, sans le moindre embarras, comme un homme que son vice ne gêne plus :

« Rendez-moi donc un service... montez avec moi. Je devais dîner chez ma femme aujourd'hui, mais je ne peux vraiment pas laisser ma pauvre Rosa toute seule à son désespoir... Vous servirez de prétexte à ma sortie et m'éviterez une explication ennuyeuse. »

Le cabinet du musicien, dans un superbe et froid appartement bourgeois du second étage, sentait l'abandon de la pièce où l'on ne travaille pas. Tout y était trop net, sans rien du désordre, de l'active petite fièvre qui gagne les objets et les meubles. Pas un livre, pas un feuillet sur la table qu'encombrait majestueusement un énorme encrier de bronze à sec et reluisant comme dans une devanture ; ni la moindre partition au vieux piano à forme d'épinette dont s'étaient inspirées les premières œuvres. Et un buste en marbre blanc, le buste d'une jeune femme aux traits délicats, à l'expression de douceur, tout pâle dans le jour qui tombait, faisait plus froide encore la cheminée sans feu et drapée, semblait regarder tristement les murs chargés de couronnes dorées, enrubannées, de médailles, de cadres commémoratifs, toute une défroque glorieuse et vaniteuse généreusement laissée à la femme en compensation, et qu'elle entretenait comme les ornements de tombe de son bonheur.

A peine étaient-ils entrés, la porte du cabinet se rouvrit, et Mme de Potter parut :

« C'est toi, Gustave ? »

Elle le croyait seul, s'arrêta devant la figure inconnue, avec une visible inquiétude. Elégante et jolie, d'une recherche de mise intelligente, elle paraissait plus affinée que son buste, la douce physionomie changée en une résolution courageuse et nerveuse. Dans le monde, les avis se partageaient sur ce caractère de femme. Les uns la blâmaient de supporter le dédain affiché du mari, ce ménage en ville, connu, installé ; d'autres admiraient au contraire sa résignation silencieuse. Et l'opinion générale la tenait pour une tranquille personne aimant son repos par-dessus tout, trouvant des compensations suffisantes à son veuvage dans les caresses d'un bel enfant et la joie de porter le nom d'un grand homme.

Mais pendant que le musicien présentait son compagnon et débitait n'importe quel mensonge pour se débarrasser du dîner de famille, au tressaillement de ce jeune visage féminin, à la fixité de ce regard qui ne voyait plus, n'écoutait plus, comme absorbé de souffrance, Jean pouvait se rendre compte que sous ces dehors mondains une grande douleur s'enterrait vivante. Elle parut accepter cette histoire qu'elle ne croyait pas, se contenta de dire doucement :

« Raymond va pleurer, je lui avais promis que nous dînerions près de son lit.

— Comment est-il ? demanda de Potter, distrait, impatient.

— Mieux, mais il tousse toujours... Tu ne viens pas le voir ? »

Il bredouilla quelques mots dans sa moustache, en feignant de chercher autour de la pièce : « Pas maintenant... très pressé... rendez-vous au club pour six heures... » Ce qu'il voulait éviter, c'était d'être seul avec elle.

« Adieu alors », fit la jeune femme subitement apaisée, les traits en place, refermée comme une eau pure que vient de troubler une pierre jusqu'au fond. Elle salua, disparut.

« Filons !... »

Et de Potter délivré entraîna Gaussin qui regardait descendre devant lui, raide et correct dans son long pardessus serré de coupe anglaise, ce sinistre passionné, tellement ému quand il portait à empailler le caméléon de sa maîtresse, et s'en allant sans embrasser son enfant malade.

« Tout ça, mon cher, fit le musicien comme en réponse à la pensée de son ami, c'est la faute de ceux qui m'ont marié. Un vrai service qu'ils m'ont rendu là et à cette pauvre femme... Quelle folie de vouloir faire de moi un mari et un père !... J'étais l'amant de Rosa, je le suis resté, je le resterai jusqu'à ce que l'un de nous crève... Un vice qui vous a pris au bon moment, qui vous tient bien, est-ce qu'on s'en dégage jamais ?... Et vous-même, êtes-vous sûr que si Fanny avait voulu ?... » Il héla un fiacre vide qui passait, et en montant :

« A propos de Fanny, vous savez la nouvelle ?... Flamant est gracié, sorti de Mazas... C'est la pétition de Déchelette... Pauvre Déchelette ! il aura fait du bien même après sa mort. »

Immobile, avec une envie folle de courir, de rattraper ces roues qui cahotaient à fond de train dans la rue sombre où le gaz s'allumait, Gaussin s'étonnait de se sentir si ému. « Flamant gracié... sorti de Mazas... » Il redisait ces mots tout bas, y voyant la raison du silence de Fanny depuis quelques jours, de ses lamentations brusquement interrompues, tombées sous les caresses d'un consolateur ; car la première pensée du misérable enfin libre avait dû être pour elle.

Il se rappelait la correspondance amoureuse datée de la prison, l'obstination de sa maîtresse à défendre celui-là seul, quand elle faisait si bon marché des autres ; et au lieu de se féliciter d'une aventure qui logiquement le déchargeait de toute inquiétude, de tout remords, une angoisse indéfinissable le tint éveillé et fiévreux une partie de la nuit. Pourquoi ? Il ne l'aimait plus ; seulement il songeait à ses lettres restées aux mains de cette femme, qu'elle lirait peut-être à l'autre, et dont — qui sait ? — sous une influence mauvaise, elle pourrait se servir un jour pour troubler son repos, son bonheur.

Vraie ou fausse, ou cachant sans qu'il s'en doutât un souci d'autre genre, cette préoccupation de ses lettres le décida à une démarche imprudente, la visite à Chaville qu'il avait toujours obstinément refusée. Mais à qui confier une mission aussi intime et délicate ?... Un matin de février, il prit le train de dix heures, très calme d'esprit et de cœur, avec la seule crainte de trouver la maison fermée, la femme disparue déjà à la suite de son bandit.

Dès la courbe de la voie, les persiennes ouvertes, les rideaux aux fenêtres du pavillon le rassurèrent ; et se souvenant de son émotion, lorsqu'il voyait fuir derrière lui la petite lumière mouchetant l'ombre, il se raillait lui-même et la fragilité de ses impressions. Ce n'était plus le même homme qui passait là, et certainement il ne trouverait plus la même femme. Il n'y avait pourtant que deux mois depuis. Les bois que longeait le train n'avaient pas pris de nouvelles feuilles, gardaient les mêmes lèpres de rouille que le jour de la rupture, et de sa clameur aux échos.

Il descendit seul à la station, par ce brouillard pénétrant et froid, prit le petit chemin de campagne tout glissant de neige durcie, la voûte du chemin de fer, ne rencontra personne avant le Pavé des Gardes, au tournant duquel apparurent un homme et un enfant suivis d'un employé de la gare poussant sa brouette chargée de malles.

L'enfant, tout emmitouflé d'un cache-nez, la casquette jusqu'aux oreilles, retint un cri en passant près de lui. « Mais c'est Joseph... » se dit-il, un peu étonné et triste de cette ingratitude du petit ; et s'étant retourné il rencontra le regard de l'homme qui accompagnait l'enfant par la main. Cette figure intelligente et fine, pâlie par la claustration, ces vêtements de confection achetés de la veille, cette barbe blonde à fleur de menton, qui n'avait pas eu le temps de repousser depuis Mazas... Flamant, parbleu ! Et Joseph était son fils...

Ce fut une révélation dans un éclair. Il revit, comprit tout, depuis la lettre du coffret où le beau graveur confiait à sa maîtresse un enfant qu'il avait en province, jusqu'à l'arrivée mystérieuse du petit, et la mine gênée d'Hettéma pour parler de cette adoption, et les regards de Fanny à Olympe ; car ils s'étaient tous entendus pour lui faire nourrir le fils du faussaire. Oh ! le joli niais, et comme ils avaient dû rire !... Un dégoût lui en vint de tout ce passé de honte, une envie de fuir bien loin ; mais des choses le troublaient qu'il aurait voulu savoir. L'homme et l'enfant partis, pourquoi pas elle ? Et puis ses lettres, il lui fallait ses lettres, ne rien laisser de lui dans ce coin de souillure et de malheur.

« Madame ?... Voilà Monsieur !...

— Qui, monsieur ?... demanda naïvement une voix du fond de la chambre.

— Moi... »

On entendit un cri, un bond précipité, puis : « Attends, je me lève... je viens... »

Encore au lit à midi passé ! Jean se doutait bien pourquoi, il connaissait les causes de ces lendemains brisés, harassés ; et pendant qu'il l'attendait dans la salle aux moindres objets familiers, le sifflet du train montant, le *mé* grelottant d'une chèvre dans un jardinet voisin, les couverts épars sur la table le reportaient aux matins d'autrefois, le petit déjeuner en hâte avant le départ.

Fanny entra avec un élan vers lui, puis s'arrêtant devant sa froideur, ils restèrent une seconde étonnés, hésitants, comme lorsqu'on se retrouve après ces intimités brisées, de chaque côté d'un pont rompu, d'une distance de rive à rive, et entre soi l'espace immense des flots roulants et engloutissants.

« Bonjour... » dit-elle tout bas, sans bouger.

Elle le trouvait changé, pâli. Lui s'étonnait de la revoir si jeune, un peu grossie seulement, moins grande qu'il ne se la figurait, mais baignée de ce rayonnement spécial, cet éclat du teint et des yeux, cette douceur de pelouse fraîche que lui laissaient les nuits de grandes caresses. Elle était donc restée dans le bois, au fond du ravin encombré de feuilles mortes, celle dont le souvenir le rongeait de pitié.

« On se lève tard à la campagne... » fit-il d'un accent ironique.

Elle s'excusait, prétextait une migraine, et, comme lui, employait des formes impersonnelles, ne sachant dire ni toi, ni vous ; puis à l'interrogation muette qui lui montrait le repas desservi : « C'est l'enfant... il a déjeuné là ce matin avant de s'en aller...

— S'en aller ?... Où donc ? »

Il affectait une suprême indifférence du bout des lèvres, mais l'éclair de ses yeux le trahissait. Et Fanny :

« Le père a reparu... Il est venu le reprendre...

— En sortant de Mazas, n'est-ce pas ? »

Elle tressaillit, mais n'essaya pas de mentir.

« Eh bien, oui... J'avais promis, je l'ai fait... Que de fois l'envie me tenait de te le dire, mais je n'osais pas, j'avais peur que tu le renvoies, le pauvre petit... » Et elle ajouta timidement : « Tu étais si jaloux... »

Il eut un beau rire de dédain. Jaloux, lui, de ce forçat... allons donc !... Et sentant monter sa colère, il coupa court, dit vivement ce qui l'amenait. Ses lettres !... Pourquoi ne les avait-elle pas données à Césaire, cela leur eût évité une entrevue pénible pour tous deux.

« C'est vrai », dit-elle, toujours très douce, « mais je vais te les rendre, elles sont là... »

Il la suivit dans la chambre, aperçut le lit défait, recouvert en hâte sur les deux oreillers, respira cette odeur de cigarettes brûlées, mêlée à des parfums de toilette de femme qu'il reconnaissait comme le petit coffret nacré posé sur la table. Et la même pensée leur venant à tous deux : « Il n'y en a pas lourd, dit-elle en ouvrant la boîte... nous ne risquerions pas de mettre le feu... »

Il se taisait, troublé, la bouche sèche, hésitant à se rapprocher de ce lit saccagé, devant lequel elle feuilletait les lettres une dernière fois, la tête penchée, la nuque solide et blanche sous la torsade relevée de ses cheveux, et dans le flottant vêtement de laine la taille épaissie et molle, à l'abandon...

« Voilà !... Elles y sont toutes. »

Le paquet pris, mis brusquement dans sa poche, car ses préoccupations avaient changé, Jean demanda :

« Alors il emmène son enfant ?... Où vont-ils ?...

— Au Morvan, dans son pays, pour se cacher, faire sa gravure qu'il enverra à Paris sous un faux nom.

— Et toi ?... Est-ce que tu comptes rester ici ?... »

Elle détourna les yeux pour lui échapper, balbutiant que ce serait bien triste. Aussi elle pensait... elle partirait peut-être bientôt... un petit voyage.

« Dans le Morvan, sans doute ?... En famille !... » Et lâchant sa fureur jalouse : « Dis donc tout de suite que tu rejoindras ton voleur, que vous allez vous mettre en ménage... Il y a assez longtemps que tu en as envie... Allons. Retourne à ta bauge... Fille et faussaire, ça va ensemble, j'étais bien bon de vouloir te tirer de cette boue. »

Elle gardait son mutisme immobile, un éclair de triomphe filtrant entre ses cils baissés. Et plus il la cinglait d'une ironie féroce, outrageante, plus elle semblait fière, et s'accentuait le frisson au coin de sa bouche. Maintenant il parlait de son bonheur à lui, l'amour honnête et jeune, le seul amour. Oh ! le doux oreiller pour dormir qu'un cœur d'honnête femme... Puis, brusquement, la voix baissée, comme s'il avait honte :

« Je viens de le rencontrer, ton Flamant, il a passé la nuit ici ?

— Oui, il était tard, il neigeait... On lui a fait un lit sur le divan.

— Tu mens, il a couché là... il n'y a qu'à voir le lit, qu'à te regarder.

— Et après ? » Elle approchait son visage du sien, ses grands yeux gris éclairés de flammes libertines... « Est-ce que je savais que tu viendrais ?... Et toi perdu, qu'est-ce que ça pouvait me faire, tout le reste ? J'étais triste, seule, dégoûtée...

— Et puis le bouquet du bagne !... Depuis le temps que tu vivais avec un honnête homme... ça t'a semblé bon, hein ?... Avez-vous dû vous en fourrer de ces caresses... Ah ! saleté !... tiens... »

Elle vit venir le coup sans l'éviter, le reçut en pleine figure, puis avec un grondement sourd de douleur, de joie, de victoire, elle sauta sur lui, l'empoigna à pleins bras : « M'ami, m'ami... tu m'aimes encore... » et ils roulèrent ensemble sur le lit.

Le passage à grand fracas d'un express le réveilla en sursaut vers le soir ; et les yeux ouverts, il resta quelques instants sans se reconnaître, tout seul au fond de ce grand lit où ses membres rompus comme par une marche excessive semblaient posés les uns à côté des autres, sans attaches ni ressorts. L'après-midi, il était tombé beaucoup de neige. Dans un silence de désert, on l'entendait fondre, ruisseler contre les murs, le long des vitres, s'égoutter dans les combles du toit, et, par moments, sur le feu de coke de la cheminée qu'elle éclaboussait.

Où était-il ? Que faisait-il là ? Peu à peu, dans la réverbération du petit jardin, la chambre lui apparaissait toute blanche, éclairée d'en bas, le grand portrait de Fanny dressé en face de lui, et le souvenir lui revenait de sa chute, sans le moindre étonnement. Dès en entrant, devant ce lit, il s'était senti repris, perdu ; ces draps l'attiraient comme un gouffre, et il se disait : « Si j'y tombe, ce sera sans rémission et pour toujours. » C'était fait ; et sous le triste dégoût de sa lâcheté, il y avait comme un soulagement à l'idée qu'il ne sortirait plus de cette fange, le pitoyable bien-être du blessé qui, perdant son sang, traînant sa plaie, s'est étendu sur un tas de fumier pour y mourir, et las de souffrir, de lutter, toutes les veines ouvertes, s'enfonce délicieusement dans la tiédeur molle et fétide.

Ce qui lui restait à faire maintenant était horrible, mais très simple. Retourner à Irène après cette trahison, risquer un ménage à la de Potter ?... Si bas qu'il fût tombé, il n'en était pas encore là... Il allait écrire à Bouchereau, au grand physiologiste qui le premier a étudié et décrit les maladies de la volonté, lui en soumettre un cas terrible, l'histoire de sa vie depuis la première rencontre avec cette femme quand elle lui avait posé sa main sur le bras, jusqu'au jour où, se croyant sauvé, en plein bonheur, en pleine ivresse, elle le ressaisissait par la magie du passé, cet horrible passé où l'amour tenait si peu de place, seulement la lâche habitude et le vice entré dans les os...

La porte s'ouvrit. Fanny marchait tout doucement dans la chambre pour ne pas le réveiller. Entre ses paupières closes, il la regardait, alerte et forte, rajeunie, chauffant au foyer ses pieds trempés de la neige du jardin, et de temps en temps tournée vers lui avec le petit sourire qu'elle avait le matin, dans la dispute. Elle vint prendre le paquet de maryland à sa place habituelle, roula une cigarette et s'en allait, mais il la retint.

« Tu ne dors donc pas ?

— Non... assieds-toi là... et causons. »

Elle resta au bord du lit, un peu surprise de cette gravité.

« Fanny... Nous allons partir. »

Elle crut d'abord qu'il plaisantait pour l'éprouver. Mais les détails très précis qu'il donnait la détrompèrent vite. Il y avait un poste vacant, celui d'Arica ; il le demanderait. C'était l'affaire d'une quinzaine de jours, le temps de préparer les malles...

« Et ton mariage ?

— Plus un mot là-dessus... Ce que j'ai fait est irréparable... Je vois bien que c'est fini, je ne pourrai plus me séparer de toi.

— Pauvre bébé ! » fit-elle avec une douceur triste, un peu méprisante. Puis, après avoir tiré deux ou trois bouffées :

« C'est loin, ce pays que tu dis ?

— Arica ?... très loin, au Pérou... » Et tout bas : « Flamant ne pourra pas te rejoindre... »

Elle resta songeuse et mystérieuse dans son nuage de tabac. Lui, tenait toujours sa main, frôlait son bras nu, et bercé par le dégoulinement de l'eau tout autour de la petite maison, il fermait les yeux, s'enfonçait dans la vase doucement.

15

Nerveux, trépidant, sous vapeur, déjà parti comme tous ceux qui s'apprêtent au départ, Gaussin est depuis deux jours à Marseille où Fanny doit venir le rejoindre et s'embarquer avec lui. Tout est prêt, les places retenues, deux cabines de première pour le vice-consul d'Arica voyageant avec sa belle-sœur ; et le voilà qui arpente le carreau dérougi de la chambre d'hôtel, dans la double attente fiévreuse de sa maîtresse et de l'appareillage.

Il faut qu'il marche et s'agite sur place, puisqu'il n'ose sortir. La rue le gêne comme un criminel, comme un déserteur, la rue marseillaise mêlée et grouillante où il lui semble qu'à chaque tournant son père, le vieux Bouchereau vont se montrer, lui mettre la main sur l'épaule pour le reprendre et le ramener.

Il s'enferme, mange là sans même descendre à la table d'hôte, lit sans fixer ses yeux, se jette sur son lit, distrayant ses vagues siestes avec *Le Naufrage de La Pérouse, La Mort du capitaine Cook* pendus aux murs, piquetés de mouches, et des heures entières s'accoude au balcon en bois vermoulu, abrité d'un store jaune aussi rapiécé que la voile d'un bateau de pêche.

Son hôtel, l'« hôtel du Jeune Anacharsis », dont le nom pris au hasard sur le Bottin l'a tenté quand il convenait du rendez-vous avec Fanny, est une vieille auberge point luxueuse ni même très propre, mais qui donne sur le port, en pleine marine, en plein voyage. Sous ses fenêtres, des perruches, des cacatoès, des oiseaux des îles au doux ramage interminable, tout l'étalage en plein air d'un oiselier dont les cages empilées saluent le jour levant d'une rumeur de forêt vierge, couverte et dominée, à mesure que la journée s'avance, par les bruyants travaux du port, réglés au bourdon de Notre-Dame de la Garde.

C'est une confusion de jurons dans toutes les langues, de cris de bateliers, de portefaix, de marchands de coquillages, entre les coups de marteau du bassin de radoub, le grincement des grues, le heurt sonore des « romaines » rebondissant sur le pavé, cloches de bords, sifflets de machines, bruits rythmés de pompes, de cabestans, eaux de cale qu'on dégorge, vapeur qui s'échappe, tout ce fracas doublé et répercuté par le tremplin de la mer voisine, d'où monte de loin en loin le mugissement rauque, l'haleine de monstre marin d'un grand transatlantique qui prend le large.

Et les odeurs aussi évoquent des pays lointains, des quais plus ensoleillés et chauds encore que celui-ci ; les bois de santal, de campêche qu'on décharge, les limons, les oranges, pistaches, fèves, arachides, dont l'âcre senteur se dégage, monte avec des tourbillons de poussières exotiques dans une atmosphère saturée d'eau saumâtre, d'herbes brûlées, des graisses fumeuses des *cook-house*.

Le soir venu, ces rumeurs s'apaisent, ces épaisseurs de l'air retombent et s'évaporent ; et tandis que Jean, rassuré par l'ombre, le store relevé, regarde le port endormi et noir sous l'entrecroisement en hachures des mâts, des vergues, des beauprés, quand le silence n'est traversé que du clapotis d'une rame, de l'aboi lointain d'un chien de bord, au large, tout au large, le phare de Planier projette en tournant une longue flamme rouge ou blanche qui déchire l'ombre, montre en un clignotement d'éclair des silhouettes d'îles, de forts, de roches. Et ce regard lumineux guidant des milliers de vies à l'horizon, c'est encore le voyage, qui l'invite et lui fait signe, l'appelle dans la voix du vent, les houles de la pleine mer, et la rauque clameur d'un steamboat qui râle et souffle toujours à quelque point de la rade.

Encore vingt-quatre heures d'attente ; Fanny ne doit le rejoindre que dimanche. Ces trois jours trop tôt au rendez-vous, il devait les passer près des siens, les donner aux bien-aimés qu'il ne reverra de plusieurs années, qu'il ne retrouvera plus peut-être ; mais dès le soir de son arrivée à Castelet, quand son père a su que le mariage était rompu et qu'il en a deviné les causes, une explication a eu lieu, violente, terrible.

Que sommes-nous donc, que sont nos affections les plus tendres, les plus près de notre cœur, pour qu'une colère qui passe entre deux êtres de même chair, de même sang, arrache, torde, emporte leur tendresse, les sentiments de nature aux racines si profondes et si fines, avec la violence aveugle, irrésistible, d'un de ces typhons des mers de Chine dont les plus durs marins n'osent se souvenir et disent en pâlissant : « Ne parlons pas de ça... »

Il n'en parlera jamais, mais il s'en souviendra toute sa vie, de cette horrible scène sur la terrasse de Castelet où s'est passée son enfance heureuse, devant cet horizon splendide et calme, ces pins, ces myrtes, ces cyprès qui se serraient immobiles et frissonnants autour de la malédiction paternelle. Toujours il reverra ce grand vieillard, aux joues convulsées et remuantes, marchant sur lui avec cette bouche de haine, ce regard de haine, proférant les paroles qu'on ne pardonne pas, le chassant de la maison et de l'honneur : « Va-t'en, pars avec ta gueuse, tu es mort pour nous !... » Et les petites bessonnes criant, se traînant à genoux sur le perron, demandant grâce pour le grand frère, et la pâleur de Divonne, sans un regard, sans un adieu, pendant que là-haut, derrière la vitre, le doux et anxieux visage de la malade demandait pourquoi tout ce bruit et son Jean s'en allant si vite et sans l'embrasser.

Cette idée qu'il n'avait pas embrassé sa mère l'a fait revenir à mi-route d'Avignon ; il a laissé Césaire avec la voiture au bas du pays, pris la traverse et pénétré dans Castelet par le clos, comme un voleur. La nuit était sombre ; ses pas s'empêtraient dans la vigne morte, et même il finissait par ne plus pouvoir s'orienter, cherchant sa maison dans les ténèbres, déjà étranger chez lui. La blancheur des murs crépis le guidait enfin d'un reflet vague ; mais la porte du perron était fermée, les fenêtres partout éteintes. Sonner, appeler ? Il n'osait, par crainte de son père. Deux ou trois fois il a fait le tour du logis, espérant trouver l'issue d'un volet mal clos. Partout la lanterne de Divonne avait passé comme chaque soir ; et après un long regard à la chambre de sa mère, l'adieu de tout son cœur à sa maison d'enfance qui le repousse elle aussi, il s'est enfui désespéré avec un remords qui ne le quitte plus.

D'ordinaire, pour ces absences de durée, ces traversées aux dangereux hasards de la mer et du vent, les parents, les amis, prolongent les adieux jusqu'à l'embarquement définitif : on passe la dernière journée ensemble, on visite le bateau, la cabine du partant afin de mieux le suivre dans sa route. Plusieurs fois par jour, Jean voit passer devant l'hôtel de ces affectueuses reconduites, parfois nombreuses et bruyantes ; mais il s'émeut surtout d'un groupe familial à l'étage au-dessous du sien. Un vieux, une vieille, des gens de campagne à tournure aisée, en veste de drap et cambrésine jaune, sont venus accompagner leur garçon, l'assistent jusqu'au départ du paquebot ; et penchés à leur fenêtre, dans le désœuvrement de l'attente, on les voit tous les trois, se tenant par le bras, le matelot au milieu, bien serrés. Ils ne parlent pas, ils s'étreignent.

Jean songe en les regardant au beau départ qu'il aurait eu... Son père, ses petites sœurs, et, s'appuyant sur lui d'une douce main frémissante, celle dont les beauprés au large entraînaient le vif esprit et l'âme aventureuse... Regrets stériles. Le crime est accompli, son destin sur les rails, il n'a qu'à partir et à oublier...

Qu'elles lui semblèrent lentes et cruelles les heures de la dernière nuit ! Il se tournait, se retournait dans son lit d'auberge, guettait le jour sur la vitre aux décroissements lents du noir au gris, puis au blanc d'aube que le phare piquait encore d'une étincelle rouge effacée au soleil levant.

Alors seulement il s'endormit, réveillé tout à coup par un éclaboussement de rayons dans sa chambre, les cris confondus des cages de l'oiselier avec les innombrables carillons du dimanche de Marseille, répandus par les quais élargis, toutes machines au repos, des oriflammes flottant aux mâts... Déjà dix heures ! Et l'express de Paris arrive à midi, vite il s'habille pour aller au-devant de sa maîtresse ; ils déjeuneront en face de la mer, puis on portera les bagages à bord et à cinq heures, le signal.

Un jour merveilleux, un ciel profond où les mouettes passent en taches blanches, la mer d'un bleu plus foncé, d'un bleu minéral, sur lequel, à l'horizon, des voiles, des fumées, tout est visible, tout miroite et tout danse ; et comme le chant naturel de ces rives de soleil aux transparences d'atmosphère et d'eau, des harpes sonnent sous les croisées de l'hôtel, un air italien d'une facilité divine, mais dont la note pincée et traînée sur les cordes émeut cruellement les nerfs. C'est plus que de la musique, c'est la traduction ailée de ces allégresses du Midi, ces plénitudes de vie et d'amour gonflées jusqu'aux larmes. Et le souvenir d'Irène passe dans la mélodie, vibrant et pleurant. Comme c'est loin !... Quel beau pays perdu, quel regret pour toujours des choses brisées, irréparables !

Allons !

Sur le seuil, en sortant, Jean rencontre un garçon : « Une lettre pour M. le consul... Elle est arrivée le matin, mais M. le consul dormait si profondément ! » Les voyageurs de distinction sont rares à l'hôtel du Jeune Anacharsis ; aussi les braves Marseillais font-ils sonner à tout propos le titre de leur pensionnaire... Qui peut lui écrire ? Personne ne connaît son adresse, à moins que Fanny... Et regardant mieux l'enveloppe, il s'épouvante, il a compris.

Eh bien, non ! je ne pars pas ; c'est une trop grande folie dont je ne me sens pas la force. Pour des coups pareils, mon pauvre ami, il faut la jeunesse que je n'ai plus, ou l'aveuglement d'une passion folle qui nous manque à l'un comme à l'autre. Il y a cinq ans, aux beaux jours, un signe de toi m'aurait fait te suivre de l'autre côté de la terre, car tu ne peux nier que je t'aie aimé passionnément. Je t'ai donné tout ce que j'avais ; et lorsqu'il a fallu m'arracher de toi j'ai souffert, comme jamais pour aucun homme. Mais ça use, vois-tu, un amour pareil... Te sentir si beau, si jeune, toujours trembler, tant de choses à défendre !... Maintenant je n'en peux plus, tu m'as trop fait vivre, trop fait souffrir, je suis à bout.

« Dans ces conditions, la perspective de ce grand voyage, de ce déménagement d'existence, me fait peur. Moi qui aime tant ne pas bouger, et qui ne suis jamais allée plus loin que Saint-Germain, tu penses ! Et puis les femmes vieillissent trop vite au soleil, et tu n'aurais pas encore trente ans que je serais jaunie et fripée comme maman Pilar ; c'est pour le coup que tu m'en voudrais de ton sacrifice et que la pauvre Fanny payerait pour tout le monde. Ecoute, il y a un pays d'Orient, j'ai lu ça dans un de tes Tour du monde, *où, quand une femme trompe son mari, on la coud vivante avec un chat, en une peau de bête toute fraîche, puis on lâche le paquet sur la plage hurlant et bondissant en plein soleil. La femme miaule, le chat griffe, tous deux s'entre-dévorent pendant que la peau se racornit, se resserre sur cette horrible bataille de captifs, jusqu'au dernier râle, jusqu'à la dernière palpitation du sac. C'est un peu le supplice qui nous attendait ensemble...*

Il s'arrêta une minute, écrasé, stupide. A perte de vue le bleu de la mer étincelait. *Addio...* chantaient les harpes auxquelles s'était jointe une voix chaude et passionnée comme elles... *Addio...* Et le néant de sa vie détruite, ravagée, toute de débris et de larmes, lui apparut, le champ ras, les moissons faites sans espoir de retour, et pour cette femme qui lui échappait...

J'aurais dû te dire cela plus tôt, mais je n'osais pas, te voyant, si monté, si résolu. Ton exaltation me gagnait ; puis la vanité de la femme, la fierté bien naturelle de t'avoir reconquis après la rupture. Seulement, tout au fond de moi, je sentais que ça n'y était plus, quelque chose de fini, de craqué. Comment veux-tu ? après des secousses pareilles... Et ne te figure pas que ce soit à cause de ce malheureux Flamant. Pour lui comme pour toi et tous les autres, c'est fini, mon cœur est mort ; mais il reste cet enfant dont je ne peux plus me passer et qui me ramène auprès du père, pauvre homme qui s'est perdu par amour et m'est revenu de Mazas aussi fervent et tendre qu'à notre première rencontre. Figure-toi que, lorsque nous nous sommes revus, il a passé toute la nuit à pleurer sur mon épaule ; tu vois qu'il n'y avait guère de quoi te monter la tête...

Je te l'ai dit, mon cher enfant, j'ai trop aimé, je suis rompue. A présent, j'ai besoin qu'on m'aime à mon tour, qu'on me choie, et m'admire, et me berce. Celui-là sera à genoux, ne me verra jamais de rides ni de cheveux blancs ; et s'il m'épouse, comme il en a l'intention, c'est moi qui lui ferai une grâce. Compare... Surtout pas de folies. Mes précautions sont prises pour que tu ne puisses me retrouver. Du petit café de la gare d'où je t'écris, je vois à travers les arbres la maison où nous avons eu de si bons et de si cruels moments, et l'écriteau qui se balance sur la porte, attendant de nouveaux hôtes... Te voilà libre, tu n'entendras plus jamais parler de moi... Adieu, un baiser, le dernier, dans le cou..., m'ami...

LETTRES DE MON MOULIN

Douze « lettres de mon moulin » parurent d'août à novembre 1866 dans *L'Evénement*. Le volume *Lettres de mon moulin* fut édité par Hetzel en 1869 (édition définitive en 1879).

A ma femme

Avant-propos[1]

Par-devant maître Honorat Grapazi, notaire à la résidence de Pampérigouste,

« A comparu :

« Le sieur Gaspard Mitifio, époux de Vivette Cornille, *ménager* au lieudit des Cigalières et y demeurant ;

« Lequel par ces présentes a vendu et transporté sous les garanties de droit et de fait, et en franchise de toutes dettes, privilèges et hypothèques,

« Au sieur Alphonse Daudet, poète, demeurant à Paris, à ce présent et ce acceptant,

« Un moulin à vent et à farine, sis dans la vallée du Rhône, au plein cœur de Provence, sur une côte boisée de pins et de chênes verts ; étant ledit moulin abandonné depuis plus de vingt années et hors d'état de moudre, comme il appert des vignes sauvages, mousses, romarins, et autres verdures parasites qui lui grimpent jusqu'au bout des ailes ;

« Ce nonobstant, tel qu'il est et se comporte, avec sa grande roue cassée, sa plate-forme où l'herbe pousse dans les briques, déclare le sieur Daudet trouver ledit moulin à sa convenance et pouvant servir à ses travaux de poésie, l'accepte à ses risques et périls, et sans aucun recours contre le vendeur, pour cause de réparations qui pourraient y être faites.

« Cette vente a lieu en bloc moyennant le prix convenu, que le sieur Daudet, poète, a mis et déposé sur le bureau en espèces de cours, lequel prix a été de suite touché et retiré par le sieur Mitifio, le tout à la vue des notaires et des témoins soussignés, dont quittance sous réserve.

« Acte fait à Pampérigouste, en l'étude Honorat, en présence de Francet Mamaï, joueur de fifre, et de Louiset dit le Quique, porte-croix des pénitents blancs ;

« Qui ont signé avec les parties et le notaire après lecture... »

---

1. Texte composé pour la publication en librairie des *Lettres de mon moulin*.

INSTALLATION

Ce sont les lapins qui ont été étonnés !... Depuis si longtemps qu'ils voyaient la porte du moulin fermée, les murs et la plate-forme envahis par les herbes, ils avaient fini par croire que la race des meuniers était éteinte, et, trouvant la place bonne, ils en avaient fait quelque chose comme un quartier général, un centre d'opérations stratégiques : le moulin de Jemmapes des lapins... La nuit de mon arrivée, il y en avait bien, sans mentir, une vingtaine assis en rond sur la plate-forme, en train de se chauffer les pattes à un rayon de lune... Le temps d'entrouvrir une lucarne, frrt ! voilà le bivouac en déroute, et tous ces petits derrières blancs qui détalent, la queue en l'air, dans le fourré. J'espère bien qu'ils reviendront.

Quelqu'un de très étonné aussi, en me voyant, c'est le locataire du premier, un vieux hibou sinistre, à la tête de penseur, qui habite le moulin depuis plus de vingt ans. Je l'ai trouvé dans la chambre du haut, immobile et droit sur l'arbre de couche, au milieu des plâtras, des tuiles tombées. Il m'a regardé un moment avec son œil rond ; puis, tout effaré de ne pas me reconnaître, il s'est mis à faire : « Hou ! Hou ! » et à secouer péniblement ses ailes grises de poussière ; — ces diables de penseurs ! ça ne se brosse jamais... N'importe ! tel qu'il est, avec ses yeux clignotants et sa mine renfrognée, ce locataire silencieux me plaît encore mieux qu'un autre, et je me suis empressé de lui renouveler son bail. Il garde comme dans le passé tout le haut du moulin avec une entrée par le toit ; moi je me réserve la pièce du bas, une petite pièce blanchie à la chaux, basse et voûtée comme un réfectoire de couvent.

C'est de là que je vous écris, ma porte grande ouverte, au bon soleil.

Un joli bois de pins tout étincelant de lumière dégringole devant moi jusqu'au bas de la côte. A l'horizon, les Alpilles découpent leurs crêtes fines... Pas de bruit... A peine, de loin en loin, un son de fifre, un courlis dans les lavandes, un grelot de mules sur la route... Tout ce beau paysage provençal ne vit que par la lumière.

Et maintenant, comment voulez-vous que je le regrette, votre Paris bruyant et noir ? Je suis si bien dans mon moulin ! C'est si bien le coin que je cherchais, un petit coin parfumé et chaud, à mille lieues des journaux, des fiacres, du brouillard !... Et que de jolies choses autour de moi ! Il y a à peine huit jours que je suis installé, j'ai déjà la tête bourrée d'impressions et de souvenirs... Tenez ! pas plus tard qu'hier soir, j'ai assisté à la rentrée des troupeaux dans un *mas* (une ferme) qui est au bas de la côte, et je vous jure que je ne donnerais pas ce spectacle pour toutes les *premières* que vous avez eues à Paris cette semaine. Jugez plutôt.

Il faut vous dire qu'en Provence, c'est l'usage, quand viennent les chaleurs, d'envoyer le bétail dans les Alpes. Bêtes et gens passent cinq ou six mois là-haut, logés à la belle étoile, dans l'herbe jusqu'au ventre ; puis, au premier frisson de l'automne, on redescend au *mas*, et l'on revient brouter bourgeoisement les petites collines grises que parfume le romarin... Donc hier soir les troupeaux rentraient. Depuis le matin, le portail attendait, ouvert à deux battants ; les bergeries étaient pleines de paille fraîche. D'heure en heure on se disait : « Maintenant ils sont à Eyguières, maintenant au Paradou. » Puis, tout à coup, vers le soir, un grand cri : « Les voilà ! » et là-bas, au lointain, nous voyons le troupeau s'avancer dans une gloire de poussière. Toute la route semble marcher avec lui... Les vieux béliers viennent d'abord, la corne en avant, l'air sauvage ; derrière eux le gros des moutons, les mères un peu lasses, leurs nourrissons dans les pattes ; les mules à pompons rouges portant dans des paniers les agnelets d'un jour qu'elles bercent en marchant ; puis les chiens tout suants, avec des langues jusqu'à terre, et deux grands coquins de bergers drapés dans des manteaux de cadis roux qui leur tombent sur les talons comme des chapes.

Tout cela défile devant nous joyeusement et s'engouffre sous le portail, en piétinant avec un bruit d'averse... Il faut voir quel émoi dans la maison. Du haut de leur perchoir, les gros paons vert et or, à crête de tulle, ont reconnu les arrivants et les accueillent par un formidable coup de trompette. Le poulailler, qui s'endormait, se réveille en sursaut. Tout le monde est sur pied : pigeons, canards, dindons, pintades. La basse-cour est comme folle ; les poules parlent de passer la nuit !... On dirait que chaque mouton a rapporté dans sa laine, avec un parfum d'Alpe sauvage, un peu de cet air vif des montagnes qui grise et qui fait danser.

C'est au milieu de tout ce train que le troupeau gagne son gîte. Rien de charmant comme cette installation. Les vieux béliers s'attendrissent en revoyant leur crèche. Les agneaux, les tout petits, ceux qui sont nés dans le voyage et n'ont jamais vu la ferme, regardent autour d'eux avec étonnement.

Mais le plus touchant encore, ce sont les chiens, ces braves chiens de berger, tout affairés après leurs bêtes et ne voyant qu'elles dans le *mas*. Le chien de garde a beau les appeler du fond de sa niche ; le seau du puits, tout plein d'eau fraîche, a beau leur faire signe : ils ne veulent rien voir, rien entendre, avant que le bétail soit rentré, le gros loquet poussé sur la petite porte à claire-voie, et les bergers attablés dans la salle basse. Alors seulement ils consentent à gagner le chenil, et là, tout en lapant leur écuellée de soupe, ils racontent à leurs camarades de la ferme ce qu'ils ont fait là-haut dans la montagne, un pays noir où il y a des loups et de grandes digitales de pourpre pleines de rosée jusqu'au bord.

LA DILIGENCE DE BEAUCAIRE

C'était le jour de mon arrivée ici. J'avais pris la diligence de Beaucaire, une bonne vieille patache qui n'a pas grand chemin à faire avant d'être rendue chez elle, mais qui flâne tout le long de la route, pour avoir l'air, le soir, d'arriver de très loin. Nous étions cinq sur l'impériale sans compter le conducteur.

D'abord un gardien de Camargue, petit homme trapu, poilu, sentant le fauve, avec de gros yeux pleins de sang et des anneaux d'argent aux oreilles ; puis deux Beaucairois, un boulanger et son *gindre*, tous deux très rouges, très poussifs, mais des profils superbes, deux médailles romaines à l'effigie de Vitellius. Enfin, sur le devant, près du conducteur, un homme... non ! une casquette, une énorme casquette en peau de lapin, qui ne disait pas grand-chose et regardait la route d'un air triste.

Tous ces gens-là se connaissaient entre eux et parlaient tout haut de leurs affaires, très librement. Le Camarguais racontait qu'il venait de Nîmes, mandé par le juge d'instruction pour un coup de fourche donné à un berger. On a le sang vif en Camargue...

Et à Beaucaire donc ! Est-ce que nos deux Beaucairois ne voulaient pas s'égorger à propos de la Sainte Vierge ? Il paraît que le boulanger était d'une paroisse depuis longtemps vouée à la Madone, celle que les Provençaux appellent la *bonne mère* et qui porte le petit Jésus dans ses bras ; le *gindre*, au contraire, chantait au lutrin d'une église toute neuve qui était consacrée à l'Immaculée Conception, cette belle image souriante qu'on représente les bras pendants, les mains pleines de rayons. La querelle venait de là. Il fallait voir comme ces deux bons catholiques se traitaient, eux et leurs madones :

« Elle est jolie, ton immaculée !

— Va-t'en donc avec ta bonne mère !

— Elle en a vu de grises, la tienne, en Palestine !

— Et la tienne, hou ! la laide ! Qui sait ce qu'elle n'a pas fait... Demande plutôt à saint Joseph. »

Pour se croire sur le port de Naples, il ne manquait plus que de voir luire les couteaux, et ma foi, je crois bien que ce beau tournoi théologique se serait terminé par là si le conducteur n'était pas intervenu.

« Laissez-nous donc tranquilles avec vos madones, dit-il en riant aux Beaucairois : tout ça, c'est des histoires de femmes, les hommes ne doivent pas s'en mêler. »

Là-dessus, il fit claquer son fouet d'un petit air sceptique qui rangea tout le monde de son avis.

La discussion était finie ; mais le boulanger, mis en train, avait besoin de dépenser le restant de sa verve, et, se tournant vers la malheureuse casquette, silencieuse et triste dans son coin, il lui dit d'un air goguenard :

« Et ta femme, à toi, rémouleur ?... Pour quelle paroisse tient-elle ? »

Il faut croire qu'il y avait dans cette phrase une intention très comique, car l'impériale tout entière partit d'un gros éclat de rire... Le rémouleur ne riait pas, lui. Il n'avait pas l'air d'entendre. Voyant cela, le boulanger se tourna de mon côté :

« Vous ne la connaissez pas sa femme, monsieur ? Une drôle de paroissienne, allez ! Il n'y en a pas deux comme elle dans Beaucaire. »

Les rires redoublèrent. Le rémouleur ne bougea pas ; il se contenta de dire tout bas, sans lever la tête :

« Tais-toi, boulanger. »

Mais ce diable de boulanger n'avait pas envie de se taire, et il reprit de plus belle :

« Viédase ! Le camarade n'est pas à plaindre d'avoir une femme comme celle-là... Pas moyen de s'ennuyer un moment avec elle... Pensez donc ! une belle qui se fait enlever tous les six mois, elle a toujours quelque chose à vous raconter quand elle revient... C'est égal, c'est un drôle de petit ménage... Figurez-vous, monsieur, qu'ils n'étaient pas mariés depuis un an, paf ! voilà la femme qui part en Espagne avec un marchand de chocolat.

« Le mari reste seul chez lui à pleurer et à boire... Il était comme fou. Au bout de quelque temps, la belle est revenue dans le pays, habillée en Espagnole, avec un petit tambour à grelots. Nous lui disions tous :

« — Cache-toi ; il va te tuer. »

« Ah ! ben oui ; la tuer... Ils se sont remis ensemble bien tranquillement, et elle lui a appris à jouer du tambour de basque. »

Il y eut une nouvelle explosion de rires. Dans son coin, sans lever la tête, le rémouleur murmura encore :

« Tais-toi, boulanger. »

Le boulanger n'y prit pas garde et continua :

« Vous croyez peut-être, monsieur, qu'après son retour d'Espagne la belle s'est tenue tranquille... Ah ! mais non... Son mari avait si bien pris la chose ! Ça lui a donné envie de recommencer... Après l'Espagnol, ç'a été un officier, puis un marinier du Rhône, puis un musicien, puis un... Est-ce que je sais ? Ce qu'il y a de bon, c'est que chaque fois c'est la même comédie. La femme part, le mari pleure ; elle revient, il se console. Et toujours on la lui enlève, et toujours il la reprend... Croyez-vous qu'il a de la patience, ce mari-là ! Il faut dire aussi qu'elle est crânement jolie, la petite rémouleuse... un vrai morceau de cardinal : vive, mignonne, bien roulée ; avec ça, une peau blanche et des yeux couleur de noisette qui regardent toujours les hommes en riant... Ma foi ! mon Parisien, si vous repassez jamais par Beaucaire...

— Oh ! tais-toi, boulanger, je t'en prie... » fit encore une fois le pauvre rémouleur avec une expression de voix déchirante.

A ce moment, la diligence s'arrêta. Nous étions au *mas* des Anglores. C'est là que les deux Beaucairois descendaient, et je vous jure que je ne les retins pas... Farceur de boulanger ! Il était dans la cour du *mas* qu'on l'entendait rire encore.

Ces gens-là partis, l'impériale sembla vide. On avait laissé le Camarguais à Arles ; le conducteur marchait sur la route à côté de ses chevaux... Nous étions seuls là-haut, le rémouleur et moi, chacun dans notre coin, sans parler. Il faisait chaud ; le cuir de la capote brûlait. Par moments, je sentais mes yeux se fermer et ma tête devenir lourde ; mais impossible de dormir. J'avais toujours dans les oreilles ce « Tais-toi, je t'en prie », si navrant et si doux... Ni lui non plus, le pauvre homme ! il ne dormait pas. De derrière, je voyais ses grosses épaules frissonner, et sa main — une longue main blafarde et bête — trembler sur le dos de la banquette, comme une main de vieux. Il pleurait...

« Vous voilà chez vous, Parisien ! » me cria tout à coup le conducteur ; et du bout de son fouet il me montrait ma colline verte avec le moulin piqué dessus comme un gros papillon.

Je m'empressai de descendre. En passant près du rémouleur, j'essayai de regarder sous sa casquette ! j'aurais voulu le voir avant de partir. Comme s'il avait compris ma pensée, le malheureux leva brusquement la tête, et, plantant son regard dans le mien :

« Regardez-moi bien, l'ami, me dit-il d'une voix sourde, et si un de ces jours vous apprenez qu'il y a eu un malheur à Beaucaire, vous pourrez dire que vous connaissez celui qui a fait le coup. »

C'était une figure éteinte et triste, avec de petits yeux fanés. Il y avait des larmes dans ces yeux, mais dans cette voix il y avait de la haine. La haine, c'est la colère des faibles !... Si j'étais la rémouleuse, je me méfierais...

LE SECRET DE MAÎTRE CORNILLE

Francet Mamaï, un vieux joueur de fifre, qui vient de temps en temps faire la veillée chez moi, en buvant du vin cuit, m'a raconté l'autre soir un petit drame de village dont mon moulin a été témoin il y a quelque vingt ans. Le récit du bonhomme m'a touché, et je vais essayer de vous le redire tel que je l'ai entendu.

Imaginez-vous pour un moment, chers lecteurs, que vous êtes assis devant un pot de vin tout parfumé, et que c'est un vieux joueur de fifre qui vous parle.

Notre pays, mon bon monsieur, n'a pas toujours été un endroit mort et sans refrains comme il est aujourd'hui. Auparavant, il s'y faisait un grand commerce de meunerie, et, dix lieues à la ronde, les gens du *mas* nous apportaient leur blé à moudre... Tout autour du village, les collines étaient couvertes de moulins à vent. De droite et de gauche, on ne voyait que des ailes qui viraient au mistral par-dessus les pins, des ribambelles de petits ânes chargés de sacs, montant et dévalant le long des chemins ; et toute la semaine c'était plaisir d'entendre sur la hauteur le bruit des fouets, le craquement de la toile et le *Dia hue !* des aides-meuniers... Le dimanche nous allions aux moulins, par bandes. Là-haut, les meuniers payaient le muscat. Les meunières étaient belles comme des reines, avec leurs fichus de dentelles et leurs croix d'or. Moi, j'apportais mon fifre, et jusqu'à la noire nuit on dansait des farandoles. Ces moulins-là, voyez-vous, faisaient la joie et la richesse de notre pays.

Malheureusement, des Français de Paris eurent l'idée d'établir une minoterie à vapeur, sur la route de Tarascon. Tout beau, tout nouveau ! Les gens prirent l'habitude d'envoyer leurs blés aux minotiers, et les pauvres moulins à vent restèrent sans ouvrage. Pendant quelque temps ils essayèrent de lutter, mais la vapeur fut la plus forte, et l'un après l'autre, *pécaïre !* ils furent tous obligés de fermer... On ne vit plus venir les petits ânes... Les belles meunières vendirent leurs croix d'or... Plus de muscat ! Plus de farandoles !... Le mistral avait beau souffler, les ailes restaient immobiles... Puis, un beau jour, la commune fit jeter toutes ces masures à bas, et l'on sema à leur place de la vigne et des oliviers.

Pourtant, au milieu de la débâcle, un moulin avait tenu bon et continuait de virer courageusement sur sa butte, à la barbe des minotiers. C'était le moulin de maître Cornille, celui-là même où nous sommes en train de faire la veillée en ce moment.

Maître Cornille était un vieux meunier, vivant depuis soixante ans dans la farine et enragé pour son état. L'installation des minotiers l'avait rendu comme fou. Pendant huit jours, on le vit courir par le village, ameutant tout le monde autour de lui et criant de toutes ses forces qu'on voulait empoisonner la Provence avec la farine des minotiers. « N'allez pas là-bas, disait-il ; ces brigands-là, pour faire le pain, se servent de la vapeur qui est une invention du diable, tandis que moi je travaille avec le mistral et la tramontane, qui sont la respiration du bon Dieu... » Et il trouvait comme cela une foule de belles paroles à la louange des moulins à vent, mais personne ne les écoutait.

Alors, de mâle rage, le vieux s'enferma dans son moulin et vécut tout seul comme une bête farouche. Il ne voulut pas même garder près de lui sa petite-fille Vivette, une enfant de quinze ans, qui, depuis la mort de ses parents, n'avait plus que son *grand* au monde. La pauvre petite fut obligée de gagner sa vie et de se louer un peu partout dans les *mas*, pour la moisson, les magnans ou les olivades. Et pourtant son grand-père avait l'air de bien l'aimer, cette enfant-là. Il lui arrivait souvent de faire ses quatre lieues à pied par le grand soleil pour aller la voir au *mas* où elle travaillait, et quand il était près d'elle, il passait des heures entières à la regarder en pleurant...

Dans le pays on pensait que le vieux meunier, en renvoyant Vivette, avait agi par avarice ; et cela ne lui faisait pas honneur de laisser sa petite-fille ainsi traîner d'une ferme à l'autre, exposée aux brutalités des *baïles* [1], et à toutes les misères des jeunesses en condition. On trouvait très mal aussi qu'un homme du renom de maître Cornille, et qui, jusque-là, s'était respecté, s'en allât maintenant par les rues comme un vrai bohémien, pieds nus, le bonnet troué, la taillole en lambeaux... Le fait est que le dimanche, lorsque nous le voyions entrer à la messe, nous avions honte pour lui, nous autres les vieux ; et Cornille le sentait si bien qu'il n'osait plus venir s'asseoir sur le banc d'œuvre. Toujours il restait au fond de l'église, près du bénitier, avec les pauvres.

Dans la vie de maître Cornille il y avait quelque chose qui n'était pas clair. Depuis longtemps personne, au village, ne lui portait plus de blé, et pourtant les ailes de son moulin allaient toujours leur train comme devant... Le soir, on rencontrait par les chemins le vieux meunier poussant devant lui son âne chargé de gros sacs de farine.

« Bonnes vêpres, maître Cornille ! lui criaient les paysans ; ça va donc toujours, la meunerie ?

— Toujours, mes enfants, répondait le vieux d'un air gaillard. Dieu merci, ce n'est pas l'ouvrage qui nous manque. »

Alors, si on lui demandait d'où diable pouvait venir tant d'ouvrage, il se mettait un doigt sur les lèvres et répondait gravement : « *Motus !* je travaille pour l'exportation... » Jamais on n'en put tirer davantage.

Quant à mettre le nez dans son moulin, il n'y fallait pas songer. La petite Vivette elle-même n'y entrait pas...

Lorsqu'on passait devant, on voyait la porte toujours fermée, les grosses ailes toujours en mouvement, le vieil âne broutant le

1. Du provençal *baïle* : chef des ouvriers, patron.

gazon de la plate-forme, et un grand chat maigre qui prenait le soleil sur le rebord de la fenêtre et vous regardait d'un air méchant.

Tout cela sentait le mystère et faisait beaucoup jaser le monde. Chacun expliquait à sa façon le secret de maître Cornille, mais le bruit général était qu'il y avait dans ce moulin-là encore plus de sacs d'écus que de sacs de farine.

A la longue pourtant tout se découvrit ; voici comment :

En faisant danser la jeunesse avec mon fifre, je m'aperçus un beau jour que l'aîné de mes garçons et la petite Vivette s'étaient rendus amoureux l'un de l'autre. Au fond je n'en fus pas fâché, parce qu'après tout le nom de Cornille était en honneur chez nous, et puis ce joli petit passereau de Vivette m'aurait fait plaisir à voir trotter dans ma maison. Seulement, comme nos amoureux avaient souvent occasion d'être ensemble, je voulus, de peur d'accidents, régler l'affaire tout de suite, et je montai jusqu'au moulin pour en toucher deux mots au grand-père... Ah ! le vieux sorcier ! il faut voir de quelle manière il me reçut ! Impossible de lui faire ouvrir sa porte. Je lui expliquai mes raisons tant bien que mal, à travers le trou de la serrure ; et tout le temps que je parlais, il y avait ce coquin de chat maigre qui soufflait comme un diable au-dessus de ma tête.

Le vieux ne me donna pas le temps de finir, et me cria fort malhonnêtement de retourner à ma flûte ; que, si j'étais pressé de marier mon garçon, je pouvais bien aller chercher des filles à la minoterie... Pensez que le sang me montait d'entendre ces mauvaises paroles ; mais j'eus tout de même assez de sagesse pour me contenir, et, laissant ce vieux fou à sa meule, je revins annoncer aux enfants ma déconvenue... Ces pauvres agneaux ne pouvaient pas y croire ; ils me demandèrent comme une grâce de monter tous deux ensemble au moulin, pour parler au grand-père... Je n'eus pas le courage de refuser, et prrt ! voilà mes amoureux partis.

Tout juste comme ils arrivaient là-haut, maître Cornille venait de sortir. La porte était fermée à double tour ; mais le vieux bonhomme, en partant, avait laissé son échelle dehors, et tout de suite l'idée vint aux enfants d'entrer par la fenêtre, voir un peu ce qu'il y avait dans ce fameux moulin...

Chose singulière ! la chambre de la meule était vide... Pas un sac, pas un grain de blé ; pas la moindre farine aux murs ni sur les toiles d'araignée... On ne sentait pas même cette bonne odeur chaude de froment écrasé qui embaume dans les moulins... L'arbre de couche était couvert de poussière, et le grand chat maigre dormait dessus.

La pièce du bas avait le même air de misère et d'abandon : un mauvais lit, quelques guenilles, un morceau de pain sur une marche d'escalier, et puis dans un coin trois ou quatre sacs crevés d'où coulaient des gravats et de la terre blanche.

C'était là le secret de maître Cornille ! C'était ce plâtras qu'il promenait le soir par les routes, pour sauver l'honneur du moulin et faire croire qu'on y faisait de la farine... Pauvre moulin ! Pauvre Cornille ! Depuis longtemps les minotiers leur avaient enlevé leur dernière pratique. Les ailes viraient toujours, mais la meule tournait à vide.

Les enfants revinrent tout en larmes, me conter ce qu'ils avaient vu. J'eus le cœur crevé de les entendre... Sans perdre une minute, je courus chez les voisins, je leur dis la chose en deux mots, et nous convînmes qu'il fallait, sur l'heure, porter au moulin de Cornille tout ce qu'il y avait de froment dans les maisons... Sitôt dit, sitôt fait. Tout le village se met en route, et nous arrivons là-haut avec une procession d'ânes chargés de blé —, du vrai blé, celui-là !

Le moulin était grand ouvert... Devant la porte, maître Cornille, assis sur un sac de plâtre, pleurait, la tête dans ses mains. Il venait de s'apercevoir, en rentrant, que pendant son absence on avait pénétré chez lui et surpris son triste secret.

« Pauvre de moi ! disait-il. Maintenant, je n'ai plus qu'à mourir... Le moulin est déshonoré. »

Et il sanglotait à fendre l'âme, appelant son moulin par toutes sortes de noms, lui parlant comme à une personne véritable.

A ce moment les ânes arrivent sur la plate-forme, et nous nous mettons tous à crier bien fort comme au beau temps des meuniers :

« Ohé ! du moulin !... Ohé ! maître Cornille ! »

Et voilà les sacs qui s'entassent devant la porte et le beau grain roux qui se répand par terre, de tous côtés...

Maître Cornille ouvrait de grands yeux. Il avait pris du blé dans le creux de sa vieille main et il disait, riant et pleurant à la fois :

« C'est du blé !... Seigneur Dieu !... Du bon blé ! Laissez-moi que je le regarde. »

Puis se tournant vers nous :

« Ah ! je savais bien que vous me reviendriez... Tous ces minotiers sont des voleurs. »

Nous voulions l'emporter en triomphe au village :

« Non, non, mes enfants ; il faut avant tout que j'aille donner à manger à mon moulin... Pensez donc ! il y a si longtemps qu'il ne s'est rien mis sous la dent ! »

Et nous avions tous des larmes dans les yeux de voir le pauvre vieux se démener de droite et de gauche, éventrant les sacs, surveillant la meule, tandis que le grain s'écrasait et que la fine poussière de froment s'envolait au plafond.

C'est une justice à nous rendre : à partir de ce jour-là, jamais nous ne laissâmes le vieux meunier manquer d'ouvrage. Puis, un matin, maître Cornille mourut, et les ailes de notre dernier moulin cessèrent de virer, pour toujours cette fois... Cornille mort, personne ne prit sa suite. Que voulez-vous, monsieur !... tout a une fin en ce monde, et il faut croire que le temps des moulins à vent était passé comme celui des coches sur le Rhône, des parlements et des jaquettes à grandes fleurs.

LA CHÈVRE DE M. SEGUIN

A M. Pierre Gringoire, poète lyrique à Paris

Tu seras bien toujours le même, mon pauvre Gringoire !

Comment ! on t'offre une place de chroniqueur dans un bon journal de Paris, et tu as l'aplomb de refuser... Mais regarde-toi, malheureux garçon ! Regarde ce pourpoint troué, ces chausses en déroute, cette face maigre qui crie la faim. Voilà pourtant où t'a conduit la passion des belles rimes ! Voilà ce que t'ont valu dix ans de loyaux services dans les pages du sire Apollo... Est-ce que tu n'as pas honte, à la fin ?

Fais-toi donc chroniqueur, imbécile ! Fais-toi chroniqueur ! Tu gagneras de beaux écus à la rose, tu auras ton couvert chez Brébant, et tu pourras te montrer les jours de première avec une plume neuve à ta barrette...

Non ? Tu ne veux pas ? Tu prétends rester libre à ta guise jusqu'au bout... Eh bien, écoute un peu l'histoire de la *chèvre de M. Seguin*. Tu verras ce que l'on gagne à vouloir vivre libre.

M. Seguin n'avait jamais eu de bonheur avec ses chèvres.

Il les perdait toutes de la même façon : un beau matin, elles cassaient leur corde, s'en allaient dans la montagne, et là-haut le loup les mangeait. Ni les caresses de leur maître, ni la peur du loup, rien ne les retenait. C'était, paraît-il, des chèvres indépendantes, voulant à tout prix le grand air et la liberté.

Le brave M. Seguin, qui ne comprenait rien au caractère de ses bêtes, était consterné. Il disait :

« C'est fini ; les chèvres s'ennuient chez moi ; je n'en garderai pas une. »

Cependant, il ne se découragea pas, et, après avoir perdu six chèvres de la même manière, il en acheta une septième ; seulement, cette fois, il eut soin de la prendre toute jeune, pour qu'elle s'habituât à demeurer chez lui.

Ah ! Gringoire, qu'elle était jolie la petite chèvre de M. Seguin ! qu'elle était jolie avec ses yeux doux, sa barbiche de sous-officier, ses sabots noirs et luisants, ses cornes zébrées et ses longs poils blancs qui lui faisaient une houppelande ! C'était presque aussi charmant que le cabri d'Esméralda, tu te rappelles, Gringoire ? — et, puis, docile, caressante, se laissant traire sans bouger, sans mettre son pied dans l'écuelle. Un amour de petite chèvre...

M. Seguin avait derrière sa maison un clos entouré d'aubépines. C'est là qu'il mit la nouvelle pensionnaire. Il l'attacha à un pieu, au plus bel endroit du pré, en ayant soin de lui laisser beaucoup de corde, et de temps en temps il venait voir si elle était bien. La chèvre se trouvait très heureuse et broutait l'herbe de si bon cœur que M. Seguin était ravi.

« Enfin, pensait le pauvre homme, en voilà une qui ne s'ennuiera pas chez moi ! »

M. Seguin se trompait, sa chèvre s'ennuya.

Un jour, elle se dit en regardant la montagne :

« Comme on doit être bien là-haut ! Quel plaisir de gambader dans la bruyère, sans cette maudite longe qui vous écorche le cou !... C'est bon pour l'âne ou pour le bœuf de brouter dans un clos !... Les chèvres, il leur faut du large. »

A partir de ce moment, l'herbe du clos lui parut fade. L'ennui lui vint. Elle maigrit, son lait se fit rare. C'était pitié de la voir tirer tout le jour sur sa longe, la tête tournée du côté de la montagne, la narine ouverte, en faisant *Mê !...* tristement.

M. Seguin s'apercevait bien que sa chèvre avait quelque chose, mais il ne savait pas ce que c'était... Un matin, comme il achevait de la traire, la chèvre se retourna et lui dit dans son patois :

« Ecoutez, monsieur Seguin, je me languis chez vous, laissez-moi aller dans la montagne.

— Ah ! mon Dieu !... Elle aussi ! » cria M. Seguin stupéfait, et du coup il laissa tomber son écuelle ; puis, s'asseyant dans l'herbe à côté de sa chèvre :

« Comment, Blanquette, tu veux me quitter ! »

Et Blanquette répondit :

« Oui, monsieur Seguin.

— Est-ce que l'herbe te manque ici ?

— Oh ! non ! monsieur Seguin.

— Tu es peut-être attachée de trop court, veux-tu que j'allonge la corde ?

— Ce n'est pas la peine, monsieur Seguin.

— Alors, qu'est-ce qu'il te faut ? Qu'est-ce que tu veux ?

— Je veux aller dans la montagne, monsieur Seguin.

— Mais, malheureuse, tu ne sais pas qu'il y a le loup dans la montagne... Que feras-tu quand il viendra ?...

— Je lui donnerai des coups de corne, monsieur Seguin.

— Le loup se moque bien de tes cornes. Il m'a mangé des biques autrement encornées que toi... Tu sais bien, la pauvre vieille Renaude qui était ici l'an dernier ? une maîtresse chèvre, forte et méchante comme un bouc. Elle s'est battue avec le loup toute la nuit... puis, le matin, le loup l'a mangée.

— Pécaïre ! Pauvre Renaude !... Ça ne fait rien, monsieur Seguin, laissez-moi aller dans la montagne.

— Bonté divine !... dit M. Seguin ; mais qu'est-ce qu'on leur fait donc à mes chèvres ? Encore une que le loup va me manger... Eh bien, non... je te sauverai malgré toi, coquine ! et de peur que tu ne rompes ta corde, je vais t'enfermer dans l'étable et tu y resteras toujours. »

Là-dessus, M. Seguin emporta la chèvre dans une étable toute noire, dont il ferma la porte à double tour. Malheureusement, il avait oublié la fenêtre, et à peine eut-il le dos tourné, que la petite s'en alla...

Tu ris, Gringoire ? Parbleu ! Je crois bien ; tu es du parti des chèvres, toi, contre ce bon M. Seguin... Nous allons voir si tu riras tout à l'heure.

Quand la chèvre blanche arriva dans la montagne, ce fut un ravissement général. Jamais les vieux sapins n'avaient rien vu d'aussi joli. On la reçut comme une petite reine. Les châtaigniers se baissaient jusqu'à terre pour la caresser du bout de leurs branches. Les genêts d'or s'ouvraient sur son passage, et sentaient bon tant qu'ils pouvaient. Toute la montagne lui fit fête.

Tu penses, Gringoire, si notre chèvre était heureuse ! Plus de corde, plus de pieu... rien qui l'empêchât de gambader, de brouter à sa guise... C'est là qu'il y en avait de l'herbe ! jusque par-dessus les cornes, mon cher !... Et quelle herbe ! Savoureuse, fine, dentelée, faite de mille plantes... C'était bien autre chose que le gazon du clos. Et les fleurs donc ! De grandes campanules bleues, des digitales de pourpre à longs calices, toute une forêt de fleurs sauvages débordant de sucs capiteux !...

La chèvre blanche, à moitié soûle, se vautrait là-dedans les jambes en l'air et roulait le long des talus, pêle-mêle avec les feuilles tombées et les châtaignes... Puis, tout à coup, elle se redressait d'un bond sur ses pattes. Hop ! la voilà partie, la tête en avant, à travers les maquis et les buissières, tantôt sur un pic, tantôt au fond d'un ravin, là-haut, en bas, partout... On aurait dit qu'il y avait dix chèvres de M. Seguin dans la montagne.

C'est qu'elle n'avait peur de rien, la Blanquette.

Elle franchissait d'un saut de grands torrents qui l'éclaboussaient au passage de poussière humide et d'écume. Alors, toute ruisselante, elle allait s'étendre sur quelque roche plate et se faisait sécher par le soleil... Une fois, s'avançant au bord d'un plateau, une fleur de cytise aux dents, elle aperçut en bas, tout en bas dans la plaine, la maison de M. Seguin avec le clos derrière. Cela la fit rire aux larmes.

« Que c'est petit ! dit-elle ; comment ai-je pu tenir là-dedans ? »

Pauvrette ! de se voir si haut perchée, elle se croyait au moins aussi grande que le monde...

En somme, ce fut une bonne journée pour la chèvre de M. Seguin. Vers le milieu du jour, en courant de droite et de gauche, elle tomba dans une troupe de chamois en train de croquer une lambrusque à belles dents. Notre petite coureuse en robe blanche fit sensation. On lui donna la meilleure place à la lambrusque, et tous ces messieurs furent très galants... Il paraît même — ceci doit rester entre nous, Gringoire — qu'un jeune chamois à pelage noir eut la bonne fortune de plaire à Blanquette. Les deux amoureux s'égarèrent parmi le bois une heure ou deux, et si tu veux savoir ce qu'ils se dirent, va le demander aux sources bavardes qui courent invisibles dans la mousse.

Tout à coup le vent fraîchit. La montagne devint violette ; c'était le soir.

« Déjà ! » dit la petite chèvre ; et elle s'arrêta fort étonnée.

En bas, les champs étaient noyés de brume. Le clos de M. Seguin disparaissait dans le brouillard, et de la maisonnette on ne voyait plus que le toit avec un peu de fumée. Elle écouta les clochettes d'un troupeau qu'on ramenait, et se sentit l'âme toute triste... Un gerfaut, qui rentrait, la frôla de ses ailes en passant. Elle tressaillit... puis ce fut un hurlement dans la montagne :

« Hou ! hou ! »

Elle pensa au loup ; de tout le jour la folle n'y avait pas pensé... Au même moment une trompe sonna bien loin dans la vallée. C'était ce bon M. Seguin qui tentait un dernier effort.

« Hou ! hou !... faisait le loup.

— Reviens ! reviens !... » criait la trompe.

Blanquette eut envie de revenir ; mais en se rappelant le pieu, la corde, la haie du clos, elle pensa que maintenant elle ne pouvait plus se faire à cette vie, et qu'il valait mieux rester.

La trompe ne sonnait plus...

La chèvre entendit derrière elle un bruit de feuilles. Elle se retourna et vit dans l'ombre deux oreilles courtes, toutes droites, avec deux yeux qui reluisaient... C'était le loup !

Enorme, immobile, assis sur son train de derrière, il était là regardant la petite chèvre blanche et la dégustant par avance. Comme il savait bien qu'il la mangerait, le loup ne se pressait pas ; seulement, quand elle se retourna, il se mit à rire méchamment. « Ha ! ha ! la petite chèvre de M. Seguin » ; et il passa sa grosse langue rouge sur ses babines d'amadou.

Blanquette se sentit perdue... Un moment, en se rappelant l'histoire de la vieille Renaude, qui s'était battue toute la nuit pour être mangée le matin, elle se dit qu'il vaudrait peut-être mieux se laisser manger tout de suite ; puis, s'étant ravisée, elle tomba en garde, la tête basse et la corne en avant, comme une brave chèvre de M. Seguin qu'elle était... Non pas qu'elle eût l'espoir de tuer le loup — les chèvres ne tuent pas le loup —, mais seulement pour voir si elle pourrait tenir aussi longtemps que la Renaude...

Alors le monstre s'avança, et les petites cornes entrèrent en danse.

Ah ! la brave chevrette, comme elle y allait de bon cœur ! Plus de dix fois, je ne mens pas, Gringoire, elle força le loup à reculer pour reprendre haleine. Pendant ces trêves d'une minute, la gourmande cueillait en hâte encore un brin de sa chère herbe ; puis elle retournait au combat, la bouche pleine... Cela dura toute la nuit. De temps en temps la chèvre de M. Seguin regardait les étoiles danser dans le ciel clair, et elle se disait :

« Oh ! pourvu que je tienne jusqu'à l'aube... »

L'une après l'autre, les étoiles s'éteignirent. Blanquette redoubla de coups de corne, le loup de coups de dent... Une lueur pâle parut dans l'horizon... Le chant d'un coq enroué monta d'une métairie.

« Enfin ! » dit la pauvre bête, qui n'attendait plus que le jour pour mourir ; et elle s'allongea par terre dans sa belle fourrure blanche toute tachée de sang...

Alors le loup se jeta sur la petite chèvre et la mangea.

Adieu Gringoire !

L'histoire que tu as entendue n'est pas un conte de mon invention. Si jamais tu viens en Provence, nos ménagers te parleront souvent de la *cabro de moussu Seguin, que se battégué touto la nive emé lou loup, e piei lou matin lou loup la mangé.*

Tu m'entends bien, Gringoire !

E piei lou matin lou loup la mangé.

LES ÉTOILES

Récit d'un berger provençal

Du temps que je gardais les bêtes sur le Lubcron, je restais des semaines entières sans voir âme qui vive, seul dans le pâturage avec mon chien Labri et mes ouailles. De temps en temps l'ermite du Mont-de-l'Ure passait par là pour chercher des simples ou bien j'apercevais la face noire de quelque charbonnier du Piémont ; mais c'étaient des gens naïfs, silencieux à force de solitude, ayant perdu le goût de parler et ne sachant rien de ce qui se disait en bas dans les villages et les villes. Aussi, tous les quinze jours, lorsque j'entendais, sur le chemin qui monte, les sonnailles du mulet de notre ferme m'apportant les provisions de quinzaine, et que je voyais apparaître peu à peu, au-dessus de la côte, la tête éveillée du petit *miarro* (garçon de ferme) ou la coiffe rousse de la vieille tante Norade, j'étais vraiment bien heureux. Je me faisais raconter les nouvelles du pays d'en bas, les baptêmes, les mariages ; mais ce qui m'intéressait surtout, c'était de savoir ce que devenait la fille de mes maîtres, notre demoiselle Stéphanette, la plus jolie qu'il y eût à dix lieues à la ronde. Sans avoir l'air d'y prendre trop d'intérêt, je m'informais si elle allait beaucoup aux fêtes, aux veillées, s'il lui venait toujours de nouveaux galants ; et à ceux qui me demanderont ce que ces choses-là pouvaient me faire, à moi pauvre berger de la montagne, je répondrai que j'avais vingt ans et que cette Stéphanette était ce que j'avais vu de plus beau dans ma vie.

Or, un dimanche que j'attendais les vivres de quinzaine, il se trouva qu'ils n'arrivèrent que très tard. Le matin je me disais : « C'est la faute de la grand-messe » ; puis vers midi, il vint un gros orage, et je pensai que la mule n'avait pas pu se mettre en route à cause du mauvais état des chemins. Enfin, sur les trois heures, le ciel étant lavé, la montagne luisante d'eau et de soleil, j'entendis parmi l'égouttement des feuilles et le débordement des ruisseaux gonflés, les sonnailles de la mule, aussi gaies, aussi alertes qu'un grand carillon de cloches un jour de Pâques. Mais ce n'était pas le petit *miarro*, ni la vieille Norade qui la conduisait. C'était... devinez qui !... notre demoiselle, mes enfants ! notre demoiselle en personne, assise droite entre les sacs d'osier, toute rose de l'air des montagnes et du rafraîchissement de l'orage.

Le petit était malade, tante Norade en vacances chez ses enfants. La belle Stéphanette m'apprit tout ça, en descendant de sa mule, et aussi qu'elle arrivait tard parce qu'elle s'était perdue en route ; mais à la voir si bien endimanchée, avec son ruban à fleurs, sa jupe brillante et ses dentelles, elle avait plutôt l'air de s'être attardée à quelque danse que d'avoir cherché son chemin dans les buissons. O la mignonne créature ! Mes yeux ne pouvaient se lasser de la regarder. Il est vrai que je ne l'avais jamais vue de si près. Quelquefois l'hiver, quand les troupeaux étaient descendus dans la plaine et que je rentrais le soir à la ferme pour souper, elle traversait la salle vivement, sans guère parler aux serviteurs, toujours parée et un peu fière... Et maintenant je l'avais là devant moi, rien que pour moi ; n'était-ce pas à en perdre la tête ?

Quand elle eut tiré les provisions du panier, Stéphanette se mit à regarder curieusement autour d'elle. Relevant un peu sa belle jupe du dimanche qui aurait pu s'abîmer, elle entra dans le *parc*, voulut voir le coin où je couchais, la crèche de paille avec la peau de mouton, ma grande cape accrochée au mur, ma crosse, mon fusil à pierre. Tout cela l'amusait.

« Alors, c'est ici que tu vis, mon pauvre berger ? Comme tu

dois t'ennuyer d'être toujours seul ! Qu'est-ce que tu fais ? A quoi penses-tu ?... »

J'avais envie de répondre : « A vous, maîtresse », et je n'aurais pas menti ; mais mon trouble était si grand que je ne pouvais pas seulement trouver une parole. Je crois bien qu'elle s'en apercevait, et que la méchante prenait plaisir à redoubler mon embarras avec ses malices :

« Et ta bonne amie, berger, est-ce qu'elle monte te voir quelquefois ?... Ça doit être bien sûr la chèvre d'or, ou cette fée Estérelle qui ne court qu'à la pointe des montagnes... »

Et elle-même, en me parlant, avait bien l'air de la fée Estérelle, avec le joli rire de sa tête renversée et sa hâte de s'en aller qui faisait de sa visite une apparition.

« Adieu, berger.

— Salut, maîtresse. »

Et la voilà partie, emportant ses corbeilles vides.

Lorsqu'elle disparut dans le sentier en pente, il me semblait que les cailloux, roulant sous les sabots de la mule, me tombaient un à un sur le cœur. Je les entendis longtemps, longtemps ; et jusqu'à la fin du jour je restai comme ensommeillé, n'osant bouger, de peur de faire en aller mon rêve. Vers le soir, comme le fond des vallées commençait à devenir bleu et que les bêtes se serraient en bêlant l'une contre l'autre pour rentrer au *parc*, j'entendis qu'on m'appelait dans la descente, et je vis paraître notre demoiselle, non plus rieuse ainsi que tout à l'heure, mais tremblante de froid, de peur, de mouillure. Il paraît qu'au bas de la côte elle avait trouvé la Sorgue grossie par la pluie d'orage, et qu'en voulant passer à toute force, elle avait risqué de se noyer. Le terrible, c'est qu'à cette heure de nuit il ne fallait plus songer à retourner à la ferme ; car le chemin par la traverse, notre demoiselle n'aurait jamais su s'y retrouver toute seule, et moi je ne pouvais pas quitter le troupeau. Cette idée de passer la nuit sur la montagne la tourmentait beaucoup, surtout à cause de l'inquiétude des siens. Moi, je la rassurais de mon mieux :

« En juillet, les nuits sont courtes, maîtresse... Ce n'est qu'un mauvais moment. »

Et j'allumai vite un grand feu pour sécher ses pieds et sa robe toute trempée de l'eau de la Sorgue. Ensuite j'apportai devant elle du lait, des fromageons ; mais la pauvre petite ne songeait ni à se chauffer ni à manger, et de voir les grosses larmes qui montaient dans ses yeux, j'avais envie de pleurer, moi aussi.

Cependant la nuit était venue tout à fait. Il ne restait plus sur la crête des montagnes qu'une poussière de soleil, une vapeur de lumière du côté du couchant. Je voulus que notre demoiselle entrât se reposer dans le *parc*. Ayant étendu sur la paille fraîche une belle peau toute neuve, je lui souhaitai la bonne nuit, et j'allai m'asseoir dehors devant la porte... Dieu m'est témoin que, malgré le feu d'amour qui me brûlait le sang, aucune mauvaise pensée ne me vint ; rien qu'une grande fierté de songer que dans un coin du *parc*, tout près du troupeau curieux qui la regardait dormir, la fille de mes maîtres — comme une brebis plus précieuse et plus blanche que toutes les autres — reposait, confiée à ma garde. Jamais le ciel ne m'avait paru si profond, les étoiles si brillantes... Tout à coup, la claire-voie du *parc* s'ouvrit et la belle Stéphanette parut. Elle ne pouvait pas dormir. Les bêtes faisaient crier la paille en remuant, ou bêlaient dans leurs rêves. Elle aimait mieux venir près du feu. Voyant cela, je lui jetai ma peau de bique sur les épaules, j'activai la flamme, et nous restâmes assis l'un près de l'autre sans parler. Si vous avez jamais passé la nuit à la belle étoile, vous savez qu'à l'heure où nous dormons, un monde mystérieux s'éveille dans la solitude et le silence. Alors les sources chantent bien plus clair, les étangs allument des petites flammes. Tous les esprits de la montagne vont et viennent librement ; et il y a dans l'air des frôlements, des bruits imperceptibles, comme si l'on entendait les branches grandir, l'herbe pousser. Le jour, c'est la vie des êtres ; mais la nuit, c'est la vie des choses. Quand on n'en a pas l'habitude, ça fait peur... Aussi notre demoiselle était toute frissonnante et se serrait contre moi au moindre bruit. Une fois, un cri long, mélancolique, parti de l'étang qui luisait plus bas, monta vers nous en ondulant. Au même instant une belle étoile filante glissa par-dessus nos têtes dans la même direction, comme si cette plainte que nous venions d'entendre portait une lumière avec elle.

« Qu'est-ce que c'est ? me demanda Stéphanette à voix basse.

— Une âme qui entre en paradis, maîtresse » ; et je fis le signe de la croix.

Elle se signa aussi, et resta un moment la tête en l'air, très recueillie. Puis elle me dit :

« C'est donc vrai, berger, que vous êtes sorciers, vous autres ?

— Nullement, notre demoiselle. Mais ici nous vivons plus près des étoiles, et nous savons ce qui s'y passe mieux que des gens de la plaine. »

Elle regardait toujours en haut, la tête appuyée dans la main, entourée de la peau de mouton comme un petit pâtre céleste :

« Qu'il y en a ! Que c'est beau ! Jamais je n'en avais tant vu... Est-ce que tu sais leurs noms, berger ?

— Mais oui, maîtresse... Tenez ! juste au-dessus de nous, voilà le *Chemin de saint Jacques* (la Voie lactée). Il va de France droit sur l'Espagne. C'est saint Jacques de Galice qui l'a tracé pour montrer sa route au brave Charlemagne lorsqu'il faisait la guerre aux Sarrasins. Plus loin, vous avez le *Char des âmes* (la grande Ourse) avec ses quatre essieux resplendissants. Les trois étoiles qui vont devant sont les *Trois bêtes*, et cette toute petite contre la troisième c'est le *Charretier.* Voyez-vous tout autour cette pluie d'étoiles qui tombent ? ce sont les âmes dont le bon Dieu ne veut pas chez lui... Un peu plus bas, voici le *Râteau* ou les *Trois rois* (Orion). C'est ce qui nous sert d'horloge, à nous autres. Rien qu'en les regardant, je sais maintenant qu'il est minuit passé. Un peu plus bas, toujours vers le midi, brille *Jean de Milan*, le flambeau des astres (Sirius). Sur cette étoile-là, voici ce que les bergers racontent. Il paraît qu'une nuit *Jean de Milan*, avec les *Trois rois* et la *Poussinière* (la Pléiade), furent invités à la noce d'une étoile de leurs amies. La *Poussinière*, plus pressée, partit, dit-on, la première, et prit le chemin haut. Regardez-la, là-haut, tout au fond du ciel. Les *Trois rois* coupèrent plus bas et la rattrapèrent ; mais ce paresseux de *Jean de Milan*, qui avait dormi trop tard, resta tout à fait derrière, et furieux, pour les arrêter, leur jeta son bâton. C'est pourquoi les *Trois rois* s'appellent aussi le *Bâton de Jean de Milan...* Mais la plus belle de toutes les étoiles, maîtresse, c'est la nôtre, c'est l'*Etoile du berger*, qui nous éclaire à l'aube quand nous sortons le troupeau, et aussi le soir quand nous le rentrons. Nous la nommons encore *Maguelonne*, la belle Maguelonne qui court après *Pierre de Provence* (Saturne) et se marie avec lui tous les sept ans.

— Comment ! berger, il y a donc des mariages d'étoiles ?

— Mais oui, maîtresse. »

Et comme j'essayais de lui expliquer ce que c'était que ces mariages, je sentis quelque chose de frais et de fin peser légèrement sur mon épaule. C'était sa tête alourdie de sommeil qui s'appuyait contre moi avec un joli froissement de rubans, de dentelles et de cheveux ondés. Elle resta ainsi sans bouger jusqu'au moment où les astres du ciel pâlirent, effacés par le jour qui montait. Moi, je la regardais dormir, un peu troublé au fond de mon être, mais saintement protégé par cette claire nuit qui ne m'a jamais donné que de belles pensées. Autour de nous, les étoiles continuaient leur marche silencieuse, dociles comme un grand troupeau ; et par moments je me figurais qu'une de ces étoiles, la plus fine, la plus brillante, ayant perdu sa route, était venue se poser sur mon épaule pour dormir...

L'ARLÉSIENNE

Pour aller au village, en descendant de mon moulin, on passe devant un *mas* bâti près de la route au fond d'une grande cour plantée de micocouliers. C'est la vraie maison du *ménager* de Provence, avec ses tuiles rouges, sa large façade brune irrégulièrement percée, puis tout en haut la girouette du grenier, la poulie pour hisser les meules et quelques touffes de foin brun qui dépassent...

Pourquoi cette maison m'avait-elle frappé ? Pourquoi ce portail fermé me serrait-il le cœur ? Je n'aurais pas pu le dire, et pourtant ce logis me faisait froid. Il y avait trop de silence autour... Quand on passait, les chiens n'aboyaient pas, les pintades s'enfuyaient sans crier... A l'intérieur, pas une voix ! Rien, pas même un grelot de mule... Sans les rideaux blancs des fenêtres et la fumée qui montait des toits, on aurait cru l'endroit inhabité.

Hier, sur le coup de midi, je revenais du village, et, pour éviter le soleil, je longeais les murs de la ferme, dans l'ombre des micocouliers... Sur la route, devant le *mas*, des valets silencieux achevaient de charger une charrette de foin... Le portail était resté ouvert. Je jetai un regard en passant, et je vis, au fond de la cour, accoudé, la tête dans ses mains, sur une large table de pierre, un grand vieux tout blanc, avec une veste trop courte et des culottes en lambeaux... Je m'arrêtai. Un des hommes me dit tout bas :

« Chut ! c'est le maître... Il est comme ça depuis le malheur de son fils. »

A ce moment, une femme et un petit garçon, vêtus de noir, passèrent près de nous avec de gros paroissiens dorés, et entrèrent à la ferme.

L'homme ajouta :

« ... La maîtresse et Cadet qui reviennent de la messe. Ils y vont tous les jours, depuis que l'enfant s'est tué... Ah ! monsieur, quelle désolation !... Le père porte encore les habits du mort ; on ne peut pas les lui faire quitter... Dia ! hue ! la bête ! »

La charrette s'ébranla pour partir. Moi, qui voulais en savoir plus long, je demandai au voiturier de monter à côté de lui, et c'est là-haut, dans le foin, que j'appris toute cette navrante histoire...

Il s'appelait Jan. C'était un admirable paysan de vingt ans, sage comme une fille, solide et le visage ouvert. Comme il était très beau, les femmes le regardaient ; mais lui n'en avait qu'une en tête — une petite Arlésienne, tout en velours et en dentelles, qu'il avait rencontrée sur la Lice d'Arles, une fois. Au *mas*, on ne vit pas d'abord cette liaison avec plaisir. La fille passait pour coquette, et ses parents n'étaient pas du pays.

Mais Jan voulait son Arlésienne à toute force. Il disait :

« Je mourrai si on ne me la donne pas. »

Il fallut en passer par là. On décida de les marier après la moisson.

Donc, un dimanche soir, dans la cour du *mas*, la famille achevait de dîner. C'était presque un repas de noce. La fiancée n'y assistait pas, mais on avait bu en son honneur tout le temps... Un homme se présente à la porte, et, d'une voix qui tremble, demande à parler à maître Estève, à lui seul. Estève se lève et sort sur la route.

« Maître, lui dit l'homme, vous allez marier votre enfant à une coquine, qui a été ma maîtresse pendant deux ans. Ce que j'avance, je le prouve ; voici des lettres !... ses parents savent tout et me l'avaient promise ; mais depuis que votre fils la recherche, ni eux ni la belle ne veulent plus de moi... J'aurais cru pourtant qu'après ça elle ne pouvait pas être la femme d'un autre.

— C'est bien, dit maître Estève quand il eut regardé les lettres ; entrez boire un verre de muscat. »

L'homme répond :

« Merci ! j'ai plus de chagrin que de soif. »

Et il s'en va.

Le père rentre, impassible : il reprend sa place à table ; et le repas s'achève gaiement...

Ce soir-là, maître Estève et son fils s'en allèrent ensemble dans les champs. Ils restèrent longtemps dehors ; quand ils revinrent, la mère les attendait encore.

« Femme, dit le *ménager*, en lui amenant son fils, embrasse-le ! il est malheureux... »

Jan ne parla plus de l'Arlésienne. Il l'aimait toujours cependant, et même plus que jamais, depuis qu'on la lui avait montrée dans les bras d'un autre. Seulement il était trop fier pour rien dire ; c'est ce qui le tua, le pauvre enfant !... Quelquefois il passait des journées entières seul dans un coin, sans bouger. D'autres jours, il se mettait à la terre avec rage et abattait à lui seul le travail de dix journaliers... Le soir venu, il prenait la route d'Arles et marchait devant lui jusqu'à ce qu'il vît monter dans le couchant les cloches grêles de la ville. Alors, il revenait. Jamais il n'alla plus loin.

De le voir ainsi, toujours triste et seul, les gens du *mas* ne savaient plus que faire. On redoutait un malheur... Une fois, à table, sa mère en le regardant avec des yeux pleins de larmes, lui dit :

« Eh bien, écoute, Jan, si tu la veux tout de même, nous te la donnerons. »

Le père, rouge de honte, baissait la tête.

Jan fit signe que non, et il sortit...

A partir de ce jour, il changea sa façon de vivre, affectant d'être toujours gai, pour rassurer ses parents. On le revit au bal, au cabaret, dans les ferrades [1]. A la vote [2] de Fonvieille, c'est lui qui mena la farandole.

Le père disait : « Il est guéri. » La mère, elle, avait toujours des craintes et plus que jamais surveillait son enfant... Jan couchait avec Cadet, tout près de la magnanerie ; la pauvre vieille se fit dresser un lit à côté de leur chambre... Les magnans pouvaient avoir besoin d'elle, dans la nuit...

Vint la fête de saint Eloi, patron des ménagers.

Grande joie au *mas*... Il y eut du châteauneuf pour tout le monde et du vin cuit comme s'il en pleuvait. Puis des pétards, des feux sur l'aire, des lanternes de couleur plein les micocouliers... Vive saint Eloi ! On farandola à mort. Cadet brûla sa blouse neuve... Jan lui-même avait l'air content ; il voulut faire danser sa mère ; la pauvre femme en pleurait de bonheur.

A minuit, on alla se coucher. Tout le monde avait besoin de dormir... Jan ne dormit pas, lui. Cadet a raconté depuis que toute la nuit il avait sangloté...

Ah ! je vous réponds qu'il était bien mordu, celui-là...

Le lendemain, à l'aube, la mère entendit quelqu'un traverser sa chambre en courant. Elle eut comme un pressentiment :

« Jan, c'est toi ? »

Jan ne répond pas ; il est déjà dans l'escalier.

Vite, vite la mère se lève :

« Jan, où vas-tu ? »

---

1. Fêtes données à l'occasion du marquage du bétail au fer rouge.
2. Fête votive.

Il monte au grenier ; elle monte derrière lui :

« Mon fils, au nom du Ciel ! »

Il ferme la porte et tire le verrou.

« Jan, mon Janet, réponds-moi. Que vas-tu faire ? »

A tâtons, de ses vieilles mains qui tremblent, elle cherche le loquet !... Une fenêtre qui s'ouvre, le bruit d'un corps sur les dalles de la cour, et c'est tout...

Il s'était dit, le pauvre enfant : « Je l'aime trop... Je m'en vais... » Ah ! misérables cœurs que nous sommes ! C'est un peu fort pourtant que le mépris ne puisse pas tuer l'amour !...

Ce matin-là, les gens du village se demandèrent qui pouvait crier ainsi là-bas, du côté du *mas* d'Estève...

C'était, dans la cour, devant la table de pierre couverte de rosée et de sang, la mère toute nue qui se lamentait, avec son enfant mort sur ses bras.

LA MULE DU PAPE

De tous les jolis dictons, proverbes ou adages, dont nos paysans de Provence passementent leurs discours, je n'en sais pas un plus pittoresque ni plus singulier que celui-ci. A quinze lieues autour de mon moulin, quand on parle d'un homme rancunier, vindicatif, on dit : « Cet homme-là ! Méfiez-vous !... il est comme la mule du Pape, qui garde sept ans son coup de pied. »

J'ai cherché bien longtemps d'où ce proverbe pouvait venir, ce que c'était que cette mule papale et ce coup de pied gardé pendant sept ans. Personne ici n'a pu me renseigner à ce sujet, pas même Francet Mamaï, mon joueur de fifre, qui connaît pourtant son légendaire provençal sur le bout du doigt. Francet pense comme moi qu'il y a là-dessous quelque ancienne chronique du pays d'Avignon ; mais il n'en a jamais entendu parler autrement que par le proverbe.

« Vous ne trouverez cela qu'à la bibliothèque des Cigales », m'a dit le vieux fifre en riant.

L'idée m'a paru bonne, et comme la bibliothèque des Cigales est à ma porte, je suis allé m'y enfermer huit jours.

C'est une bibliothèque merveilleuse, admirablement montée, ouverte aux poètes jour et nuit, et desservie par de petits bibliothécaires à cymbales qui vous font de la musique tout le temps. J'ai passé là quelques journées délicieuses, et, après une semaine de recherches — sur le dos —, j'ai fini par découvrir ce que je voulais, c'est-à-dire l'histoire de ma mule et de ce fameux coup de pied gardé pendant sept ans. Le conte en est joli quoique un peu naïf, et je vais essayer de vous le dire tel que je l'ai lu hier matin dans un manuscrit couleur du temps, qui sentait bon la lavande sèche et avait de grands fils de la Vierge pour signets.

Qui n'a pas vu Avignon du temps des Papes, n'a rien vu. Pour la gaieté, la vie, l'animation, le train des fêtes, jamais une ville pareille. C'étaient, du matin au soir, des processions, des pèlerinages, les rues jonchées de fleurs, tapissées de hautes lices, des arrivages de cardinaux par le Rhône, bannières au vent, galères pavoisées, les soldats du Pape qui chantaient du latin sur les places, les crécelles des frères quêteurs ; puis, du haut en bas des maisons qui se pressaient en bourdonnant autour du grand palais papal comme des abeilles autour de leur ruche, c'étaient encore le tic-tac des métiers à dentelles, le va-et-vient des navettes tissant l'or des chasubles, les petits marteaux des ciseleurs de burettes, les tables d'harmonie qu'on ajustait chez les luthiers, les cantiques des ourdisseuses ; par là-dessus le bruit des cloches, et toujours quelques tambourins qu'on entendait ronfler, là-bas, du côté du pont. Car chez nous, quand le peuple est content, il faut qu'il danse, il faut qu'il danse ; et comme en ce temps-là les rues de la ville étaient trop étroites pour la farandole, fifres et tambourins se postaient sur le pont d'Avignon, au vent frais du Rhône, et jour et nuit l'on y dansait, l'on y dansait... Ah ! l'heureux temps ! l'heureuse ville ! Des hallebardes qui ne coupaient pas ; des prisons d'Etat où l'on mettait le vin à rafraîchir. Jamais de disette ; jamais de guerre... Voilà comment les Papes du Comtat savaient gouverner leur peuple ; voilà pourquoi leur peuple les a tant regrettés !...

Il y en a un surtout, un bon vieux, qu'on appelait Boniface... Oh ! celui-là, que de larmes on a versées en Avignon, quand il est mort ! C'était un prince si aimable, si avenant ! Il vous riait si bien du haut de sa mule ! Et quand vous passiez près de lui — fussiez-vous un pauvre petit tireur de garance ou le grand viguier de la ville —, il vous donnait sa bénédiction si poliment ! Un vrai pape d'Yvetot, mais d'un Yvetot de Provence, avec quelque chose de fin dans le rire, un brin de marjolaine à sa barrette, et pas la moindre Jeanneton... La seule Jeanneton qu'on lui ait jamais connue, à ce bon père, c'était sa vigne — une petite vigne qu'il avait plantée lui-même, à trois lieues d'Avignon, dans les myrtes de Château-Neuf.

Tous les dimanches, en sortant de Vêpres, le digne homme allait lui faire sa cour, et quand il était là-haut, assis au bon soleil, sa mule près de lui, ses cardinaux tout autour étendus aux pieds des souches, alors il faisait déboucher un flacon de vin du cru — ce beau vin, couleur de rubis, qui s'est appelé depuis le Château-Neuf des Papes —, et il dégustait par petits coups, en regardant sa vigne d'un air attendri. Puis, le flacon vidé, le jour tombant, il rentrait joyeusement à la ville, suivi de tout son chapitre ; et, lorsqu'il passait sur le pont d'Avignon, au milieu des tambours et des farandoles, sa mule, mise en train par la musique, prenait un petit amble sautillant, tandis que lui-même il marquait le pas de la danse avec sa barrette, ce qui scandalisait fort ses cardinaux, mais faisait dire à tout le peuple : « Ah ! le bon prince ! Ah ! le brave pape ! »

Après sa vigne de Château-Neuf, ce que le pape aimait le plus au monde, c'était sa mule. Le bonhomme en raffolait de cette bête-là. Tous les soirs avant de se coucher, il allait voir si son écurie était bien fermée, si rien ne manquait dans sa mangeoire, et jamais il ne se serait levé de table sans faire préparer sous ses yeux un grand bol de vin à la française, avec beaucoup de sucre et d'aromates, qu'il allait lui porter lui-même, malgré les observations de ses cardinaux... Il faut dire aussi que la bête en valait la peine. C'était une belle mule noire, mouchetée de rouge, le pied sûr, le poil luisant, la croupe large et pleine, portant fièrement sa petite tête sèche toute harnachée de pompons, de nœuds, de grelots d'argent, de bouffettes ; avec cela douce comme un ange, l'œil naïf, et deux longues oreilles, toujours en branle, qui lui donnaient l'air bon enfant. Tout Avignon la respectait, et, quand elle allait dans les rues, il n'y avait pas de bonnes manières qu'on ne lui fît ; car chacun savait que c'était le meilleur moyen d'être bien en cour, et qu'avec son air innocent, la mule du Pape en avait mené plus d'un à la fortune, à preuve Tistet Védène et sa prodigieuse aventure.

Ce Tistet Védène était, dans le principe, un effronté galopin, que son père, Guy Védène, le sculpteur d'or, avait été obligé de chasser de chez lui, parce qu'il ne voulait rien faire et débauchait les apprentis. Pendant six mois, on le vit traîner sa jaquette dans tous les ruisseaux d'Avignon, mais principalement du côté de la maison papale ; car le drôle avait depuis longtemps son idée sur la mule du Pape, et vous allez voir que c'était quelque chose de malin... Un jour que Sa Sainteté se promenait toute seule sous les remparts avec sa bête, voilà mon Tistet qui l'aborde, et lui dit en joignant les mains d'un air d'admiration :

« Ah ! mon Dieu ! grand Saint-Père, quelle brave mule vous avez là !... Laissez un peu que je la regarde... Ah ! mon Pape, la belle mule !... L'empereur d'Allemagne n'en a pas une pareille. »

Et il la caressait, et il lui parlait doucement comme à une demoiselle.

« Venez çà, mon bijou, mon trésor, ma perle fine... »

Et le bon Pape, tout ému, se disait dans lui-même :

« Quel bon petit garçonnet !... Comme il est gentil avec ma mule ! »

Et puis le lendemain savez-vous ce qui arriva ? Tistet Védène troqua sa vieille jaquette jaune contre une belle aube en dentelles, un camail de soie violette, des souliers à boucles, et il entra dans la maîtrise du Pape, où jamais avant lui on n'avait reçu que des fils de nobles et des neveux de cardinaux... Voilà ce que c'est que l'intrigue !... Mais Tistet ne s'en tint pas là.

Une fois au service du Pape, le drôle continua le jeu qui lui avait si bien réussi. Insolent avec tout le monde, il n'avait d'attentions ni de prévenances que pour la mule, et toujours on le rencontrait par les cours du palais avec une poignée d'avoine ou une bottelée de sainfoin, dont il secouait gentiment les grappes roses en regardant le balcon du Saint-Père, d'un air de dire : « Hein !... pour qui ça ?... » Tant et tant qu'à la fin le bon Pape, qui se sentait devenir vieux, en arriva à lui laisser le soin de veiller sur l'écurie et de porter à la mule son bol de vin à la française ; ce qui ne faisait pas rire les cardinaux.

Ni la mule non plus, cela ne la faisait pas rire... Maintenant, à l'heure de son vin, elle voyait toujours arriver chez elle cinq ou six petits clercs de maîtrise qui se fourraient vite dans la paille avec leur camail et leurs dentelles ; puis, au bout d'un moment, une bonne odeur chaude de caramel et d'aromates emplissait l'écurie, et Tistet Védène apparaissait portant avec précaution le bol de vin à la française. Alors le martyre de la pauvre bête commençait.

Ce vin parfumé qu'elle aimait tant, qui lui tenait chaud, qui lui mettait des ailes, on avait la cruauté de le lui apporter, là, dans sa mangeoire, de le lui faire respirer ; puis, quand elle en avait les narines pleines, passe, je t'ai vu ! la belle liqueur de flamme rose s'en allait toute dans le gosier de ces garnements... Et encore, s'ils n'avaient fait que lui voler son vin ; mais c'étaient comme des diables, tous ces petits clercs, quand ils avaient bu !... l'un lui tirait les oreilles, l'autre la queue ; Quiquet lui montait sur le dos, Béluguet lui essayait sa barrette, et pas un de ces galopins ne songeait que d'un coup de reins ou d'une ruade la brave bête aurait pu les envoyer tous dans l'étoile polaire, et même plus loin... Mais non ! On n'est pas pour rien la mule du Pape, la mule des bénédictions et des indulgences... Les enfants avaient beau faire, elle ne se fâchait pas ; et ce n'était qu'à Tistet Védène qu'elle en voulait... Celui-là, par exemple, quand elle le sentait derrière elle, son sabot lui démangeait, et vraiment il y avait bien de quoi. Ce vaurien de Tistet lui jouait de si vilains tours ! Il avait de si cruelles inventions après boire !...

Est-ce qu'un jour il ne s'avisa pas de la faire monter avec lui au clocheton de la maîtrise, là-haut, tout là-haut, à la pointe du palais !... Et ce que je vous dis là n'est pas un conte, deux cent mille Provençaux l'ont vu. Vous figurez-vous la terreur de cette malheureuse mule, lorsque, après avoir tourné pendant une heure à l'aveuglette dans un escalier en colimaçon et grimpé je ne sais combien de marches, elle se trouva tout à coup sur une plate-forme éblouissante de lumière, et qu'à mille pieds au-dessous d'elle elle aperçut tout un Avignon fantastique, les baraques du marché pas plus grosses que des noisettes, les soldats du Pape devant leur caserne comme des fourmis rouges, et là-bas, sur un fil d'argent, un petit pont microscopique où l'on dansait, où l'on dansait... Ah ! pauvre bête ! quelle panique ! Du cri qu'elle en poussa, toutes les vitres du palais tremblèrent.

« Qu'est-ce qu'il y a ? qu'est-ce qu'on lui fait ? » s'écria le bon Pape en se précipitant sur son balcon.

Tistet Védène était déjà dans la cour, faisant mine de pleurer et de s'arracher les cheveux :

« Ah ! grand Saint-Père, ce qu'il y a ! Il y a que votre mule... mon Dieu ! qu'allons-nous devenir ? Il y a que votre mule est montée dans le clocheton...

— Toute seule ?

— Oui, grand Saint-Père, toute seule... Tenez ! regardez-la, là-haut... Voyez-vous le bout de ses oreilles qui passe ?... On dirait deux hirondelles...

— Miséricorde ! fit le pauvre Pape en levant les yeux... Mais elle est donc devenue folle ! Mais elle va se tuer... Veux-tu bien descendre, malheureuse !... »

Pécaïre ! elle n'aurait pas mieux demandé, elle, que de descendre... mais par où ? L'escalier, il n'y fallait pas songer : ça se monte encore ces choses-là ; mais, à la descente, il y aurait de quoi se rompre cent fois les jambes... Et la pauvre mule se désolait, et, tout en rôdant sur la plate-forme avec ses gros yeux pleins de vertige, elle pensait à Tistet Védène :

« Ah ! bandit, si j'en réchappe... quel coup de sabot demain matin ! »

Cette idée de coup de sabot lui redonnait un peu de cœur au ventre ; sans cela elle n'aurait pas pu se tenir... Enfin on parvint à la tirer de là-haut ; mais ce fut toute une affaire. Il fallut la descendre avec un cric, des cordes, une civière. Et vous pensez quelle humiliation pour la mule d'un pape de se voir pendue à cette hauteur, nageant des pattes dans le vide comme un hanneton au bout d'un fil. Et tout Avignon qui la regardait !

La malheureuse bête n'en dormit pas de la nuit. Il lui semblait toujours qu'elle tournait sur cette maudite plate-forme, avec les rires de la ville au-dessous, puis elle pensait à cet infâme Tistet Védène et au joli coup de sabot qu'elle allait lui détacher le lendemain matin. Ah ! mes amis, quel coup de sabot ! De Pampérigouste on en verrait la fumée... Or, pendant qu'on lui préparait cette belle réception à l'écurie, savez-vous ce que faisait Tistet Védène ? Il descendait le Rhône en chantant sur une galère papale et s'en allait à la cour de Naples avec la troupe de jeunes nobles que la ville envoyait tous les ans près de la reine Jeanne pour s'exercer à la diplomatie et aux belles manières. Tistet n'était pas noble ; mais le Pape tenait à le récompenser des soins qu'il avait donnés à sa bête, et principalement de l'activité qu'il venait de déployer pendant la journée du sauvetage.

C'est la mule qui fut désappointée le lendemain !

« Ah ! le bandit ! il s'est douté de quelque chose !... pensait-elle en secouant ses grelots avec fureur... Mais c'est égal, va, mauvais ; tu le retrouveras au retour, ton coup de sabot... je te le garde ! »

Et elle le lui garda.

Après le départ de Tistet, la mule du Pape retrouva son train de vie tranquille et ses allures d'autrefois. Plus de Quiquet, plus de Béluguet à l'écurie. Les beaux jours du vin à la française étaient revenus, et avec eux la bonne humeur, les longues siestes, et le petit pas de gavotte quand elle passait sur le pont d'Avignon. Pourtant, depuis son aventure, on lui marquait toujours un peu de froideur dans la ville. Il y avait des chuchotements sur sa route ;

les vieilles gens hochaient la tête, les enfants riaient en se montrant le clocheton. Le bon Pape lui-même n'avait plus autant de confiance en son amie, et, lorsqu'il se laissait aller à faire un petit somme sur son dos, le dimanche en revenant de la vigne, il gardait toujours cette arrière-pensée : « Si j'allais me réveiller là-haut, sur la plate-forme ! » La mule voyait cela et elle en souffrait, sans rien dire ; seulement, quand on prononçait le nom de Tistet Védène devant elle, ses longues oreilles frémissaient, et elle aiguisait avec un petit rire le fer de ses sabots sur le pavé.

Sept ans passèrent ainsi ; puis, au bout de ces sept années, Tistet Védène revint de la cour de Naples. Son temps n'était pas encore fini là-bas ; mais il avait appris que le premier moutardier du Pape venait de mourir subitement en Avignon, et, comme la place lui semblait bonne, il était arrivé en grande hâte pour se mettre sur les rangs.

Quand cet intrigant de Védène entra dans la salle du palais, le Saint-Père eut peine à le reconnaître, tant il avait grandi et pris du corps. Il faut dire aussi que le bon Pape s'était fait vieux de son côté, et qu'il n'y voyait pas bien sans besicles.

Tistet ne s'intimida pas.

« Comment ! grand Saint-Père, vous ne me reconnaissez plus ?... C'est moi, Tistet Védène !...

— Védène ?...

— Mais oui, vous savez bien... celui qui portait le vin français à votre mule.

— Ah ! oui... oui... je me rappelle... Un bon petit garçonnet, ce Tistet Védène !... Et maintenant, qu'est-ce qu'il veut de nous ?

— Oh ! peu de chose, grand Saint-Père... Je venais vous demander... A propos, est-ce que vous l'avez toujours votre mule ? Et elle va bien ?... Ah ! tant mieux !... Je venais vous demander la place du premier moutardier qui vient de mourir.

— Premier moutardier, toi !... Mais tu es trop jeune. Quel âge as-tu donc ?

— Vingt ans deux mois, illustre pontife, juste cinq ans de plus que votre mule... Ah ! palme de Dieu, la brave bête ! Si vous saviez comme je l'aimais cette mule-là !... comme je me suis langui d'elle en Italie !... Est-ce que vous ne me la laisserez pas voir ?

— Si, mon enfant, tu la verras, fit le bon Pape tout ému... Et puisque tu l'aimes tant, cette brave bête, je ne veux plus que tu vives loin d'elle. Dès ce jour, je t'attache à ma personne en qualité de premier moutardier... Mes cardinaux crieront, mais tant pis !

j'y suis habitué... Viens nous trouver demain, à la sortie des vêpres, nous te remettrons les insignes de ton grade en présence de notre chapitre, et puis... je te mènerai voir la mule, et tu viendras à la vigne avec nous deux... hé ! hé ! Allons va... »

Si Tistet Védène était content en sortant de la grande salle, avec quelle impatience il attendit la cérémonie du lendemain, je n'ai pas besoin de vous le dire. Pourtant il y avait dans le palais quelqu'un de plus heureux encore et de plus impatient que lui : c'était la mule. Depuis le retour de Védène jusqu'aux Vêpres du jour suivant, la terrible bête ne cessa de se bourrer d'avoine et de tirer au mur avec ses sabots de derrière. Elle aussi se préparait pour la cérémonie...

Et donc, le lendemain, lorsque vêpres furent dites, Tistet Védène fit son entrée dans la cour du palais papal. Tout le haut clergé était là, les cardinaux en robes rouges, l'avocat du diable en velours noir, les abbés du couvent avec leurs petites mitres, les marguilliers de Saint-Agrico, les camails violets de la maîtrise, le bas clergé aussi, les soldats du Pape en grand uniforme, les trois confréries de pénitents, les ermites du mont Ventoux avec leurs mines farouches et le petit clerc qui va derrière en portant la clochette, les frères flagellants nus jusqu'à la ceinture, les sacristains fleuris en robes de juges, tous, tous, jusqu'aux donneurs d'eau bénite, et celui qui allume, et celui qui éteint... Il n'y en avait pas un qui manquât... Ah ! c'était une belle ordination ! Des cloches, des pétards, du soleil, de la musique, et toujours ces enragés de tambourins qui menaient la danse, là-bas, sur le pont d'Avignon.

Quand Védène parut au milieu de l'assemblée, sa prestance et sa belle mine y firent courir un murmure d'admiration. C'était un magnifique Provençal, mais des blonds, avec de grands cheveux frisés au bout et une petite barbe follette qui semblait prise aux copeaux de fin métal tombés du burin de son père, le sculpteur d'or. Le bruit courait que dans cette barbe blonde les doigts de la reine Jeanne avaient quelquefois joué ; et le sire de Védène avait bien, en effet, l'air glorieux et le regard distrait des hommes que les reines ont aimés... Ce jour-là, pour faire honneur à sa nation, il avait remplacé ses vêtements napolitains par une jaquette bordée de rose à la provençale, et sur son chaperon tremblait une grande plume d'ibis de Camargue.

Sitôt entré, le premier moutardier salua d'un air galant et se dirigea vers le haut du perron, où le Pape l'attendait pour lui remettre les insignes de son grade : la cuiller de buis jaune et l'habit de safran. La mule était au bas de l'escalier, toute harnachée et prête à partir pour la vigne... Quand il passa près d'elle, Tistet Védène eut un bon sourire et s'arrêta pour lui donner deux ou trois petites tapes amicales sur le dos, en regardant du coin de l'œil si le Pape le voyait. La position était bonne... La mule prit son élan :

« Tiens ! attrape, bandit ! Voilà sept ans que je te le garde ! »

Et elle vous lui détacha un coup de sabot si terrible, si terrible, que de Pampérigouste même on en vit la fumée, un tourbillon de fumée blonde où voltigeait une plume d'ibis ; tout ce qui restait de l'infortuné Tistet Védène !...

Les coups de pied de mule ne sont pas aussi foudroyants d'ordinaire ; mais celle-ci était une mule papale ; et puis, pensez donc ! elle le lui gardait depuis sept ans... Il n'y a pas de plus bel exemple de rancune ecclésiastique.

LE PHARE DES SANGUINAIRES

Cette nuit je n'ai pas pu dormir. Le mistral était en colère, et les éclats de sa grande voix m'ont tenu éveillé jusqu'au matin. Balançant lourdement ses ailes mutilées qui sifflaient à la bise comme les agrès d'un navire, tout le moulin craquait. Des tuiles s'envolaient de sa toiture en déroute. Au loin, les pins serrés dont la colline est couverte s'agitaient et bruissaient dans l'ombre. On se serait cru en pleine mer...

Cela m'a rappelé tout à fait mes belles insomnies d'il y a trois ans, quand j'habitais le phare des Sanguinaires, là-bas, sur la côte corse, à l'entrée du golfe d'Ajaccio.

Encore un joli coin que j'avais trouvé là pour rêver et pour être seul.

Figurez-vous une île rougeâtre et d'aspect farouche ; le phare à une pointe, à l'autre une vieille tour génoise où, de mon temps, logeait un aigle. En bas, au bord de l'eau, un lazaret en ruine, envahi de partout par les herbes ; puis des ravins, des maquis, de grandes roches, quelques chèvres sauvages, de petits chevaux corses gambadant la crinière au vent ; enfin là-haut, tout en haut, dans un tourbillon d'oiseaux de mer, la maison du phare, avec sa plate-forme en maçonnerie blanche, où les gardiens se promènent de long en large, la porte verte en ogive, la petite tour de fonte, et au-dessus la grosse lanterne à facettes qui flambe au soleil et fait de la lumière même pendant le jour... Voilà l'île des Sanguinaires, comme je l'ai revue cette nuit, en entendant ronfler mes pins. C'était dans cette île enchantée qu'avant d'avoir un moulin j'allais m'enfermer quelquefois, lorsque j'avais besoin de grand air et de solitude.

Ce que je faisais ?

Ce que je fais ici, moins encore. Quand le mistral ou la tramontane ne soufflaient pas trop fort, je venais me mettre entre deux roches au ras de l'eau, au milieu des goélands, des merles, des hirondelles, et j'y restais presque tout le jour dans cette espèce de stupeur et d'accablement délicieux que donne la contemplation de la mer. Vous connaissez, n'est-ce pas, cette jolie griserie de l'âme ? On ne pense pas, on ne rêve pas non plus. Tout votre être vous échappe, s'envole, s'éparpille. On est la mouette qui plonge, la poussière d'écume qui flotte au soleil entre deux vagues, la fumée blanche de ce paquebot qui s'éloigne, ce petit corailleur à voile rouge, cette perle d'eau, ce flocon de brume, tout excepté soi-même... Oh ! que j'en ai passé dans mon île de ces belles heures de demi-sommeil et d'éparpillement !...

Les jours de grand vent, le bord de l'eau n'étant pas tenable, je m'enfermais dans la cour du lazaret, une petite cour mélancolique, tout embaumée de romarin et d'absinthe sauvage, et là, blotti contre un pan de vieux mur, je me laissais envahir doucement par le vague parfum d'abandon et de tristesse qui flottait avec le soleil dans les logettes de pierre, ouvertes tout autour comme d'anciennes tombes. De temps en temps un battement de porte, un bond léger dans l'herbe... C'était une chèvre qui venait brouter à l'abri du vent. En me voyant, elle s'arrêtait interdite, et restait plantée devant moi, l'air vif, la corne haute, me regardant d'un œil enfantin...

Vers cinq heures, le porte-voix des gardiens m'appelait pour dîner. Je prenais alors un petit sentier dans le maquis grimpant à pic au-dessus de la mer, et je revenais lentement vers le phare, me retournant à chaque pas sur cet immense horizon d'eau et de lumière qui semblait s'élargir à mesure que je montais.

Là-haut, c'était charmant. Je vois encore cette belle salle à manger à larges dalles, à lambris de chêne, la bouillabaisse fumant au milieu, la porte grande ouverte sur la terrasse blanche et tout le couchant qui entrait... Les gardiens étaient là, m'attendant pour se mettre à table. Il y en avait trois, un Marseillais et deux Corses, tous trois petits, barbus, le même visage tanné, crevassé, le même *pelone* (caban) en poils de chèvre, mais d'allure et d'humeur entièrement opposées.

A la façon de vivre de ces gens, on sentait tout de suite la différence entre deux races. Le Marseillais industrieux et vif, toujours affairé, toujours en mouvement, courait l'île du matin au soir, jardinant, bêchant, ramassant des œufs de *gouailles*, s'embusquant dans le maquis pour traire une chèvre au passage ; et toujours quelque aïoli ou quelque bouillabaisse en train.

Les Corses, eux, en dehors de leur service, ne s'occupaient absolument de rien ; ils se considéraient comme des fonctionnaires, et passaient toutes leurs journées dans la cuisine à jouer d'interminables parties de *scopa*, ne s'interrompant que pour rallumer leurs pipes d'un air grave et hacher avec des ciseaux, dans le creux de leurs mains, de grandes feuilles de tabac vert...

Du reste, Marseillais et Corses, tous trois de bonnes gens, simples, naïfs, et pleins de prévenances pour leur hôte, quoique au fond il dût leur paraître un monsieur bien extraordinaire...

Pensez donc ! Venir s'enfermer au phare pour son plaisir !... Eux qui trouvent les journées si longues, et qui sont si heureux quand c'est leur tour d'aller à terre... Dans la belle saison, ce grand bonheur leur arrive tous les six mois. Dix jours de terre pour trente jours de phare, voilà le règlement ; mais avec l'hiver et les gros temps, il n'y a plus de règlement qui tienne. Le vent souffle, la vague monte, les Sanguinaires sont blanches d'écume, et les gardiens de service restent bloqués deux ou trois mois de suite, quelquefois même dans de terribles situations.

« Voici ce qui m'est arrivé, à moi, monsieur — me contait un jour le vieux Bartoli, pendant que nous dînions —, voici ce qui m'est arrivé il y a cinq ans, à cette même table où nous sommes, un soir d'hiver, comme maintenant. Ce soir-là, nous n'étions que deux dans le phare, moi et un camarade qu'on appelait Tchéco... Les autres étaient à terre, malades, en congé, je ne sais plus... Nous finissions de dîner, bien tranquilles... Tout à coup, voilà mon camarade qui s'arrête de manger, me regarde un moment avec de drôles d'yeux, et pouf ! tombe sur la table, les bras en avant. Je vais à lui, je le secoue, je l'appelle :

« — Oh ! Tché !... Oh ! Tché !... »

« Rien, il était mort... Vous jugez quelle émotion. Je restai plus d'une heure stupide et tremblant devant ce cadavre, puis, subitement cette idée me vient : « Et le phare ! » Je n'eus que le temps de monter dans la lanterne et d'allumer. La nuit était déjà là... Quelle nuit, monsieur ! La mer, le vent n'avaient plus leurs voix naturelles. A tout moment il me semblait que quelqu'un m'appelait dans l'escalier. Avec cela une fièvre, une soif ! Mais vous ne m'auriez pas fait descendre... j'avais trop peur du mort. Pourtant, au petit jour, le courage me revint un peu. Je portai mon camarade sur son lit ; un drap dessus, un bout de prière et puis vite aux signaux d'alarme.

« Malheureusement, la mer était trop grosse ; j'eus beau appeler, appeler, personne ne vint... Me voilà seul dans le phare avec mon pauvre Tchéco, et Dieu sait pour combien de temps... J'espérais pouvoir le garder près de moi jusqu'à l'arrivée du bateau ! mais au bout de trois jours ce n'était plus possible... Comment faire ? le porter dehors ? l'enterrer ? La roche était trop dure, et il y a tant de corbeaux dans l'île. C'était pitié de leur abandonner ce chrétien. Alors je songeai à le descendre dans une des logettes du lazaret... Ça me prit tout un après-midi, cette triste corvée-là, et je vous réponds qu'il m'en fallut, du courage. Tenez ! monsieur, encore aujourd'hui, quand je descends ce côté de l'île par un après-midi de grand vent, il me semble que j'ai toujours le mort sur les épaules... »

Pauvre vieux Bartoli ! la sueur lui en coulait sur le front, rien que d'y penser.

Nos repas se passaient ainsi à causer longuement : le phare, la mer, des récits de naufrages, des histoires de bandits corses... Puis, le jour tombant, le gardien du premier quart allumait sa petite lampe, prenait sa pipe, sa gourde, un gros Plutarque à tranche rouge, toute la bibliothèque des Sanguinaires, et disparaissait par le fond. Au bout d'un moment, c'était dans tout le phare un fracas de chaînes, de poulies, de gros poids d'horloges qu'on remontait.

Moi, pendant ce temps, j'allais m'asseoir dehors sur la terrasse. Le soleil, déjà très bas, descendait vers l'eau de plus en plus vite, entraînant tout l'horizon après lui. Le vent fraîchissait, l'île devenait violette. Dans le ciel, près de moi, un gros oiseau passait lourdement : c'était l'aigle de la tour génoise qui rentrait... Peu à peu la brume de mer montait. Bientôt on ne voyait plus que l'ourlet blanc de l'écume autour de l'île... Tout à coup, au-dessus de ma tête, jaillissait un grand flot de lumière douce. Le phare était allumé. Laissant toute l'île dans l'ombre, le clair rayon allait tomber au large sur la mer, et j'étais là perdu dans la nuit, sous ces grandes ondes lumineuses qui m'éclaboussaient à peine en passant... Mais le vent fraîchissait encore. Il fallait rentrer. A tâtons, je fermais la grosse porte, j'assurais les barres de fer ; puis, toujours tâtonnant, je prenais un petit escalier de fonte qui tremblait et sonnait sous mes pas, et j'arrivais au sommet du phare. Ici, par exemple, il y en avait de la lumière.

Imaginez une lampe Carcel gigantesque à six rangs de mèches, autour de laquelle pivotent lentement les parois de la lanterne, les unes remplies par une énorme lentille de cristal, les autres ouvertes sur un grand vitrage immobile qui met la flamme à l'abri du vent... En entrant j'étais ébloui. Ces cuivres, ces étains, ces réflecteurs de métal blanc, ces murs de cristal bombé qui tournaient avec de grands cercles bleuâtres, tout ce miroitement, tout ce cliquetis de lumière me donnait un moment de vertige.

Peu à peu, cependant, mes yeux s'y faisaient, et je venais m'asseoir au pied même de la lampe, à côté du gardien qui lisait son Plutarque à haute voix de peur de s'endormir...

Au-dehors, le noir, l'abîme. Sur le petit balcon qui tourne autour du vitrage, le vent court comme un fou, en hurlant. Le phare craque, la mer ronfle. A la pointe de l'île, sur les brisants, les lames font comme des coups de canon... Par moments, un doigt invisible frappe aux carreaux : quelque oiseau de nuit, que la lumière attire, et qui vient se casser la tête contre le cristal... Dans la lanterne étincelante et chaude, rien que le crépitement de la flamme, le bruit de l'huile qui s'égoutte, de la chaîne qui se dévide ; et une voix monotone psalmodiant la vie de Démétrius de Phalère...

A minuit, le gardien se levait, jetait un dernier coup d'œil à ses mèches, et nous descendions. Dans l'escalier on rencontrait le camarade du second quart qui montait en se frottant les yeux ; on lui passait la gourde, le Plutarque... Puis, avant de gagner nos lits, nous entrions un moment dans la chambre du fond, tout encombrée de chaînes, de gros poids, de réservoirs d'étain, de cordages, et là, à la lueur de sa petite lampe, le gardien écrivait sur le grand livre du phare, toujours ouvert :

Minuit. Grosse mer. Tempête. Navire au large.

L'AGONIE DE LA « SÉMILLANTE »

Puisque le mistral de l'autre nuit nous a jetés sur la côte corse, laissez-moi vous raconter une terrible histoire de mer dont les pêcheurs de là-bas parlent souvent à la veillée, et sur laquelle le hasard m'a fourni des renseignements fort curieux.

... Il y a deux ou trois ans de cela.

Je courais la mer de Sardaigne en compagnie de sept ou huit matelots douaniers. Rude voyage pour un novice ! De tout le mois de mars, nous n'eûmes pas un jour de bon. Le vent d'est s'était acharné après nous, et la mer ne décolérait pas.

Un soir que nous fuyions devant la tempête, notre bateau vint se réfugier à l'entrée du détroit de Bonifacio, au milieu d'un massif de petites îles... Leur aspect n'avait rien d'engageant : grands rocs pelés, couverts d'oiseaux, quelques touffes d'absinthe, des maquis de lentisques, et, çà et là, dans la vase, des pièces de bois en train de pourrir ; mais, ma foi, pour passer la nuit, ces roches sinistres valaient encore mieux que le rouf d'une vieille barque à demi pontée, où la lame entrait comme chez elle, et nous nous en contentâmes.

A peine débarqués, tandis que les matelots allumaient du feu pour la bouillabaisse, le patron m'appela, et, me montrant un petit enclos de maçonnerie blanche perdu dans la brume au bout de l'île :

« Venez-vous au cimetière ? me dit-il.

— Un cimetière, patron Lionetti ! Où sommes-nous donc ?

— Aux îles Lavezzi, monsieur. C'est ici que sont enterrés les six cents hommes de la *Sémillante*, à l'endroit même où leur frégate s'est perdue, il y a dix ans... Pauvres gens ! Ils ne reçoivent pas beaucoup de visites ; c'est bien le moins que nous allions leur dire bonjour, puisque nous voilà...

— De tout mon cœur, patron. »

Qu'il était triste le cimetière de la *Sémillante* !... Je le vois encore avec sa petite muraille basse, sa porte de fer, rouillée, dure à ouvrir, sa chapelle silencieuse, et des centaines de croix noires cachées par l'herbe... Pas une couronne d'immortelles, pas un souvenir ! rien... Ah ! les pauvres morts abandonnés, comme ils doivent avoir froid dans leur tombe de hasard !

Nous restâmes là un moment agenouillés. Le patron priait à haute voix. D'énormes goélands, seuls gardiens du cimetière, tournoyaient sur nos têtes et mêlaient leurs cris rauques aux lamentations de la mer.

La prière finie, nous revînmes tristement vers le coin de l'île où la barque était amarrée. En notre absence, les matelots n'avaient pas perdu leur temps. Nous trouvâmes un grand feu flambant à l'abri d'une roche, et la marmite qui fumait. On s'assit en rond, les pieds à la flamme, et bientôt chacun eut sur ses genoux, dans une écuelle de terre rouge, deux tranches de pain noir arrosées largement. Le repas fut silencieux : nous étions mouillés, nous avions faim, et puis le voisinage du cimetière... Pourtant, quand les écuelles furent vidées, on alluma les pipes et on se mit à causer un peu. Naturellement, on parlait de la *Sémillante*.

« Mais enfin, comment la chose s'est-elle passée ? demandai-je au patron qui, la tête dans ses mains, regardait la flamme d'un air pensif.

— Comment la chose s'est passée ? me répondit le bon Lionetti avec un gros soupir, hélas ! monsieur, personne au monde ne pourrait le dire. Tout ce que nous savons, c'est que la *Sémillante*, chargée de troupes pour la Crimée, était partie de Toulon, la veille au soir, avec le mauvais temps. La nuit, ça se gâta encore. Du vent, de la pluie, la mer énorme comme on ne l'avait jamais vue... Le matin, le vent tomba un peu, mais la mer était toujours dans tous ses états, et avec cela une sacrée brume du diable à ne pas distinguer un fanal à quatre pas... Ces brumes-là, monsieur, on ne se doute pas comme c'est traître... Ça ne fait rien, j'ai idée que la *Sémillante* a dû perdre son gouvernail dans la matinée ; car, il n'y a pas de brume qui tienne, sans une avarie, jamais le capitaine ne serait venu s'aplatir ici contre. C'était un rude marin, que nous connaissions tous. Il avait commandé la station en Corse pendant trois ans, et savait sa côte aussi bien que moi, qui ne sais pas autre chose.

— Et à quelle heure pense-t-on que la *Sémillante* a péri ?

— Ce doit être à midi ; oui, monsieur, en plein midi... Mais dame ! avec la brume de mer, ce plein midi-là ne valait guère mieux qu'une nuit noire comme la gueule d'un loup... Un douanier de la côte m'a raconté que ce jour-là, vers onze heures et demie, étant sorti de sa maisonnette pour rattacher ses volets, il avait eu sa casquette emportée d'un coup de vent, et qu'au risque d'être enlevé lui-même par la lame, il s'était mis à courir après, le long du rivage, à quatre pattes. Vous comprenez ! les douaniers ne sont pas riches, et une casquette, ça coûte cher. Or, il paraîtrait qu'à un moment notre homme, en relevant la tête, aurait aperçu tout près de lui, dans la brume, un gros navire à sec de toiles qui fuyait sous le vent du côté des îles Lavezzi. Ce navire allait si vite, si vite, que le douanier n'eut guère le temps de bien voir. Tout fait croire cependant que c'était la *Sémillante*, puisque une demi-heure après le berger des îles a entendu sur ces roches... Mais précisément voici le berger dont je vous parle, monsieur ; il va vous conter la chose lui-même... Bonjour, Palombo !... viens te chauffer un peu ; n'aie pas peur. »

Un homme encapuchonné, que je voyais rôder depuis un moment autour de notre feu et que j'avais pris pour quelqu'un de l'équipage, car j'ignorais qu'il y eût un berger dans l'île, s'approcha de nous craintivement.

C'était un vieux lépreux, aux trois quarts idiot, atteint de je ne sais quel mal scorbutique qui lui faisait de grosses lèvres lippues, horribles à voir. On lui expliqua à grand-peine de quoi il s'agissait. Alors, soulevant du doigt sa lèvre malade, le vieux nous raconta qu'en effet, le jour en question, vers midi, il entendit de sa cabane un craquement effroyable sur les roches. Comme l'île était toute couverte d'eau, il n'avait pas pu sortir, et ce fut le lendemain seulement qu'en ouvrant sa porte il avait vu le rivage encombré de débris et de cadavres laissés là par la mer. Epouvanté, il s'était enfui en courant vers sa barque, pour aller à Bonifacio chercher du monde.

Fatigué d'en avoir tant dit, le berger s'assit et le patron reprit la parole :

« Oui, monsieur, c'est ce pauvre vieux qui est venu nous prévenir. Il était presque fou de peur ; et, de l'affaire, sa cervelle en est restée détraquée. Le fait est qu'il y avait de quoi... Figurez-vous six cents cadavres en tas sur le sable, pêle-mêle avec les éclats de bois et les lambeaux de toile... Pauvre *Sémillante* !... La mer l'avait broyée du coup, et si bien mise en miettes que dans tous ses débris le berger Palombo n'a trouvé qu'à grand-peine de quoi faire une palissade autour de sa hutte... Quant aux hommes, presque tous défigurés, mutilés affreusement... C'était pitié de les voir accrochés les uns aux autres, par grappes... Nous trouvâmes le capitaine en grand costume, l'aumônier son étole au cou ; dans un coin, entre deux roches, un petit mousse, les yeux ouverts...

on aurait cru qu'il vivait encore ; mais non ! il était dit que pas un n'en réchapperait... »

Ici le patron s'interrompit :

« Attention, Nardi ! cria-t-il, le feu s'éteint. »

Nardi jeta sur la braise deux ou trois morceaux de planches goudronnées qui s'enflammèrent, et Lionetti continua :

« Ce qu'il y a de plus triste dans cette histoire, le voici... Trois semaines avant le sinistre, une petite corvette, qui allait en Crimée comme la *Sémillante*, avait fait naufrage de la même façon, presque au même endroit ; seulement, cette fois-là, nous étions parvenus à sauver l'équipage et vingt soldats du train qui se trouvaient à bord... Ces pauvres tringlots [1] n'étaient pas à leur affaire, vous pensez ! On les emmena à Bonifacio et nous les gardâmes pendant deux jours avec nous, à la *marine*... Une fois bien secs et remis sur pied, bonsoir ! bonne chance ! ils retournèrent à Toulon, où, quelque temps après, on les embarqua de nouveau pour la Crimée... Devinez sur quel navire !... Sur la *Sémillante*, monsieur... Nous les avons retrouvés tous, tous les vingt, couchés parmi les morts, à la place où nous sommes... Je relevai moi-même un joli brigadier à fines moustaches, un blondin de Paris, que j'avais couché à la maison et qui nous avait fait rire tout le temps avec ses histoires... De le voir là, ça me creva le cœur... Ah ! Santa Madre !... »

Là-dessus, le brave Lionetti, tout ému, secoua les cendres de sa pipe et se roula dans son caban en me souhaitant la bonne nuit... Pendant quelque temps encore, les matelots causèrent entre eux à demi-voix... Puis, l'une après l'autre, les pipes s'éteignirent... On ne parla plus... Le vieux berger s'en alla... Et je restai seul à rêver au milieu de l'équipage endormi.

Encore sous l'impression du lugubre récit que je venais d'entendre, j'essayais de reconstruire dans ma pensée le pauvre navire défunt et l'histoire de cette agonie dont les goélands ont été seuls témoins. Quelques détails qui m'avaient frappé, le capitaine en grand costume, l'étole de l'aumônier, les vingt soldats du train, m'aidaient à deviner toutes les péripéties du drame... Je voyais la frégate partant de Toulon dans la nuit... Elle sort du port. La mer est mauvaise, le vent terrible ; mais on a pour capitaine un vaillant marin, et tout le monde est tranquille à bord...

Le matin, la brume de mer se lève. On commence à être inquiet.

1. Soldats du train des équipages.

Tout l'équipage est en haut. Le capitaine ne quitte pas la dunette... Dans l'entrepont, où les soldats sont renfermés, il fait noir ; l'atmosphère est chaude. Quelques-uns sont malades, couchés sur leurs sacs. Le navire tangue horriblement ; impossible de se tenir debout. On cause assis à terre, par groupes, en se cramponnant aux bancs ; il faut crier pour s'entendre. Il y en a qui commencent à avoir peur... Ecoutez donc ! les naufrages sont fréquents dans ces parages-ci ; les tringlots sont là pour le dire, et ce qu'ils racontent n'est pas rassurant. Leur brigadier surtout, un Parisien, qui blague toujours, vous donne la chair de poule avec ses plaisanteries :

« Un naufrage !... mais c'est très amusant, un naufrage. Nous en serons quittes pour un bain à la glace, et puis on nous mènera à Bonifacio, histoire de manger des merles chez le patron Lionetti. »

Et les tringlots de rire...

Tout à coup, un craquement... Qu'est-ce que c'est ? Qu'arrive-t-il ?...

« Le gouvernail vient de partir, dit un matelot tout mouillé qui traverse l'entrepont en courant.

— Bon voyage ! » crie cet enragé de brigadier ; mais cela ne fait plus rire personne.

Grand tumulte sur le pont. La brume empêche de se voir. Les matelots vont et viennent effrayés, à tâtons... Plus de gouvernail ! La manœuvre est impossible... La *Sémillante*, en dérive, file comme le vent... C'est à ce moment que le douanier la voit passer ; il est onze heures et demie. A l'avant de la frégate, on entend comme un coup de canon... Les brisants ! les brisants !... C'est fini, il n'y a plus d'espoir, on va droit à la côte... Le capitaine descend dans sa cabine... Au bout d'un moment, il vient reprendre sa place sur la dunette, en grand costume... Il a voulu se faire beau pour mourir.

Dans l'entrepont, les soldats, anxieux, se regardent, sans rien dire... Les malades essaient de se redresser... le petit brigadier ne rit plus... C'est alors que la porte s'ouvre et que l'aumônier paraît sur le seuil avec son étole :

« A genoux, mes enfants ! »

Tout le monde obéit. D'une voix retentissante, le prêtre commence la prière des agonisants.

Soudain, un choc formidable, un cri, un seul cri, un cri immense, des bras tendus, des mains qui se cramponnent, des regards effarés où la vision de la mort passe comme un éclair...

Miséricorde !...

C'est ainsi que je passai toute la nuit à rêver, évoquant, à dix ans de distance, l'âme du pauvre navire dont les débris m'entouraient... Au loin, dans le détroit, la tempête faisait rage ; la flamme du bivouac se courbait sous la rafale ; et j'entendais notre barque danser au pied des roches en faisant crier son amarre.

LES DOUANIERS

Le bateau l'*Emilie*, de Porto-Vecchio, à bord duquel j'ai fait ce lugubre voyage aux îles Lavezzi, était une vieille embarcation de la douane, à demi pontée, où l'on n'avait pour s'abriter du vent, des lames, de la pluie, qu'un petit rouf goudronné, à peine assez large pour tenir une table et deux couchettes. Aussi il fallait voir nos matelots par le gros temps. Les figures ruisselaient, les vareuses trempées fumaient comme du linge à l'étuve, et en plein hiver les malheureux passaient ainsi des journées entières, même des nuits, accroupis sur leurs bancs mouillés, à grelotter dans cette humidité malsaine ; car on ne pouvait pas allumer de feu à bord, et la rive était souvent difficile à atteindre... Eh bien, pas un de ces hommes ne se plaignait. Par les temps les plus rudes, je leur ai toujours vu la même placidité, la même bonne humeur. Et pourtant, quelle triste vie que celle de ces matelots douaniers !

Presque tous mariés, ayant femme et enfants à terre, ils restent des mois dehors, à louvoyer sur ces côtes si dangereuses. Pour se nourrir, ils n'ont guère que du pain moisi et des oignons sauvages. Jamais de vin, jamais de viande, parce que la viande et le vin coûtent cher et qu'ils ne gagnent que cinq cents francs par an ! Cinq cents francs par an ! Vous pensez si la hutte doit être noire là-bas à la *marine*, et si les enfants doivent aller pieds nus !... N'importe ! Tous ces gens-là paraissent contents. Il y avait à l'arrière, devant le rouf, un grand baquet plein d'eau de pluie où l'équipage venait boire, et je me rappelle que, la dernière gorgée finie, chacun de ces pauvres diables secouait son gobelet avec un « Ah ! » de satisfaction, une expression de bien-être à la fois comique et attendrissante.

Le plus gai, le plus satisfait de tous, était un petit Bonifacien hâlé et trapu qu'on appelait Palombo. Celui-là ne faisait que chanter, même dans les plus gros temps. Quand la lame devenait lourde, quand le ciel assombri et bas se remplissait de grésil, et qu'on était là tous, le nez en l'air, la main sur l'écoute, à guetter le coup de vent qui allait venir, alors, dans le grand silence et l'anxiété du bord, la voix tranquille de Palombo commençait :

Non, monseigneur,
C'est trop d'honneur.
Lisette est sa... age,
Reste au villa... age...

Et la rafale avait beau souffler, faire gémir les agrès, secouer et inonder la barque, la chanson du douanier allait son train, balancée comme une mouette à la pointe des vagues. Quelquefois le vent accompagnait trop fort, on n'entendait plus les paroles ; mais, entre chaque coup de mer, dans le ruissellement de l'eau qui s'égouttait, le petit refrain revenait toujours :

Lisette est sa... age,
Reste au villa... age.

Un jour, pourtant, qu'il ventait et pleuvait très fort, je ne l'entendis pas. C'était si extraordinaire, que je sortis la tête du rouf :

« Eh ! Palombo, on ne chante donc plus ? »

Palombo ne répondit pas. Il était immobile, couché sous son banc. Je m'approchai de lui. Ses dents claquaient ; tout son corps tremblait de fièvre.

« Il a une *pountoura* », me dirent ses camarades tristement.

Ce qu'ils appellent *pountoura*, c'est un point de côté, une pleurésie. Ce grand ciel plombé, cette barque ruisselante, ce pauvre fiévreux roulé dans un vieux manteau de caoutchouc qui luisait sous la pluie comme une peau de phoque, je n'ai jamais rien vu de plus lugubre. Bientôt le froid, le vent, la secousse des vagues, aggravèrent son mal. Le délire le prit ; il fallut aborder.

Après beaucoup de temps et d'efforts, nous entrâmes vers le soir dans un petit port aride et silencieux qu'animait seulement le vol circulaire de quelques *gouailles*. Tout autour de la plage montaient de hautes roches escarpées, des maquis inextricables d'arbustes verts, d'un vert sombre, sans saison. En bas, au bord de l'eau, une petite maison blanche à volets gris : c'était le poste de la douane. Au milieu de ce désert, cette bâtisse de l'Etat, numérotée comme une casquette d'uniforme, avait quelque chose de sinistre. C'est là qu'on descendit le malheureux Palombo. Triste asile pour un malade ! Nous trouvâmes le douanier en train de manger au coin du feu avec sa femme et ses enfants. Tout ce monde-là vous avait des mines hâves, jaunes, des yeux agrandis, cerclés de fièvre. La mère, jeune encore, un nourrisson sur les bras, grelottait en nous parlant.

« C'est un poste terrible, me dit tout bas l'inspecteur. Nous sommes obligés de renouveler nos douaniers tous les deux ans. La fièvre de marais les mange... »

Il s'agissait cependant de se procurer un médecin. Il n'y en avait pas avant Sartène, c'est-à-dire à six ou huit lieues de là. Comment faire ? Nos matelots n'en pouvaient plus ; c'était trop loin pour envoyer un des enfants. Alors la femme, se penchant dehors, appela :

« Cecco !... Cecco ! »

Et nous vîmes entrer un grand gars bien découplé, vrai type de braconnier ou de *banditto*, avec son bonnet de laine brune et son *pelone* en poils de chèvre. En débarquant je l'avais déjà remarqué, assis devant la porte, sa pipe rouge aux dents, un fusil entre les jambes ; mais, je ne sais pourquoi, il s'était enfui à notre approche. Peut-être croyait-il que nous avions des gendarmes avec nous. Quand il entra, la douanière rougit un peu.

« C'est mon cousin... nous dit-elle. Pas de danger que celui-là se perde dans le maquis. »

Puis elle lui parla tout bas, en montrant le malade. L'homme s'inclina sans répondre, sortit, siffla son chien, et le voilà parti, le fusil sur l'épaule, sautant de roche en roche avec ses longues jambes.

Pendant ce temps-là les enfants, que la présence de l'inspecteur semblait terrifier, finissaient vite leur dîner de châtaignes et de *brucio* (fromage blanc). Et toujours de l'eau, rien que de l'eau sur la table ! Pourtant, c'eût été bien bon, un coup de vin, pour ces petits. Ah ! misère ! Enfin la mère monta les coucher ; le père, allumant son falot, alla inspecter la côte, et nous restâmes au coin du feu à veiller notre malade qui s'agitait sur son grabat, comme s'il était encore en pleine mer, secoué par les lames. Pour calmer un peu sa *pountoura*, nous faisions chauffer des galets, des briques qu'on lui posait sur le côté. Une ou deux fois, quand je m'approchai de son lit, le malheureux me reconnut, et, pour me remercier, me tendit péniblement la main, une grosse main râpeuse et brûlante comme une de ces briques sorties du feu...

Triste veillée ! Au-dehors, le mauvais temps avait repris avec la tombée du jour, et c'était un fracas, un roulement, un jaillissement d'écume, la bataille des roches et de l'eau. De temps en temps, le coup de vent du large parvenait à se glisser dans la baie et enveloppait notre maison. On le sentait à la montée subite de la flamme qui éclairait tout à coup les visages mornes des matelots, groupés autour de la cheminée et regardant le feu avec cette placidité d'expression que donne l'habitude des grandes étendues et des horizons pareils. Parfois aussi, Palombo se plaignait doucement. Alors tous les yeux se tournaient vers le coin obscur où le pauvre camarade était en train de mourir, loin des siens, sans secours ; les poitrines se gonflaient et l'on entendait de gros soupirs. C'est tout ce qu'arrachait à ces ouvriers de la mer, patients et doux, le sentiment de leur propre infortune. Pas de révoltes, pas de grèves. Un soupir, et rien de plus !... Si, pourtant, je me trompe. En passant devant moi pour jeter une bourrée au feu, un d'eux me dit tout bas d'une voix navrée :

« Voyez-vous, monsieur... on a quelquefois beaucoup *du* tourment dans notre métier ! »

LE CURÉ DE CUCUGNAN

Tous les ans, à la Chandeleur, les poètes provençaux publient en Avignon un joyeux petit livre rempli jusqu'aux bords de beaux vers et de jolis contes. Celui de cette année m'arrive à l'instant, et j'y trouve un adorable fabliau que je vais essayer de vous traduire en l'abrégeant un peu... Parisiens, tendez vos mannes. C'est de la fine fleur de farine provençale qu'on va vous servir cette fois...

L'abbé Martin était curé... de Cucugnan.

Bon comme le pain, franc comme l'or, il aimait paternellement ses Cucugnanais ; pour lui, son Cucugnan aurait été le paradis sur terre, si les Cucugnanais lui avaient donné un peu plus de satisfaction. Mais, hélas ! les araignées filaient dans son confessionnal, et, le beau jour de Pâques, les hosties restaient au fond de son saint ciboire. Le bon prêtre en avait le cœur meurtri, et toujours il demandait à Dieu la grâce de ne pas mourir avant d'avoir ramené au bercail son troupeau dispersé.

Or, vous allez voir que Dieu l'entendit.

Un dimanche, après l'Evangile, M. Martin monta en chaire.

Mes frères, dit-il, vous me croirez si vous voulez ; l'autre nuit, je me suis trouvé, moi misérable pécheur, à la porte du paradis.

Je frappai : saint Pierre m'ouvrit !

« Tiens ! c'est vous, mon brave monsieur Martin, me fit-il ; quel bon vent ?... et qu'y a-t-il pour votre service ?

— Beau saint Pierre, vous qui tenez le grand livre et la clef, pourriez-vous me dire, si je ne suis pas trop curieux, combien vous avez de Cucugnanais en paradis ?

— Je n'ai rien à vous refuser, monsieur Martin ; asseyez-vous, nous allons voir la chose ensemble. »

Et saint Pierre prit son gros livre, l'ouvrit, mit ses besicles :

« Voyons un peu : Cucugnan, disons-nous. Cu... Cu... Cucugnan. Nous y sommes. Cucugnan... Mon brave monsieur Martin, la page est toute blanche. Pas une âme... Pas plus de Cucugnanais que d'arêtes dans une dinde.

— Comment ! Personne de Cucugnan ici ? Personne ? Ce n'est pas possible ! Regardez mieux...

— Personne, saint homme. Regardez vous-même, si vous croyez que je plaisante. »

Moi, pécaïre ! je frappais des pieds, et, les mains jointes, je criais miséricorde. Alors, saint Pierre :

« Croyez-moi, monsieur Martin, il ne faut pas ainsi vous mettre le cœur à l'envers, car vous pourriez en avoir quelque mauvais coup de sang. Ce n'est pas votre faute, après tout. Vos Cucugnanais, voyez-vous, doivent faire à coup sûr leur petite quarantaine en purgatoire.

— Ah ! par charité, grand saint Pierre ! faites que je puisse au moins les voir et les consoler.

— Volontiers, mon ami... Tenez, chaussez vite ces sandales, car les chemins ne sont pas beaux de reste... Voilà qui est bien... Maintenant, cheminez droit devant vous. Voyez-vous là-bas, au fond, en tournant ? Vous trouverez une porte d'argent toute constellée de croix noires... à main droite... Vous frapperez, on vous ouvrira... Adessias ! Tenez-vous sain et gaillardet. »

Et je cheminai... je cheminai ! Quelle battue ! j'ai la chair de poule, rien que d'y songer. Un petit sentier, plein de ronces, d'escarboucles qui luisaient et de serpents qui sifflaient, m'amena jusqu'à la porte d'argent.

« Pan ! pan !

— Qui frappe ? me fait une voix rauque et dolente.

— Le curé de Cucugnan.

— De... ?

— De Cucugnan.

— Ah !... Entrez. »

J'entrai. Un grand bel ange, avec des ailes sombres comme la nuit, avec une robe resplendissante comme le jour, avec une clef de diamant pendue à sa ceinture, écrivait, cra-cra, dans un grand livre plus gros que celui de saint Pierre...

« Finalement, que voulez-vous et que demandez-vous ? dit l'ange.

— Bel ange de Dieu, je veux savoir — je suis bien curieux peut-être, — si vous avez ici les Cucugnanais.

— Les... ?

— Les Cucugnanais, les gens de Cucugnan... que c'est moi qui suis leur prieur.

— Ah ! l'abbé Martin, n'est-ce pas ?

— Pour vous servir, monsieur l'ange.

— Vous dites donc Cucugnan... »

Et l'ange ouvre et feuillette son grand livre, mouillant son doigt de salive pour que le feuillet glisse mieux...

« Cucugnan, dit-il en poussant un long soupir... Monsieur Martin, nous n'avons en purgatoire personne de Cucugnan.

— Jésus ! Marie ! Joseph ! personne de Cucugnan en purgatoire ! O grand Dieu ! où sont-ils donc ?

— Eh ! saint homme, ils sont en paradis. Où diantre voulez-vous qu'ils soient ?

— Mais j'en viens, du paradis...

— Vous en venez !... Eh bien ?

— Eh bien ! ils n'y sont pas !... Ah ! bonne mère des anges !...

— Que voulez-vous, monsieur le curé ! s'ils ne sont ni en paradis ni en purgatoire, il n'y a pas de milieu, ils sont...

— Sainte croix ! Jésus, fils de David ! Aï ! aï ! aï ! est-il possible ?... Serait-ce un mensonge du grand saint Pierre ?... Pourtant je n'ai pas entendu chanter le coq !... Aï ! pauvres nous ! Comment irai-je en paradis si mes Cucugnanais n'y sont pas ?

— Ecoutez, mon pauvre monsieur Martin, puisque vous voulez coûte que coûte être sûr de tout ceci, et voir de vos yeux de quoi il retourne, prenez ce sentier, filez en courant, si vous savez courir. Vous trouverez, à gauche, un grand portail. Là, vous vous renseignerez sur tout. Dieu vous le donne ! »

Et l'ange ferma la porte.

C'était un long sentier tout pavé de braise rouge. Je chancelais comme si j'avais bu ; à chaque pas, je trébuchais ; j'étais tout en eau, chaque poil de mon corps avait sa goutte de sueur, et je haletais de soif... Mais, ma foi, grâce aux sandales que le bon saint Pierre m'avait prêtées, je ne me brûlais pas les pieds.

Quand j'eus fait assez de faux pas clopin-clopant, je vis à ma main gauche une porte... non, un portail, un énorme portail, tout bâillant, comme la porte d'un grand four. Oh ! mes enfants, quel spectacle ! Là, on ne demande pas mon nom ; là, point de registre. Par fournées et à pleine porte, on entre là, mes frères, comme le dimanche vous entrez au cabaret.

« Je suais à grosses gouttes, et pourtant j'étais transi, j'avais le frisson. Mes cheveux se dressaient. Je sentais le brûlé, la chair rôtie, quelque chose comme l'odeur qui se répand dans notre Cucugnan quand Eloy, le maréchal, brûle pour la ferrer la botte d'un vieil âne. Je perdais haleine dans cet air puant et embrasé ; j'entendais une clameur horrible, des gémissements, des hurlements et des jurements.

« Eh bien, entres-tu ou n'entres-tu pas, toi ? me fait, en me piquant de sa fourche, un démon cornu.

— Moi ? Je n'entre pas. Je suis un ami de Dieu.

— Tu es un ami de Dieu... Eh ! b... de teigneux ! que viens-tu faire ici ?...

— Je viens... Ah ! ne m'en parlez pas, que je ne puis plus me tenir sur mes jambes... Je viens... je viens de loin... humblement vous demander... si... si, par coup de hasard... vous n'auriez pas ici... quelqu'un... quelqu'un de Cucugnan...

— Ah ! feu de Dieu ! tu fais la bête, toi, comme si tu ne savais pas que tout Cucugnan est ici. Tiens, laid corbeau, regarde, et tu verras comme nous les arrangeons ici, tes fameux Cucugnanais... »

Et je vis, au milieu d'un épouvantable tourbillon de flamme :

Le long Coq-Galine — vous l'avez tous connu, mes frères —, Coq-Galine, qui se grisait si souvent, et si souvent secouait les puces à sa pauvre Clairon.

Je vis Catarinet... cette petite gueuse, avec son nez en l'air... qui couchait toute seule à la grange... Il vous en souvient, mes drôles !... Mais passons, j'en ai trop dit.

Je vis Pascal Doigt-de-Paix, qui faisait son huile avec les olives de M. Julien.

Je vis Babet la glaneuse, qui, en glanant, pour avoir plus vite noué sa gerbe, puisait à poignées aux gerbiers.

Je vis maître Grapazi, qui huilait si bien la roue de sa brouette.

Et Dauphine, qui vendait si cher l'eau de son puits.

Et le Tortillard, qui, lorsqu'il me rencontrait portant le bon Dieu, filait son chemin, la barrette sur la tête et la pipe au bec... et fier comme Artaban... comme s'il avait rencontré un chien.

Et Coulau avec sa Zette, et Jacques et Pierre, et Toni... »

Emu, blême de peur, l'auditoire gémit, en voyant, dans l'enfer tout ouvert, qui son père et qui sa mère, qui sa grand-mère et qui sa sœur...

« Vous sentez bien, mes frères, reprit le bon abbé Martin, vous sentez bien que ceci ne peut pas durer. J'ai charge d'âmes, et je veux, je veux vous sauver de l'abîme où vous êtes tous en train de rouler, tête première. Demain je me mets à l'ouvrage, pas plus tard que demain. Et l'ouvrage ne manquera pas ! Voici comment je m'y prendrai. Pour que tout se fasse bien, il faut tout faire avec ordre. Nous irons rang par rang, comme à Jonquières quand on danse.

Demain lundi, je confesserai les vieux et les vieilles. Ce n'est rien.

Mardi, les enfants. J'aurai bientôt fait.

Mercredi, les garçons et les filles. Cela pourra être long.

Jeudi, les hommes. Nous couperons court.

Vendredi, les femmes. Je dirai : Pas d'histoires !

Samedi, le meunier !... Ce n'est pas trop d'un jour pour lui tout seul !...

Et, si dimanche nous avons fini, nous serons bien heureux.

Voyez-vous, mes enfants, quand le blé est mûr, il faut le couper ; quand le vin est tiré, il faut le boire. Voilà assez de linge sale, il s'agit de le laver, et de le bien laver.

C'est la grâce que je vous souhaite. *Amen !* »

Ce qui fut dit fut fait. On coula la lessive.

Depuis ce dimanche mémorable, le parfum des vertus de Cucugnan se respire à dix lieues à l'entour.

Et le bon pasteur, M. Martin, heureux et plein d'allégresse, a rêvé l'autre nuit que, suivi de tout son troupeau, il gravissait, en resplendissante procession, au milieu des cierges allumés, d'un nuage d'encens qui embaumait et des enfants de chœur qui chantaient *Te Deum*, le chemin éclairé de la cité de Dieu.

Et voilà l'histoire du curé de Cucugnan, telle que m'a ordonné de vous la dire ce grand gueusard de Roumanille, qui la tenait lui-même d'un autre bon compagnon.

LES VIEUX

« Une lettre, père Azan ?

— Oui, monsieur... ça vient de Paris. »

Il était tout fier que ça vînt de Paris, ce brave père Azan... Pas moi. Quelque chose me disait que cette Parisienne de la rue Jean-Jacques, tombant sur ma table à l'improviste et de si grand matin, allait me faire perdre toute ma journée. Je ne me trompais pas, voyez plutôt :

Il faut que tu me rendes un service, mon ami. Tu vas fermer ton moulin pour un jour et t'en aller tout de suite à Eyguières... Eyguières est un gros bourg à trois ou quatre lieues de chez toi, — une promenade. En arrivant, tu demanderas le couvent des Orphelines. La première maison après le couvent est une maison basse à volets gris avec un jardinet derrière. Tu entreras sans frapper — la porte est toujours ouverte — et, en entrant, tu crieras bien fort : « Bonjour, braves gens ! Je suis l'ami de Maurice... » Alors, tu verras deux petits vieux, oh ! mais vieux, vieux, archi-vieux, te tendre les bras du fond de leurs grands fauteuils, et tu les embrasseras de ma part, avec tout ton cœur, comme s'ils étaient à toi. Puis vous causerez ; ils te parleront de moi, rien que de moi ; ils te raconteront mille folies que tu écouteras sans rire... Tu ne riras pas, hein ?... Ce sont mes grands-parents, deux êtres dont je suis toute la vie et qui ne m'ont pas vu depuis dix ans... Dix ans, c'est long ! Mais que veux-tu ! Moi, Paris me tient ; eux, c'est le grand âge... Ils sont si vieux, s'ils venaient me voir, ils se casseraient en route... Heureusement, tu es là-bas, mon cher meunier, et, en t'embrassant, les pauvres gens croiront m'embrasser un peu moi-même... Je leur ai si souvent parlé de nous et de cette bonne amitié dont...

Le diable soit de l'amitié ! Justement ce matin-là il faisait un temps admirable, mais qui ne valait rien pour courir les routes : trop de mistral et trop de soleil, une vraie journée de Provence. Quand cette maudite lettre arriva, j'avais déjà choisi mon *cagnard* (abri) entre deux roches, et je rêvais de rester là tout le jour, comme un lézard, à boire de la lumière, en écoutant chanter les pins... Enfin, que voulez-vous faire ? Je fermai le moulin en maugréant, je mis la clef sous la chatière. Mon bâton, ma pipe, et me voilà parti.

J'arrivai à Eyguières vers deux heures. Le village était désert, tout le monde aux champs. Dans les ormes du cours, blancs de poussière, les cigales chantaient comme en pleine Crau. Il y avait bien sur la place de la mairie un âne qui prenait le soleil, un vol de pigeons sur la fontaine de l'église, mais personne pour m'indiquer l'orphelinat. Par bonheur une vieille fée m'apparut tout à coup, accroupie et filant dans l'encoignure de sa porte ; je lui dis ce que je cherchais ; et comme cette fée était très puissante, elle n'eut qu'à lever sa quenouille, aussitôt le couvent des Orphelines se dressa devant moi comme par magie... C'était une grande maison maussade et noire, toute fière de montrer au-dessus de son portail en ogive une vieille croix de grès rouge avec un peu de latin autour. A côté de cette maison, j'en aperçus une autre plus petite. Des volets gris, le jardin derrière... Je la reconnus tout de suite, et j'entrai sans frapper.

Je reverrai toute ma vie ce long corridor frais et calme, la muraille peinte en rose, le jardinet qui tremblait au fond à travers un store de couleur claire, et sur tous les panneaux des fleurs et des violons fanés. Il me semblait que j'arrivais chez quelque vieux bailli du temps de Sedaine... Au bout du couloir, sur la gauche, par une porte entrouverte on entendait le tic-tac d'une grosse horloge et une voix d'enfant, mais d'enfant à l'école, qui lisait en s'arrêtant à chaque syllabe : A... LORS... SAINT... I... RÉNÉE... S'ÉCRIA... JE... SUIS... LE... FRO... MENT... DU SEIGNEUR... IL... FAUT... QUE... JE... SOIS... MOU... LU... PAR... LA... DENT... DE... CES... A...NI...MAUX... Je m'approchai doucement de cette porte et je regardai...

Dans le calme et le demi-jour d'une petite chambre, un bon vieux à pommettes roses, ridé jusqu'au bout des doigts, dormait au fond d'un fauteuil, la bouche ouverte, les mains sur ses genoux. A ses pieds, une fillette habillée de bleu — grande pèlerine et petit béguin, le costume des orphelines — lisait la Vie de saint Irénée dans un livre plus gros qu'elle... Cette lecture miraculeuse avait opéré sur toute la maison. Le vieux dormait dans son fauteuil, les mouches au plafond, les canaris dans leur cage, là-bas sur la fenêtre. La grosse horloge ronflait, tic-tac, tic-tac. Il n'y avait d'éveillé dans toute la chambre qu'une grande bande de lumière qui tombait droite et blanche entre les volets clos, pleine d'étincelles vivantes et de valses microscopiques... Au milieu de l'assoupissement général, l'enfant continuait sa lecture d'un air grave : AUS... SI... TÔT... DEUX... LIONS... SE... PRÉ... CI... PI... TÈ... RENT... SUR... LUI... ET... LE... DÉ... VO... RÈ... RENT... C'est à ce moment que j'entrai... Les lions de saint Irénée se précipitant dans la chambre n'y auraient pas produit plus de stupeur que moi. Un vrai coup de théâtre ! La petite pousse un cri, le gros livre tombe, les canaris, les mouches se réveillent, la pendule sonne, le vieux se dresse en sursaut, tout effaré, et moi-même, un peu troublé, je m'arrête sur le seuil en criant bien fort :

« Bonjour, braves gens ! Je suis l'ami de Maurice. »

Oh ! alors, si vous l'aviez vu, le pauvre vieux, si vous l'aviez vu venir vers moi les bras tendus, m'embrasser, me serrer les mains, courir égaré dans la chambre, en faisant :

« Mon Dieu ! mon Dieu !... »

Toutes les rides de son visage riaient. Il était rouge. Il bégayait :

« Ah ! monsieur... ah ! monsieur... »

Puis il allait vers le fond en appelant :

« Mamette ! »

Une porte qui s'ouvre, un trot de souris dans le couloir... c'était Mamette. Rien de joli comme cette petite vieille avec son bonnet à coque, sa robe carmélite, et son mouchoir brodé qu'elle tenait à la main pour me faire honneur, à l'ancienne mode... Chose attendrissante : ils se ressemblaient. Avec un tour et des coques jaunes, il aurait pu s'appeler Mamette, lui aussi. Seulement la vraie Mamette avait dû beaucoup pleurer dans sa vie, et elle était encore plus ridée que l'autre. Comme l'autre aussi, elle avait près d'elle une enfant de l'orphelinat, petite garde en pèlerine bleue, qui ne la quittait jamais ; et de voir ces vieillards protégés par ces orphelines, c'était ce qu'on peut imaginer de plus touchant.

En entrant, Mamette avait commencé par me faire une grande révérence, mais d'un mot le vieux lui coupa sa révérence en deux :

« C'est l'ami de Maurice... »

Aussitôt la voilà qui tremble, qui pleure, perd son mouchoir, qui devient rouge, toute rouge, encore plus rouge que lui... Ces vieux ! ça n'a qu'une goutte de sang dans les veines, et à la moindre émotion elle leur saute au visage...

« Vite, vite, une chaise... dit la vieille à sa petite.

— Ouvre les volets... » crie le vieux à la sienne.

Et, me prenant chacun par une main, ils m'emmenèrent en trottinant jusqu'à la fenêtre, qu'on a ouverte toute grande pour mieux me voir. On approche les fauteuils, je m'installe entre les deux sur un pliant, les petites bleues derrière nous, et l'interrogatoire commence :

« Comment va-t-il ? Qu'est-ce qu'il fait ? Pourquoi ne vient-il pas ? Est-ce qu'il est content ?... »

Et patati ! et patata ! Comme cela pendant des heures.

Moi, je répondais de mon mieux à toutes leurs questions, donnant sur mon ami les détails que je savais, inventant effrontément ceux que je ne savais pas, me gardant surtout d'avouer que je n'avais jamais remarqué si ses fenêtres fermaient bien ou de quelle couleur était le papier de sa chambre.

« Le papier de sa chambre !... Il est bleu, madame, bleu clair, avec des guirlandes...

— Vraiment ? » faisait la pauvre vieille attendrie ; et elle ajoutait en se tournant vers son mari : « C'est un si brave enfant !

— Oh ! oui, c'est un brave enfant ! » reprenait l'autre avec enthousiasme.

Et, tout le temps que je parlais, c'étaient entre eux des hochements de tête, de petits rires fins, des clignements d'yeux, des airs entendus, ou bien encore, le vieux qui se rapprochait pour me dire :

« Parlez plus fort... Elle a l'oreille un peu dure. »

Et elle de son côté :

« Un peu plus haut, je vous prie !... Il n'entend pas très bien... »

Alors j'élevais la voix ; et tous deux me remerciaient d'un sourire ; et dans ces sourires fanés qui se penchaient vers moi, cherchant jusqu'au fond de mes yeux l'image de leur Maurice, moi, j'étais tout ému de la retrouver cette image vague, voilée, presque insaisissable, comme si je voyais mon ami me sourire, très loin, dans un brouillard.

Tout à coup le vieux se dresse sur son fauteuil :

« Mais j'y pense, Mamette... il n'a peut-être pas déjeuné ! »

Et, Mamette, effarée, les bras au ciel :

« Pas déjeuné !... Grand Dieu ! »

Je croyais qu'il s'agissait encore de Maurice, et j'allais répondre que ce brave enfant n'attendait jamais plus tard que midi pour se mettre à table. Mais non, c'était bien de moi qu'on parlait ; et il faut voir quel branle-bas quand j'avouai que j'étais encore à jeun :

« Vite le couvert, petites bleues ! La table au milieu de la chambre, la nappe du dimanche, les assiettes à fleurs. Et ne rions pas tant, s'il vous plaît ! et dépêchons-nous... »

Je crois bien qu'elles se dépêchaient. A peine le temps de casser trois assiettes, le déjeuner se trouva servi.

« Un bon petit déjeuner ! me disait Mamette en me conduisant à table ; seulement vous serez tout seul... Nous autres, nous avons déjà mangé ce matin. »

Ces pauvres vieux ! à quelque heure qu'on les prenne, ils ont toujours mangé le matin.

Le bon petit déjeuner de Mamette, c'était deux doigts de lait, des dattes et une *barquette*, quelque chose comme un échaudé ; de quoi la nourrir elle et ses canaris au moins pendant huit jours... Et dire qu'à moi seul je vins à bout de toutes ces provisions !... Aussi quelle indignation autour de la table ! Comme les petites bleues chuchotaient en se poussant du coude, et là-bas, au fond de leur cage, comme les canaris avaient l'air de se dire : « Oh ! ce monsieur qui mange toute la *barquette* ! »

Je la mangeai toute, en effet, et presque sans m'en apercevoir, occupé que j'étais à regarder autour de moi dans cette chambre claire et paisible où flottait comme une odeur de choses anciennes... Il y avait surtout deux petits lits dont je ne pouvais pas détacher mes yeux. Ces lits, presque des berceaux, je me les figurais le matin, au petit jour, quand ils sont encore enfouis sous leurs grands rideaux à franges. Trois heures sonnent. C'est l'heure où tous les vieux se réveillent :

« Tu dors, Mamette ?

— Non, mon ami.

— N'est-ce pas que Maurice est un brave enfant ?

— Oh ! oui, c'est un brave enfant. »

Et j'imaginais comme cela toute une causerie, rien que pour avoir vu ces deux petits lits de vieux, dressés l'un à côté de l'autre...

Pendant ce temps, un drame terrible se passait à l'autre bout de la chambre, devant l'armoire. Il s'agissait d'atteindre là-haut, sur le dernier rayon, certain bocal de cerises à l'eau-de-vie qui attendait Maurice depuis dix ans et dont on voulait me faire l'ouverture. Malgré les supplications de Mamette, le vieux avait tenu à aller chercher ses cerises lui-même ; et, monté sur une chaise au grand effroi de sa femme, il essayait d'arriver là-haut... Vous voyez le tableau d'ici, le vieux qui tremble et qui se hisse, les petites bleues cramponnées à sa chaise, Mamette derrière lui haletante, les bras tendus, et sur tout cela un léger parfum de bergamote qui s'exhale de l'armoire ouverte et des grandes piles de linge roux... C'était charmant.

Enfin, après bien des efforts, on parvint à le tirer de l'armoire, ce fameux bocal, et avec lui une vieille timbale d'argent toute bosselée, la timbale de Maurice quand il était petit. On me la remplit de cerises jusqu'au bord ; Maurice les aimait tant, les cerises ! Et tout en me servant, le vieux me disait à l'oreille d'un air de gourmandise :

« Vous êtes bien heureux, vous, de pouvoir en manger !... C'est ma femme qui les a faites... Vous allez goûter quelque chose de bon. »

Hélas ! sa femme les avait faites, mais elle avait oublié de les sucrer. Que voulez-vous ! on devient distrait en vieillissant. Elles étaient atroces, vos cerises, ma pauvre Mamette... Mais cela ne m'empêcha pas de les manger jusqu'au bout, sans sourciller.

Le repas terminé, je me levai pour prendre congé de mes hôtes. Ils auraient bien voulu me garder encore un peu pour causer du brave enfant, mais le jour baissait, le moulin était loin, il fallait partir.

Le vieux s'était levé en même temps que moi.

« Mamette, mon habit !... Je veux le conduire jusqu'à la place. »

Bien sûr qu'au fond d'elle-même, Mamette trouvait qu'il faisait déjà un peu frais pour me conduire jusqu'à la place ; mais elle n'en laissa rien paraître. Seulement, pendant qu'elle l'aidait à passer les manches de son habit, un bel habit tabac d'Espagne à boutons de nacre, j'entendais la chère créature qui lui disait doucement :

« Tu ne rentreras pas trop tard, n'est-ce pas ? »

Et lui, d'un petit air malin :

« Hé ! Hé !... je ne sais pas... peut-être... »

Là-dessus, ils se regardaient en riant, et les petites bleues riaient de les voir rire, et dans leur coin les canaris riaient aussi à leur manière... Entre nous, je crois que l'odeur des cerises les avait tous un peu grisés.

... La nuit tombait, quand nous sortîmes, le grand-père et moi. La petite bleue nous suivait de loin pour le ramener ; mais lui ne la voyait pas, il était tout fier de marcher à mon bras, comme un homme. Mamette, rayonnante, voyait cela du pas de sa porte, et elle avait en nous regardant de jolis hochements de tête qui semblaient dire : « Tout de même, mon pauvre homme !... il marche encore. »

BALLADES EN PROSE

En ouvrant ma porte ce matin, il y avait autour de mon moulin un grand tapis de gelée blanche. L'herbe luisait et craquait comme du verre ; toute la colline grelottait... Pour un jour ma chère Provence s'était déguisée en pays du Nord ; et c'est parmi les pins 'frangés de givre, les touffes de lavandes épanouies en bouquets de cristal, que j'ai écrit ces deux ballades d'une fantaisie un peu germanique, pendant que la gelée m'envoyait ses étincelles blanches, et que là-haut, dans le ciel, de grands triangles de cigognes venues du pays de Henri Heine descendaient vers la Camargue en criant : « Il fait froid... froid... »

1

La mort du Dauphin

Le petit Dauphin est malade, le petit Dauphin va mourir... Dans toutes les églises du royaume, le Saint-Sacrement demeure exposé nuit et jour et de grands cierges brûlent pour la guérison de l'enfant royal. Les rues de la vieille résidence sont tristes et silencieuses, les cloches ne sonnent plus, les voitures vont au pas... Aux abords du palais, les bourgeois curieux regardent, à travers les grilles, des suisses à bedaines dorées qui causent dans les cours d'un air important.

Tout le château est en émoi... Des chambellans, des majordomes, montent et descendent en courant les escaliers de marbre... Les galeries sont pleines de pages et de courtisans en habits de soie qui vont d'un groupe à l'autre quêter des nouvelles à voix basse. Sur les larges perrons, les dames d'honneur éplorées se font de grandes révérences en essuyant leurs yeux avec de jolis mouchoirs brodés.

Dans l'Orangerie, il y a nombreuse assemblée de médecins en robe. On les voit, à travers les vitres, agiter leurs longues manches noires et incliner doctoralement leurs perruques à marteaux... Le gouverneur et l'écuyer du petit Dauphin se promènent devant la porte, attendant les décisions de la Faculté. Des marmitons passent à côté d'eux sans les saluer. M. l'écuyer jure comme un païen, M. le gouverneur récite des vers d'Horace... Et pendant ce temps-là, là-bas, du côté des écuries, on entend un long hennissement plaintif. C'est l'alezan du petit Dauphin que les palefreniers oublient et qui appelle tristement devant sa mangeoire vide.

Et le roi ! Où est monseigneur le roi ?... Le roi s'est enfermé tout seul dans une chambre, au bout du château... Les Majestés n'aiment pas qu'on les voie pleurer... Pour la reine, c'est autre chose... Assise au chevet du petit Dauphin, elle a son beau visage baigné de larmes, et sanglote bien haut devant tous, comme ferait une drapière.

Dans sa couchette de dentelle, le petit Dauphin, plus blanc que les coussins sur lesquels il est étendu, repose, les yeux fermés. On croit qu'il dort ; mais non. Le petit Dauphin ne dort pas... Il se retourne vers sa mère, et voyant qu'elle pleure, il lui dit :

« Madame la Reine, pourquoi pleurez-vous ? Est-ce que vous croyez bonnement que je m'en vas mourir ? »

La reine veut répondre. Les sanglots l'empêchent de parler.

« Ne pleurez donc pas, madame la reine ; vous oubliez que je suis le Dauphin, et que les Dauphins ne peuvent pas mourir ainsi... »

La reine sanglote encore plus fort, et le petit Dauphin commence à s'effrayer.

« Holà, dit-il, je ne veux pas que la mort vienne me prendre, et je saurai bien l'empêcher d'arriver jusqu'ici... Qu'on fasse venir sur l'heure quarante lansquenets très forts pour monter la garde autour de notre lit !... Que cent gros canons veillent nuit et jour, mèche allumée, sous nos fenêtres ! Et malheur à la mort, si elle ose s'approcher de nous !... »

Pour complaire à l'enfant royal, la reine fait un signe. Sur l'heure, on entend les gros canons qui roulent dans la cour ; et quarante grands lansquenets, la pertuisane au poing, viennent se ranger autour de la chambre. Ce sont de vieux soudards à moustaches grises. Le petit Dauphin bat des mains en les voyant. Il en reconnaît un et l'appelle :

« Lorrain ! Lorrain ! »

Le soudard fait un pas vers le lit :

« Je t'aime bien, mon vieux Lorrain... Fais voir un peu ton grand sabre... Si la mort veut me prendre, il faut la tuer, n'est-ce pas ? »

Lorrain répond :

« Oui, monseigneur. »

Et il a deux grosses larmes qui coulent sur ses joues tannées.

A ce moment, l'aumônier s'approche du petit Dauphin et lui parle longtemps à voix basse en lui montrant un crucifix. Le petit Dauphin l'écoute d'un air fort étonné, puis tout à coup l'interrompant :

« Je comprends bien ce que vous me dites, monsieur l'abbé : mais enfin est-ce que mon petit ami Beppo ne pourrait pas mourir à ma place, en lui donnant beaucoup d'argent ?... »

L'aumônier continue à lui parler à voix basse, et le petit Dauphin a l'air de plus en plus étonné.

Quand l'aumônier a fini, le petit Dauphin reprend avec un gros soupir :

« Tout ce que vous me dites là est bien triste, monsieur l'abbé ; mais une chose me console, c'est que là-haut, dans le paradis des étoiles, je vais être encore le Dauphin... Je sais que le bon Dieu est mon cousin et ne peut pas manquer de me traiter selon mon rang. »

Puis il ajoute, en se tournant vers sa mère :

« Qu'on m'apporte mes plus beaux habits, mon pourpoint d'hermine blanche et mes escarpins de velours ! Je veux me faire brave pour les anges et entrer au paradis en costume de Dauphin. »

Une troisième fois, l'aumônier se penche vers le petit Dauphin et lui parle longuement à voix basse... Au milieu de son discours, l'enfant royal l'interrompt avec colère :

« Mais alors, crie-t-il, d'être Dauphin, ce n'est rien du tout ! »

Et, sans vouloir plus rien entendre, le petit Dauphin se tourne vers la muraille, et il pleure amèrement.

2

Le sous-préfet aux champs

M. le sous-préfet est en tournée. Cocher devant, laquais derrière, la calèche de la sous-préfecture l'emporte majestueusement au concours régional de la Combe-aux-Fées. Pour cette journée mémorable, M. le sous-préfet a mis son bel habit brodé, son petit claque, sa culotte collante à bandes d'argent et son épée de gala à poignée de nacre... Sur ses genoux repose une grande serviette en chagrin gaufré qu'il regarde tristement.

M. le sous-préfet regarde tristement sa serviette en chagrin gaufré : il songe au fameux discours qu'il va falloir prononcer tout à l'heure devant les habitants de la Combe-aux-Fées :

« Messieurs et chers administrés... »

Mais il a beau tortiller la soie blonde de ses favoris et répéter vingt fois de suite :

« Messieurs et chers administrés... » la suite du discours ne vient pas.

La suite du discours ne vient pas... Il fait si chaud dans cette calèche ! A perte de vue, la route de la Combe-aux-Fées poudroie sous le soleil du Midi... L'air est embrasé... et sur les ormeaux du bord du chemin, tout couverts de poussière blanche, des milliers de cigales se répondent d'un arbre à l'autre... Tout à coup M. le sous-préfet tressaille. Là-bas, au pied d'un coteau, il vient d'apercevoir un petit bois de chênes verts qui semble lui faire signe.

Le petit bois de chênes verts semble lui faire signe :

« Venez donc par ici, monsieur le sous-préfet ; pour composer votre discours, vous serez beaucoup mieux sous mes arbres... »

M. le sous-préfet est séduit ; il saute à bas de sa calèche et dit à ses gens de l'attendre, qu'il va composer son discours dans le petit bois de chênes verts.

Dans le petit bois de chênes verts il y a des oiseaux, des violettes, et des sources sous l'herbe fine... Quand ils ont aperçu M. le sous-préfet avec sa belle culotte et sa serviette en chagrin gaufré, les oiseaux ont eu peur et se sont arrêtés de chanter, les sources n'ont plus osé faire de bruit, et les violettes se sont cachées dans le gazon... Tout ce petit monde-là n'a jamais vu de sous-préfet, et se demande à voix basse quel est ce beau seigneur qui se promène en culotte d'argent.

A voix basse, sous la feuillée, on se demande quel est ce beau seigneur en culotte d'argent... Pendant ce temps-là, M. le sous-préfet, ravi du silence et de la fraîcheur du bois, relève les pans de son habit, pose son claque sur l'herbe et s'assied dans la mousse au pied d'un jeune chêne ; puis il ouvre sur ses genoux sa grande serviette de chagrin gaufré et en tire une large feuille de papier ministre.

« C'est un artiste ! dit la fauvette.

— Non, dit le bouvreuil, ce n'est pas un artiste, puisqu'il a une culotte en argent ; c'est plutôt un prince.

— C'est plutôt un prince, dit le bouvreuil.

— Ni un artiste, ni un prince, interrompt un vieux rossignol, qui a chanté toute une saison dans les jardins de la sous-préfecture... Je sais ce que c'est : c'est un sous-préfet ! »

Et tout le petit bois va chuchotant :

« C'est un sous-préfet ! c'est un sous-préfet !

— Comme il est chauve ! » remarque une alouette à grande huppe.

Les violettes demandent :

« Est-ce que c'est méchant ?

— Est-ce que c'est méchant ? » demandent les violettes.

Le vieux rossignol répond :

« Pas du tout ! »

Et sur cette assurance, les oiseaux se remettent à chanter, les sources à courir, les violettes à embaumer, comme si le monsieur n'était pas là... Impassible au milieu de tout ce joli tapage, M. le sous-préfet invoque dans son cœur la Muse des comices agricoles, et, le crayon levé, commence à déclamer de sa voix de cérémonie :

« Messieurs et chers administrés... »

« Messieurs et chers administrés », dit le sous-préfet de sa voix de cérémonie...

Un éclat de rire l'interrompt ; il se retourne et ne voit rien qu'un gros pivert qui le regarde en riant, perché sur son claque. Le sous-préfet hausse les épaules et veut continuer son discours ; mais le pivert l'interrompt encore et lui crie de loin :

« A quoi bon ?

— Comment ! à quoi bon ? » dit le sous-préfet, qui devient tout rouge ; et, chassant d'un geste cette bête effrontée, il reprend de plus belle :

« Messieurs et chers administrés... »

« Messieurs et chers administrés... » a repris le sous-préfet de plus belle.

Mais alors, voilà les petites violettes qui se haussent vers lui sur le bout de leurs tiges et qui lui disent doucement :

« Monsieur le sous-préfet, sentez-vous comme nous sentons bon ? »

Et les sources lui font sous la mousse une musique divine ; et dans les branches, au-dessus de sa tête, des tas de fauvettes viennent lui chanter leurs plus jolis airs : et tout le petit bois conspire pour l'empêcher de composer son discours.

Tout le petit bois conspire pour l'empêcher de composer son discours... M. le sous-préfet, grisé de parfums, ivre de musique, essaie vainement de résister au nouveau charme qui l'envahit. Il s'accoude sur l'herbe, dégrafe son bel habit, balbutie encore deux ou trois fois :

« Messieurs et chers administrés... Messieurs et chers admi... Messieurs et chers... »

Puis il envoie les administrés au diable ; et la Muse des comices agricoles n'a plus qu'à se voiler la face.

Voile-toi la face, ô Muse des comices agricoles !...

Lorsque, au bout d'une heure, les gens de la sous-préfecture, inquiets de leur maître, sont entrés dans le petit bois, ils ont vu un spectacle qui les a fait reculer d'horreur... M. le sous-préfet était couché sur le ventre, dans l'herbe, débraillé comme un bohème. Il avait mis son habit bas... et, tout en mâchonnant des violettes, M. le sous-préfet faisait des vers.

LE PORTEFEUILLE DE BIXIOU

Un matin du mois d'octobre, quelques jours avant de quitter Paris, je vis arriver chez moi — pendant que je déjeunais — un vieil homme en habit râpé, cagneux, crotté, l'échine basse, grelottant sur ses longues jambes comme un échassier déplumé. C'était Bixiou. Oui, Parisiens, votre Bixiou, le féroce et charmant Bixiou, ce railleur enragé qui vous a tant réjouis depuis quinze ans avec ses pamphlets et ses caricatures... ah ! le malheureux, quelle détresse ! Sans une grimace qu'il fit en entrant, jamais je ne l'aurais reconnu.

La tête inclinée sur l'épaule, sa canne aux dents comme une clarinette, l'illustre et lugubre farceur s'avança jusqu'au milieu de la chambre et vint se jeter contre ma table en disant d'une voix dolente :

« Ayez pitié d'un pauvre aveugle !... »

C'était si bien imité que je ne pus m'empêcher de rire. Mais lui, très froidement :

« Vous croyez que je plaisante... regardez mes yeux. »

Et il tourna vers moi deux grandes prunelles blanches sans un regard.

« Je suis aveugle, mon cher, aveugle pour la vie... Voilà ce que c'est que d'écrire avec du vitriol. Je me suis brûlé les yeux à ce joli métier ; mais là, brûlé à fond... jusqu'aux bobèches ! » ajouta-t-il en me montrant ses paupières calcinées où ne restait plus l'ombre d'un cil.

J'étais si ému que je ne trouvai rien à lui dire. Mon silence l'inquiéta :

« Vous travaillez ?

— Non, Bixiou, je déjeune. Voulez-vous en faire autant ? »

Il ne répondit pas, mais au frémissement de ses narines, je vis bien qu'il mourait d'envie d'accepter. Je le pris par la main, et je le fis asseoir près de moi.

Pendant qu'on le servait, le pauvre diable flairait la table avec un petit rire :

« Ça a l'air bon tout ça. Je vais me régaler ; il y a si longtemps que je ne déjeune plus ! Un pain d'un sou tous les matins, en courant les ministères... car, vous savez, je cours les ministères, maintenant ; c'est ma seule profession. J'essaie d'accrocher un bureau de tabac... Qu'est-ce que vous voulez ! il faut qu'on mange à la maison. Je ne peux plus dessiner ; je ne peux plus écrire... Dicter ?... Mais quoi ?... Je n'ai rien dans la tête, moi ; je n'invente rien... Mon métier, c'était de voir les grimaces de Paris et de les faire ; à présent il n'y a plus moyen... Alors j'ai pensé à un bureau de tabac ; pas sur les boulevards, bien entendu. Je n'ai pas droit à cette faveur, n'étant ni mère de danseuse, ni veuve d'officier supérieur. Non ! simplement un petit bureau de province, quelque part, bien loin, dans un coin des Vosges. J'aurai une forte pipe en porcelaine ; je m'appellerai Hans ou Zébédé, comme dans Erckmann-Chatrian, et je me consolerai de ne plus écrire en faisant des cornets de tabac avec les œuvres de mes contemporains.

« Voilà tout ce que je demande. Pas grand-chose, n'est-ce pas ?... Eh bien, c'est le diable pour y arriver... Pourtant les protections ne devraient pas me manquer. J'étais très lancé autrefois. Je dînais chez le maréchal, chez le prince, chez les ministres ; tous ces gens-là voulaient m'avoir parce que je les amusais ou qu'ils avaient peur de moi. A présent, je ne fais plus peur à personne. O mes yeux ! mes pauvres yeux ! Et l'on ne m'invite nulle part. C'est si triste une tête d'aveugle à table. Passez-moi le pain, je vous prie... Ah ! les bandits ; ils me l'auront fait payer cher ce malheureux bureau de tabac. Depuis six mois, je me promène dans tous les ministères avec ma pétition. J'arrive le matin, à l'heure où l'on allume les poêles et où l'on fait faire un tour aux chevaux de Son Excellence sur le sable de la cour ; je ne m'en vais qu'à la nuit, quand on apporte les grosses lampes et que les cuisines commencent à sentir bon...

« Toute ma vie se passe sur les coffres à bois des antichambres. Aussi les huissiers me connaissent, allez ! A l'intérieur, ils m'appellent : « Ce bon monsieur ! » Et moi, pour gagner leur protection, je fais des calembours, ou je dessine d'un trait sur un coin de leur buvard de grosses moustaches qui les font rire... Voilà où j'en suis arrivé après vingt ans de succès tapageurs, voilà la fin d'une vie d'artiste !... Et dire qu'ils sont en France quarante mille galopins à qui notre profession fait venir l'eau à la bouche ! Dire qu'il y a tous les jours, dans les départements, une locomotive qui chauffe pour nous apporter des panerées d'imbéciles affamés de littérature et de bruit imprimé !... Ah ! province romanesque, si la misère de Bixiou pouvait te servir de leçon ! »

Là-dessus il se fourra le nez dans son assiette et se mit à manger avidement, sans dire un mot. C'était pitié de le voir faire. A chaque minute, il perdait son pain, sa fourchette, tâtonnait pour trouver son verre. Pauvre homme ! il n'avait pas encore l'habitude.

Au bout d'un moment, il reprit :

« Savez-vous ce qu'il y a encore de plus horrible pour moi ? C'est de ne plus pouvoir lire mes journaux. Il faut être du métier pour comprendre cela... Quelquefois le soir, en rentrant, j'en achète un, rien que pour sentir cette odeur de papier humide et de nouvelles fraîches... C'est si bon ! et personne pour me les lire ! Ma femme pourrait bien, mais elle ne veut pas : elle prétend qu'on trouve dans les faits divers des choses qui ne sont pas convenables... Ah ! ces anciennes maîtresses, une fois mariées, il n'y a pas plus bégueules qu'elles. Depuis que j'en ai fait Mme Bixiou, celle-là s'est crue obligée de devenir bigote, mais à un point !... Est-ce qu'elle ne voulait pas me faire frictionner les yeux avec l'eau de la Salette ! Et puis, le pain bénit, les quêtes, la Sainte-Enfance, les petits Chinois, que sais-je encore ?... Nous sommes dans les bonnes œuvres jusqu'au cou... Ce serait cependant une bonne œuvre de me lire mes journaux. Eh bien, non, elle ne veut pas... Si ma fille était chez nous, elle me les lirait, elle ; mais depuis que je suis aveugle, je l'ai fait entrer à Notre-Dame-des-Arts, pour avoir une bouche de moins à nourrir...

« Encore une qui me donne de l'agrément, celle-là ! Il n'y a pas neuf ans qu'elle est au monde, elle a déjà eu toutes les maladies... Et triste ! et laide ! plus laide que moi, si c'est possible... un monstre ! Que voulez-vous ! je n'ai jamais su faire que des charges... Ah ça, mais je suis bon, moi, de vous raconter mes histoires de famille. Qu'est-ce que cela peut vous faire à vous ?... Allons, donnez-moi encore un peu de cette eau-de-vie. Il faut que je me mette en train. En sortant d'ici je vais à l'Instruction publique, et les huissiers n'y sont pas faciles à dérider. C'est tous d'anciens professeurs. »

Je lui versai son eau-de-vie. Il commença à la déguster par petites fois, d'un air attendri... Tout à coup, je ne sais quelle fantaisie le piquant, il se leva, son verre à la main, promena un instant autour de lui sa tête de vipère aveugle, avec le sourire aimable du monsieur qui va parler, puis, d'une voix stridente, comme pour haranguer un banquet de deux cents couverts :

« Aux arts ! Aux lettres ! A la presse ! »

Et le voilà parti sur un toast de dix minutes, la plus folle et la plus merveilleuse improvisation qui soit jamais sortie de cette cervelle de pitre.

Figurez-vous une revue de fin d'année intitulée : *le Pavé des lettres en 186** ; nos assemblées soi-disant littéraires, nos papotages, nos querelles, toutes les cocasseries d'un monde excentrique, fumier d'encre, enfer sans grandeur, où l'on s'égorge, où l'on s'étripe, où l'on se détrousse, où l'on parle intérêts et gros sous bien plus que chez les bourgeois, ce qui n'empêche pas qu'on y meure de faim plus qu'ailleurs ; toutes nos lâchetés, toutes nos misères ; le vieux baron T*** de la Tombola s'en allant faire « gna... gna... gna... » aux Tuileries avec sa sébile et son habit barbeau ; puis nos morts de l'année, les enterrements à réclames, l'oraison funèbre de monsieur le délégué, toujours la même : « Cher et regretté ! pauvre cher ! » à un malheureux dont on refuse de payer la tombe ; et ceux qui se sont suicidés, et ceux qui sont devenus fous ; figurez-vous tout cela, raconté, détaillé, gesticulé par un grimacier de génie, vous aurez alors une idée de ce que fut l'improvisation de Bixiou.

Son toast fini, son verre bu, il me demanda l'heure et s'en alla, d'un air farouche, sans me dire adieu... J'ignore comment les huissiers de M. Duruy se trouvèrent de sa visite ce matin-là ; mais je sais bien que jamais de ma vie je ne me suis senti si triste, si mal en train qu'après le départ de ce terrible aveugle. Mon encrier m'écœurait, ma plume me faisait horreur. J'aurais voulu m'en aller loin, courir, voir des arbres, sentir quelque chose de bon... Quelle haine, grand Dieu ! que de fiel ! quel besoin de baver sur tout, de tout salir ! Ah ! le misérable...

Et j'arpentais ma chambre avec fureur, croyant toujours

entendre le ricanement de dégoût qu'il avait eu en me parlant de sa fille.

Tout à coup, près de la chaise où l'aveugle s'était assis, je sentis quelque chose rouler sous mon pied. En me baissant, je reconnus son portefeuille, un gros portefeuille luisant, à coins cassés, qui ne le quitte jamais et qu'il appelle en riant sa poche à venin. Cette poche, dans notre monde, était aussi renommée que les fameux cartons de M. Girardin. On disait qu'il y avait des choses terribles là-dedans... L'occasion se présentait belle pour m'en assurer. Le vieux portefeuille, trop gonflé, s'était crevé en tombant, et tous les papiers avaient roulé sur le tapis ; il me fallut les ramasser l'un après l'autre...

Un paquet de lettres écrites sur du papier à fleurs, commençant toutes : *Mon cher papa*, et signées : *Céline Bixiou, des enfants de Marie.*

D'anciennes ordonnances pour des maladies d'enfants : croup, convulsions, scarlatine, rougeole... (la pauvre petite n'en avait pas échappé une !).

Enfin, une grande enveloppe cachetée d'où sortaient, comme d'un bonnet de fillette, deux ou trois crins jaunes tout frisés ; et sur l'enveloppe, en grosse écriture tremblée, une écriture d'aveugle :

Cheveux de Céline, coupés le 13 mai, le jour de son entrée là-bas.

Voilà ce qu'il y avait dans le portefeuille de Bixiou.

Allons, Parisiens, vous êtes tous les mêmes. Le dégoût, l'ironie, un rire infernal, des blagues féroces, et puis pour finir :... *Cheveux de Céline coupés le 13 mai.*

LA LÉGENDE DE L'HOMME À LA CERVELLE D'OR

A la dame qui demande des histoires gaies

En lisant votre lettre, madame, j'ai eu comme un remords. Je m'en suis voulu de la couleur un peu trop demi-deuil de mes historiettes, et je m'étais promis de vous offrir aujourd'hui quelque chose de joyeux, de follement joyeux.

Pourquoi serais-je triste, après tout ? Je vis à mille lieues des brouillards parisiens, sur une colline lumineuse, dans le pays des tambourins et du vin muscat. Autour de chez moi tout n'est que soleil et musique ; j'ai des orchestres de culs-blancs, des orphéons de mésanges ; le matin, les courlis qui font : « Coureli ! coureli ! », à midi, les cigales ; puis les pâtres qui jouent du fifre, et les belles filles brunes qu'on entend rire dans les vignes... En vérité, l'endroit est mal choisi pour broyer du noir ; je devrais plutôt expédier aux dames des poèmes couleur de rose et des pleins paniers de contes galants.

Eh bien, non ! je suis encore trop près de Paris. Tous les jours, jusque dans mes pins, il m'envoie les éclaboussures de ses tristesses... A l'heure même où j'écris ces lignes, je viens d'apprendre la mort misérable du pauvre Charles Barbara ; et mon moulin en est tout en deuil. Adieu les courlis et les cigales ! Je n'ai plus le cœur à rien de gai... Voilà pourquoi, madame, au lieu du joli conte badin que je m'étais promis de vous faire, vous n'aurez encore aujourd'hui qu'une légende mélancolique.

Il était une fois un homme qui avait une cervelle d'or ; oui, madame, une cervelle tout en or. Lorsqu'il vint au monde, les médecins pensaient que cet enfant ne vivrait pas, tant sa tête était lourde et son crâne démesuré. Il vécut cependant et grandit au soleil comme un beau plant d'olivier ; seulement sa grosse tête l'entraînait toujours, et c'était pitié de le voir se cogner à tous les meubles en marchant... Il tombait souvent. Un jour, il roula du haut d'un perron et vint donner du front contre un degré de marbre, où son crâne sonna comme un lingot. On le crut mort, mais en le relevant, on ne lui trouva qu'une légère blessure, avec deux ou trois gouttelettes d'or caillées dans ses cheveux blonds. C'est ainsi que les parents apprirent que l'enfant avait unc cervelle en or.

La chose fut tenue secrète ; le pauvre petit lui-même ne se douta de rien. De temps en temps, il demandait pourquoi on ne le laissait plus courir devant la porte avec les garçonnets de la rue.

« On vous volerait, mon beau trésor ! » lui répondait sa mère...

Alors le petit avait grand-peur d'être volé ; il retournait jouer tout seul, sans rien dire, et se trimbalait lourdement d'une salle à l'autre...

A dix-huit ans seulement, ses parents lui révélèrent le don monstrueux qu'il tenait du destin ; et, comme ils l'avaient élevé et nourri jusque-là, ils lui demandèrent en retour un peu de son or. L'enfant n'hésita pas ; sur l'heure même — comment ? par quels moyens ? la légende ne l'a pas dit —, il s'arracha du crâne un morceau d'or massif, un morceau gros comme une noix, qu'il jeta fièrement sur les genoux de sa mère... Puis, tout ébloui des richesses qu'il portait dans la tête, fou de désirs, ivre de sa puissance, il quitta la maison paternelle et s'en alla par le monde en gaspillant son trésor.

Du train dont il menait sa vie, royalement, et semant l'or sans compter, on aurait dit que sa cervelle était inépuisable... Elle s'épuisait cependant, et à mesure on pouvait voir les yeux s'éteindre, la joue devenir plus creuse. Un jour enfin, au matin d'une débauche folle, le malheureux, resté seul parmi les débris du festin et les lustres qui pâlissaient, s'épouvanta de l'énorme brèche qu'il avait déjà faite à son lingot : il était temps de s'arrêter.

Dès lors, ce fut une existence nouvelle. L'homme à la cervelle d'or s'en alla vivre à l'écart, du travail de ses mains, soupçonneux et craintif comme un avare, fuyant les tentations, tâchant d'oublier lui-même ces fatales richesses auxquelles il ne voulait plus toucher... Par malheur, un ami l'avait suivi dans sa solitude, et cet ami connaissait son secret.

Une nuit, le pauvre homme fut réveillé en sursaut par une douleur à la tête, une effroyable douleur ; il se dressa éperdu, et vit, dans un rayon de lune, l'ami qui fuyait en cachant quelque chose sous son manteau...

Encore un peu de cervelle qu'on lui emportait !...

A quelque temps de là, l'homme à la cervelle d'or devint amoureux, et cette fois tout fut fini... Il aimait du meilleur de son âme une petite femme blonde, qui l'aimait bien aussi, mais qui préférait encore les pompons, les plumes blanches et les jolis glands mordorés battant le long des bottines.

Entre les mains de cette mignonne créature — moitié oiseau, moitié poupée —, les piécettes d'or fondaient que c'était un plaisir. Elle avait tous les caprices ; et lui ne savait jamais dire non ; même, de peur de la peiner, il lui cacha jusqu'au bout le triste secret de sa fortune.

« Nous sommes donc bien riches ? » disait-elle.

Le pauvre homme lui répondait :

« Oh ! oui... bien riches ! »

Et il souriait avec amour au petit oiseau bleu qui lui mangeait le crâne innocemment. Quelquefois cependant la peur le prenait, il avait des envies d'être avare ; mais alors la petite femme venait vers lui en sautillant, et lui disait :

« Mon mari, qui êtes si riche ! achetez-moi quelque chose de bien cher... »

Et il lui achetait quelque chose de bien cher.

Cela dura ainsi pendant deux ans ; puis, un matin, la petite femme mourut, sans qu'on sût pourquoi, comme un oiseau... Le trésor touchait à sa fin ; avec ce qui lui restait, le veuf fit faire à sa chère morte un bel enterrement. Cloches à toute volée, lourds carrosses tendus de noir, chevaux empanachés, larmes d'argent dans le velours, rien ne lui parut trop beau. Que lui importait son or maintenant ?... Il en donna pour l'église, pour les porteurs, pour les revendeuses d'immortelles : il en donna partout.

Aussi, en sortant du cimetière, il ne lui restait presque plus rien de cette cervelle merveilleuse, à peine quelques parcelles aux parois du crâne.

Alors on le vit s'en aller dans les rues, l'air égaré, les mains en avant, trébuchant comme un homme ivre. Le soir, à l'heure où les bazars s'illuminent, il s'arrêta devant une large vitrine dans laquelle tout un fouillis d'étoffes et de parures reluisait aux lumières, et resta là longtemps à regarder deux bottines de satin bleu bordées de duvet de cygne. « Je sais quelqu'un à qui ces bottines feraient bien plaisir », se disait-il en souriant ; et, ne se souvenant déjà plus que la petite femme était morte, il entra pour les acheter.

Du fond de son arrière-boutique, la marchande entendit un grand cri ; elle accourut et recula de peur en voyant un homme debout, qui s'accotait au comptoir et la regardait douloureusement d'un air hébété. Il tenait d'une main les bottines bleues à bordure de cygne, et présentait l'autre main toute sanglante, avec des raclures d'or au bout des ongles.

Telle est, madame, la légende de l'homme à la cervelle d'or.

Malgré ses airs de conte fantastique, cette légende est vraie d'un bout à l'autre... Il y a par le monde de pauvres gens qui sont condamnés à vivre avec leur cerveau, et paient en bel or fin, avec leur moelle et leur substance, les moindres choses de la vie. C'est pour eux une douleur de chaque jour ; et puis, quand ils sont las de souffrir...

LE POÈTE MISTRAL

Dimanche dernier, en me levant, j'ai cru me réveiller rue du Faubourg-Montmartre. Il pleuvait, le ciel était gris, le moulin triste. J'ai eu peur de passer chez moi cette froide journée de pluie et tout de suite l'envie m'est venue d'aller me réchauffer un brin auprès de Frédéric Mistral, ce grand poète qui vit à trois lieues de mes pins, dans son petit village de Maillane.

Sitôt pensé, sitôt parti ; une trique en bois de myrte, mon Montaigne, une couverture, et en route !

Personne aux champs... Notre belle Provence catholique laisse la terre se reposer le dimanche... Les chiens seuls au logis, les fermes closes... De loin en loin, une charrette de roulier avec sa bâche ruisselante, une vieille encapuchonnée dans sa mante feuille-morte, des mules en tenue de gala, housse de sparterie bleue et blanche, pompon rouge, grelots d'argent — emportant au petit trot toute une carriole de gens de *mas* qui vont à la messe ; puis, là-bas, à travers la brume, une barque sur la *roubine* et un pêcheur debout qui lance son épervier...

Pas moyen de lire en route ce jour-là. La pluie tombait par torrents, et la tramontane vous la jetait à pleins seaux dans la figure... Je fis le chemin tout d'une haleine, et enfin, après trois heures de marche, j'aperçus devant moi les petits bois de cyprès au milieu desquels le pays de Maillane s'abrite de peur du vent.

Pas un chat dans les rues du village ; tout le monde était à la grand-messe. Quand je passai devant l'église, le serpent [1] ronflait, et je vis les cierges reluire à travers les vitres de couleur.

Le logis du poète est à l'extrémité du pays ; c'est la dernière maison à main gauche, sur la route de Saint-Rémy —, une maisonnette à un étage avec un jardin devant... J'entre doucement... Personne ! La porte du salon est fermée, mais j'entends derrière quelqu'un qui marche et qui parle à haute voix... Ce pas et cette voix me sont bien connus... Je m'arrête un moment dans le petit couloir peint à la chaux, la main sur le bouton de la porte, très ému. Le cœur me bat. — Il est là. Il travaille... Faut-il attendre que la strophe soit finie ?... Ma foi ! tant pis, entrons.

---

1. Instrument à vent autrefois utilisé dans les messes solennelles.

Ah ! Parisiens, lorsque le poète de Maillane est venu chez vous montrer Paris à sa Mireille, et que vous l'avez vu dans vos salons, ce Chactas en habit de ville, avec un col droit et un grand chapeau qui le gênait autant que sa gloire, vous avez cru que c'était là Mistral... Non, ce n'était pas lui. Il n'y a qu'un Mistral au monde, celui que j'ai surpris dimanche dernier dans son village, le chaperon de feutre sur l'oreille, sans gilet, en jaquette, sa rouge taillole catalane autour des reins, l'œil allumé, le feu de l'inspiration aux pommettes, superbe, avec un bon sourire, élégant comme un pâtre grec, et marchant à grands pas, les mains dans ses poches, en faisant des vers...

« Comment ! c'est toi ! cria Mistral en me sautant au cou ; la bonne idée que tu as eue de venir !... Tout juste aujourd'hui, c'est la fête de Maillane. Nous avons la musique d'Avignon, les taureaux, la procession, la farandole, ce sera magnifique... La mère va rentrer de la messe ; nous déjeunons, et puis, zou ! nous allons voir danser les jolies filles... »

Pendant qu'il me parlait, je regardais avec émotion ce petit salon à tapisserie claire, que je n'avais pas vu depuis si longtemps, et où j'ai passé déjà de si belles heures. Rien n'était changé. Toujours le canapé à carreaux jaunes, les deux fauteuils de paille, la Vénus sans bras et la Vénus d'Arles sur la cheminée, le portrait du poète par Hébert, sa photographie par Etienne Carjat, et, dans un coin, près de la fenêtre, le bureau —, un pauvre petit bureau de receveur d'enregistrement —, tout chargé de vieux bouquins et de dictionnaires. Au milieu de ce bureau, j'aperçus un gros cahier ouvert... C'était *Calendal*, le nouveau poème de Frédéric Mistral, qui doit paraître à la fin de cette année, le jour de Noël [1]. Ce poème, Mistral y travaille depuis sept ans, et voilà près de six mois qu'il en a écrit le dernier vers ; pourtant, il n'ose s'en séparer encore. Vous comprenez, on a toujours une strophe à polir, une rime plus sonore à trouver... Mistral a beau écrire en provençal, il travaille ses vers comme si tout le monde devait les lire dans la langue et lui tenir compte de ses efforts de bon ouvrier... Oh ! le brave poète, et que c'est bien Mistral dont Montaigne aurait pu dire : *Souvienne-vous de celuy à qui, comme on demandoit à quoy faire il se peinoit si fort en un art qui ne pouvoit venir à la cognoissance de guère de gens. « J'en ay assez de peu, répondict-il. J'en ay assez d'un. J'en ay assez de pas un. »*

1. *Calendal*, poème provençal (avec la traduction en regard), parut en 1867.

Je tenais le cahier de *Calendal* entre mes mains, et je feuilletais, plein d'émotion... Tout à coup une musique de fifres et de tambourins éclate dans la rue, devant la fenêtre, et voilà mon Mistral qui court à l'armoire, en tire des verres, des bouteilles, traîne la table au milieu du salon, et ouvre la porte aux musiciens en me disant :

« Ne ris pas... Ils viennent me donner l'aubade... je suis conseiller municipal. »

La petite pièce se remplit de monde. On pose les tambourins sur les chaises, la vieille bannière dans un coin ; et le vin cuit circule. Puis quand on a vidé quelques bouteilles à la santé de M. Frédéric, qu'on a causé gravement de la fête, si la farandole sera aussi belle que l'an dernier, si les taureaux se comporteront bien, les musiciens se retirent et vont donner l'aubade chez les autres conseillers. A ce moment la mère de Mistral arrive.

En un tour de main la table est dressée : un beau linge blanc et deux couverts. Je connais les usages de la maison ; je sais que lorsque Mistral a du monde, sa mère ne se met pas à table... La pauvre vieille femme ne connaît que son provençal et se sentirait mal à l'aise pour causer avec des Français... D'ailleurs, on a besoin d'elle à la cuisine.

Dieu ! le joli repas que j'ai fait ce matin-là : — un morceau de chevreau rôti, du fromage de montagne, de la confiture de moût, des figues, des raisins muscats. Le tout arrosé de ce bon châteauneuf des papes qui a une si belle couleur rose dans les verres...

Au dessert, je vais chercher le cahier du poème, et je l'apporte sur la table devant Mistral.

« Nous avions dit que nous sortirions, fait le poète en souriant.

— Non !... non !... *Calendal ! Calendal !* »

Mistral se résigne, et de sa voix musicale et douce, en battant la mesure de ses vers avec la main, il entame le premier chant : — *D'une fille folle d'amour —, à présent que j'ai dit la triste aventure —, je chanterai, si Dieu veut, un enfant de Cassis —, un pauvre petit pêcheur d'anchois...*

Au-dehors, les cloches sonnaient les vêpres, les pétards éclataient sur la place, les fifres passaient et repassaient dans les rues avec les tambourins. Les taureaux de Camargue, qu'on menait courir, mugissaient.

Moi, les coudes sur la nappe, des larmes dans les yeux, j'écoutais l'histoire du petit pêcheur provençal.

Calendal n'était qu'un pêcheur ; l'amour en fait un héros... Pour gagner le cœur de sa mie — la belle Estérelle —, il entreprend des choses miraculeuses, et les douze travaux d'Hercule ne sont rien à côté des siens.

Une fois, s'étant mis en tête d'être riche, il a inventé de formidables engins de pêche, et ramène au port tout le poisson de la mer. Une autre fois, c'est un terrible bandit des gorges d'Ollioules, le comte Sévéran, qu'il va relancer jusque dans son aire, parmi ses coupe-jarrets et ses concubines... Quel rude gars que ce petit Calendal ! Un jour, à la Sainte-Baume, il rencontre deux partis de compagnons venus là pour vider leur querelle à grands coups de compas sur la tombe de maître Jacques, un Provençal qui a fait la charpente du temple de Salomon, s'il vous plaît. Calendal se jette au milieu de la tuerie, et apaise les compagnons en leur parlant...

Des entreprises surhumaines !... Il y avait là-haut, dans les rochers de Lure, une forêt de cèdres inaccessibles, où jamais bûcheron n'osa monter. Calendal y va, lui. Il s'y installe tout seul pendant trente jours. Pendant trente jours, on entend le bruit de sa hache qui sonne en s'enfonçant dans les troncs. La forêt crie ; l'un après l'autre, les vieux arbres géants tombent et roulent au fond des abîmes, et quand Calendal redescend, il ne reste plus un cèdre sur la montagne...

Enfin, en récompense de tant d'exploits, le pêcheur d'anchois obtient l'amour d'Estérelle, et il est nommé consul par les habitants de Cassis. Voilà l'histoire de Calendal... Mais qu'importe Calendal ? Ce qu'il y a avant tout dans le poème, c'est la Provence — la Provence de la mer, la Provence de la montagne —, avec son histoire, ses mœurs, ses légendes, ses paysages, tout un peuple naïf et libre qui a trouvé son grand poète avant de mourir... Et maintenant, tracez des chemins de fer, plantez des poteaux à télégraphe, chassez la langue provençale des écoles ! La Provence vivra éternellement dans *Mireille* et dans *Calendal*.

« Assez de poésie ! dit Mistral en fermant son cahier. Il faut aller voir la fête. »

Nous sortîmes ; tout le village était dans les rues ; un grand coup de bise avait balayé le ciel, et le ciel reluisait joyeusement sur les toits rouges mouillés de pluie. Nous arrivâmes à temps pour voir rentrer la procession... Ce fut pendant une heure un interminable défilé de pénitents en cagoule, pénitents blancs, pénitents bleus, pénitents gris, confréries de filles voilées, bannières roses à fleurs d'or, grands saints de bois décorés portés à quatre épaules, saintes de faïence coloriées comme des idoles avec de gros bouquets à la main, chapes, ostensoirs, dais de velours vert, crucifix encadrés de soie blanche, tout cela ondulant au vent dans la lumière des cierges et du soleil, au milieu des psaumes, des litanies, et des cloches qui sonnaient à toute volée.

La procession finie, les saints remisés dans leurs chapelles, nous allâmes voir les taureaux, puis les jeux sur l'aire, les luttes d'hommes, les trois sauts, l'étrangle-chat, le jeu de l'outre, et tout le joli train des fêtes de Provence... La nuit tombait quand nous rentrâmes à Maillane. Sur la place, devant le petit café où Mistral va faire, le soir, sa partie avec son ami Zidore, on avait allumé un grand feu de joie... La farandole s'organisait. Des lanternes de papier découpé s'allumaient partout dans l'ombre ; la jeunesse prenait place ; et bientôt, sur un appel de tambourins, commença autour de la flamme une ronde folle, bruyante, qui devait durer toute la nuit.

Après souper, trop las pour courir encore, nous montâmes dans la chambre de Mistral. C'est une modeste chambre de paysan, avec deux grands lits. Les murs n'ont pas de papier ; les solives du plafond se voient... Il y a quatre ans, lorsque l'Académie donna à l'auteur de *Mireille* le prix de trois mille francs, Mme Mistral eut une idée.

« Si nous faisions tapisser et plafonner ta chambre ? dit-elle à son fils.

— Non ! non ! répondit Mistral... Ça, c'est l'argent des poètes, on n'y touche pas. »

Et la chambre est restée toute nue ; mais tant que l'argent des poètes a duré, ceux qui ont frappé chez Mistral ont toujours trouvé sa bourse ouverte...

J'avais emporté le cahier de *Calendal* dans la chambre et je voulus m'en faire lire encore un passage avant de m'endormir. Mistral choisit l'épisode des faïences. Le voici en quelques mots :

C'est dans un grand repas je ne sais où. On apporte sur la table un magnifique service en faïence de Moustiers. Au fond de chaque assiette, dessiné en bleu dans l'émail, il y a un sujet provençal ; toute l'histoire du pays tient là-dedans. Aussi il faut voir avec quel amour sont décrites ces belles faïences ; une strophe pour chaque assiette, autant de petits poèmes d'un travail naïf et savant, achevés comme un tableautin de Théocrite.

Tandis que Mistral me disait ses vers dans cette belle langue provençale, plus qu'aux trois quarts latine, que les reines ont parlée autrefois et que maintenant nos pâtres seuls comprennent, j'admirais cet homme au-dedans de moi, et, songeant à l'état de ruine où il a trouvé sa langue maternelle et ce qu'il en a fait, je me figurais un de ces vieux palais des princes des Baux comme on en voit dans les Alpilles : plus de toits, plus de balustres aux perrons, plus de vitraux aux fenêtres, le trèfle des ogives cassé, le blason des portes mangé de mousse, des poules picorant dans la cour d'honneur, des porcs vautrés sous les fines colonnettes des galeries, l'âne broutant dans la chapelle où l'herbe pousse, des pigeons venant boire aux grands bénitiers remplis d'eau de pluie, et enfin, parmi ces décombres, deux ou trois familles de paysans qui se sont bâti des huttes dans les flancs du vieux palais.

Puis, voilà qu'un beau jour le fils d'un de ces paysans s'éprend de ces grandes ruines et s'indigne de les voir ainsi profanées ; vite, vite, il chasse le bétail hors de la cour d'honneur ; et, les fées lui venant en aide, à lui tout seul il reconstruit le grand escalier, remet des boiseries aux murs, des vitraux aux fenêtres, relève les tours, redore la salle du trône, et met sur pied le vaste palais d'autre temps, où logèrent des papes et des impératrices.

Ce palais restauré, c'est la langue provençale.

Ce fils de paysan, c'est Mistral.

LES TROIS MESSES BASSES

Conte de Noël

1

« Deux dindes truffées, Garrigou ?...

— Oui, mon révérend, deux dindes magnifiques bourrées de truffes. J'en sais quelque chose, puisque c'est moi qui ai aidé à les remplir. On aurait dit que leur peau allait craquer en rôtissant, tellement elle était tendue...

— Jésus-Maria ! moi qui aime tant les truffes !... Donne-moi vite mon surplis, Garrigou... Et avec les dindes, qu'est-ce que tu as encore aperçu à la cuisine ?...

— Oh ! toutes sortes de bonnes choses... Depuis midi nous n'avons fait que plumer des faisans, des huppes, des gelinottes, des coqs de bruyère. La plume en volait partout... Puis de l'étang on a apporté des anguilles, des carpes dorées, des truites, des...

— Grosses comment, les truites, Garrigou ?

— Grosses comme ça, mon révérend... Enormes !...

— Oh ! Dieu ! il me semble que je les vois... As-tu mis le vin dans les burettes ?

— Oui, mon révérend, j'ai mis le vin dans les burettes... Mais dame ! il ne vaut pas celui que vous boirez tout à l'heure en sortant de la messe de minuit. Si vous voyiez cela dans la salle à manger du château, toutes ces carafes qui flambent, pleines de vins de toutes les couleurs... Et la vaisselle d'argent, les surtouts ciselés, les fleurs, les candélabres !... Jamais il ne se sera vu un réveillon pareil. Monsieur le marquis a invité tous les seigneurs du voisinage. Vous serez au moins quarante à table, sans compter le bailli ni le tabellion... Ah ! vous êtes bien heureux d'en être, mon révérend !... Rien que d'avoir flairé ces belles dindes, l'odeur des truffes me suit partout... Meuh !...

— Allons, allons, mon enfant. Gardons-nous du péché de gourmandise, surtout la nuit de la Nativité... Va bien vite allumer les cierges et sonner le premier coup de la messe ; car voilà que minuit est proche, et il ne faut pas nous mettre en retard... »

Cette conversation se tenait une nuit de Noël de l'an de grâce mil six cent et tant, entre le révérend dom Balaguère, ancien prieur des Barnabites, présentement chapelain gagé des sires de Trinquelage, et son petit clerc Garrigou, ou du moins ce qu'il croyait être le petit clerc Garrigou, car vous saurez que le diable, ce soir-là, avait pris la face ronde et les traits indécis du jeune sacristain pour mieux induire le révérend père en tentation et lui faire commettre un épouvantable péché de gourmandise. Donc, pendant que le soi-disant Garrigou (hum ! hum !) faisait à tour de bras carillonner les cloches de la chapelle seigneuriale, le révérend achevait de revêtir sa chasuble dans la petite sacristie du château ; et, l'esprit déjà troublé par toutes ces descriptions gastronomiques, il se répétait à lui-même en s'habillant :

« Des dindes rôties... des carpes dorées... des truites grosses comme ça !... »

Dehors, le vent de la nuit soufflait en éparpillant la musique des cloches, et, à mesure, des lumières apparaissaient dans l'ombre aux flancs du mont Ventoux, en haut duquel s'élevaient les vieilles tours de Trinquelage. C'étaient des familles de métayers qui venaient entendre la messe de minuit au château. Ils grimpaient la côte en chantant par groupes de cinq ou six, le père en avant, la lanterne en main, les femmes enveloppées dans leurs grandes mantes brunes où les enfants se serraient et s'abritaient. Malgré l'heure et le froid, tout ce brave peuple marchait allégrement, soutenu par l'idée qu'au sortir de la messe, il y aurait, comme tous les ans, table mise pour eux en bas dans les cuisines. De temps en temps, sur la rude montée, le carrosse d'un seigneur, précédé de porteurs de torches, faisait miroiter ses glaces au clair de lune, ou bien une mule trottait en agitant ses sonnailles, et, à la lueur des falots enveloppés de brume, les métayers reconnaissaient leur bailli et le saluaient au passage :

« Bonsoir, bonsoir, maître Arnoton !

— Bonsoir, bonsoir, mes enfants ! »

La nuit était claire, les étoiles avivées de froid ; la bise piquait, et un fin grésil, glissant sur les vêtements sans les mouiller, gardait fidèlement la tradition des Noëls blancs de neige. Tout en haut de la côte, le château apparaissait comme le but, avec sa masse énorme de tours, de pignons, le clocher de sa chapelle montant dans le ciel bleu-noir, et une foule de petites lumières qui clignotaient, allaient, venaient, s'agitaient à toutes les fenêtres, et ressemblaient, sur le fond sombre du bâtiment, aux étincelles courant dans des cendres de papier brûlé... Passé le pont-levis et la poterne, il fallait, pour se rendre à la chapelle, traverser la première cour, pleine de carrosses, de valets, de chaises à porteurs, toute claire du feu des torches et de la flambée des cuisines. On entendait le tintement des tourne-broches, le fracas des casseroles, le choc des cristaux et de l'argenterie remués dans les apprêts d'un repas ; par là-dessus, une vapeur tiède, qui sentait bon les chairs rôties et les herbes fortes des sauces compliquées, faisait dire aux métayers, comme au chapelain, comme au bailli, comme à tout le monde :

« Quel bon réveillon nous allons faire après la messe ! »

2

Drelindin din !... Drelindin din !...

C'est la messe de minuit qui commence. Dans la chapelle du château, une cathédrale en miniature, aux arceaux entrecroisés, aux boiseries de chêne montant jusqu'à hauteur des murs, les tapisseries ont été tendues, tous les cierges allumés. Et que de monde ! Et que de toilettes ! Voici d'abord, assis dans les stalles sculptées qui entourent le chœur, le sire de Trinquelage, en habit de taffetas saumon, et près de lui tous les nobles seigneurs invités. En face, sur des prie-Dieu garnis de velours, ont pris place la vieille marquise douairière dans sa robe de brocart couleur de feu et la jeune dame de Trinquelage, coiffée d'une haute tour de dentelle gaufrée à la dernière mode de la cour de France. Plus bas on voit, vêtus de noir avec de vastes perruques en pointe et des visages rasés, le bailli Thomas Arnoton et le tabellion maître Ambroy, deux notes graves parmi les soies voyantes et les damas brochés. Puis viennent les gras majordomes, les pages, les piqueurs, les intendants, dame Barbe, toutes ses clefs pendues sur le côté à un clavier d'argent fin. Au fond, sur les bancs, c'est le bas office, les servantes, les métayers avec leurs familles ; et enfin, là-bas, tout contre la porte qu'ils entrouvrent et referment discrètement, messieurs les marmitons qui viennent entre deux sauces prendre un petit air de messe et apporter une odeur de réveillon dans l'église tout en fête et tiède de tant de cierges allumés.

Est-ce la vue de ces petites barrettes blanches qui donne des distractions à l'officiant ? Ne serait-ce pas plutôt la sonnette de Garrigou, cette enragée petite sonnette qui s'agite au fond de l'autel avec une précipitation infernale et semble dire tout le temps :

« Dépêchons-nous, dépêchons-nous... Plus tôt nous aurons fini, plus tôt nous serons à table. »

Le fait est que chaque fois qu'elle tinte, cette sonnette du diable, le chapelain oublie sa messe et ne pense plus qu'au réveillon. Il se figure les cuisiniers en rumeur, les fourneaux où brûle un feu de forge, la buée qui monte des couvercles entrouverts, et dans cette buée deux dindes magnifiques bourrées, tendues, marbrées de truffes...

Ou bien encore il voit passer des files de pages portant des plats enveloppés de vapeurs tentantes, et avec eux il entre dans la grande salle déjà prête pour le festin. O délices ! voilà l'immense table toute chargée et flamboyante, les paons habillés de leurs plumes, les faisans écartant leurs ailes mordorées, les flacons couleur de rubis, les pyramides de fruits éclatants parmi les branches vertes, et ces merveilleux poissons dont parlait Garrigou (ah ! bien oui, Garrigou !) étalés sur un lit de fenouil, l'écaille nacrée comme s'ils sortaient de l'eau, avec un bouquet d'herbes odorantes dans leurs narines de monstres. Si vive est la vision de ces merveilles, qu'il semble à dom Balaguère que tous ces plats mirifiques sont servis devant lui sur les broderies de la nappe d'autel, et deux ou trois fois, au lieu de *Dominus vobiscum !* il se surprend à dire le *Benedicite*. A part ces légères méprises, le digne homme débite son office très consciencieusement, sans passer une ligne, sans omettre une génuflexion ; et tout marche assez bien jusqu'à la fin de la première messe ; car vous savez que le jour de Noël le même officiant doit célébrer trois messes consécutives.

« Et d'une ! » se dit le chapelain avec un soupir de soulagement ; puis, sans perdre une minute, il fait signe à son clerc ou celui qu'il croit être son clerc, et...

Drelindin din !... Drelindin din !...

C'est la seconde messe qui commence, et avec elle commence aussi le péché de dom Balaguère.

« Vite, vite, dépêchons-nous », lui crie de sa petite voix aigrelette la sonnette de Garrigou, et cette fois le malheureux officiant, tout abandonné au démon de gourmandise, se rue sur le missel et dévore les pages avec l'avidité de son appétit en surexcitation. Frénétiquement il se baisse, se relève, esquisse les signes de croix, les génuflexions, raccourcit tous ses gestes pour avoir plus tôt fini. A peine s'il étend ses bras à l'Evangile, s'il frappe sa poitrine au *Confiteor*. Entre le clerc et lui c'est à qui bredouillera le plus vite. Versets et répons se précipitent, se bousculent. Les mots à moitié prononcés, sans ouvrir la bouche, ce qui prendrait trop de temps, s'achèvent en murmures incompréhensibles.

Oremus ps... ps... ps...

Mea culpa... pa... pa...

Pareils à des vendangeurs pressés foulant le raisin de la cuve, tous deux barbotent dans le latin de la messe, en envoyant des éclaboussures de tous les côtés.

Dom... scum !... dit Balaguère.

... *Stutuo !* ... répond Garrigou ; et tout le temps la damnée petite sonnette est là qui tinte à leurs oreilles, comme ces grelots qu'on met aux chevaux de poste pour les faire galoper à la grande vitesse. Pensez que de ce train-là une messe basse est vite expédiée.

« Et de deux ! » dit le chapelain tout essoufflé, puis, sans prendre le temps de respirer, rouge, suant, il dégringole les marches de l'autel et...

Drelindin din !... Drelindin din !...

C'est la troisième messe qui commence. Il n'y a plus que quelques pas à faire pour arriver à la salle à manger ; mais, hélas ! à mesure que le réveillon approche, l'infortuné Balaguère se sent pris d'une folie d'impatience et de gourmandise. Sa vision s'accentue, les carpes dorées, les dindes rôties sont là, là... Il les touche... il les... Oh ! Dieu !... Les plats fument, les vins embaument, et, secouant son grelot enragé, la petite sonnette lui crie :

« Vite, vite, encore plus vite !... »

Mais comment pourrait-il aller plus vite ? Ses lèvres remuent à peine. Il ne prononce plus les mots... A moins de tricher tout à fait le bon Dieu et de lui escamoter sa messe... Et c'est ce qu'il fait, le malheureux !... De tentation en tentation, il commence par sauter un verset, puis deux. Puis l'épître est trop longue, il ne la finit pas, effleure l'Evangile, passe devant le *Credo* sans entrer, saute le *Pater*, salue de loin la préface, et par bonds et par élans se précipite ainsi dans la damnation éternelle, toujours suivi de l'infâme Garrigou *(vade retro, Satanas !)*, qui le seconde avec une merveilleuse entente, lui relève sa chasuble, tourne les feuillets deux par deux, bouscule les pupitres, renverse les burettes, et sans cesse secoue la petite sonnette de plus en plus fort, de plus en plus vite.

Il faut voir la figure effarée que font tous les assistants ! Obligés de suivre à la mimique du prêtre cette messe dont ils n'entendent pas un mot, les uns se lèvent quand les autres s'agenouillent, s'asseyent quand les autres sont debout ; et toutes les phases de ce singulier office se confondent sur les bancs dans une foule d'attitudes diverses. L'étoile de Noël en route dans les chemins du ciel, là-bas, vers la petite étable, pâlit d'épouvante en voyant cette confusion...

« L'abbé va trop vite... On ne peut pas suivre », murmure la vieille douairière en agitant sa coiffe avec égarement.

Maître Arnoton, ses grandes lunettes d'acier sur le nez, cherche dans son paroissien où diantre on peut bien en être. Mais au fond, tous ces braves gens, qui eux aussi pensent à réveillonner, ne sont pas fâchés que la messe aille ce train de poste ; et quand dom Balaguère, la figure rayonnante, se tourne vers l'assistance en criant de toutes ses forces : *Ite, missa est*, il n'y a qu'une voix dans la chapelle pour lui répondre un *Deo gratias* si joyeux, si entraînant, qu'on se croirait déjà à table au premier toast du réveillon.

3

Cinq minutes après, la foule des seigneurs s'asseyait dans la grande salle, le chapelain au milieu d'eux. Le château, illuminé de haut en bas, retentissait de chants, de cris, de rires, de rumeurs ;

et le vénérable dom Balaguère plantait sa fourchette dans une aile de gelinotte, noyant le remords de son péché sous des flots de vin du pape et de bons jus de viandes. Tant il but et mangea, le pauvre saint homme, qu'il mourut dans la nuit d'une terrible attaque, sans avoir eu seulement le temps de se repentir ; puis, au matin, il arriva dans le ciel encore tout en rumeur des fêtes de la nuit, et je vous laisse à penser comme il y fut reçu.

« Retire-toi de mes yeux, mauvais chrétien ! lui dit le souverain Juge, notre maître à tous. Ta faute est assez grande pour effacer toute une vie de vertu... Ah ! tu m'as volé une messe de nuit... Eh bien, tu m'en paieras trois cents en place, et tu n'entreras en paradis que quand tu auras célébré dans ta propre chapelle ces trois cents messes de Noël en présence de tous ceux qui ont péché par ta faute et avec toi... »

... Et voilà la vraie légende de dom Balaguère comme on la raconte au pays des olives. Aujourd'hui, le château de Trinquelage n'existe plus, mais la chapelle se tient encore droite tout en haut du mont Ventoux, dans un bouquet de chênes verts. Le vent fait battre sa porte disjointe, l'herbe encombre le seuil ; il y a des nids aux angles de l'autel et dans l'embrasure des hautes croisées dont les vitraux coloriés ont disparu depuis longtemps. Cependant il paraît que tous les ans, à Noël, une lumière surnaturelle erre parmi ces ruines, et qu'en allant aux messes et aux réveillons, les paysans aperçoivent ce spectre de chapelle, éclairé de cierges invisibles qui brûlent au grand air, même sous la neige et le vent. Vous en rirez si vous voulez, mais un vigneron de l'endroit, nommé Garrigue, sans doute un descendant de Garrigou, m'a affirmé qu'un soir de Noël, se trouvant un peu en ribote, il s'était perdu dans la montagne du côté de Trinquelage ; et voici ce qu'il avait vu... Jusqu'à onze heures, rien. Tout était silencieux, éteint, inanimé. Soudain, vers minuit, un carillon sonna tout en haut du clocher, un vieux, vieux carillon qui avait l'air d'être à dix lieues. Bientôt, dans le chemin qui monte, Garrigue vit trembler des feux, s'agiter des ombres indécises. Sous le porche de la chapelle, on marchait, on chuchotait :

« Bonsoir, maître Arnoton !

— Bonsoir, bonsoir, mes enfants !... »

Quand tout le monde fut entré, mon vigneron, qui était très brave, s'approcha doucement et, regardant par la porte cassée, eut un singulier spectacle. Tous ces gens qu'il avait vus passer s'étaient rangés autour du chœur, dans la nef en ruine, comme si les anciens bancs existaient encore. De belles dames en brocart avec des coiffes de dentelle, des seigneurs chamarrés du haut en bas, des paysans en jaquettes fleuries ainsi qu'en avaient nos grands-pères, tous l'air vieux, fané, poussiéreux, fatigué. De temps en temps, des oiseaux de nuit, hôtes habituels de la chapelle, réveillés par toutes ces lumières, venaient rôder autour des cierges dont la flamme montait droite et vague comme si elle avait brûlé derrière une gaze ; et ce qui amusait beaucoup Garrigue, c'était un certain personnage à grandes lunettes d'acier, qui secouait à chaque instant sa haute perruque noire sur laquelle un de ces oiseaux se tenait droit tout empêtré en battant silencieusement des ailes...

Dans le fond, un petit vieillard de taille enfantine, à genoux au milieu du chœur, agitait désespérément une sonnette sans grelot et sans voix, pendant qu'un prêtre, habillé de vieil or, allait, venait devant l'autel, en récitant des oraisons dont on n'entendait pas un mot... Bien sûr c'était dom Balaguère, en train de dire sa troisième messe basse.

LES ORANGES

Fantaisie

A Paris, les oranges ont l'air triste de fruits tombés ramassés sous l'arbre. A l'heure où elles vous arrivent, en plein hiver pluvieux et froid, leur écorce éclatante, leur parfum exagéré dans ces pays de saveurs tranquilles, leur donnent un aspect étrange, un peu bohémien. Par les soirées brumeuses, elles longent tristement les trottoirs, entassées dans leurs petites charrettes ambulantes, à la lueur sourde d'une lanterne en papier rouge. Un cri monotone et grêle les escorte, perdu dans le roulement des voitures, le fracas des omnibus :

« A deux sous la Valence ! »

Pour les trois quarts des Parisiens, ce fruit cueilli au loin, banal dans sa rondeur, où l'arbre n'a rien laissé qu'une mince attache verte, tient de la sucrerie, de la confiserie. Le papier de soie qui l'entoure, les fêtes qu'il accompagne, contribuent à cette impression. Aux approches de janvier surtout, les milliers d'oranges disséminées par les rues, toutes ces écorces traînant dans la boue du ruisseau, font songer à quelque arbre de Noël gigantesque qui secouerait sur Paris ses branches chargées de fruits factices. Pas un coin où on ne les rencontre. A la vitrine claire des étalages, choisies et parées ; à la porte des prisons et des hospices, parmi les paquets de biscuits, les tas de pommes ; devant l'entrée des bals, des spectacles du dimanche. Et leur parfum exquis se mêle à l'odeur du gaz, au bruit des crincrins, à la poussière des banquettes du paradis. On en vient à oublier qu'il faut des orangers pour produire des oranges, car pendant que le fruit nous arrive directement du Midi à pleines caisses, l'arbre, taillé, transformé, déguisé, de la serre chaude où il passe l'hiver, ne fait qu'une courte apparition au plein air des jardins publics.

Pour bien connaître les oranges, il faut les avoir vues chez elles, aux îles Baléares, en Sardaigne, en Corse, en Algérie, dans l'air bleu doré, l'atmosphère tiède de la Méditerranée. Je me rappelle un petit bois d'orangers, aux portes de Blidah ; c'est là qu'elles étaient belles ! Dans le feuillage sombre, lustré, vernissé, les fruits avaient l'éclat de verres de couleur, et doraient l'air environnant avec cette auréole de splendeur qui entoure les fleurs éclatantes. Çà et là des éclaircies laissaient voir à travers les branches les remparts de la petite ville, le minaret d'une mosquée, le dôme d'un marabout, et au-dessus l'énorme masse de l'Atlas, verte à sa base, couronnée de neige comme d'une fourrure blanche, avec des moutonnements, un flou de flocons tombés.

Une nuit, pendant que j'étais là, je ne sais par quel phénomène ignoré depuis trente ans, cette zone de frimas et d'hiver se secoua sur la ville endormie, et Blidah se réveilla transformée, poudrée à blanc. Dans cet air algérien si léger, si pur, la neige semblait une poussière de nacre. Elle avait des reflets de plumes de paon blanc. Le plus beau, c'était le bois d'orangers. Les feuilles solides gardaient la neige intacte et droite comme des sorbets sur des plateaux de laque, et tous les fruits poudrés à frimas avaient une douceur splendide, un rayonnement discret comme de l'or voilé de claires étoffes blanches. Cela donnait vaguement l'impression d'une fête d'église, de soutanes rouges sous des robes de dentelles, de dorures d'autel enveloppées de guipures...

Mais mon meilleur souvenir d'oranges me vient encore de Barbicaglia, un grand jardin auprès d'Ajaccio où j'allais faire la sieste aux heures de chaleur. Ici les orangers, plus hauts, plus espacés qu'à Blidah, descendaient jusqu'à la route, dont le jardin n'était séparé que par une haie vive et un fossé. Tout de suite après, c'était la mer, l'immense mer bleue... Quelles bonnes heures j'ai passées dans ce jardin ! Au-dessus de ma tête, les orangers en fleur et en fruit brûlaient leurs parfums d'essences. De temps en temps, une orange mûre, détachée tout à coup, tombait près de moi comme alourdie de chaleur, avec un bruit mat, sans écho, sur la terre pleine. Je n'avais qu'à allonger la main. C'étaient des fruits superbes, d'un rouge pourpre à l'intérieur. Ils me paraissaient exquis, et puis l'horizon était si beau ! Entre les feuilles, la mer mettait des espaces bleus éblouissants comme des morceaux de verre brisé qui miroitaient dans la brume de l'air. Avec cela le mouvement du flot agitant l'atmosphère à de grandes distances, ce murmure cadencé qui vous berce comme dans une barque invisible, la chaleur, l'odeur des oranges... Ah ! qu'on était bien pour dormir dans le jardin de Barbicaglia !

Quelquefois cependant, au meilleur moment de la sieste, des éclats de tambour me réveillaient en sursaut. C'étaient de malheureux tapins qui venaient s'exercer en bas, sur la route. A travers les trous de la haie, j'apercevais le cuivre des tambours et les grands tabliers blancs sur les pantalons rouges. Pour s'abriter un peu de la lumière aveuglante que la poussière de la route leur renvoyait impitoyablement, les pauvres diables venaient se mettre au pied du jardin, dans l'ombre courte de la haie. Et ils tapaient ! et ils avaient chaud ! Alors, m'arrachant de force à mon hypnotisme, je m'amusais à leur jeter quelques-uns de ces beaux fruits d'or rouge qui pendaient près de ma main. Le tambour visé s'arrêtait. Il avait une minute d'hésitation, un regard circulaire pour voir d'où venait la superbe orange roulant devant lui dans le fossé ; puis il la ramassait bien vite et mordait à pleines dents sans même enlever l'écorce.

Je me souviens aussi que tout à côté de Barbicaglia, et séparé seulement par un petit mur bas, il y avait un jardinet assez bizarre que je dominais de la hauteur où je me trouvais. C'était un petit coin de terre bourgeoisement dessiné. Ses allées blondes de sable, bordées de buis très verts, les deux cyprès de sa porte d'entrée, lui donnaient l'aspect d'une bastide marseillaise. Pas une ligne d'ombre. Au fond, un bâtiment de pierre blanche avec des jours de caveau au ras du sol. J'avais d'abord cru à une maison de campagne ; mais, en y regardant mieux, la croix qui la surmontait, une inscription que je voyais de loin creusée dans la pierre, sans en distinguer le texte, me firent reconnaître un tombeau de famille corse. Tout autour d'Ajaccio, il y a beaucoup de ces petites chapelles mortuaires, dressées au milieu de jardins à elles seules. La famille y vient, le dimanche, rendre visite à ses morts. Ainsi comprise, la mort est moins lugubre que dans la confusion des cimetières. Des pas amis troublent seuls le silence.

De ma place, je voyais un bon vieux trottiner tranquillement par les allées. Tout le jour il taillait les arbres, bêchait, arrosait, enlevait les fleurs fanées avec un soin minutieux ; puis au soleil couchant, il entrait dans la petite chapelle où dormaient les morts de sa famille ; il resserrait la bêche, les râteaux, les grands arrosoirs ; tout cela avec la tranquillité, la sérénité d'un jardinier de cimetière. Pourtant, sans qu'il s'en rendît bien compte, ce brave homme travaillait avec un certain recueillement, tous les bruits amortis et la porte du caveau refermée chaque fois discrètement, comme s'il eût craint de réveiller quelqu'un. Dans le grand silence radieux, l'entretien de ce petit jardin ne troublait pas un oiseau, et son voisinage n'avait rien d'attristant. Seulement la mer en paraissait plus immense, le ciel plus haut, et cette sieste sans fin mettait tout autour d'elle, parmi la nature troublante, accablante à force de vie, le sentiment de l'éternel repos...

LES DEUX AUBERGES

C'était en revenant de Nîmes, un après-midi de juillet. Il faisait une chaleur accablante. A perte de vue, la route blanche, embrasée, poudroyait entre les jardins d'oliviers et de petits chênes, sous un grand soleil d'argent mat qui remplissait tout le ciel. Pas une tache d'ombre, pas un souffle de vent. Rien que la vibration de l'air chaud et le cri strident des cigales, musique folle, assourdissante, à temps pressés, qui semble la sonorité même de cette immense vibration lumineuse... Je marchais en plein désert depuis deux heures, quand tout à coup, devant moi, un groupe de maisons blanches se dégagea de la poussière de la route. C'était ce qu'on appelle le relais de Saint-Vincent : cinq ou six *mas*, de longues granges à toiture rouge, un abreuvoir sans eau dans un bouquet de figuiers maigres, et, tout au bout du pays, deux grandes auberges qui se regardent face à face de chaque côté du chemin.

Le voisinage de ces auberges avait quelque chose de saisissant. D'un côté, un grand bâtiment neuf, plein de vie, d'animation, toutes les portes ouvertes, la diligence arrêtée devant, les chevaux fumants qu'on dételait, les voyageurs descendus buvant à la hâte sur la route dans l'ombre courte des murs ; la cour encombrée de mulets, de charrettes ; des rouliers couchés sous les hangars en attendant *la fraîche*. A l'intérieur, des cris, des jurons, des coups de poing sur les tables, le choc des verres, le fracas des billards, les bouchons de limonade qui sautaient, et, dominant tout ce tumulte, une voix joyeuse, éclatante, qui chantait à faire trembler les vitres :

La belle Margoton
Tant matin s'est levée,
A pris son broc d'argent,
A l'eau s'en est allée...

... L'auberge d'en face, au contraire, était silencieuse et comme abandonnée. De l'herbe sous le portail, des volets cassés, sur la porte un rameau de petit houx tout rouillé qui pendait comme un vieux panache, les marches du seuil calées avec des pierres de la route... Tout cela si pauvre, si pitoyable, que c'était charité vraiment de s'arrêter là pour boire un coup.

En entrant, je trouvai une longue salle déserte et morne, que le jour éblouissant de trois grandes fenêtres sans rideaux fait plus morne et plus déserte encore. Quelques tables boiteuses où traînaient des verres ternis par la poussière, un billard crevé qui tendait ses quatre blouses comme des sébiles, un divan jaune, un vieux comptoir, dormaient là dans une chaleur malsaine et lourde. Et des mouches ! des mouches ! jamais je n'en avais tant vu : sur le plafond, collées aux vitres, dans les verres, par grappes... Quand j'ouvris la porte, ce fut un bourdonnement, un frémissement d'ailes comme si j'entrais dans une ruche.

Au fond de la salle, dans l'embrasure d'une croisée, il y avait une femme debout contre la vitre, très occupée à regarder dehors. Je l'appelai deux fois :

« Hé ! l'hôtesse ! »

Elle se retourna lentement, et me laissa voir une pauvre figure de paysanne, ridée, crevassée, couleur de terre, encadrée dans de longues barbes de dentelle rousse comme en portent les vieilles de chez nous. Pourtant ce n'était pas une vieille femme ; mais les larmes l'avaient toute fanée.

« Qu'est-ce que vous voulez ? me demanda-t-elle en essuyant ses yeux.

— M'asseoir un moment et boire quelque chose... »

Elle me regarda très étonnée, sans bouger de sa place, comme si elle ne comprenait pas.

« Ce n'est donc pas une auberge ici ? »

La femme soupira :

« Si... c'est une auberge, si vous voulez... Mais pourquoi n'allez-vous pas en face comme les autres ? C'est bien plus gai...

— C'est trop gai pour moi... J'aime mieux rester chez vous. »

Et, sans attendre sa réponse, je m'installai devant une table.

Quand elle fut bien sûre que je parlais sérieusement, l'hôtesse se mit à aller et venir d'un air très affairé, ouvrant des tiroirs, remuant des bouteilles, essuyant des verres, dérangeant les mouches... On sentait que ce voyageur à servir était tout un événement. Par moments la malheureuse s'arrêtait, et se prenait la tête comme si elle désespérait d'en venir à bout.

Puis elle passait dans la pièce du fond ; je l'entendais remuer de grosses clefs, tourmenter des serrures, fouiller dans la huche au pain, souffler, épousseter, laver des assiettes.

De temps en temps, un gros soupir, un sanglot mal étouffé...

Après un quart d'heure de ce manège, j'eus devant moi une assiettée de *passerilles* (raisins secs), un vieux pain de Beaucaire aussi dur que du grès, et une bouteille de piquette.

« Vous êtes servi », dit l'étrange créature ; et elle retourna bien vite prendre sa place devant la fenêtre.

Tout en buvant, j'essayai de la faire causer.

« Il ne vous vient pas souvent du monde, n'est-ce pas, ma pauvre femme ?

— Oh ! non, monsieur, jamais personne... Quand nous étions seuls dans le pays, c'était différent : nous avions le relais, des repas de chasse pendant le temps des macreuses, des voitures toute l'année... Mais depuis que les voisins sont venus s'établir, nous avons tout perdu. Le monde aime mieux aller en face. Chez nous, on trouve que c'est trop triste... Le fait est que la maison n'est pas bien agréable. Je ne suis pas belle, j'ai les fièvres, mes deux petites sont mortes... Là-bas, au contraire, on rit tout le temps. C'est une Arlésienne qui tient l'auberge, une belle femme avec des dentelles et trois tours de chaîne d'or au cou. Le conducteur, qui est son amant, lui amène la diligence. Avec ça un tas d'enjôleuses pour chambrières... Aussi, il lui en vient de la pratique ! Elle a toute la jeunesse de Bezouces, de Redessan, de Jonquières. Les rouliers font un détour pour passer par chez elle... Moi, je reste ici tout le jour, sans personne, à me consumer. »

Elle disait cela d'une voix distraite, indifférente, le front toujours appuyé contre la vitre. Il y avait évidemment dans l'auberge d'en face quelque chose qui la préoccupait...

Tout à coup, de l'autre côté de la route, il se fit un grand mouvement. La diligence s'ébranlait dans la poussière. On entendait des coups de fouet, les fanfares du postillon, les filles accourues sur la porte qui criaient :

« Adiousias !... adiousias !... » et par là-dessus la formidable voix de tantôt reprenant de plus belle :

A pris son broc d'argent,
A l'eau s'en est allée,
De là n'a vu venir
Trois chevaliers d'armée...

... A cette voix, l'hôtesse frissonna de tout son corps, et se tournant vers moi :

« Entendez-vous, me dit-elle tout bas, c'est mon mari... N'est-ce pas qu'il chante bien ? »

Je la regardai, stupéfait :

« Comment ? votre mari !... Il va donc là-bas, lui aussi ? »

Alors elle, d'un air navré, mais avec une grande douceur :

« Qu'est-ce que vous voulez, monsieur ? Les hommes sont comme ça, ils n'aiment pas voir pleurer ; et moi je pleure toujours depuis la mort des petites... Puis, c'est si triste cette grande baraque où il n'y a jamais personne... Alors, quand il s'ennuie trop, mon pauvre José va boire en face, et comme il a une belle voix, l'Arlésienne le fait chanter. Chut !... le voilà qui recommence. »

Et, tremblante, les mains en avant, avec de grosses larmes qui la faisaient encore plus laide, elle était là comme en extase devant la fenêtre à écouter son José chanter pour l'Arlésienne :

Le premier lui a dit :
« Bonjour, belle mignonne ! »

À MILIANAH

Cette fois, je vous emmène passer la journée dans une jolie petite ville d'Algérie, à deux ou trois cents lieues du moulin... Cela nous changera un peu des tambourins et des cigales...

... Il va pleuvoir, le ciel est gris, les crêtes du mont Zaccar s'enveloppent de brume. Dimanche triste... Dans ma petite chambre d'hôtel, la fenêtre ouverte sur les remparts arabes, j'essaie de me distraire en allumant des cigarettes... On a mis à ma disposition toute la bibliothèque de l'hôtel ; entre une histoire très détaillée de l'enregistrement et quelques romans de Paul de Kock, je découvre un volume dépareillé de Montaigne... Ouvert le livre au hasard, relu l'admirable lettre sur la mort de La Boétie... Me voilà plus rêveur et plus sombre que jamais... Quelques gouttes de pluie tombent déjà. Chaque goutte, en tombant sur le rebord de la croisée, fait une large étoile dans la poussière entassée là depuis les pluies de l'an dernier... Mon livre me glisse des mains et je passe de longs instants à regarder cette étoile mélancolique...

Deux heures sonnent à l'horloge de la ville — un ancien *marabout* dont j'aperçois d'ici les grêles murailles blanches... Pauvre diable de marabout ! Qui lui aurait dit cela, il y a trente ans, qu'un jour il porterait au milieu de la poitrine un gros cadran municipal, et que, tous les dimanches, sur le coup de deux heures, il donnerait aux églises de Milianah le signal de sonner les vêpres ?... Ding ! dong ! voilà les cloches parties !... Nous en avons pour longtemps... Décidément, cette chambre est triste. Les grosses araignées du matin, qu'on appelle pensées philosophiques, ont tissé leurs toiles dans tous les coins... Allons dehors.

J'arrive sur la grande place. La musique du 3e de ligne, qu'un peu de pluie n'épouvante pas, vient de se ranger autour de son chef. A une des fenêtres de la division, le général paraît, entouré de ses demoiselles ; sur place, le sous-préfet se promène de long en large au bras du juge de paix. Une demi-douzaine de petits Arabes à moitié nus jouent aux billes dans un coin avec des cris féroces. Là-bas, un vieux juif en guenilles vient chercher un rayon de soleil qu'il avait laissé hier à cet endroit et qu'il s'étonne de ne plus trouver... « Une, deux, trois, partez ! » La musique entonne une ancienne mazurka de Talexy, que les orgues de Barbarie jouaient l'hiver dernier sous mes fenêtres. Cette mazurka m'ennuyait autrefois ; aujourd'hui elle m'émeut jusqu'aux larmes.

Oh ! comme ils sont heureux les musiciens du 3e ! L'œil fixé sur les doubles croches, ivres de rythme et de tapage, ils ne songent à rien qu'à compter leurs mesures. Leur âme, toute leur âme tient dans ce carré de papier large comme la main, — qui tremble au bout de l'instrument entre deux dents de cuivre. « Une, deux, trois, partez ! » Tout est là pour ces braves gens ; jamais les airs nationaux qu'ils jouent ne leur ont donné le mal du pays... Hélas ! moi qui ne suis pas de la musique, cette musique me fait peine, et je m'éloigne.

Où pourrais-je bien le passer, ce gris après-midi de dimanche ? Bon ! la boutique de Sid'Omar est ouverte. Entrons chez Sid'Omar.

Quoiqu'il ait une boutique, Sid'Omar n'est point un boutiquier. C'est un prince de sang, le fils d'un ancien dey d'Alger qui mourut étranglé par les janissaires... A la mort de son père, Sid'Omar se réfugia dans Milianah avec sa mère qu'il adorait, et vécut là quelques années comme un grand seigneur philosophe parmi ses lévriers, ses faucons, ses chevaux et ses femmes, dans de jolis palais très frais, pleins d'orangers et de fontaines. Vinrent les Français. Sid'Omar, d'abord notre ennemi et l'allié d'Abd-el-Kader, finit par se brouiller avec l'émir et fit sa soumission. L'émir, pour se venger, entra dans Milianah en l'absence de Sid'Omar, pilla ses palais, rasa ses orangers, emmena ses chevaux et ses femmes, et fit écraser la gorge de sa mère sous le couvercle d'un grand coffre... La colère de Sid'Omar fut terrible : sur l'heure même il se mit au service de la France, et nous n'eûmes pas de meilleur ni de plus féroce soldat que lui tant que dura notre guerre contre l'émir. La guerre finie, Sid'Omar revint à Milianah ; mais encore aujourd'hui, quand on parle d'Abd-el-Kader devant lui, il devient pâle et ses yeux s'allument.

Sid'Omar a soixante ans. En dépit de l'âge et de la petite vérole, son visage est resté beau : de grands cils, un regard de femme, un sourire charmant, l'air d'un prince. Ruiné par la guerre, il ne lui reste de son ancienne opulence qu'une ferme dans la plaine du Chétif et une maison à Milianah, où il vit bourgeoisement, avec ses trois fils élevés sous ses yeux. Les chefs indigènes l'ont en grande vénération. Quand une discussion s'élève, on le prend volontiers pour arbitre, et son jugement fait loi presque toujours. Il sort peu ; on le trouve tous les après-midi dans une boutique attenant à sa maison et qui ouvre sur la rue. Le mobilier de cette pièce n'est pas riche : des murs blancs peints à la chaux, un banc de bois circulaire, des coussins, de longues pipes, deux braseros... C'est là que Sid'Omar donne audience et rend la justice. Un Salomon en boutique.

Aujourd'hui dimanche, l'assistance est nombreuse. Une douzaine de chefs sont accroupis, dans leurs beurnouss, tout autour de la salle. Chacun d'eux a près de lui une grande pipe, et une petite tasse de café dans un fin coquetier de filigrane. J'entre, personne ne bouge... De sa place, Sid'Omar envoie à ma rencontre son plus charmant sourire et m'invite de la main à m'asseoir près de lui, sur un grand coussin de soie jaune ; puis, un doigt sur les lèvres, il me fait signe d'écouter.

Voici le cas : Le caïd des Beni-Zougzougs ayant eu quelque contestation avec un juif de Milianah au sujet d'un lopin de terre, les deux parties sont convenues de porter le différend devant Sid'Omar et de s'en remettre à son jugement. Rendez-vous est pris pour le jour même, les témoins sont convoqués ; tout à coup voilà mon juif qui se ravise, et vient seul, sans témoins, déclarer qu'il aime mieux s'en rapporter au juge de paix des Français qu'à Sid'Omar... L'affaire en est là à mon arrivée.

Le juif — vieux, barbe terreuse, veste marron, bas bleus, casquette en velours — lève le nez au ciel, roule des yeux suppliants, baise les babouches de Sid'Omar, penche la tête, s'agenouille, joint les mains... Je ne comprends pas l'arabe, mais à la pantomime du juif, au mot : *Zouge de paix, zouge de paix*, qui revient à chaque instant, je devine tout ce beau discours :

« Nous ne doutons pas de Sid'Omar, Sid'Omar est sage, Sid'Omar est juste... Toutefois le *zouge de paix* fera bien mieux notre affaire. »

L'auditoire, indigné, demeure impassible comme un Arabe qu'il est... Allongé sur son coussin, l'œil noyé, le bouquin d'ambre aux lèvres, Sid'Omar — dieu de l'ironie — sourit en écoutant. Soudain, au milieu de sa plus belle période, le juif est interrompu par un énergique *caramba !* qui l'arrête net ; en même temps un colon espagnol, venu là comme témoin du caïd, quitte sa place et, s'approchant d'Iscariote, lui verse sur la tête un plein panier d'imprécations de toutes langues, de toutes couleurs, — entre autres certain vocable français trop gros monsieur pour qu'on le répète ici... Le fils de Sid'Omar, qui comprend le français, rougit d'entendre un mot pareil en présence de son père et sort de la salle. — Retenir ce trait de l'éducation arabe. — L'auditoire est toujours impassible, Sid'Omar toujours souriant. Le juif s'est relevé et gagne la porte à reculons, tremblant de peur, mais gazouillant de plus belle son éternel *zouge de paix, zouge de paix*... Il sort. L'Espagnol, furieux, se précipite derrière lui, le rejoint dans la rue et par deux fois — vlin ! vlan ! — le frappe en plein visage... Iscariote tombe à genoux, les bras en croix... L'Espagnol, un peu honteux, rentre dans la boutique... Dès qu'il est rentré, le juif se relève et promène un regard sournois sur la foule bariolée qui l'entoure. Il y a là des gens de tout cuir — Maltais, Mahonais, Nègres, Arabes —, tous unis dans la haine du juif et joyeux d'en voir maltraiter un... Iscariote hésite un instant, puis, prenant un Arabe par le pan de son beurnouss :

« Tu l'as vu, Achmed, tu l'as vu... tu étais là... Le chrétien m'a frappé... Tu seras témoin... bien... bien... tu seras témoin. »

L'Arabe dégage son beurnouss et repousse le juif... Il ne sait rien, il n'a rien vu ; juste au moment, il tournait la tête...

« Mais toi, Kaddour, tu l'as vu... tu as vu le chrétien me battre... », crie le malheureux Iscariote à un gros Nègre en train d'éplucher une figue de Barbarie.

Le Nègre crache en signe de mépris et s'éloigne ; il n'a rien vu... Il n'a rien vu non plus, ce petit Maltais dont les yeux de charbon luisent méchamment derrière sa barrette ; elle n'a rien vu, cette Mahonaise au teint de brique qui se sauve en riant, son panier de grenades sur la tête...

Le juif a beau crier, prier, se démener... pas de témoin ! personne n'a rien vu... Par bonheur deux de ses coreligionnaires passent dans la rue à ce moment, l'oreille basse, rasant les murailles. Le juif les avise :

« Vite, vite, mes frères ! Vite à l'homme d'affaires ! Vite au *zouge de paix !* ... Vous l'avez vu, vous autres... vous avez vu qu'on a battu le vieux ! »

S'ils l'ont vu !... Je crois bien.

... Grand émoi dans la boutique de Sid'Omar... Le cafetier remplit les tasses, rallume les pipes. On cause, on rit à belles dents. C'est si amusant de voir rosser un juif !... Au milieu du brouhaha et de la fumée, je gagne la porte doucement ; j'ai envie d'aller rôder un peu du côté d'Israël pour savoir comment les coreligionnaires d'Iscariote ont pris l'affront fait à leur frère...

« Viens dîner ce soir, *moussiou* », me crie le bon Sid'Omar.

J'accepte, je remercie. Me voilà dehors.

Au quartier juif, tout le monde est sur pied. L'affaire fait déjà grand bruit. Personne aux échoppes. Brodeurs, tailleurs, bourreliers — tout Israël est dans la rue... Les hommes — en casquette de velours, en bas de laine bleue — gesticulent bruyamment, par groupes... Les femmes, pâles, bouffies, raides comme des idoles de bois dans leurs robes plates à plastron d'or, le visage entouré de bandelettes noires, vont d'un groupe à l'autre en miaulant... Au moment où j'arrive, un grand mouvement se fait dans la foule. On s'empresse, on se précipite... Appuyé sur ses témoins, le juif — héros de l'aventure — passe entre deux haies de casquettes, sous une pluie d'exhortations :

« Venge-toi, frère ; venge-nous, venge le peuple juif. Ne crains rien ; tu as la loi pour toi. »

Un affreux nain, puant la poix et le vieux cuir, s'approche de moi d'un air piteux, avec de gros soupirs :

« Tu vois, me dit-il. Les pauvres juifs, comme on nous traite ! C'est un vieillard ! regarde. Ils l'ont presque tué. »

De vrai, le pauvre Iscariote a l'air plus mort que vif. Il passe devant moi — l'œil éteint, le visage défait ; ne marchant pas, se traînant... Une forte indemnité est seule capable de le guérir ; aussi ne le mène-t-on pas chez le médecin, mais chez l'agent d'affaires.

Il y a beaucoup d'agents d'affaires en Algérie, presque autant que de sauterelles. Le métier est bon, paraît-il. Dans tous les cas, il a cet avantage qu'on peut y entrer de plain-pied, sans examens, ni cautionnement, ni stage. Comme à Paris nous nous faisons hommes de lettres, on se fait agent d'affaires en Algérie. Il suffit pour cela de savoir un peu de français, d'espagnol, d'arabe, d'avoir toujours un code dans ses fontes, et sur toute chose le tempérament du métier.

Les fonctions de l'agent sont très variées : tour à tour avocat, avoué, courtier, expert, interprète, teneur de livres, commissionnaire, écrivain public, c'est le maître Jacques de la colonie. Seulement Harpagon n'en avait qu'un, de maître Jacques, et la colonie en a plus qu'il ne lui en faut. Rien qu'à Milianah, on les compte par douzaines. En général, pour éviter les frais de bureaux, ces messieurs reçoivent leurs clients au café de la grand-place et donnent leurs consultations — les donnent-ils ? — entre l'absinthe et le champoreau.

C'est vers le café de la grand-place que le digne Iscariote s'achemine, flanqué de ses deux témoins. Ne le suivons pas.

En sortant du quartier juif, je passe devant la maison du bureau arabe. Du dehors, avec son chapeau d'ardoises et le drapeau français qui flotte dessus, on la prendrait pour une mairie de village. Je connais l'interprète, entrons fumer une cigarette avec lui. De cigarette en cigarette, je finirai bien par le tuer, ce dimanche sans soleil.

La cour qui précède le bureau est encombrée d'Arabes en guenilles. Ils sont là une cinquantaine à faire antichambre, accroupis, le long du mur, dans leur beurnouss. Cette antichambre bédouine exhale — quoique en plein air — une forte odeur de cuir humain. Passons vite... Dans le bureau, je trouve l'interprète aux prises avec deux grands braillards entièrement nus sous de longues couvertures crasseuses, et racontant d'une mimique enragée je ne sais quelle histoire de chapelet volé. Je m'assieds sur une natte dans un coin, et je regarde... Un joli costume, ce costume d'interprète ; et comme l'interprète de Milianah le porte bien ! Ils ont l'air taillés l'un pour l'autre. Le costume est bleu de ciel avec des brandebourgs noirs et des boutons d'or qui reluisent. L'interprète est blond, rose, tout frisé ; un joli hussard bien plein d'humour et de fantaisie ; un peu bavard, — il parle tant de langues ! — un peu sceptique, — il a connu Renan à l'école orientaliste ! — grand amateur de sport, à l'aise au bivouac arabe comme aux soirées de la sous-préfète, mazurkant mieux que personne, et faisant le cousscouss comme pas un. Parisien, pour tout dire ; voilà mon homme, et ne vous étonnez pas que les dames en raffolent. Comme dandysme, il n'a qu'un rival : le sergent du bureau arabe. Celui-ci — avec sa tunique de drap fin et ses guêtres à boutons de nacre — fait le désespoir et l'envie de toute la garnison. Détaché au bureau arabe, il est dispensé des corvées, et toujours se montre par les rues, ganté de blanc, frisé de frais, avec de grands registres sous le bras. On l'admire et on le redoute. C'est une autorité.

Décidément, cette histoire de chapelet volé menace d'être fort longue. Bonsoir ! je n'attends pas la fin.

En m'en allant je trouve l'antichambre en émoi. La foule se presse autour d'un indigène de haute taille, pâle, fier, drapé dans un beurnouss noir. Cet homme, il y a huit jours, s'est battu dans le Zaccar avec une panthère. La panthère est morte ; mais l'homme a eu la moitié du bras mangée. Soir et matin, il vient se faire panser au bureau arabe, et chaque fois on l'arrête dans la cour pour lui entendre raconter son histoire. Il parle lentement, d'une belle voix gutturale. De temps en temps, il écarte son beurnouss et montre, attaché contre sa poitrine, son bras gauche entouré de linges sanglants.

A peine suis-je dans la rue, voilà un violent orage qui éclate. Pluie, tonnerre, éclairs, sirocco... Vite, abritons-nous. J'enfile une porte au hasard, et je tombe au milieu d'une nichée de bohémiens, empilés sous les arceaux d'une cour moresque. Cette cour tient à la mosquée de Milianah ; c'est le refuge habituel de la pouillerie musulmane, on l'appelle la *cour des pauvres*.

De grands lévriers maigres, tout couverts de vermine, viennent rôder autour de moi d'un air méchant. Adossé contre un des piliers de la galerie, je tâche de faire bonne contenance, et, sans parler à personne, je regarde la pluie qui ricoche sur les dalles coloriées de la cour. Les bohémiens sont à terre, couchés par tas. Près de moi, une jeune femme, presque belle, la gorge et les jambes découvertes, de gros bracelets de fer aux poignets et aux chevilles chante un air bizarre à trois notes mélancoliques et nasillardes. En chantant, elle allaite un petit enfant tout nu en bronze rouge, et, du bras resté libre, elle pile de l'orge dans un mortier de pierre. La pluie, chassée par le vent cruel, inonde parfois les jambes de la nourrice et le corps de son nourrisson. La bohémienne n'y prend point garde et continue à chanter sous la rafale, en pilant l'orge et donnant le sein.

L'orage diminue. Profitant d'une embellie, je me hâte de quitter cette cour des miracles et je me dirige vers le dîner de Sid'Omar ; il est temps... En traversant la grand-place, j'ai encore rencontré mon vieux juif de tantôt. Il s'appuie sur son agent d'affaires ; ses témoins marchent joyeusement derrière lui ; une bande de vilains petits juifs gambadent à l'entour... Tous les visages rayonnent. L'agent se charge de l'affaire : il demandera au tribunal deux mille francs d'indemnité.

Chez Sid'Omar, dîner somptueux. — La salle à manger ouvre sur une élégante cour moresque, où chantent deux ou trois fontaines... Excellent repas turc, recommandé au baron Brisse. Entre autres plats, je remarque un poulet aux amandes, un cousscouss à la vanille, une tortue à la viande — un peu lourde mais du plus haut goût — et des biscuits au miel qu'on appelle *bouchées du kadi*... Comme vin, rien que du champagne. Malgré la loi musulmane Sid'Omar en boit un peu — quand les serviteurs ont le dos tourné... Après dîner, nous passons dans la chambre de notre hôte, où l'on nous apporte des confitures, des pipes et du café... L'ameublement de cette chambre est des plus simples : un divan, quelques nattes ; dans le fond, un grand lit très haut sur lequel flânent de petits coussins rouges brodés d'or... A la muraille est accrochée une vieille peinture turque représentant les exploits d'un certain amiral Hamadi. Il paraît qu'en Turquie les peintres n'emploient qu'une couleur par tableau : ce tableau-ci est voué au vert. La mer, le ciel, les navires, l'amiral Hamadi lui-même, tout est vert, et de quel vert !...

L'usage arabe veut qu'on se retire de bonne heure. Le café pris, les pipes fumées, je souhaite la bonne nuit à mon hôte, et je le laisse avec ses femmes.

Où finirai-je ma soirée ? Il est trop tôt pour me coucher, les clairons des spahis n'ont pas encore sonné la retraite. D'ailleurs, les coussinets d'or de Sid'Omar dansent autour de moi des farandoles fantastiques qui m'empêcheraient de dormir... Me voici devant le théâtre, entrons un moment.

Le théâtre de Milianah est un ancien magasin de fourrages, tant bien que mal déguisé en salle de spectacle. De gros quinquets, qu'on remplit d'huile pendant l'entracte, font office de lustres. Le parterre est debout, l'orchestre sur des bancs. Les galeries sont très fières parce qu'elles ont des chaises de paille... Tout autour de la salle, un long couloir, obscur, sans parquet... On se croirait dans la rue, rien n'y manque... La pièce est déjà commencée quand j'arrive. A ma grande surprise, les acteurs ne sont pas mauvais, je parle des hommes ; ils ont de l'entrain, de la vie... Ce sont presque tous des amateurs, des soldats du 3e ; le régiment en est fier et vient les applaudir tous les soirs.

Quant aux femmes, hélas !... c'est encore et toujours cet éternel féminin des petits théâtres de province, prétentieux, exagéré et faux... Il y en a deux pourtant qui m'intéressent parmi ces dames, deux juives de Milianah, toutes jeunes, qui débutent au théâtre... Les parents sont dans la salle et paraissent enchantés. Ils ont la conviction que leurs filles vont gagner des milliers de douros à ce commerce-là. La légende de Rachel, Israélite, millionnaire et comédienne, est déjà répandue chez les juifs d'Orient.

Rien de comique et d'attendrissant comme ces deux petites juives sur les planches... Elles se tiennent timidement dans un coin de la scène, poudrées, fardées, décolletées et toutes raides. Elles ont froid, elles ont honte. De temps en temps elles baragouinent une phrase sans la comprendre, et pendant qu'elles parlent, leurs grands yeux hébraïques regardent dans la salle avec stupeur.

Je sors du théâtre... Au milieu de l'ombre qui m'environne, j'entends des cris dans un coin de la place... Quelques Maltais sans doute en train de s'expliquer à coups de couteau...

Je reviens à l'hôtel, lentement, le long des remparts. D'adorables senteurs d'orangers et de thuyas montent de la plaine. L'air est doux, le ciel presque pur... Là-bas, au bout du chemin, se dresse un vieux fantôme de muraille, débris de quelque ancien temple. Ce mur est sacré ; tous les jours des femmes arabes viennent y suspendre des *ex-voto*, fragments de haïcks et de foutas, longues tresses de cheveux roux liés par des fils d'argent, pans de beurnouss... Tout cela va flotter sous un mince rayon de lune, au souffle tiède de la nuit...

LES SAUTERELLES

Encore un souvenir d'Algérie, et puis nous reviendrons au moulin...

La nuit de mon arrivée dans cette ferme du Sahel, je ne pouvais pas dormir. Le pays nouveau, l'agitation du voyage, les aboiements des chacals, puis une chaleur énervante, oppressante, un étouffement complet, comme si les mailles de la moustiquaire n'avaient pas laissé passer un souffle d'air... Quand j'ouvris ma fenêtre, au petit jour, une brume d'été lourde, lentement remuée, frangée aux bords de noir et de rose, flottait dans l'air comme un nuage de poudre sur un champ de bataille. Pas une feuille ne bougeait, et dans ces beaux jardins que j'avais sous les yeux, les vignes espacées sur les pentes, au grand soleil qui fait les vins sucrés, les fruits d'Europe abrités dans un coin d'ombre, les petits orangers, les mandariniers, en longues files microscopiques, tout gardait le même aspect morne, cette immobilité des feuilles attendant l'orage. Les bananiers eux-mêmes, ces grands roseaux vert tendre, toujours agités par quelque souffle qui emmêle leur fine chevelure si légère, se dressaient silencieux et droits, en panaches réguliers.

Je restai un moment à regarder cette plantation merveilleuse, où tous les arbres du monde se trouvaient réunis, donnant chacun dans leur saison leurs fleurs et leurs fruits dépaysés. Entre les champs de blé et les massifs de chênes-lièges, un cours d'eau luisait, rafraîchissant à voir par cette matinée étouffante ; et tout en admirant le luxe et l'ordre de ces choses, cette belle ferme avec ses arcades moresques, ses terrasses toutes blanches d'aube, les écuries et les hangars groupés autour, je songeais qu'il y a vingt ans, quand ces braves gens étaient venus s'installer dans ce vallon du Sahel, ils n'avaient trouvé qu'une méchante baraque de cantonnier, une terre inculte hérissée de palmiers nains et de lentisques. Tout à créer, tout à construire. A chaque instant des révoltes d'Arabes. Il fallait laisser la charrue pour faire le coup de feu. Ensuite les maladies, les ophtalmies, les fièvres, les récoltes manquées, les tâtonnements de l'inexpérience, la lutte avec une administration bornée, toujours flottante. Que d'efforts ! Que de fatigues ! Quelle surveillance incessante !

Encore maintenant, malgré les mauvais temps finis et la fortune si chèrement gagnée, tous deux, l'homme et la femme, étaient les premiers levés à la ferme. A cette heure matinale je les entendais aller et venir dans les grandes cuisines du rez-de-chaussée, surveillant le café des travailleurs. Bientôt une cloche sonna, et au bout d'un moment les ouvriers défilèrent sur la route. Des vignerons de Bourgogne ; des laboureurs kabyles en guenilles, coiffés d'une chéchia rouge ; des terrassiers mahonais, les jambes nues ; des Maltais ; des Lucquois ; tout un peuple disparate, difficile à conduire. A chacun d'eux le fermier, devant la porte, distribuait sa tâche de la journée d'une voix brève, un peu rude. Quand il eut fini, le brave homme leva la tête, scruta le ciel d'un air inquiet ; puis m'apercevant à la fenêtre :

« Mauvais temps pour la culture, me dit-il... voilà le sirocco. »

En effet, à mesure que le soleil se levait, des bouffées d'air, brûlantes, suffocantes, nous arrivaient du sud comme de la porte d'un four ouverte et refermée. On ne savait où se mettre, que devenir. Toute la matinée se passa ainsi. Nous prîmes du café sur les nattes de la galerie, sans avoir le courage de parler ni de bouger. Les chiens allongés, cherchant la fraîcheur des dalles, s'étendaient dans des poses accablées. Le déjeuner nous remit un peu, un déjeuner plantureux et singulier où il y avait des carpes, des truites, du sanglier, du hérisson, le beurre de Staouëli, les vins de Crescia, des goyaves, des bananes, tout un dépaysement de mets qui ressemblaient bien à la nature si complexe dont nous étions entourés... On allait se lever de table. Tout à coup, à la porte-fenêtre, fermée, pour nous garantir de la chaleur du jardin en fournaise, de grands cris retentirent :

« Les criquets ! les criquets ! »

Mon hôte devint tout pâle comme un homme à qui on annonce un désastre, et nous sortîmes précipitamment. Pendant dix minutes, ce fut dans l'habitation, si calme tout à l'heure, un bruit de pas précipités, de voix indistinctes perdues dans l'agitation d'un réveil. De l'ombre des vestibules où ils s'étaient endormis, les serviteurs s'élancèrent dehors en faisant résonner avec des bâtons, des fourches, des fléaux, tous les ustensiles de métal qui leur tombaient sous la main, des chaudrons de cuivre, des bassines, des casseroles. Les bergers soufflaient dans leurs trompes de pâturage. D'autres avaient des conques marines, des cors de chasse. Cela faisait un vacarme effrayant, discordant, que dominaient d'une note suraiguë les « You ! you ! you ! » des femmes arabes accourues d'un douar voisin. Souvent, paraît-il, il suffit d'un grand bruit, d'un frémissement sonore de l'air, pour éloigner les sauterelles, les empêcher de descendre.

Mais où étaient-elles donc ces terribles bêtes ? Dans le ciel vibrant de chaleur, je ne voyais rien qu'un nuage venant de l'horizon, cuivré, compact, comme un nuage de grêle, avec le bruit d'un vent d'orage dans les mille rameaux d'une forêt. C'étaient les sauterelles. Soutenues entre elles par leurs ailes sèches étendues, elles volaient en masse, et malgré nos cris, nos efforts, le nuage s'avançait toujours, projetant dans la plaine une ombre immense. Bientôt il arriva au-dessus de nos têtes ; sur les bords on vit pendant une seconde un effrangement, une déchirure. Comme les premiers grains d'une giboulée, quelques-unes se détachèrent, distinctes, roussâtres ; ensuite toute la nuée creva, et cette grêle d'insectes tomba drue et bruyante. A perte de vue les champs étaient couverts de criquets, de criquets énormes, gros comme le doigt.

Alors le massacre commença. Hideux murmure d'écrasement, de paille broyée. Avec les herses, les pioches, les charrues, on remuait ce sol mouvant ; et plus on en tuait, plus il y en avait. Elles grouillaient par couches, leurs hautes pattes enchevêtrées ; celles du dessus faisant des bonds de détresse, sautant au nez des chevaux attelés pour cet étrange labour. Les chiens de la ferme, ceux du douar, lancés à travers champs, se ruaient sur elles, les broyaient avec fureur. A ce moment, deux compagnies de turcos, clairons en tête, arrivèrent au secours des malheureux colons, et la tuerie changea d'aspect.

Au lieu d'écraser les sauterelles, les soldats les flambaient en répandant de longues traînées de poudre.

Fatigué de tuer, écœuré par l'odeur infecte, je rentrai. A l'intérieur de la ferme, il y en avait presque autant que dehors. Elles étaient entrées par les ouvertures des portes, des fenêtres, la baie des cheminées. Au bord des boiseries, dans les rideaux déjà tout mangés, elles se traînaient, tombaient, volaient, grimpaient aux murs blancs avec une ombre gigantesque qui doublait leur laideur. Et toujours cette odeur épouvantable. A dîner, il fallut se passer d'eau. Les citernes, les bassins, les puits, les viviers, tout était infecté. Le soir, dans ma chambre, où l'on en avait pourtant tué des quantités, j'entendis encore des grouillements sous les meubles, et ce craquement d'élytres, semblable au pétillement des gousses qui éclatent à la grande chaleur. Cette nuit-là non plus je ne pus pas dormir. D'ailleurs autour de la ferme tout restait éveillé. Des flammes couraient au ras du sol d'un bout à l'autre de la plaine. Les turcos en tuaient toujours.

Le lendemain, quand j'ouvris ma fenêtre comme la veille, les sauterelles étaient parties ; mais quelle ruine elles avaient laissée derrière elles ! Plus une fleur, plus un brin d'herbe : tout était noir, rongé, calciné. Les bananiers, les abricotiers, les pêchers, les mandariniers se reconnaissaient seulement à l'allure de leurs branches dépouillées, sans le charme, le flottant de la feuille qui est la vie de l'arbre. On nettoyait les pièces d'eau, les citernes. Partout des laboureurs creusaient la terre pour tuer les œufs laissés par les insectes. Chaque motte était retournée, brisée soigneusement. Et le cœur se serrait de voir les mille racines blanches, pleines de sève, qui apparaissaient dans cet écroulement de terre fertile...

L'ÉLIXIR DU RÉVÉREND PÈRE GAUCHER

« Buvez ceci, mon voisin ; vous m'en direz des nouvelles. »

Et, goutte à goutte, avec le soin minutieux d'un lapidaire comptant des perles, le curé de Graveson me versa deux doigts d'une liqueur verte, dorée, chaude, étincelante, exquise... J'en eus l'estomac tout ensoleillé.

« C'est l'élixir du Père Gaucher, la joie et la santé de notre Provence, me fit le brave homme d'un air triomphant ; on le fabrique au couvent des Prémontrés, à deux lieues de votre moulin... N'est-ce pas que cela vaut bien toutes les chartreuses du monde ?... Et si vous saviez comme elle est amusante, l'histoire de cet élixir ! Ecoutez plutôt... »

Alors, tout naïvement, sans y entendre malice, dans cette salle à manger de presbytère, si candide et si calme avec son Chemin de la croix en petits tableaux et ses jolis rideaux clairs empesés comme des surplis, l'abbé me commença une historiette légèrement sceptique et irrévérencieuse, à la façon d'un conte d'Erasme ou de d'Assoucy.

Il y a vingt ans, les Prémontrés, ou plutôt les Pères blancs, comme les appellent nos Provençaux, étaient tombés dans une grande misère. Si vous aviez vu leur maison de ce temps-là, elle vous aurait fait peine.

Le grand mur, la tour Pacôme s'en allaient en morceaux. Tout autour du cloître rempli d'herbes, les colonnettes se fendaient, les saints de pierre croulaient dans leurs niches. Pas un vitrail debout, pas une porte qui tînt. Dans les préaux, dans les chapelles, le vent du Rhône soufflait comme en Camargue, éteignant les cierges, cassant le plomb des vitrages, chassant l'eau des bénitiers. Mais le plus triste de tout, c'était le clocher du couvent, silencieux comme un pigeonnier vide, et les Pères, faute d'argent pour s'acheter une cloche, obligés de sonner matines avec des cliquettes de bois d'amandier !...

Pauvres Pères blancs ! Je les vois encore, à la procession de la Fête-Dieu, défilant tristement dans leurs capes rapiécées, pâles, maigres, nourris de *citres* et de pastèques, et derrière eux monseigneur l'abbé, qui venait la tête basse, tout honteux de montrer au soleil sa crosse dédorée et sa mitre de laine blanche mangée des vers. Les dames de la confrérie en pleuraient de pitié dans les rangs, et les gros porte-bannière ricanaient entre eux tout bas en se montrant les pauvres moines :

« Les étourneaux vont maigres quand ils vont en troupe. »

Le fait est que les infortunés Pères blancs en étaient arrivés eux-mêmes à se demander s'ils ne feraient pas mieux de prendre leur vol à travers le monde et de chercher pâture chacun de son côté.

Or, un jour que cette grave question se débattait dans le chapitre, on vint annoncer au prieur que le frère Gaucher demandait à être entendu au conseil... Vous saurez pour votre gouverne que ce frère Gaucher était le bouvier du couvent ; c'est-à-dire qu'il passait ses journées à rouler d'arcade en arcade dans le cloître, en poussant devant lui deux vaches étiques qui cherchaient l'herbe aux fentes des pavés. Nourri jusqu'à douze ans par une vieille folle du pays des Baux, qu'on appelait tante Bégon, recueilli depuis chez les moines, le malheureux bouvier n'avait jamais pu rien apprendre qu'à conduire ses bêtes et à réciter son *Pater noster* ; encore le disait-il en provençal, car il avait la cervelle dure et l'esprit fin comme une dague de plomb. Fervent chrétien du reste, quoique un peu visionnaire, à l'aise sous le cilice et se donnant la discipline avec une conviction robuste, et des bras !...

Quand on le vit entrer dans la salle du chapitre, simple et balourd, saluant l'assemblée la jambe en arrière, prieur, chanoines, argentier, tout le monde se mit à rire. C'était toujours l'effet que produisait, quand elle arrivait quelque part, cette bonne face grisonnante avec sa barbe de chèvre et ses yeux un peu fous ; aussi le frère Gaucher ne s'en émut pas.

« Mes Révérends, fit-il d'un ton bonasse en tortillant son chapelet de noyaux d'olives, on a bien raison de dire que ce sont les tonneaux vides qui chantent le mieux. Figurez-vous qu'à force de creuser ma pauvre tête déjà si creuse, je crois que j'ai trouvé le moyen de nous tirer tous de peine.

« Voici comment. Vous savez bien tante Bégon, cette brave femme qui me gardait quand j'étais petit. (Dieu ait son âme, la vieille coquine ! elle chantait de bien vilaines chansons après boire.) Je vous dirai donc, mes Révérends Pères, que tante Bégon, de son vivant, se connaissait aux herbes de montagne autant et mieux qu'un vieux merle de Corse. Voire, elle avait composé, sur la fin de ses jours, un élixir incomparable en mélangeant cinq ou six espèces de simples que nous allions cueillir ensemble dans les Alpilles. Il y a de belles années de cela ; mais je pense qu'avec l'aide de saint Augustin et la permission de notre Père abbé, je pourrais — en cherchant bien — retrouver la composition de ce mystérieux élixir. Nous n'aurions plus alors qu'à le mettre en bouteilles, et à le vendre un peu cher, ce qui permettrait à la communauté de s'enrichir doucettement, comme ont fait nos frères de la Trappe et de la Grande... »

Il n'eut pas le temps de finir. Le prieur s'était levé pour lui sauter au cou. Les chanoines lui prenaient les mains. L'argentier, encore plus ému que tous les autres, lui baisait avec respect le bord tout effrangé de sa cuculle... Puis chacun revint à sa chaire pour délibérer ; et, séance tenante, le chapitre décida qu'on confierait les vaches au frère Thrasybule, pour que le frère Gaucher pût se donner tout entier à la confection de son élixir.

Comment le bon frère parvint-il à retrouver la recette de tante Bégon ? au prix de quels efforts ? au prix de quelles veilles ? L'histoire ne le dit pas. Seulement, ce qui est sûr, c'est qu'au bout de six mois, l'élixir des Pères blancs était déjà très populaire. Dans tout le Comtat, dans tout le pays d'Arles, pas un *mas*, pas une grange qui n'eût au fond de sa *dépense*, entre les bouteilles de vin cuit et les jarres d'olives à la picholine, un petit flacon de terre brune cacheté aux armes de Provence, avec un moine en extase sur une étiquette d'argent. Grâce à la vogue de son élixir, la maison des Prémontrés s'enrichit très rapidement. On releva la tour Pacôme. Le prieur eut une mitre neuve, l'église de jolis vitraux ouvragés ; et, dans la fine dentelle du clocher, toute une compagnie de cloches et de clochettes vint s'abattre, un beau matin de Pâques, tintant et carillonnant à la grande volée.

Quant au frère Gaucher, ce pauvre frère laid dont les rusticités égayaient tant le chapitre, il n'en fut plus question dans le couvent. On ne connut plus désormais que le Révérend Père Gaucher, homme de tête et de grand savoir, qui vivait complètement isolé des occupations si menues et si multiples du cloître, et s'enfermait tout le jour dans sa distillerie, pendant que trente moines battaient la montagne pour lui chercher des herbes odorantes... Cette distillerie, où personne, pas même le prieur, n'avait le droit de pénétrer, était une ancienne chapelle abandonnée, tout au bout du jardin des chanoines. La simplicité des bons Pères en avait fait quelque chose de mystérieux et de formidable ; et si, par aventure, un moinillon hardi et curieux, s'accrochant aux vignes grimpantes, arrivait jusqu'à la rosace du portail, il en dégringolait bien vite, effaré d'avoir vu le Père Gaucher, avec sa barbe de nécroman, penché sur ses fourneaux, le pèse-liqueur à la main ; puis, tout atour, des cornues de grès rose, des alambics gigantesques, des serpentins de cristal, tout un encombrement bizarre qui flamboyait ensorcelé dans la lueur rouge des vitraux...

Au jour tombant, quand sonnait le dernier angélus, la porte de ce lieu de mystère s'ouvrait discrètement, et le Révérend se rendait à l'église pour l'office du soir. Il fallait voir quel accueil quand il traversait le monastère ! Les frères faisaient la haie sur son passage. On disait :

« Chut !... il a le secret... »

L'argentier le suivait et lui parlait la tête basse... Au milieu de ces adulations, le Père s'en allait en s'épongeant le front, son tricorne aux larges bords posé en arrière comme une auréole, regardant autour de lui d'un air de complaisance les grandes cours plantées d'orangers, les toits bleus où tournaient des girouettes neuves, et, dans le cloître éclatant de blancheur — entre les colonnettes élégantes et fleuries —, les chanoines habillés de frais qui défilaient deux par deux avec des mines reposées.

« C'est à moi qu'ils doivent tout cela ! » se disait le Révérend en lui-même ; et chaque fois cette pensée lui faisait monter des bouffées d'orgueil.

Le pauvre homme en fut bien puni. Vous allez voir...

Figurez-vous qu'un soir, pendant l'office, il arriva à l'église dans une agitation extraordinaire : rouge, essoufflé, le capuchon de travers, et si troublé qu'en prenant de l'eau bénite il y trempa ses manches jusqu'au coude. On crut d'abord que c'était l'émotion d'arriver en retard ; mais quand on le vit faire de grandes révérences à l'orgue et aux tribunes au lieu de saluer le maître-autel, traverser l'église en coup de vent, errer dans le chœur pendant cinq minutes pour chercher sa stalle, puis, une fois assis, s'incliner de droite et de gauche en souriant d'un air béat, un murmure d'étonnement courut dans les trois nefs. On chuchotait de bréviaire à bréviaire :

« Qu'a donc notre Père Gaucher ?... Qu'a donc notre Père Gaucher ? »

Par deux fois, le prieur impatienté, fit tomber sa crosse sur les dalles pour commander le silence... Là-bas, au fond du chœur, les psaumes allaient toujours ; mais les répons manquaient d'entrain...

Tout à coup, au beau milieu de l'*Ave verum*, voilà mon Père Gaucher qui se renverse dans sa stalle et entonne d'une voix éclatante :

Dans Paris, il y a un Père blanc,
Patatin, patatan, tarabin, taraban...

Consternation générale. Tout le monde se lève. On crie :

« Emportez-le... il est possédé ! »

Les chanoines se signent. La crosse de monseigneur se démène... Mais le Père Gaucher ne voit rien, n'écoute rien ; et deux moines vigoureux sont obligés de l'entraîner par la petite porte du chœur, se débattant comme un exorcisé et continuant de plus belle ses *patatin* et ses *taraban*.

Le lendemain, au petit jour, le malheureux était à genoux dans l'oratoire du prieur, et faisant sa coulpe avec un ruisseau de larmes :

« C'est l'élixir, monseigneur, c'est l'élixir qui m'a surpris », disait-il en se frappant la poitrine.

Et de le voir si marri, si repentant, le bon prieur en était tout ému lui-même.

« Allons, allons, Père Gaucher, calmez-vous, tout cela séchera comme la rosée au soleil... Après tout, le scandale n'a pas été aussi grand que vous pensez. Il y a bien eu la chanson qui était un peu... hum ! hum !... Enfin il faut espérer que les novices ne l'auront pas entendue... A présent, voyons, dites-moi bien comment la chose vous est arrivée... C'est en essayant l'élixir, n'est-ce pas ? Vous aurez eu la main trop lourde... Oui, oui, je comprends... C'est comme le frère Schwartz, l'inventeur de la poudre : vous avez été victime de votre invention... Et dites-moi, mon brave ami, est-il bien nécessaire que vous l'essayiez sur vous-même, ce terrible élixir ?

— Malheureusement, oui, monseigneur... l'éprouvette me donne bien la force et le degré de l'alcool ; mais pour le fini, le velouté, je ne me fie guère qu'à ma langue...

— Ah ! très bien... Mais écoutez encore un peu que je vous dise... Quand vous goûtez ainsi l'élixir par nécessité, est-ce que cela vous semble bon ? Y prenez-vous du plaisir ?...

— Hélas ! oui, monseigneur, fit le malheureux Père en devenant tout rouge... Voilà deux soirs que je lui trouve un bouquet, un arôme !... C'est pour sûr le démon qui m'a joué ce vilain tour... Aussi je suis bien décidé désormais à ne plus me servir que de l'éprouvette. Tant pis si la liqueur n'est pas assez fine, si elle ne fait pas assez la perle...

— Gardez-vous-en bien, interrompit le prieur avec vivacité. Il ne faut pas s'exposer à mécontenter la clientèle... Tout ce que vous avez à faire maintenant que vous voilà prévenu, c'est de vous tenir sur vos gardes... Voyons, qu'est-ce qu'il vous faut pour vous rendre compte ?... Quinze ou vingt gouttes, n'est-ce pas ?... mettons vingt gouttes... Le diable sera bien fin s'il vous attrape avec vingt gouttes... D'ailleurs, pour prévenir tout accident, je vous dispense dorénavant de venir à l'église. Vous direz l'office du soir dans la distillerie... Et maintenant, allez en paix, mon Révérend, et surtout... comptez bien vos gouttes. »

Hélas ! le pauvre Révérend eut beau compter ses gouttes... le démon le tenait, et ne le lâcha plus.

C'est la distillerie qui entendit de singuliers offices !

Le jour, encore, tout allait bien. Le Père était assez calme : il préparait ses réchauds, ses alambics, triait soigneusement ses herbes, toutes herbes de Provence, fines, grises, dentelées, brûlées de parfums et de soleil... Mais, le soir, quand les simples étaient infusées et que l'élixir tiédissait dans de grandes bassines de cuivre rouge, le martyre du pauvre homme commençait.

« ... Dix-sept... dix-huit... dix-neuf... vingt !... »

Les gouttes tombaient du chalumeau dans le gobelet de vermeil. Ces vingt-là, le Père les avalait d'un trait, presque sans plaisir. Il n'y avait que la vingt et unième qui lui faisait envie. Oh ! cette vingt et unième goutte !... Alors, pour échapper à la tentation, il allait s'agenouiller tout au bout du laboratoire et s'abîmait dans ses patenôtres. Mais de la liqueur encore chaude il montait une petite fumée toute chargée d'aromates, qui venait rôder autour de lui et, bon gré mal gré, le ramenait vers les bassines... La liqueur était d'un beau vert doré. Penché dessus, les narines ouvertes, le Père la remuait tout doucement avec son chalumeau, et dans les petites paillettes étincelantes que roulait le flot d'émeraude, il lui semblait voir les yeux de tante Bégon qui riaient et pétillaient en le regardant...

« Allons ! encore une goutte ! »

Et de goutte en goutte, l'infortuné finissait par avoir son gobelet plein jusqu'au bord. Alors, à bout de forces, il se laissait tomber dans un grand fauteuil, et, le corps abandonné, la paupière à demi close, il dégustait son péché par petits coups, en se disant tout bas avec un remords délicieux :

« Ah ! je me damne... je me damne... »

Le plus terrible, c'est qu'au fond de cet élixir diabolique il retrouvait, par je ne sais quel sortilège, toutes les vilaines chansons de tante Bégon : *Ce sont trois petites commères, qui parlent de faire un banquet...* ou : *Bergerette de maître André s'en va-t-au bois seulette...* et toujours la fameuse des Pères blancs : *Patatin patatan.*

Pensez quelle confusion le lendemain quand ses voisins de cellule lui faisaient d'un air malin :

« Eh ! eh ! Père Gaucher, vous aviez des cigales en tête, hier soir en vous couchant. »

Alors c'étaient des larmes, des désespoirs, et le jeûne, et le cilice, et la discipline. Mais rien ne pouvait contre le démon de l'élixir ; et tous les soirs, à la même heure, la possession recommençait.

Pendant ce temps, les commandes pleuvaient à l'abbaye que c'était une bénédiction. Il en venait de Nîmes, d'Aix, d'Avignon, de Marseille... De jour en jour le couvent prenait un petit air de manufacture. Il y avait des frères emballeurs, des frères étiqueteurs, d'autres pour les écritures, d'autres pour le camionnage ; le service de Dieu y perdait bien par-ci par-là quelques coups de cloches ; mais les pauvres gens du pays n'y perdaient rien, je vous en réponds...

Et donc, un beau dimanche matin, pendant que l'argentier lisait en plein chapitre son inventaire de fin d'année et que les bons chanoines l'écoutaient les yeux brillants et le sourire aux lèvres, voilà le Père Gaucher qui se précipite au milieu de la conférence en criant :

« C'est fini... Je n'en fais plus... Rendez-moi mes vaches.

— Qu'est-ce qu'il y a donc, Père Gaucher ? demanda le prieur, qui se doutait bien un peu de ce qu'il y avait.

— Ce qu'il y a, monseigneur ?... Il y a que je suis en train de me préparer une belle éternité de flammes, et de coups de fourche... il y a que je bois, que je bois comme un misérable...

— Mais je vous avais dit de compter vos gouttes.

— Ah ! bien oui, compter mes gouttes ! c'est par gobelets qu'il faudrait compter maintenant... Oui, mes Révérends, j'en suis là. Trois fioles par soirée... Vous comprenez bien que cela ne peut pas durer... Aussi, faites faire l'élixir par qui vous voudrez... Que le feu de Dieu me brûle si je m'en mêle encore ! »

C'est le chapitre qui ne riait plus.

« Mais, malheureux, vous nous ruinez ! criait l'argentier en agitant son grand livre.

— Préférez-vous que je me damne ? »

Pour lors, le prieur se leva.

« Mes Révérends, dit-il en étendant sa belle main blanche où luisait l'anneau pastoral, il y a moyen de tout arranger... C'est le soir, n'est-ce pas, mon cher fils, que le démon vous tente ?...

— Oui, monsieur le prieur, régulièrement tous les soirs... Aussi, maintenant, quand je vois arriver la nuit, j'en ai, sauf votre respect, les sueurs qui me prennent comme l'âne de Capitou, quand il voyait venir le bât.

— Eh bien, rassurez-vous... Dorénavant, tous les soirs, à l'office, nous réciterons à votre intention l'oraison de saint Augustin à laquelle l'indulgence plénière est attachée... Avec cela, quoi qu'il arrive, vous êtes à couvert... C'est l'absolution pendant le péché.

— Oh bien ! alors, merci, monsieur le prieur ! »

Et, sans en demander davantage, le Père Gaucher retourna à ses alambics, aussi léger qu'une alouette.

Effectivement, à partir de ce moment-là, tous les soirs à la fin des complies, l'officiant ne manquait jamais de dire :

« Prions pour notre pauvre Père Gaucher, qui sacrifie son âme aux intérêts de la communauté... *Oremus Domine...* »

Et pendant que sur toutes ces capuches blanches, prosternées dans l'ombre des nefs, l'oraison courait en frémissant comme une petite bise sur la neige, là-bas, tout au bout du couvent, derrière le vitrage enflammé de la distillerie, on entendait le Père Gaucher qui chantait à tue-tête :

Dans Paris il y a un Père blanc,
Patatin, patatan, taraban, tarabin ;
Dans Paris il y a un Père blanc,
Qui fait danser des moinettes,
Trin, trin, trin, dans un jardin ;
Qui fait danser des...

... Ici le bon curé s'arrêta plein d'épouvante : « Miséricorde ! si mes paroissiens m'entendaient ! »

EN CAMARGUE

1

Le départ

Grande rumeur au château. Le messager vient d'apporter un mot du garde, moitié en français, moitié en provençal, annonçant qu'il a eu déjà deux ou trois beaux passages de *Galéjons*, de *Charlottines*, et que les *oiseaux de prime* non plus ne manquaient pas.

« Vous êtes des nôtres ! » m'ont écrit mes aimables voisins ; et ce matin, au petit jour de cinq heures, leur grand break, chargé de fusils, de chiens, de victuailles, est venu me prendre au bas de la côte. Nous voilà roulant sur la route d'Arles, un peu sèche, un peu dépouillée, par ce matin de décembre où la verdure pâle des oliviers est à peine visible, et la verdure crue des chênes-kermès un peu trop hivernale et factice. Les étables se remuent. Il y a des réveils avant le jour qui allument la vitre des fermes ; et dans les découpures de pierre de l'abbaye de Montmajour, des orfraies encore engourdies de sommeil battent de l'aile parmi les ruines. Pourtant nous croisons déjà, le long des fossés, de vieilles paysannes qui vont au marché au trot de leurs bourriquets. Elles viennent de la Ville-des-Baux. Six grandes lieues pour s'asseoir une heure sur les marches de Saint-Trophime et vendre des petits paquets de simples ramassés dans la montagne !...

Maintenant voici les remparts d'Arles ; des remparts bas et

crénelés, comme on en voit sur les anciennes estampes où des guerriers armés de lances apparaissent en haut de talus moins grands qu'eux. Nous traversons au galop cette merveilleuse petite ville, une des plus pittoresques de France, avec ses balcons sculptés, arrondis, s'avançant comme des moucharabiés jusqu'au milieu des rues étroites, avec ses vieilles maisons noires aux petites portes moresques, ogivales et basses, qui vous reportent au temps de Guillaume Court-Nez et des Sarrasins. A cette heure, il n'y a encore personne dehors. Le quai du Rhône seul est animé. Le bateau à vapeur qui fait le service de la Camargue chauffe au bas des marches, prêt à partir. Des *ménagers* en veste de cadis roux, des filles de La Roquette qui vont se louer pour des travaux de ferme, montent sur le pont avec nous, causant et riant entre eux. Sous les longues mantes brunes rabattues à cause de l'air vif du matin, la haute coiffure arlésienne fait la tête élégante et petite avec un joli grain d'effronterie, une envie de se dresser pour lancer le rire ou la malice plus loin... La cloche sonne ; nous partons. Avec la triple vitesse du Rhône, de l'hélice, du mistral, les deux rivages se déroulent. D'un côté c'est la Crau, une plaine aride, pierreuse. De l'autre, la Camargue, plus verte, qui prolonge jusqu'à la mer son herbe courte et ses marais pleins de roseaux.

De temps en temps le bateau s'arrête près d'un ponton, à gauche ou à droite, à Empire ou à Royaume, comme on disait au Moyen Age, du temps du Royaume d'Arles, et comme les vieux mariniers du Rhône disent encore aujourd'hui, A chaque ponton, une ferme blanche, un bouquet d'arbres. Les travailleurs descendent chargés d'outils, les femmes leur panier au bras, droites sur la passerelle. Vers Empire ou vers Royaume peu à peu le bateau se vide et quand il arrive au ponton du Mas-de-Giraud où nous descendons, il n'y a presque plus personne à bord.

Le Mas-de-Giraud est une vieille ferme des seigneurs de Barbentane, où nous entrons pour attendre le garde qui doit venir nous chercher. Dans la haute cuisine, tous les hommes de la ferme, laboureurs, vignerons, bergers, bergerots, sont attablés, graves, silencieux, mangeant lentement, et servis par les femmes qui ne mangeront qu'après. Bientôt le garde paraît avec la carriole. Vrai type à la Fenimore, trappeur de terre et d'eau, garde-pêche et garde-chasse, les gens du pays l'appellent *lou Roudeïroù* (le rôdeur), parce qu'on le voit toujours, dans les brumes d'aube ou de jour tombant, caché pour l'affût parmi les roseaux ou bien immobile dans son petit bateau, occupé à surveiller ses nasses sur les *clairs* (les étangs) et les *roubines* (canaux d'irrigation). C'est peut-être ce métier d'éternel guetteur qui le rend aussi silencieux, aussi concentré. Pourtant, pendant que la petite carriole chargée de fusils et de paniers marche devant nous, il nous donne des nouvelles de la chasse, le nombre des passages, les quartiers où les oiseaux voyageurs se sont abattus. Tout en causant, on s'enfonce dans le pays.

Les terres cultivées dépassées, nous voici en pleine Camargue sauvage. A perte de vue, parmi les pâturages, des marais, des *roubines* luisent dans les salicornes. Des bouquets de tamaris et de roseaux font des îlots comme sur une mer calme. Pas d'arbres hauts. L'aspect uni, immense de la plaine, n'est pas troublé. De loin en loin, des parcs de bestiaux étendent leurs toits bas presque au ras de terre. Des troupeaux dispersés, couchés dans les herbes salines, ou cheminant serrés autour de la cape rousse du berger, n'interrompent pas la grande ligne uniforme, amoindris qu'ils sont par cet espace infini d'horizons bleus et de ciel ouvert. Comme de la mer unie malgré ses vagues, il se dégage de cette plaine un sentiment de solitude, d'immensité, accru encore par le mistral qui souffle sans relâche, sans obstacle, et qui, de son haleine puissante, semble aplanir, agrandir le paysage. Tout se courbe devant lui. Les moindres arbustes gardent l'empreinte de son passage, en restent tordus, couchés vers le sud dans l'attitude d'une fuite perpétuelle...

2

La cabane

Un toit de roseaux, des murs de roseaux desséchés et jaunes, c'est la cabane. Ainsi s'appelle notre rendez-vous de chasse. Type de la maison camarguaise, la cabane se compose d'une unique pièce, haute, vaste, sans fenêtre, et prenant jour par une porte vitrée qu'on ferme le soir avec des volets pleins. Tout le long des grands murs crépis, blanchis à la chaux, des râteliers attendent les fusils, les carniers, les bottes de marais. Au fond, cinq ou six berceaux sont rangés autour d'un vrai mât planté au sol et montant jusqu'au toit auquel il sert d'appui. La nuit, quand le mistral souffle et que la maison craque de partout, avec la mer lointaine et le vent qui la rapproche, porte son bruit, le continue en l'enflant, on se croirait couché dans la chambre d'un bateau.

Mais c'est l'après-midi surtout que la cabane est charmante.

Par nos belles journées d'hiver méridional, j'aime rester tout seul près de la haute cheminée où fument quelques pieds de tamaris. Sous les coups du mistral ou de la tramontane, la porte saute, les roseaux crient, et toutes ces secousses sont un bien petit écho du grand ébranlement de la nature autour de moi. Le soleil d'hiver fouetté par l'énorme courant s'éparpille, joint ses rayons, les disperse. De grandes ombres courent sous un ciel bleu admirable. La lumière arrive par saccades, les bruits aussi ; et les sonnailles des troupeaux entendues tout à coup, puis oubliées, perdues dans le vent, reviennent chanter sous la porte ébranlée avec le charme d'un refrain... L'heure exquise, c'est le crépuscule, un peu avant que les chasseurs n'arrivent. Alors le vent s'est calmé. Je sors un moment. En paix le grand soleil rouge descend, enflammé, sans chaleur. La nuit tombe, vous frôle en passant de son aile noire tout humide. Là-bas, au ras du sol, la lumière d'un coup de feu passe avec l'éclat d'une étoile rouge, avivée par l'ombre environnante. Dans ce qui reste de jour, la vie se hâte. Un long triangle de canards vole très bas, comme s'ils voulaient prendre terre ; mais tout à coup la cabane, où le *caleil* est allumé, les éloigne : celui qui tient la tête de la colonne dresse le cou, remonte, et tous les autres derrière lui s'emportent plus haut avec des cris sauvages.

Bientôt un piétinement immense se rapproche, pareil à un bruit de pluie. Des milliers de moutons, rappelés par les bergers, harcelés par les chiens, dont on entend le galop confus et l'haleine haletante, se pressent vers les parcs, peureux et indisciplinés. Je suis envahi, frôlé, confondu dans ce tourbillon de laines frisées, de bêlements ; une houle véritable où les bergers semblent portés avec leur ombre par des flots bondissants... Derrière les troupeaux, voici des pas connus, des voix joyeuses. La cabane est pleine, animée, bruyante. Les sarments flamblent. On rit d'autant plus qu'on est plus las. C'est un étourdissement d'heureuse fatigue, les fusils dans un coin, les grandes bottes jetées pêle-mêle, les carniers vides, et à côté les plumages roux, dorés, verts, argentés, tout tachés de sang. La table est mise ; et dans la fumée d'une bonne soupe d'anguilles, le silence se fait, le grand silence des appétits robustes, interrompu seulement par les grognements féroces des chiens qui lapent leur écuelle à tâtons devant la porte...

La veillée sera courte. Déjà, près du feu, clignotant lui aussi, il ne reste plus que le garde et moi. Nous causons, c'est-à-dire nous nous jetons de temps en temps l'un à l'autre des demi-mots à la façon des paysans, de ces interjections presque indiennes, courtes et vite éteintes comme les dernières étincelles des sarments consumés. Enfin le garde se lève, allume sa lanterne et j'écoute son pas lourd qui se perd dans la nuit...

3

À l'espère (à l'affût)

L'espère ! quel joli nom pour désigner l'affût, l'attente du chasseur embusqué, et ces heures indécises où tout attend, *espère*, hésite entre le jour et la nuit. L'affût du matin un peu avant le lever du soleil, l'affût du soir au crépuscule. C'est ce dernier que je préfère, surtout dans ces pays marécageux où l'eau des *clairs* garde si longtemps la lumière...

Quelquefois on tient l'affût dans le *negochin* (le *naye-chien*), un tout petit bateau sans quille, étroit, roulant au moindre mouvement. Abrité par les roseaux, le chasseur guette les canards du fond de sa barque, que dépassent seulement la visière d'une casquette, le canon du fusil et la tête du chien flairant le vent, happant les moustiques, ou bien de ses grosses pattes étendues penchant tout le bateau d'un côté et le remplissant d'eau. Cet affût-là est trop compliqué pour mon inexpérience.

Aussi, le plus souvent, je vais à *l'espère* à pied, barbotant en plein marécage avec d'énormes bottes taillées dans toute la longueur du cuir, je marche lentement, prudemment, de peur de m'envaser. J'écarte les roseaux pleins d'odeurs saumâtres et de sauts de grenouilles...

Enfin, voici un îlot de tamaris, un coin de terre sèche où je m'installe. Le garde, pour me faire honneur, a laissé son chien avec moi ; un énorme chien des Pyrénées à grande toison blanche, chasseur et pêcheur de premier ordre, et dont la présence ne laisse pas que de m'intimider un peu. Quand une poule d'eau passe à ma portée, il a une certaine façon ironique de me regarder en rejetant en arrière, d'un coup de tête à l'artiste, deux longues oreilles flasques qui lui pendent dans les yeux ; puis des poses à l'arrêt, des frétillements de queue, toute une mimique d'impatience pour me dire :

« Tire... tire donc ! »

Je tire, je manque. Alors, allongé de tout son corps, il bâille et s'étire d'un air las, découragé, et insolent...

Eh bien, oui, j'en conviens, je suis un mauvais chasseur. L'affût, pour moi, c'est l'heure qui tombe, la lumière diminuée, réfugiée dans l'eau, les étangs qui luisent, polissant jusqu'au ton de l'argent fin la teinte grise du ciel assombri. J'aime cette odeur d'eau, ce frôlement mystérieux des insectes dans les roseaux, ce petit murmure des longues feuilles qui frissonnent. De temps en temps, une note triste passe et roule dans le ciel comme un ronflement de conque marine. C'est le butor qui plonge au fond de l'eau son bec immense d'oiseau-pêcheur et souffle... rrrouououou ! Des vols de grues filent sur ma tête. J'entends le froissement des plumes, l'ébouriffement du duvet dans l'air vif, et jusqu'au craquement de la petite armature surmenée. Puis, plus rien. C'est la nuit, la nuit profonde, avec un peu de jour resté sur l'eau...

Tout à coup, j'éprouve un tressaillement, une espèce de gêne nerveuse, comme si j'avais quelqu'un derrière moi. Je me retourne, et j'aperçois le compagnon des belles nuits, la lune, une large lune toute ronde, qui se lève doucement, avec un mouvement d'ascension d'abord très sensible, et se ralentissant à mesure qu'elle s'éloigne de l'horizon.

Déjà un premier rayon est distinct près de moi, puis un autre un peu plus loin... Maintenant tout le marécage est allumé. La moindre touffe d'herbe a son ombre. L'affût est fini, les oiseaux nous voient : il faut rentrer. On marche au milieu d'une inondation de lumière bleue, légère, poussiéreuse ; et chacun de nos pas dans les *clairs*, dans les *roubines*, y remue des tas d'étoiles tombées et des rayons de lune qui traversent l'eau jusqu'au fond.

4

Le rouge et le blanc

Tout près de chez nous, à une portée de fusil de la cabane, il y en a une autre qui lui ressemble, mais plus rustique. C'est là que notre garde habite avec sa femme et ses deux aînés ; la fille, qui soigne le repas des hommes, raccommode les filets de pêche ; le garçon, qui aide son père à relever les nasses, à surveiller les *martilières* (vannes) des étangs. Les deux plus jeunes sont à Arles, chez la grand-mère ; et ils y resteront jusqu'à ce qu'ils aient appris à lire et qu'ils aient fait leur *bon jour* (première communion), car ici on est trop loin de l'église et de l'école, et puis l'air de la Camargue ne vaudrait rien pour ces petits. Le fait est que, l'été venu, quand les marais sont à sec et que la vase blanche des *roubines* se crevasse à la grande chaleur, l'île n'est vraiment pas habitable.

J'ai vu cela une fois, au mois d'août, en venant tirer les hallebrands, et je n'oublierai jamais l'aspect triste et féroce de ce paysage embrasé. De place en place, les étangs fumaient au soleil comme d'immenses cuves, gardant tout au fond un reste de vie qui s'agitait, un grouillement de salamandres, d'araignées, de mouches d'eau cherchant des coins humides. Il y avait là un air de peste, une brume de miasmes lourdement flottante qu'épaississaient encore d'innombrables tourbillons de moustiques. Chez le garde, tout le monde grelottait, tout le monde avait la fièvre, et c'était pitié de voir les visages jeunes, tirés, les yeux cerclés, trop grands, de ces malheureux condamnés à se traîner, pendant trois mois, sous ce plein soleil inexorable qui brûle les fiévreux sans les réchauffer... Triste et pénible vie que celle de garde-chasse en Camargue ! Encore celui-là a sa femme et ses enfants près de lui ; mais à deux lieues plus loin, dans le marécage, demeure un gardien de chevaux qui, lui, vit absolument seul d'un bout de l'année à l'autre et mène une véritable existence de Robinson. Dans sa cabane de roseaux, qu'il a construite lui-même, pas un ustensile qui ne soit son ouvrage, depuis le hamac d'osier tressé, les trois pierres noires assemblées en foyer, les pieds de tamaris taillés en escabeaux, jusqu'à la serrure et la clef de bois blanc fermant cette singulière habitation.

L'homme est au moins aussi étrange que son logis. C'est une espèce de philosophe silencieux comme les solitaires, abritant sa méfiance de paysan sous d'épais sourcils en broussaille. Quand il n'est pas dans le pâturage, on le trouve assis devant sa porte, déchiffrant lentement, avec une application enfantine et touchante, une de ces petites brochures roses, bleues ou jaunes, qui entourent les fioles pharmaceutiques dont il se sert pour ses chevaux. Le pauvre diable n'a pas d'autre distraction que la lecture, ni d'autres livres que ceux-là. Quoique voisins de cabane, notre garde et lui ne se voient pas. Ils évitent même de se rencontrer. Un jour que je demandais au *roudeïroù* la raison de cette antipathie, il me répondit d'un air grave :

« C'est à cause des opinions... Il est rouge, et moi je suis blanc. »

Ainsi, même dans ce désert dont la solitude aurait dû les rapprocher, ces deux sauvages, aussi ignorants, aussi naïfs l'un que l'autre, ces deux bouviers de Théocrite, qui vont à la ville à peine une fois par an et à qui les petits cafés d'Arles, avec leurs dorures et leurs glaces, donnent l'éblouissement du palais des Ptolémées, ont trouvé moyen de se haïr au nom de leurs convictions politiques !

5

Le Vaccarès

Ce qu'il y a de plus beau en Camargue, c'est le Vaccarès. Souvent, abandonnant la chasse, je viens m'asseoir au bord de ce lac salé, une petite mer qui semble un morceau de la grande, enfermé dans les terres et devenu familier par sa captivité même. Au lieu de ce dessèchement, de cette aridité qui attristent d'ordinaire les côtes, le Vaccarès, sur son rivage un peu haut, tout vert d'herbe fine, veloutée, étale une flore originale et charmante : des centaurées, des trèfles d'eau, des gentianes, et ces jolies *saladelles* bleues en hiver, rouges en été, qui transforment leur couleur au changement d'atmosphère, et dans une floraison ininterrompue marquent les saisons de leurs tons divers.

Vers cinq heures du soir, à l'heure où le soleil décline, ces trois lieues d'eau sans une barque, sans une voile pour limiter, transformer leur étendue, ont un aspect admirable. Ce n'est plus le charme intime des *clairs*, des *roubines*, apparaissant de distance en distance entre les plis d'un terrain marneux sous lequel on sent l'eau filtrer partout, prête à se montrer à la moindre dépression du sol. Ici, l'impression est grande, large.

De loin, ce rayonnement de vagues attire des troupes de macreuses, des hérons, des butors, des flamants au ventre blanc, aux ailes roses, s'alignant pour pêcher tout le long du rivage, de façon à disposer leurs teintes diverses en une longue bande égale ; et puis des ibis, de vrais ibis d'Egypte, bien chez eux dans ce soleil splendide et ce paysage muet. De ma place, en effet, je n'entends rien que l'eau qui clapote, et la voix du gardien qui rappelle ses chevaux dispersés sur le bord. Ils ont tous des noms retentissants : « Cifer !... (Lucifer)... L'Estello !... L'Estournello !... » Chaque bête, en s'entendant nommer, accourt, la crinière au vent, et vient manger l'avoine dans la main du gardien.

Plus loin, toujours sur la même rive, se trouve une grande *manado* (troupeau) de bœufs paissant en liberté comme les chevaux. De temps en temps, j'aperçois au-dessus d'un bouquet de tamaris l'arête de leurs dos courbés, et leurs petites cornes en croissant qui se dressent. La plupart de ces bœufs de Camargue sont élevés pour courir dans les *ferrades*, les fêtes de villages ; et quelques-uns ont des noms déjà célèbres par tous les cirques de Provence et de Languedoc. C'est ainsi que la *manado* voisine compte entre autres un terrible combattant, appelé *le Romain*, qui a décousu je ne sais combien d'hommes et de chevaux aux courses d'Arles, de Nîmes, de Tarascon. Aussi ses compagnons l'ont-ils pris pour chef ; car, dans ces étranges troupeaux, les bêtes se gouvernent elles-mêmes, groupées autour d'un vieux taureau qu'elles adoptent comme conducteur. Quand un ouragan tombe sur la Camargue, terrible dans cette grande plaine où rien ne le détourne, ne l'arrête, il faut voir la *manado* se serrer derrière son chef, toutes les têtes baissées tournant du côté du vent ces larges fronts où la force du bœuf se condense. Nos bergers provençaux appellent cette manœuvre : *vira la bano au giscle* — tourner la corne au vent. Et malheur aux troupeaux qui ne s'y conforment pas ! Aveuglée par la pluie, entraînée par l'ouragan, la *manado* en déroute tourne sur elle-même, s'effare, se disperse, et les bœufs éperdus, courant devant eux pour échapper à la tempête, se précipitent dans le Rhône, dans le Vaccarès ou dans la mer.

NOSTALGIES DE CASERNE

Ce matin, aux premières clartés de l'aube, un formidable roulement de tambour me réveille en sursaut... Ran plan plan ! Ran plan plan !...

Un tambour dans mes pins à pareille heure !... Voilà qui est singulier, par exemple.

Vite, vite je me jette à bas de mon lit et je cours ouvrir la porte.

Personne ! Le bruit s'est tu... Du milieu des lambrusques mouillées, deux ou trois courlis s'envolent en secouant leurs ailes... Un peu de brise chante dans les arbres... Vers l'orient, sur la crête fine des Alpilles, s'entasse une poussière d'or d'où le soleil sort lentement... Un premier rayon frise déjà le toit du moulin. Au même moment, le tambour, invisible, se met à battre aux champs sous le couvert... Ran... plan... plan, plan, plan !

Le diable soit de la peau d'âne ! Je l'avais oubliée. Mais enfin, quel est donc le sauvage qui vient saluer l'aurore au fond des bois avec un tambour ?... J'ai beau regarder, je ne vois rien... rien que les touffes de lavande, et les pins qui dégringolent jusqu'en bas sur la route... Il y a peut-être par là, dans le fourré, quelque lutin caché en train de se moquer de moi... C'est Ariel, sans doute, ou maître Puck. Le drôle se sera dit, en passant devant mon moulin :

« Ce Parisien est trop tranquille là-dedans, allons lui donner l'aubade. »

Sur quoi, il aura pris un gros tambour, et... ran plan plan !... ran plan plan !... Te tairas-tu, gredin de Puck ! tu vas réveiller mes cigales.

Ce n'était pas Puck.

C'était Gouguet François, dit Pistolet, tambour au 31e de ligne, et pour le moment en congé de semestre. Pistolet s'ennuie au pays, il a des nostalgies, ce tambour, et — quand on veut bien lui prêter l'instrument de la commune — il s'en va, mélancolique, battre la caisse dans les bois, en rêvant de la caserne du Prince-Eugène.

C'est sur ma petite colline verte qu'il est venu rêver aujourd'hui... Il est là, debout contre un pin, son tambour entre ses jambes et s'en donnant à cœur joie... Des vols de perdreaux effarouchés partent à ses pieds sans qu'il s'en aperçoive. La férigoule embaume autour de lui, il ne la sent pas.

Il ne voit pas non plus les fines toiles d'araignées qui tremblent au soleil entre les branches, ni les aiguilles de pin qui sautillent sur son tambour. Tout entier à son rêve et à sa musique, il regarde amoureusement voler ses baguettes, et sa grosse face niaise s'épanouit de plaisir à chaque roulement.

Ran plan plan ! Ran plan plan !...

« Qu'elle est belle, la grande caserne, avec sa cour aux larges dalles, ses rangées de fenêtres bien alignées, son peuple en bonnet de police, et ses arcades basses pleines du bruit des gamelles !... »

Ran plan plan ! Ran plan plan !...

« Oh ! l'escalier sonore, les corridors peints à la chaux, la chambrée odorante, les ceinturons qu'on astique, la planche au pain, les pots de cirage, les couchettes de fer à couverture grise, les fusils qui reluisent au râtelier ! »

Ran plan plan ! Ran plan plan !...

« Oh ! les bonnes journées du corps de garde, les cartes qui poissent aux doigts, la dame de pique hideuse avec des agréments à la plume, le vieux Pigault-Lebrun dépareillé qui traîne sur le lit de camp !... »

Ran plan plan ! Ran plan plan !...

« Oh ! les longues nuits de faction à la porte des ministères, la vieille guérite où la pluie entre, les pieds qui ont froid !... les voitures de gala qui vous éclaboussent en passant !... Oh ! la corvée supplémentaire, les jours de bloc, le baquet puant, l'oreiller de planche, la diane froide par les matins pluvieux, la retraite dans les brouillards à l'heure où le gaz s'allume, l'appel du soir où l'on arrive essoufflé ! »

Ran plan plan ! Ran plan plan !...

« Oh ! le bois de Vincennes, les gros gants de coton blanc, les promenades sur les fortifications... Oh ! la barrière de l'Ecole, les filles à soldats, le piston du Salon de Mars, l'absinthe dans les bouis-bouis, les confidences entre deux hoquets, les briquets qu'on dégaine, la romance sentimentale chantée une main sur le cœur !... »

Rêve, rêve, pauvre homme ! ce n'est pas moi qui t'en empêcherai... tape hardiment sur ta caisse, tape à tour de bras. Je n'ai pas le droit de te trouver ridicule.

Si tu as la nostalgie de ta caserne, est-ce que, moi, je n'ai pas la nostalgie de la mienne ?

Mon Paris me poursuit jusqu'ici comme le tien. Tu joues du tambour sous les pins, toi ! Moi, j'y fais de la copie... Ah ! les bons Provençaux que nous faisons ! Là-bas, dans les casernes de Paris, nous regrettons nos Alpilles bleues et l'odeur sauvage des lavandes ; maintenant, ici, en pleine Provence, la caserne nous manque, et tout ce qui la rappelle nous est cher !...

Huit heures sonnent au village. Pistolet, sans lâcher ses baguettes, s'est mis en route pour rentrer... On l'entend descendre sous le bois, jouant toujours... Et moi, couché dans l'herbe, malade de nostalgie, je crois voir, au bruit du tambour qui s'éloigne, tout mon Paris défiler entre les pins...

Ah ! Paris... Paris !... Toujours Paris !

Histoire de mes livres

Sur la route d'Arles aux carrières de Fontvieille, passé le mont de Cordes et l'abbaye de Montmajour, se dresse vers la droite, en amont d'un grand bourg poudreux et blanc comme un chantier de pierres, une montagnette chargée de pins, d'un vert désaltérant dans le paysage brûlé. Des ailes de moulin tournaient dans le haut ; en bas s'accote une grande maison blanche, le domaine de Montauban, originale et vieille demeure qui commence en château, large perron, terrasse italienne à pilastres, et se termine en murailles de *mas* campagnard, avec les perchoirs pour les paons, la vigne au-dessus de la porte, le puits dont un figuier enguirlande les ferrures, les hangars où reluisent les herses et les araires, le parc aux brebis devant un champ de grêles amandiers qui fleurissent en bouquets roses vite effeuillés au vent de mars. Ce sont les seules fleurs de Montauban. Ni pelouses, ni parterres, rien qui rappelle le jardin, la propriété enclose ; seulement des massifs de pins dans le gris des roches, un parc naturel et sauvage, aux allées en fouillis, toutes glissantes d'aiguilles sèches. A l'intérieur, même disparate de manoir et de ferme, des galeries dallées et fraîches, meublées de canapés et de fauteuils Louis XVI, cannés et contournés, si commodes aux siestes estivales ; larges escaliers, corridors pompeux où le vent s'engouffre et siffle sous les portes des chambres, agite leurs lampas à grandes raies de l'ancien temps. Puis, deux marches franchies, voici la salle rustique au sol battu, gondolé, que grattent les poules venues pour ramasser les miettes du déjeuner de la ferme, aux murs crépis soutenant des crédences en noyer, la *panière* et le pétrin ciselés naïvement.

Une vieille famille provençale habitait là, il y a vingt ans, non moins originale et charmante que son logis. La mère, bourgeoise de campagne, très âgée mais droite encore sous ses bonnets de veuve qu'elle n'avait jamais quittés, menant seule ce domaine considérable d'oliviers, de blés, de vignes, de mûriers : près d'elle, ses quatre fils, quatre vieux garçons qu'on désignait par les professions qu'ils avaient exercées ou exerçaient encore, le Maire, le Consul, le Notaire, l'Avocat. Leur père mort, leur sœur mariée, ils s'étaient serrés tous quatre autour de la vieille femme, lui faisant le sacrifice de leurs ambitions et de leurs goûts, unis dans l'exclusif amour de celle qu'ils appelaient leur « chère maman » avec une intonation respectueuse et attendrie.

Braves gens, maison bénie !... Que de fois, l'hiver, je suis venu là me reprendre à la nature, me guérir de Paris et de ses fièvres, aux saines émanations de nos petites collines provençales. J'arrivais sans prévenir, sûr de l'accueil, annoncé par la fanfare des paons, des chiens de chasse, Miracle, Miraclet, Tambour, qui gambadaient autour de la voiture, pendant que s'agitait la coiffe arlésienne de la servante effarée, courant avertir ses maîtres, et que la « chère maman » me serrait sur son petit châle à carreaux gris, comme si j'avais été un de ses garçons. Cinq minutes de tumulte, puis les embrassades finies, ma malle dans ma chambre, toute la maison redevenait silencieuse et clame. Moi je sifflais le vieux Miracle — un épagneul trouvé à la mer, sur une épave, par des pêcheurs de Faraman —, et je montais à mon moulin.

Une ruine, ce moulin ; un débris croulant de pierre, de fer et de vieilles planches, qu'on n'avait pas mis au vent depuis des années et qui gisait, les membres rompus, inutile comme un poète, tandis que tout autour sur la côte la meunerie prospérait et virait à toutes ailes. D'étranges affinités existent de nous aux choses. Dès le premier jour, ce déclassé m'avait été cher ; je l'aimais pour sa détresse, son chemin perdu sous les herbes, ces petites herbes de montagne grisâtres et parfumées avec lesquelles le père Gaucher composait son élixir, pour sa plate-forme effritée où il faisait bon s'acagnardir à l'abri du vent, pendant qu'un lapin détalait ou qu'une longue couleuvre aux détours froissants et sournois venait chasser les mulots dont la masure fourmillait. Avec son craquement de vieille bâtisse secouée par la tramontane, le bruit d'agrès de ses ailes en loques, le moulin remuait dans ma pauvre tête inquiète et voyageuse des souvenirs de courses en mer, de haltes dans des phares, des îles lointaines ; et la houle frémissante tout autour complétait cette illusion. Je ne sais d'où m'est venu ce goût de désert et de sauvagerie, en moi depuis l'enfance, et qui semble aller si peu à l'exubérance de ma nature, à moins qu'il ne soit en même temps le besoin physique de réparer dans un jeûne de paroles, dans une abstinence de cris et de gestes, l'effroyable dépense que fait le Méridional de tout son être. En tout cas, je dois beaucoup à ces retraites spirituelles ; et nulle ne me fut plus salutaire que ce vieux moulin de Provence. J'eus même un moment l'envie de l'acheter ; et l'on pourrait trouver chez le notaire de Fontvieille un acte de vente resté à l'état de projet, mais dont je me suis servi pour faire l'avant-propos de mon livre.

Mon moulin ne m'appartint jamais. Ce qui ne m'empêchait pas d'y passer de longues journées de rêves, de souvenirs, jusqu'à l'heure où le soleil hivernal descendait entre les petites collines rases dont il remplissait les creux comme d'un métal en fusion, d'une coulée d'or toute fumante. Alors, à l'appel d'une conque marine, la trompe de M. Seguin sonnant sa chèvre, je rentrais pour le repas du soir autour de la table hospitalière et fantaisiste de Montauban, servie selon les goûts et les habitudes de chacun : le vin de Constance du Consul à côté de l'*eau bouillie* ou de l'assiette de châtaignes blanches dont la vieille mère faisait son dîner frugal. Le café pris, les pipes allumées, les quatre garçons descendus au village, je restais seul à faire causer l'excellente femme, caractère énergique et bon, intelligence subtile, mémoire pleine d'histoires qu'elle racontait avec tant de simplicité et d'éloquence : des choses de son enfance, humanité disparue, mœurs évanouies, la cueillette du vermillon sur les feuilles de chênes-kermès, 1815, l'invasion, le grand cri d'allégement de toutes les mères à la chute du premier Empire, les danses, les feux de joie allumés sur les places, et le bel officier cosaque en habit vert qui l'avait fait sauter comme une chèvre, farandoler toute une nuit sur le pont de Beaucaire. Puis son mariage, la mort de son mari, de sa fille aînée, que des pressentiments, un brusque coup au cœur lui révélaient à plusieurs lieues de distance, des deuils, des naissances, une translation de cendres chères quand on ferma le cimetière vieux. C'était comme si j'avais feuilleté un de ces anciens livres de raison, à tranches fatiguées, où s'inscrivait autrefois l'histoire morale des familles, mêlée aux détails vulgaires de l'existence courante, et les comptes des bonnes années de vin et d'huile à côté de véritables miracles de sacrifice et de résignation. Dans cette bourgeoise à demi-rustique, je sentais une âme bien féminine, délicate, intuitive, une grâce malicieuse et ignorante de petite fille. Fatiguée de parler, elle s'enfonçait dans son grand fauteuil, loin de la lampe ; l'ombre d'une nuit tombante fermait ses paupières creuses, envahissait son vieux visage aux grandes lignes, ridé, crevassé, raviné par le soc et la herse ; et muette, immobile, j'aurais pu croire qu'elle dormait, sans le cliquetis de son chapelet que ses doigts égrenaient au fond de sa poche. Alors je m'en allais doucement finir ma soirée à la cuisine.

Sous l'auvent d'une cheminée gigantesque où la lampe de cuivre pendait accrochée, une nombreuse compagnie se serrait devant un feu clair de pieds d'oliviers, dont la flamme irrégulière éclairait bizarrement les coiffes pointues et les vestes de cadis jaune. A la place d'honneur, sur la pierre du foyer, le berger accroupi, le menton ras, le cuir tanné, son *cachimbau* (pipe courte) au coin de la bouche finement dessinée, parlait à peine, ayant pris l'habitude du silence contemplatif dans ses longs mois de transhumance sur les Alpes dauphinoises, en face des étoiles qu'il connaissait toutes, depuis *Jean de Milan* jusqu'au *Char des âmes*. Entre deux bouffées de pipe, il jetait en son patois sonore des sentences, des paraboles inachevées, de mystérieux proverbes dont j'ai retenu quelques-uns.

La chanson de Paris, la plus grande pitié du monde... L'homme par la parole et le bœuf par la corne... Besogne de singe, peu et mal... Lune pâle, l'eau dévale... Lune rouge, le vent bouge... Lune blanche, journée franche. Et tous les soirs le même centon avec lequel il levait la séance : *Au plus la vieille allait, au plus elle apprenait, et pour ce, mourir ne voulait.*

Près de lui, le garde Mitifio dit Pistolet, aux yeux farceurs, à la barbiche blanche, amusait la veillée d'un tas de contes, de légendes, que ravivait chaque fois sa pointe railleuse et gamine, bien provençale. Quelquefois, au milieu des rires soulevés par une histoire de Pistolet, le berger disait très grave : « Si pour avoir la barbe blanche on était réputé sage, les chèvres le devraient être. » Il y avait encore le vieux Siblet, le cocher Dominique, et un petit bossu surnommé *lou Roudéiroù* (le Rôdeur), une sorte de farfadet, d'espion de village, regards aigus perçant la nuit et les murailles, âme dévoreuse, dévorée de haines religieuses et politiques.

Il fallait l'entendre raconter et imiter le vieux Jean Coste, un rouge de 93, mort depuis peu et jusqu'au bout fidèle à ses croyances. Le voyage de Jean Coste, vingt lieues à pied pour aller voir guillotiner le curé et les deux *secondaires* (vicaires) de son village. « C'est que, mes enfants, quand je les vis passer leurs têtes à la lunette — et ça ne leur allait pas de passer leurs têtes à la lunette —, eh ! nom d'un Dieu, tout de même, j'eus du plaisir... *tambèn aguéré dé plesi...* » Jean Coste, tout grelottant, chauffant sa vieille carcasse à quelque mur embrasé de lumière et disant aux garçons autour de lui : « Jeunes gens, avez-vous lu Volney ?... *Jouven avès legi Voulney ?* Celui-là prouve mathématiquement qu'il n'y a pas d'autre Dieu que le soleil !... *Gès dè Diou, noum dé Diou ! rèn qué lou souleù !* » Et ses jugements sur les hommes de la Révolution : « Marat, bonhomme... Saint-Just, bonhomme... Danton aussi, bonhomme... Mais, sur la fin, il s'était gâté, il était tombé dans le modérantisme... *dins lou mouderantismo !* » Et l'agonie de Jean Coste dressé en spectre sur son lit et parlant français une fois dans sa vie pour jeter au visage du prêtre : « Retire-toi, corbeau... la charogne il n'est pas encore morte... » Si terriblement le petit bossu accentuait ce dernier cri que les femmes poussaient des « Aïe !... bonne mère !... » et que les chiens endormis s'éveillaient, grondant en sursaut vers la porte battue par la plainte du vent de nuit, jusqu'à ce qu'une voix féminine, aiguë et fraîche, entonnât pour dissiper la fâcheuse impression quelque Noël de Saboly « *J'ai vu dans l'air — un ange tout vert — qui avait de grand's ailes — dessus ses épaules...* » ou bien l'arrivée des mages à Bethléem : « *Voici le roi maure — avec ses yeux tout trévirés ; — l'enfant Jésus pleure, — le roi n'ose plus entrer...* » un air naïf et vif de galoubet que je notais avec toutes les images, expressions, traditions locales ramassées dans la cendre de ce vieux foyer.

Souvent aussi ma fantaisie rayonnait en petits voyages autour du moulin. C'était une partie de chasse ou de pêche en Camargue, vers l'étang du Vaccarès, parmi les bœufs et les chevaux sauvages librement lâchés dans ce coin de pampas. Un autre jour, j'allais rejoindre mes amis les poètes provençaux, les félibres. A cette époque, le Félibrige n'était pas encore érigé en institution académique. Nous étions aux premiers jours de l'*Eglise*, aux heures ferventes et naïves, sans schismes ni rivalités. A cinq ou six bons compagnons, rires d'enfants, dans des barbes d'apôtres, on avait rendez-vous tantôt à Maillane, dans le petit village de Frédéric Mistral, dont me séparait la dentelle rocheuse des Alpilles ; tantôt à Arles, sur le forum, au milieu d'un grouillement de bouviers et de pâtres venus pour se louer aux gens des *mas*. On allait aux Aliscamps écouter, couchés dans l'herbe parmi les sarcophages de pierre grise, quelque beau drame de Théodore Aubanel, tandis que l'air vibrait de cigales et que sonnaient ironiquement derrière un rideau d'arbres pâles les coups de marteau des ateliers du P.L.M. Après la lecture, un tour sur la Lice pour voir passer sous ses guimpes blanches et sa coiffe en petit casque la fière et coquette Arlésienne pour qui le pauvre Jan s'est tué par amour.

D'autres fois, nos rendez-vous se donnaient à la ville des Baux, cet amas poudreux de ruines, de roches sauvages, de vieux palais écussonnés, s'effritant, branlant au vent comme un nid d'aigle sur la hauteur d'où l'on découvre après des plaines et des plaines, une ligne d'un bleu plus pur, étincelant, qui est la mer. On soupait à l'auberge de Cornille ; et tout le soir, on errait en chantant des vers au milieu des petites ruelles découpées, de murs croulants, de restes d'escaliers, de chapiteaux découronnés, dans une lumière fantômale qui frisait les herbes et les pierres comme d'une neige légère. « Des poètes, *anèn !...* » disait maître Cornille... « De ces personnes qui z'aiment à voir les ruines au clair de lune. »

Le Félibrige s'assemblait encore dans les roseaux de l'île de la Barthelasse, en face des remparts d'Avignon et du palais papal, témoin des intrigues, des aventures du petit Vedène. Puis, après un déjeuner dans quelque cabaret de marine, on montait chez le poète Anselme Mathieu à Châteauneuf-des-Papes, fameux par ses vignes qui furent longtemps les plus renommées de Provence. Oh ! le vin des papes, le vin doré, royal, impérial, pontifical, nous le buvions, là-haut sur la côte, en chantant des vers de Mistral, des fragments nouveaux des *Iles d'or.* « *En Arles, au temps des fades — florissait — la reine Ponsirade — un rosier...* » ou encore la belle chanson de mer : « *Le bâtiment vient de Mayorque — avec un chargement d'oranges...* » Et l'on pouvait s'y croire à Mayorque, devant ce ciel embrasé, ces pentes de vignobles, étayées de muretins en pierre sèche, parmi les oliviers, les grenadiers, les myrtes. Par les fenêtres ouvertes, les rimes partaient en vibrant comme des abeilles ; et l'on s'envolait derrière elles, des jours entiers, à travers ce joyeux pays du Comtat, courant les *votes* et les ferrades, faisant des haltes dans les bourgs, sous les platanes du Cours et de la Place, et du haut du char à bancs qui nous portait, à grand tapage de cris et de gestes, distribuant l'orviétan au peuple assemblé. Notre orviétan, c'étaient des vers provençaux, de beaux vers dans la langue de ces paysans qui comprenaient et acclamaient les strophes de *Mireille,* la *Vénus d'Arles* d'Aubanel, une légende d'Anselme Mathieu ou de Roumanille, et reprenaient en chœur avec nous la chanson du soleil : « *Grand soleil de la Provence, — gai compère du mistral, — toi qui siffles la Durance — comme un coup de vin de Crau...* » Le tout se terminait par quelque bal improvisé, une farandole, garçons et filles en costume de travail, et les bouchons sautaient sur les petites tables, et s'il se trouvait une vieille marmoteuse d'oraisons pour critiquer nos gaietés de libre allure, le beau

Mistral, fier comme le roi David, lui disait du haut de sa grandeur : « Laissez, laissez, la mère... les poètes, tout leur est permis... » Et confidentiellement, clignant de l'œil à la vieille qui s'inclinait, respectueuse, éblouie : « *Es nautré qué fasen li saumé...* C'est nous qui faisons les psaumes... »

Et comme c'était bon, après une de ces escapades lyriques, de revenir au moulin se reposer sur l'herbe de la plate-forme, songer au livre que j'écrirais plus tard avec tout cela, un livre où je mettrais le bourdonnement qui me restait aux oreilles de ces chants, de ces rires clairs, de ces féeriques légendes, un reflet aussi de ce soleil vibrant, le parfum de ces collines brûlées, et que je daterais de ma ruine aux ailes mortes.

Les premières *Lettres de mon moulin* ont paru vers 1866 dans un journal parisien où ces chroniques provençales, signées d'abord d'un double pseudonyme emprunté à Balzac, « Marie-Gaston », détonnaient avec un goût d'étrangeté. Gaston, c'était mon camarade Paul Arène qui, tout jeune, venait de débuter à l'Odéon par un petit acte étincelant d'esprit, de coloris, et vivait tout près de moi, à l'orée du bois de Meudon. Mais quoique ce parfait écrivain n'eût pas encore à son acquit *Jean des Figues*, ni *Paris ingénu*, ni tant de pages délicates et fermes, il avait déjà trop de vrai talent, une personnalité trop réelle pour se contenter longtemps de cet emploi d'aide-meunier. Je restai donc seul à moudre mes petites histoires, au caprice du vent, de l'heure, dans une existence terriblement agitée. Il y eut des intermittences, des cassures ; puis, je me mariai et j'emmenai ma femme en Provence pour lui montrer mon moulin. Rien n'avait changé là-bas, ni le paysage ni l'accueil. La vieille mère nous serra tous deux tendrement contre son petit châle à carreaux, et l'on fit, à la table des garçons, une petite place pour la *novio*. Elle s'assit à mon côté sur la plate-forme du moulin où la tramontane, voyant venir cette Parisienne ennemie du soleil et du vent, s'amusait à la chiffonner, à la rouler, à l'emporter dans un tourbillon comme la jeune Tarentine de Chénier. Et c'est au retour de ce voyage que, repris par ma Provence, je commençai au *Figaro* une nouvelle série des *Lettres de mon moulin*, « Les vieux », « La mule du pape », « L'elixir du père Gaucher », etc., écrits à Champrosay, dans cet atelier d'Eugène Delacroix dont j'ai déjà parlé pour l'histoire de *Jack* et de *Robert Helmont*. Le volume parut chez Hetzel en 1869, se vendit péniblement à deux mille exemplaires, attendant, comme les autres œuvres de mon début, que la vogue des romans leur fît un regain de vente et de publicité. N'importe ! c'est encore là mon livre préféré, non pas au point de vue littéraire, mais parce qu'il me rappelle les plus belles heures de ma jeunesse, rires fous, ivresses sans remords, des visages et des aspects amis que je ne reverrai plus jamais.

Aujourd'hui Montauban est désert. La chère maman est morte, les garçons dispersés, le vin de Châteauneuf rongé jusqu'à la dernière grappe. Où Miracle et Miraclet, Siblet, Mitifio, le Roudéiroù ? Si j'allais là-bas, je ne trouverais plus personne. Seulement les pins, me dit-on, ont beaucoup grandi ; et sur leur houle verte scintillante, restauré, rentoilé comme une corvette à flot, mon moulin vire dans le soleil, poète remis au vent, rêveur retourné à la vie.

LE TRÉSOR D'ARLATAN

Le Trésor d'Arlatan parut au *Figaro* du 1er au 8 décembre 1895, puis fut publié par Charpentier et Fasquelle en 1897.

Au cher souvenir
de Timoléon Ambroy.

ÉPIGRAPHE

EN CAMARGUE

Coumo fai bon quand lou mistrau
Pico la porto' emé si bano
Estre soulet dins la cabano
Tout soulet coumo un mas de Crau.

E vèire pèr un pichot trau
Alin bèn liuen dins lis engano
Lusi la palun de Girau ;

E rèn ausi que lou mistrau
Picant la porto emé si bano,
Enterin pièi quauqui campano
Di rosso de la Tour-dou-Brau.

Comme il fait bon quand le mistral
pique la porte avec ses cornes
être tout seul dans la cabane,
tout seul comme une ferme de Crau.

Et voir par un petit trou,
là-bas, bien loin dans les salicornes,
luire le marais de Giraud.

Et ne rien entendre que le mistral
piquant la porte avec ses cornes,
puis entre temps quelques sonnailles
des cavales de la Tour-du-Brau.

Monsieur Henri Danjou,
Paris.

Au reçu de votre lettre, mon cher enfant, le vieux Tim a flambé de joie comme un feu de la Saint-Jean. Oui, si ce que vous dites est vrai, si sérieusement vous voulez en finir avec Madeleine Ogé, vite, votre malle, et arrivez-moi ; j'ai ce qu'il vous faut. Non pas ici, dans les pins de Montmajour. Pour l'expérience que vous tentez, l'endroit n'est pas assez sauvage ; je reçois des revues, des journaux où vous trouveriez le nom de votre diva et le détail de ses prouesses, sans compter qu'elle adore le Midi et serait bien capable, vous devinant à Montmajour, de venir jouer *Madame Camargo* ou *La Périchole* au théâtre d'Arles, comme il y a dix ans. De Montmajour, quand le ciel est clair, nous entendons chanter les filles d'Arles. La voix de Madeleine vous arriverait encore plus sûrement, mon pauvre Franciot[1], et vous seriez rebouclé tout de suite. Aussi, le refuge que je vous offre est-il un coin bien autrement perdu et loin de tout, où les périodiques n'arrivent pas, où il n'y a pas de vitrine pour les photographies des jolies actrices, et dont voici le très exact itinéraire :

Arrivé en Arles par le train de Paris, le train de nuit, vous gagnez le quai du Rhône, seul vivant à cette heure matinale. Le bateau à vapeur qui fait le service de la Camargue chauffe au bas des marches. Six heures, on embarque. Avec la triple vitesse du courant, de l'hélice et du mistral, se déroulent les deux rivages. A gauche, la Crau, une plaine aride, pétrée ; en face, la Camargue prolongeant jusqu'à la mer son immense delta de moissons, d'herbe courte et de marécages. De temps en temps, sur bâbord ou tribord, vers Empire ou vers Royaume, pour parler comme nos mariniers du Rhône, le bateau s'arrête à quelque ponton, débarque des tâcherons chargés d'outils, des filles de journée, le panier au bras, sous leurs longues mantes brunes. A la quatrième ou

1. Franciot, Franciman, dénomination provençale du Français du Nord.

cinquième escale en rive de Camargue, quand vous entendrez appeler le mas de Giraud, descendez.

Devant la vieille ferme provençale des marquis de Barbentane, avec son large banc de pierre et son auvent de cannes sèches, la carriole de Charlon vous attendra. Vous vous rappelez Charlon, le fils aîné de Mitifio, notre vieux garde de Montmajour, qui vous a mis en main votre première carabine ? Aujourd'hui, Mitifio, rongé de rhumatismes comme son maître, ne peut plus entrer dans ses houseaux [1] sans d'horrifiques grimaces ; et c'est à son fils que j'ai confié la garde de ces giboyeux étangs de Camargue, dont je vous ai souvent parlé. Charlon, prévenu de votre arrivée, doit vous conduire à la Cabane, notre rendez-vous de chasse, et vous installer. Logé à deux ou trois cents mètres de vous, il sera jour et nuit à vos ordres et fournira votre table de gibier et de poisson, que la belle Naïs vous cuisinera à la camarguaise.

Cette Naïs, devenue la femme de Charlon, vous l'avez fait danser à votre dernier voyage à Montmajour, il y a cinq ou six ans : c'est la fille d'un de nos ménagers en terre de Crau, et je me souviens de vos cris d'admiration, un dimanche de ferrade, de course de taureaux, en la voyant arriver à cheval dans le rond, les fers au poing, ses beaux cheveux roux tordus sous sa petite coiffe d'Arles. Vous serez sans doute bien aise de la revoir. A part le ménage Charlon, pas un voisin, pas une âme ; il y a bien un gardien de chevaux, logé vers l'étang du Vaccarès, mais le Vaccarès est à une bonne lieue de la Cabane, et d'ailleurs, chez ce gardien, pas plus que près de Naïs et de Charlon, vous n'entendrez jamais prononcer le nom de Madeleine, personne ne vous parlera d'elle, rien ne vous rappellera son image. Moi-même, je n'irai vous voir que si vous me faites signe ; il faut que l'expérimentation soit complète.

Entre nous, mon cher petit, je n'ai qu'une demi-confiance dans ce traitement par la solitude et l'oubli. N'est ce pas au désert que Jésus fut le plus violemment tenté et tourmenté ? Aussi, munissez-vous, même là-bas, de vouloir et de fermeté ; et si vous sentez venir le péril, faites comme les bœufs en Camargue, les jours d'ouragan. Ils se serrent entre eux, toutes les têtes baissées et tournées du côté de la bise. Nos bergers provençaux appellent cette manœuvre : *vira la bano au giscle*, tourner la corne *au gicle*, à l'embrun. Je vous la recommande, la manœuvre.

T. de LOGERET.

---

1. Jambières, grandes guêtres.

Avis. — On manque de tout, à la Cabane. Un cornet de poivre à se procurer est une aussi grosse affaire que pour Robinson Crusoé un voyage à son navire. Apportez bougies, sucre, thé, café, conserves ; et pardon pour ces détails bourgeois en si grave et sentimentale occurrence.

2

A la porte du mas de Giraud, l'homme attendait avec sa carriole. Danjou eut quelque peine à reconnaître le fils de Mitifio dans cette figure en lame de sabre, ces traits creusés, vieillis.

« Tu as été malade, Charlon ? lui demandait-il pendant qu'ils marchaient tous deux derrière la carriole aux bagages et s'enfonçaient dans le bas pays.

— Malade, moi ?... Jamais, monsieur Henri. Seulement, chaque année, aux grosses chaleurs, tous ces clars, toutes ces roubines que vous voyez frétiller et reluire comme de l'argent-vif, tout ça devient de la vraie pourriture, et rien que pour tirer un halbran [1], on est sûr de rentrer avec la fièvre. C'est ça qui vous travaille la peau ! »

Ici, Charlon cligna vers l'élégant Franciot à barbe de reître son petit œil jaune de trappeur fait aux affûts de terre et d'eau : « Mais, vous-même, monsieur Henri, il me semble que vos joues ont coulé... Pourtant, vous n'avez pas nos fièvres de marécage, à Paris.

— Si fait... et des fièvres très mauvaises ; je viens en Camargue pour essayer de m'en guérir. »

Danjou avait parlé sérieusement. Le paysan lui répondit sur le même ton de gravité : « C'est vrai que, dans cette saison, notre pays est tout ce qu'il y a de plus sain. »

Les terres du mas de Giraud dépassées depuis un moment, ils arrivaient en pleine Camargue sauvage. C'était une ligne uniforme, indéfiniment prolongée, coupée d'étangs et de canaux, étincelants dans la blondeur des salicornes. Pas d'arbres hauts ; des bouquets de tamaris et de roseaux, comme des îlots sur une mer calme. Çà et là des parcs de bestiaux étendant leurs toits bas presque au ras de terre ; des troupeaux dispersés, couchés dans

1. Jeune canard sauvage.

l'herbe saline, ou cheminant serrés autour de la grande roulière[1] du berger.

Pour animer le décor, la lumière d'une belle journée d'hiver méridional, le mistral qui soufflait de haut, fouettant et brisant un large soleil rouge, faisant courir de longues ombres sur un ciel bleu admirable.

« Et ta femme, la belle Naïs ? tu ne m'en parles pas, Charlon ?... »

Sous son feutre sans couleur déformé par tous les temps, le garde fronça d'épais sourcils :

« C'est celle-là que les fièvres ont changée. Elle les a autant dire d'un bout de l'année à l'autre... Ainsi, en plein hiver comme nous sommes, hier matin son accès l'a reprise, et depuis deux jours, elle ne fait que grelotter... *cla... cla...* Ah ! la belle Naïs, que vous avez fait danser tout un soir, à la vote de Montmajour ; celle qui s'en croyait tant, de tourner à votre bras et d'entendre dire autour d'elle : « *Vé*, comme ils sont galants... » celle-là, ma pauvre femme ne lui semble plus guère, et ce n'est pas moi qui m'en plaindrai. Je l'aime mieux moins belle et toute pour moi seul. »

Ce fut dit d'un accent de sincérité et de colère dont le Franciot resta saisi : « Tu es jaloux, Charlon ? » et avec ce besoin si humain de tout ramener à nos propres misères : « Que serais-tu devenu, alors, si tu avais pour femme une actrice, une chanteuse, obligée de se déshabiller tous les soirs pour le public, de montrer ses bras, ses épaules ?... »

Les prunelles du garde étincelèrent :

« Ce n'est pas des métiers pour nos femmes, ça, monsieur Henri ; je ne saurais donc quoi vous en dire. Seulement je me rappelle qu'un soir, en Arles, je suis entré dans un café chantant, où il y avait une de ces dames du théâtre, tirant un peu vers Naïs comme ressemblance. Un moment, elle a fait la quête après avoir chanté, et de la voir passer contre ma veste rude, avec toute sa peau qui luisait sous les lumières, l'idée que ça pouvait être ma femme m'a traversé, en même temps qu'une envie de pleurer, de crier, quelque chose que je ne peux pas rendre... J'ai été obligé de sortir, je crois que je l'aurais étranglée. »

Il y eut un instant de silence.

Danjou, songeant à la belle impudeur de certaines femmes de théâtre, revoyait la loge de Madeleine, aux Délassements, l'actrice

1. Blouse.

se déshabillant à l'entracte devant n'importe quel petit scribouillon qu'elle appelait « mon auteur », pendant que l'amant se dévorait, obligé de sourire, de passer des épingles à l'habilleuse avec des mains pleines de rage jalouse et d'envie de massacrer.

On arrivait à la Cabane, heureusement ; et l'installation, le déjeuner rustique devant un grand feu clair de pieds de vigne et de tamaris, rejetaient bien loin toutes ces infamies. Tandis que Charlon, lambin à table comme tous les paysans, finissait d'émietter son fromage de cacha[1] à la pointe du couteau, Henri Danjou inspectait ce singulier pavillon de chasse, type de la maison camarguaise, qui allait lui servir de sanatorium. L'unique pièce, vaste, haute, sans fenêtre, au toit, aux murs de roseaux desséchés et jaunis, prenait jour sur l'immense plaine par une porte vitrée qu'on fermait le soir, avec de grands volets. Tout le long des murs crépis, blanchis à la chaux, pendaient des fusils, des carniers, des bottes de marais. Sur la haute cheminée de campagne, où s'accrochait le *caleil*, la petite lampe de cuivre à forme antique, quelques volumes dépareillés de la bibliothèque néo-provençale traînaient parmi de vieilles pipes et des paquets de férigoule[2] desséchée, *Mireille* et *Les Iles d'or*, de Mistral, *La Grenade entrouverte*, d'Aubanel, *La Farandole*, d'Anselme Mathieu, *Les Margueridettes*, de Roumanille. Au milieu de la pièce, un mât, un vrai mât, planté au sol, montait jusqu'au toit en pointe auquel il servait d'appui ; et, dans le fond, deux grands lits-berceaux étaient alignés contre le mur, abrités d'un rideau d'indienne bleue.

En face de la Cabane s'entrevoyait la maison du garde, derrière un bouquet de roseaux d'Espagne. Un peu de fumée montait du toit, juste à ce moment.

« C'est Naïs qui est en train de se faire une eau bouillie, *pecaïre* ! » soupira Charlon, la bouche pleine, dans un apitoiement égoïste et naïf. Danjou demanda : « Mais, puisqu'elle est malade, qui donc nous avait dressé ce joli couvert ?

— La petite, pardi !... celle qui vous servira votre dîner ce soir.

— Quelle petite ?

— Zia, la sœur de Naïs, qui est venue passer quelque temps avec nous. C'est vif, c'est avenant, ça vous a déjà un biais de ménagère. Dommage qu'elle va retourner chez les grands-parents,

1. Fromage blanc pétri avec du poivre.
2. Thym.

pour faire son *bon jour*, sa première communion, comme vous dites dans le Nord. »

Voyant que le Franciot, l'inventaire fait de l'habitacle, s'apprêtait à sortir, il se leva vivement, prêt à le suivre, selon les ordres du maître. Mais Danjou ne voulut pas :

« Merci, merci, Charlon... Va plutôt remiser ton cheval qui s'ennuie, depuis une heure, à brouter l'herbe devant la porte. Moi, je file, jusqu'à ce soir. »

A perte de vue, autour de la Cabane, s'étalait un gramen ras et fin, criblé de petites fleurs d'hiver, qu'on ne rencontre qu'en Camargue, et dont quelques-unes, comme les saladelles, changent de couleur à chaque saison. Après une heure de marche sur ce gazon velouté, élastique, où de rares arbustes, apparus de loin en loin, gardaient l'empreinte du mistral et restaient tordus, couchés vers le sud, dans l'attitude d'une fuite perpétuelle, le Parisien se trouva devant l'étang du Vaccarès, deux lieues d'eau, sans une barque, sans une voile, deux lieues de vagues rayonnantes et d'un doux clapotis attirant des bandes de macreuses, de hérons, des flamants aux ailes roses, parfois même des ibis, de vrais ibis d'Egypte, bien chez eux dans ce soleil splendide et ce paysage muet. Surtout, ce qui se dégageait pour lui de cette solitude, c'était une impression d'apaisement, de sécurité, qu'il éprouvait pour la première fois depuis son départ de Paris.

Ah ! la joie d'oublier, de ne plus penser, du moins ne plus penser à cette femme, ne plus se dire : « Cinq heures, la répétition est finie. Va-t-elle revenir tout droit du théâtre, ou si elle s'arrêtera au Suède, avec ses hideux cabots ? » Comme tout cela lui semblait loin, en ce moment ; comme il se sentait abrité, défendu par cet espace infini d'horizons bleus et de ciel ouvert !

A mesure que le soleil descendait lentement sur l'eau, le vent s'apaisait. On n'entendait que le léger déferlis des vagues et la voix d'un gardien de chevaux rappelant son troupeau dispersé au bord de l'étang : « Lucifer !... l'Estelle !... l'Esterel !... » A l'appel de son nom, chaque bête accourait, la crinière au vent, et venait manger l'avoine dans la main du gaucho qui, descendu de cheval, sa veste de futaine sur l'épaule, de grands houseaux montant par-dessus le genou, s'accotait à la lourde selle en lisant un petit livre à couverture rose. C'était si beau, sous le soleil tombant, toutes ces crinières envolées et le geste majestueusement distrait de ce gardien distribuant l'avoine qu'il tirait d'une cartouchière de cuir, sans se détourner de sa lecture !

Danjou s'approcha, curieux, de l'homme et de son livre :

« Ce que vous lisez là doit être bien intéressant ? »

Une tête assyrienne, aux grands traits corrects, à la barbe longue et grisonnante sur un teint de vieil ivoire tout carrelé de petites rides, se releva et prononça d'une voix rauque, d'un ton satisfait, zézayant entre des dents blanches et luisantes comme des amandes :

« Très intéressant, en effet, mon cér ami... Ça s'appelle... attendez un peu que je regarde... ça s'appelle... l'*Anti-Glaireux.* »

Voilà ce qu'il lisait, dans ce cadre grandiose, avec cette pose de héros ; une de ces notices qui entourent les fioles pharmaceutiques... l'*Anti-Glaireux* !... Et pour achever d'éblouir le monsieur de Paris, il ajouta :

« J'en ai une provision, de ces broçurettes... Je les ai açetées à la vente d'un apothicaire de la Tour-Saint-Louis. Tout ça fait partie de mon trésor... le trésor d'Arlatan, fameux dans toute la Camargue... Si vous me venez voir un jour, je vous le montrerai. Ma cabane est là, dans ce creux... Bonnes vêpres, mon cér garçon.

— Bonsoir, maître Arlatan. »

Le retour, dans le crépuscule, fut exquis. En se hâtant vers la Cabane, Danjou entendit encore un moment la voix de l'Anti-Glaireux qui ralliait ses chevaux pour la nuit, puis ce bruit fit place à un piétinement immense, pareil à de la pluie.

Des milliers de moutons, rappelés par les bergers, harcelés par les chiens, se pressaient du côté des parcs. Il se sentait envahi, frôlé, confondu dans ce tourbillon de laines frisées, de bêlements, une houle véritable qui semblait porter les bergers avec leur ombre. Un moment après, un long triangle de canards passa volant très bas, sur le ciel assombri, comme s'ils voulaient prendre terre. Soudain, celui qui tenait la tête de la colonne dressa le cou, remonta avec un cri sauvage, et toute la troupe derrière lui.

C'est la porte de la Cabane, invisible jusqu'alors, qui venait de s'ouvrir, découpant sur la plaine un grand carré de lumière flamboyante ; en même temps se montrait une longue et souple silhouette d'Arlésienne, mante brune et petit bonnet, allant du côté des Charlon et frôlant dans le noir le Franciot qui crut reconnaître son ancienne danseuse de Montmajour :

« Bonsoir, Naïs... »

Un rire étouffé fut l'unique réponse de la jeune femme, magiquement évanouie parmi l'ombre environnante.

Dedans, la table était mise pour un seul, la lampe et le feu allumés ; et pendant qu'une odorante soupe d'anguille aux herbes fumait sur la nappe, entre un fiasque de piquette rose et une couronne de pain très blanc, deux ou trois petits plats couverts, en train de mijoter devant la cendre chaude, à côté d'assiettes de rechange en terre jaune, disaient à la bonne franquette : « Voilà le dîner, servez-vous. » Dans cet énorme espace noir, ce couvert mis, cette cabane déserte et allumée, c'était charmant de mystère et d'inattendu.

Il mangea de meilleur appétit encore que le matin, un volume de Mistral près de lui, sur la table, mais ne le lisant guère, hypnotisé par le grand silence de l'ombre alentour et les bruits qui, par instants, la traversaient. Tantôt un vol de grues filant au-dessus de la cabane, avec le froissement des plumes dans l'air vif, le craquelis des ailes surmenées, gonflées comme des voiles. Tantôt une note triste qui passait et roulait au fond du ciel, en ronflement de conque marine. Sa porte ouverte, il cherchait à définir quel pouvait être cet étrange cri, quand le garde-chasse parut, précédé des ronds lumineux et sautillants d'une grosse lanterne.

« Ça, monsieur Henri, c'est le *bitor*[1], que nous disons... il pêche avec un grand bec qui fait ce roulement au fond de l'eau... *rrrooou*. C'est un joli coup de fusil, et fricoté par Naïs, en daube, ça ne sent pas trop le palun[2].

— Ta femme est une maîtresse cuisinière, Charlon ; seulement pourquoi ne reconnaît-elle pas ses vieux amis ?

— Mais, monsieur, ce n'est pas Naïs que vous avez rencontrée, c'est Zia, qui est aussi grandette que sa sœur, quoiqu'elle n'ait guère plus de quinze ans.

— Quinze ans, Zia ? Et elle n'a pas fait sa première communion encore ? »

Charlon ne répondit pas. Sa lanterne venait de s'éteindre sous un coup de vent du Sud qui s'était levé brusquement. Ils rentrèrent dans la Cabane et, courbés vers le feu, fumaient leurs pipes sans parler, quand le garde reprit d'une voix triste :

« Ah ! ce qui se passe dans les têtes de ces petites chattes... celle-là, voilà trois fois qu'au moment de faire son bon jour, M. le curé la remet à une autre année... Pourtant, elle a toute l'instruction qu'il faut. Son catéchisme, elle le récite sur le bout du doigt. Et puis, une brave enfant, de toute manière... Pas moins, il y a

1. Butor.
2. Marais.

quelque chose qui ne va pas, puisque notre capelan[1], qui est le meilleur des hommes... Naïs et moi, nous ne savons que penser. »

Il se leva pour jeter une souche dans le feu qui s'endormait, et tout de suite, à la rose montée de la flamme, ses idées se rassérénèrent. Sûrement ils allaient en finir avec cette méchante histoire. Le temps de la communion approchait, et la petite n'ayant pas bougé de chez eux depuis la maladie de Naïs, ça lui avait servi de retraite. Là-haut, à Montmajour, on était trop près de la ville et de ses tentations, magasins à glaces et à dorures, étalages de dentelles, de bijoux et de nœuds de velours, tout ce dont le diable se sert pour détourner les fillettes, tandis qu'en Camargue...

« Oh ! en Camargue, c'est bien simple, interrompit Danjou en riant... Comme tentation de l'enfer et miroir aux alouettes, je ne vois que le trésor de... comment s'appelle-t-il ?... le trésor d'Arlatan.

— Vous connaissez Arlatan ? » demanda Charlon étonné ; et devant cette irrévérence du Franciot parlant ainsi d'une des gloires de la contrée, il crut devoir lui raconter la vie et les triomphes du gardien, d'abord comme toucheur de bœufs, chef d'une manade[2] renommée dans toutes les votes de Provence, jusque dans les arènes d'Arles et de Nîmes... Tombé malade par suite de fatigues et d'excès, Arlatan s'était fait gardien de chevaux, métier moins dur et moins dangereux, et soignant ses douleurs avec des herbes, des pommades de son invention, il avait acquis par toute la Camargue, de Trinquetaille à Faraman, une grande célébrité de *mège*[3] guérisseur, surtout pour les fièvres et rhumatismes. Etait-ce bien mérité ? Charlon n'avait pas assez de science pour le dire...

« Ce que je puis certifier », conclut le mari de Naïs en rallumant son falot pour le retour, « c'est qu'aux halbrans de l'an passé, j'avais pris les fièvres sur Chartrouse et qu'il m'a guéri en deux séances et un pot de son baume vert.

— Alors, pourquoi ne lui envoies-tu pas ta femme ?

— Naïs n'en veut à aucun prix ; elle a horreur de cet homme comme d'une salamandre ou d'une rate-pennade[4]. Il n'a pourtant rien de déplaisant... même ça été, dans sa jeunesse, un garçon superbe... Je me rappelle, tout petit, lorsque j'allais voir en rive de la mer les hommes qui joutaient à forcer les perdreaux à la

1. Prêtre.
2. Manade ou manado : troupeau.
3. Médecin.
4. Du provençal *rato-penado* : chauve-souris.

course, entre ces dix grands gaillards alignés, tout nus, tout noirs, sanglés d'une courroie de cuir, c'est lui que les femmes regardaient... Et quand il se montrait dans les ferrades, il n'y en avait que pour le beau brun, comme on lui disait... jusqu'à des dames de la ville qui couraient après... Naïs, elle, non seulement ne veut pas aller le voir, mais quand il vient chez nous, elle se cache et elle a défendu à Zia de s'approcher de sa cabane... Là-dessus, monsieur Henri, je crois qu'il faut s'aller mettre à la paille. Voilà le vent du sud qui souffle en tempête ; dans une heure, vous entendrez bramer la vache de Faraman.

— Qu'est-ce que c'est que cette vache-là, Charlon ?

— C'est la mer, monsieur Henri. Lorsque le vent donne en face de nous, sur les sables de Faraman, elle pousse une bramée si forte que dans notre pays nous l'avons ainsi surnommée. »

De toute la nuit, en effet, la vache de Faraman n'arrêta pas. Les roseaux criaient, la Cabane craquait de partout : avec la mer lointaine et le vent qui la rapprochait, portait son bruit en l'enflant, Danjou, incapable de dormir, pouvait se croire dans une chambre de bateau. Madeleine, malheureusement, s'y trouvait avec lui. Jusqu'au matin, les yeux ouverts dans l'ombre, il revécut heure par heure l'ignoble roman de leur rupture ; cette Ogé encore en scène, lui couché sur le divan de la loge, attendant sa maîtresse en face d'une grande glace de toilette dans laquelle il voyait tout à coup Armand, le beau baryton, voisin de couloir de la chanteuse, entrer demi-vêtu, ruisselant de cold-cream, et courir au petit manchon de loutre pendu à la patère, pour y prendre la lettre qui l'attendait tous les soirs. « Mon Armand chéri, je croyais qu'il dînerait chez ses parents... »

Cette lettre, arrachée à la poisse de gros doigts chargés de bagues, Danjou la savait par cœur et, maintenant, il se la récitait cruellement, en se retournant sur sa couchette de gardien de bœufs. Après avoir eu le courage de partir sans revoir cette fille, sans lui laisser un mot, il se demandait, plein d'épouvante, si elle allait le hanter toutes les nuits comme en ce moment, avec son joli sourire, gras et voluptueux, qui se penchait vers le lit, et cette voix expressive et douloureuse qu'il entendait rôder autour de la maison, gémir sous la porte ébranlée, bramer en lui demandant grâce, là-bas, dans les sables de Faraman.

3

Le grand souffle salé de la mer et la lumière éclatante du dehors le tirèrent brusquement d'un de ces lourds sommeils, d'une de ces fondrières où l'on sombre au matin des nuits d'insomnie. Oh ! le divin réveil... comme ce qu'il voyait ressemblait peu à la loge de Madeleine, aux coulisses des Délassements !... Debout, à quelques pas, dans le cadre de la porte ouverte, une toute jeune fille, longue et blonde sous un ample fichu de mousseline et cette haute coiffure d'Arles, cette *pointe* qui fait la tête élégante et petite, penchait un profil de camée, où quelques lignes restaient encore indécises, sur un livre qu'elle tenait à deux mains et qu'elle lisait avidement avec un enfantin mouvement des lèvres.

« Pourvu que ce ne soit pas l'*Anti-Glaireux* ! » songea d'abord le Franciot, se souvenant de sa déception de la veille ; mais de son lit, par l'écart de la courtine bleue, il reconnaissait le titre du volume, *La Grenade entrouverte* d'Aubanel, ce livre immortel de passion et de désespoir, ce chant de tourterelle poignardée, dont le vieux Tim avait bercé sa jeunesse. Et à mesure qu'une strophe, un cri traversaient sa mémoire...

Miroir, miroir, montre-la-moi — toi qui l'as vue si souvent...

Que veux-tu, mon cœur, quelle faim te dévore ?

— Ah ! qu'as-tu, que toujours tu pleures comme un enfant ?...

Chaque fois il croyait voir trembler les petites mains brunes de Zia (car c'était Zia, bien certainement) et sur la pâleur de ses joues courir une petite flamme rose. Singulière lecture tout de même, à la veille d'une première communion !

Sans doute, la strophe d'Aubanel est pudique, mais elle brûle...

Ah ! si mon cœur avait des ailes, — sur ton cou, sur tes épaules — il volerait tout en feu...

Et en même temps que les rimes du poète, Danjou se rappelait sa causerie de la veille avec Charlon, les transes du garde et de sa femme à propos de ce « bon jour » si cruellement retardé. Pauvre petite Zia, est-ce que cette fois encore ?...

Comme s'il eût pensé tout haut, la fillette leva sa jolie tête fauve, regarda dehors, dedans, puis son livre posé au coin de la cheminée où il manquait, elle tira la porte vivement et disparut avec la grâce effarouchée d'une chevrette qu'on dérange, en train de boire sous le bois.

Cette apparition délicieuse le hanta toute la matinée, sans qu'il sortît, s'attendant toujours à la voir revenir, et jusqu'à midi lisant des vers d'amour de *Mireille* et de *La Grenade*, devant un grand bouquet de plantes d'eau, trèfle, gentiane, centaurée, dressé par Zia au milieu de la table dans une buire [1] de grès vert.

L'heure du déjeuner venue et rien ne bougeant encore du côté des Charlon, qu'une pincée de fumée jaune envolée dans le soleil, Henri Danjou se rendit chez le garde, dont le mas, à l'abri d'un petit bois de cannes serrées et bruissantes comme des bananiers, avec ses murs crépis à neuf, son toit de tuiles rouges, sa treille en berceau au-dessus de la porte, faisait au bord d'un grand clar d'eau vive, plein à déborder, un coin éblouissant de blanche lumière dansante. A l'approche d'un pas étranger, des abois furieux ébranlèrent la porte basse du chenil, tandis qu'une femme à genoux au ras de l'étang, les bras nus, en train de dépouiller une grosse anguille au milieu d'une flaque de sang rose, criait au chien d'une voix limpide et jeune : « *Chut ! Miraclo... taïsote...* » sans lever ni détourner la tête. Danjou crut reconnaître sa vision du matin, ce paquet de cheveux roux échappés à la petite pointe, la blancheur du cou, du bras si frêle.

« On vous a donc laissée seule avec Miracle, petite Zia ? demanda-t-il en venant jusqu'au bord du clar.

— Ce n'est pas Zia, monsieur Henri... ma sœur est partie de ce matin.

— Tiens, Naïs ?... Ça va mieux, alors ?

— Un peu mieux, merci... »

Elle parlait un provençal très pur, avec cette intonation câline, féline, cette grâce maniérée que lui donnent les filles d'Arles, affectant de tenir le front baissé, absorbé sur son ouvrage. Dès la prime aube, ils avaient été avisés que l'homme d'affaires du mas de Giraud devait se rendre en Arles par le bateau ; et comme il fallait renvoyer la petite au pays pour l'approche de son « bon jour », Charlon était vite parti la conduire à M. Anduze, un tout à fait brave homme et bon éleveur d'abeilles, ainsi qu'il convenait près d'une enfant de cet âge.

« Ah ! monsieur Henri... » soupira la paysanne, le cœur gros de chagrins et d'envie de les dire, mais s'obstinant toujours à ne

1. Cruche.

pas regarder son ancien danseur. Un coup de feu éclata très loin, comme au ras de terre. Naïs eut un cri de joie :

« Voici Charlon... il revient par le canal pour tirer quelque galejon[1] en route... je vais tremper la soupe... »

Son fichu ramené sur les yeux, elle se leva d'une détente et, filant en éclair devant le Franciot, porta dans la cuisine son panier plein de poisson. Le garde apparaissait en ce moment, droit sur son naye-chien, étroit petit bateau qu'il menait à l'aide d'une longue perche et qui, passé de la roubine dans l'étang, vint se ranger en face de la maison.

« Pardon excuse, monsieur Henri... la femme vous a dit, n'est-ce pas ?... » Charlon attachait son bateau à un pieu, déballait sa chasse et sa pêche, un bêchet[2] et deux charlottines[3], nettoyait le quai du sang de l'anguille et de sa dépouille, tout en jetant à Naïs des nouvelles de la petite, très bien partie avec M. Anduze, sur la *Ville-de-Lyon*, capitaine Bonnardel. Au retour, il avait été retardé par la rencontre de deux gardiens de la manade d'Eyssette, qui, perdus de fièvres, allaient se faire soigner chez Arlatan.

« Quand j'ai passé avec mon barquot, l'accès venait de les prendre tous deux en même temps. Leurs chevaux arrêtés au bord du canal, droits sur leurs selles, ils grelottaient l'un à côté de l'autre en se cramponnant chacun à son long trident fiché en terre ; et ils tremblaient si fort, *cla cla*, que leurs bêtes elles-mêmes en étaient toutes secouées. Heureusement, j'avais mon fiasque plein de rhum qui leur a permis de se remettre en route... Le trésor d'Arlatan se chargera du reste. »

La voix de Naïs gronda, du fond de sa cuisine :

« Arlatan, charlatan. Hou ! le vilain homme...

— Mais puisqu'il les guérit tous », répondit Charlon sur le ton d'une ancienne dispute de ménage, et prenant Danjou à témoin :

« Voyons, monsieur Henri, est-ce qu'elle ne ferait pas mieux, en place de tant de mauvaises raisons, de se laisser guérir...

— Tais-toi, Charlon. Je te l'ai dit cent fois, j'aime mieux souffrir, j'aime mieux mourir que d'aller chez ce malandrin ou de le laisser entrer chez nous... Ses yeux me donnent peur, me *pivèlent*[4] comme des yeux de serpent. Maintenant, assez de paroles, mon homme, et va vite porter la biasse[5] de M. Henri.

---

1. Héron.
2. Brochet.
3. Du provençal *charloutino* : échassier migrateur.
4. Du verbe provençal *pivela* : fasciner.
5. Du provençal *biasso* : besace.

— Mais puisque je suis là, Naïs, je déjeunerai chez vous.

— Oh ! non... non... je vous en prie. »

Ce cri d'effroi de la paysanne était si sincère que Danjou n'insista pas et rentra manger seul à la Cabane, intrigué de cette obstination de Naïs à se cacher de lui, ennuyé surtout de n'avoir pas revu avant sa disparition la délicate figure de Zia, dorée et pâle sous son hennin de piqué blanc.

L'après-midi, il chassa avec Charlon dans le marécage ; et la nouveauté de cette chasse, tantôt à pied, dans d'énormes bottes taillées sur toute la longueur du cuir, en marchant lentement, prudemment, de peur de s'envaser, écartant les roseaux pleins d'odeurs saumâtres et de sauts de grenouilles, tantôt dans le naye-chien étroit, sans quille, qui roule à chaque mouvement, la pénible manœuvre de la perche, les martilières (vannes) à relever ou à baisser, toute cette bonne fatigue fit diversion à son chagrin. Jusqu'au soir le souvenir de Madeleine Ogé le laissa à peu près tranquille. Au moment d'allumer sa lanterne pour rentrer, Charlon lui dit timidement, avec sa grosse moustache qui tremblait :

« Il ne faut pas lui en vouloir, monsieur Henri ; à présent je sais pourquoi Naïs se cache de vous, s'obstine à ne pas se faire voir... Elle dit qu'elle est trop laide de ce moment et ne voudrait pas gâter l'image que vous aviez d'elle. Nos femmes de la terre d'Arles sont si coquettes de leur visage !

— C'est vrai que la tienne était bien belle, il y a cinq ou six ans.

— *Outre*, oui, qu'elle était belle... » dit le brave Charlon en frisant ses petits yeux jaunes. Mais, au fond, on sentait qu'il en parlait sans regret de cette beauté perdue. Sa jalousie en avait trop souffert.

Toute la semaine, Danjou vécut de ces journées animales et violentes qui brisaient ses muscles, apaisaient ses nerfs, lui donnaient des nuits d'un sommeil opaque où le souvenir de sa maîtresse ne parvint pas une fois à se glisser. Il en riait tout seul, songeant au vieux Tim et à ses prédictions. Le désert lui réussissait, jusqu'à présent.

Un soir que le garde lui avait donné rendez-vous au grand étang de Chartrouse pour l'affût de six heures, le Franciot, arrivé d'avance, s'était installé en plein clar, sur un îlot de tamaris, un coin de terre sèche juste assez large pour l'abriter, lui et son chien, un énorme molosse des Pyrénées, à lourde toison rousse. La nuit vint presque aussitôt, froide et silencieuse, le vent et le soleil disparus en même temps. Il restait sur l'étang un peu de lumière qui, un moment, éclairait le ciel puis s'en allait, s'enfonçait, laissant à peine entrevoir une touffe d'herbe, une poule volant au ras du marécage.

« Est-ce toi, Charlon ? » cria le chasseur entendant l'eau flaquer sous une marche lourde, qui s'arrêta à son interpellation, mais sans que personne répondît. Il appela encore, crut distinguer une ombre immobile au-dessus de l'eau, et, devant l'obscurité croissante, finit par revenir à la Cabane en se demandant ce qui avait pu arriver au garde.

A l'habitude, il trouva le feu allumé, la table mise, dîna solitairement et fumait sa pipe au coin du feu, quand la porte s'ouvrit tout à coup :

« Comment, c'est vous, petite Zia ?... Vous voilà donc de retour ?... »

Emue et pâle, elle restait debout, appuyant sa tête contre la cheminée :

« Ma sœur est malade... Charlon est parti chercher le médecin des Saintes-Maries. »

Sa voix tremblait, lourde de larmes. Il essaya d'abord de l'apaiser... Il fallait voir, attendre. Sa sœur n'était peut-être pas gravement malade.

« Si, très malade... et par ma faute... Parce que cette fois encore on ne m'a pas laissée faire mon « bon jour »... Lorsqu'elle m'a vue entrer, ce matin, avec la lettre de M. le curé, Naïs est tombée raide. »

Elle-même, comme écrasée sous l'aveu de sa honte, laissa aller ses bras, sa longue taille, et s'assit toute sanglotante, la tête entre ses mains, sur la pierre chaude du foyer.

« Oh ! de ma vie et de mes jours... est-ce Dieu possible, une chose pareille ?... » s'écriait-elle d'une intonation enfantine et désespérée. Tout le pays, maintenant, allait la montrer au doigt comme une gaupe, une caraque[1] du pont du Gard. Pas moins, elle n'avait jamais fait de mal, ni dit de vilaines raisons... « J'en jure sur la Sainte Image... »

Ouvrant son fichu d'un geste emporté, l'enfant tirait de sa poitrine un petit scapulaire en drap bleu, pâli, décoloré, qu'elle baisait avec frénésie. Puis se levant, l'air égaré, les yeux grandis, ses beaux yeux bruns qui verdissaient sous les larmes :

« Non, jamais je n'ai fait le mal. Seulement, j'ai un malheur... Je vois des choses... oh ! des choses... c'est affreux... Ça me prend dès que je ferme les yeux et même si je les garde ouverts... des

1. Gitane.

choses défendues qui me poursuivent, qui me brûlent... C'est pour ça que le prêtre n'a pas voulu que je communie.

— Pauvre petite... murmura Danjou, tout troublé de rencontrer au désert cette détresse d'âme, voisine de la sienne.

— Oh ! oui, pauvre petite, on peut le dire... Ce que je souffre depuis deux ans... Ce que j'ai fait pour arracher ces horreurs de ma vue... A présent, c'est fini, je le sens bien, je n'ai plus rien à espérer... mes yeux n'auront le repos qu'au fond du Vaccarès. »

Elle s'arrêta pour écouter des cris, des appels dans la direction du mas.

« Désirez-vous retourner près de votre sœur ? » proposa Danjou doucement. L'enfant ne voulait pas, elle craignait d'arriver avant le médecin, de trouver sa sœur toujours comme une morte... D'ailleurs grand-mère était venue de Montmajour ; Naïs avait du monde près de son lit...

Elle disait cela, distraite et farouche, l'oreille aux clameurs lointaines. N'entendant plus rien, elle reprit sa place sous le caleil, au coin du feu, la place des enfants et des vieux dans nos cuisines provençales. Et là, honteuse et frissonnante, elle répondait avec candeur au Franciot qui l'interrogeait doucement, tendrement, comme un médecin et comme un père... Non, ces vilaines choses qu'elle voyait, elle ne les inventait pas, ne les trouvait pas dans son idée ; on les lui avait montrées un jour, il y a bien longtemps, sur des gravures, des coloriages.

« Mais enfin, petite Zia, les images s'effacent, avec les années... Puisqu'il y a longtemps que tu ne les a vues... Comment se fait-il ?

— Ah ! voilà où est le péché, voilà pourquoi je suis maudite... » De l'élan furieux qui redressait sa petite tête, deux longues tresses d'or échappées de sa pointe venaient s'emmêler sur son cou aux rubans noirs du scapulaire. « Oui, avec les années, les choses s'effacent, mais quand elles s'effacent trop, ça me manque, mes yeux en ont comme soif, ils veulent retourner boire, et alors... et alors... » Elle s'interrompit violemment : « Qu'est-ce que vous me faites dire là, mon Dieu !... ça m'a donc rendue folle d'avoir vu Naïs dans cet état ? car enfin, je ne vous connais pas, moi... pourquoi est-ce que je vous découvre ainsi toute ma honte, moi qui n'en ai jamais parlé à personne, pas même à Charlon, qui m'aime tant... »

Il se pencha vers elle et, son regard appuyé sur les yeux de l'enfant, qui essayaient de fuir les siens :

« Ecoute, Zia. Si tu me racontes ton mal sans me connaître, avec cette confiance, c'est peut-être que j'ai un peu du même mal, une vilaine image au fond de mon cœur, au fond de mes yeux, moi aussi, dont je cherche à me délivrer par tous les moyens. Voilà pourquoi je suis venu si loin, en Camargue, au désert... pour me distraire, pour oublier. Et depuis que je suis ici, sais-tu ce qui m'a fait le plus de bien ? Regarde là-haut, sur la cheminée... ce sont vos poètes de Provence, les félibres, comme ils s'appellent. L'autre matin, je te voyais en feuilleter un devant ma porte... Pourquoi rougis-tu ? Les histoires que ces félibres nous racontent sont toujours très pures, très belles. As-tu lu *Mireille* ?...

— Non, monsieur Henri. Naïs, dans le temps, me l'avait défendu. Pas moins, un soir que j'étais à la Cabane... Charlon se trouvant à l'*espère*[1] avec ces messieurs, le livre que vous dites m'est tombé sous la main... Je n'ai pas bien compris, mais à un moment, ce que je lisais m'a semblé si beau, la page s'est toute brouillée, et j'ai vu trembler une étoile. »

Elle s'arrêta, émue. Danjou resta lui aussi sans parler, puis gravement :

« Cette étoile que tu as vue un jour dans *Mireille*, elle est dans tous les vrais poètes. Il faut les lire souvent, petite. Ils te rempliront les yeux de rayons et n'y laisseront pas de place pour... »

Un cliquetis d'étriers, des voix brutales, puis des coups à faire sauter la porte couvrirent la fin de sa phrase. Des silhouettes de cavaliers apparaissaient à travers la vitre.

« Qu'est-ce que vous voulez ? » cria Danjou, s'attendant à quelque aventure de gendarmes et de braconnage.

Une voix répondit, avant qu'il eût ouvert :

« Gardez-vous... Le Romain s'est échappé ! »

Ce Romain, terreur de la Camargue, célèbre dans toutes les arènes du Midi, était un petit taureau noir, méchant et trapu, qui menait la manade de Sabran en pâturage du côté du phare et venait de s'enfuir le matin, affolé par quelque mauvaise mouche. Justement, il y avait une ferrade affichée pour le dimanche suivant, et des tas de pistoles engagées sur ce monstre de Romain, inscrit en tête de liste ; aussi les cinq ou six gardiens de la manade, en selle depuis l'aube, battaient le marais soigneusement et s'en allaient de mas en mas, autant pour se renseigner que pour mettre le monde en garde.

Seul à pied parmi ces cavaliers bottés jusqu'aux cuisses et le trident sur l'épaule, un homme encapé d'une longue roulière

1. L'affût.

agitait une torche de résine enflammée et disait d'une voix de commandement :

« Je vous répète qu'à l'espère de six heures il était au milieu du grand clar.

— C'est de moi que vous parlez, maître Arlatan ? » demanda en se montrant sur la porte le Franciot qui, à cette haute taille, à ce ton déterminé, reconnaissait son gardien des bords du Vaccarès... « Ce soir, en effet, je tenais l'affût vers cette heure-là.

— Je parlais du Romain, mon camarade, et de vous pareillement, si vous voulez... car vous n'étiez pas à quatre empans de la bête.

— Diantre ! fit Danjou en riant, vous auriez bien dû m'avertir. C'est vrai, maintenant je me rappelle, à quelques pas de moi, cette forme brune, immobile...

— La blonde que voici doit vous *agrader*[1] mieux comme société ? » dit le gardien, avançant sa belle barbe syriaque par la porte entrebâillée. Il venait de voir Zia toute blanche sous la lampe, son fichu ouvert, l'or de ses cheveux répandu, et lui glissa d'un ton de blague égrillarde : « Vous voilà donc revenue chez nous, jolie demoiselle ? Vous savez que si le Romain vous fait peur pour rentrer, un de ces hommes peut vous prendre en travers de sa selle, ou bien moi sous ma grande cape. »

Zia, rajustant sa guimpe et son scapulaire, un peu confuse, répondit qu'elle n'avait besoin de personne.

« Va bien... va bien... on se retrouvera une autre fois. » Il eut pour elle un sourire protecteur ; ensuite, saluant jusqu'à terre : « Au plaisir, monsieur le Franciot, si un jour vous attrapez quelque mauvaise fièvre ; ou si seulement le trésor vous amuse à visiter, tout à votre service. »

Et, suivi de ses cavaliers aux longs tridents, il s'éloigna, la torche levée, dans un éclairage rembranesque.

Seul avec l'enfant, Danjou se sentit gêné ; elle aussi maintenant semblait privée de tout abandon, de toute confiance. Le rire de ce rustre en était cause sans doute.

« Je suis comme Naïs, dit Henri, il ne me va guère, le sire Arlatan. » Et devant le visage distrait, fermé de Zia qu'il croyait uniquement préoccupée du Romain et de la crainte de rentrer seule, il insista pour la reconduire jusqu'à sa porte.

Il faisait une nuit calme et tiède, une de ces limpides nuits de lune, où la moindre touffe d'herbe a son ombre, où le routier

---

1. Du verbe provençal *agrada* : plaire.

solitaire éprouve parfois à se sentir doublé un tressaillement, une gêne nerveuse, comme si quelqu'un marchait à son côté ou derrière lui. Sans se parler, l'un près de l'autre, ils allaient depuis un moment dans cette inondation de lumière bleue, poudreuse, regardant au lointain la torche d'Arlatan qui promenait sur l'horizon l'éclat d'un feu rouge, parmi les sons du *biou* (conque marine) et les cris des bouviers : « *té !... té !... trrr... trrr...* »

Danjou demanda :

« Tu n'as pas peur, petite ?

— Peur du Romain ? Oh ! non, monsieur, dit la Camarguaise, aguerrie aux courses, aux ferrades.

— Alors, ne nous pressons pas, et écoute. »

Le pas ralenti, la voix vibrante, il se mit à réciter en provençal un des lieds les plus purs du poème de *La Grenade* : « *De la man d'eila de la mar, — dins mis ouro de pantaiage, — Souvènti fes iéu fau un viage...* [1] » Aux bords de la mer latine, dans ce ciel léger et bien pour elles, les rimes sonnaient, montaient comme des flèches d'or.

« Que c'est beau, mon Dieu ! » murmura l'enfant, extasiée.

Ils arrivaient près du mas de Charlon où s'entendaient des voix joyeuses et rassurantes. Devant le mas, c'était splendide, tout le marécage allumé, l'étang, les canaux pleins d'étoiles, traversés jusqu'au fond par la lune.

« Bonne nuit, petite Zia », dit Henri tout bas à l'enfant dont le front rayonnait, mystérieux et blanc comme une hostie... « Quand tu viendras à la Cabane, nous lirons encore des poètes, ce sont les poètes qui nous sauveront. »

4

Ce beau dimanche de février, il devait y avoir *abrivade* [2], course et ferrade, aux Saintes-Maries-de-la-Mer. De bonne heure, vous auriez vu Charlon devant sa porte, en train de verser le carthagène [3]

---

1. « Au pays d'outre-mer, dans mes heures de rêverie, souventes fois je fais un voyage... » (Poème d'Aubanel).

2. Moment où les taureaux, encadrés de gardians à cheval, sont conduits jusqu'aux arènes à travers les rues du village.

3. Mélange d'eau-de-vie et de jus de raisin.

à deux gardiens de bœufs, moustachus, balafrés, les pieds dans leurs grands étriers, la *taiole*[1] aux reins, et tenant en laisse une fine pouliche blanche qui mettait les deux *grignons*[2] camarguais dans tous leurs états. Justement Danjou, ce matin-là, rentrait de l'espère aux charlottines et s'en venait, à l'habitude, jeter sa chasse, en passant, sur la table de cuisine du mas.

Le garde courut à lui :

« *Vé*, monsieur Henri, devinez pour qui cette belle poulinière toute harnachée de soie et d'or... Je vous le donne en cent, et même en mille...

— Tais-toi donc, grand simple... » s'écria Naïs, apparaissant sous une coiffe en velours brodé qui datait de son mariage et un corsage bleu de roi, faisant encore plus jaune sa longue figure de fièvre, aux traits tirés, aux yeux cerclés, trop grands. Enfin elle se laissait voir, la belle Naïs ; mais elle n'en semblait pas plus fière, et sur la haute selle sarrasine où sa taille mince ondulait aux caracols de la pouliche, c'était pitié de l'entendre dire, en se détournant toute confuse :

« Je vous en prie, ne me regardez pas, je ne suis plus moi-même... Je me fais honte d'être si laide. »

O Provence, ô terre d'amour, où sont-elles les paysannes, les filles de ferme que dévore comme les tiennes le chagrin de perdre leur beauté ?

Charlon protestait, prenait les gardiens à témoin de la grâce de sa femme, de son adresse à se tenir en selle, à galoper autour du rond en marquant au fer rouge tous les taureaux d'une manade :

« Vous avez tort de ne pas voir ça, monsieur le Parisien, ça vaut la peine... Zou ! allons. Je vous emmène tous deux Zia dans ma carriole.

— Merci pour moi, frérot, dit l'enfant occupée à remettre en place dans la cuisine le fiasque de carthagène et les verres des buveurs... Merci, je reste avec Mamette à la maison.

— Comment ! tu ne viens pas à la ferrade ? »

Naïs, du haut de sa selle, jeta durement :

« Laisse-la donc, puisque c'est son caprice. »

Depuis le retour de Zia et son « bon jour » manqué, il y avait entre les deux sœurs un perpétuel échange de paroles sévères et de regards sans tendresse. Charlon, que le malentendu de ses femmes navrait, se hâta de remarquer que M. Henri n'allant pas

1. *Taiole* ou *taillole* : large ceinture de tissu.
2. Etalon.

à la ferrade, lui non plus, la petite lui fricasserait en leur absence une *gardiane*[1] de poissons, à s'en lipper les doigts. Elle la faisait presque aussi bien que sa sœur Naïs.

Sur quoi, la sœur Naïs enleva sa monture avec colère :

« Bonjour à tous ! » dit-elle, déjà lointaine. Et derrière les rubans envolés de sa coiffe, les grignons de Camargue galopaient, la crinière au vent, balayant l'herbe fine de leurs longues queues.

Vers le milieu de la journée, Danjou, étendu sur le gazon au bord du Vaccarès, s'interrogeait avec inquiétude, en écoutant briser autour de lui cette petite mer intérieure aux lames courtes. « Qu'est-ce que j'ai ? D'où me vient cet ennui vague, ce serrement de cœur ? Voilà dix jours que Paris me laisse tranquille. Je ne pense à rien, je ne regrette rien. Encore quelques semaines de ce complet nirvâna, je pourrai croire à ma guérison... Alors, pourquoi cette tristesse aujourd'hui ?... Parce que j'avais rêvé de passer l'après-midi avec Zia, à lire des vers devant la Cabane, et que l'enfant n'a pas voulu, prétextant un grand mal de tête qui l'obligeait à rentrer au mas ?

Après tout, c'était peut-être vrai ; sa pâleur, l'expression douloureuse de son regard en me quittant... A moins que la pauvre petite, brusquement reprise de son mal... »

Ainsi mille pensées contradictoires se heurtaient dans son esprit, tandis que devant lui clapotaient les flots du lac sur le rivage un peu haut, d'un vert velouté, d'une flore originale et fine, et qu'il entendait les sonnailles d'un troupeau de chevaux sauvages tantôt se rapprocher, tantôt se retirer très loin, dispersées, perdues dans la rafale. Tout à coup, en relevant la tête au-dessus d'une touffe de saladelles bleues, il aperçut Arlatan le gardien dont la bourrasque enflait la limousine[2], tirant à grandes enjambées du côté de sa cahute, puis, arrivé à la porte, grimpant avant d'entrer tout en haut du *guinchadou*, sorte d'échelle primitive, d'observatoire rustique très élevé, qui sert à surveiller le troupeau.

A peine fut-il descendu, une femme, encapuchonnée jusqu'aux yeux d'une longue mante feuille-morte, tournait le coin du gourbi où elle entra brusquement sur les pas du gardien. Bien qu'elle eût passé rapide et très enveloppée, à je ne sais quelle grâce d'envolement et de jeunesse Danjou avait cru la reconnaître :

1. Ragoût au vin.
2. Manteau de poil de chèvre ou de laine.

« Zia ?... chez ce vieux fou ? Jamais, voyons... Qu'irait-elle y faire ?... Et cependant, qui sait ?... »

Il se rappelait le frisson de la petite sous le regard cynique d'Arlatan, le soir où le gardien les avait surpris au coin du feu, le soupçon dont lui-même s'était senti une seconde effleuré d'une aventure possible entre Zia et cet ancien beau de la savane. Pour savoir la vérité il n'avait qu'à faire deux ou trois cents pas dans le pâturage, et à se montrer subitement...

Aux premiers coups frappés à la porte, rien ne répondit. Il frappa encore, et, cette fois, le gardien vint ouvrir, tête nue, en lourdes bottes et futaine verte. Il souriait, très droit, très fier, sans la moindre surprise du visiteur qui lui arrivait.

« Entrez, mon cér ami... » Pendant que grasseyait sa voix rauque dans la rainure étincelante de ses yeux se lisait clairement : « Vous pouvez tout fouiller, tout retourner, ce que vous cherchez n'est plus ici. »

« Vous n'êtes donc pas allé à la ferrade, maître Arlatan ? » demandait le Parisien, un peu déçu de se trouver seul avec lui dans l'unique salle que son regard eut vite inventoriée. Le gardien haussa les épaules :

« Ah ! *vaï*, des ferrades... j'en ai trop vu. » Il repoussa d'un coup de botte une malle à gros clous de cuivre qui traînait au milieu de la pièce entre deux escabeaux, prit un de ces sièges rustiques taillés dans un tronc de saule et présenta l'autre à Danjou avec le geste large, emphatique, dont le vaste décor camarguais semblait lui avoir donné l'habitude.

« Tout ce que vous voyez ici, dit-il superbement, depuis le toit, les murs de la maison, c'est moi que je l'ai fait. Ce *plot*[1] de bois sur lequel vous êtes assis, ce lit d'osier tressé, là-bas dans le coin, ces flambeaux de résine vierge, ce foyer fabriqué de trois pierres noires, jusqu'au pilon dont je broie mes plantes médicinales, jusqu'à la serrure de la porte et sa clef du même bois blanc, tout cela est mon ouvrage. »

Il suivit le regard de Danjou dans la direction de la malle.

« Ceci, par exemple, n'est pas de ma fabrication... c'est ce que j'appelle le trésor. Mais avec la permission de *usted*[2], nous en causerons un autre jour ; de ce moment, je ne suis pas de loisir... Ah ! mon ami, vous parlez de ferrades... c'est dans cette malle que j'en ai des médailles et des certificats de mairies, et des

1. Billot.
2. « Vous », en espagnol.

cocardes arrachées aux taureaux les plus en renom. Ma dernière, tenez, je l'ai gagnée aux arènes d'Arles il y aura juste dix ans le dimanche qui vient, prise aux cornes d'un Espagnol, un grand rouge enragé qui avait étripé des centaines de chrétiens. Ah ! le bâtard, je lui ai fait voir le tour comme il a voulu, autant qu'il a voulu, à la landaise et à la provençale, au raset[1] et à l'écart ; je l'ai sauté à la perche, en long et en large, puis *arrapé*[2] par ses deux longues cornes et, d'un coup de flanc, *zou !* les quatre fers en l'air dans le rond. Il s'appelait Musulman. »

En parlant, le gardien s'était levé et soulignait son histoire d'une mimique théâtrale. Danjou, toujours assis et préoccupé de son enquête, s'ingéniait à prolonger l'entretien.

« C'est singulier, maître Arlatan, tous les conducteurs de manades que je rencontre portent sur le front, sur les joues quelque trace de coups de corne. Et vous, rien ? »

Arlatan se redressa :

« Rien sur la figure, jeune homme. Mais le corps, si je vous le montrais... J'ai là, sur le côté droit, un souvenir de Musulman, une estafilade d'un pan de large... C'est une de vos Parisiennes qui me l'a recousue... le même soir », ajouta-t-il en clignant ses yeux fats.

Danjou tressaillit :

« Une Parisienne ?

— Et jolie... et célèbre... ce qui ne l'a pas empêchée de passer deux jours avec moi dans le pâturage... »

L'amant de Madeleine Ogé eut envie de demander : « Chanteuse, peut-être ? » mais une honte le retint.

L'autre poursuivit d'un air détaché :

« Du reste, son portrait est là, dans le trésor, une femme superbe, déshabillée jusqu'à la ceinture. Si vous voulez mettre une demi-pistole, je vous le montrerai un de ces jours, avec une foule d'autres ; mais pour l'instant, je vous demande excuse, j'ai un baume vert que je prépare... car vous savez que je m'occupe de médecine illégale, comme dit le docteur Escambar, des Saintes-Maries-de-la-Mer... Allons, à bientôt, mon cér camarade. » Et il referma la porte sur lui en souriant.

Dehors, c'était la fin du jour. Le mistral la saluait d'une allègre sérénade qui affolait tout le pâturage, faisait flotter queues et

---

1. Griffe utilisée pour attraper les cocardes accrochées entre les cornes du taureau.

2. Du verbe provençal *arrapa* : attraper.

crinières, hennir les étalons et tinter leurs sonnailles dans cette plaine immense, sans obstacle, que son souffle puissant semblait aplanir en l'élargissant. A perte de vue, le Vaccarès resplendissait. De grands hérons planaient, découpés sur le ciel vert en minces hiéroglyphes ; des flamants aux ventres blancs, aux ailes roses, alignés pour pêcher le long du rivage, disposaient leurs teintes diverses en une longue bande égale. Mais toute cette magie de l'heure et du paysage était perdue pour le malheureux garçon qui rentrait chez lui ne songeant qu'à une chose, ne voyant qu'une chose, le portrait de sa maîtresse dans cette malle de bouvier. Car douter un instant que ce fût Madeleine, il n'y parvenait pas.

Certes, elles ne sont pas rares, les Parisiennes capables de s'exalter pour un faux matador ; mais la coïncidence du séjour de la chanteuse juste à cette époque, ce caprice cynique, brutal, bien dans les mœurs de la dame... jusqu'à cette vague tristesse dont il cherchait la cause tout à l'heure. Non ! le doute ne lui semblait pas possible. Encore un dont elle lui dirait, en pleurant sur son épaule : « C'était avant de te connaître, mon Henri. » Le bel Armand aussi, c'était avant de le connaître. Avant, pendant et encore après. Ah ! coquine... Et lui qui se croyait guéri de cette passion à fond de vase, à l'abri de ses fièvres malsaines !... Aussi, quel besoin d'entrer chez ce Huron ? Et, puisqu'il avait tant fait, pourquoi ne pas aller jusqu'au bout, emporter une preuve, le nom de la femme, son portrait ? Quel imbécile orgueil l'avait retenu ? Il savait bien pourtant qu'il finirait toujours par là, qu'il ne pourrait pas vivre dans cette incertitude oppressante. Il connaissait ces accès de basse jalousie, rongements, visions, nuits de délire. Mais venir les chercher au fond de la Camargue, en plein désert !...

« ... Voilà monsieur Henri », dit une voix dans l'ombre, à quelques pas.

Il arrivait chez lui, où Charlon et sa femme, de retour de la ferrade, l'attendaient avec impatience. Danjou, en entrant, fut saisi de leur émotion. Naïs surtout, encore en ses atours de fête, sa pauvre figure creusée, travaillée au couteau sous les broderies d'or de la coiffe d'Arles, marchait à pas furieux d'un bout de la pièce à l'autre, et se trouva juste en face de lui, éclairée en dessous par le grand feu de souches que Charlon, à genoux, était en train d'allumer.

« Vite, monsieur Henri... » sa parole haletait comme après une longue course... « vite, est-ce vrai que ma sœur a passé l'après-midi à lire près de vous, à la Cabane ? »

D'abord, il ne comprit pas. C'était si loin de sa pensée,

maintenant, cette petite Zia et toute son histoire ! Mais il se reprit aussitôt et, devant l'anxiété de ces braves gens, surtout en se représentant la fillette et ses grands yeux qui le suppliaient, il n'hésita pas à mentir, secrètement averti que, pour leur tranquillité à tous, il devait commencer par là.

« Mais certainement, ma bonne Naïs, que votre sœur a passé l'après-midi à la Cabane...

— Tu vois, ma femme... » cria Charlon tout joyeux. Naïs, à demi rassurée, demanda encore :

« Vous n'étiez donc pas dehors depuis longtemps ?

— Hé ! non... Mais pourquoi toutes ces questions ?

— Elle ne vous le dira pas », fit Charlon qui, dans son allégresse, continuait à bourrer la cheminée de ceps de vigne, au risque de l'enflammer jusqu'au faîte... « Mais moi, tant pis ! je ne peux pas me tenir, je suis trop content... Figurez-vous que depuis une quinzaine, depuis que l'enfant nous est revenue, notre maison où l'on s'aimait tant est devenue un enfer. Les femmes se *carcagnent*[1] à la journée, Naïs et la grand-mère tout le temps à faire pleurer la petite à cause de son « bon jour ». Et, pour finir, voilà Mamette qui l'accuse d'avoir passé toute son après-midi du dimanche... devinez où ? Chez Arlatan... Zia chez Arlatan, je vous demande un peu... Pourquoi faire ? Il y a longtemps que le beau brun ne tire plus les alouettes et qu'il a renoncé au *femelan* pour ne s'occuper que de pharmacie... N'empêche que Naïs était d'une colère, à croire qu'elle allait piquer une attaque comme l'autre fois... Heureusement que vos bonnes paroles l'ont calmée... *Qué*, Naïs ? »

Toujours accroupi devant le feu, il la tirait doucement par sa guimpe bleu de roi ; mais sans plus s'occuper de lui que de Miracle qu'on entendait dans la nuit, devant la porte, lapper une écuellée d'eau fraîche et de pain de chien, Naïs disait en retenant de grosses larmes :

« Ah ! monsieur Henri, si vous saviez le tourment que cette enfant me donne... Elle n'a plus son père ni sa mère ; rien que Mamette la mère-grand qui n'y voit plus, et moi, la sœur aînée, presque toujours loin d'elle... Avec ça que je n'ai pas su la prendre. Je l'aime comme si elle était de Charlon et de moi ; mais je lui fais crainte et je ne peux rien savoir de ce qu'elle a, de ce qui la désole. Ah ! quand elle est là, près de moi, des heures sans parler, avec son air de regarder en dedans, je la pilerais dans un

1. Du verbe provençal *carcagna* : tracasser.

mortier de fer pour avoir un peu de ce qu'elle pense ! Car c'est sa songerie qui est malade, la pauvre petite ; faire le mal, elle n'en est pas capable, du moins je me le figure, et c'est aussi la croyance de M. le curé.

— Alors, il aurait dû lui laisser faire son « bon jour », dit Charlon en se relevant.

— Mais, badaud, tu sais bien que la dernière fois c'est la petite qui n'a pas voulu... elle se trouvait trop indigne. »

Naïs continua, s'adressant à Henri :

« Ma pauvre sœur a, paraît-il, une maladie qu'on appelle... comment M. le curé dit-il cela ?... ah ! le mal de l'*escrupule.* »

Charlon l'interrompit gaiement :

« Que ce soit ce qu'il voudra, maintenant que tu sais que la petite n'était pas chez Arlatan, vous allez me faire le plaisir, en rentrant, de vous embrasser bien fort, et qu'on soit tous amis comme auparavant. C'est trop triste, les maisons de pauvres, quand on ne s'aime pas. »

Le feu flambait clair, la table du Franciot était mise ; Charlon prit sa chère laide par la taille et l'entraîna vers leur mas sur un air de farandole, populaire dans toute la Provence :

Madame de Limagne
Fait danser les chevaux de carton.

Il revint dans la soirée, mais cette fois avec la petite Zia. Henri lisait au coin du feu, sous le *caleil*, répondant par monosyllabes, tellement sa lecture l'absorbait.

Un moment, Charlon étant allé remplir les brocs au *puits commun*, un vieux puits à roue situé à mi-chemin entre la Cabane et le mas, Zia et Danjou se trouvèrent seuls. Elle passa près de son livre à deux ou trois reprises, et, tout à coup, lui saisissant la main d'un geste irrésistible, la porta à sa bouche avec violence. La douceur de ses lèvres, la candeur de ce remerciement attendrirent le jeune homme. Il eut besoin de tout son courage pour retirer sa main et dire d'un ton sévère :

« Tu m'as fait faire un gros mensonge, mon enfant, mais ne recommence plus ; je ne mentirais pas une seconde fois... »

Elle se tenait devant lui, très humble, sans répondre. Par la porte restée ouverte derrière le garde, on entendait grincer la chaîne du puits et le ruissellement de l'eau dans le noir. Danjou continua :

« Pourquoi es-tu allée chez cet homme ? Car tu étais là, et tu en sortais à peine quand je suis arrivé. Que venais-tu faire ? Ta sœur te l'avait bien défendu. »

Les grands yeux noirs le fixaient, effroyablement navrés et immobiles, traversés seulement d'un éclair d'indignation quand il demanda si, par hasard, ce vieux hibou ne s'était pas mis en tête de devenir son galant, son *câlineur*... « Non, n'est-ce pas, c'est impossible ? Qu'est-ce qui t'attirait donc chez ce marchand de baume vert ? Tu ne veux pas me le dire ?... Eh bien ! je le sais, moi... je l'ai deviné. »

L'enfant tremblait si fort qu'elle dut s'appuyer contre la chaise où il était assis. Il laissa tomber son livre ; et tout bas, de tout près :

« C'est ton mal qui est revenu ? Tu as recommencé à voir des choses ?... C'est bien cela, dis, Zia ? dis, ma petite sœur de fièvre et de misère ?... Et dans un coup de désespoir, un soir où tu ne voyais pas d'étoiles, où la musique des félibres n'arrivait plus jusqu'à ton cœur, tu t'es souvenue des miracles d'Arlatan et tu es allée lui demander de te guérir... N'est-ce pas, que tout ce que je te dis est vrai ?... »

Jusqu'à présent, elle avait tenu la tête baissée et fait signe en pleurant sans bruit : « C'est cela... c'est bien cela... » Mais aux dernières paroles d'Henri, ses prunelles se levèrent, toutes verdies de larmes, avec une expression d'angoisse et d'étonnement qu'il ne comprit pas, qu'il ne pouvait pas comprendre, dans l'élan de sa pitié, dans son désir de rappeler à la santé, à la vie, cette âme d'enfant si mystérieusement blessée. Désir d'autant plus vif qu'en la réchauffant il se réconfortait lui-même, qu'en criant à Zia : « Ne désespère pas, petite, tout cela n'est qu'une épreuve, une crise qui passera », c'est sa propre détresse qu'il encourageait.

Malheureusement, quand Charlon fut revenu puis reparti avec sa belle-sœur, l'amant de Madeleine ne songea plus qu'à sa maîtresse et son martyre recommença. Il essayait de lire, rouvrait le poème d'Aubanel sur l'admirable canzone que l'apparition de Zia avait interrompue tout à l'heure : *Depuis qu'elle est partie et que ma mère est morte...*, mais arrivé aux derniers vers : *Oh ! qu'il fait bon dormir dans les bergeries, sur les feuilles, — dormir sans rêve au milieu du troupeau...* la page tremblait, se brouillait ; et au lieu de voir une étoile entre les lignes, comme Zia, c'est Madeleine Ogé, des Délassements, qui lui apparaissait traînant ses oripeaux de théâtre dans la crèche d'Arlatan et le relent de la manade. Deux jours en plein pâturage avec ce vacher, fallait-il qu'elle eût le goût du fauve !... *Oh ! s'en aller en compagnie des pâtres, — rester étendu tout le jour et sentir bon la menthe sauvage...*

Il ferma le livre avec colère et se dit qu'il valait mieux dormir. Mais le lit nous rend si imaginatifs et si lâches. A peine étendu, il fut repris d'incertitude. Tant d'autres étrangères devaient se trouver aux arènes d'Arles, ce jour de fête. Pourquoi vouloir que ce fût celle-là précisément ? Arlatan ne lui avait jamais parlé d'une actrice... De toutes les preuves accumulées il n'y a qu'un instant, pas une à présent ne tenait debout. Mais la minute d'après, tous les soupçons revenus faisaient dans sa tête, sous ses tempes, la rumeur, le battement d'ailes noires d'un hourra de corbeaux arrivant à la fois de tous les côtés du ciel. Elle, c'était Elle ; et une sueur de glace l'inondait.

La nuit se passa dans ces transes fiévreuses, compliquées de cette idée plus torturante que tout : « La preuve est près de moi, je n'aurais qu'à faire un pas pour l'avoir. » Supplice si aigu, si lancinant, que deux ou trois fois il sauta du lit en se disant « j'y vais », entrouvrit la porte et, ne voyant pas la moindre clarté sous le ciel, vint reprendre sa veillée horizontale dans les ténèbres et le rongement.

Au matin cependant, sans dormir tout à fait, il glissa de l'insomnie à un demi-rêve de fatigue hallucinée... C'était la Camargue, mais une Camargue d'été à l'époque des halbrans, quand les clars sont à sec et que la vase blanche des roubines se crevasse à la forte chaleur. De loin en loin les étangs fumaient comme d'immenses cuves, gardant au fond un reste de vie qui s'agitait, un grouillement de salamandres, d'araignées, de mouches d'eau cherchant des coins humides. Sur tout cela, un air de peste, une brume lourde de miasmes qu'épaississaient des tourbillons de moustiques ; et comme unique personnage dans ce vaste et sinistre décor, une femme, Madeleine Ogé avec la coiffe de Naïs, ses joues jaunies et creuses, Madeleine bramant et grelottant au bord de la mer, sous le plein soleil inexorable qui brûle les fiévreux sans les réchauffer...

Un passage criard d'oiseaux *de prime*[1] le délivra de son cauchemar, en sursaut. La bande volait bas, comme à la fin de son étape, et tirait dans la direction du Vaccarès. Bon prétexte que se donna le Franciot pour prendre houseaux, carnier, fusil, et s'en aller tenir l'affût vers le pâturage d'Arlatan.

1. Du provençal *auceu de primo*, qui désigne les oiseaux migrateurs du printemps.

5

« Entrez... la clef est sur la porte. »

Danjou tourna la clef de bois, fit deux pas à tâtons dans la sombre cahute enfumée, et s'arrêta, aveuglé, suffoqué.

« C'est le vent qui rabat. Il en souffle, une bourrasque », dit la voix du gardien encore au lit, geignant sous un amas de couvertures et de hardes... « Tiens, c'est vous, mon cér ami... prenez garde au plot... posez le fusil contre la panière... vous entendez la vache de Faraman, comme elle s'est levée de bonne heure ce matin... et mon *rhumatime* avec elle... Aïe ! aïe !... Vous non plus, mon camarade, vous ne paraissez pas avoir bien dormi. Vous êtes blanc comme la mort... Si le cœur vous en dit de faire comme moi, *vé* ! »

Il se dressa tout endolori, dégageant à chaque mouvement une odeur de levure et de paille chaude, prit au-dessus de sa tête, à même une planche mal équarrie, un couvercle de boîte en fer-blanc plein à ras d'un opiat verdâtre de sa fabrication, sur lequel il promena voluptueusement, à deux ou trois larges reprises, une langue de lion malade, boueuse et sanguinolente.

Debout à quelque distance du lit, Danjou s'excusait que le cœur ne lui en dît pas précisément.

« Je m'en doute, je m'en doute », marmonna Arlatan refourré sous ses couvertures... « ce n'est pas pour mes drogues que vous êtes ici, vous. »

Il restait sur le dos, immobile et muet, ses grands traits vieillis, convulsés par la souffrance, comme si chaque rafale enveloppant la maison lui passait aussi sur le corps, tordait et broyait ses muscles. On entendait craquer le chaume du toit, gémir la croix de bois traditionnelle qui gardait le faîte, et, tout autour dans le pâturage, tinter et galoper les sonnailles du troupeau qu'effaraient l'absence du maître et le vent brutal de la mer. La tourmente apaisée, le gardien rouvrit lentement les yeux.

« Vous venez pour le portrait de cette dame, hé ? dit-il à Danjou... La Parisienne déshabillée jusque-là... J'avais vu tout de suite que ça vous amuserait... »

Il allongea un bras velu, couleur de brique, sillonné de coups de cornes en blanches et profondes cicatrices.

« Sans vous commander, mon camarade, cette malle à clous dorés, là-bas, au fond... si c'était un effet de votre obligeance de l'amener tout contre moi... nous y trouverions sûrement ce que vous cherchez.

« Que croit-il donc que je cherche, cet imbécile ? » songeait Danjou en approchant la caisse du lit et soulevant son énorme couvercle en dôme. Tout de suite, il eut l'illusion d'une boutique d'herboriste qui s'ouvrait. Des fleurs séchées, des plantes mortes, momies de papillons et de cigales conservées dans le camphre et l'alcool, opiats, élixirs, du papier d'argent, quelques coquillages, des morceaux de nacre et de corail, voilà ce qu'on voyait d'abord dans cette espèce de trappe mohicane, ce trou de pie voleuse que l'Anti-Glaireux appelait « son trésor ». Penché dessus avec des yeux éblouis d'inventeur et d'avare, il bégayait, la lèvre humide :

« Y en a-t-il de mes drogues là-dedans, et de l'herbe qui sauve et de l'herbe qui tue !... »

Sa narine gourmande allait d'un flacon à l'autre, flairait, se délectait longuement ; puis, comme si l'impatience fébrile du client le réjouissait, il s'attardait au coin des médailles, à ses succès de torero, commémorés par une infinité de cocardes — couleurs fanées, dorures éteintes —, qui chacune avait son histoire et s'accompagnait de boniments glorieux.

Celle-ci lui venait du Romain, pas celui de maintenant, un autre ; il y a toujours un Romain dans les manades. Cette grande-là, avec du sang sur le bord, lui avait valu le souvenir de Musulman et celui de la belle personne en question. Pas froid aux yeux, les Parisiennes.

« Jugez un peu. Le soir de la course, il y avait eu au cercle du Forum un grand banquet en mon honneur. Voilà qu'après dîner, tous ces messieurs *on* était là à fumer en rond autour de moi dans un salon doré tout en glaces et en lumières, quand la dame m'arrive dessus, une femme superbe avec des diamants en pluie d'étincelles sur des épaules bien roulées. Elle me plante ses yeux tout droit et me vient comme ceci devant le monde :

« "Bouvier, on ne t'a jamais dit que tu étais très beau ?"

« Ah ! la drôlesse, oser parler à un homme de cette façon... J'ai senti le rouge qui me montait et je lui ai jeté en riposte :

« "Et vous, madame, on ne vous a jamais dit que vous étiez une catin ?" »

Danjou se sentit pâlir. Cette affronteuse ressemblait si bien à sa maîtresse.

« Et elle ne vous en a pas voulu ? demanda-t-il.

— Si elle m'en a voulu, jeune homme ? Attendez... » Il se dressa en gémissant, une chemise de grosse toile laissant voir sa poitrine velue et grise de vieux pacan. « Passez-moi ces deux boîtes, je vous prie, la verte et l'autre. »

Il montrait deux de ces cartons de modes comme les grands magasins de nouveautés en expédient au bout du monde. Salis, cassés, surchargés de toutes les marques postales, ces deux-là ne tenaient plus que par miracle. Du premier qu'il ouvrit sans presque y toucher, des photographies de femmes s'échappèrent, actrices, danseuses, maillots et décolletages de vitrines, qui vinrent se répandre sur la couverture devant lui. Il prit un de ces portraits et le regarda longtemps. Danjou était trop loin, il ne pouvait pas voir la femme ; mais son Anti-Glaireux en tricot de laine et la main trapue aux ongles noirs qui tenait la petite carte, il n'en perdait pas un détail. Et se rappelant les dessous élégants et raffinés de sa maîtresse, l'association de ces deux êtres lui semblait monstrueuse, impossible.

« Regardez-moi ça, mon bon... » dit l'ancien gardien de bœufs en lui passant le portrait.

C'était bien Madeleine Ogé, il y a dix ans, au zénith de sa beauté, de sa gloire ; Madeleine en Carmago, le plus savoureux de ses rôles et de ses costumes. Au-dessous, pour que nul n'en ignore, une ligne de sa longue écriture capricieuse et molle signant le public hommage qu'elle faisait à un vaquero de cette bouche divine, de cette gorge sans défaut :

Au plus beau des Camarguais,
sa Camargo.

Etait-ce l'épreuve jaunie, souillée ; cette odeur nauséabonde et pharmaceutique ? Il n'eut d'abord qu'une sensation de dégoût. Lui qui croyait tant souffrir, qui se raidissait d'avance ! Et l'image enfin devant lui, nul doute n'étant plus possible, il savourait cette non-douleur.

« Combien voulez-vous de ce portrait ? demanda-t-il d'un ton d'indifférence. Moi j'en donne dix pistoles, cent francs. »

Dix pistoles ! Le Camarguais en eut un saut de joie sous ses couvertes.

« Un beau morceau de chair de femme, hé ?... dit-il en claquant sa langue et coulant un œil libertin... Mais pour le même prix, je puis vous offrir beaucoup mieux. Si, si, vous allez voir. »

Il tira de l'autre carton et rangea soigneusement sur son lit quelques-uns de ces grands chromos qui traînent aux étalages de marchands de *santibelli*[1] sur les vieux quais de Gênes ou de Marseille... Daphnis et Chloé, le cygne de Léda, Adam et Eve avant le péché, nudités prétentieuses, d'intention polissonne, surtout par leur coloris et leurs dimensions. « Faites votre choix, mon cér ami ; comme pièces galantes, vous ne trouverez pas plus beau. »

Oh ! l'accent, le tour de bouche dont il appuyait ces mots : pièces galantes. Et c'est dans ce ramas d'ordures que Madeleine figurait.

« Très joli, maître Arlatan », murmurait Danjou, distrait, regardant à peine, tout à la petite image sur laquelle ses doigts se crispaient... « Mais c'est ce portrait de femme précisément qu'il me fallait... N'en parlons plus. » Le paysan insista, ébloui par les dix pistoles. D'abord la dame n'était qu'en demi-peau, tandis que les autres... puis elle avait mis de son écriture avec son nom au bas de la carte. Peut-être qu'elle vivait encore cette dame Camargo et pourrait lui causer de l'ennui...

La clarté du dehors entrant dans un tourbillon leur fit lever la tête à tous deux. La porte, mal fermée sans doute, venait de s'ouvrir grande, brusquement. On voyait le ciel bas, les nuages en déroute, les chevaux épars dans la lande, montrant çà et là derrière un bouquet de tamaris l'arête de leurs dos, l'écume de leurs crinières blanches ; plus loin, au-dessus du Vaccarès tumultueux, tout miroitant d'écailles, des nuées d'oiseaux qui planaient, plongeaient, pêchaient, secouaient leurs ailes dans le vent.

« Mettez la clef en dedans, nous serons plus chez nous », dit le gardien à voix basse.

Mais Danjou, d'un ton bref :

« C'est inutile, je m'en vais, puisque vous ne voulez pas... »

L'autre blêmissait de colère.

« Mon cér ami, voyons, réfléchissez.

— C'est tout réfléchi... Je tenais à ce portrait, vous y tenez aussi... Voici vingt francs pour la peine, et au revoir, mon garçon. »

Après tout, l'impression de mortel dégoût qu'il emportait ne valait-elle pas toutes les photographies ? Avec l'image constamment sous les yeux, cette impression se fût peut-être atténuée ; peut-être aussi n'eût-il pas résisté à la joie de faciles représailles, comme d'envoyer chez la diva ce souvenir de sa jeunesse. Mais alors c'étaient tous ses efforts perdus, sa retraite dénoncée, des lettres, des larmes, et au bout probablement l'éternelle rechute.

1. Statuettes de saints.

Non, non, reste avec ton Camarguais, ma fille ; continue à moisir parmi les baumes verts à l'état de pièce galante !...

Danjou songeait ainsi en marchant vers le Vaccarès où il comptait chasser encore une couple d'heures, lorsque près de lui, dans le pâturage, des chevaux attroupés se dispersèrent à son approche. Zia était assise sur le gazon mouillé d'embruns, à côté d'une corbeille pleine de grands pains, et machinalement elle en jetait des morceaux aux chevaux, devant elle. Le cou nu, sa mante dégrafée, les pieds à demi sortis de petits sabots jaunes en bois de saule, elle avait les lèvres décolorées par le froid ; et le même geste de sa main essayant toujours de ramener les cheveux échappés de sa coiffe lui donnait quelque chose d'égaré. A l'appel du Franciot, elle leva seulement la tête.

« Que fais-tu là, Zia ?

— Rien... je ne sais pas...

— Comment, tu ne sais pas ce que tu fais, si loin de chez vous ?... Qu'est-ce que c'est que tout ce pain ?

— On m'a envoyée chercher le pain à Chartrouse.

— Chartrouse ?... mais pour rentrer chez toi ce n'est guère le chemin. »

Le regard de Danjou, orienté tout autour, rencontra le chaume du gardien. Il eut tout de suite compris.

« Ne mens pas, c'est là que tu venais ?

— C'est là... répondit-elle avec violence... Tout ce que vous m'avez dit, hier soir, toutes les prières que j'ai faites dans la nuit, rien n'y a pu, rien... Une force mauvaise m'a prise en sortant de Chartrouse et m'a portée chez cet homme, je ne sais pas comment. La clef était sur la porte, j'ai ouvert ; mais entendant du monde, je me suis sauvée jusqu'ici de peur d'être reconnue. »

Elle se leva, prit sous le bras sa corbeille à pain. Il lui demanda :

« Où vas-tu ?

— Je rentre à la maison, ma sœur doit être inquiète... » Une hésitation, puis : « Est-ce que vous lui direz que vous m'avez vue ?

— Non... si tu me promets... »

Elle eut un regard navrant et las à faire pitié.

« Que voulez-vous que je promette ? Est-ce que je peux ? Est-ce que je sais ? Il y a des moments où je ne suis plus moi, où des flammes me traversent, m'enlèvent... Depuis que vous êtes là, c'est bien, je me sens de la force pour résister... mais dans une heure, vous serez loin et rien ne pourra me retenir... Et ce n'est pas ma guérison, comme vous sembliez le croire, que je viens chercher près d'Arlatan... c'est le poison, c'est sa brûlure... Mes yeux me font mal à la fin, de l'envie que j'ai de voir des choses. Et l'homme m'en montre et je me damne... Ah ! tenez, le mieux serait de tout dire à Naïs, qu'elle me batte, qu'elle me tue, mais que je ne revienne plus ici... »

Pendant qu'elle parlait, Danjou, se rappelant les hideux chromos étalés sur le grabat du vacher, les revoyait sinistrement animés et pervers dans les beaux yeux de fièvre de cette femme-enfant et son imagination maladive.

« Non, Zia, dit-il plein de pitié, non, ta sœur ne saura rien... ce serait lui faire trop de peine... seulement il faut retourner au pays, t'en aller le plus tôt possible... »

Elle cria de terreur :

« Au pays, sainte Mère des anges ! mais c'est la fin de tout... on va me montrer au doigt, me courir après à cause de mon « bon jour »... Et pas moins, vous avez raison, monsieur Henri, il n'y a plus qu'à s'en aller... C'est ce qui vaut mieux. »

Droite et mince, son grand panier sur la hanche, ses cheveux en poussière blonde autour de sa petite pointe, elle marchait contre le vent, avec sa jupe enroulant ses jambes fines, et son geste énergique qui répétait à côté d'elle : « s'en aller... s'en aller... »

6

Monsieur T. de Logeret,
à Montmajour.

Enfin, après deux longues journées d'angoisse et de recherches, nous l'avons retrouvée, la pauvre enfant ; nous l'avons retrouvée au bord du Vaccarès qui nous l'a gardée tout ce temps, bercée, roulée dans ses ondes mystérieuses. Le premier jour, les Charlon ne se sont pas trop effrayés de sa disparition. C'était une fillette bizarre, maladive, d'une imagination frénétique et comme envoûtée, une petite démoniaque que le Moyen Age eût exorcisée, et que Naïs dans son ignorance effarait de scènes continuelles. Ils ont cru qu'à la suite d'une de ces scènes, Zia s'était sauvée au pays ; et vous pensez quel effroi quand on a su qu'à Montmajour personne ne l'avait vue. Tous les mas d'alentour se sont mis en quête ; de toutes les manades des gardiens sont venus fouiller les étangs, les roubines, avec leurs longs tridents.

La nuit, des clameurs, des appels de trompe sonnaient de partout dans la plaine ; des lueurs de torches, de lanternes tremblaient sur l'eau.

Ah ! les braves gens ! Comme tout ce bas peuple de campagne, bergers, bergerots, gardiens aux visages balafrés, bronzés et durs comme des casques, que tout ce petit monde m'est apparu généreux et bon, fraternel à la détresse d'un des siens, donnant, prodiguant ses heures de sommeil, sa pitié, sa fatigue... Et il en faisait une tempête, ces trois jours-là ! Bourrasques, éclairs, grésil, la mer et le Vaccarès en furie, les manades affolées, fuyant devant la rafale ou se piétant, se serrant, la tête basse derrière le chef du troupeau, tournant la corne au gicle comme vous dites. C'était païennement beau, toute cette sauvage nature soulevée, révoltée contre l'injustice des dieux qui ont permis le suicide de cette enfant, car elle s'est tuée, la malheureuse, et si vous saviez pour échapper à quelle étrange et cruelle obsession...

Au matin du troisième jour, Charlon et moi nous battions les bords de l'étang quand une bande de chevaux sauvages nous est apparue, en arrêt le long de la rive. Ils regardaient notre pauvre Zia étendue sur l'herbe fine, serrée en linceul dans sa grande mante lourde de sel et de vase. Sa jolie figure intacte et blanche ouvrait à demi les yeux où se lisait toujours la même expression navrante, et qui, à rester sous l'eau, étaient devenus verts comme lorsqu'elle pleurait. Oh ! mais verts... « Deux petites rainettes du grand clar », disait Charlon en sanglotant.

En votre qualité de vieux Camarguais, mon ami, vous avez entendu parler du trésor d'Arlatan. La petite Zia est morte pour avoir voulu y regarder ; et moi, j'espère au contraire y avoir trouvé la guérison et la vie. Je le saurai dans quelques semaines. J'étais d'ailleurs prévenu par cette parole du gardien :

« J'ai dans mon trésor de l'herbe qui sauve et de l'herbe qui tue. »

Ce trésor d'Arlatan ne ressemble-t-il pas à notre imagination, composite et diverse, si dangereuse à explorer jusqu'au fond ? On peut en mourir ou en vivre.

A bientôt, mon vieux Tim, je vous embrasse, le cœur gros.

Henri DANJOU.

LA DOULOU

Dictante dolore[1].

1. Sous la dictée de la douleur.

Comme tous les écrivains réalistes de sa génération, Daudet inscrivait sur de petits carnets, au jour le jour, des idées, des bouts de scénario, une description, une observation... Du jour où il fut gravement malade, il décida de tenir une sorte de journal où il notait les sensations et impressions que lui causaient ses souffrances. Nous y voyons plutôt une ascèse : écrire pour dominer son mal ; mais, à ses amis, l'écrivain présentait volontiers ce cahier baptisé du nom provençal La Doulou, *comme la source d'un livre futur qu'il voulait appeler* Ma Douleur. *Ce projet explique la présence de traces visibles de mise en fiction, à côté de la notation brute d'expériences quotidiennes ou de croquis pris lors des cures estivales.*

Cédant aux prières de ses proches, Daudet a renoncé à publier ces douloureuses confessions, au caractère trop autobiographique.

Peu de temps après la mort de l'écrivain, en 1899, des extraits de ses carnets parurent, sous le titre Notes sur la vie, *mais sans que soit utilisé le journal de sa maladie. Ce n'est qu'en 1930 que Julia Daudet autorisa André Ebner, le fils du dernier secrétaire de Daudet, à publier* La Doulou.

1

Μαθὴματα - Παθὴματα [1]

« Μαθὴματα - Παθὴματα ». — Les vraies élémentaires. — La Douleur.

— Qu'est-ce que vous faites, en cc moment ?
— Je souffre.

Devant la glace de ma cabine, à la douche, quel émaciement ! Le drôle de petit vieux que je suis tout à coup devenu.

Sauté de quarante-cinq ans à soixante-cinq. Vingt ans que je n'ai pas vécus.

La douche — voisins de cabine : petit Espagnol, général russe. Maigreurs, regards fiévreux, épaules étriquées.

M. B*** passion de l'absinthe.

Boursiers venant à la fin du jour.

Dans le fond, salle d'armes. Ayat et ses prévôts. Choderlos, le bâtonniste.

Savate. Boxe. M. de V*** (depuis des années, deux douches par jour) va tirer le poids, va se peser dans le fond.

Va-et-vient de la petite voiture.

Les étuves.

Ce M. B*** quelquefois dans la voiture, gras, chair blanche, apparence de santé ; d'autres fois, porté, soutenu, marchotant.

Bruits de la douche, voix sonores, et le cliquetis des épées dans le fond. Tristesse profonde que cela me cause, cette vie physique que je ne peux plus.

Pauvres oiseaux de nuit, battant les murs, les yeux ouverts sans voir...

---

1. Mathémata (les vraies élémentaires — connaissance mathématique), Pathémata (souffrance, douleur).

Quel supplice de revenir de la douche par les Champs-Elysées, six heures, un beau jour, rangées de chaises.

La préoccupation de marcher droit, la peur d'être pris d'un de ces coups lancinants — qui me fixent sur place, ou me tordent, m'obligent à lever la jambe comme un rémouleur. C'est pourtant le chemin commode, le moins douloureux pour les pieds, car il faut que je marche.

Retour de la douche avec X***, un malade de la tête, que je réconforte — que je « frictionne » en chemin, pour le plaisir si humain de me faire de la chaleur à moi-même.

« Mal de voisin réconforte et même guérit ». Proverbe du Midi, le pays des malades.

« Le navire est engagé », dit-on dans la langue maritime. Il faudrait un mot de ce genre pour traduire la crise où je suis...

Le navire est engagé. Se relèvera-t-il ?

Mort du père[1]. Veillée. Ensevelissement. Ce que j'ai vu, qui me revient, qui me hante.

Souvenir d'une première visite au Dr Guyon, rue de la Ville-l'Evêque. Il me sonde ; contraction de la vessie ; prostate un peu nerveuse, rien en somme. Et ce *rien*, c'était *tout* qui commençait : l'Invasion.

Prodromes très anciens. Douleurs singulières : grands sillons de flammes découpant et illuminant ma carcasse.

Rêve de la quille de bateau, si fine et douloureuse.

Brûlure des yeux. Douleur horrible des réverbérations.

Et aussi, dès ce temps-là, fourmillement des pieds, brûlure, sensibilité.

D'abord susceptibilité pour les bruits : pelle, pincettes près du foyer ; déchirement des coups de sonnettes ; montre : toile d'araignée dont le travail commence à quatre heures du matin.

---

1. Vincent Daudet, père d'Alphonse Daudet, mort en 1875. La note a été écrite en 1886.

Hyperesthésie de la peau, diminution du sommeil, puis crachements de sang.

« La cuirasse. » Les premières sensations que j'en ai eu. Etouffement d'abord, dressé sur mon lit, effaré.

Premiers temps du mal qui me tâte partout, choisit son terrain. Un moment les yeux ; mouches volantes ; diplopie ; puis les objets coupés en deux, la page d'un livre, les lettres d'un mot, lues à demi, tranchées comme avec une serpe ; coupure en croissant. J'attrape les lettres au vol d'un jambage.

Mes amis, je coule, je m'enfonce, atteint sous la flottaison. Mais le pavillon cloué au mât, feu de partout et toujours, même dans l'eau, l'agonie.

Tant pis pour les coups perdus et les gafouillades, je tire !

Visite à la petite maison, là-bas [1].

Depuis déjà longtemps, depuis le bromure, je n'avais pas eu recours à la morphine.

Passé là trois heures charmantes ; la piqûre ne m'a pas trop bouleversé, et toujours rendu bavard, extravasé. Toute cette fin de journée un peu roulante et comme absinthée.

Le soir, dîné avec Goncourt, causerie jusqu'après onze heures, l'esprit libre.

Mauvaise nuit, réveillé en sursaut à trois heures ; pas de douleurs, mais des nerfs et la peur de la douleur. J'ai dû reprendre du chloral — ça m'a fait 3 g 1/2 pour la nuit — et lire vingt minutes.

Je suis en ce moment avec le vieux Livingstone, au fond de l'Afrique, et la monotonie de cette marche sans fin, presque sans but, ces préoccupations perpétuelles de hauteur barométrique,

1. Chez M. X***, malade, lui aussi, et qui avait recours à la morphine.

de repas vagues, ce déroulement silencieux, inagité, de grands paysages, est vraiment pour moi une lecture merveilleuse [1].

Mon imagination ne demande presque plus rien au livre, qu'un cadre où elle puisse vaguer. — « Je fais trois trous de plus à ma ceinture et je me serre », dit le bon vieux fou, un jour de famine. Quel excellent voyageur j'aurais fait dans l'Afrique centrale, moi, avec ma contraction des côtes, l'éternelle ceinture que je porte, des trous de douleur, le goût de manger à jamais perdu.

Bien singulière cette peur que me fait la douleur maintenant, du moins cette douleur-là. C'est supportable, et pourtant *je ne peux pas la supporter.* C'est un effroi ; et l'appel aux anesthésiques comme un cri au secours, un piaillement de femme avant le vrai danger.

La petite maison de la rue***. J'y pense. Je me défends longtemps. Puis j'y vais. Soulagé même dès l'arrivée. Douceur. Jardin. Un merle qui chante.

Jambe fauchée. Sans douleur. Terreurs.

Forces perdues. Sur le boulevard Saint-Germain une voiture m'arrive dessus. Marionnette détraquée. (Une autre fois voulu courir après Zézé, dans une allée de Champrosay.)

La chaussée à traverser, quel effroi ! Plus d'yeux, l'impossibilité de courir, souvent même de presser le pas. Des terreurs d'octogénaire — les petites vieilles macabres des *Fleurs du Mal.*

Songes de suicide. — Rencontre de N*** et ce qu'il me dit, continuant ma pensée : ... « Entre la première et la seconde côte ». (Strychnine.) — On n'a pas le droit.

Mémoire. Faiblesse.

Fugitif de mes impressions : une fumée sur un mur.

Effet des émotions vives : deux marches descendues chaque fois. On sent qu'on puise, à ces moments, au foyer même de la vie, qu'on attaque le capital, déjà si bas.

---

1. Quelques années plus tard, *Vers le Pôle*, de Nansen, devenait à son tour, pour les mêmes raisons, pendant les heures d'insomnie, le livre de chevet d'Alphonse Daudet.

J'ai eu depuis un an cette impression très forte, à deux fois ; une surtout, et pour une cause si niaise, si basse, un stupide drame de domestiques à la campagne. Le duel Drumont-Meyer aussi.

Et chaque fois j'ai senti sur ma figure et par tout mon corps ce curieux creusement, ce travail au couteau, opéré sur mon triste personnage.

Duruy[1] me disait avoir été frappé de cette décomposition de mes traits, sur le terrain, en pleine tragédie. Un creux qui reste.

De quoi est faite la bravoure d'un homme ? Voilà maintenant qu'en voiture les écarts d'une rosse de fiacre, un cocher pochard, me préoccupent et m'apeurent.

Depuis ma maladie, je ne peux plus voir se pencher à une fenêtre ma femme ni mes enfants. Et s'ils s'approchent d'un parapet, d'une rampe, tout de suite, tremblement de mes pieds, de mes mains. Angoisse ; pâleur. (Souvenir du Pont-du-Diable, près Villemagne.)

... Du jour où la Douleur est entrée dans ma vie...

Endroits où j'ai souffert. Soirée chez les Z***. L'homme au piano, chantant : « *Gamahut, écoutez-moi donc* ». Visages blafards, décolorés. Je cause sans savoir ce que je dis. Erré dans les salons. Rencontré Mme G*** malheureuse femme dont je sais les douloureux et lamentables dessous. Les femmes sont héroïques pour souffrir dans le monde, leur champ de bataille.

Tous les soirs, contracture des côtes atroce. Je lis, longtemps, assis sur mon lit — la seule position endurable ; pauvre vieux Don Quichotte blessé, à cul dans son armure, au pied d'un arbre.

Tout à fait l'armure, cruellement serrée sur les reins d'une boucle en acier — ardillons de braise, pointus comme des aiguilles. Puis le chloral, le « tin-tin » de ma cuiller dans le verre, et le repos.

Des mois que cette cuirasse me tient, que je n'ai pas pu me dégrafer, respirer.

Errant la nuit dans les corridors, j'entends sonner quatre heures

1. Deuxième témoin d'Edouard Drumont, lors de son duel avec Arthur Meyer.

à des tas de clochers, de pendules, proches ou lointains, et cela durant dix minutes.

Pourquoi pas la même heure pour tous ? Et les raisons m'en viennent en foule. Au résumé, nos vies sont très différentes les unes des autres, et les écarts de l'heure symbolisent cela.

La caserne voisine[1]. Voix de santé, jeunes et fortes. Fenêtres allumées toute la nuit. Taches blanches au fond du couloir.

Ce que j'ai souffert hier soir — le talon et les côtes ! La torture... pas de mots pour rendre ça, il faut des cris.

D'abord, à quoi ça sert, les mots, pour tout ce qu'il y a de vraiment senti en douleur (comme en passion) ? Ils arrivent quand c'est fini, apaisé. Ils parlent de souvenir, impuissants ou menteurs.

Pas d'idée générale sur la douleur. Chaque patient fait la sienne, et le mal varie, comme la voix du chanteur, selon l'acoustique de la salle.

La morphine. Les effets sur moi. Les nausées s'accentuant.

Par moments, impossibilité d'écrire, tellement la main tremble, surtout quand je suis debout.

(Mort de Victor Hugo, signature au registre. Entouré, regardé — terrible. L'autre jour, au Crédit Lyonnais, rue Vivienne.)

L'intelligence toujours debout, mais la faculté de sentir qui s'émousse. Je ne suis plus bon comme j'étais.

Une ombre à côté de moi rassure ma marche, de même que je marche mieux près de quelqu'un.

Quelquefois je me demande si ce n'est pas aux inoculations de Pasteur que je devrais recourir, tellement je sens dans ces douleurs suraiguës, ces torsions, ces secouées furieuses, ces crispations de noyé, une analogie avec l'accès rabique.

Oui, en haut de la maladie nerveuse, l'échelon suprême, son couronnement — la rage.

Nerveux, méchant depuis le matin. Et puis Julia me déchiffre

1. Caserne Bellechasse.

un cahier de musique tzigane. Dehors, l'orage, grêle, tonnerre — détente.

Un moment humilié de me voir un simple baromètre, engainé de verre, gradué. Je me console en songeant que dans ce baromètre-là les influences atmosphériques déterminent autre chose qu'une montée de mercure. Tant d'idées m'affluent au cerveau, et j'ai découvert une ou deux petites lois humaines, — de celles qu'il vaut mieux garder pour soi.

Remis au travail doucement[1]. Très content de l'état du cerveau. Des idées toujours, la formule assez commode aussi, mais — il me semble — plus de peine à coordonner. Peut-être aussi l'habitude perdue, car voilà six mois que l'usine chôme, et que les grandes cheminées ne tirent plus.

Comme nos désirs se bornent, à mesure que l'espace se rétrécit. Aujourd'hui, je n'en suis plus à désirer guérir — me maintenir seulement.

Si on m'avait dit ça l'année dernière.

L'action du bromure diminue comme dépression et perte de mémoire, malheureusement aussi comme moyen curatif.

Depuis quelque temps, après une nuit de bon sommeil au chloral, je m'éveille fatigué, nerveux, comme après mes anciennes insomnies.

Le maquillage par lourdes plaques du chloral.

Bercement divin des nuits de morphine, sans sommeil.

Réveil du jardin, le merle : dessin de son chant sur la pâleur de la vitre ; on dirait que c'est dessiné avec la pointe de son bec, ramagé !

Les soirs de morphine, effet du chloral. L'Erèbe, le flot noir, opaque, plus le sommeil à fleur de vie, le néant. Quel bain, quelles délices quand on entre là dedans ! Se sentir pris, roulé.

Au matin, douleurs, morsures, mais le cerveau libre, peut-être affiné — ou reposé, simplement.

1. Alphonse Daudet écrivait alors *L'Immortel*.

Essais de sommeil sans chloral. Paupières fermées. Des abîmes s'ouvrent à droite et à gauche. Dormettes de cinq minutes, angoissées de cauchemars en glissades, dégringolades — le vertige, l'abîme.

Douleur toujours nouvelle pour celui qui souffre et qui se banalise pour l'entourage. Tous s'y habitueront, excepté moi.

Conversations avec Charcot[1]. Longtemps refusé de causer avec lui ; conversation qui m'effrayait. Savoir ce qu'il me dirait. « Je vous garde pour la fin. »

Belle intelligence, pas dédaigneuse du littérateur. Son observation : beaucoup d'analogie, je crois, avec la mienne.

Jolie causerie, un jour d'été, pendant un déjeuner avec Charcot tout seul. La race latine atteinte, brûlée par le soleil.

Oh ! ce soleil ! — Canne à sucre en fusion pour épine dorsale. Mais le Nord a l'alcool et se brûle avec.

Formes de la douleur.

Quelquefois, sous le pied, une coupure, fine, fine — un cheveu. Ou bien des coups de canif sous l'ongle de l'orteil. Le supplice des brodequins de bois aux chevilles. Des dents de rats très aiguës grignotant les doigts de pied.

Et dans tous ces maux, toujours l'impression de fusée qui monte, monte, pour éclater dans la tête en bouquet : « Processus », dit Charcot.

Douleurs intolérables au talon se calmant en changeant la jambe de place. Des heures, des moitiés de nuit passées mon talon dans la main.

Trois mois plus tard.

Je reprends mes douches. Douleur nouvelle et bizarre pendant qu'on me sèche et frictionne les jambes. C'est dans les tendons du cou — côté droit pour frictions à la jambe gauche et côté gauche pour la jambe droite. Une torture énervante, à crier.

La seringue chargée : antichambre du dentiste.

---

1. Jean Martin Charcot, fondateur de l'école de neurologie de la Salpêtrière. *L'Evangéliste* lui est dédié.

Sensation de la jambe qui échappe, glisse sans vie. Quelquefois aussi un jeté involontaire.

Tremblement de terre ou pont de navire secoué. Geste cliché, les jambes qui tricotent, les bras tendus cherchant un appui. Clichés du geste, si peu nombreux [1].

Toujours faire appel à sa volonté pour les choses les plus simples, les plus naturelles, marcher, se lever, s'asseoir, se tenir debout, quitter ou remettre un chapeau. Est-ce horrible ! Il n'y a que sur la pensée et son perpétuel mouvement que la volonté ne peut rien. — Ce serait pourtant si bon de s'arrêter ; mais non, l'araignée va, va, nuit et jour, sans trêve, seulement quelques heures, à coups de chloral. Car voilà des années et des années que Macbeth a tué le sommeil.

Douleur qui se glisse partout, dans ma vision, mes sensations, mes jugements ; c'est une infiltration.

Longue conversation avec Charcot.
C'est bien ce que je pensais. J'en ai pour la vie.
Cela ne m'a pas porté le coup que j'aurais dû attendre.

« De tous les instants de ma vie. » Je peux dater ma douleur comme Mlle de Lespinasse datait son amour.

Depuis que je sais que c'est pour toujours — un toujours pas très long, mon Dieu ! — je m'installe et je prends de temps en temps ces notes avec la pointe d'un clou et quelques gouttes de mon sang sur les murailles du *carcere duro*.
Tout ce que je demande, c'est de ne pas changer de cachot, de ne pas descendre dans un des *in pace* que je connais, là-bas où il fait noir, où la pensée n'est plus.

Et pas une fois, ni chez le médecin, ni à la douche, ni dans les villes d'eau où la maladie se traite, son nom, son vrai nom prononcé, « maladie de la moelle » ! Les livres scientifiques même s'intitulent « Système nerveux » !

---

1. Beaucoup des notes qui suivent sont jetées à travers le premier état du manuscrit de *Port-Tarascon*.

Il Crociato. Oui, c'était cela, cette nuit. Le supplice de la Croix, torsion des mains, des pieds, des genoux, les nerfs tendus, tiraillés à éclater. Et la corde rude sanglant le torse, et les coups de lance dans les côtes. Pour apaiser ma soif sur mes lèvres brûlées dont la peau s'enlevait, desséchée, encroûtée de fièvre, une cuillerée de bromure iodé, à goût de sel amer : c'était l'éponge trempée de vinaigre et de fiel.

Et j'imaginais une conversation de Jésus avec les deux Larrons sur la Douleur.

Plusieurs jours de calme. Sans doute les bromures et les belles chaleurs de cette fin de juin.

Cruelles heures au chevet de Julia... Rage de me sentir si cassé, si faible pour la soigner, mais toute ma pitié encore, toute ma tendresse toujours vivante, et mon aptitude à souffrir par le cœur, jusqu'au supplice... Et j'en suis bien content, malgré les terribles douleurs revenues aujourd'hui.

Analyse du sommeil par le chloral. — Fini, c'est une roche à pie, que je ne peux plus regrimper.

Par exemple, vingt minutes délicieuses, celles qui coupent mes deux prises de chloral. Lecture que j'ai soin de choisir très élevée. — Lucidité singulière.

Deux jours de grandes souffrances.

Contraction du pied droit, avec fulgurations jusque dans les côtes. Tous les tiraillements de ficelles de l'homme-orchestre agitant ses instruments. Sur la route de Draveil, ficelles aux coudes, aux pieds... L'homme-orchestre de la douleur, c'est moi.

La vie du mal. Efforts ingénieux que fait la maladie pour vivre. On dit : « Laissez faire la nature. » Mais la mort est dans la nature autant que la vie. Durée et destruction se combattent en nous à forces égales. Comme adresse du mal à se propager, j'ai vu des choses étonnantes. Amours de deux poitrinaires, ardeur à s'accrocher. La maladie semble se dire : « Quelle belle greffe. » Et le produit morbide qui sortirait de là !

Le mot des infirmiers : « Une belle plaie... La plaie est magnifique. » — On croirait qu'ils parlent d'une fleur.

Hier soir, vers dix heures, une ou deux minutes d'angoisse atroce dans mon cabinet de travail.

Assez calme, j'écrivais une lettre bête — page très blanche, toute la lumière d'une lampe anglaise concentrée dessus, et le cabinet, la table, plongés dans l'ombre.

Un domestique est entré, a posé un livre ou je ne sais quoi sur la table. J'ai relevé la tête, et, à partir de ce moment, j'ai perdu toute notion pendant deux ou trois minutes. Je devais avoir l'air bien stupide, car le domestique m'a expliqué, devant l'interrogation de ma face, ce qu'il était venu faire. Je n'ai pas compris ses paroles et ne me les rappelle plus.

L'horrible, c'était que je ne reconnaissais pas mon cabinet : je savais que j'y étais, mais j'avais perdu le sens de son endroit. J'ai dû me lever, m'orienter, tâter la bibliothèque, les portes, me dire : « C'est par là qu'on est entré. »

Peu à peu, mon esprit s'est rouvert, les facultés remises en place. Mais je me rappelle l'aiguë sensation de blancheur de la lettre que j'écrivais, rayonnant sur la table toute noire.

Effet d'hypnotisme et de fatigue.

Ce matin, écrivant en hâte ceci, je me rappelle qu'il y a deux ans, en voiture, après avoir fermé les yeux quelques instants, je me suis trouvé tout à coup sur des quais illuminés, dans un Paris que je ne connaissais pas. Tout le corps hors de la portière, je cherchais, regardant la rivière, l'alignement des maisons grises en face, et une sueur de peur m'inondait. Brusquement, au tournant d'un pont, reconnu le Palais de justice, le quai des Orfèvres, et le mauvais rêve s'est dissipé.

Nervosisme. Impossible d'écrire une enveloppe que je sais vue, regardée de tous, et je peux guider ma plume à mon gré dans l'intimité d'un carnet de notes.

Modification de l'écriture...

Cette nuit, la douleur en petit oiseau-*pück* sautillant ici, là, poursuivi par la piqûre ; sur tous les membres de mon corps, à la fourche des articulations ; manqué, toujours manqué, et de plus en plus aigu.

Deux ou trois exemples où la morphine est vaincue par l'antipyrine. Fulgurations dans le pied, muscles broyés par un camion, coups de lance dans le petit doigt.

Epigraphe : *Dictante dolore.*

Dans ma pauvre carcasse creusée, vidée par l'anémie, la douleur retentit comme la voix dans un logis sans meubles ni tentures. Des jours, de longs jours où il n'y a plus rien de vivant en moi que le souffrir.

Après avoir beaucoup usé d'acétanilide — bleuissement des lèvres, anéantissement du moi assommé —, je viens de faire toute une année d'antipyrine. Deux ou trois grammes par jour. Tous les huit à dix jours, morphine à petites doses. Sans joie, l'antipyrine, et depuis quelque temps d'une action cruelle sur l'estomac et les intestins.

La suspension. Appareil de Seyre.

Sinistres, le soir, chez Keller, ces pendaisons de pauvres ataxiques. Le Russe qu'on pend *assis*. Deux frères ; le petit noiraud gigotant.

Je reste jusqu'à quatre minutes en l'air, dont deux soutenu seulement par la mâchoire. Douleur aux dents. Puis, en descendant, quand on me détache, horrible malaise dans la région dorsale et dans la nuque, comme si toute ma moelle se fondait. Je suis obligé de m'accroupir et me redresser peu à peu, à mesure — me semble-t-il — que la moelle étirée reprend sa place.

Nul effet curatif sensible.

Treize suspensions. Puis crachements de sang que j'attribue à la fatigue congestionnante du traitement.

Tout fuit... La nuit m'enveloppe...

Adieu, femme, enfants, les miens, choses de mon cœur...

Adieu, moi, cher moi, si voilé, si trouble...

Au lit. Dysenterie. Deux piqûres de morphine par jour, environ vingt degrés. Depuis, impossible de m'en déshabituer. Mon estomac s'acclimate un peu ; à cinq, six gouttes, je ne vomis plus, mais je ne peux plus manger. Obligé de continuer le chloral.

Morphine prise auparavant, sommeil très bon. Si piqûre dans la nuit, après le chloral, sommeil interrompu, fini jusqu'au matin. Agitation, toutes les idées en rumeur, succession frénétique d'images, de projets, sujets — lanterne magique. Le lendemain, fumée dans la tête, disposition au tremblement.

Chaque piqûre interrompt la douleur pour trois ou quatre heures. Après viennent les « guêpes », ardillonnements çà et là précédant la douleur cruelle, installée.

Stupeur et joie de trouver des êtres qui souffrent comme vous. Duchesne de Boulogne venant réveiller le vieux Privat un soir : « Tous ataxiques ! »

L'histoire de X*** m'apparaît aujourd'hui dans tout son navrement. Ténèbres où il a vécu, avec ce mal de la moelle qui le tenaillait déjà, qu'il traînait partout sans que personne, dans ce temps-là, y comprît rien. « Oh ! ce X*** », disait-on, « malade imaginaire ». Risée de tous les siens avec son clystère, son pot d'eau de guimauve, etc.

S*** prétend que le bromure l'apaise, le rend raisonnable, ratiocineur, le tourne au Prudhomme.

La vie de son père, mangeant debout, toujours en marche, picorant çà et là des assiettes posées tout autour de la salle à manger.

X*** et son malade, que je rencontrais à la gare. Tous les diagnostics. Figure de cet homme si riche. Poignées qu'il a fait mettre chez lui, sorte de balustrade, de rampe, où il s'accroche quand la crise le prend. Dort debout, comme un cheval devant sa mangeoire.

Bien pensé à cet homme là en écrivant *L'Evangéliste*, associant cette image d'un être avec le paysage de rails, train qui arrive, express, maison de D*** R*** qu'on apercevait.

X*** me parle de son beau-père. La fille, huit ans près du malade, veillant nuit et jour, le lavant, le retournant ; ongles des pieds et des mains, etc. Donné sa vie à ça. Il meurt avec un petit cri. Stupeur de la pauvre femme devant ce peu, ce rien de vie qui finissait tout de même. « Elle ne va donc pas fermer la bouche », pensait X***, agacé. Dernière toilette, et puis c'est fini. Seule dans la vie maintenant, ne sachant à quoi se prendre, qui aimer, qui soigner. Prisonnier sorti de Melun, après une longue incarcération, et qui se retrouve dans la rue.

Lu *La Maladie à Paris*, de Xavier Aubryet. Souffert quatre ans. Tortures de boulevard. Générosité de Brébant ; charités de la Maison d'Or.

Piqûres de morphine. Cul-de-jatte.

Très catholique : « Je n'ai que ça... Laissez-moi, mon Dieu !... »

Soigné à la fin par une vivandière qui le terrifiait. Rosserie de Claudin.

Les mains crispées, utiles encore. Aveugle à la fin. Mort à tâtons. Vives douleurs.

Xavier Aubryet s'indignant que l'on ne s'occupe pas de lui. (Moi, je voudrais être seul, un an, à la campagne ; ne voir personne que ma femme. Et les enfants venant tous les huit jours.)

La Madeleine, au moins, s'est caché.

Fini dans le Midi, près de Carpentras ; campagne chez sa sœur.

Pense un jour au Café Riche, une couverture sur ses genoux — regard désespéré sur le boulevard, qui l'avait tué, qui avait tué Aubryet.

La table du Café Riche en face celle du Café Anglais. Torture cérébrale.

Journée à Auteuil [1]. Jardin plein de roses, où me poursuit, dans le doux soleil et l'odeur des fleurs cuites, l'image du pauvre Jules, hébété sous son chapeau de paille, « dans les espaces vides ».

Jules de Goncourt et Baudelaire. Maladies de gens de lettres. L'aphasie.

Préoccupé depuis un mois de la fin du monde dont j'ai eu une précise vision, je lis que Baudelaire, dans les derniers temps de sa vie pensante, était hanté par cette même idée de livre. L'aphasie est venue peu après...

A joindre Léopardi à la liste des aînés, des sosies de ma douleur.

---

1. Chez Edmond de Goncourt.

Le grand Flaubert, comme il peinait à la quête des mots ! N'est-ce pas l'énorme quantité de bromure qu'il absorbait qui lui faisait le dictionnaire si rebelle ?

J'ai donné à mon fils[1] pour sujet de thèse : la névrose de Pascal.

Un soir, onze heures, lumières éteintes, maison couchée, on frappe. — « C'est moi. » X*** s'assied pour une minute, reste deux heures. Belles confidences sur la manie du suicide qui l'habite. Son frère aîné, son grand-père, etc. Histoire d'O. X***. Haine contre le frère. Le mal nerveux d'O*** dans la tête. Jambes attaquées aussi. Je connais cette roideur automatique, engainée.

Henri Heine me préoccupe beaucoup. Maladie que je sens semblable à la mienne.

Je me demande si, parmi mes sosies en douleur du passé, Jean-Jacques ne devrait pas prendre place, si sa maladie de vessie n'était pas, comme il arrive souvent, prodrome et annexe de la maladie de la moelle.

Morphine.

Anesthésique que rien ne remplace.

Colère imbécile qu'il suscite.

Mais est-ce que l'opium n'était pas là auparavant ? Benjamin Constant, Mme de Staël en abusaient. Je vois dans la correspondance d'Henri Heine qu'il en prenait tous les jours à forte dose. Curieuse à suivre dans ses trois volumes de lettres, toutes d'affaires, la maladie du poète commençant par des névralgies dans la tête, « tout jeune », puis, huit ans de lit et de tortures.

Si j'écrivais un éloge de la morphine, je parlerais de la petite maison de la rue ***[2].

Hélas ! fini maintenant. Parti, mon vieux compagnon, celui qui me faisait mes piqûres.

Sensation profonde quand j'ai vu sa montre qu'on m'apportait près de mon lit, sa seringue Pravaz, sa pierre à aiguiser, ses aiguilles qui, tout à coup, m'ont semblé s'animer, grouiller,

1. Léon Daudet.

2. Voir note 1, p. 1083.

sangsues venimeuses, dards vivants — de crotales et d'aspics — corbeille de figues de Cléopâtre.

Elle serait belle à écrire, cette vie enclose, sans trop vives douleurs, presque toujours au lit depuis des années. Livres, revues, journaux, un peu de peinture. Et la montre dans son boîtier régularisant cette existence immobile et menue.

Il y tenait, à cette vie. Une seule peur : l'angoisse du mauvais passage.

Pauvre ami. C'est fait, maintenant.

Habile façon dont la mort fauche, fait ses coupes, mais seulement des coupes sombres. Les générations ne tombent pas d'un coup ; ce serait trop triste, trop visible. Par bribes. Le pré attaqué de plusieurs côtés à la fois. Un jour, l'un ; l'autre, quelque temps après ; il faut de la réflexion, un regard autour de soi pour se rendre compte du vide fait, de la vaste tuerie contemporaine.

Ah ! qu'il faille tant de fois mourir avant de mourir...

Deux ans et demi sans notes.

J'ai travaillé[1]. J'ai souffert.

Découragement. Lassitude.

Toujours même chanson ; des douches ; Lamalou.

Depuis l'année dernière, des troubles dans les jambes. Impossibilité de descendre un escalier sans rampe, de marcher sur des parquets cirés. Parfois je perds le sentiment d'une partie de mon être — tout le bas ; *mes jambes s'embrouillent.*

Changement d'état : marcher mal. Ne plus marcher.

Longtemps j'ai eu l'effroi de la petite voiture, je l'entendais venir, rouler. J'y songe moins à cette heure, et sans l'épouvante des premiers jours. Il est rare qu'on souffre, paraît-il, quand on en est là... Ne plus souffrir...

Piqûre de morphine. Plusieurs fois faite à un certain endroit de la jambe : picotement suivi d'une insupportable brûlure dans le

1. Pendant ces deux ans et demi, Alphonse Daudet a écrit : *Port-Tarascon, L'Obstacle*, pièce en quatre actes, et *Rose et Ninette*.

dos, le haut du torse, à la face, aux mains. Sensation sous-cutanée, sans doute superficielle mais terrorisante : on sent l'apoplexie au bout.

Ecrit pendant l'une de ces crises.

Imbéciles qui supposent que je suis venu à Venise pour être quelques instants l'hôte de l'Empereur d'Allemagne[1].

Comme si la douleur n'était pas la plus despotique, la plus jalouse des hôtesses impériales.

Je voudrais vivre terré comme une taupe, seul, seul.

O ma douleur, sois tout pour moi. Les pays dont tu me prives, que mes yeux les trouvent dans toi. Sois ma philosophie, sois ma science.

Montaigne, vieil ami ; plaint surtout les douleurs physiques.

Croissance morale et intellectuelle par la douleur, mais jusqu'à un certain point.

Don Juan blessé, amputé. Ce serait un beau drame à écrire. Lui qui « les connaît toutes », le montrer soupçonneux, rongé, se traînant sur ses pilons pour écouter aux portes, saignant, lâche, furibond, en larmes.

La sensation mythologique, l'insensibilisation et le durcissement du torse étreint dans une gaine de bois ou de pierre, et le malade, à mesure que la paralysie monte, se changeant peu à peu en arbre, en rocher, comme une nymphe des métamorphoses.

La lutte, ce qu'il y a de plus affreux.

Au moins, le jour où il n'y a plus moyen de bouger...

Effet de morphine.

Réveil dans la nuit, avec le seul sentiment d'être. Mais l'endroit, l'heure, l'identité d'un moi quelconque, absolument perdus.

Aucune notion.

Sensation de cécité morale EXTRAORDINAIRE.

---

1. Des journaux avaient annoncé que l'Empereur Guillaume II, qui se trouvait alors à Venise, recevrait Alphonse Daudet (1895).

Indirection des mouvements dans la nuit.

Première partie : enfermé.
Désiré la prison pour crier : m'y voilà.
Immobile !
Et ensuite ?...
C'est cette aggravation de peine qui fait le terrible.

Il [1] me nomme son exécuteur testamentaire par une affectueuse attention, pour me faire croire que je vivrai plus longtemps que lui.

Le prisonnier voit la liberté plus belle qu'elle n'est.
Le malade se représente la santé comme une source de joies ineffables — ce qui n'est pas.
Tout ce qui nous manque est le divin.

Impossibilité de descendre seul mon perron de Champrosay, pas plus que celui de Goncourt. O Pascal !

La douleur à la campagne : voile sur l'horizon. Ces routes, ces jolis tournants n'éveillent que l'idée de fuite. S'évader, échapper au mal.

Une de mes privations, ne plus faire l'aumône. Joies que celle-ci m'a causées. L'homme — main fiévreuse — cent sous dedans tout à coup.

Stérilité. Le seul mot qui puisse rendre à peu près l'horrible état de stagnation où tombe par moments l'intelligence d'un esprit. C'est le « sans foi, sans effusion » des âmes croyantes. — La note que je jette ici, inexpressive et sourde, ne parle que pour moi, écrite dans un de ces cruels malaises.

Ecritures de toute ma vie, depuis des écritures de camarades de collège jusqu'aux petits hiéroglyphes de mon père et sa « Louis XIV commerciale » — tout cela défilant, tournoyant en gyroscope toute une moitié de la nuit. J'en étais brisé ce matin... La fin approche.

---

1. Edmond de Goncourt.

Obstination des mains à se recroqueviller au matin sur le drap, comme des feuilles mortes, sans sève.

Vision de Jésus en croix, au matin sur le Golgotha. L'humanité. Cris.

Ce matin, sensations émoussées, comme au lendemain de lourds excès. Effet des mêmes anesthésiques trop longtemps employés.

Je voudrais que mon prochain livre ne fût pas trop cruel. J'ai eu la dernière fois le sentiment que j'étais allé trop loin [1]. Pauvres humains ! il ne faut pas tout leur dire, leur donner mon expérience, ma fin de vie douloureuse et savante. Traiter l'humanité en malade, dosages, ménagements ; faisons aimer le médecin au lieu de jouer au brutal et dur charcuteur.
Et ce prochain livre qui serait tendre et bon [2], indulgent, j'aurais un grand mérite à l'écrire, car je souffre beaucoup. Fierté de ne pas imposer aux autres la mauvaise humeur et les injustices sombres de ma souffrance.

De temps en temps, un souvenir de vie active, d'époques heureuses. Par exemple, les corailleurs napolitains le soir, dans les roches. Le plein du bonheur physique.

Retour à l'enfance. — Pour atteindre ce fauteuil, traverser ce corridor ciré, autant d'efforts et d'ingéniosité que Stanley dans une forêt d'Afrique.

Ma détresse est grande et j'écris en pleurant.

Se dire qu'on pourrait peser, un jour, mettre en fuite...

Effroi. Cœur serré. Contact avec la vie si dure, depuis mon isolement dans la douleur.

Blessure, blessure d'orgueil de ceux qui nous aiment.

O puissance de la présence réelle ! Depuis que je ne marche

1. Allusion à *L'Immortel*.
2. Ce fut *La Petite Paroisse*.

plus, qu'on ne me voit plus, j'ai appris à mes dépens à la connaître.

Le passage du *Carcere duro* au *dursisimo.*
Terreurs et désespoirs du début, et, peu à peu, comme le corps, l'esprit, s'accommodent de ce sinistre état.
Voir les dialogues de Léopardi, le Tasse en prison, etc.

Existence finie qui n'est plus dans la vie que par le Roman — c'est-à-dire par la vie des autres.

L'antagonisme, c'est la vie.

Lutter contre les volontés mauvaises, écueils mouvants qui crèvent le navire sous la flottaison.

Je ne sais qu'une chose, crier à mes enfants « Vive la Vie ! ». Déchiré de maux comme je suis, c'est dur.

2

Aux pays de la douleur

Cette année, à Néris, les yeux moins aigus ou la table moins intéressante. Quelques types pourtant. Mme M***, femme de magistrat, organisation de parties, grosse mère faisant la fête avec les substituts. « Du champagne et soyons gais ! Vous n'êtes pas gai ! » Les réceptions à Châteaudun... Deux filles, une grande, prétentions à l'élégance, tête de cheval, quantité de robes dans ses malles ; la petite, douze ans, enfant singulière aux yeux noirs sans regard, mouvements clownesques, pâmoisons dont sa mère la tire en lui passant sur les yeux l'or de son « porte-bonheur ». Adresse de singe et de somnambule. Ce que la femme nous raconte de son mari, bizarreries, toquades, hypocondrie, toutes les maladies. Opération aux yeux sans nécessité ; quand il va aux eaux avec sa femme et ses enfants, descend dans un autre hôtel qu'elles. Voyage de noces : la chambre divisée en deux : « Chez vous... Chez moi... Vos chaises, les miennes. » Et c'est un juge, ce détraqué ! Souvenir du déjeuner pique-nique — la femme par terre, de tout son long, la tête plus basse que les pieds, et sa fausse natte détachée, en rond, lovée comme une couleuvre !

Les « Dames seules ». Mme T***. « Intelligente comme un homme » (?), « élève de D*** », tête d'israélite, longs yeux en rainure luisante, bagout de Paris, histoire avec le violoncelliste du Casino surpris à cinq heures du matin remettant sa cravate dans le petit salon. Mme L***, petite femme au sourire maniéré, aux coins de bouche relevés, fanée, mystérieuse, timide, sans usages, arrivant à table avec des branchages, des buissons de fleurs à la ceinture, puis, honteuse, gênée, arrachant sournoisement sa guirlande d'arc triomphal.

Autre type de « dame seule ». La bonne Mme S*** avec son amie Mlle de X***. Deux mines de sœurs tourières, s'enfuyant de table au dernier morceau pour courir à l'église. Mlle de X*** avec son parler effusionné, grasse, poupine, trente-cinq à quarante ans, le teint frais, les yeux clairs, bonne, naïve, « potin de couvent », fière de deux sœurs richement mariées, de sa famille, petite noblesse bretonne sans le sou et prolifique comme un port de mer. Adoptée par Mme S***. Veuvage, bonté, religion, des yeux tendres, un peu fêlée. Le mari tué à la chasse par son père à elle ; fondue en charité ; pas d'enfants.

Mme C***, jeune encore, veuve d'un officier de marine, laide, les yeux trop noirs, le nez taché de plaques rouges ; petite glace à main où elle regarde tout le temps ce nez. Voit partout des scorpions, des araignées, du sang sur les mains ; toujours seule, marche à menus pas dans les allées du verger, s'immobilise des heures sur un banc, la joue sur sa main, absorbée. Donne à l'hôtel l'aspect d'une maison de fous.

Et puis la générale P***. La « mère de la maréchaussée ». Vient depuis dix ans à l'hôtel, autorité dont elle est très jalouse. Désir de plaire, de conquérir. Tous les pensionnaires qui arrivent ou partent lui présentent leurs hommages ! Vieille coquette, fabriquée, « bonne Madame », et donne encore de fiers coups de dents avec son râtelier.

Elle est bien comique cette station pour anémiés. On ne se rappelle pas un nom ; tout le temps à chercher ; grands trous dans la conversation. A dix pour trouver le mot « industriel ».

Mais jamais comme cette fois mes tristes nerfs n'avaient souffert du contact de la promiscuité de l'hôtel. Voir manger mes voisins m'était odieux ; les bouches sans dents, les gencives malades, la pioche des cure-dents dans les molaires creuses, et ceux qui ne mangent que d'un côté, et ceux qui roulent leurs bouchées, et ceux qui ruminent, et les rongeurs, et les carnassiers ! Bestialité humaine ! Toutes ces mâchoires en fonction, ces yeux gloutons, hagards, ne quittant pas leurs assiettes, ces regards furieux au plat qui s'attarde, tout cela je le voyais, j'en avais la nausée, le dégoût de manger.

Et les digestions pénibles, les deux W.-C. au fond du couloir, mitoyens, éclairés par le même bec de gaz, si bien qu'on entendait tous les « han... » de la constipation, l'esclaffement de l'abondance, et le froissement des papiers. Horreur... horreur de vivre !

Et tout ce qui circule aux étages sur les infirmités des pensionnaires, leurs manies, leurs pauvres ridicules de malades...

Silhouette du professeur de mathématiques de Clermont, à Néris. Le premier que j'aie vu atteint de mon mal, mais plus loin que moi sur le chemin.

Je pense à lui, je le vois avançant ses pieds, l'un après l'autre, bien à plat, chancelant : sur la glace. Pitié. Les bonnes de l'hôtel racontaient qu'il p... au lit.

Station de névropathes. Silhouettes de béquillards, sur les routes de campagne entre les haies de bois très hautes ; on se raconte ses maux, toujours bizarres, imprévus ; pauvres femmes toutes simples, des campagnardes affinées par le mal. — Bains de boue dans une forêt du Nord. Installation bizarre. Une rotonde vitrée sur le marais de boue noire où l'on vous enfonce péniblement. Sensation délicieuse de cette glu chaude et molle par tout le corps ; les uns en ont jusqu'au cou, d'autres jusqu'aux bras ; on est là une soixantaine, pêle-mêle, riant, causant, lisant grâce à des flotteurs en planche. Pas de bêtes dans la boue, mais des milliers de petites jaillissures chaudes qui vous chatouillent doucement.

Le ménage de province rencontré à Néris. Le mari vieux, tordu, moustaches grises tombantes, quelques mèches longues et plates, et sur cette tête triste, sourire amer et regard bon, la toque en velours du Sanzio : P***, peintre de fleurs, élève de Saint-Jean. La femme, longue, plate, fausse distinction, chapeau Rembrandt, tient une maison de santé pour dames. Gâtée, dorlotée, on sent que c'est elle qui fait bouillir la marmite. Lui, pour la gloire. Avec eux une grosse demoiselle sourde, à favoris, une des pensionnaires de Madame, les accompagne un peu comme une demoiselle de compagnie, prépare le café à l'esprit-de-vin dans leur chambre par économie, et appelle de la fenêtre d'une voix flûtée : « Monsieur P*** ! » avec une pointe de mystère coquet comme pour annoncer que le lavement est prêt.

LAMALOU

Lamalou. Ataxie-Polka. L'établissement. Moyen âge, chemises soufrées. Les piscines ; fenêtres ; ignobles traces. Musiques. Théâtres. Cheminées hautes ; feux de bois ; murs crépis.

Dans la cour de l'hôtel, le va-et-vient des malades. Défilé de maux divers, plus sinistres les uns que les autres. Analogie entre tous ces maux, regards brûlants ou atones. Lumière étincelante du ciel bleu — grands vases d'Anduze où poussent des citronniers.

Conseils entre malades :
— Faites donc ça !
— Ça vous a-t-il fait du bien ?
— Non.
— Guéri ?
— Non.
— Alors pourquoi me conseillez-vous ?
Manie.

Les femmes, sœurs de charité, infirmières, antigones.
Les Russes, asiatiques fermés.
Les prêtres.
La musique : piqûre de morphine.
Les colères.
L'Ambitieux, le « Napoléon sans étoile » dans la piscine.
Les frénétiques.
Les bavards.
Non seulement le Midi, mais la névrose.

Mon sosie. L'homme dont le mal se rapproche le plus du vôtre. Comme on l'aime, comme on le fait parler ! Moi, j'en ai deux : un peintre italien, un conseiller à la Cour d'appel, qui, à eux deux, sont ma souffrance.

Le théâtre à Lamalou.
L'arrivée des ataxiques. Sommeils de mort.

Le chef d'orchestre, premier violon au théâtre, marié à la duègne, joue et dirige avec son bébé endormi sur ses genoux. Exquis.

Excessivement comique ce pays de névrosés ; cris, trompettes, sirènes. « La Doulou-le-Haut », accents de montagne, une rue, chars de foin, ostentation de voitures qui vont au pas sur la route, effarements des ataxiques, bicyclettes, âniers. Guerre au couteau entre « La Doulou-le-Haut » et « La Doulou-le-Bas ».

Cet admirable bavard d'A. B***, trépidant, frénétique, contraire de l'aphasique ; mange seul pour ne pas se fatiguer.

Mot du Docteur B*** écoutant Brachet : « Ça m'est très utile. » Je te crois !

A table : l'homme qui tout à coup ne peut pas lire le menu. Sa femme pleure, sort de table...

Lamalou. La petite Espagnole aux cheveux plats, pommadés ; douze à soixante ans. Robe rouge, longues boucles d'oreilles, longue tête jaune appuyée sur son osselet de main, sur sa petite chaise ; la nuit, dort assise. Peur des rats. Pas logée au rez-de-chaussée.

L'Espagnol qui a pris mal sur son bateau, plus de jambes ; longue figure de Robinson Crusoé ; porté par son domestique ; espadrilles, casquette blanche ; coqueluche des bonnes de l'hôtel.

L'homme de la Haute-Marne, dormant au soleil, chargé de mouches. Celui-là mange dehors, vomit toujours dans la morphine, « A quoi bon ? » — sous le soleil, dans le vent, dans les corridors.

Le petit choréique, terrible avec ses mouvements désordonnés ; plus de parole ; père, mère, grand-mère, sœur.

L'homme qui conduisait le Tsar sur une voie qu'on disait minée par les nihilistes. Voyage de vingt minutes au bout duquel ça lui a pris : douleur dans les yeux, puis cécité.

Le bras de cet enfant, une main d'ivoire à gratter au bout d'une règle d'acajou.

Le Russe aveugle, parlant de la clinique de la rue Visconti. La grande chambre où il était avec des gens inconnus, qui changeaient, qu'il n'a jamais vus, qui ne l'ont jamais vu.

Confidences du commandant B***.

Les adieux au régiment ; dernier repas au mess. Vendu son dernier cheval. Différents états de sa cécité. Des jours où, dit-il, « C'est noir... noir... ». Alors il a peur. D'autres fois, comme une éclaircie. Sa joie quand on le conduit aux répétitions. « La première chanteuse ! » Souvenirs de garnison. Domestique de cercle. Très chic.

Et moi aussi, je dis comme l'aveugle : « C'est noir... noir... ». Toute la vie a cette couleur maintenant.

Ma douleur tient l'horizon, emplit tout.

Passée, la phase où le mal rend meilleur, aide à comprendre ; celle aussi où il aigrit, fait grincer la voix, tous les rouages.

A présent, c'est une torpeur dure, stagnante, douloureuse. Indifférence à tout. Nada !... Nada !...

Mystères des maux de femmes ; maladies clitoriques. Pâmoison de cette vieille femme de soixante ans.

Héroïsme de la femme avec ses maux.

Je pense à la trépidation nerveuse qui doit agiter les filatures, les maisons de tolérance, tous les endroits où le féminin est en tas, aux passages des époques dont elles sont secouées dans le sens de leurs tempéraments divers.

M. C*** avec le bruit perpétuel qu'il entend, comme un sifflet de locomotive, ou plutôt un échappement de vapeur. On s'habitue à tout.

Joie de l'ataxique constatant son mieux. L'homme aux yeux luisants.

Officier ayant perdu la parole à la suite d'une chute de cheval. Quelques mots dans un tremblement. L'air d'un Suédois.

Parmi les malades, ce jeune Espagnol polyglotte retrouvant la mémoire de sa petite enfance, ce patois des îles Baléares où il a été en nourrice et gardé jusqu'à cinq ans.

C'est à Lamalou seulement que j'ai vu les femmes surveillant leurs maris malades, empêchant qu'on leur parle, qu'on les éclaire sur leur mal.

Le Russe aux bras immobiles ; dispute avec sa domestique qui lui roule ses cigarettes et fait les gestes de leurs deux colères.

Vieux arbres fruitiers privés de sève, déjetés comme des ataxiques : Lamalou.

L'hôtel. Le tableau des sonnettes. Les heures des bains.
Solitude.
Sombreur envahissante.

Les mêmes endroits où l'on revient, comme des coches dans le mur pour marquer la croissance. Changement chaque fois, constatation. Toujours en marche régressive, tandis que les coches allaient montant.

Cette année, à Lamalou, des marches d'escalier que je ne peux plus descendre. La marche, horrible. Promenade impossible. Paresse à me lever. Au lit, jambes de pierre douloureuse.

L'homme qui regarde les autres souffrir.
Les sosies.
La rue, les voitures au galop.
Lamalou l'hiver.
« Au pays de la douleur ».

Des médecins font bâtir à Lamalou. Ils ont la foi ! — et des chapeaux noirs !

Ah ! que je le comprends le mot du Russe qui aime mieux souffrir et me disait hier : « La douleur m'empêche de penser. »

Voyage à tâtons d'un des aveugles de Lamalou venu du fond du Japon. Bruits de la mer, des villes, des paquebots...

Piscine de famille, d'aspect sinistre. C'est celle où je me baigne le plus volontiers, seul presque toujours. On y descend par quelques marches. Un carré de quatre ou cinq mètres ; un cachot de l'Inquisition. Murs crépis, lumière venant d'en haut, par un grand vitrage à tabatière. Un banc de pierre tout autour de la piscine, caché par l'opacité de l'eau jaunâtre.

Seul là-dedans avec mon Montaigne, toujours avec moi ; fer, soufre, les eaux de toutes les stations y ont marqué leur trace, déposé leur alluvion. Un grand rideau ferme l'entrée, me cache aux baigneuses qui passent ou qu'on essuie devant le feu. Toujours des gens qui bavardent, souvent des gens du Midi qui se racontent leurs affaires.

Même expansivité des gens que partout. Chronique locale des hôtels, chacun ayant la fatuité du sien. Disputes sur la température de l'eau, un thermomètre fantastique que connaît le baigneur. Causeries des piscines voisines, gens qui se reconnaissent, nouvelles des gens de l'an passé, etc.

J'y ai entendu parler de moi, parfois méchamment, d'autres fois avec sympathie. J'entends aussi les garçons, bruyants paysans cévenols, parlant patois, honnêtes, intelligents, robustes, prudents, matois. L'un d'eux depuis quarante ans dans l'établissement.

Le pas des ataxiques, cannes, béquilles, quelquefois le bruit d'une chute. Dialogue des garçons (en patois) : « Qu'est-ce que c'est ? — Ce n'est rien... Le vieux qui s'est encore foutu par terre. »

Drame de piscine, rapide, mystérieux. Une voix épouvantée appelant le baigneur : « Chéron !... vite !... » (Crescendo de terreur) « vite !... vite !... » Tous — voix effarées de peur : « Colard, Chéron ! vite !... vite !... ».

Chez les dames. Bonne vieille sœur. « Pas baignée depuis cinquante ans », dit-elle en entrant.

Russes nus dans les piscines, hommes et femmes. Pas de maladies à cacher ! Effarement des Méridionaux.

Ce vieux priape, inondé de laudanum. D'autres, leur virilité perdue.

Rencontré cette année beaucoup de diplopies, de maux d'yeux.

Des enfants malades.
Causé avec un petit. Certaine fierté de ses douleurs. (Fragilité des os.)

S*** B***. Saisons mystérieuses.

Erotomanies cérébrales.

Vieux ataxiques au jeu, levant de vieilles femelles qui les emmènent dans une villa lointaine. Retour des deux béquillards, la nuit, par les chemins mauvais.

Certains exotiques ont l'air de grosses mouches noires.

Les campagnes du baron de X***, vieux noceur un peu ramolli. A quinze ans, son oncle, le marquis de Z***, l'emmenait faire son premier souper au Café Anglais. Ce soir-là, a pris sa feuille de route pour Lamalou. Mais pas de douleurs.

Elégant, cervelle vide, récits mondains. Va à la messe avec son valet de chambre.

X***, fou de douleur. Deux cents gouttes de laudanum par jour. Silhouette : longue redingote, grands gestes.

Le commandant Z***. Répétition de danse avec le pauvre aveugle criant aux ataxiques : « En place pour la pastourelle ! » L'air imbécile au milieu du salon.

Le père C*** devant l'hôtel ; il ne prend plus les eaux, mais vient là pour voir des ataxiques !

Un médecin me dit que dans le Midi catholique bien des femmes qu'il interroge sur leurs maux répondent dans leur trouble : « Oui, mon Père... »

Chevaux de course auxquels on fait une piqûre de morphine pour les empêcher d'avoir le prix.

Très saisissant aussi le récit que me faisait le baigneur, de la lutte à bras-le-corps avec le fou. Jeté sur le lit, l'interne accouru charge sa seringue et lui fait une, deux, trois piqûres à assommer un bœuf. Ça l'a un peu calmé.

Réunis, tous ces étranges et si variés malades de Lamalou se rassurent par le spectacle de leurs maux réciproques, similaires.

Puis, la saison finie, les bains fermés, tout cet agglomérat de douleur se désagrège, se disperse. Chacun de ces malades redevient *un isolé* perdu dans le bruit et l'agitation de la vie, un être bizarre que la cocasserie de son mal fait passer pour un hypocondriaque, qu'on plaint mais qui ennuie.

Ce n'est qu'à Lamalou qu'on le comprend, qu'on s'intéresse à son mal.

Le supplice de revenir aux endroits : « — Je faisais ça... Je pouvais ceci... Maintenant plus. »

Physionomie nouvelle de Lamalou cette année. Une valse de l'Amérique du Sud, *La Rosita*. Le Brésilien dans sa chaise ; teint terreux ; regard désespéré.

Façon de souffrir des prêtres.
Détachement de tout du petit bénédictin.

Courses d'autrefois dans ce pays de douleurs. Force de rire encore. Déjeuners. La Bellocquière. Revu tout cela. Villemagne et le Pont-du-Diable. Envie de pleurer. Je me rappelle le mot de Caoudal[1] : « Et dire que je regretterai cela !... »

Tous ces chasseurs du Midi, rhumatismes de marais, pris à la macreuse. Quelques-uns font ici des cures préventives.

La nouvelle piscine. Alors pourquoi quatre ans dans l'autre ?

L'enfant porté avec son petit bateau dans la piscine.

On devrait changer chaque fois de bains.

Je comprends à présent le flottement de la pauvre loque humaine dans la piscine et le lamentable « Attendez que je voie » du malheureux tâtant s'il a ses deux jambes en place.

Causeries du célibataire et de l'homme marié. De la jalousie, quand l'homme cesse d'être homme et ne peut plus défendre son foyer.

Sur la terrasse de l'hôtel, va-et-vient de malades, petites voitures, gens accompagnés.

Passe une famille, le père appuyé sur sa fille, la mère derrière,

1. Dans *Sapho*.

un petit honteux. Réflexions : « — Bien malade, ce pauvre monsieur. — Oui, mais sa famille le soigne avec tant d'amour... »

La vision de cette famille, hier, m'a donné l'idée d'un dialogue qui serait intéressant à développer.

LE PREMIER ATAXIQUE. *(Avec une fausse commisération au fond de laquelle on devine le contentement du douloureux qui voit plus douloureux que lui.)* — Ce pauvre monsieur a l'air bien malade.

LE DEUXIÈME ATAXIQUE. *(Petit, tordu comme un cep, à qui chaque mouvement arrache un cri.)* — Il n'est pas bien à plaindre ; choyé, entouré... Sa femme, ses enfants ; voyez cette grande jolie fille ; quelle sollicitude à chaque pas ; comme elle le guette, le surveille ! Moi, je vis avec un domestique qui n'est jamais là, m'oublie au salon comme un balai, me regarde souffrir avec indifférence ou une feinte pitié plus odieuse encore.

PREMIER ATAXIQUE. — Vous ne connaissez pas votre bonheur ! Je sais ce que c'est, la douleur en famille, et je peux en parler. A moins d'être un abominable égoïste, on est obligé de retenir ses cris pour ne pas attrister ceux qui vous entourent.

Si vous avez de tout jeunes enfants, vous ne voulez pas leur assombrir les seules heures blanches et heureuses de la vie, leur laisser le souvenir d'un vieux bonhomme de père toujours geignant. Un malade dans une maison, c'est si terrible, si pesant, surtout des malades comme nous, qui durent, qui traînent...

Tenez ! vous, rien qu'à vous voir vous tortiller dans une plainte continuelle, il est évident que vous vivez seul, sans gêne, sans contrainte.

DEUXIÈME ATAXIQUE. — Il ferait beau voir qu'on n'eût pas le droit de se plaindre, quand on souffre !

PREMIER ATAXIQUE. — Mais je souffre, moi aussi, et en ce moment ; mais j'ai pris l'habitude de garder mes souffrances pour moi ; quand la crise est trop forte et que je me laisse aller à une plainte un peu vive, c'est un tel bouleversement autour de moi ! « Qu'est-ce que tu as ? D'où souffres-tu ? » Il faut avouer que c'est toujours la même chose et qu'on serait en droit de nous dire : « Oh ! alors, si ce n'est que ça ! »

Car cette douleur, toujours nouvelle pour nous, notre entourage y est habitué, elle deviendrait vite une fatigue pour tout le monde, même pour ceux qui nous aiment le plus. La pitié s'émousse.

Aussi, ne serait-ce par générosité, c'est par fierté que je retiendrais mes plaintes, pour ne jamais lire dans les yeux les plus chers la fatigue ou l'ennui.

Et puis, l'homme seul n'a pas les mille souffrances de l'homme en famille : les enfants malades, l'éducation, l'instruction, l'autorité du père à garder, une femme dont on n'a pas le droit de faire une garde-malade. Et la maison qu'on ne défend pas, qu'on n'est plus en état de défendre... Non, le vrai, pour souffrir, c'est d'être seul.

Le solitaire invoquerait alors toutes les détresses sans épanchement possible, le manque de tendresse, etc..., etc..., et trouverait enfin que les efforts faits par l'homme en famille lui servent souvent à moins souffrir.